피부질환 임상아틀라스

Andrews'

Diseases of the Skin CLINICAL ATLAS

이광훈 · 김진우 편저

William D. James, MD
Paul R. Gross Professor of Dermatology
Department of Dermatology
Perelman School of Medicine at the University of Pennsylvania
Philadelphia
Pennsylvania
USA

Dirk M. Elston, MD
Professor and Chairman
Department of Dermatology and Dermatologic Surgery
Medical University of South Carolina
Charleston
South Carolina
USA

Patrick J. McMahon, MD
Assistant Professor of Pediatrics and Dermatology at The Children's Hospital
of Philadelphia and University of Pennsylvania School of Medicine
Philadelphia
Pennsylvania
USA

Elsevier

Andrews' Diseases of the Skin Clinical Atlas, 1st Edition
Copyright © 2018, Elsevier Inc. All rights reserved.
ISBN: 978-0-323-44196-4

This edition of Andrews' Diseases of the Skin Clinical Atlas, first edition by William D. James, Dirk M. Elston & Patrick J. McMahon is published by Koonja Publishing Inc. by arrangement with Elsevier Inc.

Korea Translation Copyright © 2019 Koonja publishing Inc.

All rights reserved. No part of this publication may be reproduced or transmitted in any form or by any means, electronic or mechanical, including photocopying, recording, or any information storage and retrieval system, without permission in writing from the publisher. Details on how to seek permission, further information about the Publisher's permissions policies and our arrangements with organizations such as the Copyright Clearance Center and the Copyright Licensing Agency, can be found at our website: www.elsevier.com/permissions.

This book and the individual contributions contained in it are protected under copyright by the Publisher (other than as may be noted herein).

피부질환 임상아틀라스, 이광훈 외 1명

Korean ISBN 979-11-5955-461-2
정가 80,000원

Andrews' Diseases of the Skin Clinical Atlas, 1st Edition by William D. James, Dirk Elston, Patrick J. McMahon 의 번역서는 Elsevier Inc.와의 계약을 통해 군자출판사(주)에서 출간 되었습니다.
엘스비어(Elsevier Inc.)의 서명 동의 없이 본서 내용의 어떤 부분도 전자 및 기계적 방법을 이용한 사진 복사, 디스크 복사 또는 여타 방법으로 복제하거나 정보 재생 시스템에 저장하거나, 그 밖의 방법으로 전송하는 등의 행위는 법률로 금합니다. 퍼미션과 관련하여, 저작권 센터나 저작권 라이선스 에이전시와의 협의나 엘스비어의 퍼미션 정책에 대한 자세한 정보는 해당 사이트(www.elsevier.com/permissions)를 참고하십시오.

본서와 각 저자들은 출판사에 의한 저작권의 보호를 받습니다.

Notice

이 분야의 지식과 모범 사례는 끊임없이 변화하고 있습니다. 새로운 연구와 경험이 우리의 이해를 넓히는 것과 같이 연구 방법, 전문적인 실습, 또는 의학 치료의 변화가 필요할 수 있습니다.

연구자들과 실무자는 본서에 기술된 정보, 방법, 화합물 또는 실험을 평가하고 사용하는 데 있어서 자신의 경험과 지식을 언제나 의지해야 합니다.

확인된 모든 의약품 또는 의약품과 관련된 독자는 (i) 제공된 절차 또는 (ii) 제조업체가 제공한 최신 정보를 확인하고 권장 복용량 또는 공식을 확인하여 권장 복용량의 투여 방법, 지속 시간 및 금기 사항이 포함됩니다. 환자 개개인에 대한 자신의 경험과 지식에 의존하고, 진단하고, 복용량과 최선의 치료방법을 결정하며, 모든 예방 조치를 취하는 것은 실무자의 책임입니다. 출판사, 저자, 편집자 또는 기고자는 제품책임, 과실 또는 기타 이유로 인명과 재산상의 상해와 손상에 대해 책임을 지지 않습니다.

Printed in Korea

피부질환 임상아틀라스

Andrews' Diseases of the Skin Clinical Atlas

첫째판 1쇄 인쇄 | 2019년 7월 16일
첫째판 1쇄 발행 | 2019년 7월 31일

저　　자 William D. James, Dirk M. Elston, Patrick J. McMahon
역　　자 이광훈, 김진우
발 행 인 장주연
출판기획 이성재
책임편집 박미애
편집디자인 이은경
표지디자인 김재욱
제　　작 신상현
발 행 처 군자출판사
등록 제 4-139호(1991. 6. 24)
본사 (10881) **파주출판단지** 경기도 파주시 회동길 338(서패동 474-1)
전화 (031) 943-1888 팩스 (031) 955-9545
홈페이지 | www.koonja.co.kr

© 2019년, 피부질환 임상아틀라스 / 군자출판사(주)
본서는 저자와의 계약에 의해 군자출판사(주)에서 발행합니다.
본서의 내용 일부 혹은 전부를 무단으로 복제하는 것은 법으로 금지되어 있습니다.

*파본은 교환하여 드립니다.
*검인은 저자와의 합의로 생략합니다.

ISBN 979-11-5955-461-2

정가 80,000원

PROFILE

이 광 훈 (李光勳, M.D., Ph.D.)

현 연세대학교 의과대학 명예교수
현 대한민국 의학한림원 정회원
현 세계습진협의회 상임이사
전 연세대학교 의과대학 피부과학교실 교수
전 대한피부과학회 이사장
전 대한피부연구학회 이사장, 회장
전 대한아토피피부염학회 회장

김 진 우 (金鎭宇, M.D., PhD.)

현 가톨릭대학교 의과대학 피부과학교실 명예교수
전 대한아토피피부염학회 회장
가톨릭대학교 의과대학 졸업

CONTENTS

PREFACE

저자들은 피부 질환의 도감을 여러분들에게 보여드릴 수 있게 되어 기쁘다. 우리는 여러분들이 이렇게 광범위한 임상사진을 보고 여러분들이 접하는 환자에서 피부질환에 대한 더 빠른 인식과 정확한 진단을 할 수 있기를 희망한다. 만약 우리들의 노력이 어떤 환자에서 더 나은 결과로 나타난다면 이것은 가치가 있을 것이다. 우리들 도감의 각 장과 질환내용은 Andrews' Diseases of the Skin 교과서에 준해 기술하였으므로 독자들은 설명을 위한 다른 책이 필요 없고, 정돈된 양질의 사진을 단순히 관찰하면 될 것이다.

피부과적 진단능력은 환자가 나타내는 피부소견에 대한 반복되는 시진으로 학습된다. 이 책에 수록된 3,000점 이상의 사진을 주교과서와 함께 학습한다면, 피부질환에 대한 전문성의 깊이와 넓이를 배울 수 있는 뛰어난 자료가 될 것이다. 3인의 저자는 도합 50년을 의학분야에서 사진을 촬영하며 보냄으로써 이 책의 귀중한 자료를 제공할 수 있었다. 또한 우리들이 소속된 기관과 많은 친구들의 자료는 깜짝 놀랄 만큼 이 책의 다양함을 제공한다. Bill James는 교수수석인 Richard Odom, MD이 자신과 동료 전공의 Robert Horn이 자신의 최상의 사진을 복사하도록 하였다고 한다. Tim berger는 the University of California at San Francisco에서의 자신의 임상사진을 저자들과 공유하였다. Walter Reed Army Medical Center와 University of Pennsylvania의 교수진과 전공의는 그들의 전문지식을 아낌없이 나누어 주었다. Dirk는 San Antonio에서의 임상사진 수집에 기여한 Brooke Army Medical Center의 여러분들과, 동시에 the Rutgers Robert Wood Johnson School of Medicine의 교수진과 전공의에게 감사한다. 마지막으로 Pat은 Drs. Paul Honig와 Wlater Tunnessen의 개인이 수집한 상당한 분량의 자료가 온전히 이용되었음을 잘 알고 있다. 또한 Children's Hospital of Philadelphia (Albert Yan, MD; James Treat, MD; Leslie Castelo, MD; Melinda Jen, MD; Marissa Perman, MD)의 현 소아피부과 교수진의 통합영상 데이터베이스는 이 책의 수준과 질을 높이는 데 크게 기여하였다. 마지막으로, James Fitzpatrick, MD는 Fitzsimmons Army Medical Center의 교수진과 참모에 의해 촬영된 사진을 우리에게 기꺼이 나누어 주었다. 우리들은 대부분의 사진에서 이들 훌륭한 분들이 개인적으로 언급되지 않았음을 알고 있다. 특별한 교수진과 전공의에 의한 특별한 사진인 경우, 사진 아래에 그들의 이름을 표시하였다.

독자들은 50명 이상의 개인들이 그림설명에 나타남을 알 수 있다. 이들은 Brazil과 Japan의 기관에서부터, Singapore, India, Philippines 분들, National Institutes of Health, University of Pennsylvania School of Dental Medicine 분들, 전국의 의학센터의 교수진들이다. 이들 중 특별히 언급되어야 할 분들로: Steven Binnick, MD는 뛰어난 피부과 의사로 Plymouth Meeting, Pennsylvania에서 진료한다. Bill이 이 도감을 위해서 그의 훌륭한 사진을 요청하였을 때 그는 흔쾌히 사진들을 제공하였고, 교육용 목적으로 사용함에 대해 행복해하였다. Curt Samlaska, MD는 Bill과 함께 Walter Reed에서 수련하였다. 그는 뛰어난 피부사진 촬영가로 Hawaii의 그의 환자 및 Henderson, Nevada의 진료소에서 찍은 많은 사진을 제공하였다. 고 Don Adler, MD는 수년간 Bill과 많은 사진을 나눈 친구이다. 그의 뛰어난 임상사진들의 일부가 이 책의 일부이다. Shyam Verma, MD는 인도에서 온 가까운 친구로, 그의 개인 진료소의 많은 훌륭한 임상사진을 제공하였다. Debabrata Bandyopadhyay, MD도 Medical College in Kolkata에서 찍은 희귀질환에 대한 특별한 사진을 제공하였다. Scott Norton, MD는 Fitzsimmons, Walter Reed와, Children's National Health System에서의 광범위한 임상경험에 의한 많은 사진을 나누어 주었다. Len Sperling, MD는 흔쾌히 이 책과 이전의 Andrews 교과서를 위해서 모발질환의 사진을 제공하였다. 수많은 국외 의사들과 그들의 사진으로 각각 보여진 특이한 사진들은 저자들이 미국에서 드물게 보는 혹은 전혀 보지 못한 사진들도 있었다. 더 중요한 것은, 연령, 피부형, 질환아형별, 형태별로 최상의 대표적이고 전형적인 증례를 보여주기 위해 선택된 최고의 3,000장 이상의 사진으로 이 책이 구성되었다는 점이다.

또한 Bill, Dirk, 그리고 Pat은 이 책이 결실을 맺는 데 변함없이 전문적인 도움을 준 Barbara Lang의 도움이 있었음을 밝히고자 한다. 그녀는 작업이 조직적으로 진행되도록 하였고, 그 과정에서 모든 세부적인 일들에 주의를 기울였다. 임상사진들은 Elsevier의 Graphic World를 통해 전문적으로 처리되었는데, 이는 많은 사진들이 슬라이드 형태이므로 주사작업을 필요로 하였다. Mark Lane, Patty Bassman과 Cindy Geiss는 특별히 언급되어야 하고, Karen Giacomucci와 Elsevier in Philadelphia는 이 작업의 협력을 위한 전반적인 책임을 맡았다. British office of Elsevier의 Carole McMurray와 Julie Taylor는 이 책의 편집에서 일차적인 역할을 하였다. Elsevier의 Russel Gabbedy는 우리들의 지금도 변함없는 동료로, 이번 도감뿐 아니라 전판 Andrews' Diseases of the Skin에서도 지원을 아끼지 않았다.

우리들의 전문적인 꿈을 추구하는 기회를 준 우리들 가족의 희생은 어떤 말로도 고마움을 대신할 수 없다. 이들은 헌정사에 표시되었다.

Bill James, Dirk Elston, 그리고 Patrick McMahon

DEDICATION

Bill James, Dirk Elston, Patrick McMahon

나의 사랑하는 가족에게

내 아내 Ann, 아들 Dan, 딸 Becca, 며느리 Wynn, 손자 Declan과 Driscoll, 그리고 여형제 Judy와 그의 남편 Cal에게.
당신들은 나에게 멋진 삶을 주었습니다!

Bill James

나의 아내 Kathy와 내 아이들, Carly와 Nate에게. 당신들은 세상을 멋진 곳으로 만들었습니다.

Dirk Elston

나의 놀라운 아내 Kate, 그리고 멋진 아이들, Bridget, Brendan, Colin, 그리고 Molly에게.
당신들의 사랑, 웃음, 그리고 지원에 감사합니다.
당신들은 매일을 기쁨으로 채웁니다!

Patrick McMahon

우리들의 과거의 모든 환자분들, 우리들은 이 책이 당신들이 소망하는 바 대로, 미래에 동일한 피부병으로 고통받는 사람들이 그들의 병을 조기에 알아차림으로써 빨리 회복하는 데 도움을 주기를, 희망합니다.

Bill, Dirk, and Pat

구조와 기능 1

피부질환은 피부병변의 색깔, 형태와 분포에 근거해서 진단이 내려지게 된다. 피부와 그 부속기의 구조는 이러한 특징과 직접적으로 잘 연관된다.

모낭염의 피부병변은 구진 혹은 농포로 나타난다. 모공성 도드라짐은 검은 피부 인종에서 보이는 특징적인 소견이다. 땀띠 환자에서 피부표면의 땀샘 입구에 변화가 생기면 과도한 땀이 나는 부위에서 홍반성 구진, 농포, 표재성 소수포로 나타난다. 수정땀띠의 소수포는 각질층이 주위로 수포가 확산되는 것을 막기 때문에 소수포의 모양이 균일하지 않다. 이와는 대조적으로 한포진이나 수포성 유천포창에서 관찰되는 해면상 수포나 표피하 수포는 일정한 둥근 모양으로 관찰된다.

피부발진의 색깔은 여러 가지 색소와 상관된다. 갈색을 나타내는 색소로 멜라닌, 리포퓨신(lipofuscin), 헤모시데린(hemosiderin) 등이 있다. 이러한 색소들이 심부 진피에 있을 때는 빛의 굴절로 인해 실제로는 갈색이지만 겉에서는 청색을 띠게 된다. 이러한 현상은 깊은 곳에 위치한 멜라닌으로 인해 청색으로 나타나는 청색 모반에서 잘 볼 수 있고 땀샘에 존재하는 리포퓨신으로 인한 결절 한선종(hidradenoma)의 경우에서도 관찰된다. 적색은 산화 혈색소(hemoglobulin)와 상관되고 탈산화 혈색소는 청색으로 나타난다. 혈관의 확장이나 증식, 혈류의 속도에 따라 적색과 청색의 여러 가지 색조가 생성된다. 노란색은 지질 축적이나 상피세포 세포질에 녹아 있는 카로틴과 관계가 있다. 육아종성 질환에서 압시경검사(diascopy)를 하면 병변부위의 압박으로 인해 산화 혈색소로 인한 색조가 사라지므로 사과젤리와 같은 노란색을 띠게 된다.

이 장에서는 피부의 구조와 이러한 구조의 변화가 어떻게 피부질환의 임상양상을 나타내는지에 초점을 맞추었다.

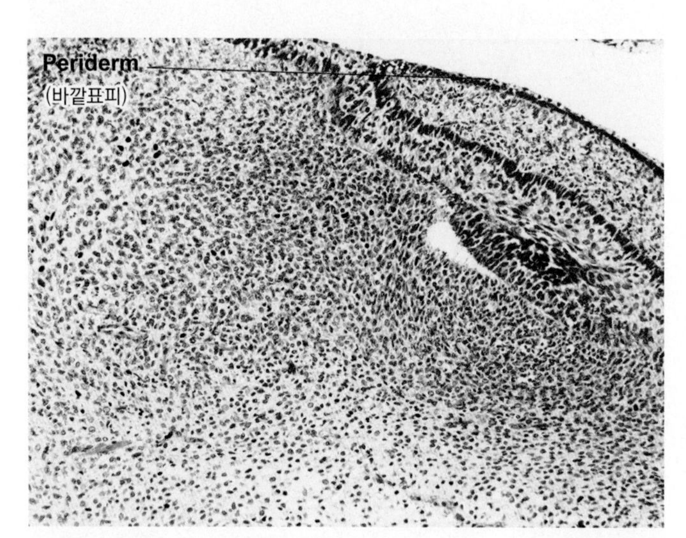

그림 1.1 이른 태아 시기에서는 표피 대신 입방세포로 구성된 바깥표피(cuboidal peridem)가 관찰된다. 태아 피부, H&E x 40.

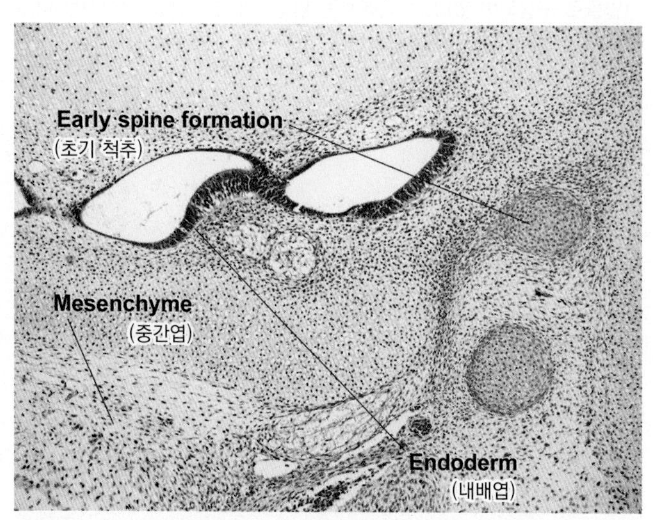

그림 1.2 이른 태아 시기의 척추는 연골로 구성되어 있으며 진피 대신 중간엽이 존재한다. 중간엽은 흉터를 형성하지 않고 재생된다. 진피가 발생되면 외부 손상에 의해 흉터가 발생하게 된다. 태아 피부, H&E x 40.

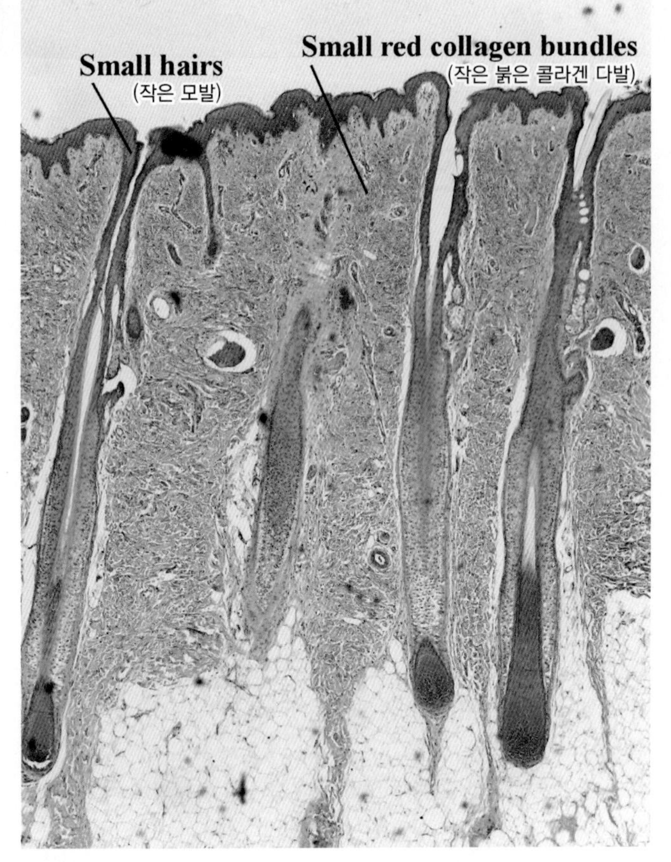

그림 1.3 어린 아이의 피부는 작은 부속기관과 어른에서의 굵은 분홍색의 콜라겐 다발과는 달리 진한 붉은 색으로 염색되는 가는 진피 콜라겐 다발들로 구성되어 있다. 진피에서는 활발하게 콜라겐을 합성하는 다수의 통통한 섬유모세포들도 관찰된다. 소아 피부, H&E x 20.

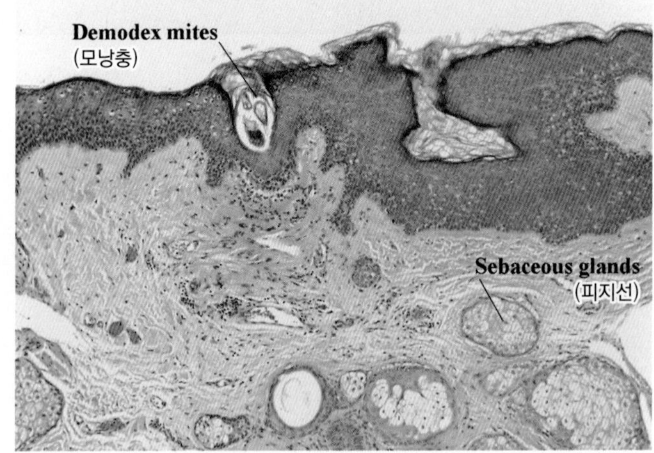

그림 1.4 얼굴의 피부에서는 피지선과 모낭이 두드러지게 관찰되며 종종 모낭충도 볼 수 있다. 얼굴 피부, H&E x 40.

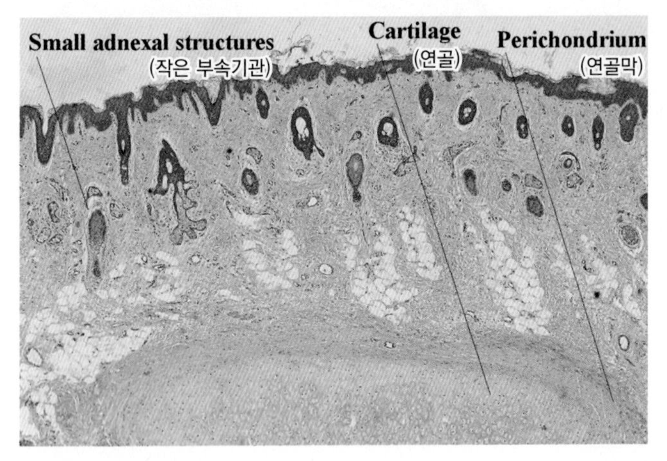

그림 1.5 귀의 피부는 작은 부속기관과 붉은 연골막에 둘러싸인 탄력연골로 구성되어 있다. 귀의 피부, H&E x 20.

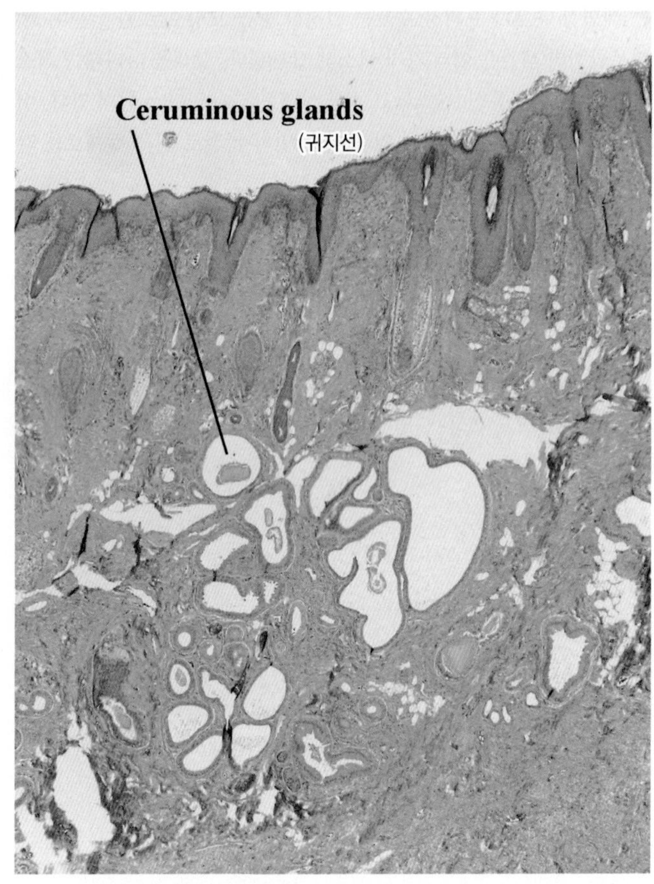

그림 1.6 이도는 귀지선이 있다는 것을 제외하고는 나머지 귀의 구조들과 유사하다. 귀지선은 변형된 아포크린선으로 존재한다. 이도의 피부, H&E x 20.

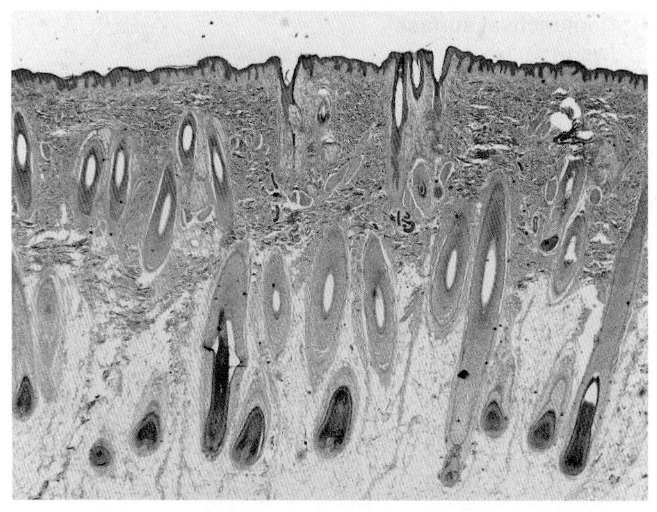

그림 1.7 두피의 피부에서는 다수의 성모의 모낭이 관찰되며 모낭의 하부는 피하조직에 위치해 있다. 두피의 피부, H&E x 40.

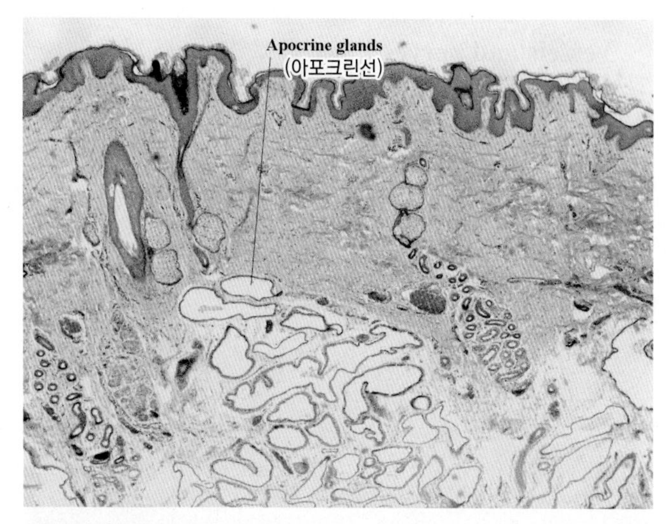

그림 1.8 겨드랑 피부는 주름져 있으며 거대한 아포크린선을 보인다. 겨드랑 피부, H&E x 40.

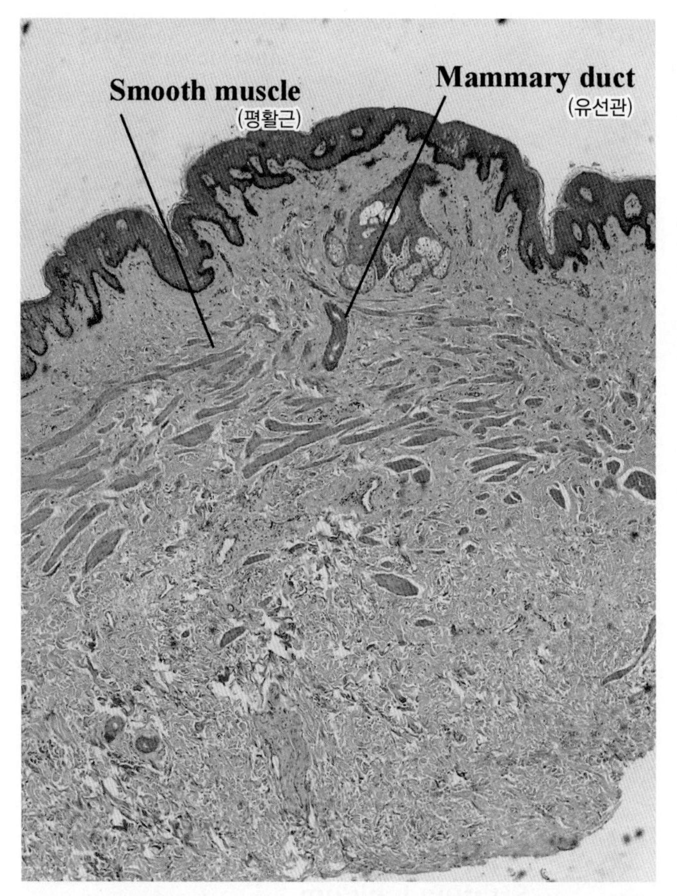

그림 1.9 유방의 피부에서는 다수의 평활근 다발들이 관찰된다. 유방의 피부, H&E x 20.

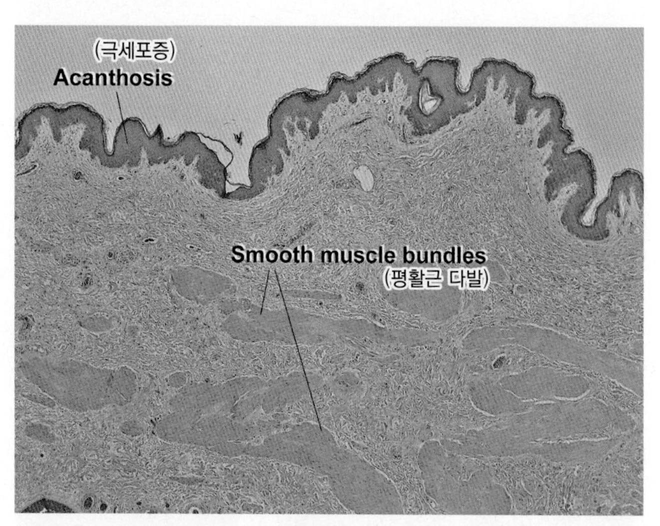

그림 1.10 유두의 피부는 작은 평활근 다발들을 보이며 유선관은 큰 한관과 유사하다. 유방의 피부, H&E x 20.

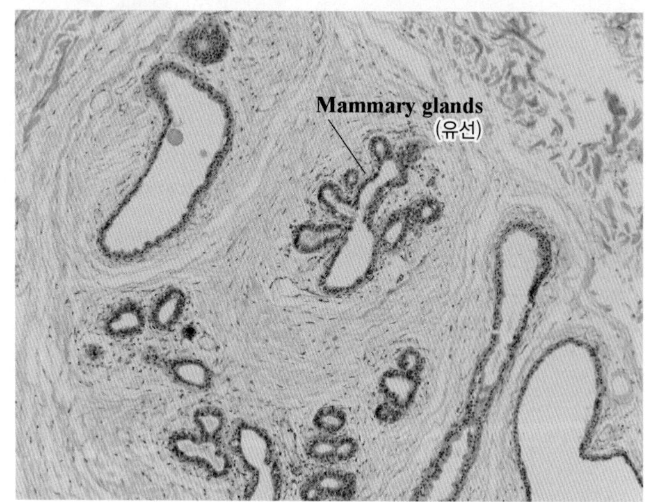

그림 1.11 유선의 분비 부위는 원주상피에 의해 형성된 관내강으로 구성되어 있다. 유방 피부, H&E x 100.

그림 1.12 포피는 주름져 있으며 다수의 평활근 다발과 많은 혈관분포를 보인다. 포피, H&E x 20.

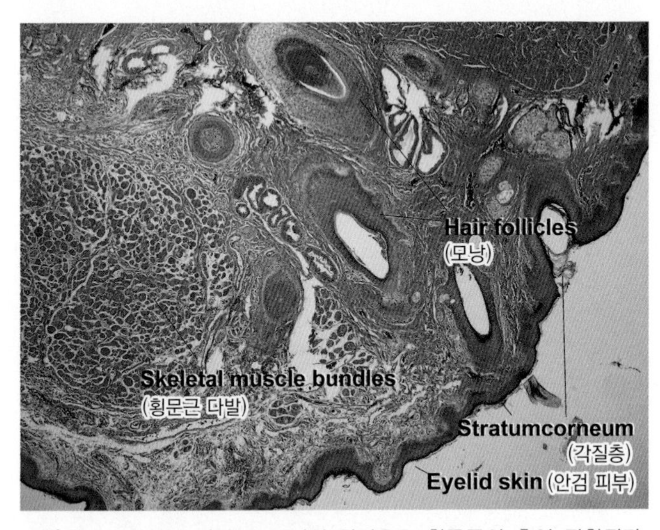

그림 1.14 안검의 경계부. 표피의 하방으로 횡문근의 층이 관찰된다. H&E x 10.

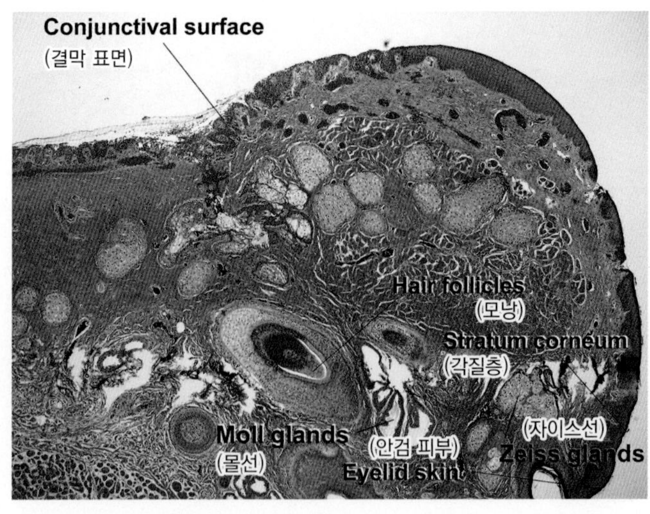

그림 1.13 결막 밑 안검의 구조. 짙은 섬유성 안검판은 피지선(마이봄선)을 포함하고 있다. H&E x 100.

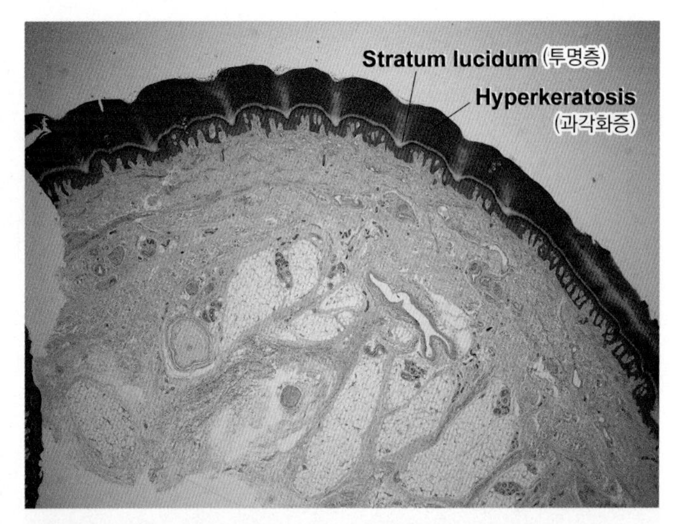

그림 1.15 손발바닥의 피부에서는 두꺼운 각질층을 보이며 모낭은 관찰되지 않는다. H&E x 40.

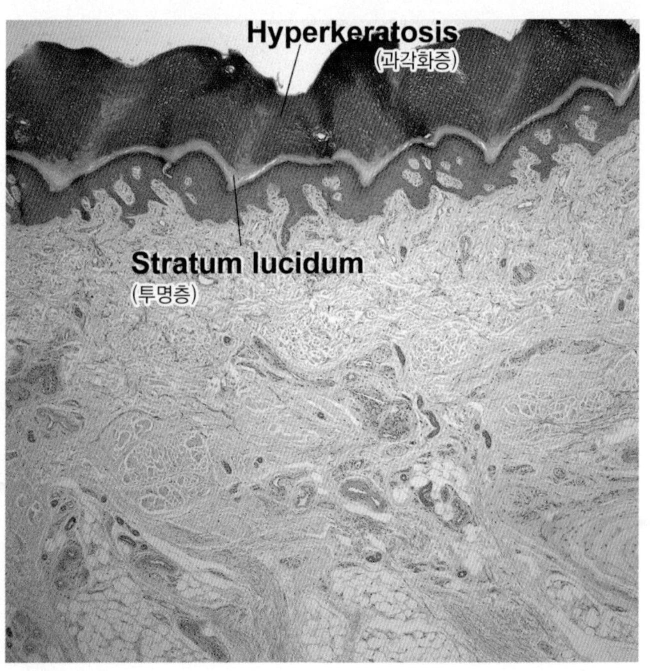

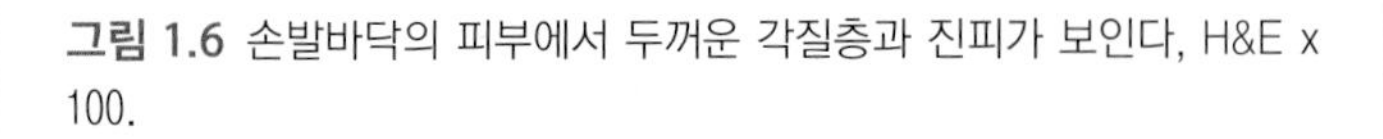
그림 1.6 손발바닥의 피부에서 두꺼운 각질층과 진피가 보인다, H&E x 100.

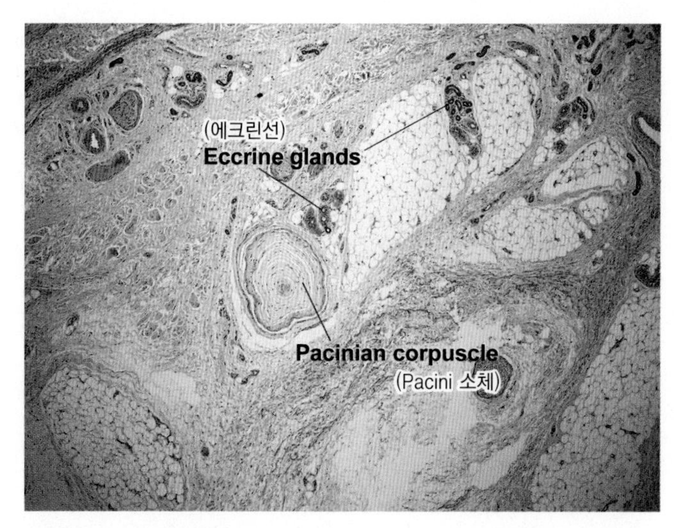

그림 1.17 손발바닥의 피부. 깊은 조직에서 Pacini 소체를 볼 수 있다. H&E x 100.

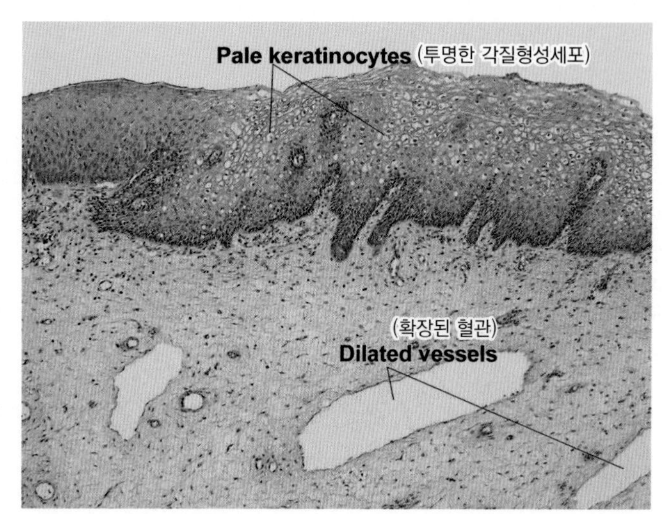

그림 1.18 점막 표면에서는 각질화하지 않는 상피가 관찰된다. H&E x 200.

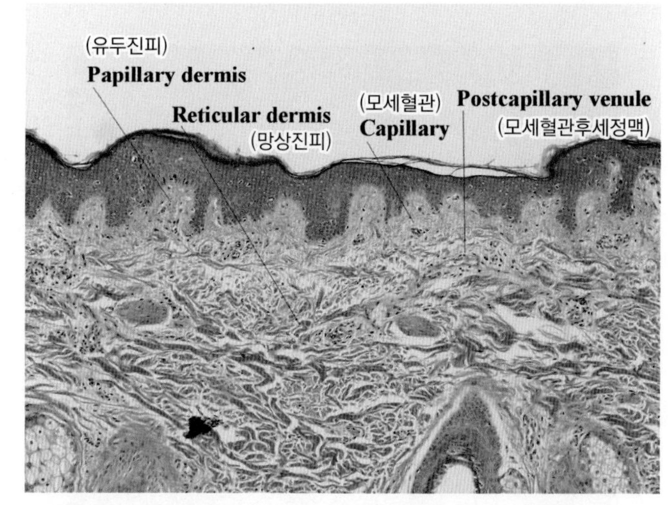

그림 1.19 표피 하방의 유두진피는 가는 콜라겐들로 구성되어 있다. 유두진피 내에는 모세혈관들이 있으며 모세혈관후세정맥은 유두진피와 망상진피의 경계에 위치하고 있다. H&E x 40.

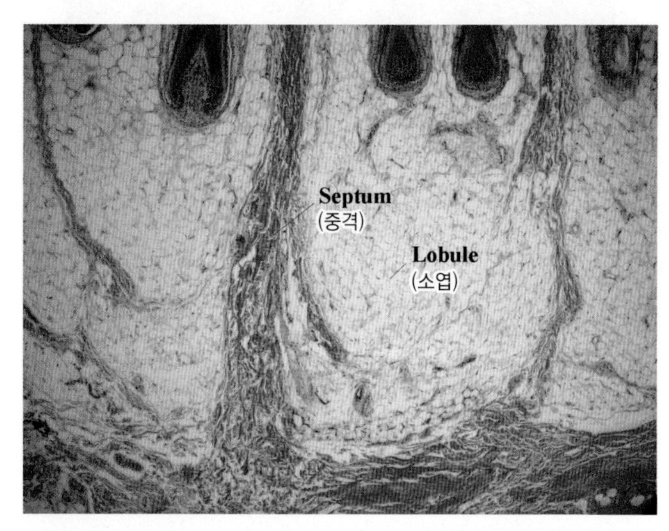

그림 1.20 피하지방의 소엽들은 섬유중격들에 의해 분리되어 있다. H&E x 40.

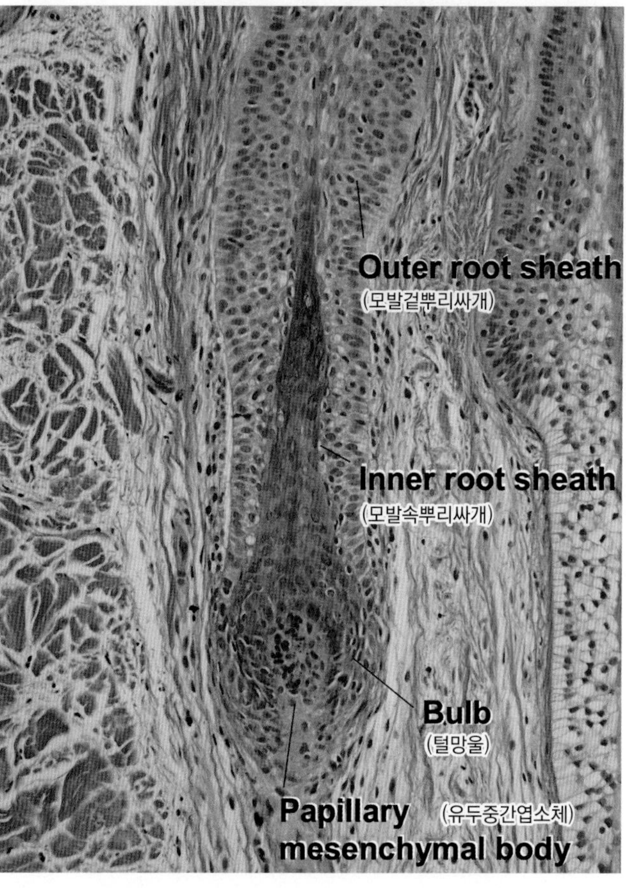

그림 1.21 모발의 해부학적 구조, 세로단면. H&E x 200.

그림 1.22 모낭의 하부에서 털망울으로부터 속뿌리싸개와 겉뿌리싸개가 만들어진다. H&E x 200.

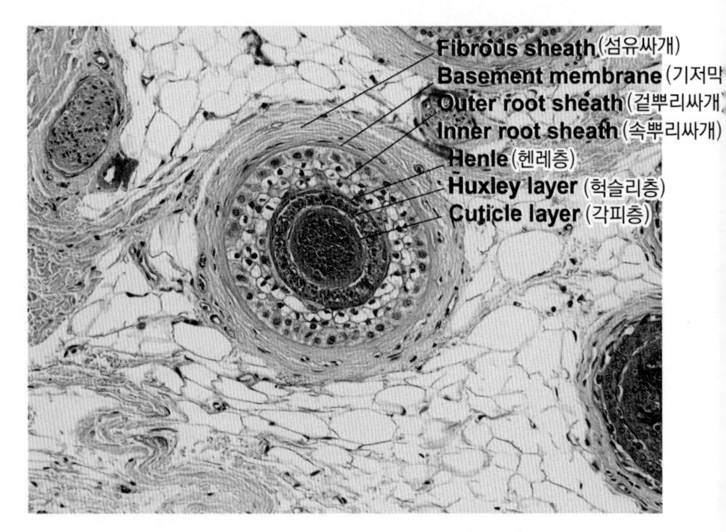

그림 1.23 모발의 해부학적 구조, 가로단면. H&E x 200.

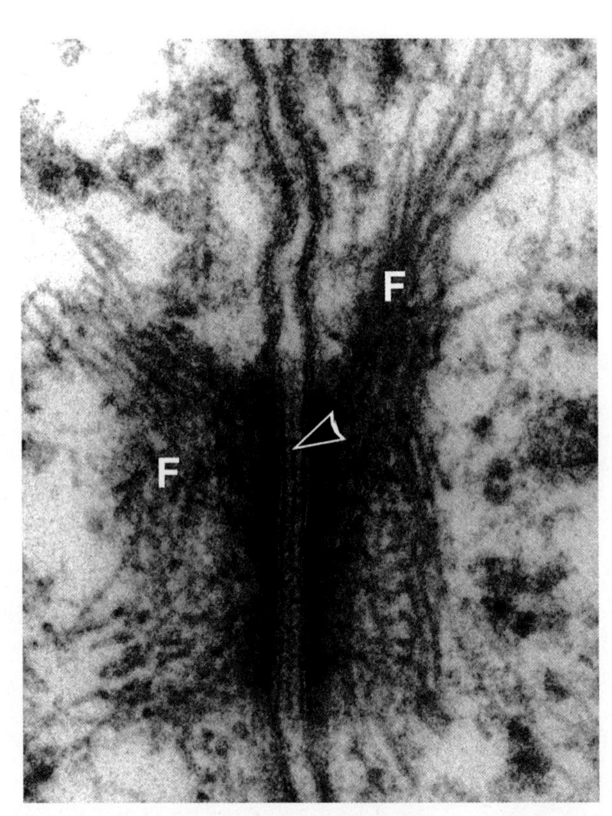

그림 1.24 교소체. 전형적인 교소체는 다음과 같은 특성들을 보인다: (i) 나란히 놓인 삼층의 형질막 사이로 20~30 nm의 균질한 틈이 있고 이 틈에는 하나의 중간 선(화살표)를 보인다. (ii) 당김원섬유(F)가 밀집되어 주위와 선명하게 경계진 진한 판이 관찰된다.

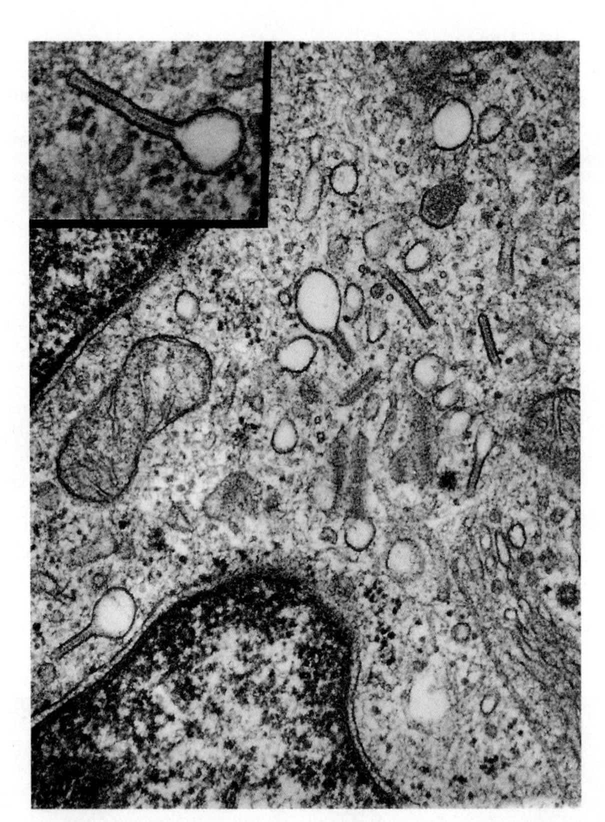

그림 1.25 버백과립을 함유한 랑게르한스세포. 이 전자현미경 사진에서는 세포질에 랑게르한스세포의 특징적인 라켓 모양의 과립(확대사진)이 있는 것을 볼 수 있다.

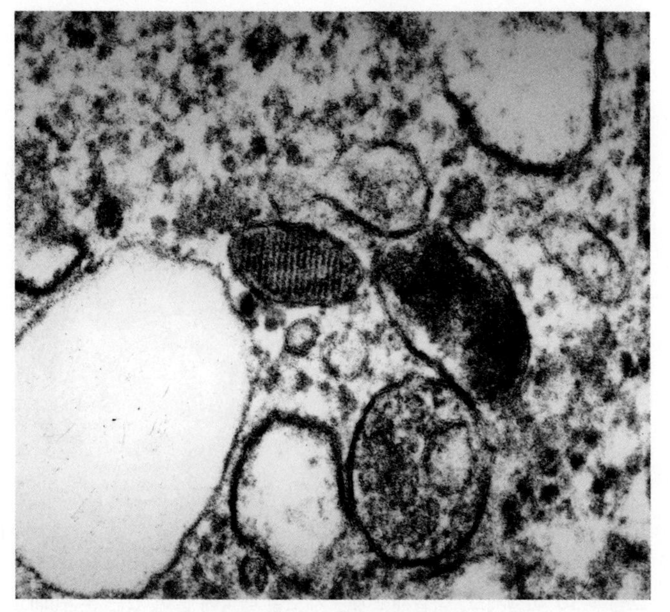

그림 1.26 전멜라닌소체. 내부에 특징적인 가로무늬 구조를 보이는 하나의 멜라닌소체를 볼 수 있다

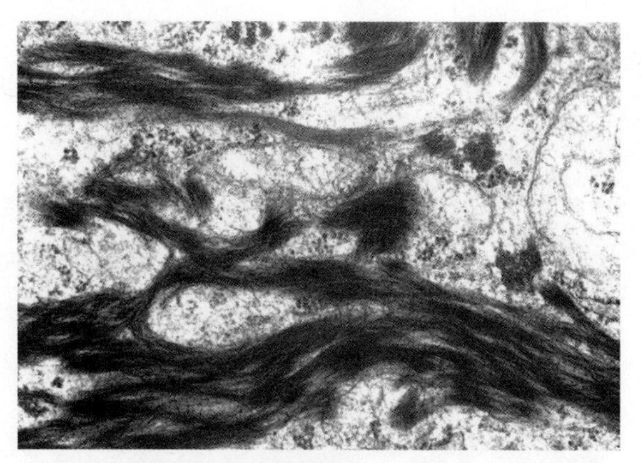

그림 1.27 당김원섬유. 당김원섬유(중간 미세섬유)가 편평세포의 세포질에 흩어져 있는 것을 볼 수 있다.

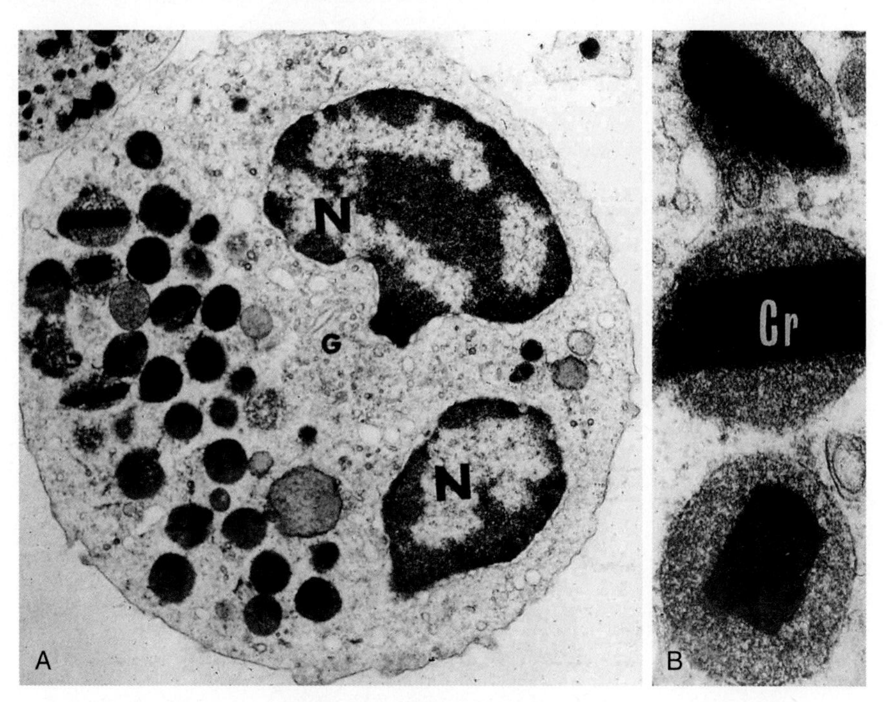

그림 1.28 호산구. **(A)** 두 개의 핵(N)과 세포질 내의 과립들이 보이며 **(B)** 과립들 내에는 크리스탈과 같은 중심부(Cr)와 섬세한 과립 기질로 구성되어 있다.

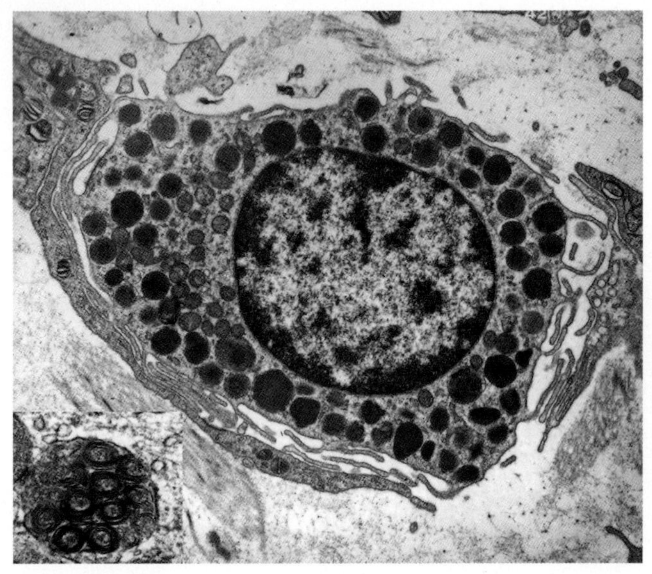

그림 1.29 비만세포. 비만세포 내에는 다수의 짙은 과립들이 있다. 삽도에는 내부에 소용돌이 모양을 막을 갖는 과립들로 구성된 내부 구조를 나타내고 있다.

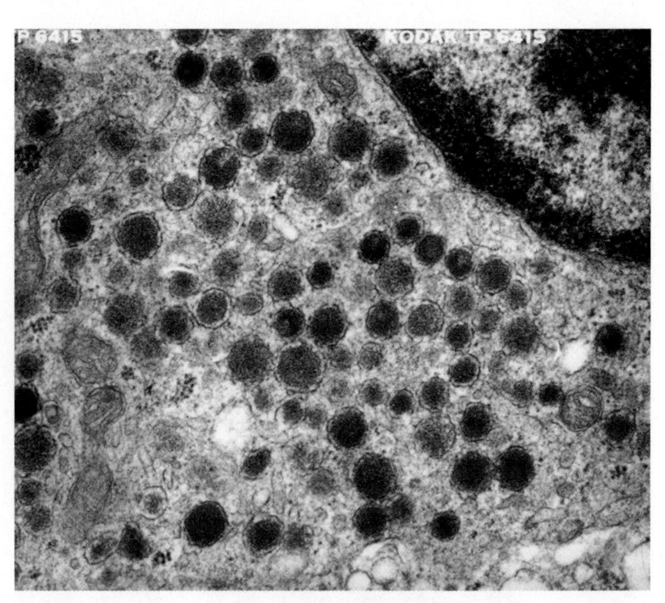

그림 1.30 머켈세포. 머켈세포에는 세포질 내막에 붙어 있는 훈륜(halo)을 보이는 짙은 과립(신경분비과립)들이 있다.

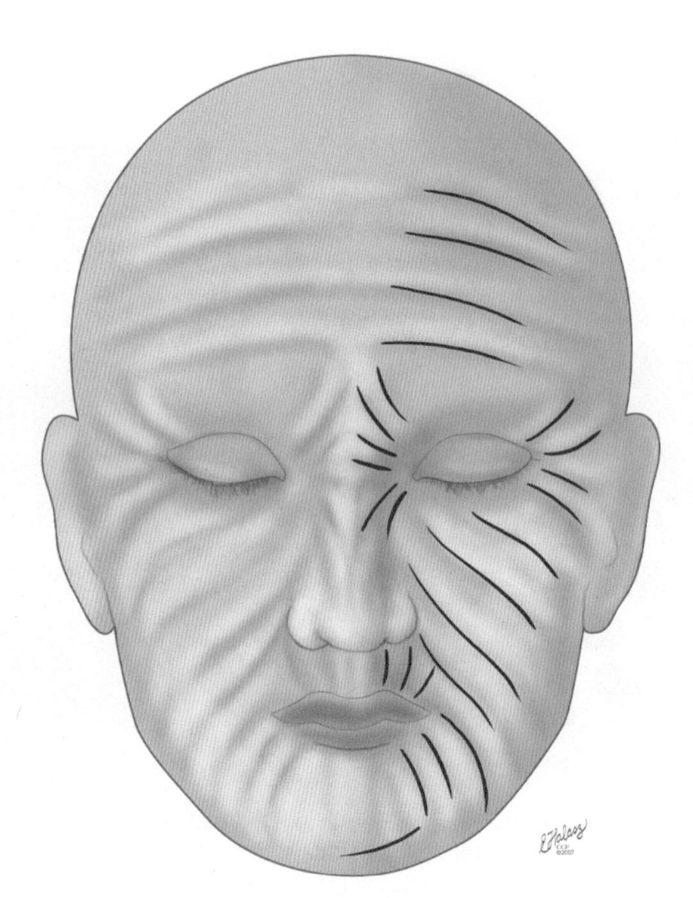

그림 1.31 피부긴장선은 노화 피부의 주름과 연관된다. 피부의 긴장감뿐만 아니라 표재근건막계통 근육의 수축과도 연관이 있다. 수술 시 피부 긴장선을 따라 절개하면 최상의 결과를 얻을 수 있다.

그림 1.32 몸통의 피부긴장선

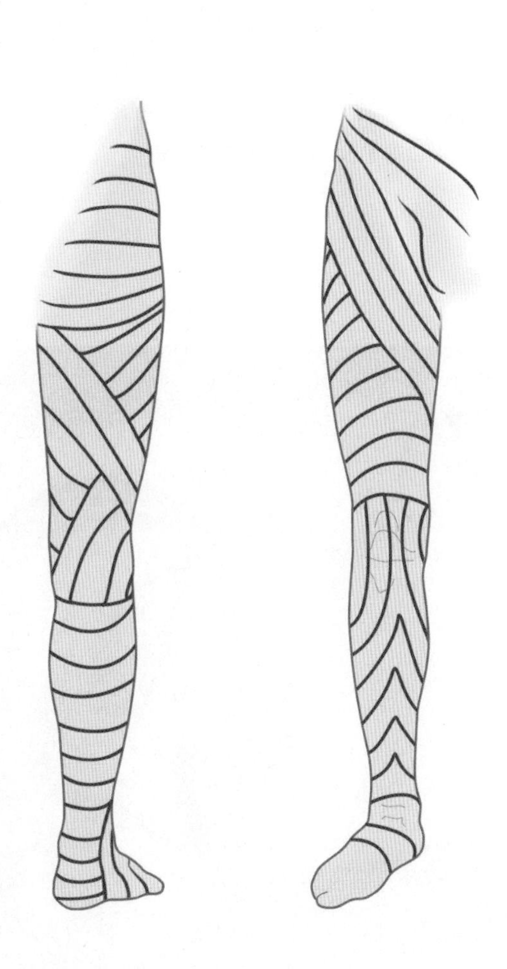

그림 1.33 사지의 피부긴장선

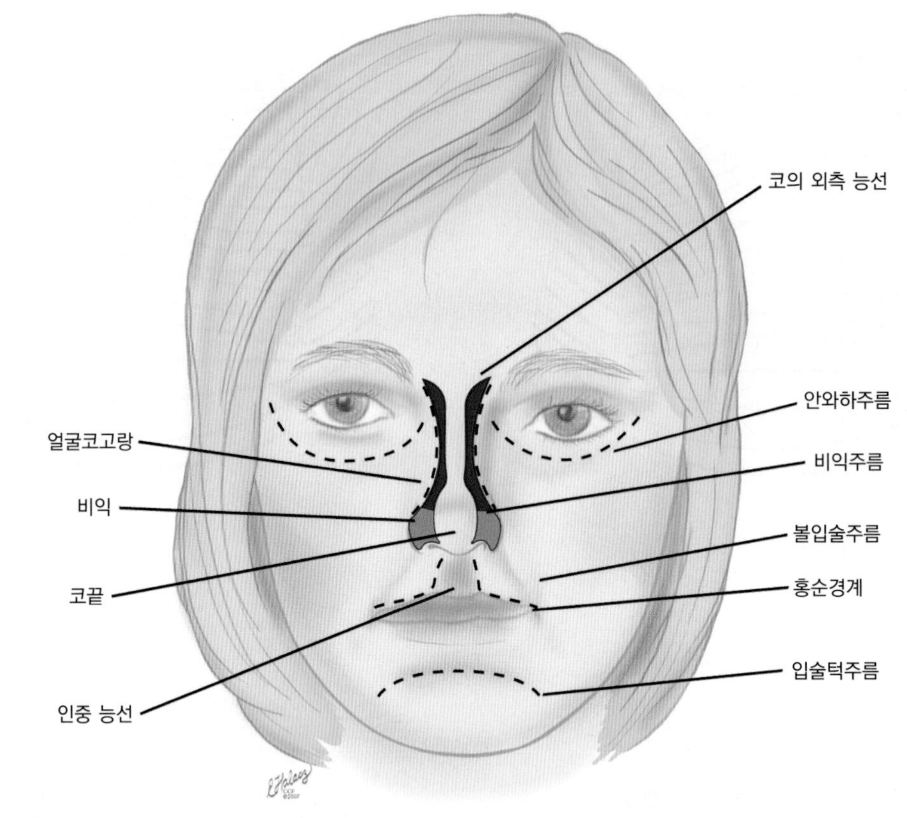

그림 1.34 주요 해부학적 지표

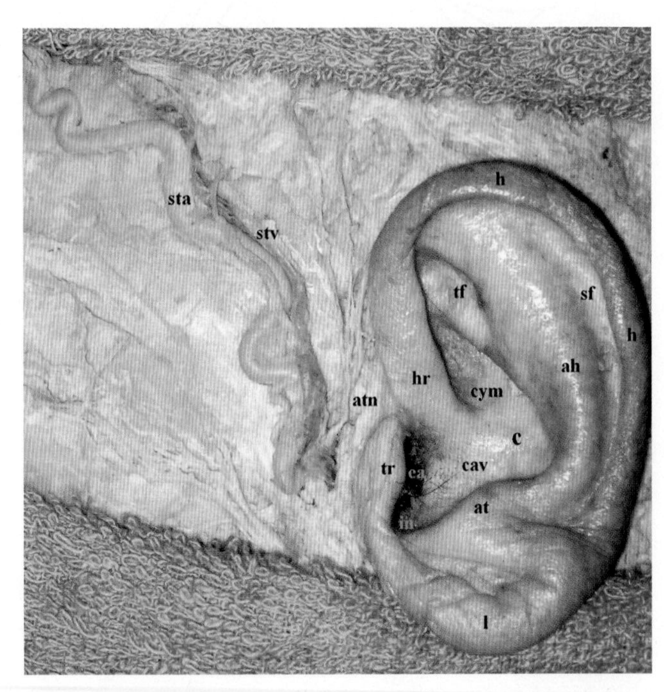

그림 1.35 귀의 해부학적 구조. 얕은관자동맥과 귓바퀴관자신경

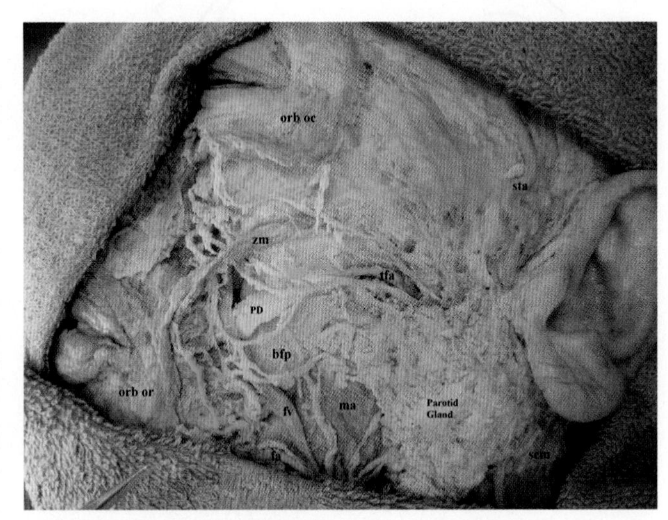

그림 1.36 귀밑샘과 주변 구조들의 해부학적 구조

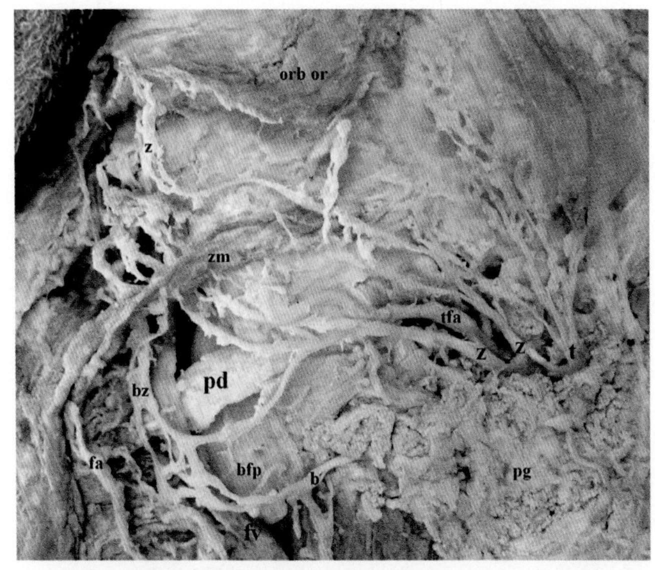

그림 1.37 귀밑샘관과 얼굴신경의 해부학적 구조

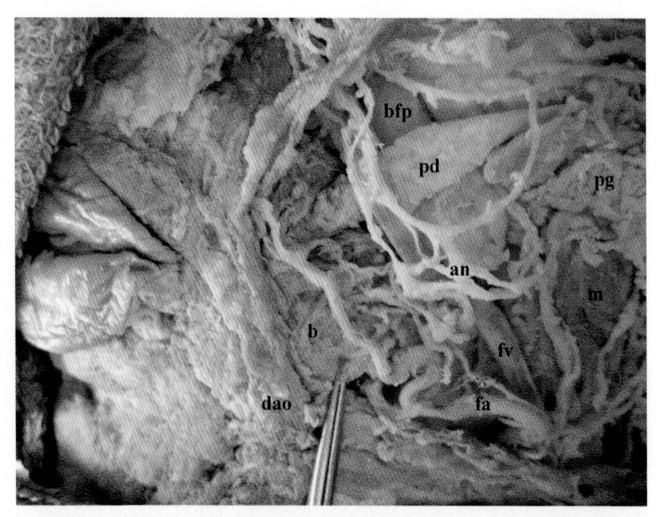

그림 1.38 귀밑샘관이 볼근을 뚫고 있다.

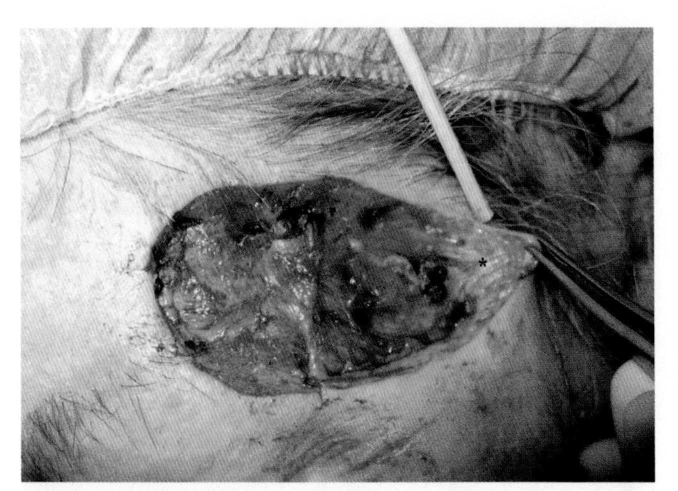

그림 1.39 표재근건막계통

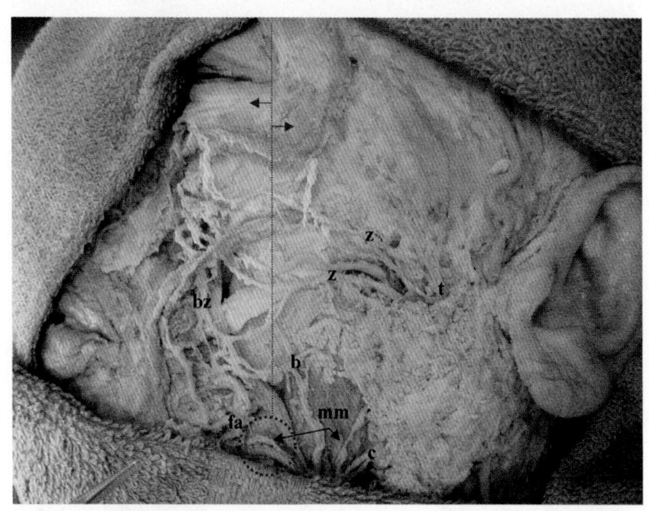

그림 1.40 얼굴신경의 해부학적 구조

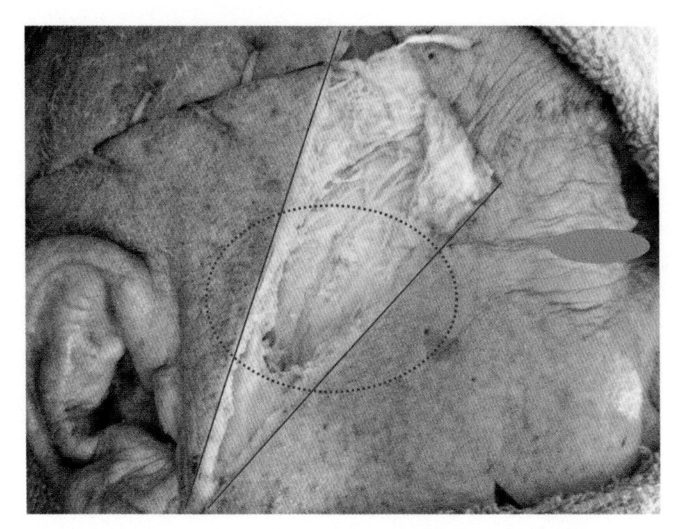

그림 1.41 얼굴신경. 피부외과 수술할 때 주의해야 할 위험지대

그림 1.42 얼굴 표정의 근육들

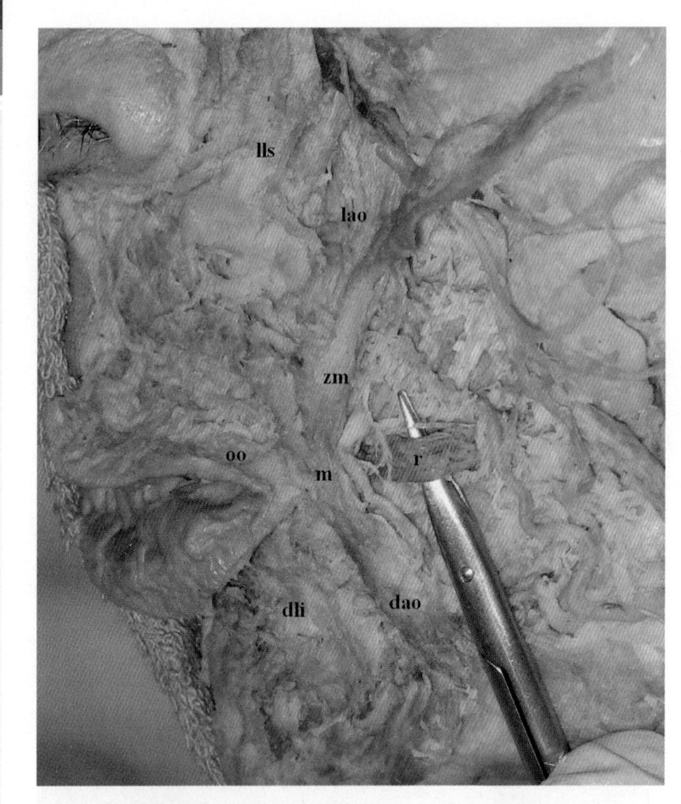

그림 1.43 달팽이축. 올림근과 내림근

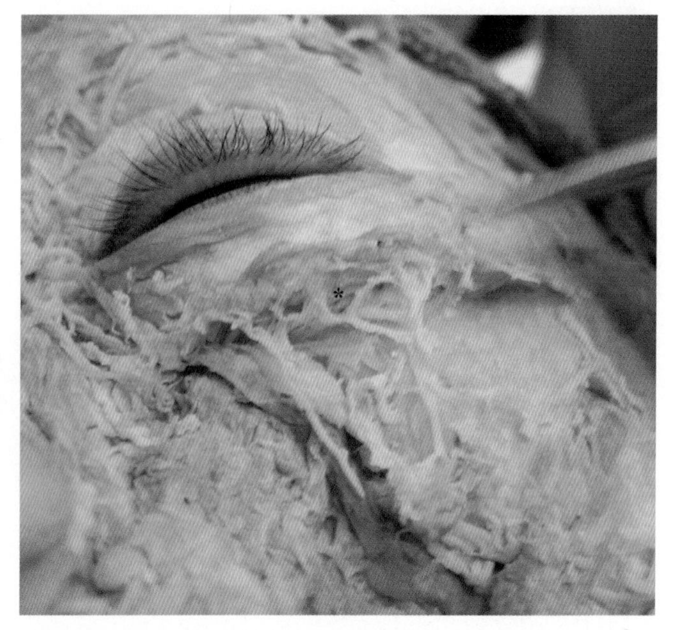

그림 1.44 얼굴 피부의 신경 분포

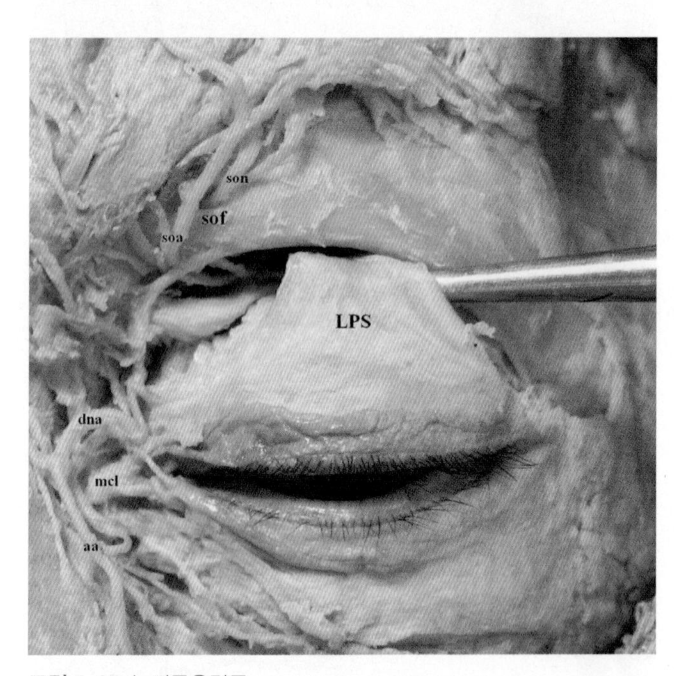

그림 1.45 눈꺼풀올림근

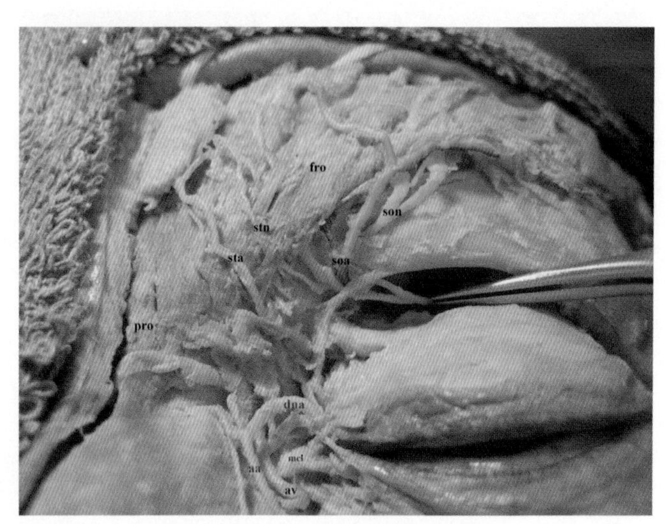

그림 1.46 이마 내측. 안와상신경과 활차상신경 구조

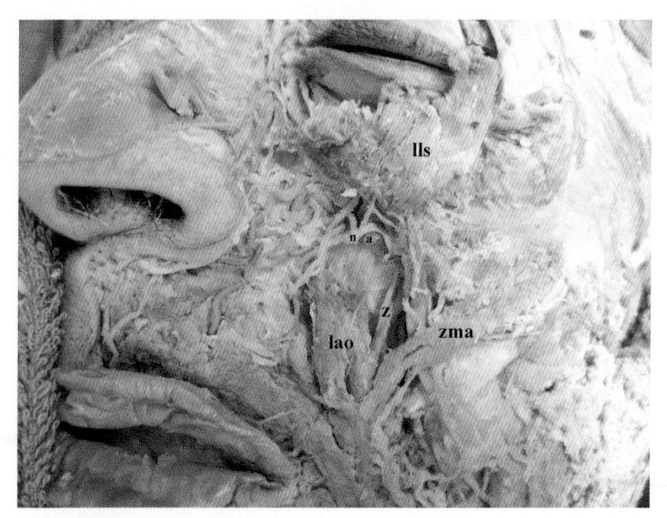

그림 1.47 안와하공과 연관된 구조들

그림 1.48 턱끝구멍과 관련된 구조들

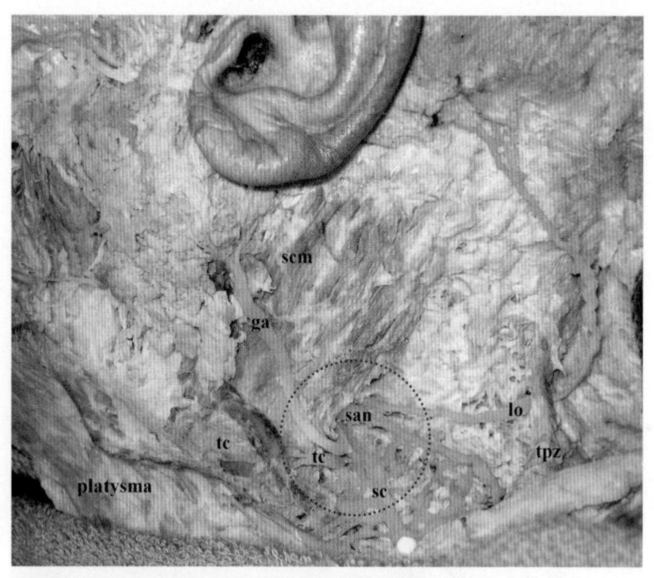

그림 1.49 뒤목삼각의 해부학적 구조

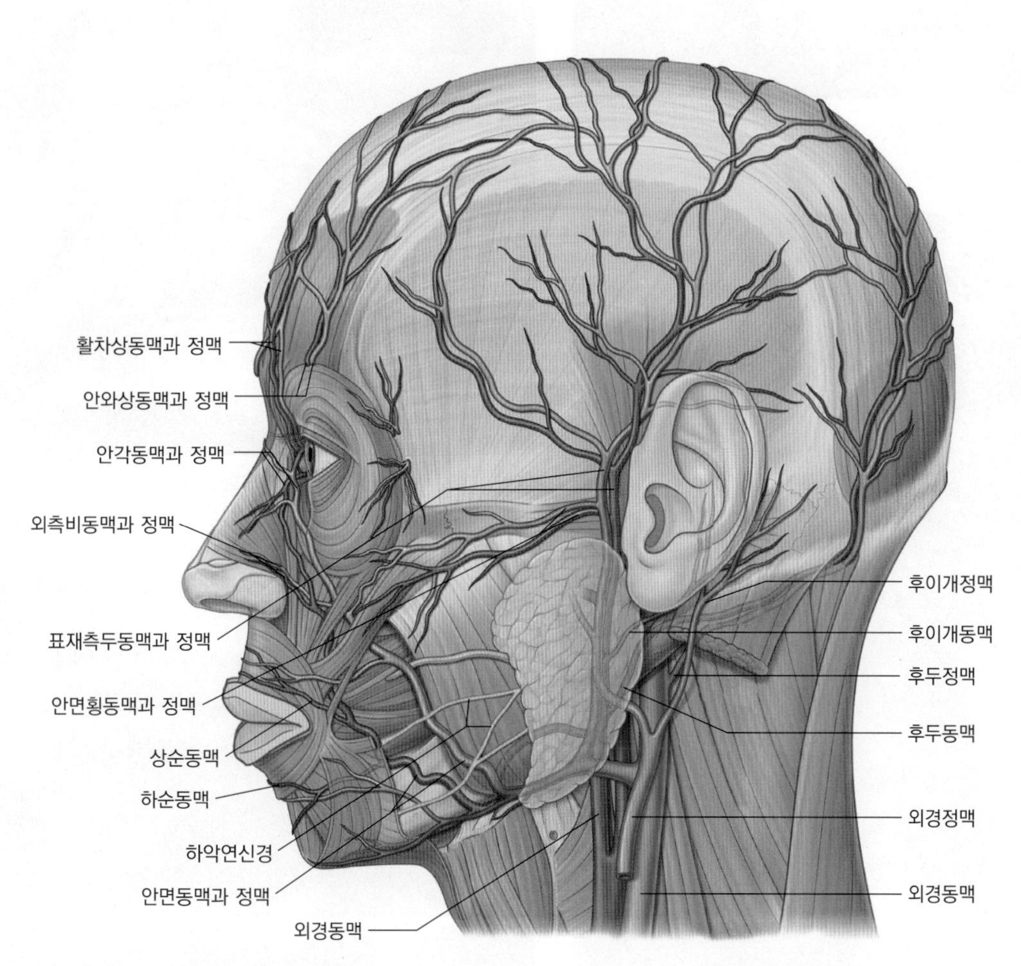

그림 1.50 얼굴의 동맥과 정맥 분포

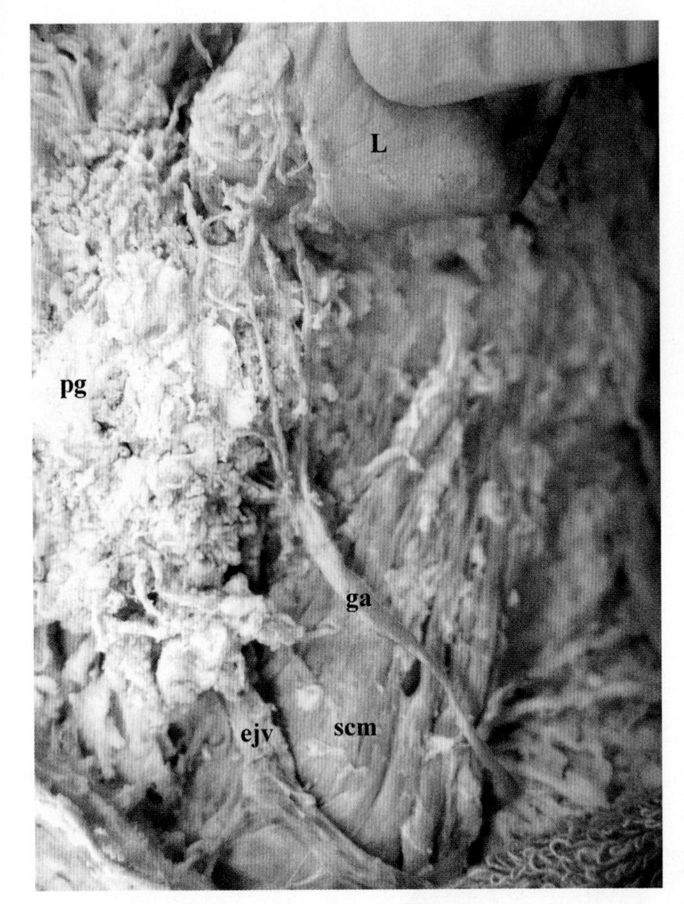

그림 1.51 대이개신경과 외경정맥

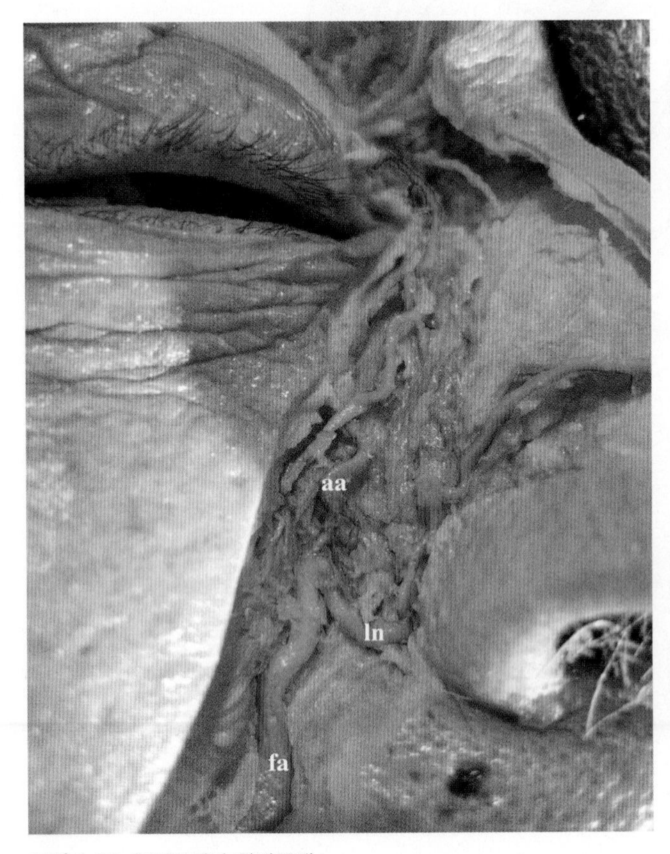

그림 1.52 안면동맥과 안각동맥

그림 1.53 아랫입술과 턱의 하순동맥과 관련된 구조들

그림 1.54 윗입술과 볼의 상순동맥과 관련된 구조들

그림 1.55 두피의 층

증후와 진단

2

숙련된 임상의사는 정확한 진단을 위해 피부발진의 형상과 동반되는 증상을 세심히 관찰한다. 증상은 가려움증이나 통증과 같이 환자가 호소하는 것이고 반면 징후는 의사가 이학적 검사를 통해 관찰하는 소견이다. 즉, 통증은 증상이고 촉진할 때 압통(tenderness)은 징후이다.
이 장에서는 피부발진이 원발적으로 발생한 것인지 시간의 경과에 따라 발생하는 것인지 그 형태학적 양상에 대해 초점을 맞출 것이다. 후자는 소위 2차적 특징으로서 그 증상이 발생 시에 나타났던 증상만큼 진단적으로 도움이 되지는 않는다. 각각의 원발성 및 속발성 병변의 예와 함께 감별진단에 유용한 배열형태, 군집여부, 색깔 등에 대한 증례들도 보여주고자 한다.
또한 전문 의사들이 모발, 조갑, 점막에서 관찰되는 증상들을 활용할 수 있도록 그와 관련된 많은 증례들을 보여주고자 한다.

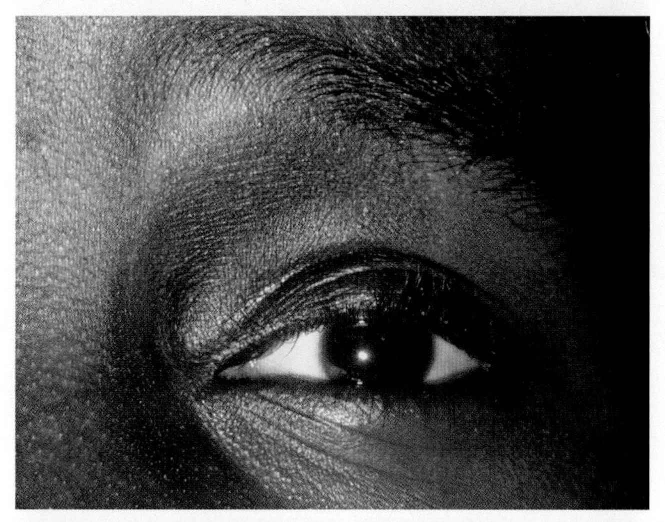

그림 2.1 오타모반(반점)

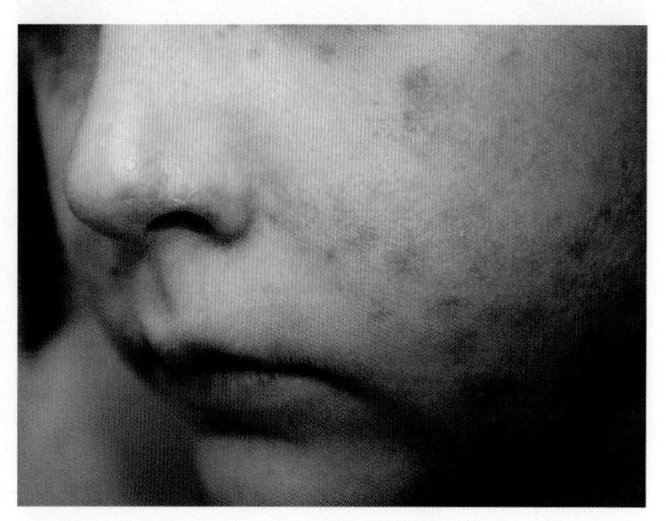

그림 2.2 voriconazole에 의해 발생한 흑자(반점)

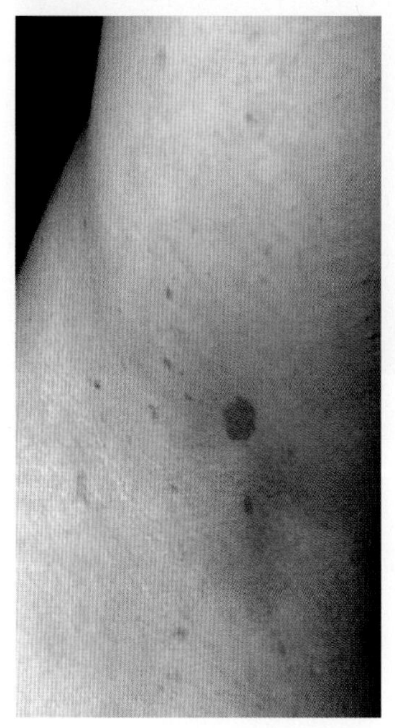

그림 2.3 신경섬유종증의 겨드랑 주근깨(반점)

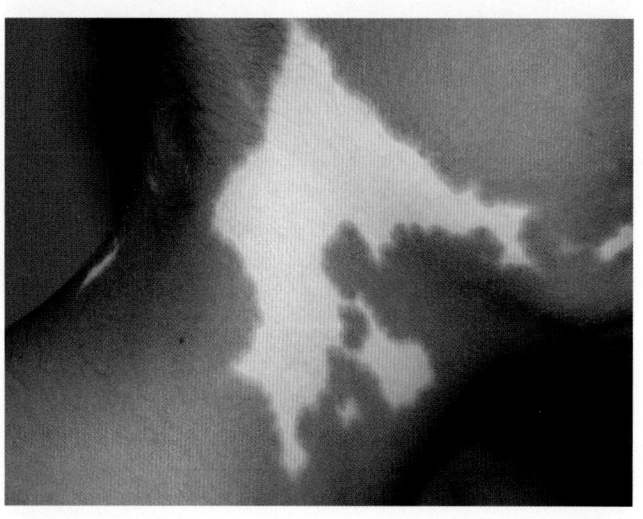

그림 2.4 백반증(반)

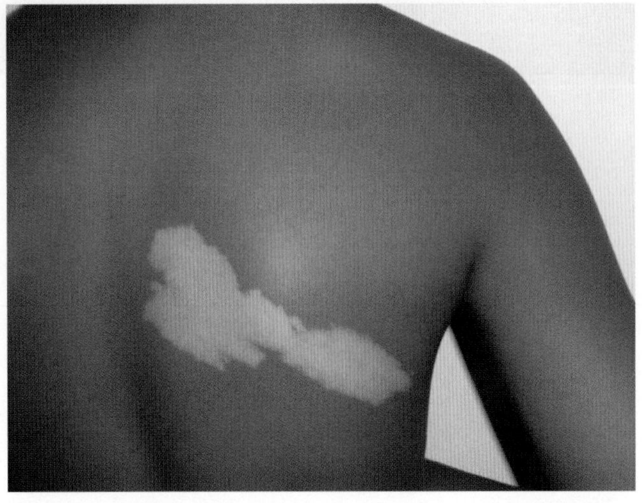

그림 2.5 탈색모반(반점)

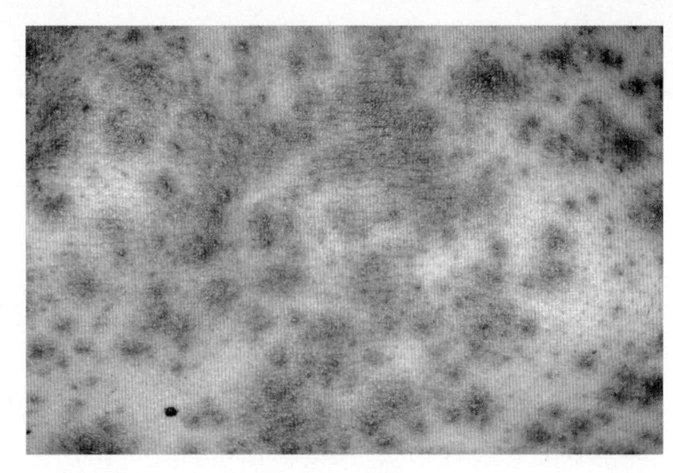

그림 2.6 약물발진(반점, 홍반 위로 작은 구진들도 있다)

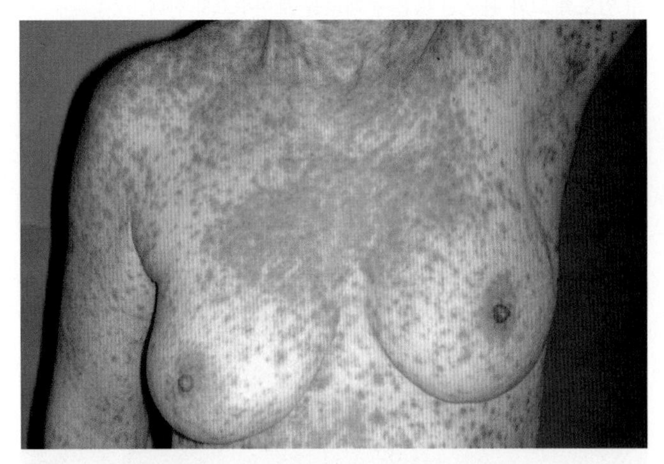

그림 2.7 약물발진(홍역모양)

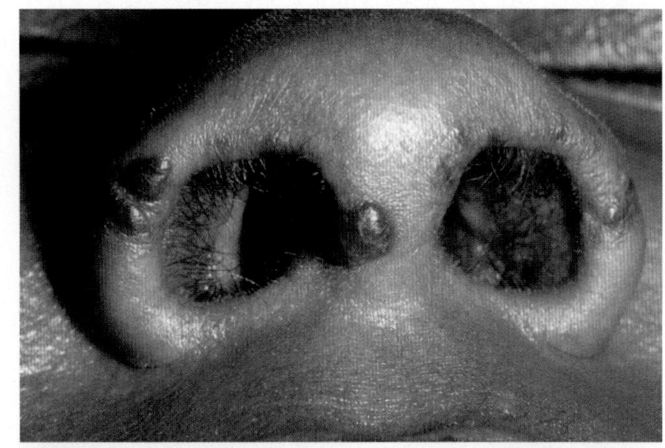

그림 2.8 유육종증(구진)

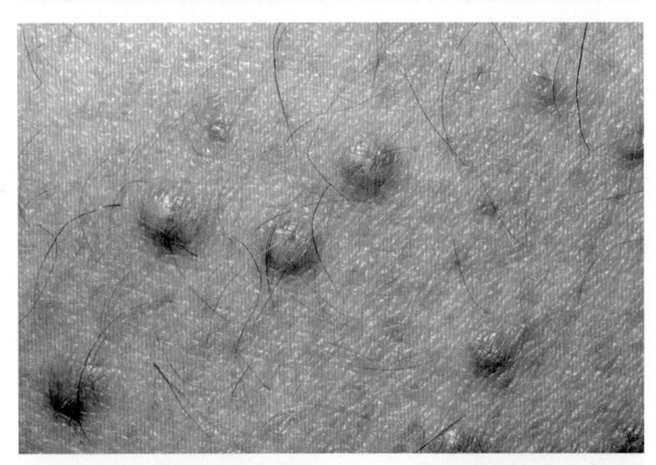

그림 2.9 발진황색종(구진). 노란색은 피부에 흔하게 발생하지 않기 때문에 감별에 도움이 된다.

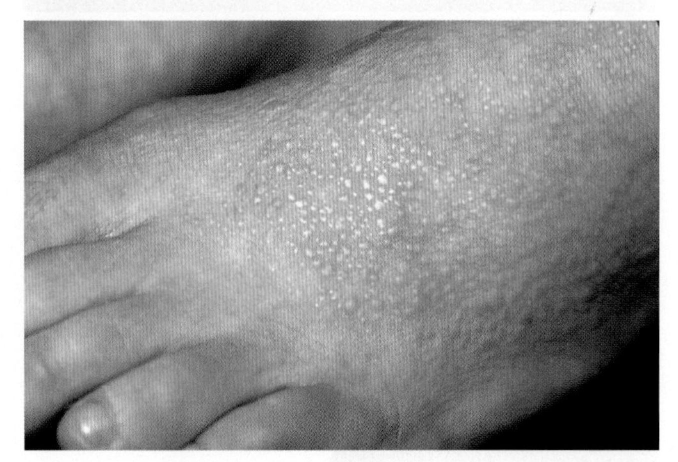

그림 2.10 다리에병(구진)

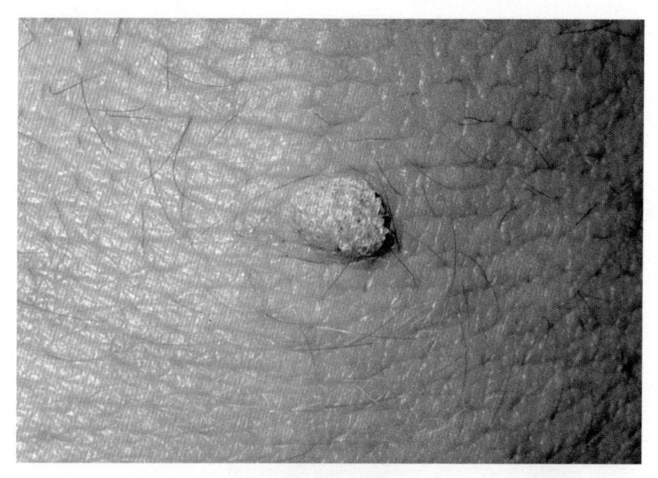
그림 2.11 보통사마귀(인설 구진)

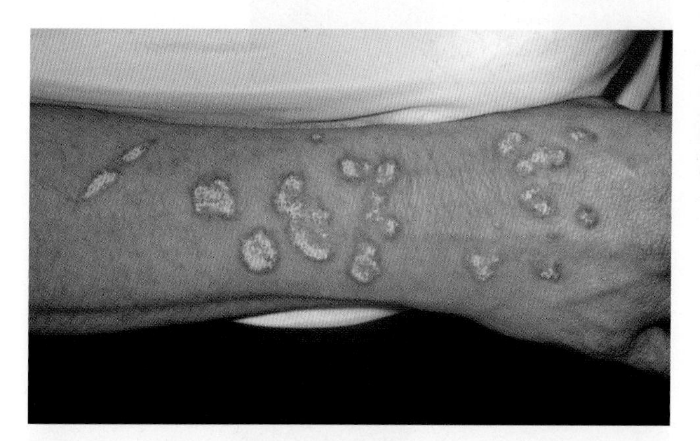
그림 2.12 비대홍반루푸스(인설 구진과 판)

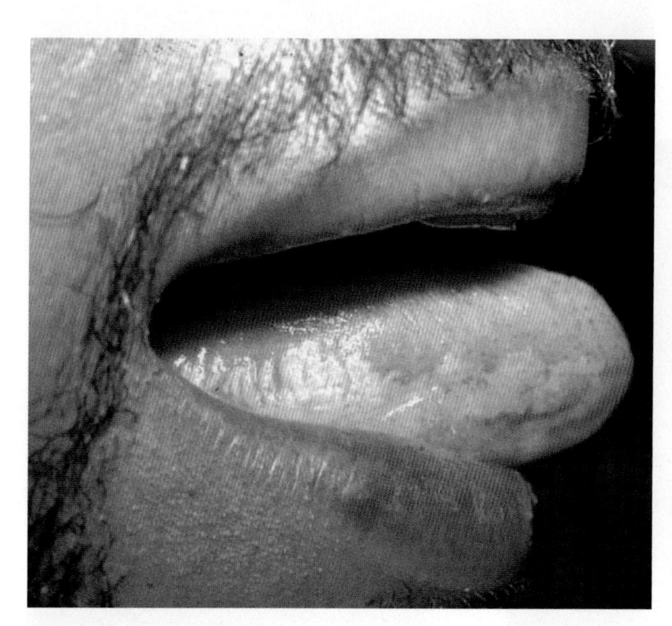
그림 2.13 구강모백색판증(판)

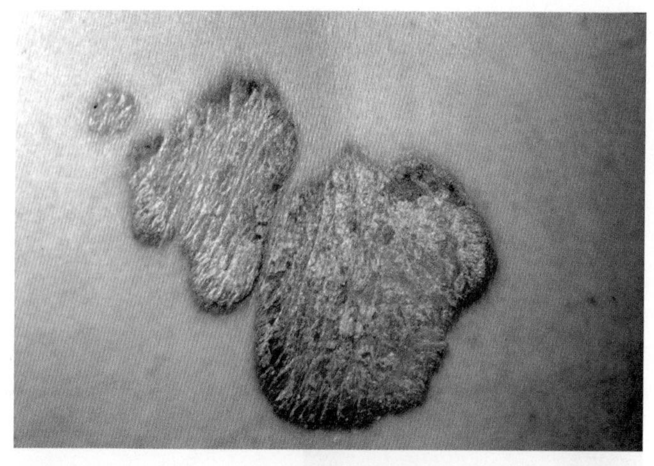
그림 2.14 건선(판)

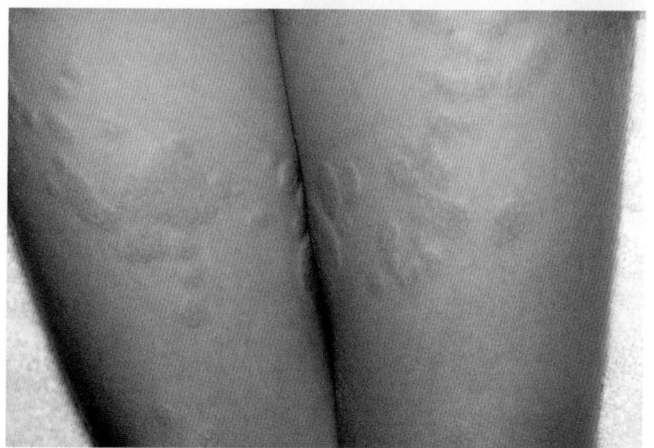
그림 2.15 동종접합 가족고콜레스테롤혈증에서 황색종(노란색의 판)

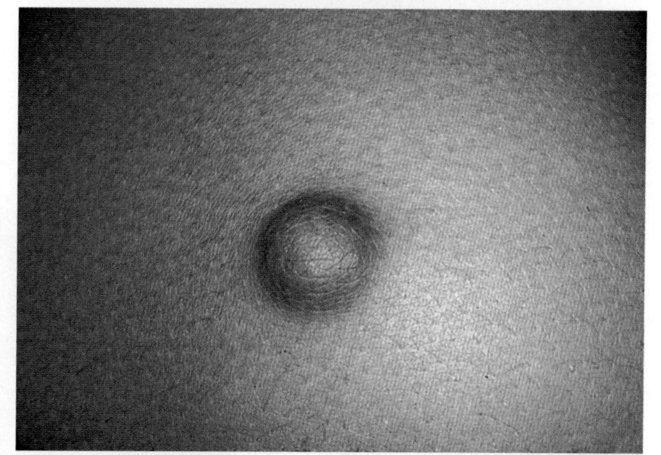
그림 2.16 융기피부섬유육종(결절)

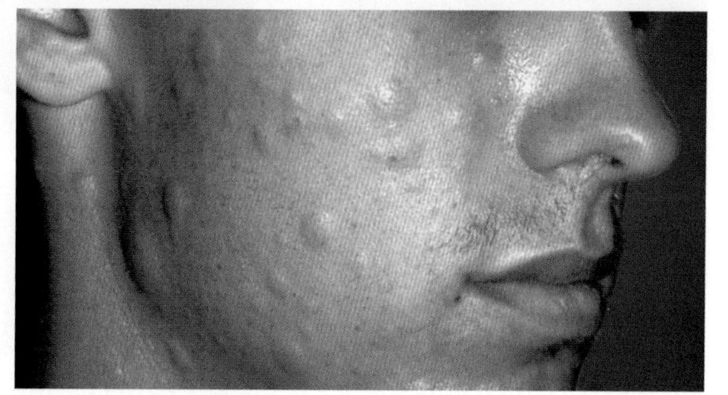
그림 2.17 급성골수백혈병(결절)

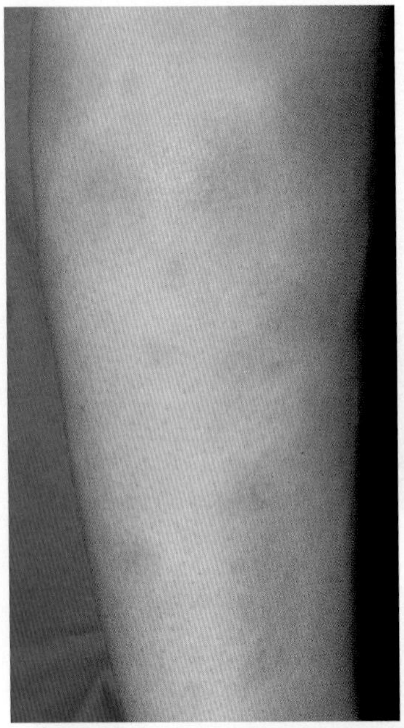

그림 2.18 결절홍반(피하결절)

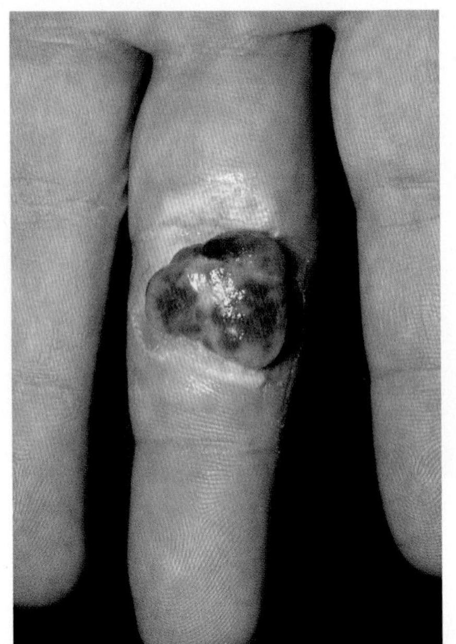

그림 2.19 화농육아종(종양)

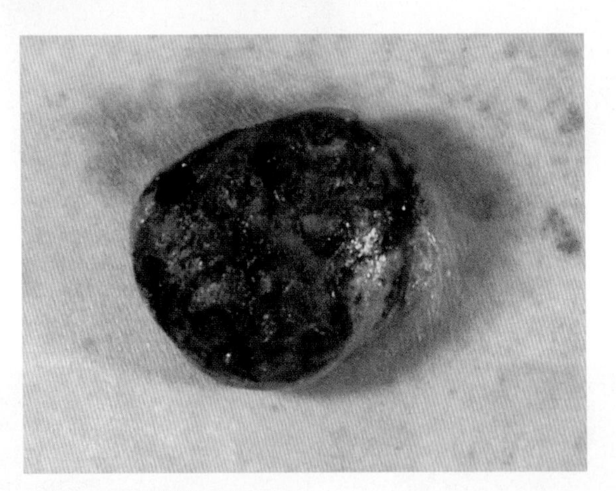

그림 2.20 흑색종(종양)

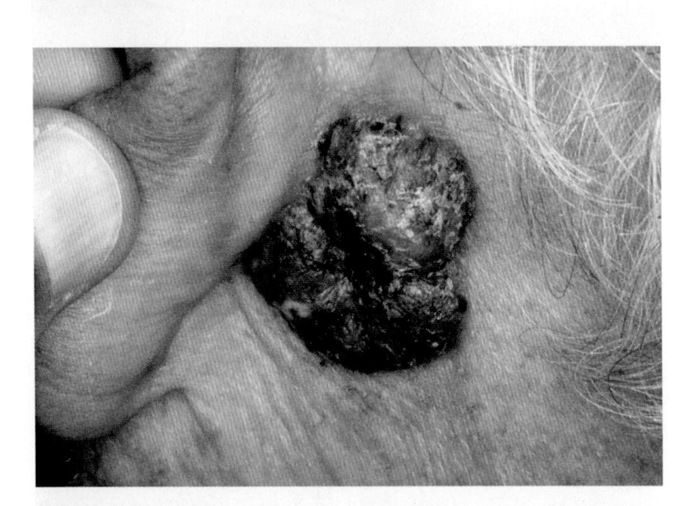

그림 2.21 기저세포암(종양)

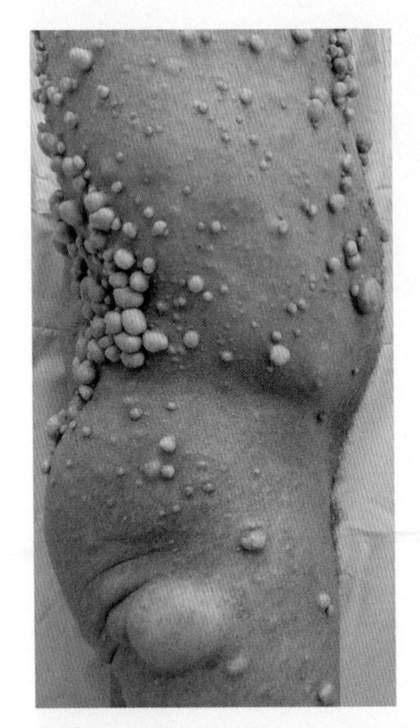

그림 2.22 신경섬유종증(반점, 과색소침착, 구진, 종양)

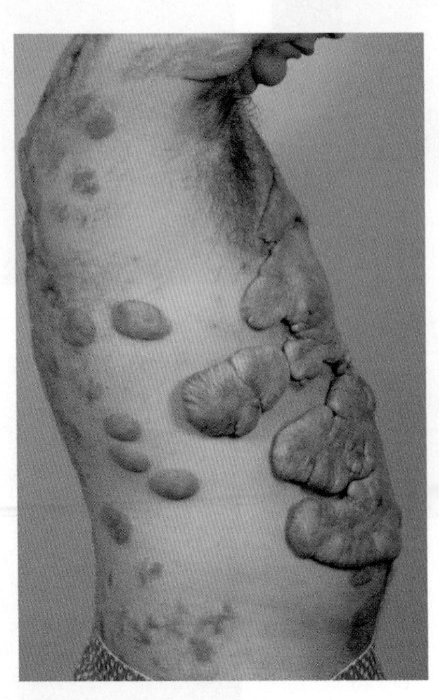

그림 2.23 켈로이드(판과 종양)

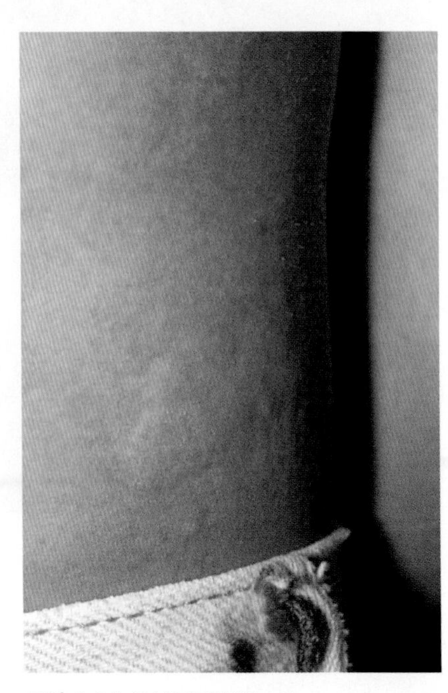

그림 2.24 급성두드러기(팽진)

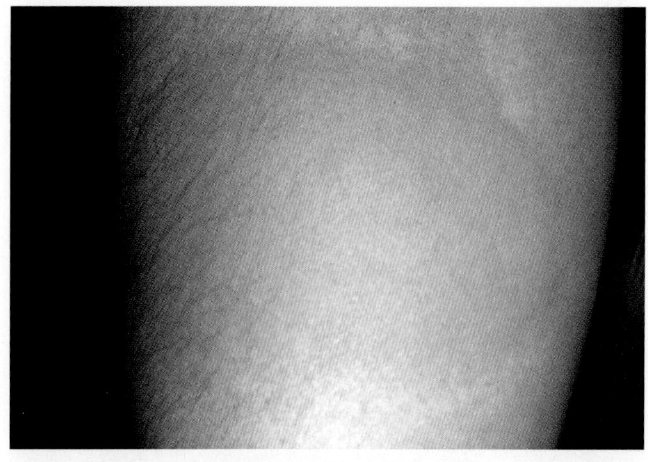

그림 2.25 한랭두드러기(팽진)

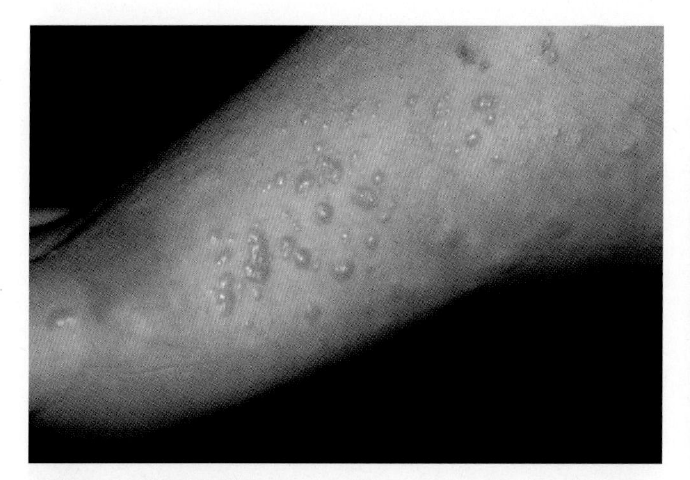

그림 2.26 발한이상증(소수포)

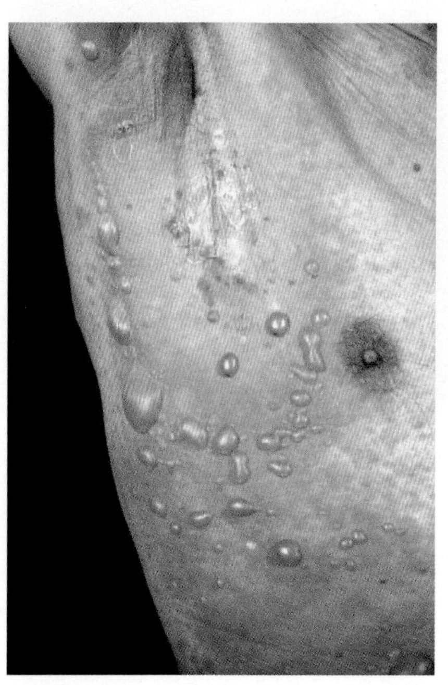

그림 2.27 수포유사천포창(소수포와 수포)

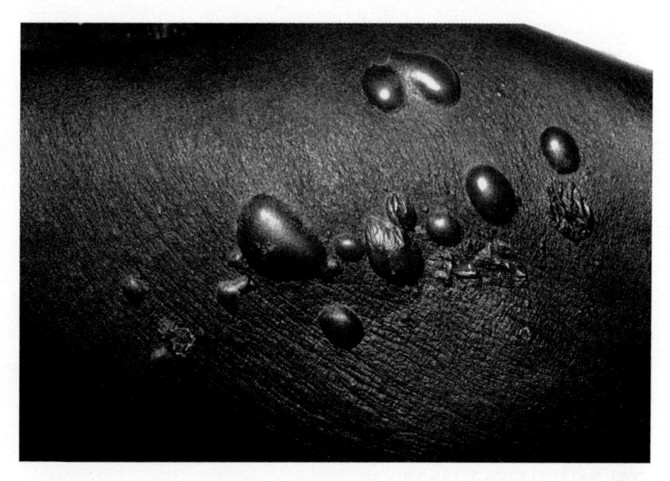

그림 2.28 수포유사천포창(소수포와 수포)

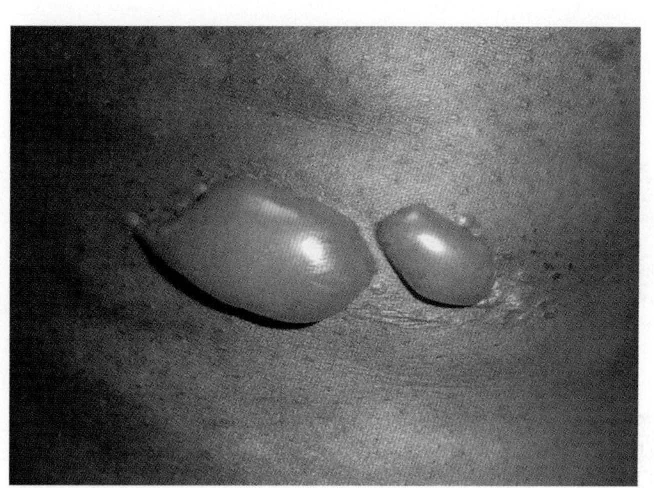

그림 2.29 단순수포표피박리증(수포)

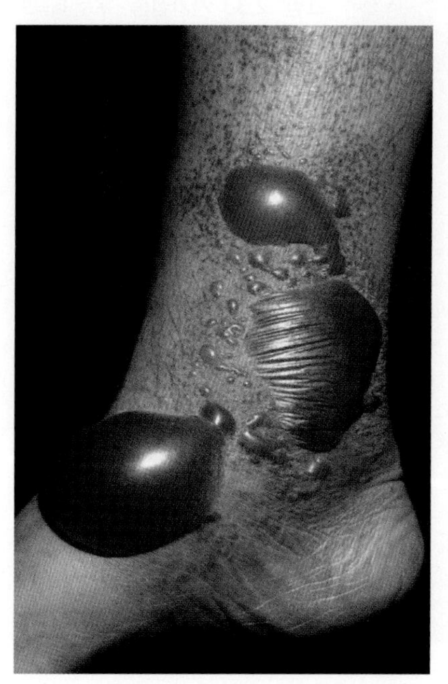

그림 2.30 Piroxicam 과민반응(일부 출혈을 동반한 소수포와 수포)

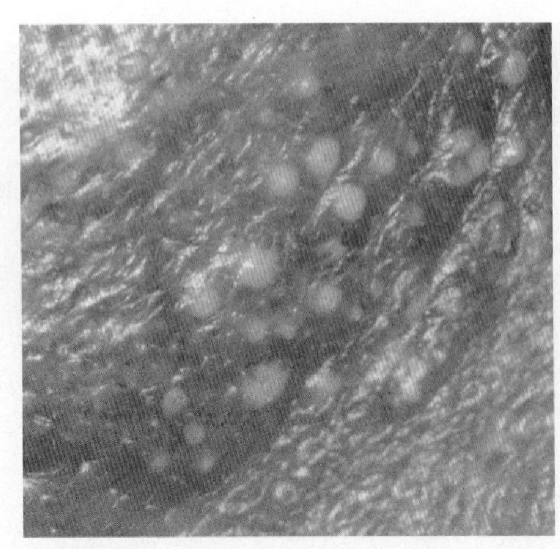

그림 2.31 포도알균 모낭염(농포)

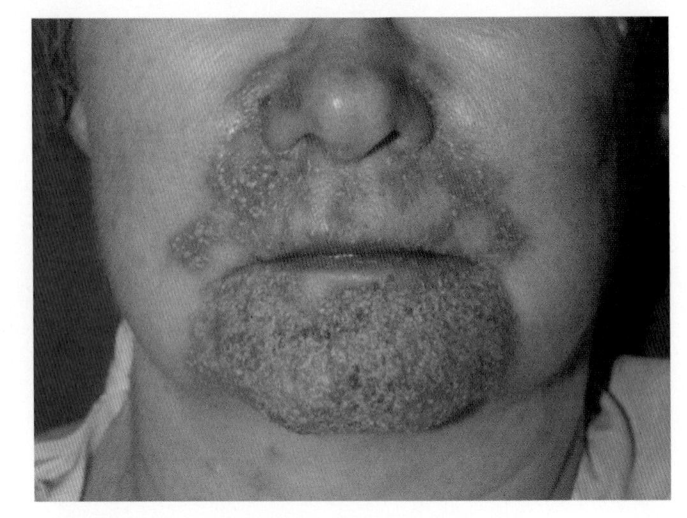

그림 2.34 포도알균 모낭염과 농가진(농포와 딱지)

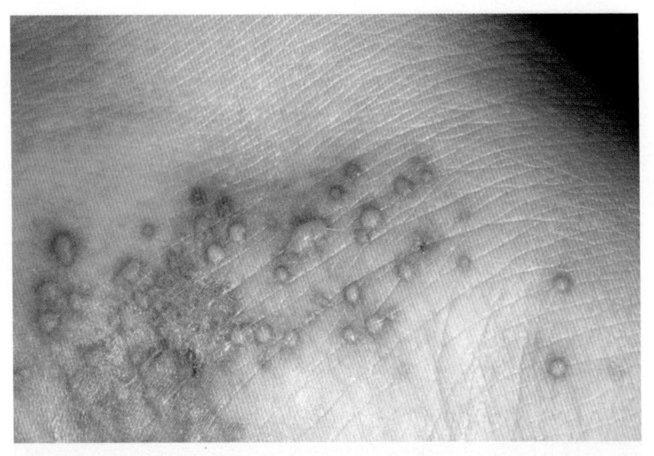

그림 2.32 발바닥농포증(농포)

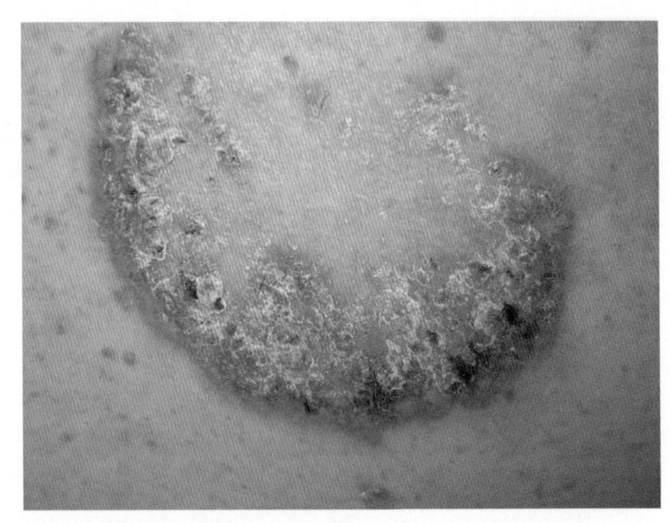

그림 2.35 가족양성만성천포창(딱지)

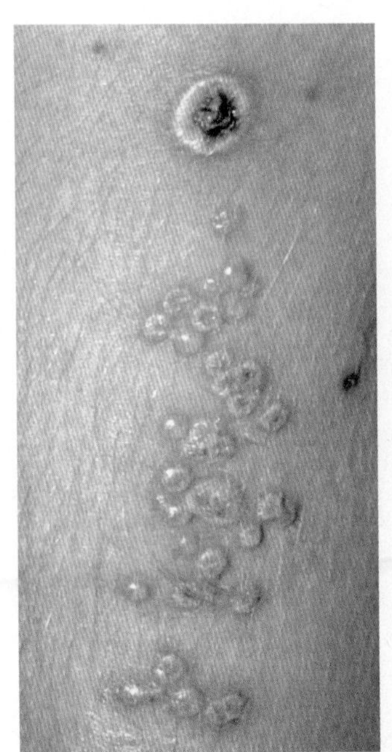

그림 2.33 자가접종 우두(배꼽모양함몰 농포)

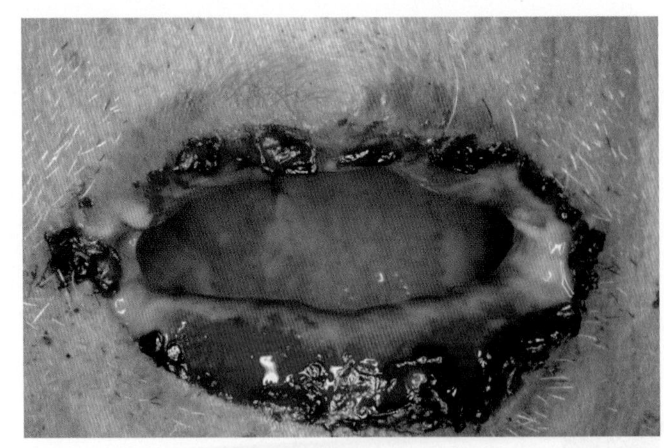

그림 2.36 종양연관천포창(출혈 딱지)

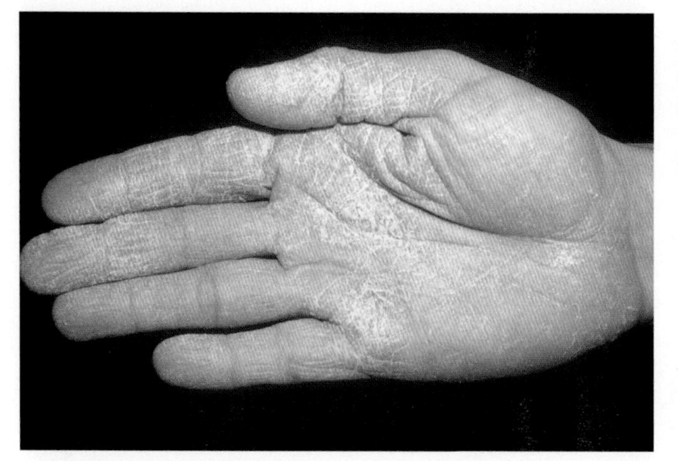

그림 2.37 시멘트에 의한 만성손습진(비늘)

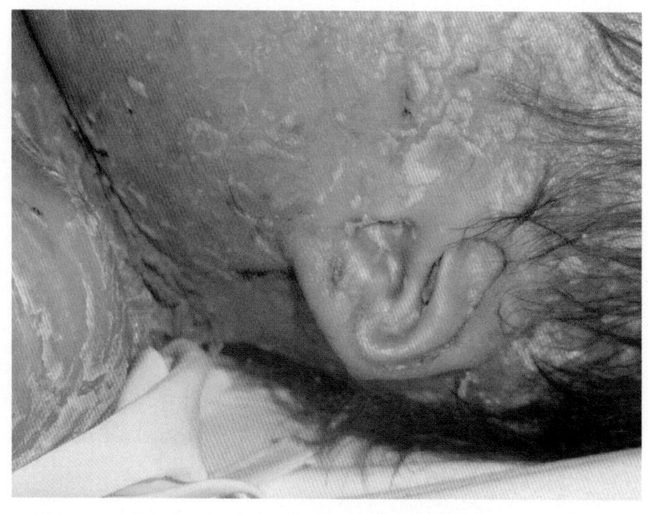

그림 2.40 선천비늘증모양홍색피부증(비늘과 각질탈락)

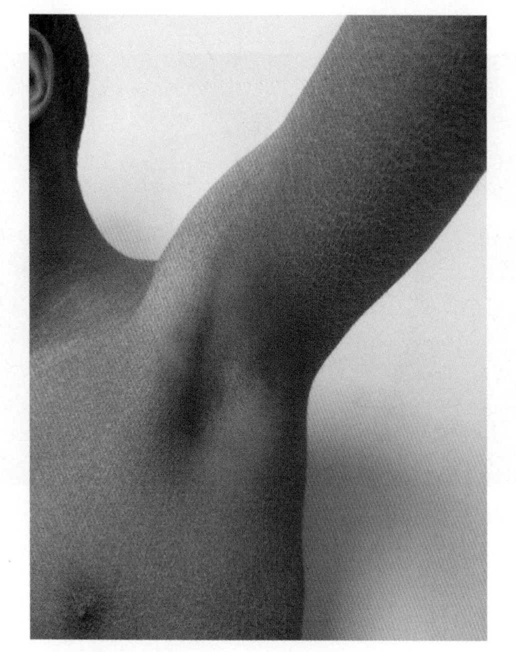

그림 2.38 X연관 어린선(비늘)

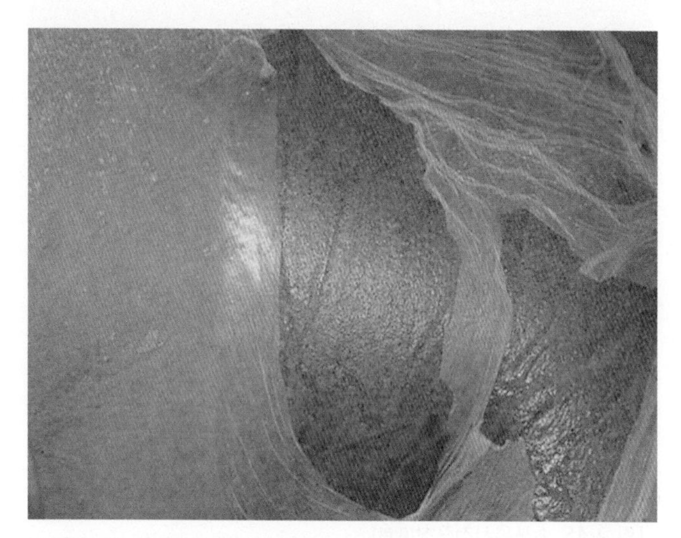

그림 2.41 독성표피괴사용해(얇은 각질탈락)

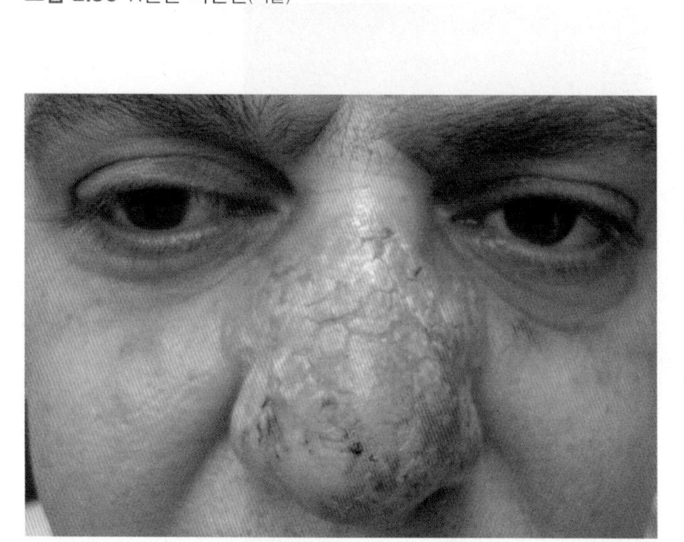

그림 2.39 브라질낙엽천포창(비늘)

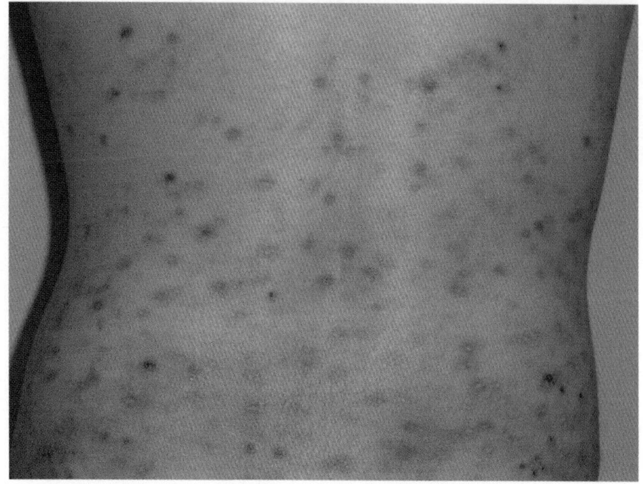

그림 2.42 Morgellons 병(긁은 상처)

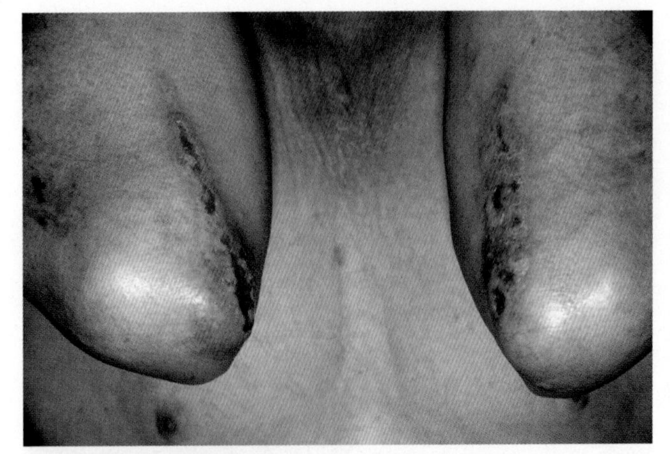

그림 2.43 만성소양증(선상 긁은 상처)

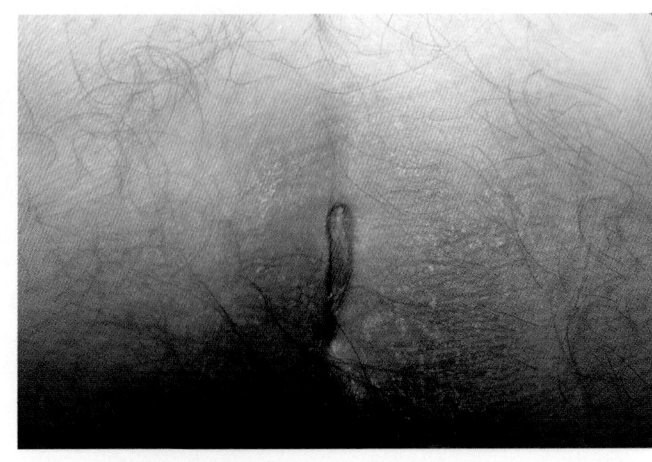

그림 2.44 항문주위균열(열창)

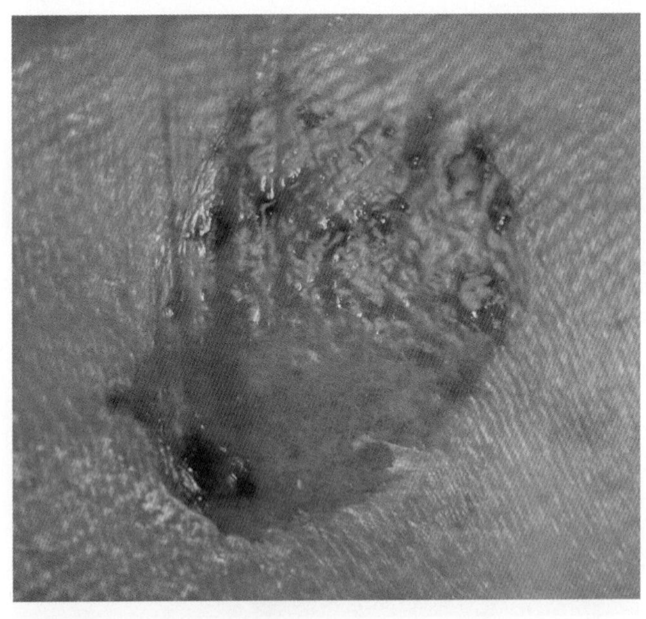

그림 2.45 수포유사천포창(미란)

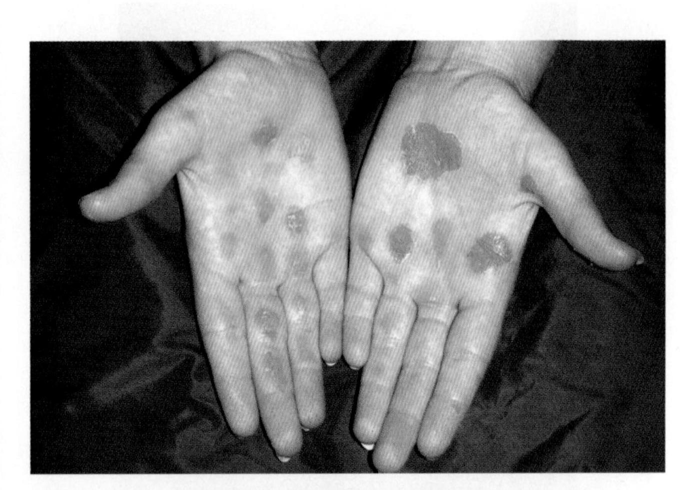

그림 2.46 이소트레티노인에 의한 피부 여림(미란)

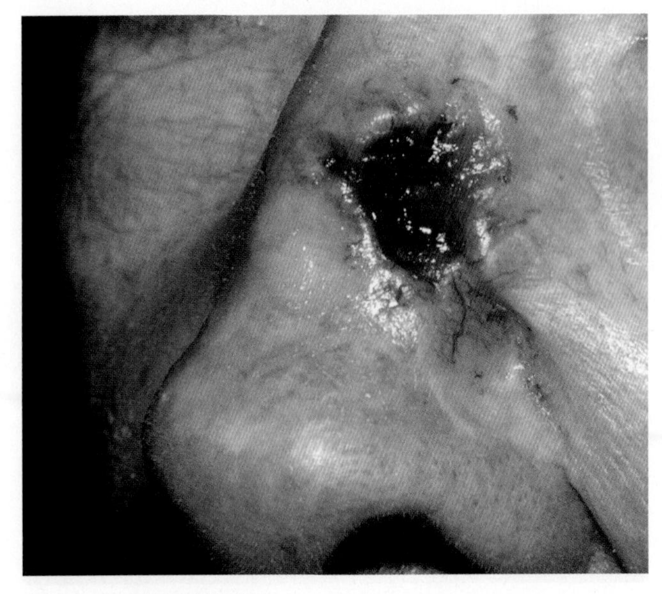

그림 2.47 기저세포암(궤양)

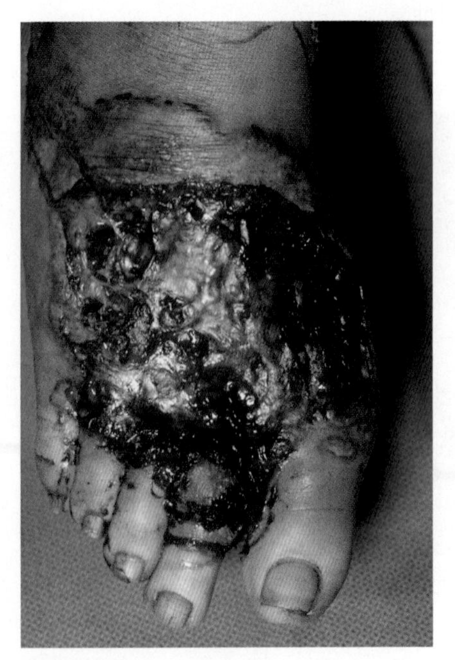

그림 2.48 괴저화농피부증(궤양)

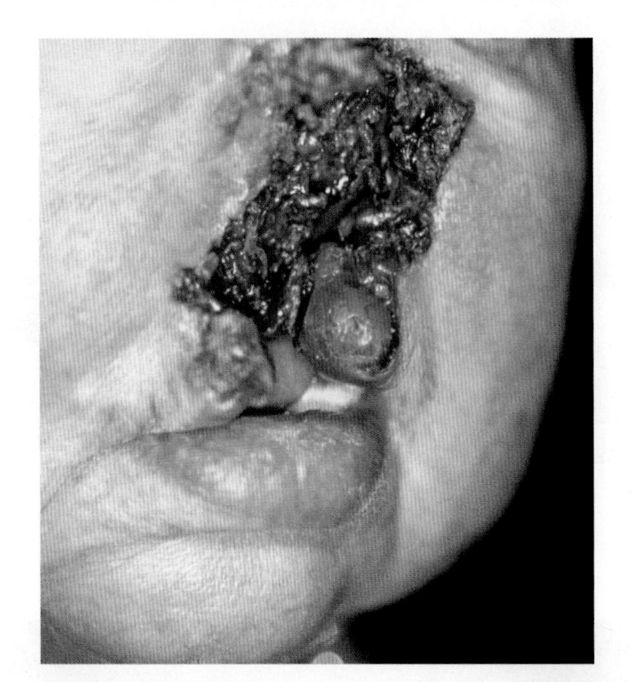

그림 2.49 기저세포암(궤양)

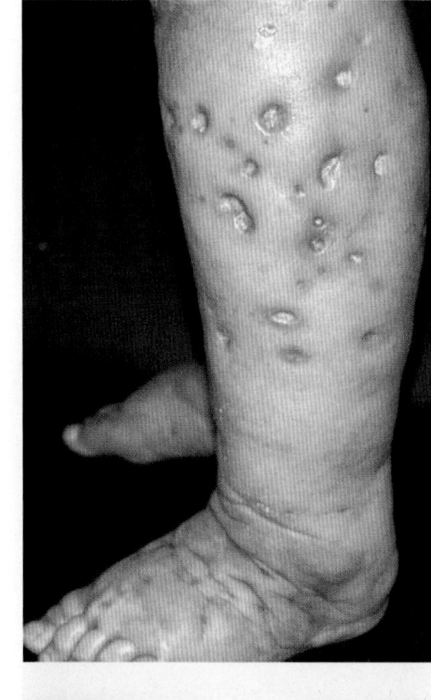

그림 2.52 불법 피하주사 후 발생한 둥근 흉터와 부종

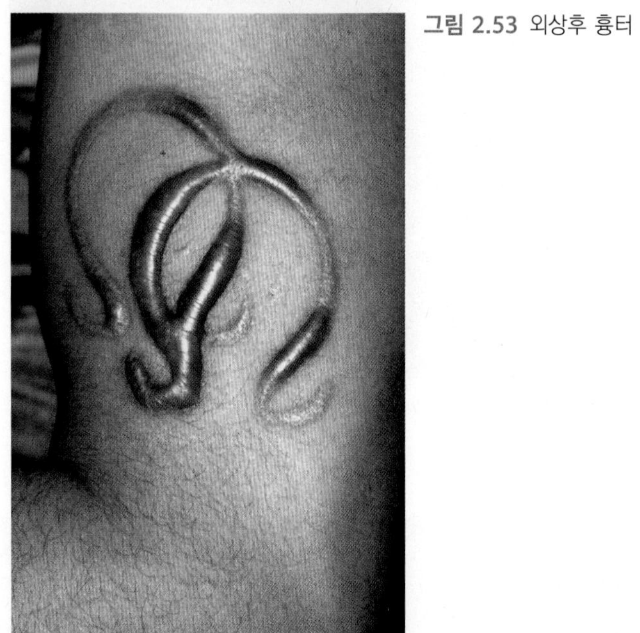

그림 2.53 외상후 흉터

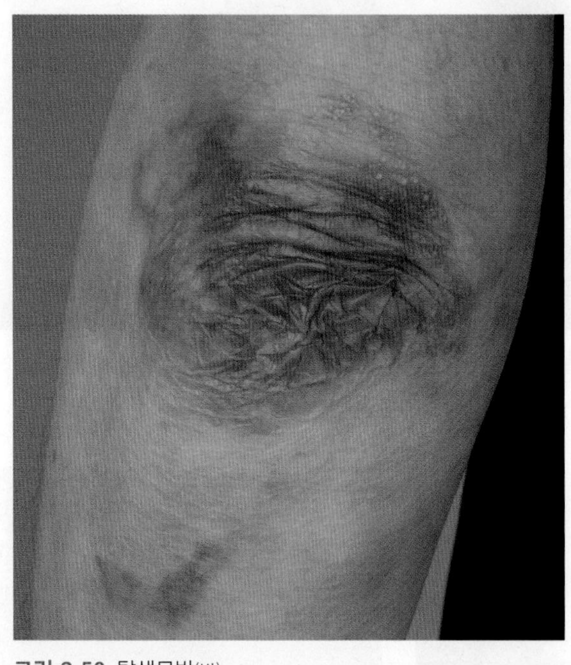

그림 2.50 탈색모반(반)

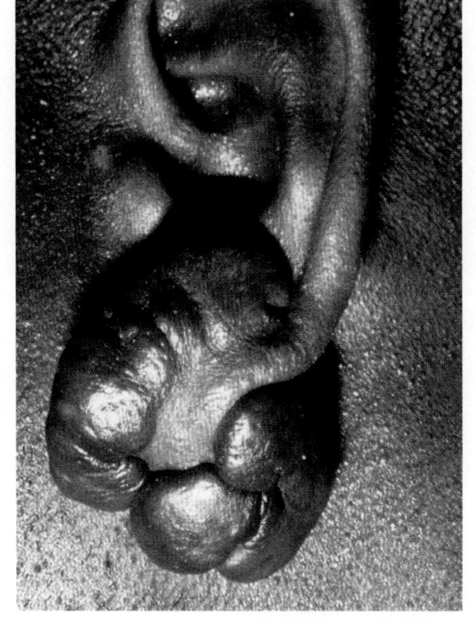

그림 2.54 켈로이드

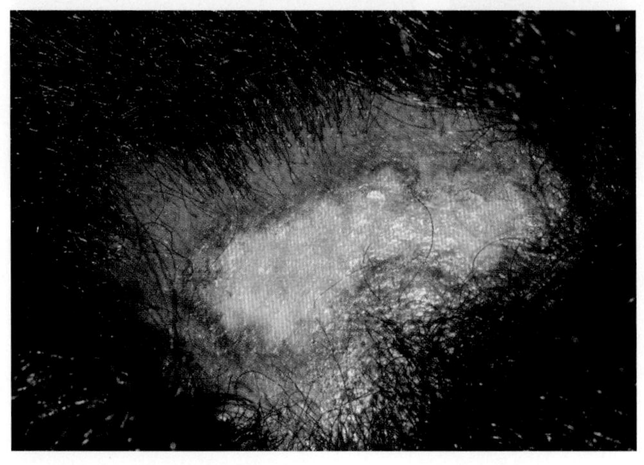

그림 2.51 원반모양홍반루푸스(흉터형성탈모)

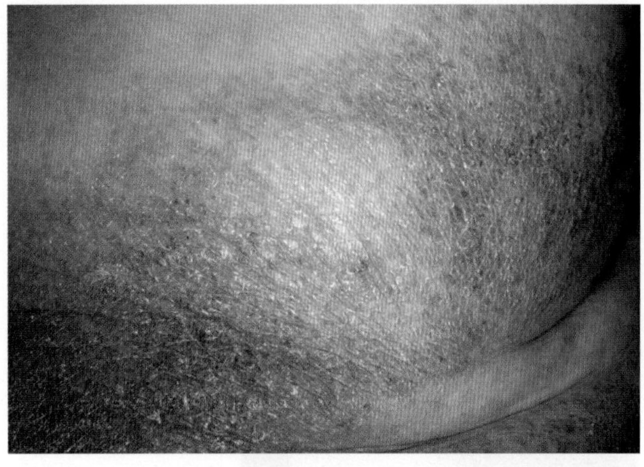

그림 2.55 균상식육종(다형피부증)

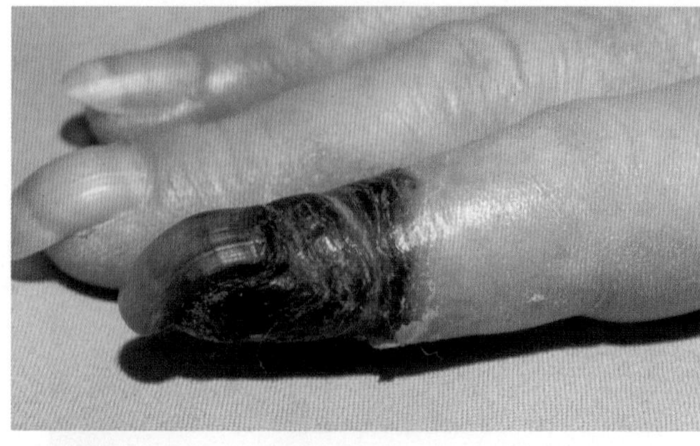

그림 2.56 제한피부경화증, CREST(괴저)

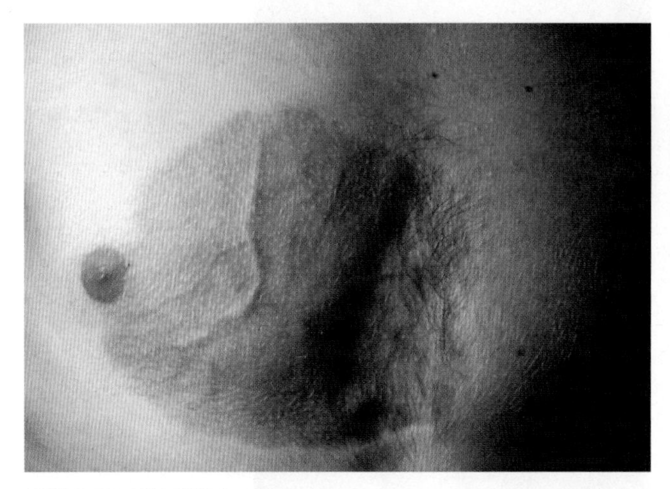

그림 2.57 피부위축증(위축)

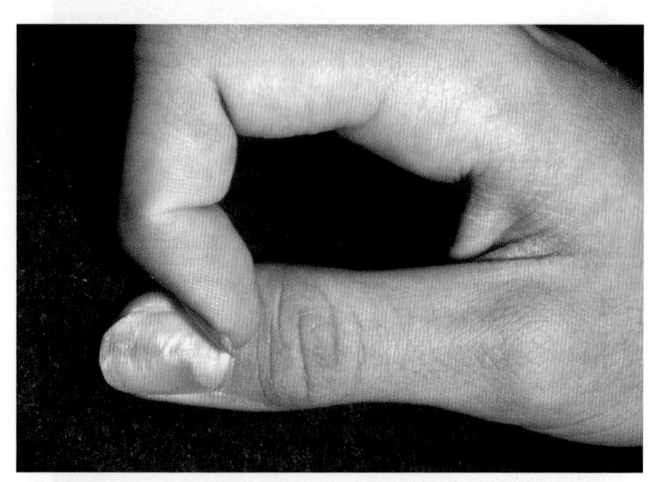

그림 2.58 Reeve 징후(진료 중 증상의 원인을 재현하는 것). 빨래판 조갑이상증

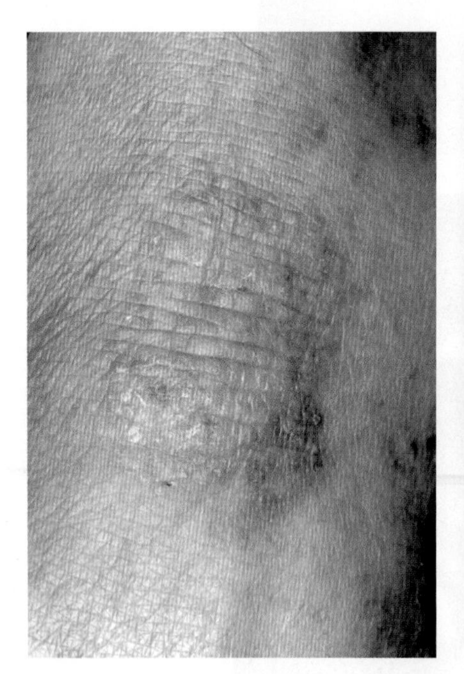

그림 2.59 만성단순태선(태선화)

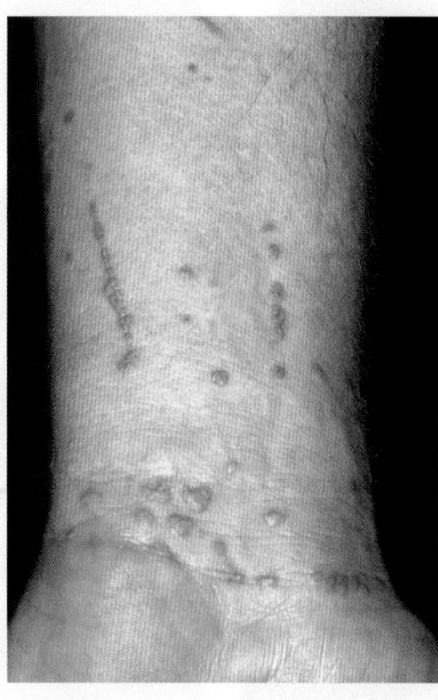

그림 2.60 편평태선(선상의 쾨브너현상)

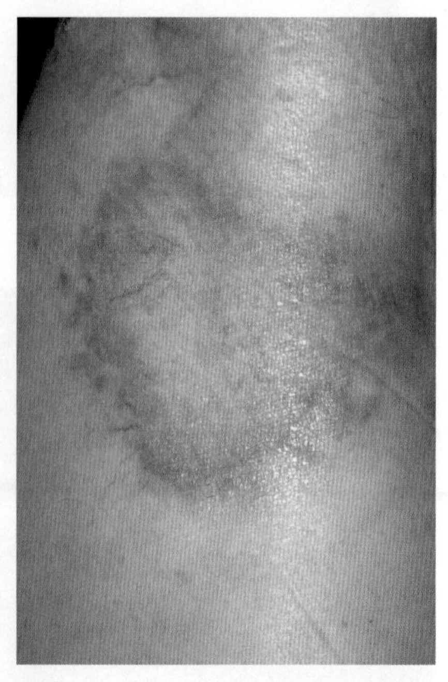

그림 2.61 윤상육아종(고리모양)

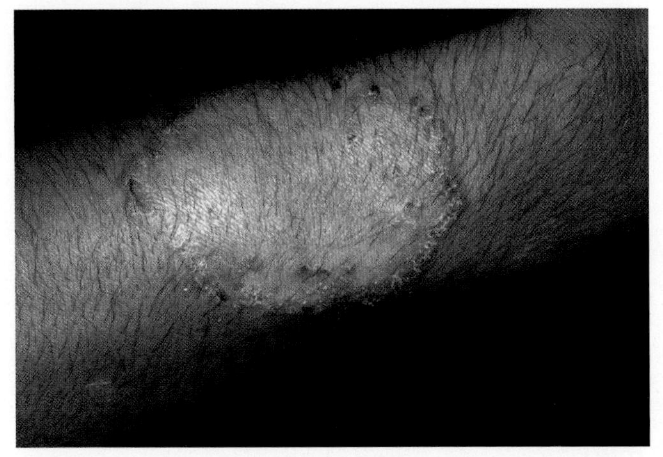

그림 2.62 체부백선(고리모양)

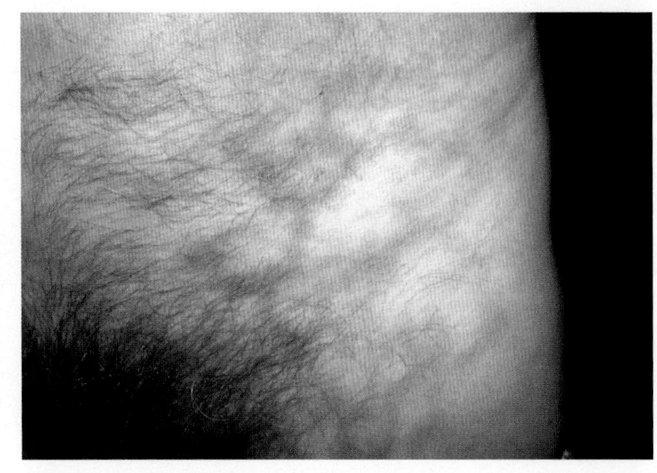

그림 2.63 열성홍반(그물모양)

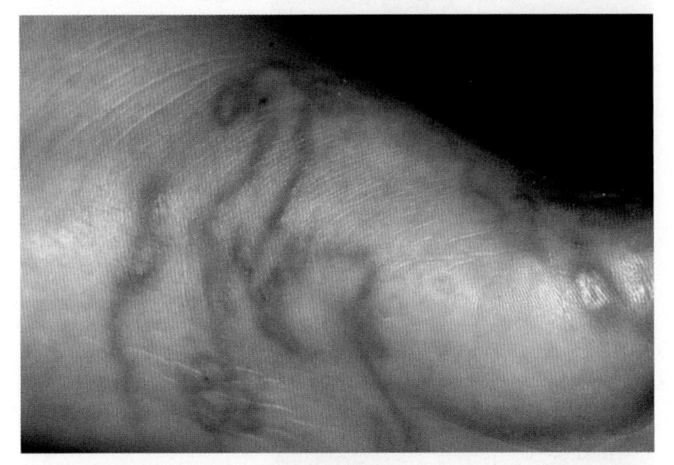

그림 2.64 유충피부이동증(사행성)

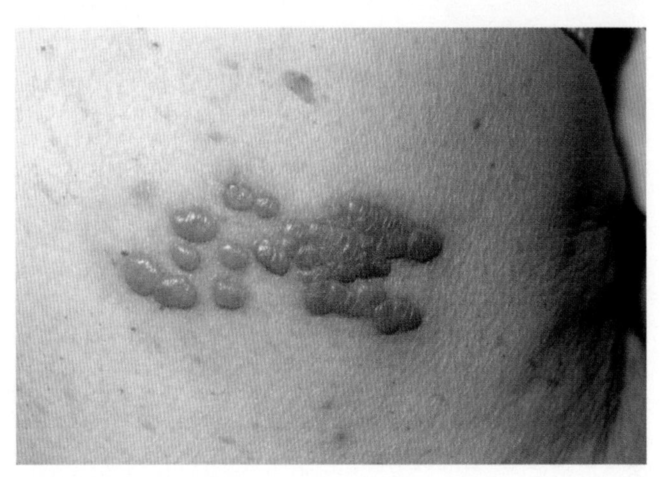

그림 2.65 단순포진(군집성)

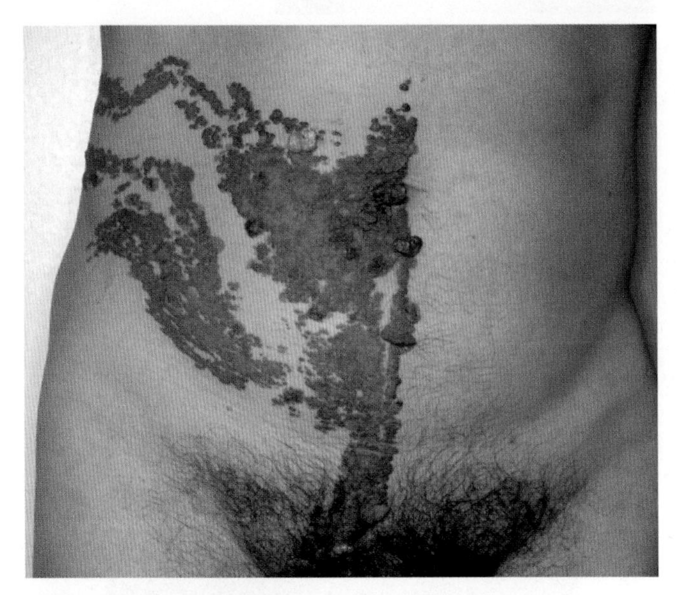

그림 2.66 선상표피모반(블라쉬코선을 따라 발생)

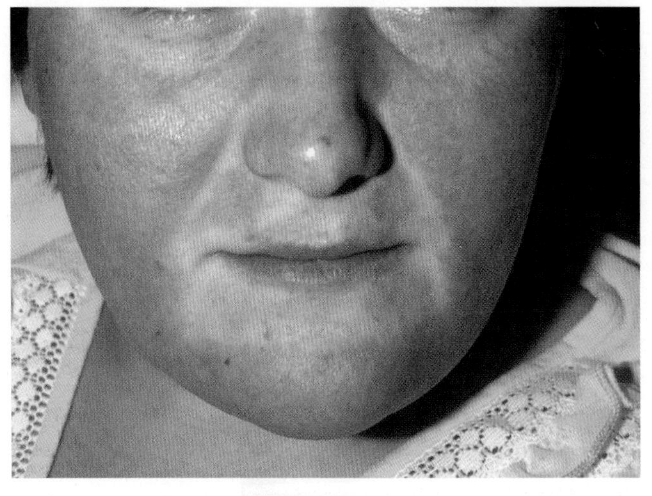

그림 2.67 전신홍반루푸스(비구순주름, 코밑과 입밑을 보존하는 광민감)

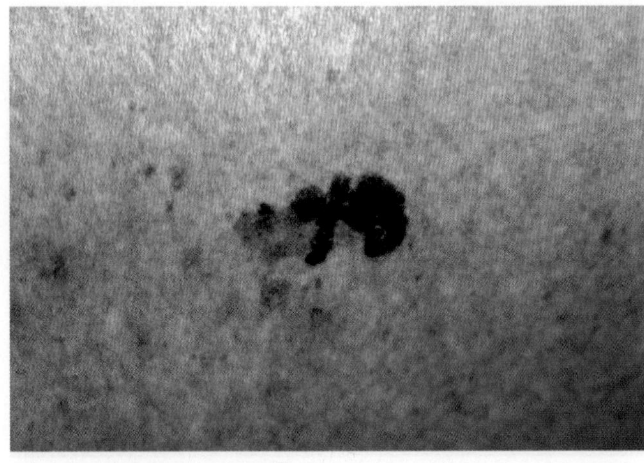

그림 2.68 흑색종(색조의 다양함)

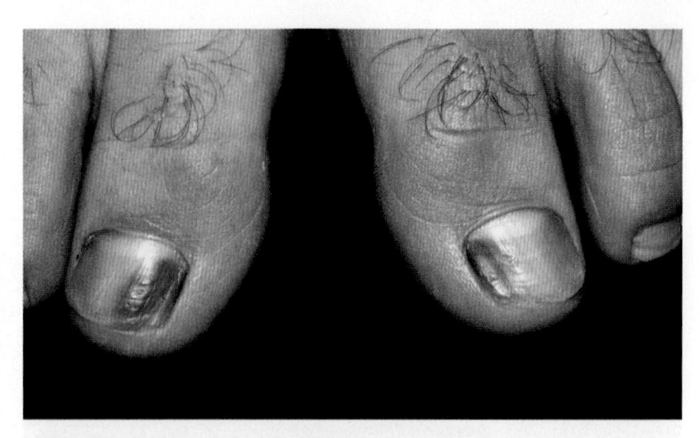

그림 2.69 Pseudomonas 감염에 의한 녹색조갑

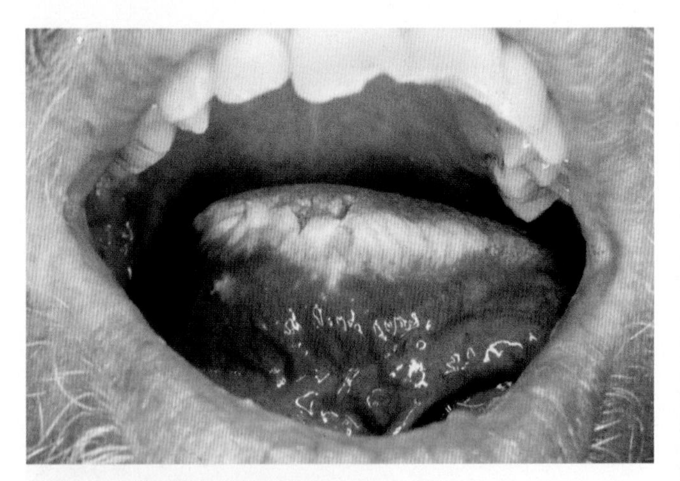

그림 2.70 선천조갑비대증(구강)

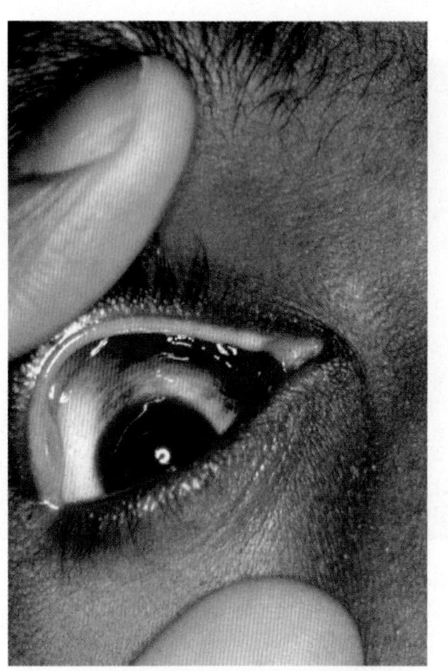

그림 2.71 카포시육종(결막)

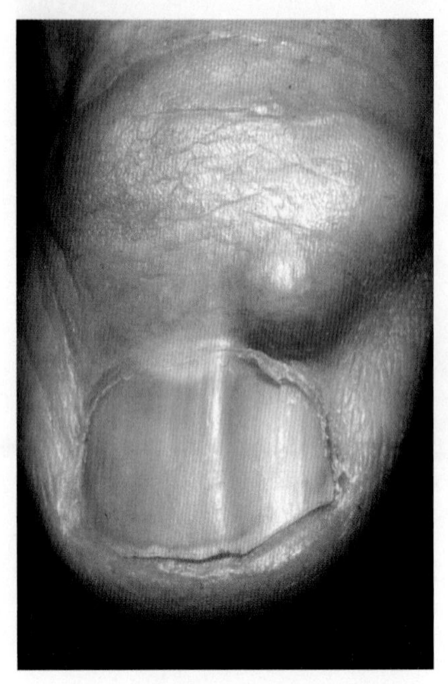

그림 2.72 점액낭종에 의한 조갑고랑(손톱)

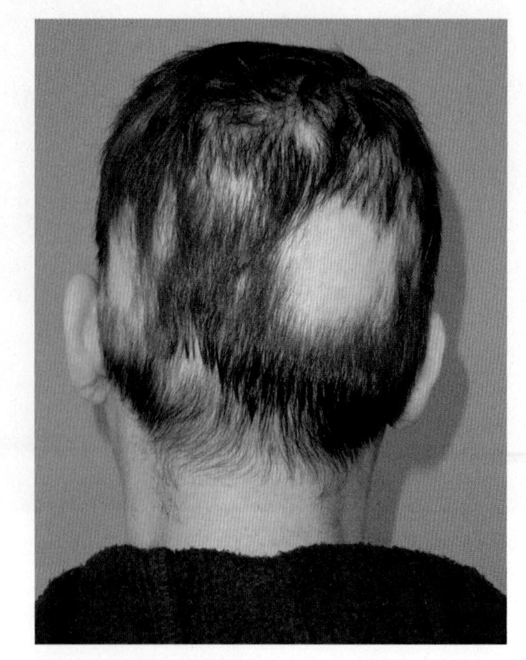

그림 2.73 원형탈모(모발)

물리적 인자에 의한 피부질환 3

이 장에서는 우리 신체를 보호하기 위해 외부환경에 대해 피부가 어떻게 반응하는지의 예를 보여준다. 열, 한랭, 습도, 자외선, 빛, 방사선과 기계적 외상, 고착된 이물질 등 다양한 물리적 인자들에 대한 노출은 독특한 양상의 피부 증상을 나타낼 수 있다.

얼굴, 가슴, 손등, 전박부 등의 광선 노출부위에서 대칭성으로 발진이 나타나는 소견은 많은 경우에 발병부위만으로도 광과민성 상태나 질환을 진단하는 데 중요한 이학적 소견이 될 수 있다. 실외에서 오랜 시간을 보내는 사람들은 급성 및 만성 일광 손상에 매우 민감하고 사지의 말단부위에 온도관련(열이나 한랭) 손상을 나타내기도 한다.

반면, 기계적 손상이나 이물반응은 보통 비대칭성으로 나타난다. 이 장에서는 물리적 자해나 방사선 치료 혹은 식물광선피부염의 결과로 피부에 나타날 수 있는 도형화된 모양이나 부자연스러운 배열형태를 볼 수 있다. 환자의 병력과 손상의 시기 등의 정보는 전체적인 이학적 검사 후 의심되는 진단을 확정하는 데 도움을 줄 수 있다.

이 장에서는 물리적 인자에 의한 피부 병변과 피부질환의 예들을 보여준다.

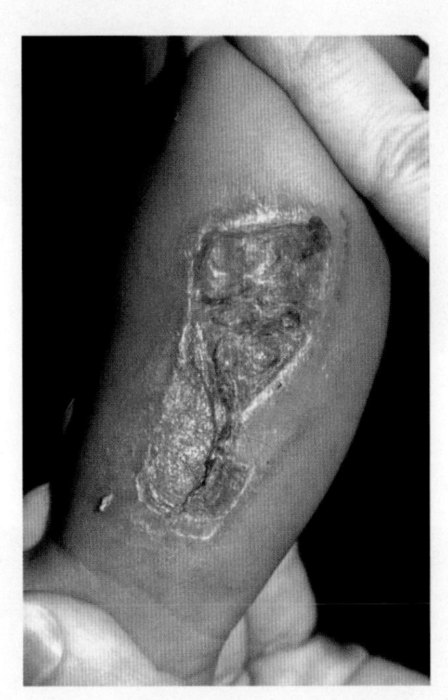

그림 3.1 아동학대에 의한 열화상

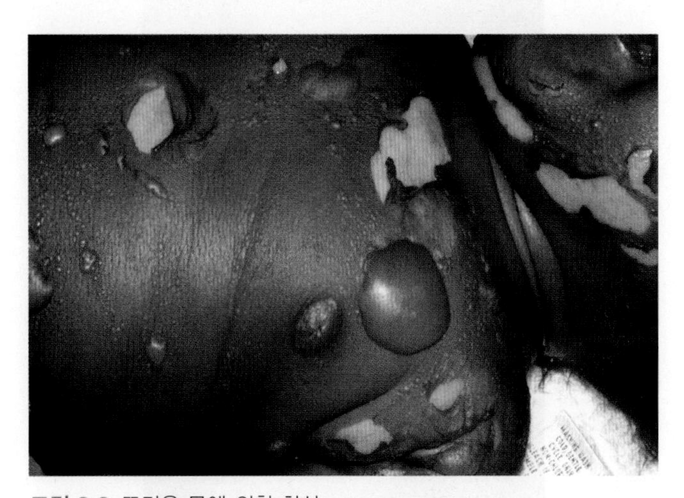

그림 3.2 뜨거운 물에 의한 화상

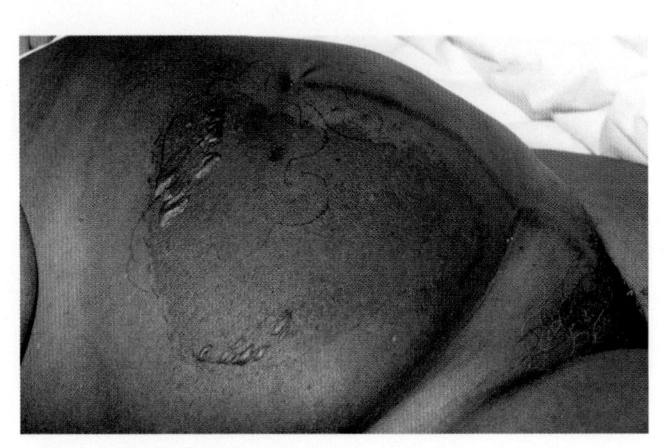

그림 3.3 뜨거운 물통에 의한 손상

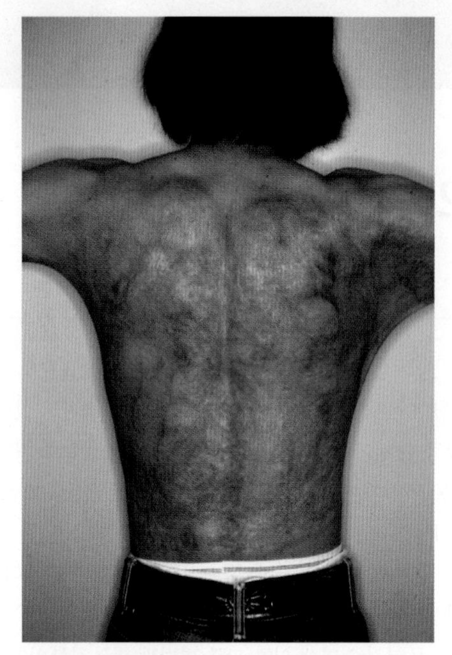

그림 3.4 화상 흉터

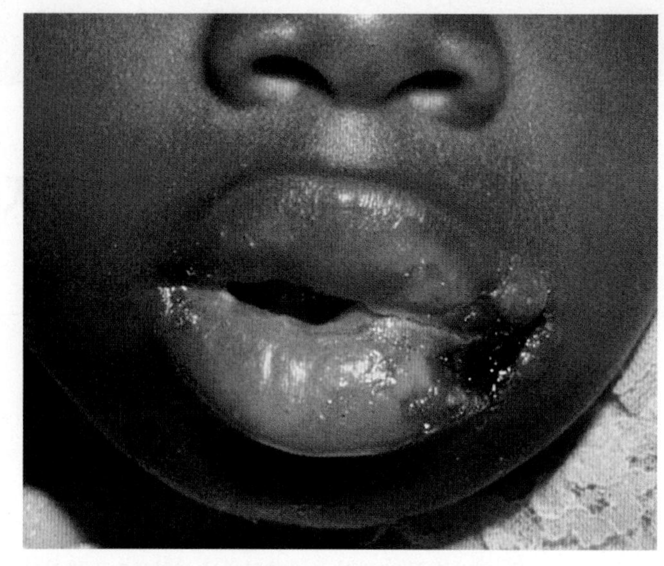

그림 3.5 전깃줄을 물어서 발생한 전기화상

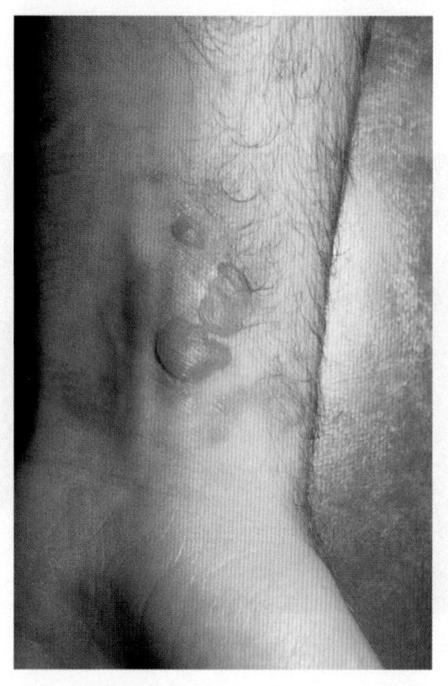

그림 3.6 뜨거운 기름에 의한 화상

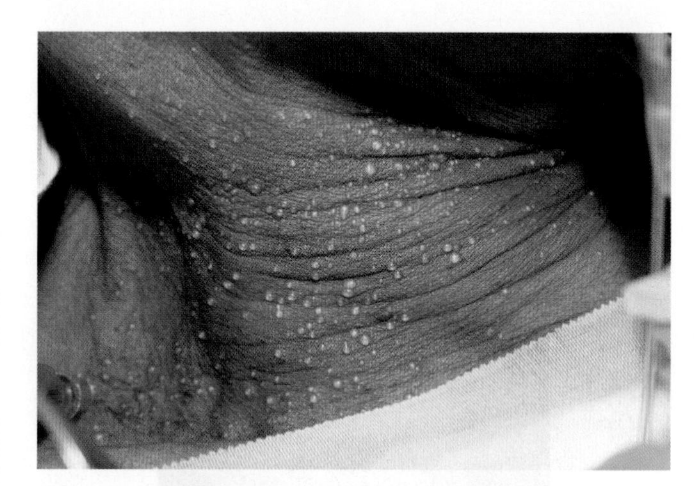

그림 3.7 수정땀띠

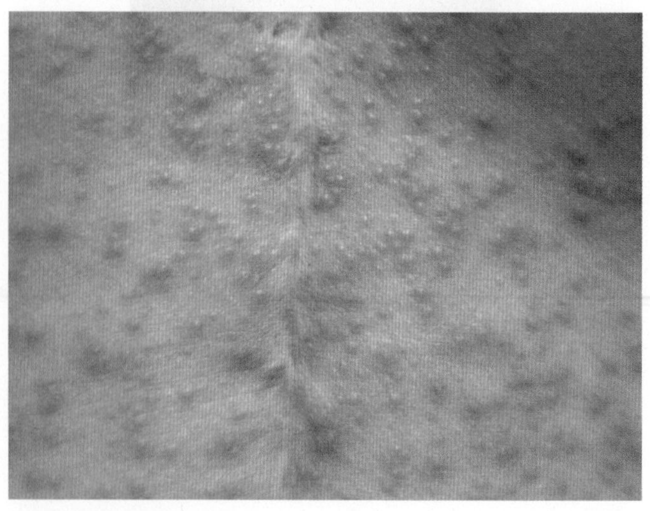

그림 3.8 적색땀띠

그림 3.9 적색땀띠

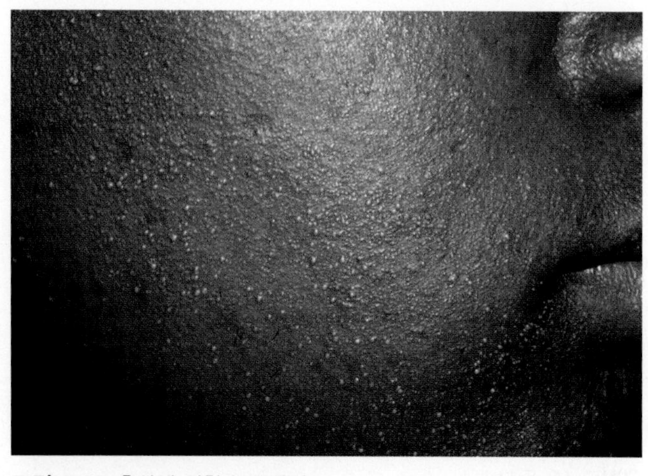

그림 3.10 출산에 의한 농포땀띠

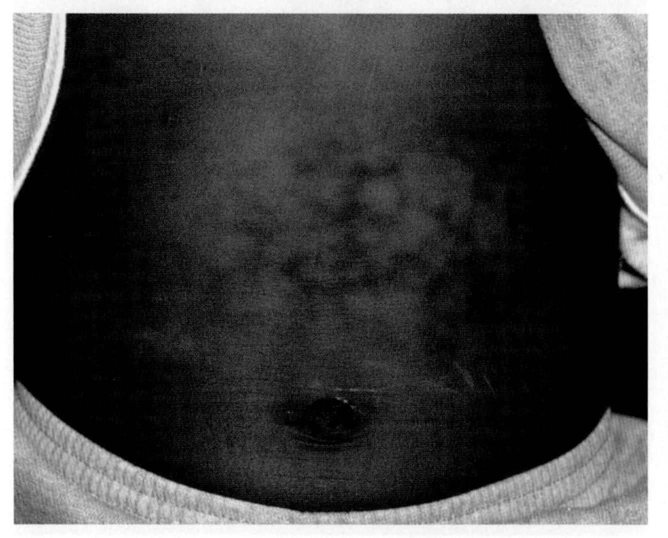

그림 3.11 열성홍반

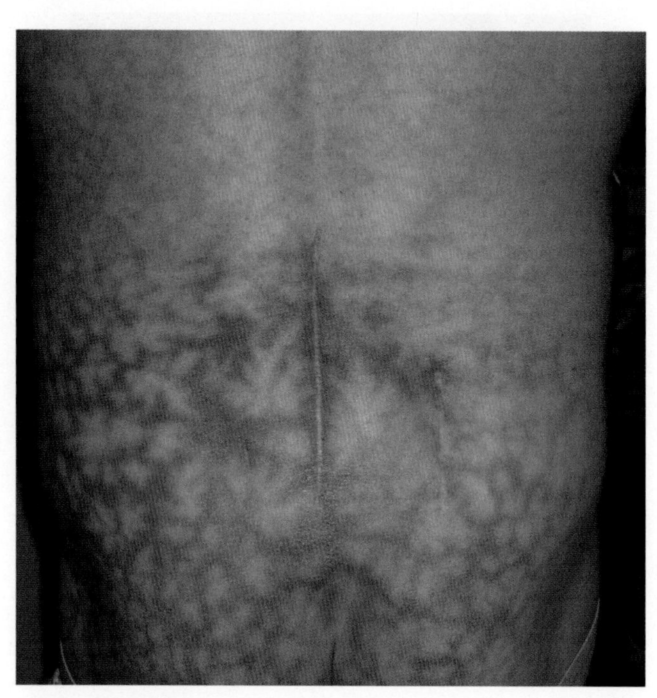

그림 3.12 열성홍반

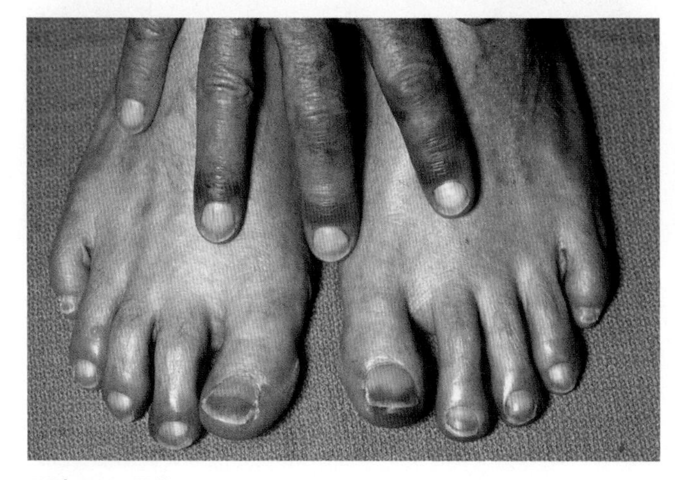

그림 3.13 동창

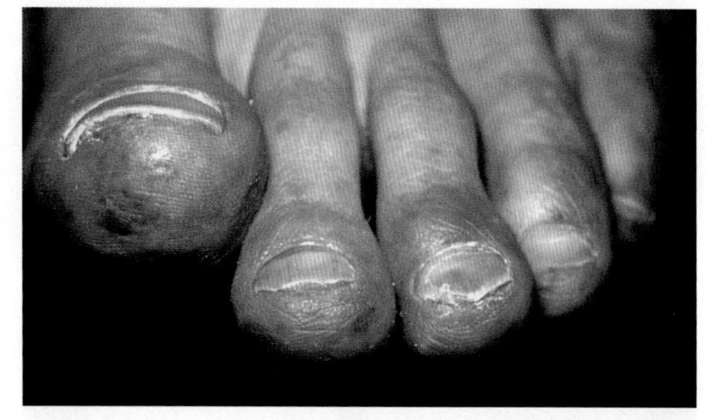

그림 3.14 동창

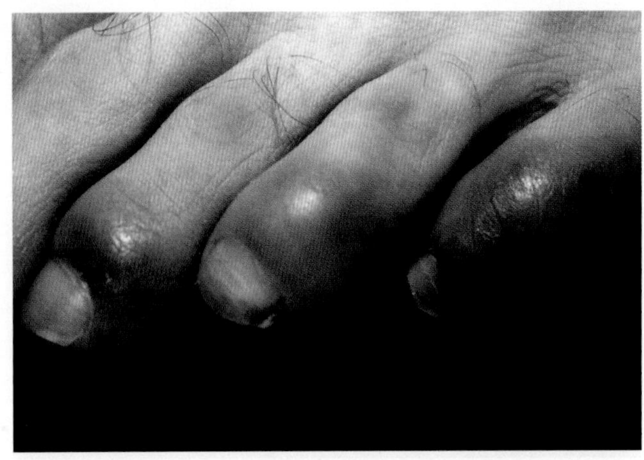
그림 3.15 동창

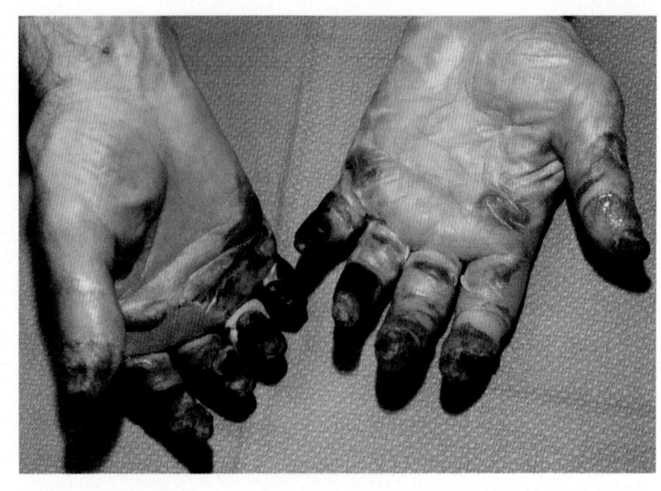
그림 3.16 동상

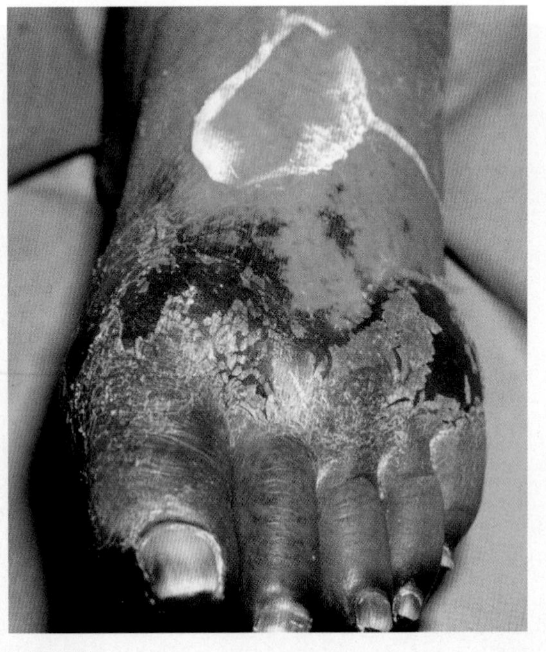
그림 3.17 동상

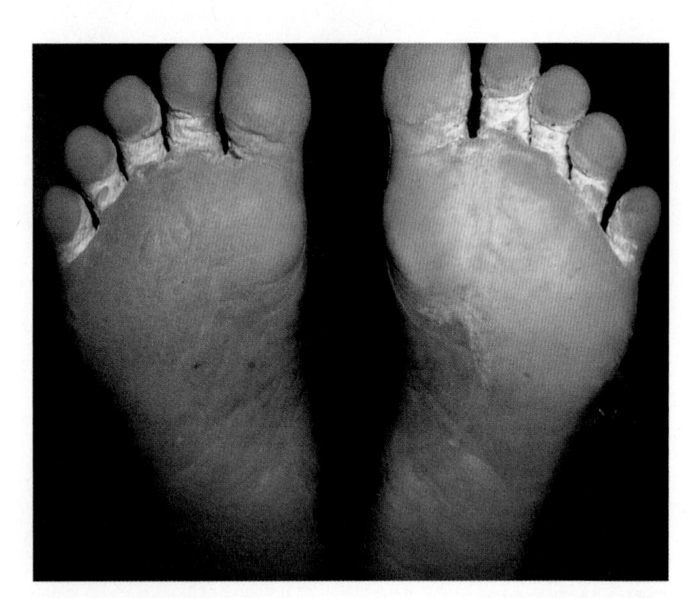
그림 3.18 열대침수발

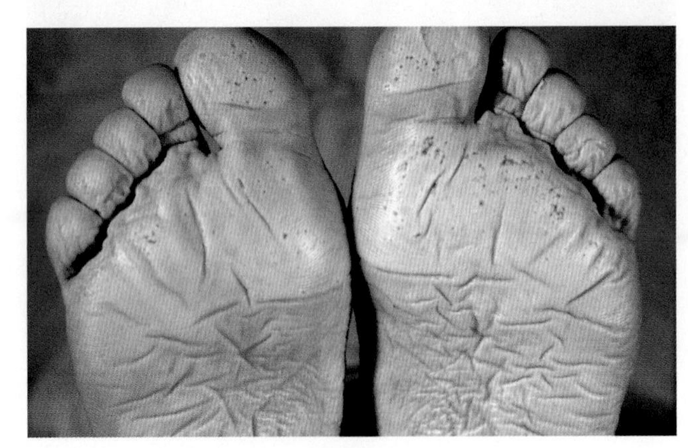
그림 3.19 열대침수발

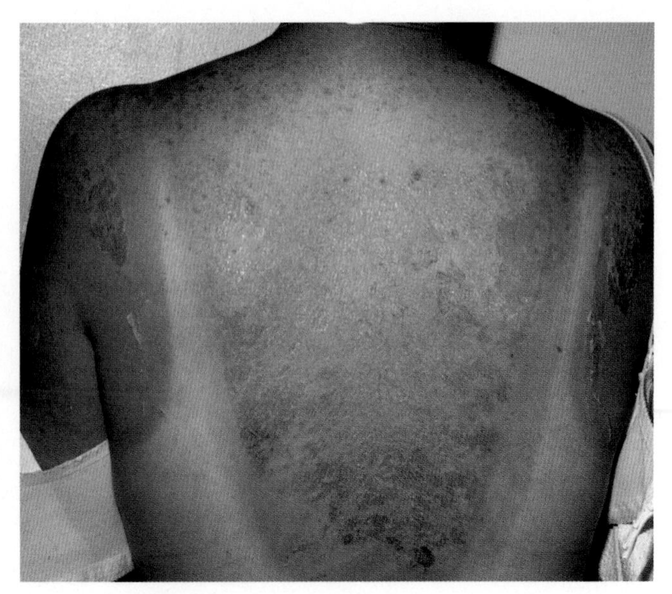
그림 3.20 일광화상

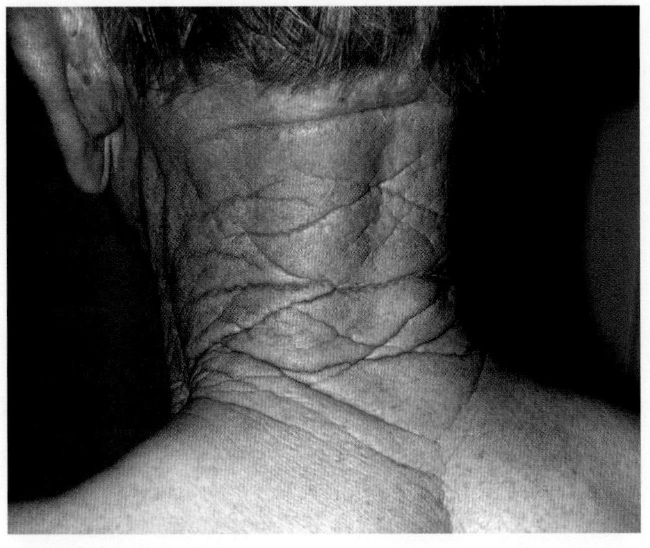

그림 3.21 후경부마름모피부

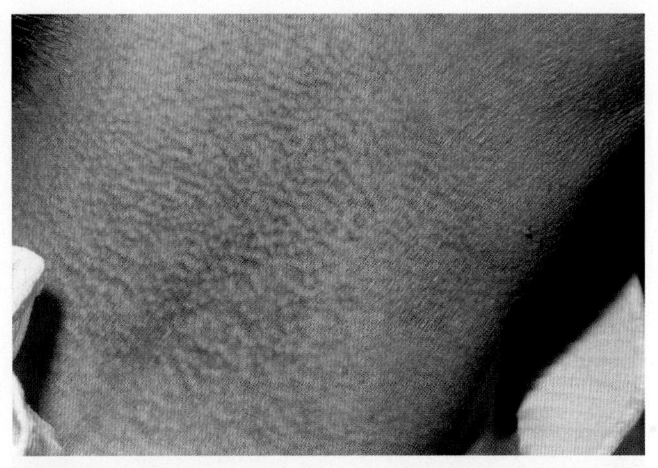

그림 3.22 시바트 다형피부증

그림 3.23 파브르-라쿠쇼증후군

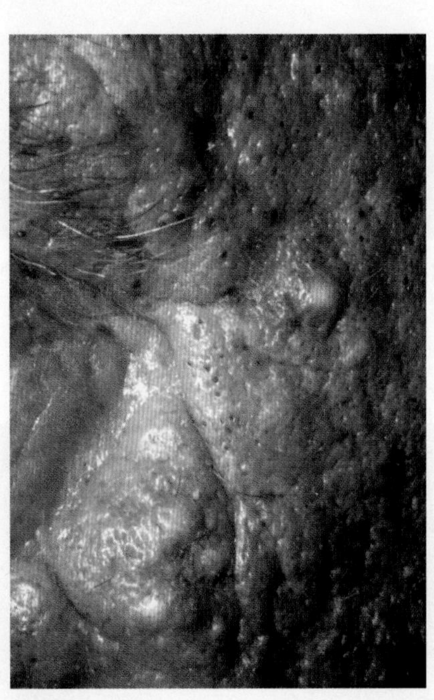

그림 3.24 파브르-라쿠쇼증후군에서의 일광탄력섬유결절

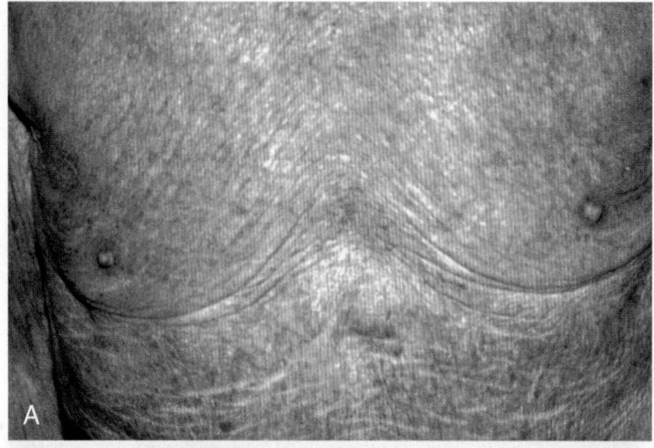

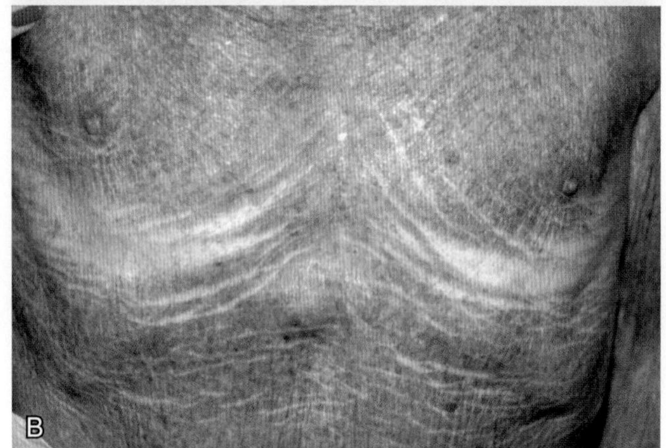

그림 3.25 (A) 만성일광변성 (B) 피부를 위로 당겼을 때 햇빛에 노출되지 않은 정상피부가 관찰된다.

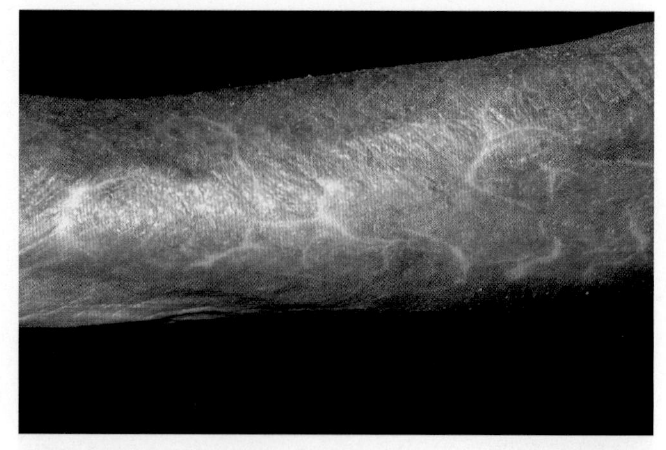

그림 3.26 별모양 가성흉터

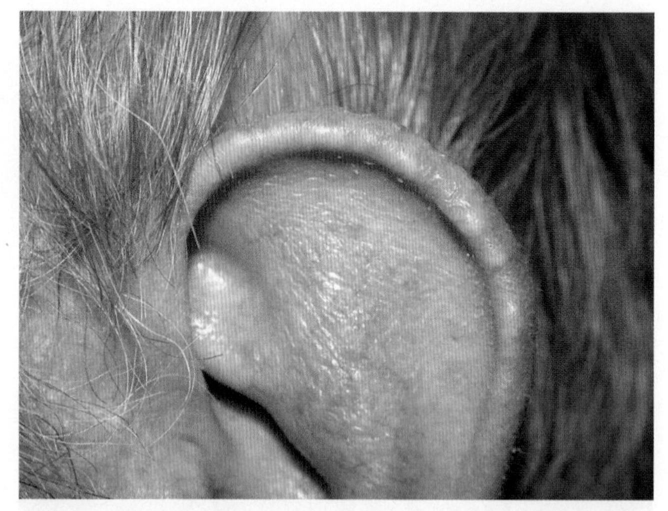

그림 3.28 풍화 결절

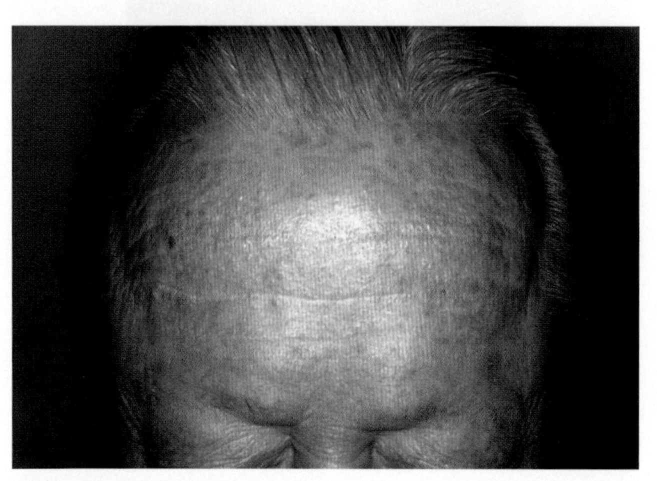

그림 3.27 이마의 일광탄력섬유증

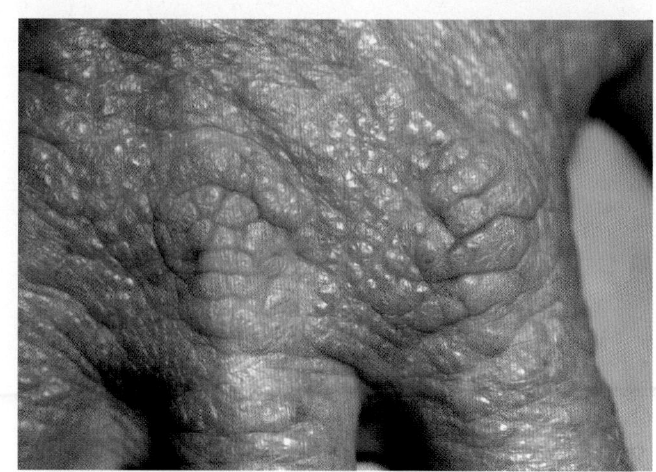

그림 3.29 콜로이드비립종

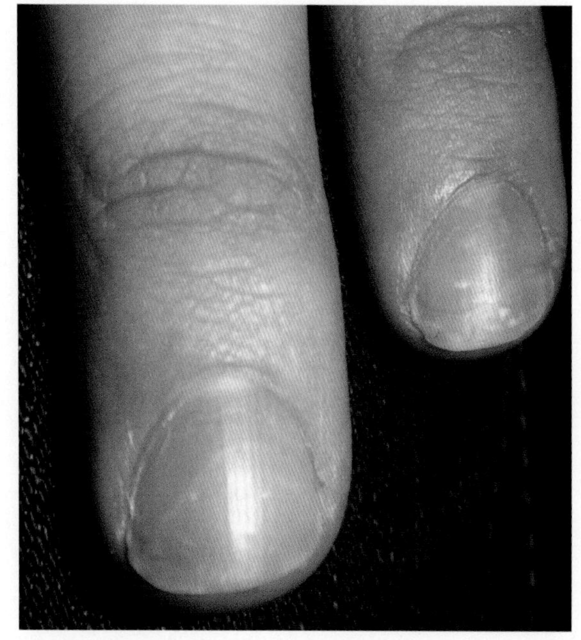

그림 3.30 Doxycycline에 의한 광선 조갑박리증

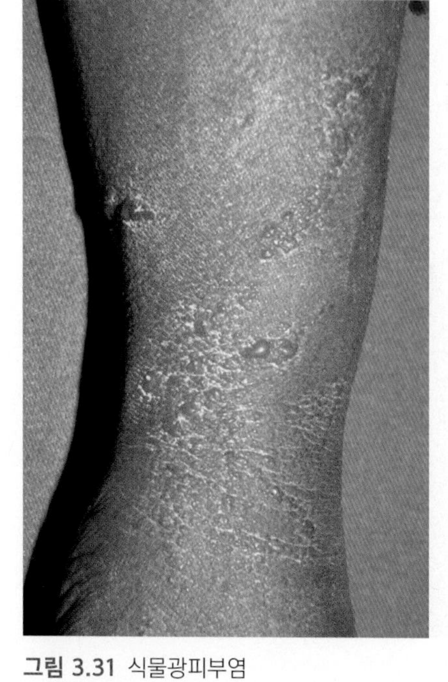

그림 3.31 식물광피부염

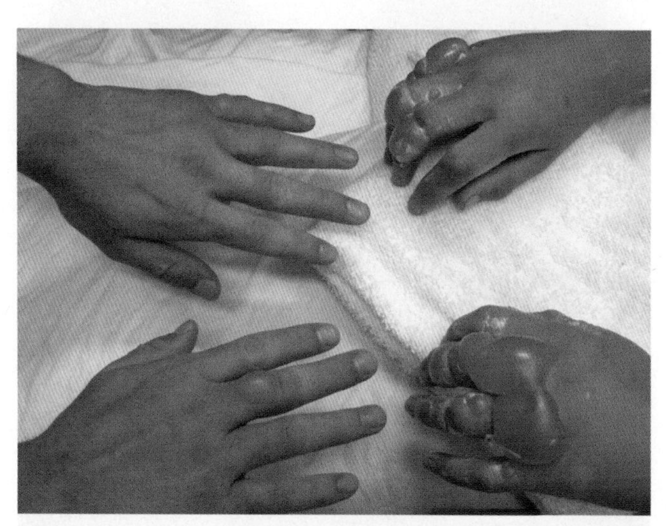

그림 3.32 햇볕에서 라임에이드를 만들어 판매한 후 발생한 수포성 병변

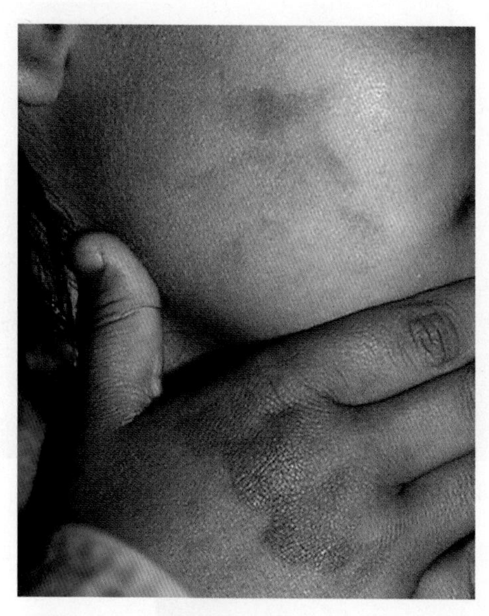

그림 3.33 식물광피부염에 의한 손과 볼의 과색소 침착

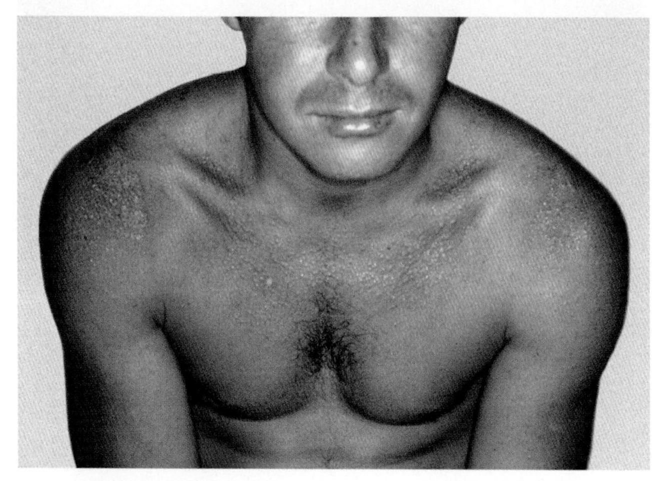

그림 3.34 다형광발진. 구진형

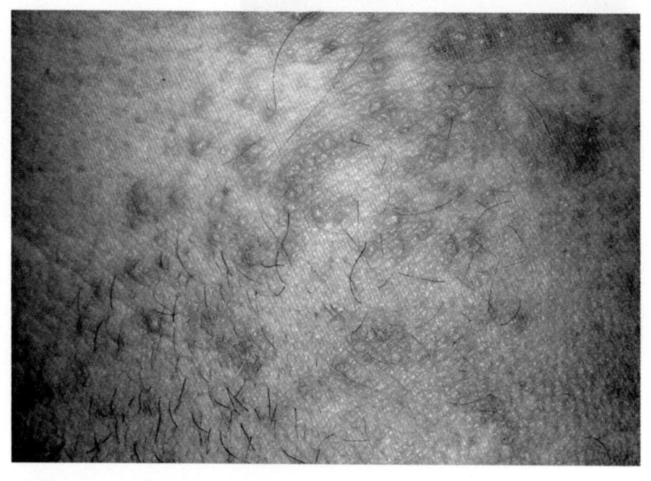

그림 3.35 다형광발진. 구진형

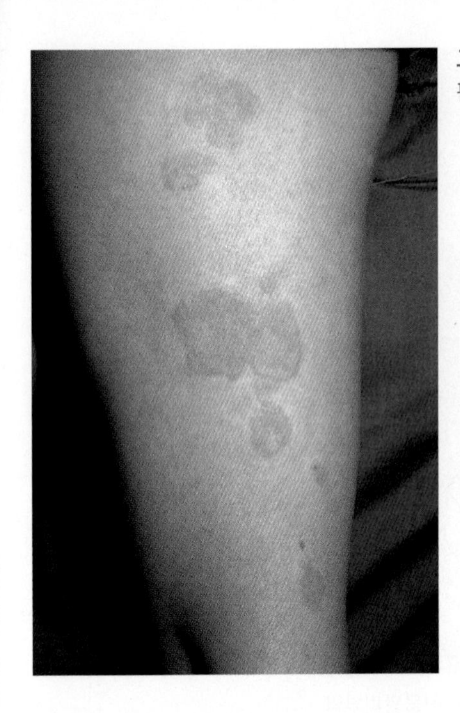

그림 3.36 다형광발진. 판형

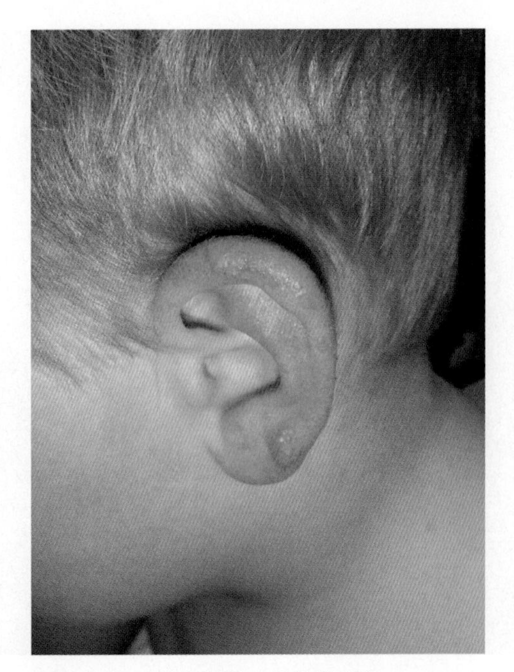

그림 3.37 귀에 발생한 소아봄철발진

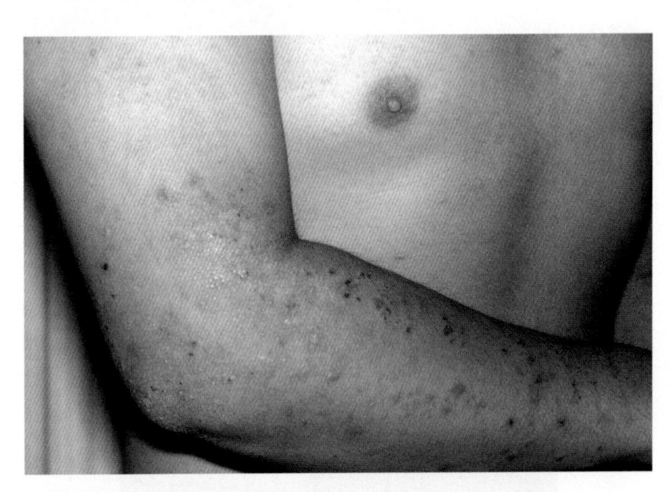

그림 3.38 광선양진

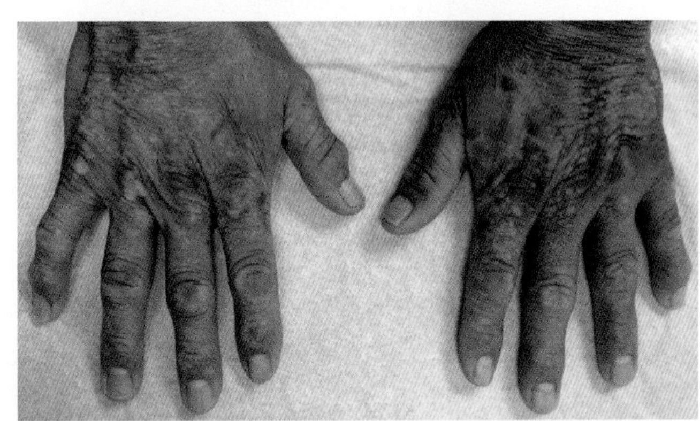

그림 3.39 광선양진

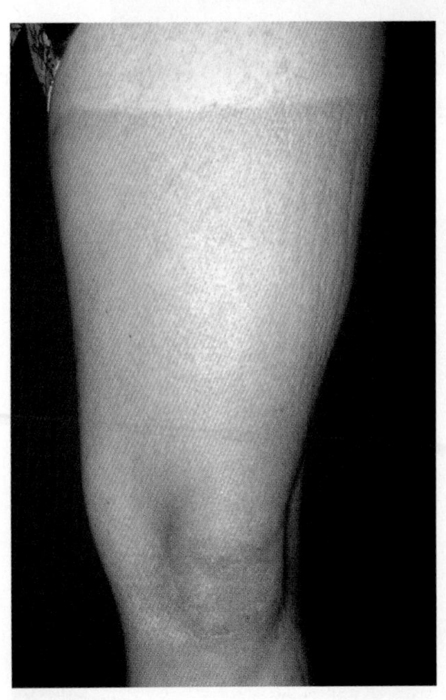

그림 3.40 일광두드러기

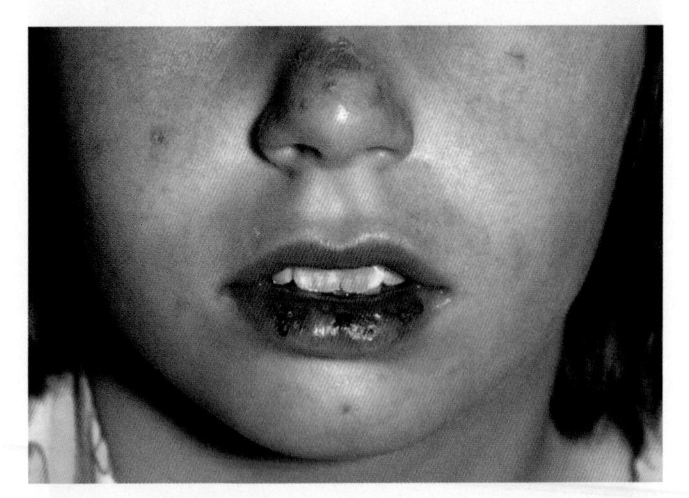

그림 3.41 우두모양수포증

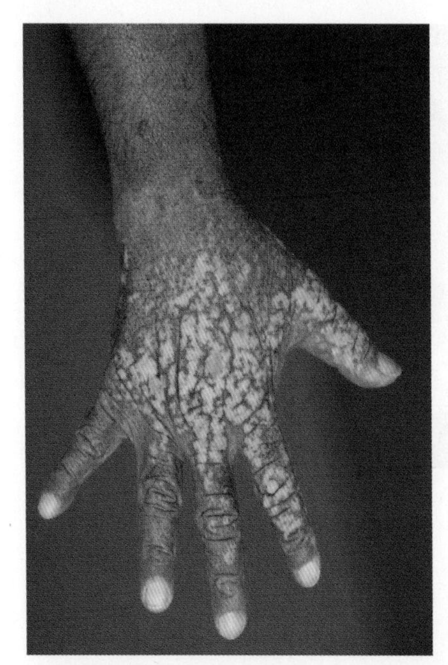

그림 3.42 만성광선피부염

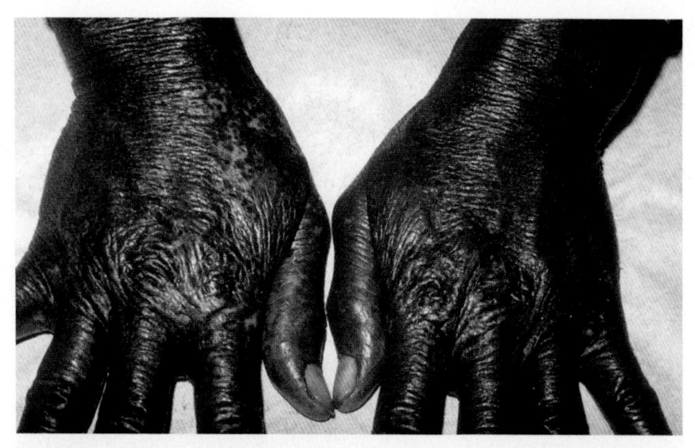

그림 3.43 만성광선피부염

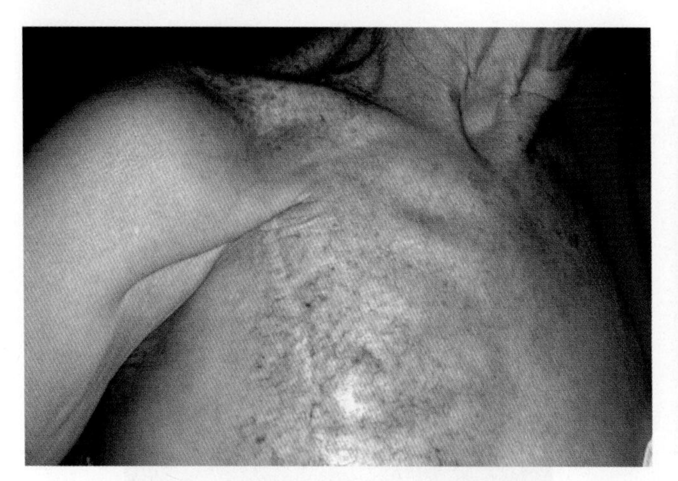

그림 3.44 만성방사선피부염

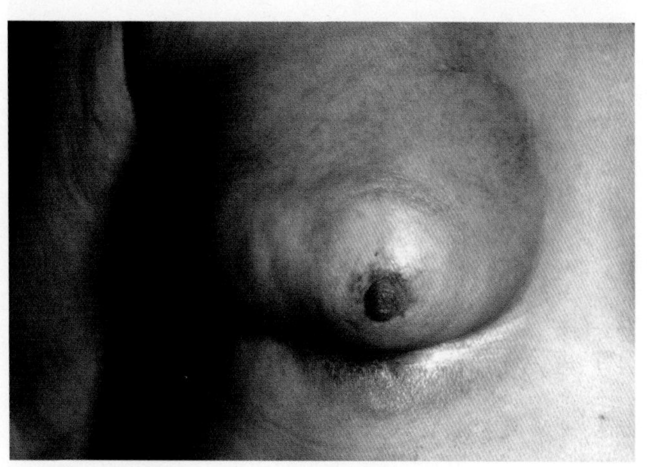

그림 3.45 섬유화가 동반된 만성방사선피부염

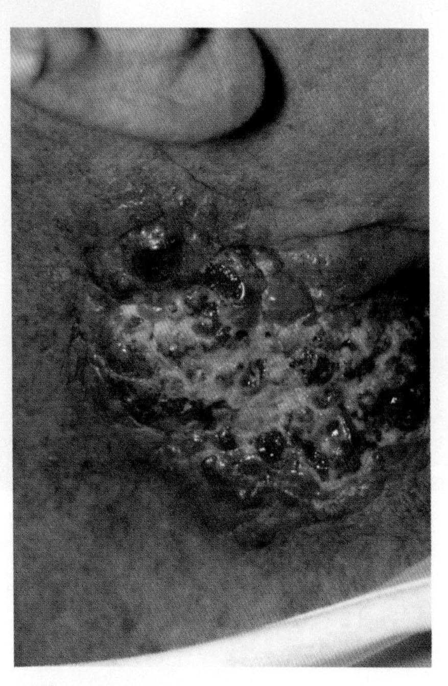

그림 3.46 만성방사선피부염에서 합병증으로 발생한 기저세포암

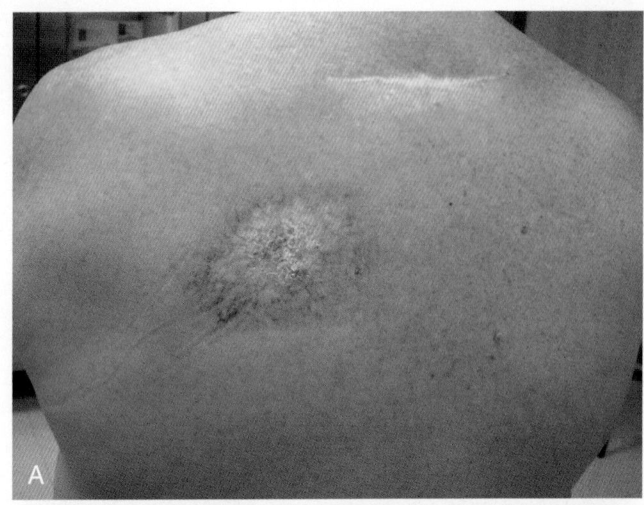

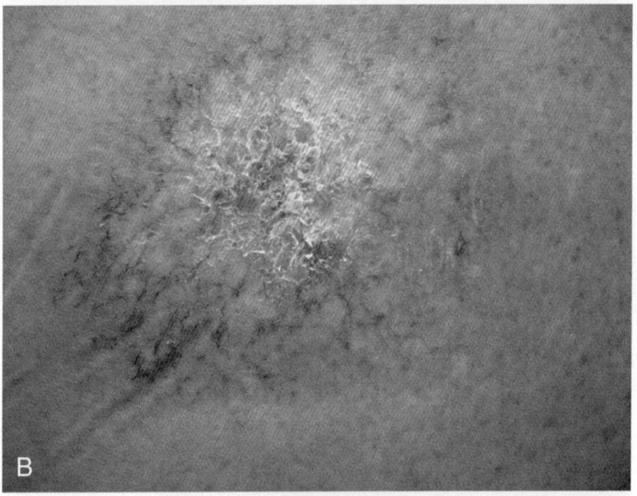

그림 3.47 (A) 형광 투시법에 의한 방사선피부염 (B) 그림 3.47A의 확대 사진

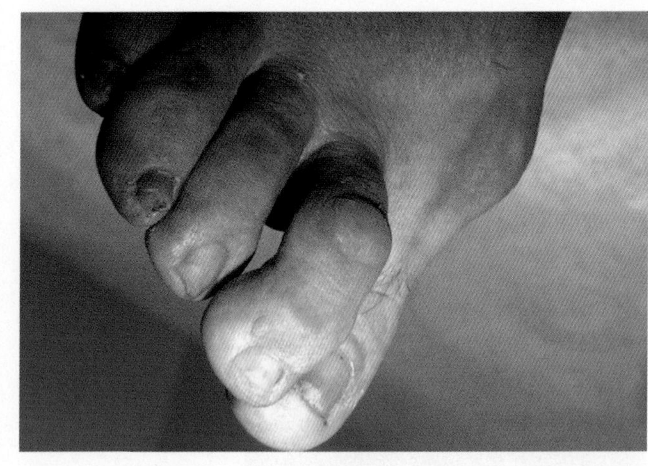

그림 3.48 경성티눈

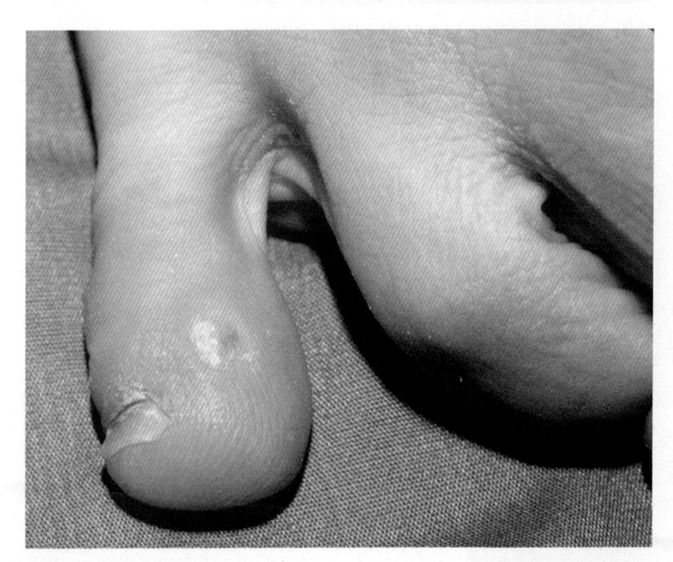

그림 3.49 연성티눈

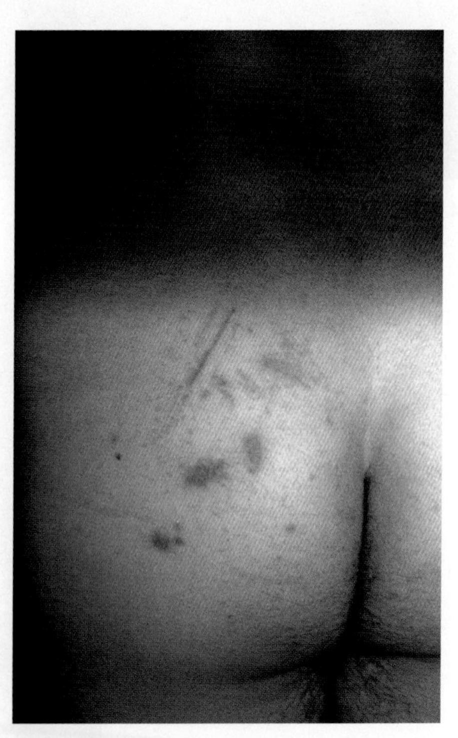

그림 3.50 불산호(fire coral)에 의한 상처

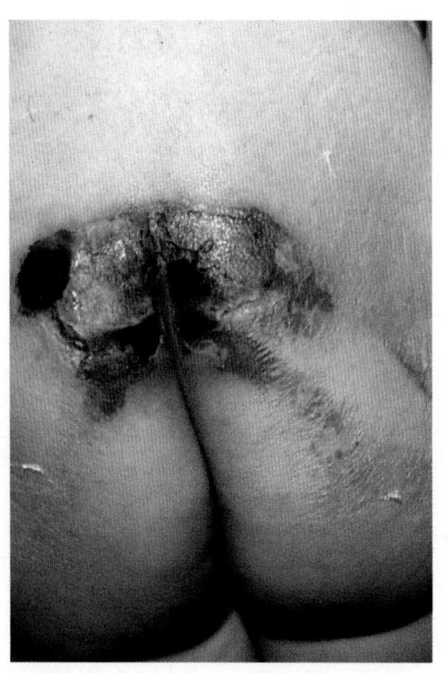

그림 3.51 욕창

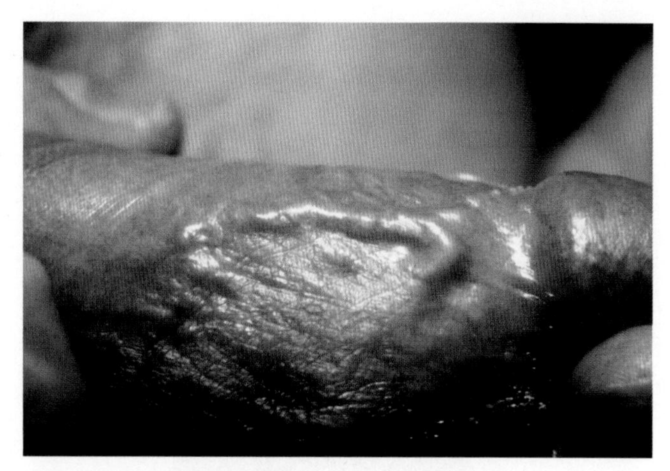

그림 3.52 경화림프관염

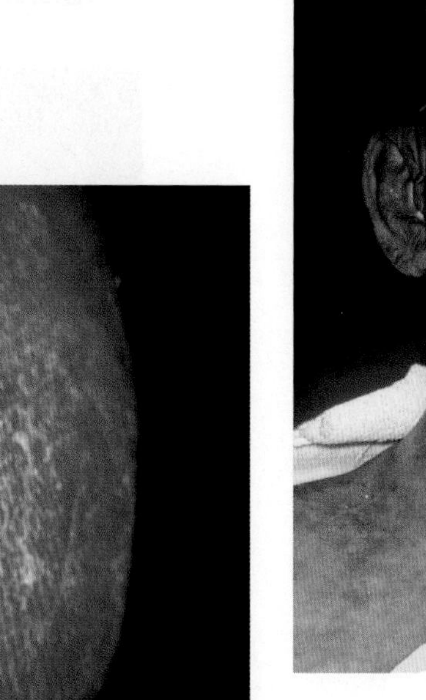

그림 3.54 피하 폐기종

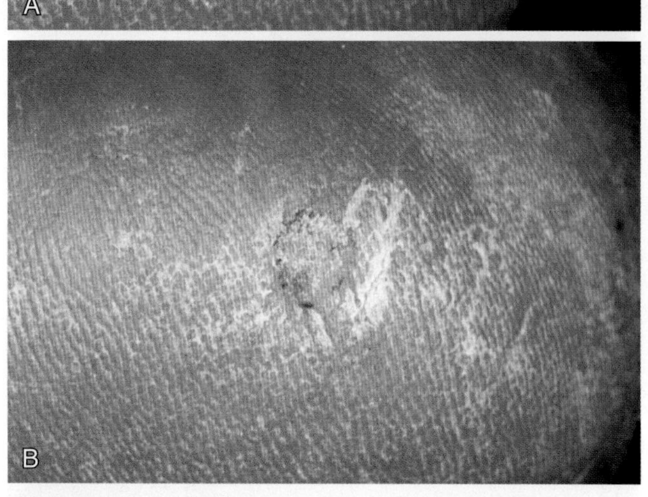

그림 3.53 (A) 흑색뒤꿈치 (B) 흑색뒤꿈치에서 피를 긁어낸 직후

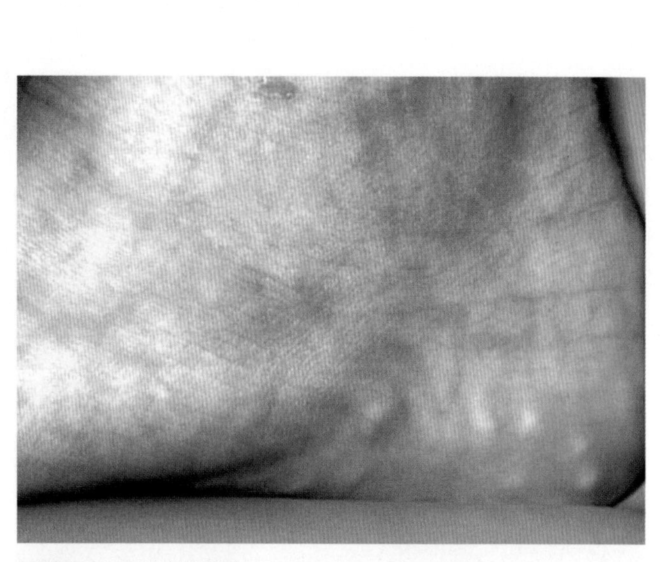

그림 3.55 압축성발구진

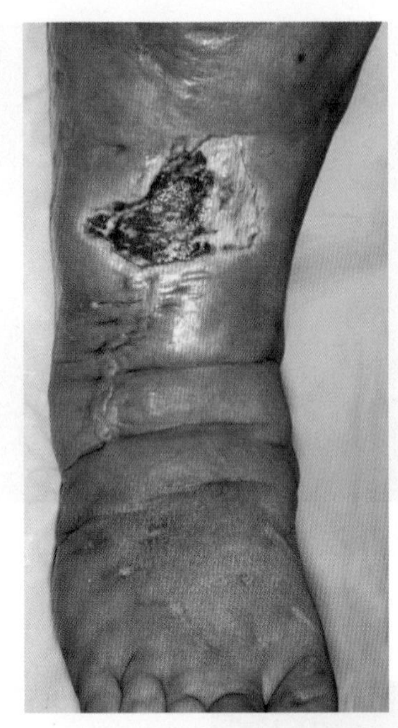

그림 3.56 불법 피하주사에 의한 궤양

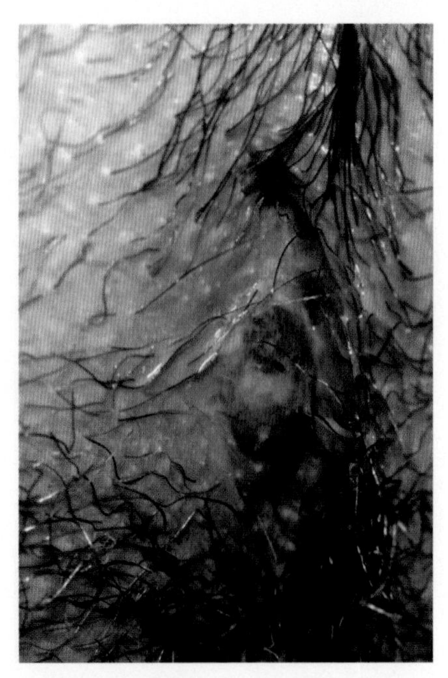

그림 3.57 목화에 의한 육아종종

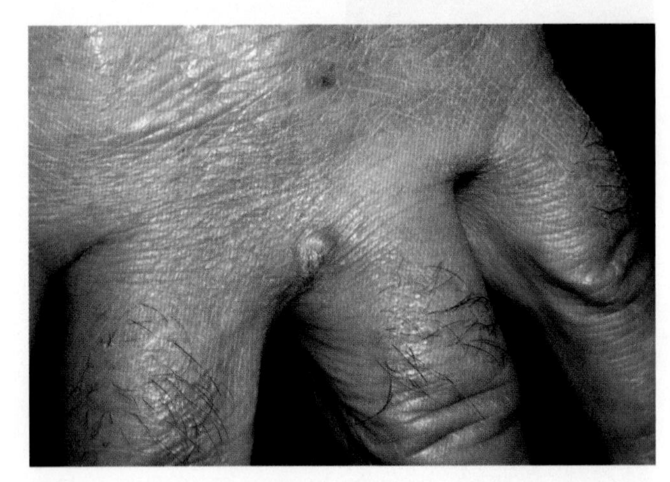

그림 3.58 이발사에서 발생한 모발에 의한 육아종

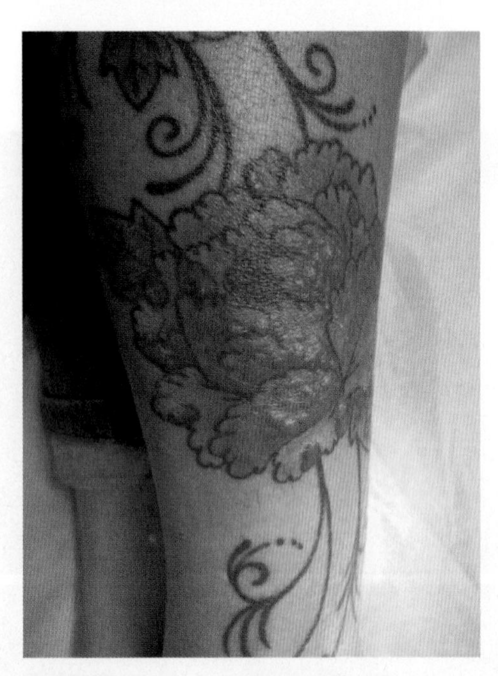

그림 3.59 문신의 붉은 색소에 대한 반응

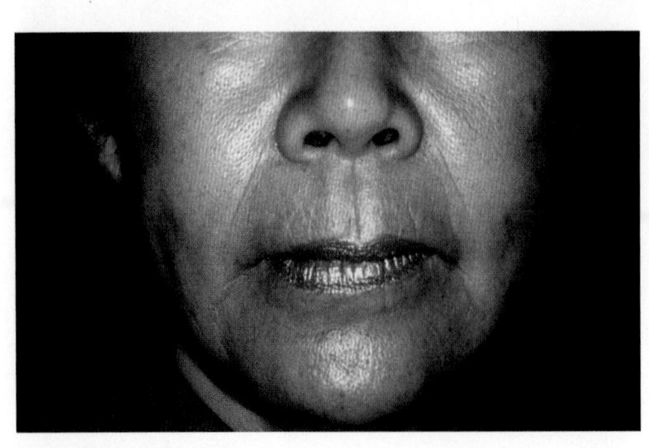

그림 3.60 실리콘 육아종

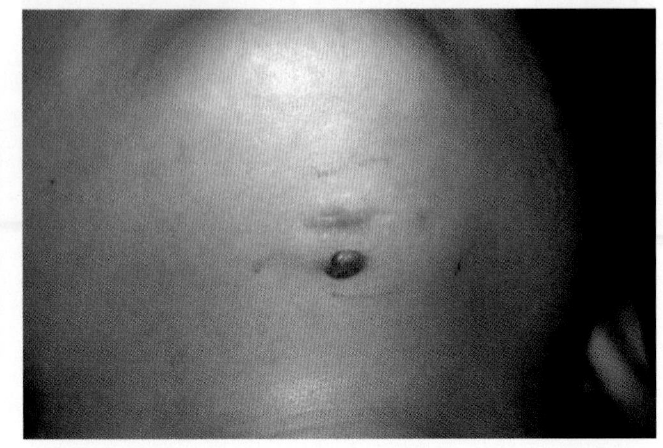

그림 3.61 체온계에 의해 발생한 수은 육아종

그림 3.62 규소 육아종

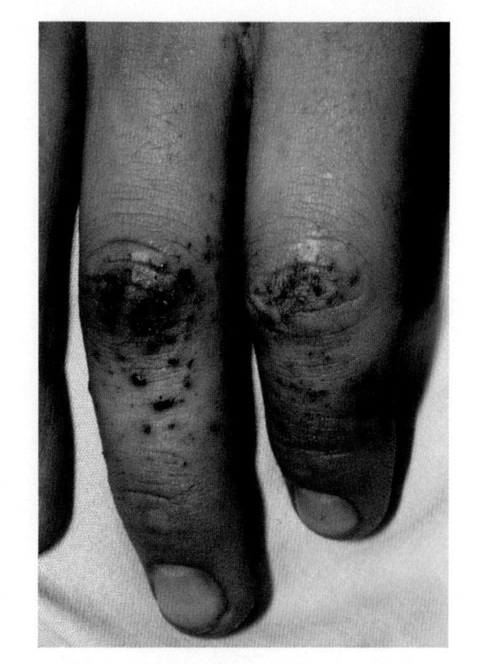

그림 3.63 총상에 의해 발생한 탄소 착색

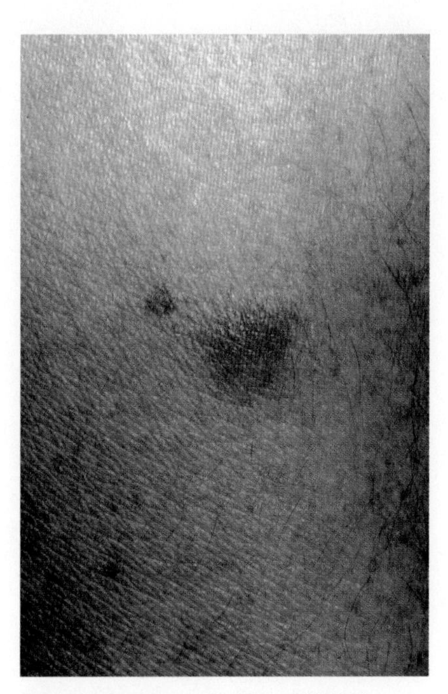

그림 3.64 Zyplast 육아종. 시험 부위

소양증과 신경피부질환 4

소양증은 경계가 분명한 각진(angulated) 특징적인 피부증상을 보이는 경우가 많다. 내인성인 경우(통상적인 용어로 inside job-내부적 원인) 병변이 동그란 모양으로 나타나는 경향이 있고 반면 외인성(outside job-외부적 원인)인 경우 긁거나 다른 외적 손상을 가함으로써 발생하는 각진 모양, 선상 모양, 혹은 피부에 그림을 그린 듯한 모양으로 나타난다. 내인성 소양증에서 소양증은 외적 손상을 받은 부위에 동일한 모양의 피부증상이 나타나는 쾨브너 현상을 일으킬 수 있다. 이 경우에는 내인성 원인과 외인성 손상이 혼합된 hybrid 형태로 나타난다.

태선화는 만성적으로 피부를 긁거나 문지름으로 인해 발생하고 병리조직학적으로 과각화증과 유두진피의 섬유화가 특징 소견이다. 긁거나 문지름 결과로 약간 단단한 경화증상과 피부의 결이 도드라져 보이는 임상모양을 나타낸다. 긁은 상처(찰상)는 과립층의 호산구성 괴사를 유발한다. 보통은 각질층이 손상되지 않지만 심한 찰상은 각질층뿐 아니라 살아있는 표피까지 손실시킬 수 있다. 더 심한 외상은 손상이 진피층까지 미쳐 궤양을 일으킬 수 있다.

광범위한 부위에 태선화를 보이는 것은 만성단순태선의 특징적 소견이다. 국소적으로 찰상을 보이는 개개의 독립된 구진의 모양은 결절소양진과 빈대 등에 의해 유발되는 절지동물교상의 특징적 소견이다. 이 장에서는 소양감을 보이는 피부질환의 임상적 양상에 대해 보여줄 것이다.

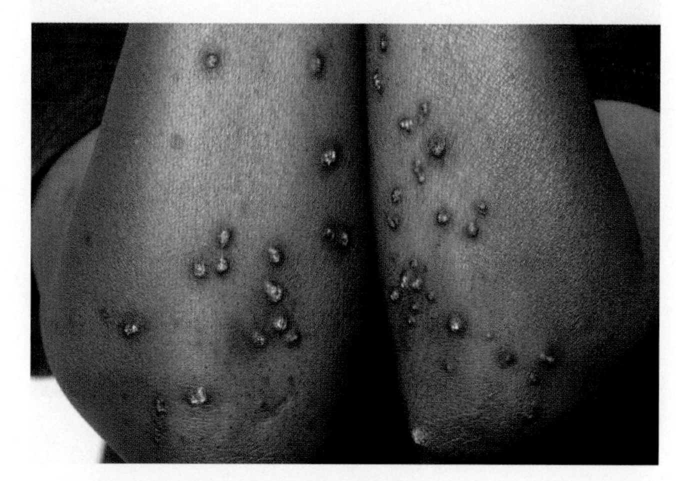

그림 4.2 신부전 환자에서의 후천천공피부병

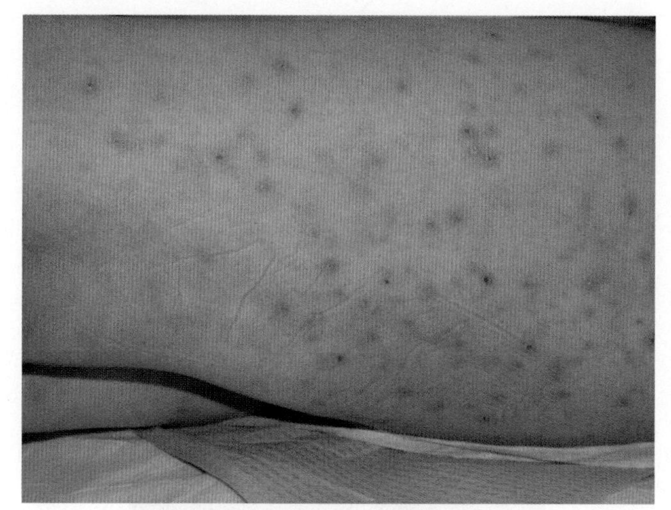

그림 4.1 호지킨병의 가려움증으로 인한 긁은 상처

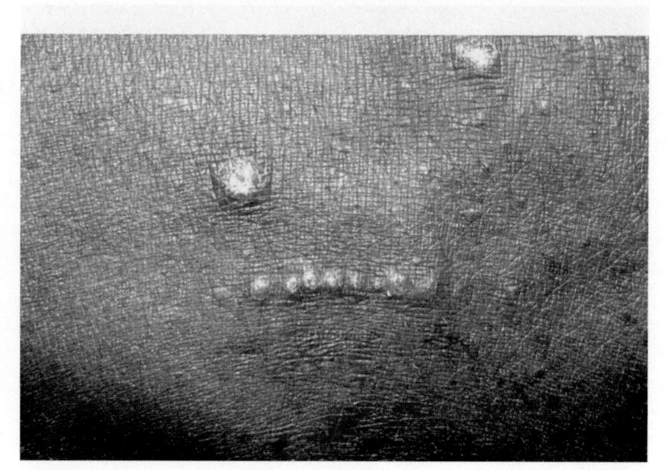

그림 4.3 신부전 환자에서의 후천천공피부병

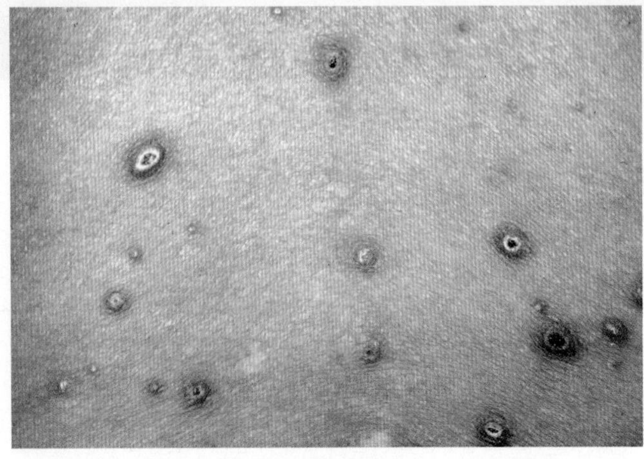
그림 4.4 신부전 환자에서의 후천천공피부병

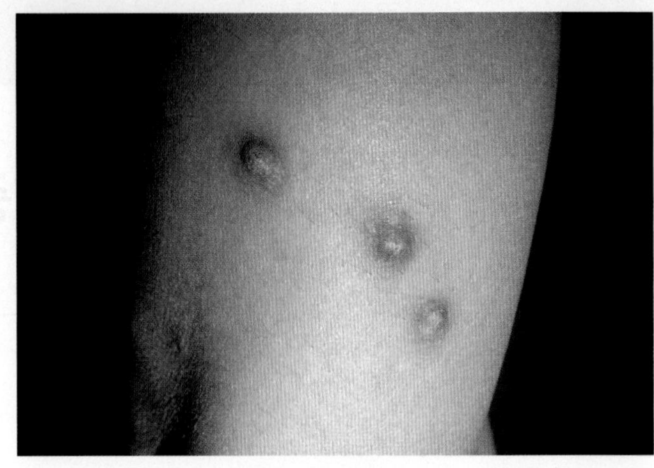
그림 4.5 만성신부전 환자에서의 결절양진

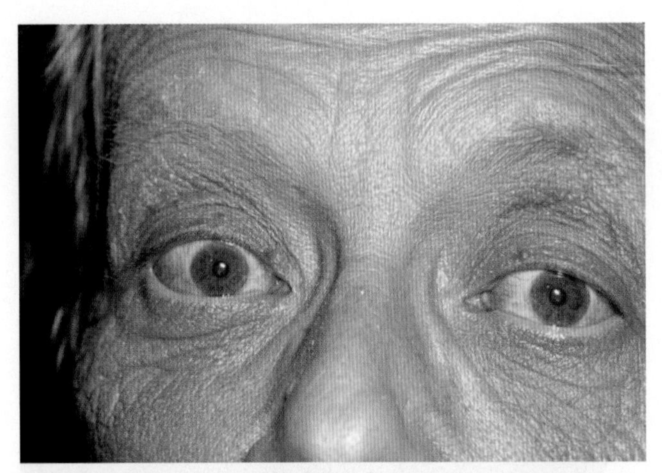
그림 4.6 황달

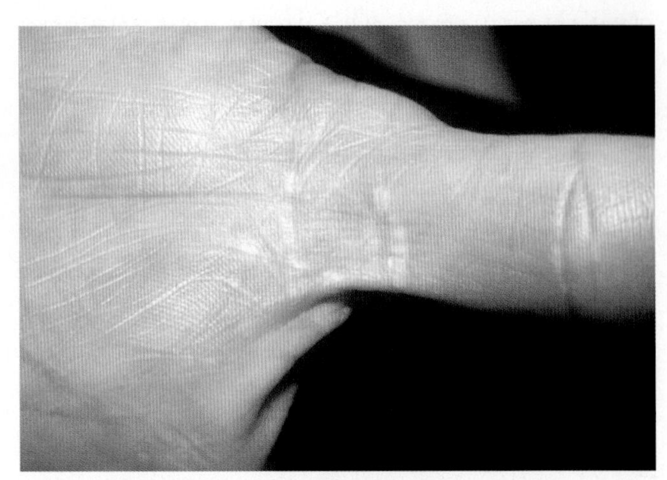
그림 4.7 담즙울체 환자에서의 손바닥황색종

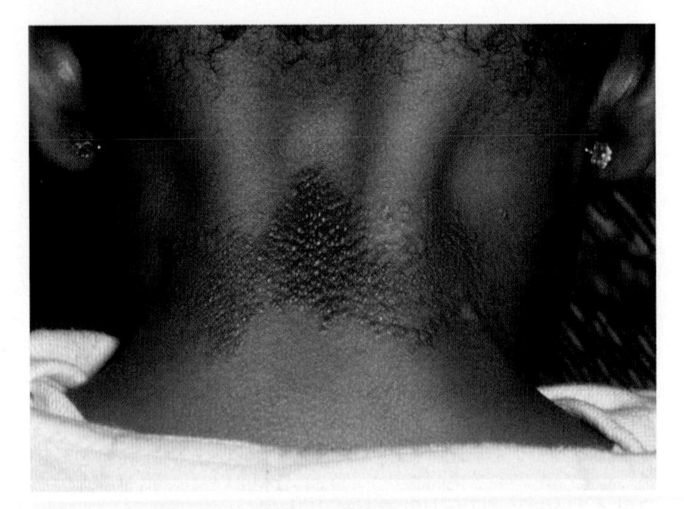
그림 4.8 Alagille병과 동반된 만성단순태선

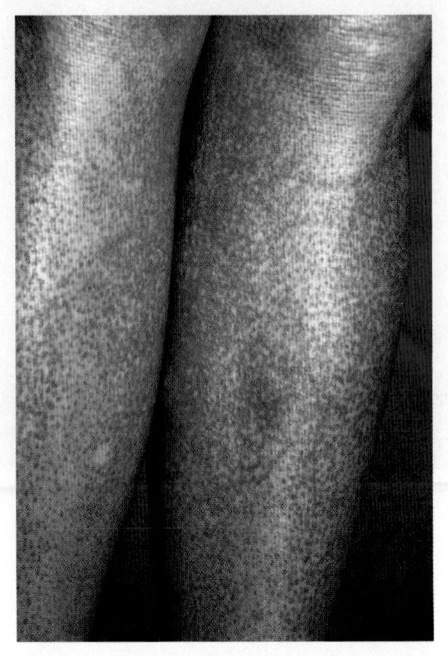
그림 4.9 원발담즙간경병증 환자에서의 과색소 침착

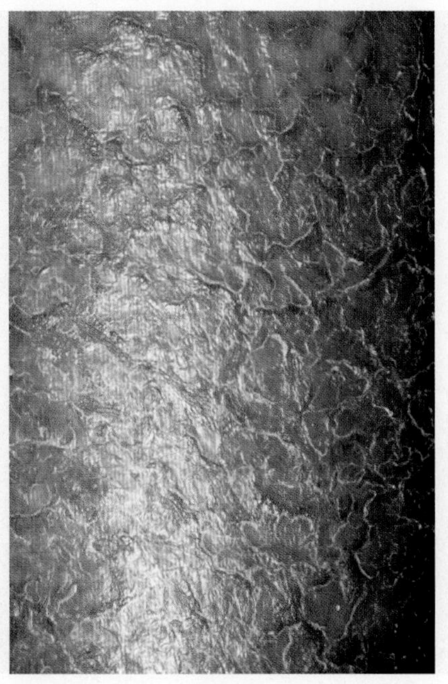

그림 4.10 겨울소양증

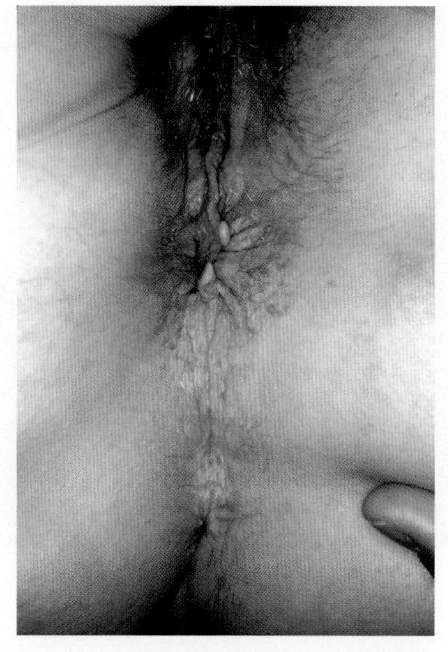

그림 4.11 항문소양증 환자에서의 만성단순태선

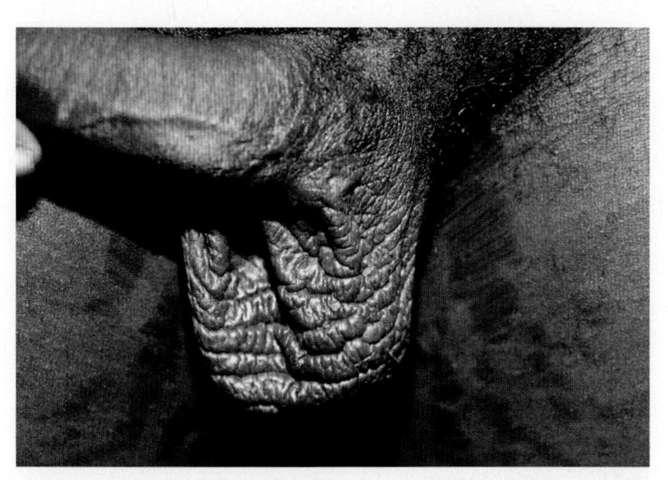

그림 4.12 음낭의 만성단순태선

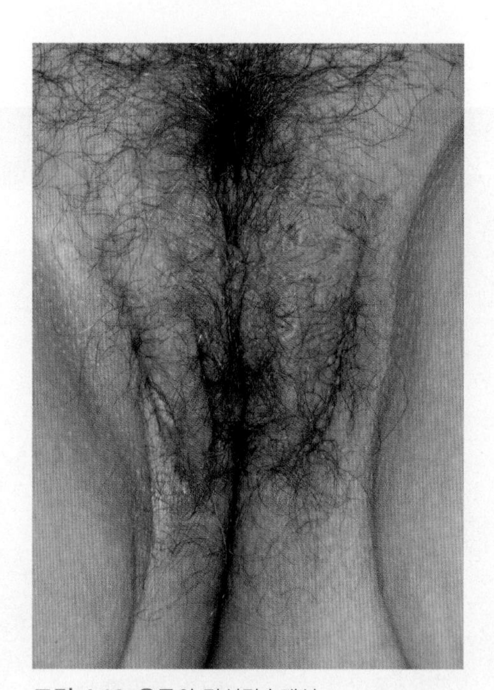

그림 4.13 음문의 만성단순태선

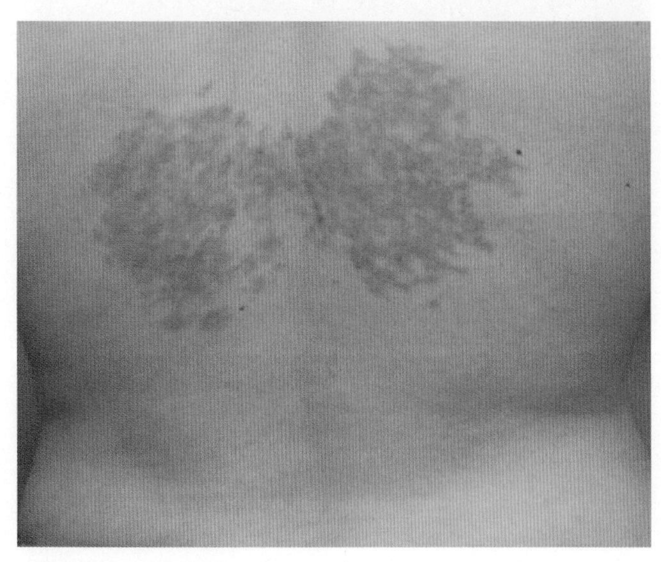

그림 4.14 색소침착양진

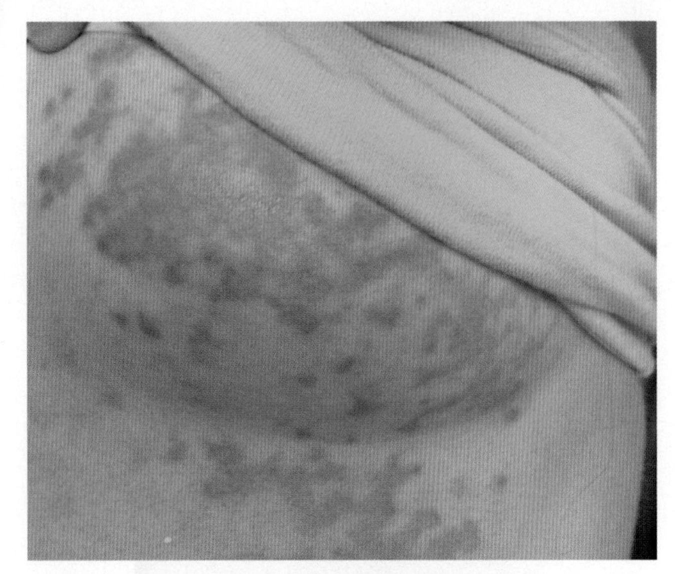

그림 4.15 색소침착양진

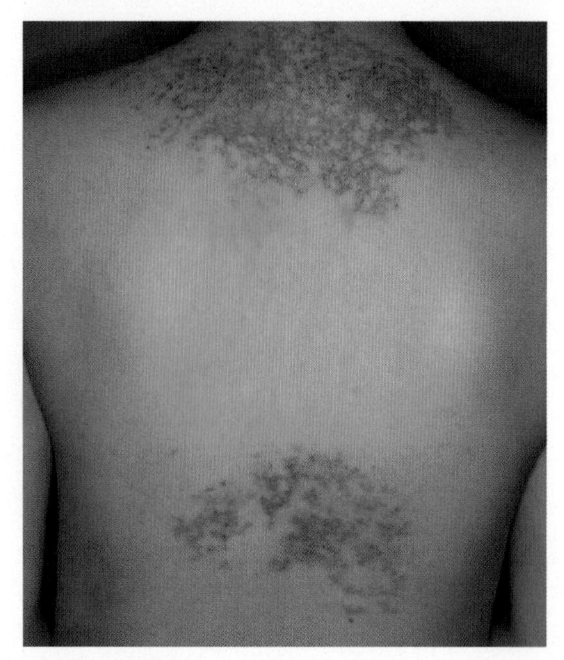

그림 4.16 색소침착양진

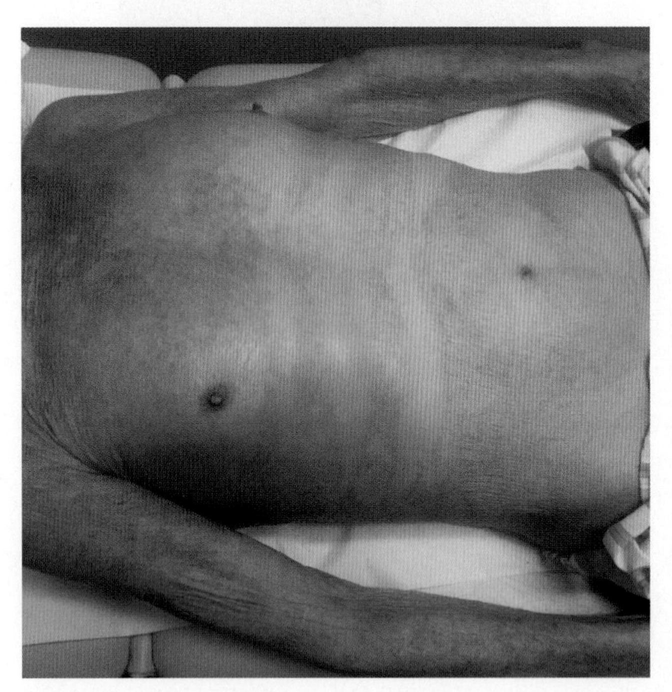

그림 4.17 오푸지구진홍반과 갑판의자 징후

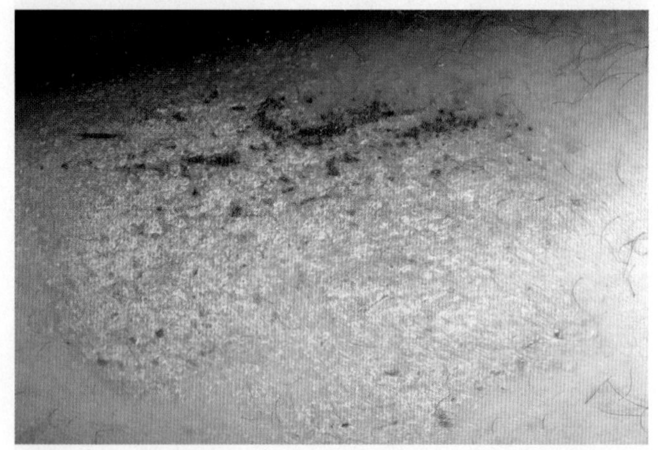

그림 4.18 만성단순태선

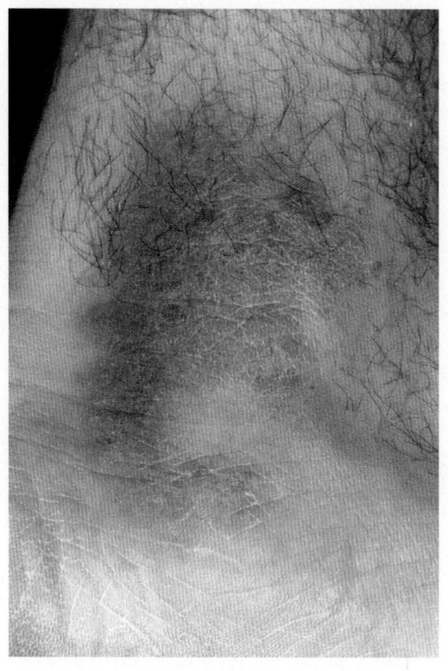

그림 4.19 만성단순태선

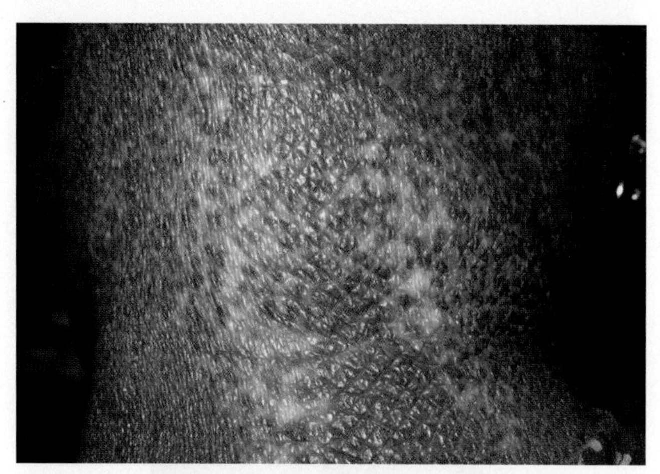

그림 4.20 만성단순태선

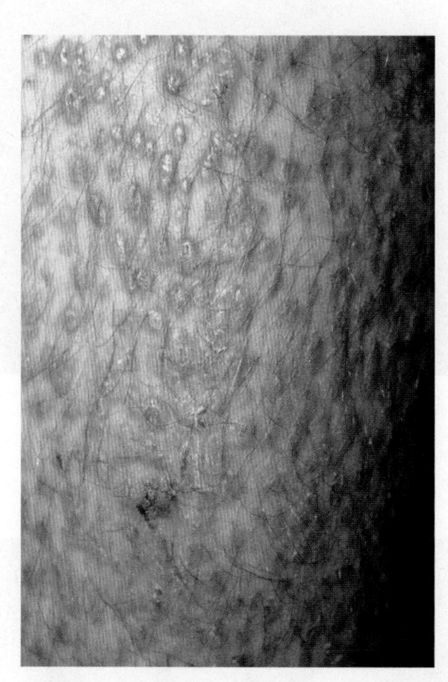

그림 4.21 만성단순태선

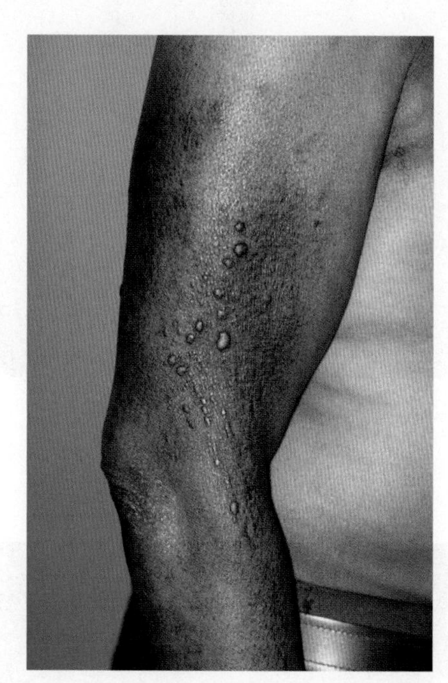

그림 4.22 색소침착과 초기 결절 형성이 관찰되는 만성단순태선

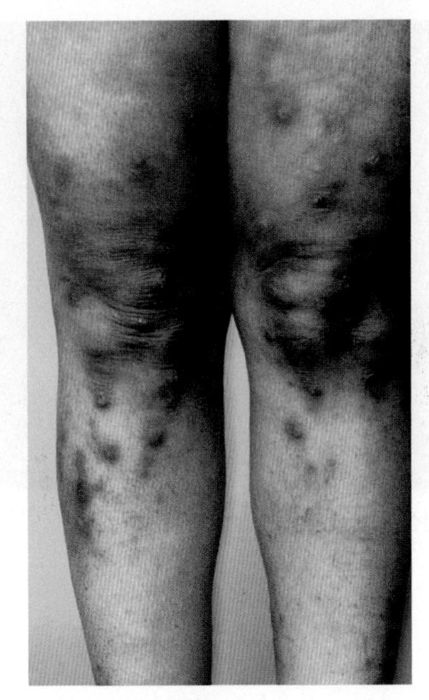

그림 4.23 결절양진

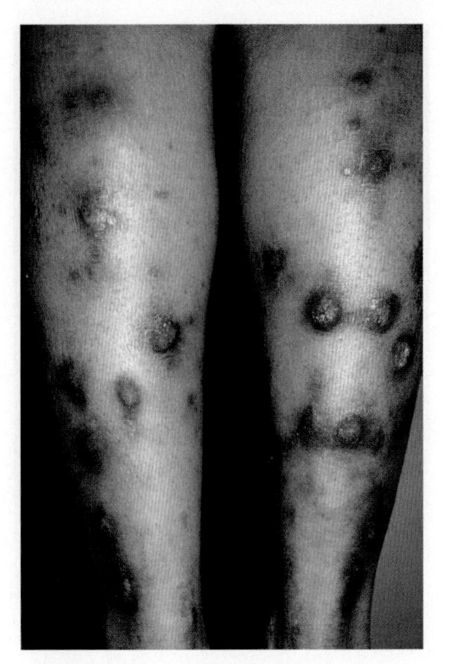

그림 4.24 결절양진의 긁은 상처

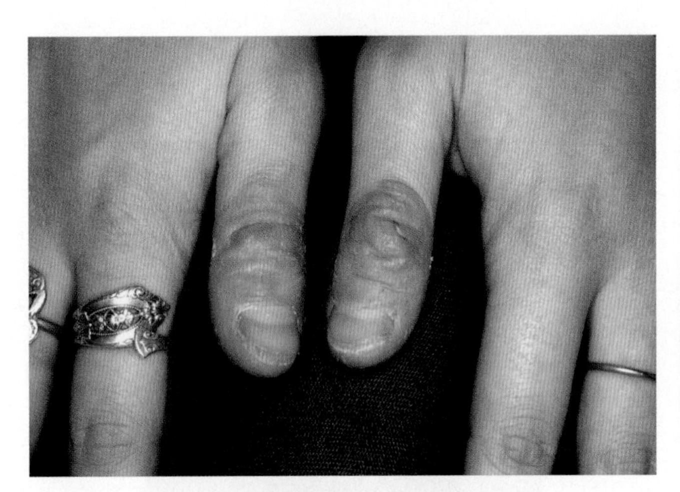

그림 4.25 강박적인 손가락 물어뜯기

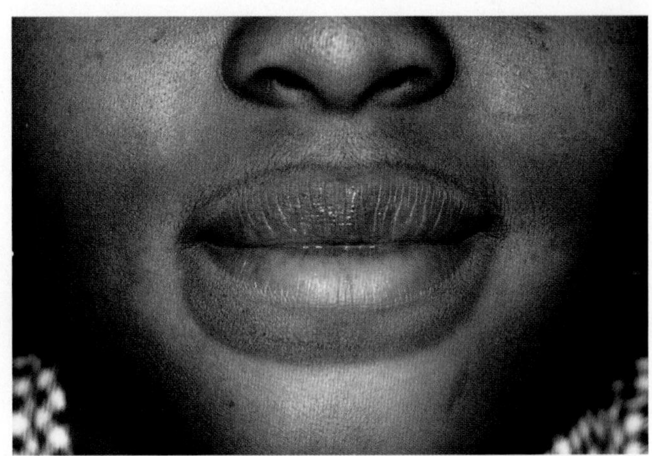

그림 4.26 만성적인 입술 핥기

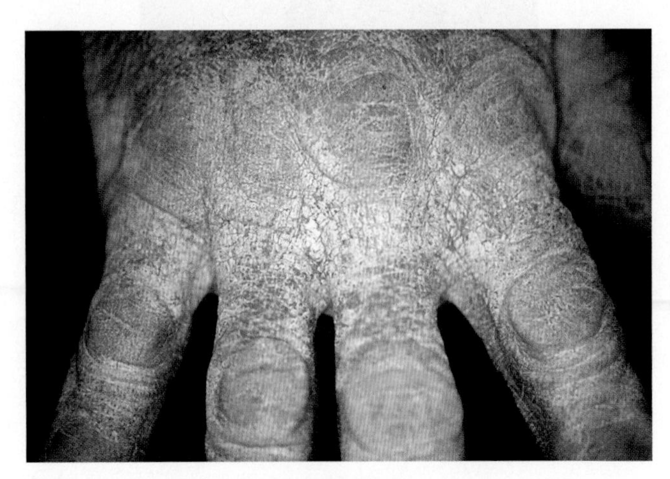

그림 4.27 강박적인 손씻기로 인한 건조증

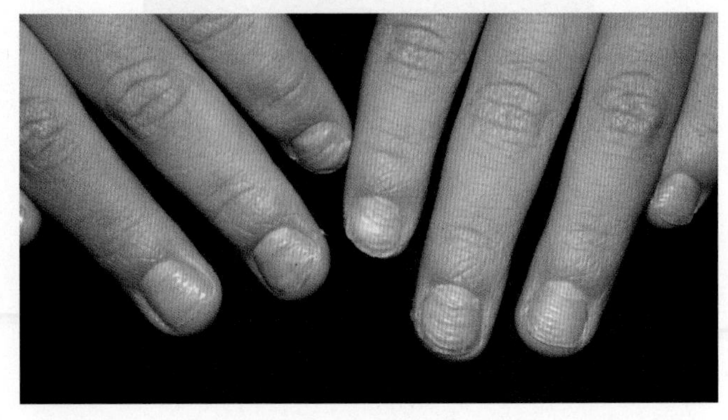

그림 4.28 조갑기질의 습관적인 외상으로 인한 빨래판조갑

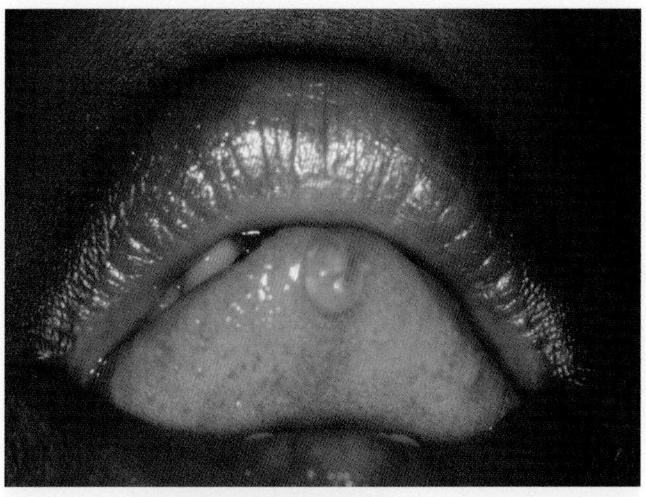

그림 4.29 만성적인 혀 깨물기로 인한 섬유종

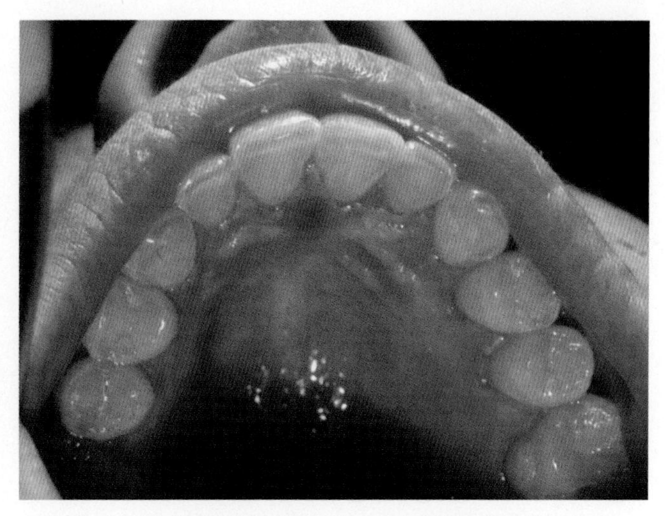

그림 4.30 신경성폭식증 환자에서 구토 후 발생한 에나멜의 미란

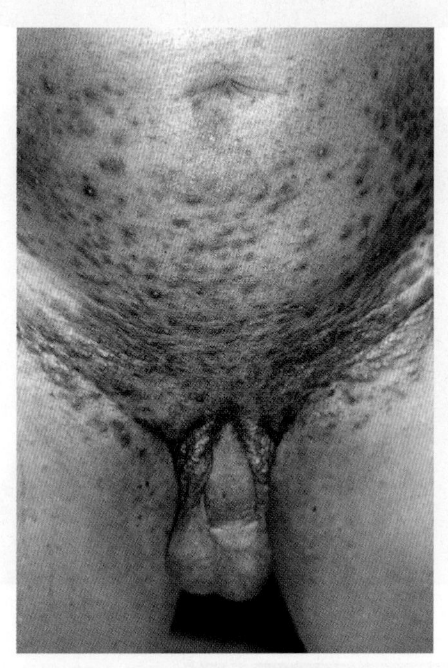

그림 4.31 기생충증망상

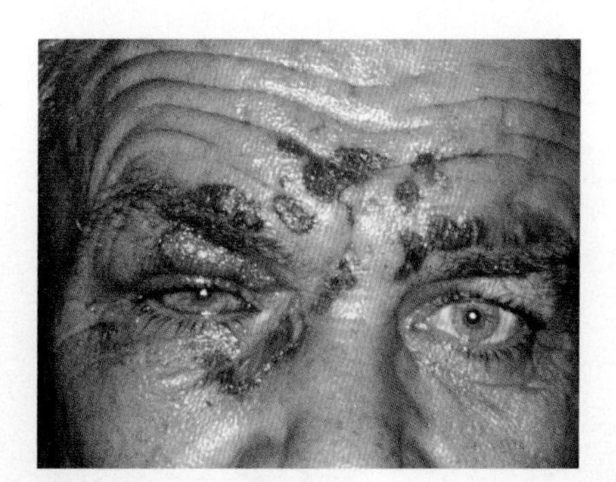

그림 4.32 기생충증망상

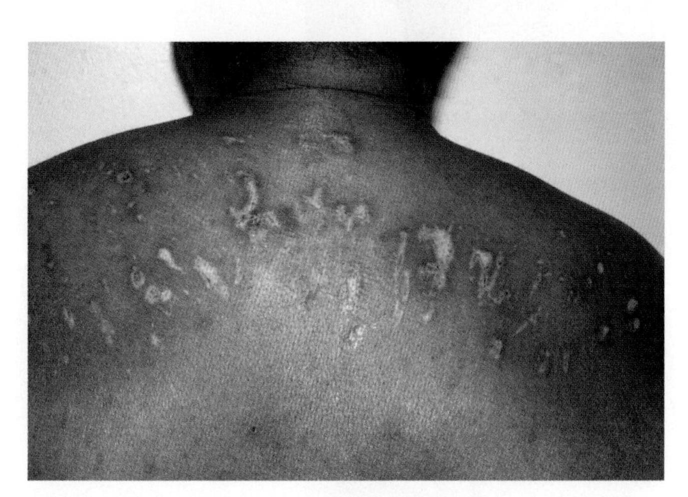

그림 4.33 심인성 긁은 상처

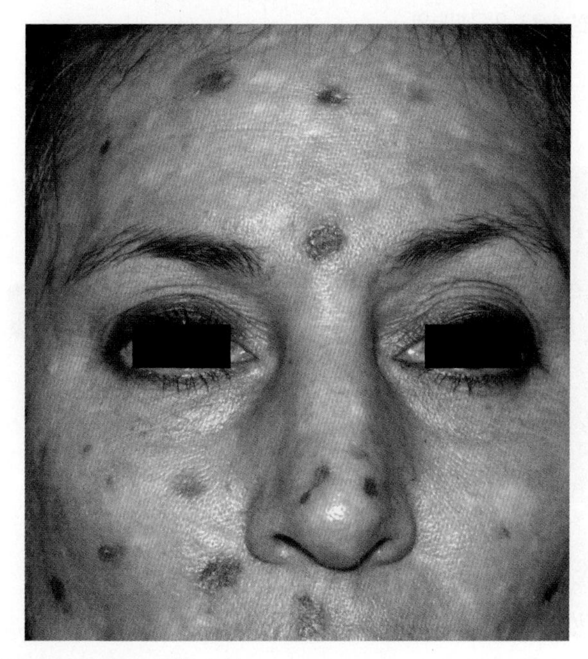

그림 4.34 심인성 긁은 상처

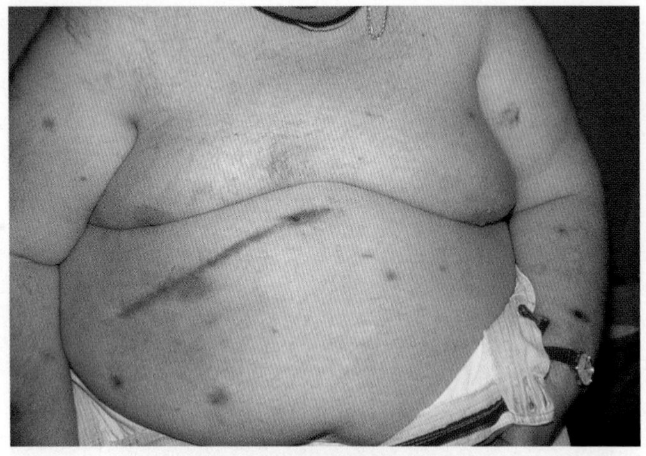

그림 4.35 프래더-윌리증후군 환자의 피부 뜯기

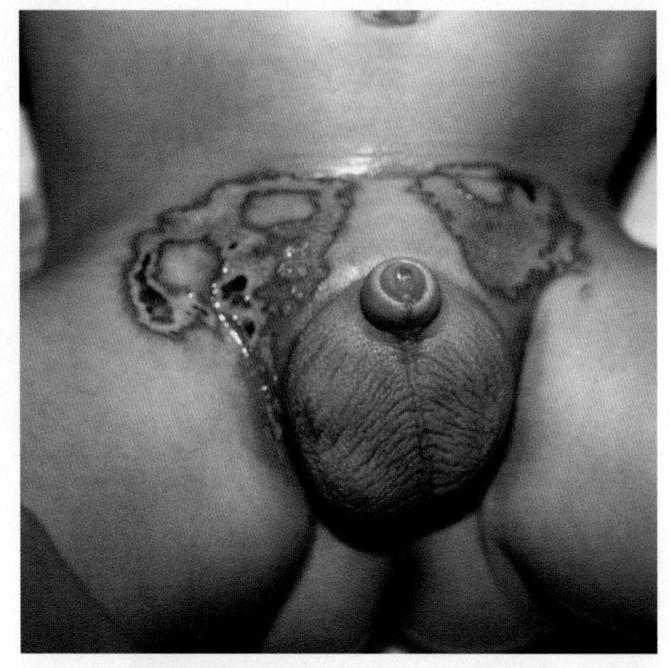

그림 4.36 부모에 의해 유발된 인공 궤양

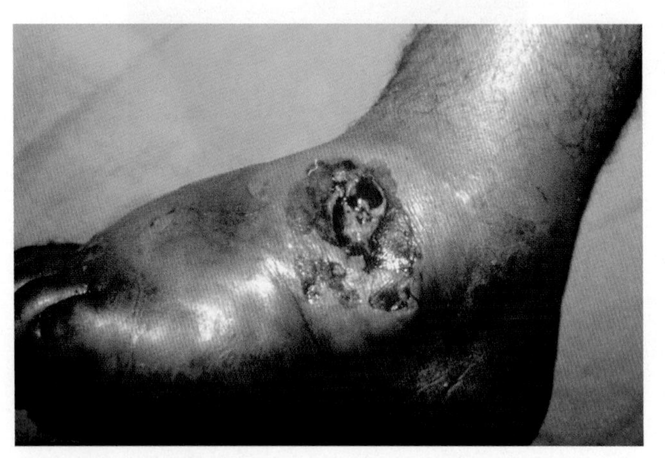

그림 4.37 인공피부염

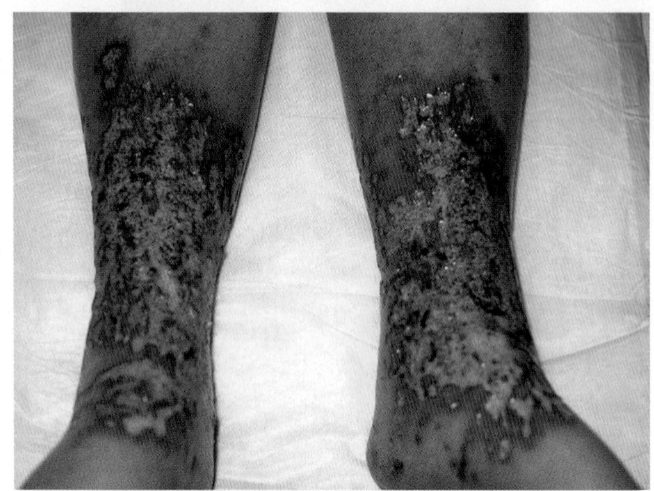

그림 4.38 인공 궤양

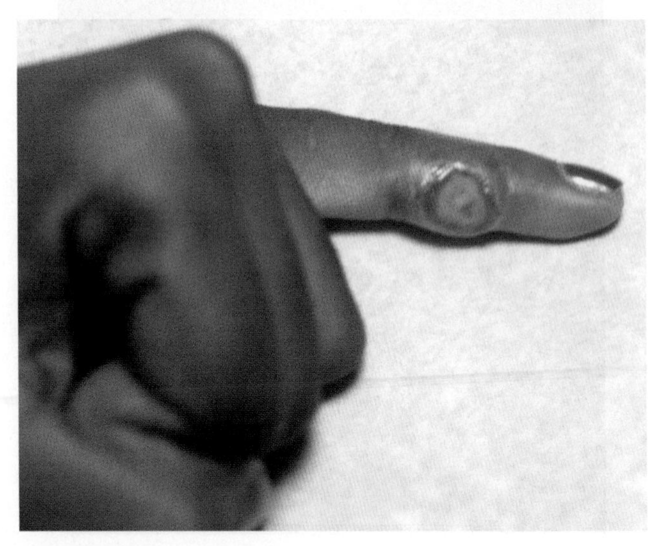

그림 4.39 담배 화상

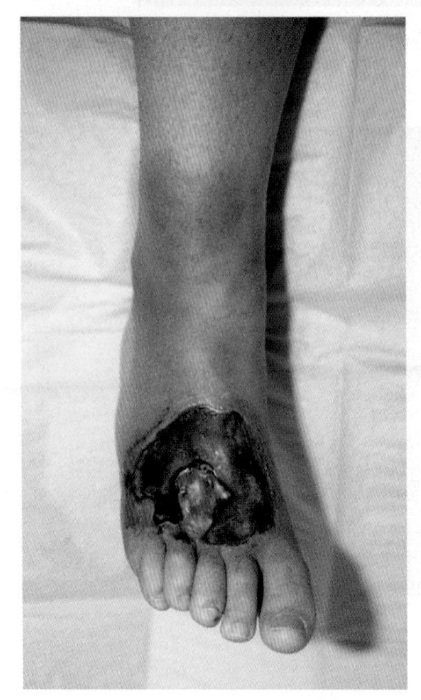

그림 4.40 인공 궤양

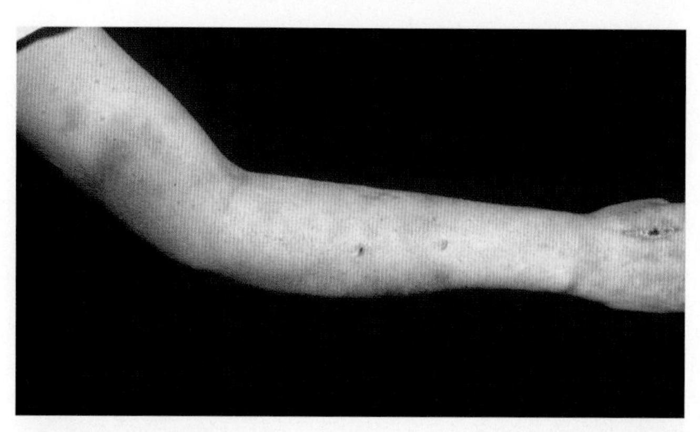

그림 4.41 인공 타박상

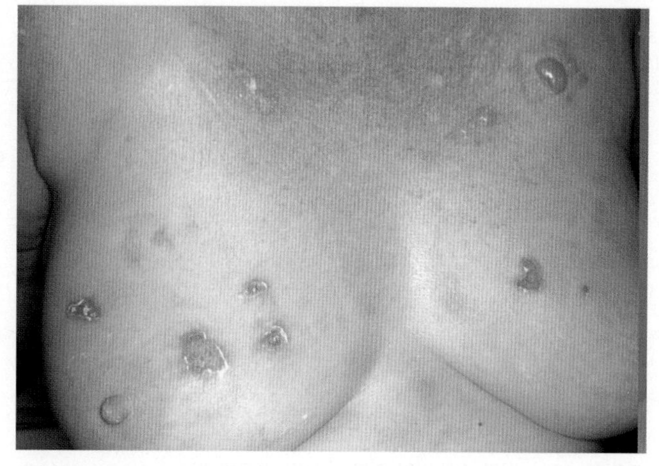

그림 4.42 인공 수포와 미란

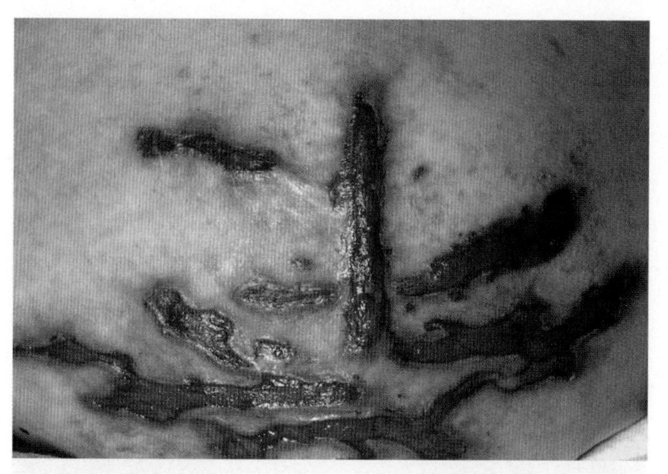

그림 4.43 인공 흉터

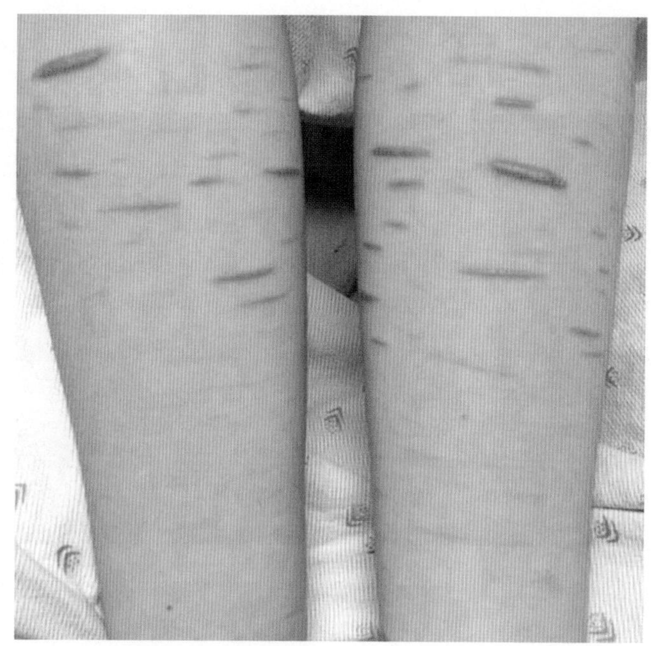

그림 4.44 치유된 인공 열상

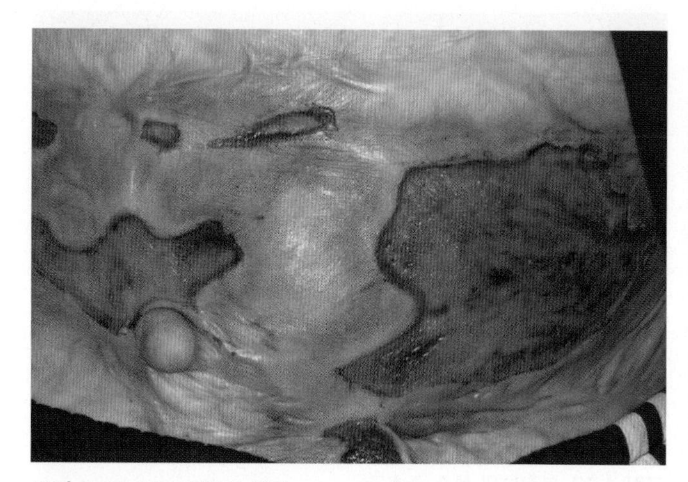

그림 4.45 인공 궤양과 흉터

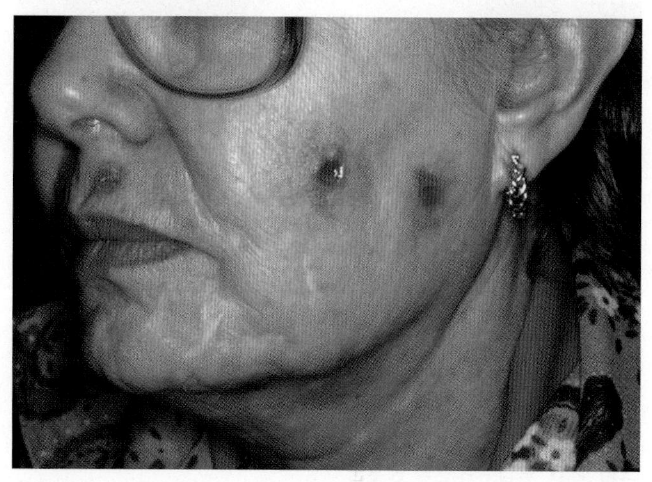

그림 4.46 인공 미란과 흉터

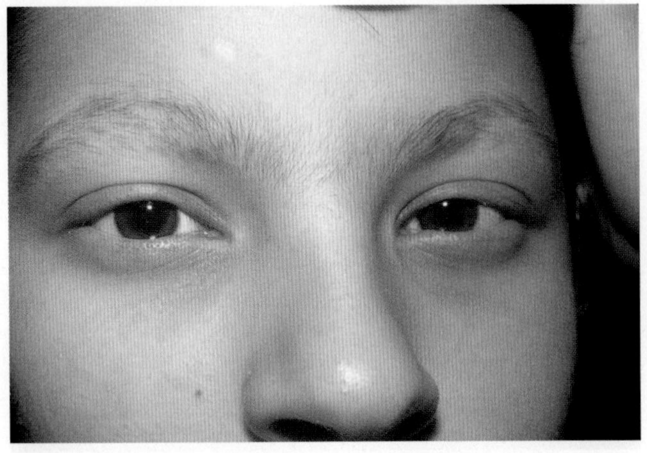
그림 4.47 눈썹과 속눈썹이 일부 소실된 발모벽 환자

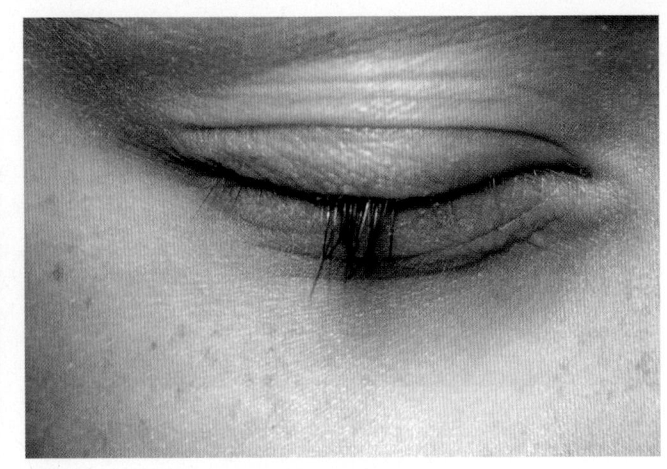
그림 4.48 속눈썹이 일부 소실된 발모벽 환자

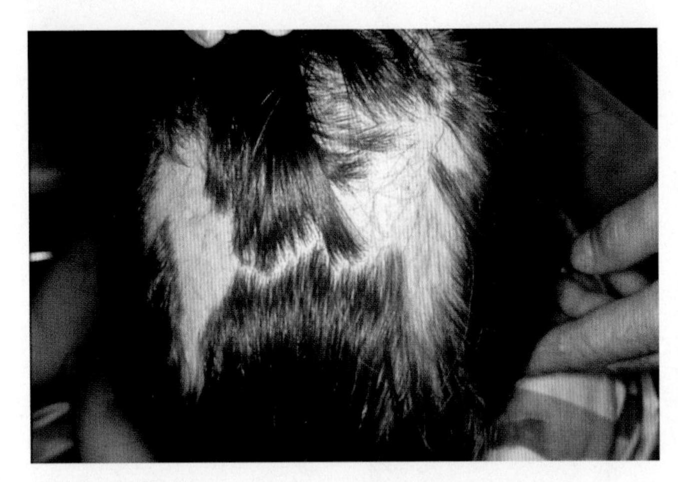
그림 4.49 발모벽

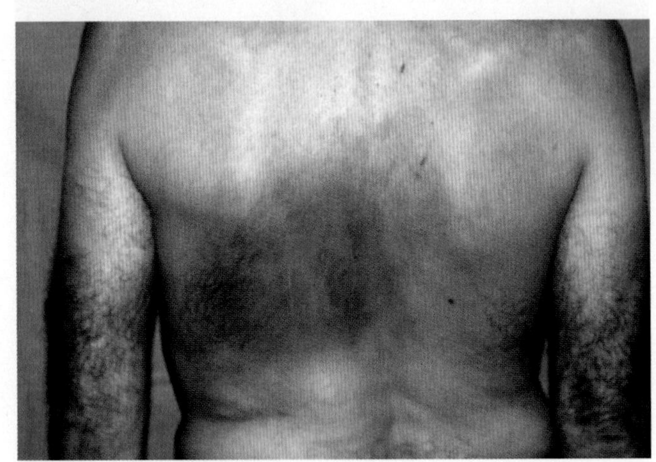
그림 4.50 감각이상성 배통

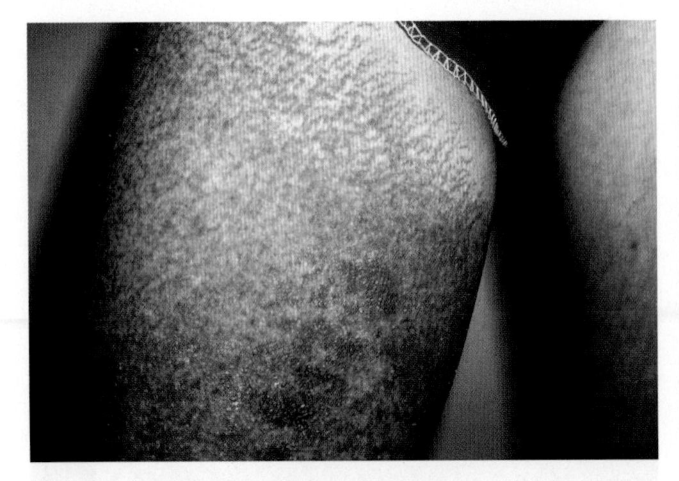
그림 4.51 복합부위 통증 증후군

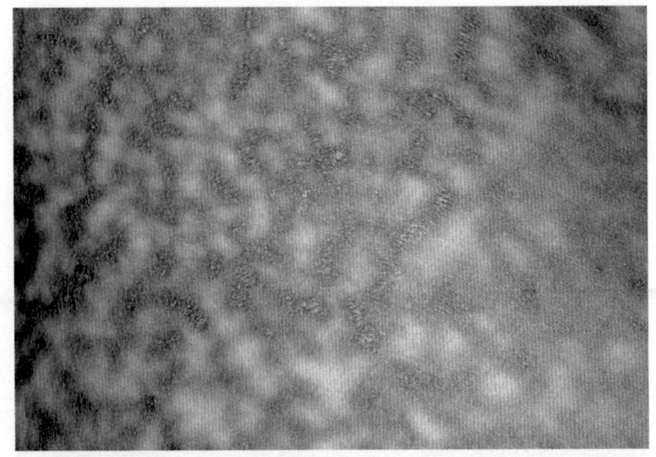
그림 4.52 복합부위 통증 증후군

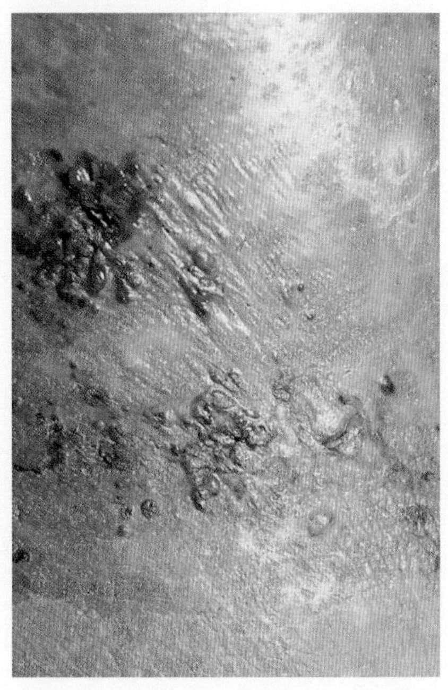

그림 4.53 복합부위 통증 증후군, 수포와 위축

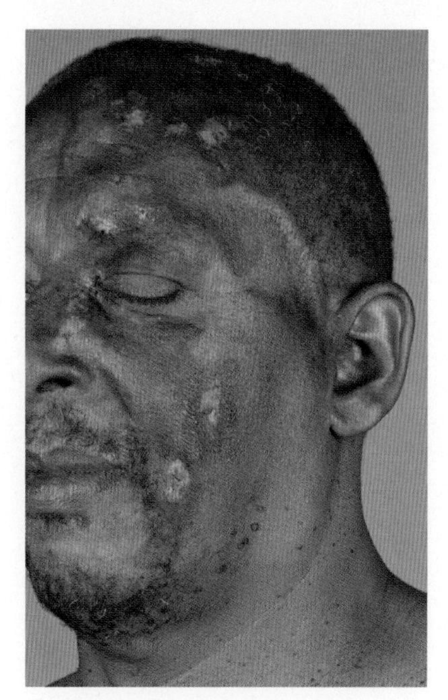

그림 4.54 삼차신경 영양성 증후군

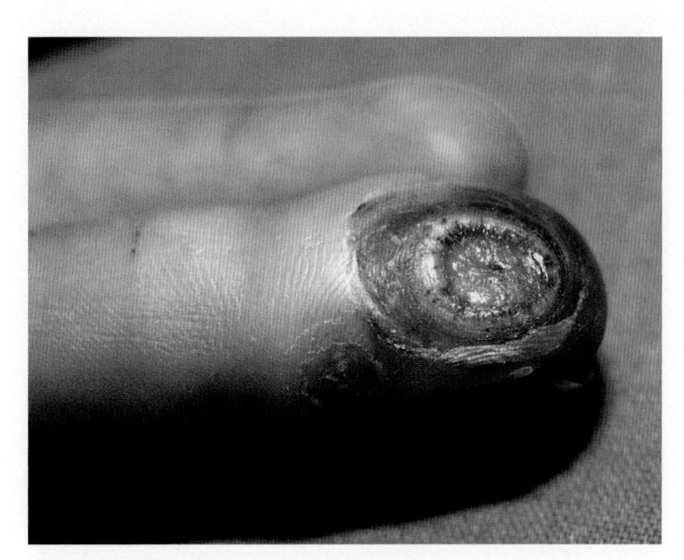

그림 4.55 당뇨 환자의 손의 신경병증 궤양

아토피피부염, 습진, 비감염성 면역결핍 질환 5

피부염은 이학적 소견상 삼출성 진물에서부터 건조성 인설까지 다양한 증상을 나타낸다. 이러한 소견들은 피부염과 습진성 병변으로 정의되는 급만성 염증 질환의 대표적인 증상이다. 이러한 증상과 동반되는 심한 가려움증은 긁게 되어 찰상을 일으키고 나중에는 피부가 두꺼워지는 태선화로 이어진다. 궁극적으로 이런 습진성 증상을 가진 환자들은 지속적인 가려움증과 표피장벽의 취약성이 내재되어 있음으로 인해 반복적인 세균 감염이나 바이러스 감염을 일으켜 농포, 소수포, 가피, 미란, 혹은 동통성 결절 등의 증상을 보이게 된다. 모든 피부염을 가진 환자에서는 그런 감염증에 대한 징후가 있는지 이학적 스크리닝 검사가 중요하며, 특히 근원적으로 면역결핍이 있는 환자들에서는 더욱 중요하다.

피부염의 대부분의 경우에는 진단을 위한 피부 조직검사가 필요하지만 급성 피부염에서 보이는 해면화나 만성에서 보이는 표피 극세포증 소견은 영양실조, 조직편대 숙주 질환, 건선과 같이 표피에 병변을 나타내는 질환과의 확진 감별에 유용하다.

아토피피부염이 발생하는 신체부위는 나이에 따라 다양할 수 있다. 유아기 아토피피부염에서는 주로 얼굴에 발생하며 감염이 없을 때조차도 삼출성이 많은 가피가 관찰되는 것이 특징이다. 유아기 때 병변이 광범위하게 퍼지는 경우 주로 사지의 신측부에 호발하고 소위 head-light 징후라고 해서 기저귀 차는 부위와 코는 침범하지 않는다.

반면, 소아기 아토피피부염에서는 병변이 주로 굴측부에 국한되어 보다 태선화된 모양을 보이는 경향이 있다. 다수의 환자들에서 병변이 더 광범위하게 퍼져 나가는 것을 관찰할 수 있다. 그 경우 만성 수부습진이나 더 많은 부위에 국소발적을 나타낸다. 다른 동반되는 증상으로 Dennie-Morgan lines(아랫눈꺼풀 밑에 두드러진 주름), 모공성 각화증, 전신성 건조피부, 모공성 두드러짐, 눈 주위에 과색소증(알레르기성 검은멍)과 같은 아토피 징후를 보인다.

다른 습진에서는 습진의 모양이 다르게 나타나기도 하는데, 즉 화폐상 습진에서는 동전모양의 인설성 혹은 삼출성 판의 모양으로 나타나고, 건성 습진에서는 미만성으로 건성의 갈라짐 형태를 보이며, 일부 아토피피부염환자에서는 습진이 유두나 눈꺼풀에 국한되어 있는 형태로 혹은, 손에 소수포 수부습진(한포진) 등의 모양으로 나타나기도 한다. 일부 면역결핍 질환에서는 중증 병합성 면역결핍증(SCID)에서 처럼 상대적으로 비특이적인 박탈성 홍피증의 형태로 나타날 수 있다. 또한 과면역글로불린 E 증후군, Wiskott-Aldrich 증후군, DiGeorge 증후군에서처럼 아토피피부염양 발진의 모양으로 나타날 수 있다. 이런 증례들에서도 숙련된 임상의사는 과면역글로불린 E 증후군에서 농포성 병변, DiGeorge 증후군에서 이상형태증(dysmorphism), 혹은 Wiskott-Aldrich 증후군에서 피부염 병변 내에서 관찰되는 자반 등의 특징적인 소견으로 감별할 수 있다. 이 장에서는 아토피피부염과 다른 습진, 면역결핍증후군 환자에서 보이는 드문 증상들을 살펴보고자 한다.

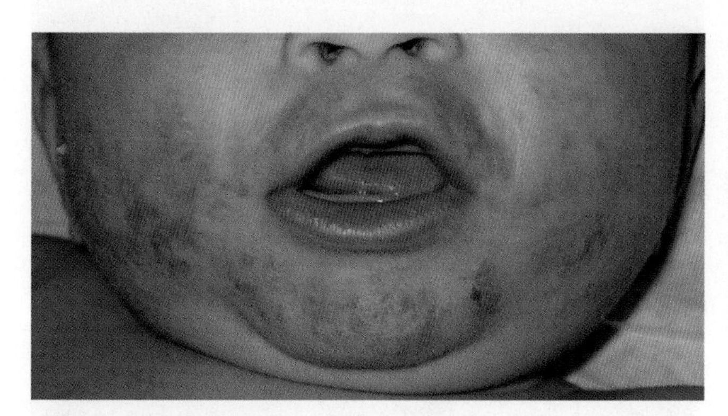

그림 5.1 아토피피부염

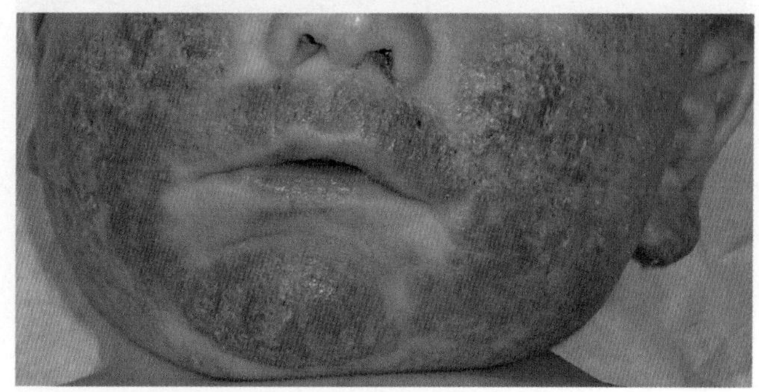

그림 5.2 아토피피부염

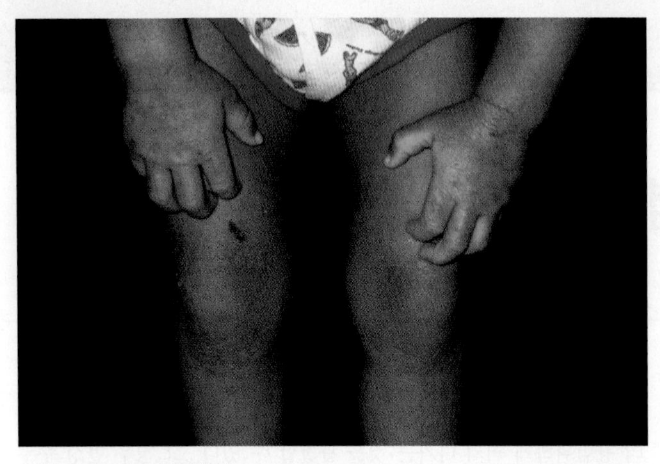

그림 5.3 아토피피부염

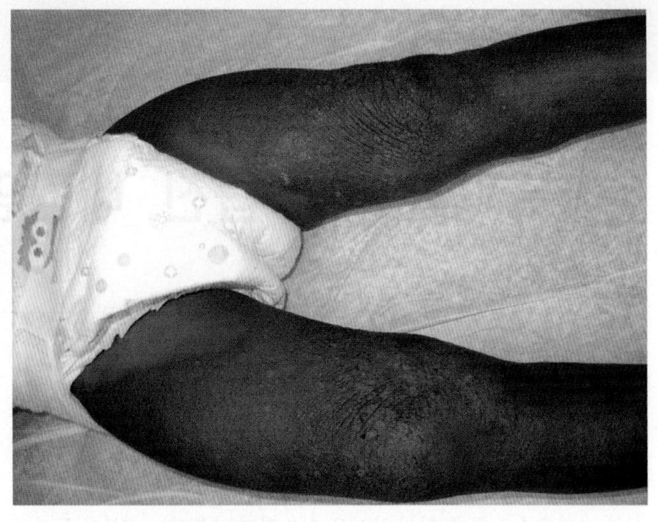

그림 5.4 만성 아토피피부염

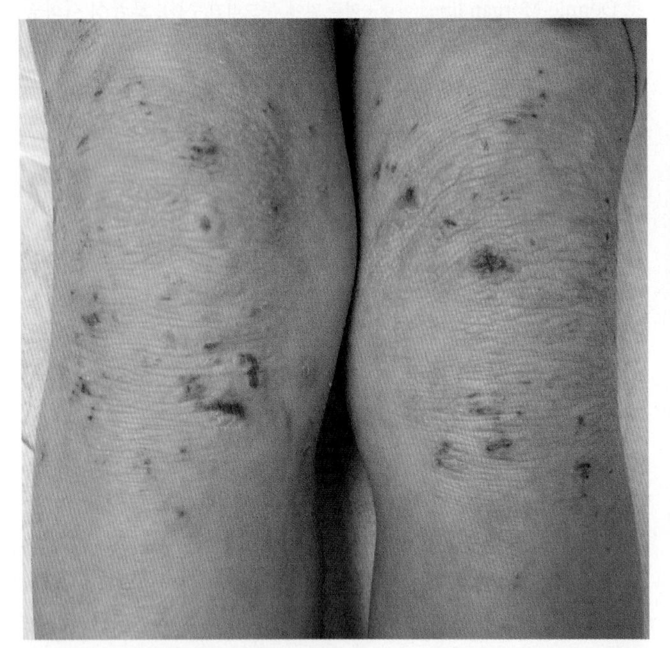

그림 5.5 아토피피부염의 긁은 상처

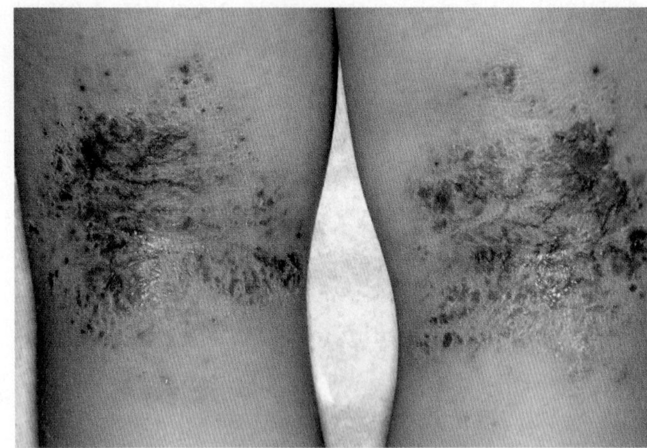

그림 5.6 아토피피부염의 이차 감염

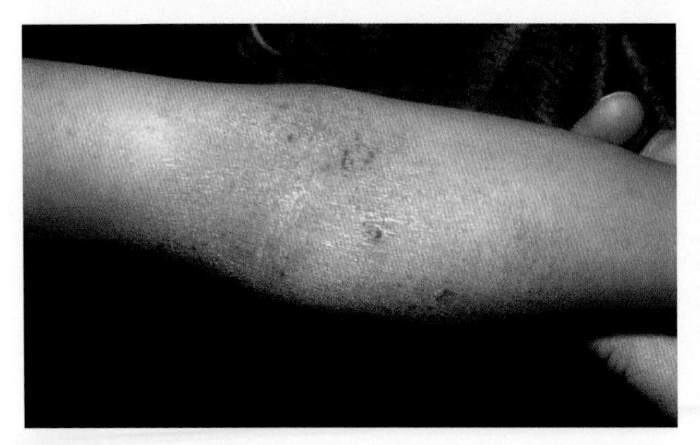

그림 5.7 아토피피부염

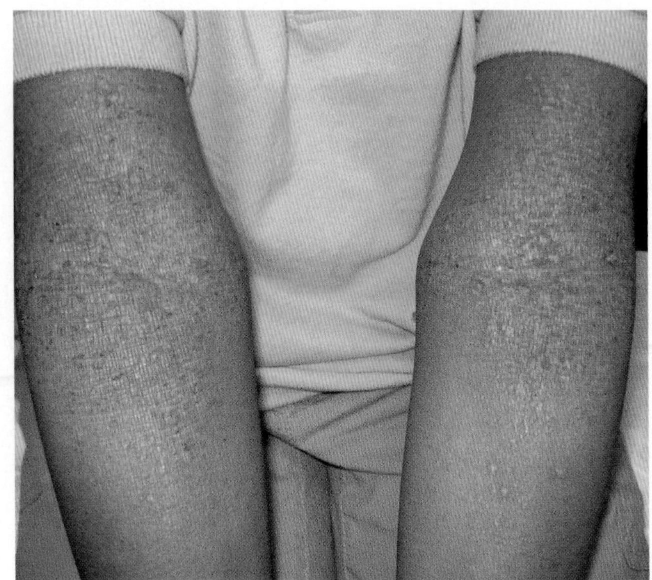

그림 5.8 아토피피부염

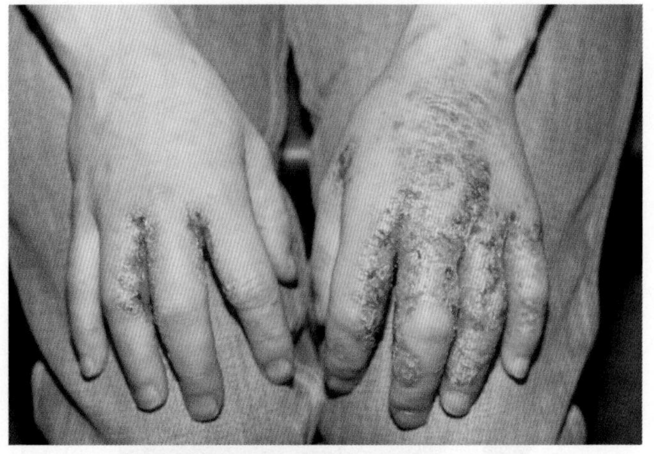
그림 5.9 아토피피부염의 이차 감염

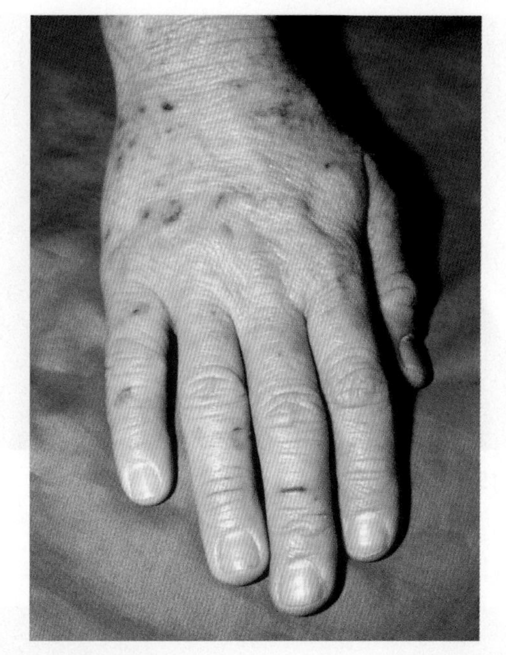
그림 5.10 아토피피부염

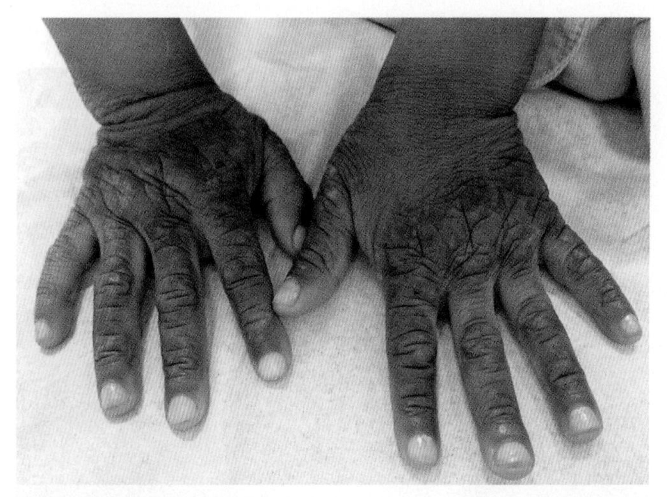
그림 5.11 만성 아토피피부염

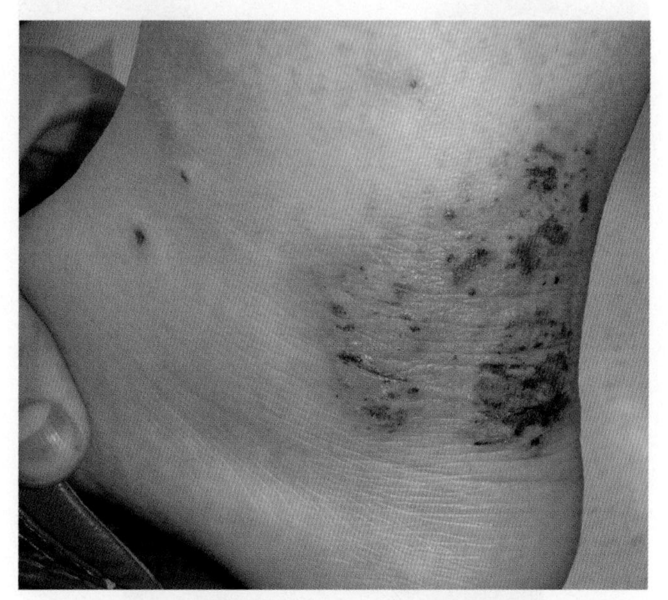
그림 5.12 만성 아토피피부염

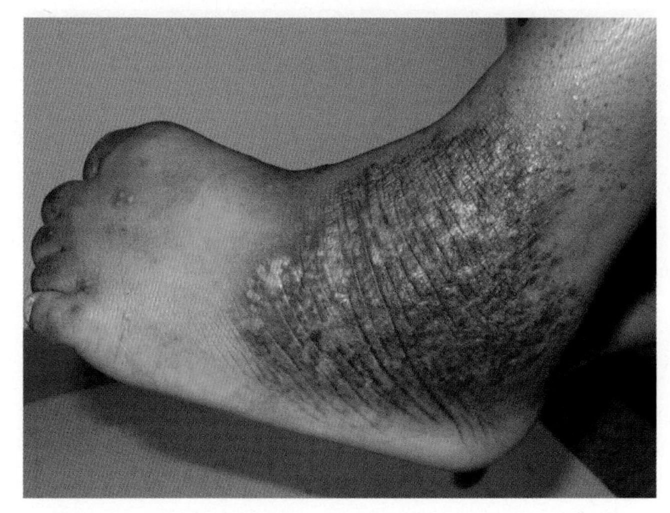
그림 5.13 만성 아토피피부염의 과색소침착

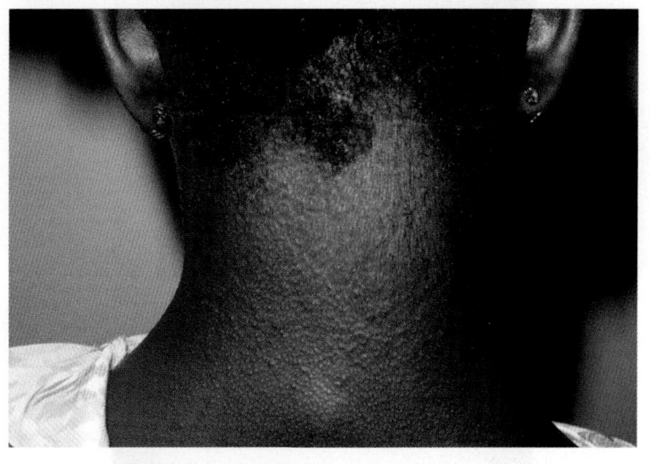
그림 5.14 아토피피부염, 태선화

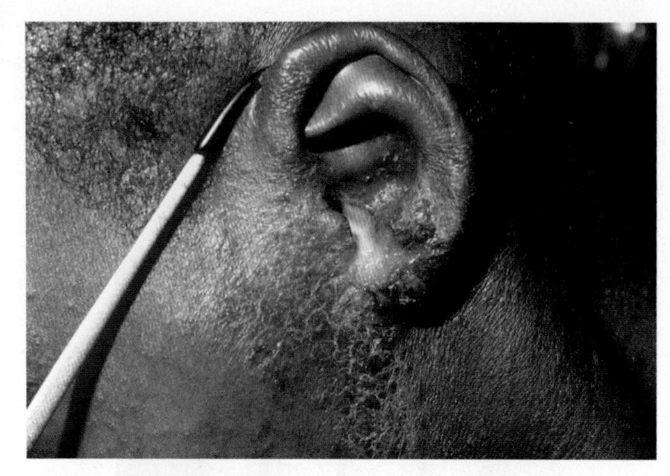

그림 5.15 아토피피부염

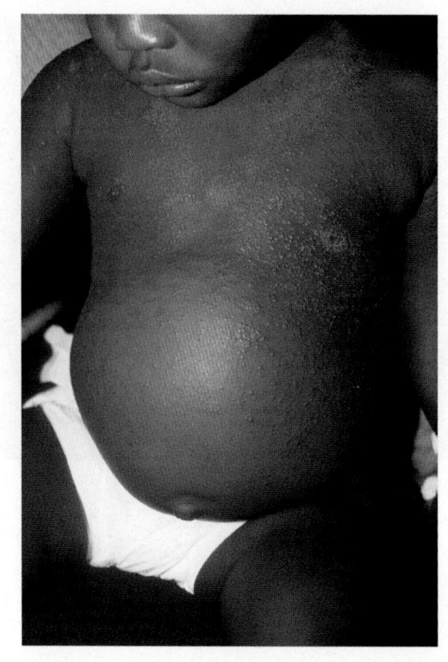

그림 5.16 구진성 아토피피부염

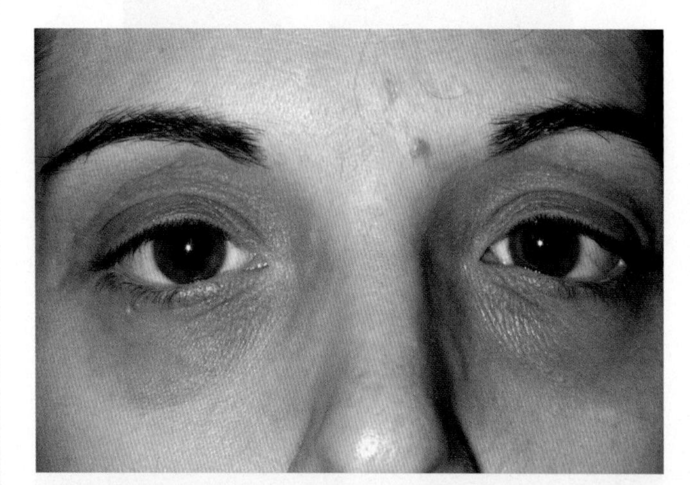

그림 5.17 아토피피부염

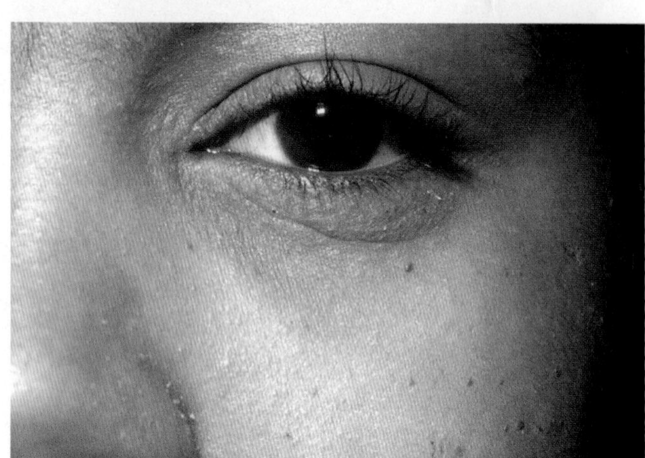

그림 5.18 아토피피부염에서의 Dennie-Morgan 주름

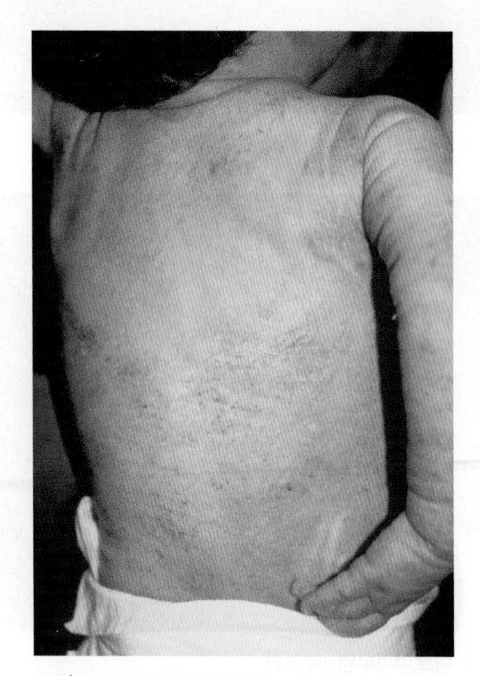

그림 5.19 백색피부묘기증

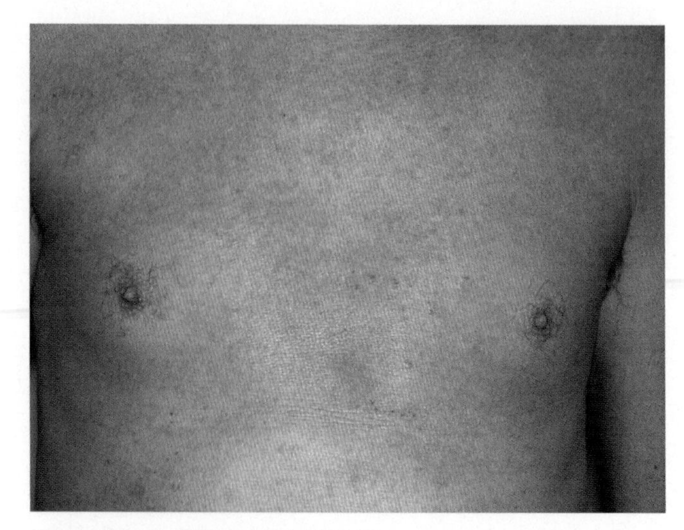

그림 5.20 아토피피부염의 홍색피부증

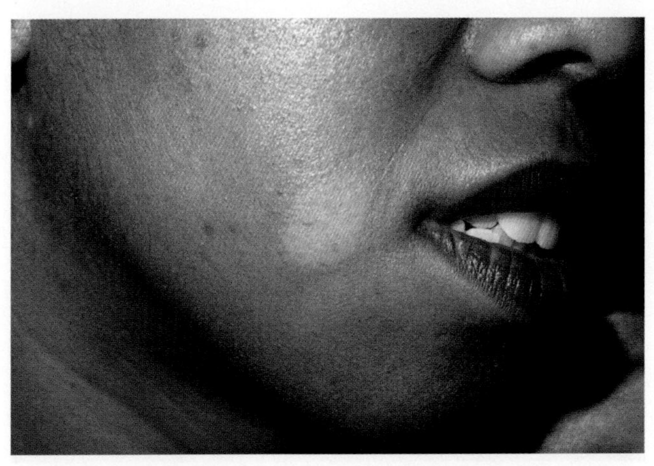

그림 5.21 백색비강진

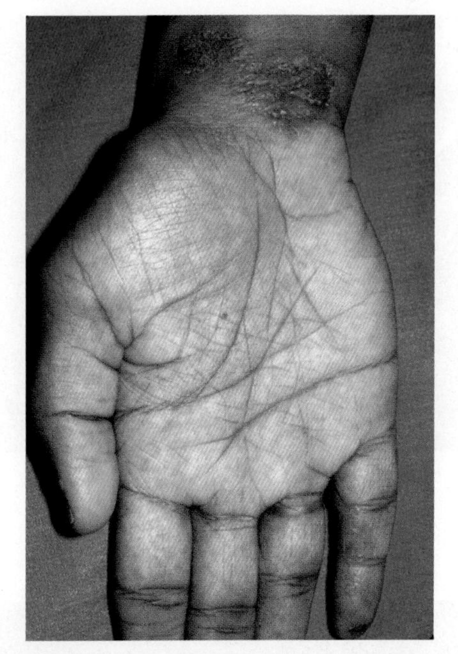

그림 5.22 아토피피부염 환자에서의 손바닥과다선

그림 5.23 모공각화증

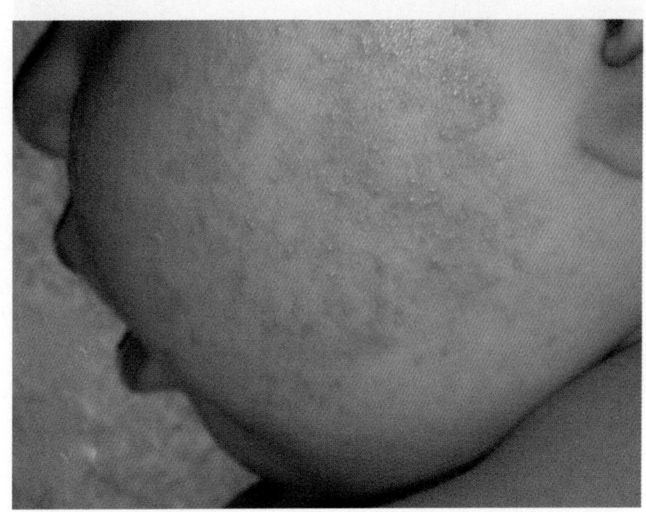

그림 5.24 모공각화증

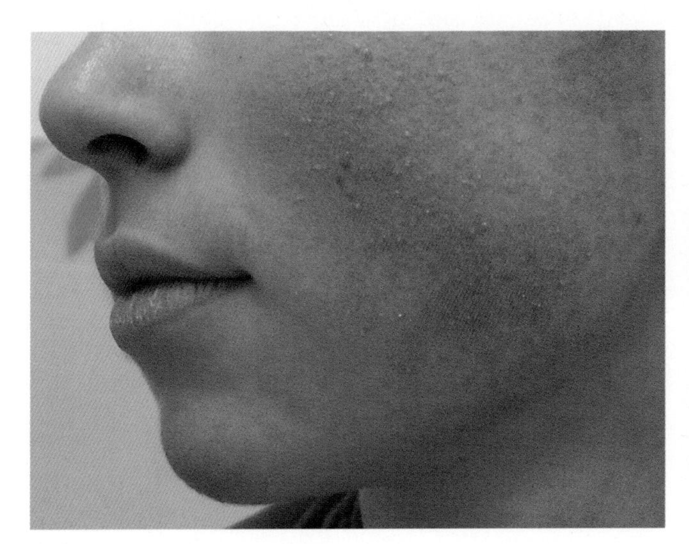

그림 5.25 안면 홍색 모공각화증

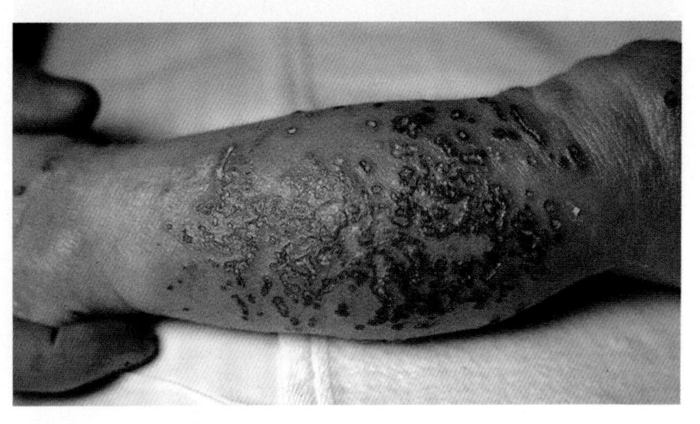

그림 5.26 포진상습진

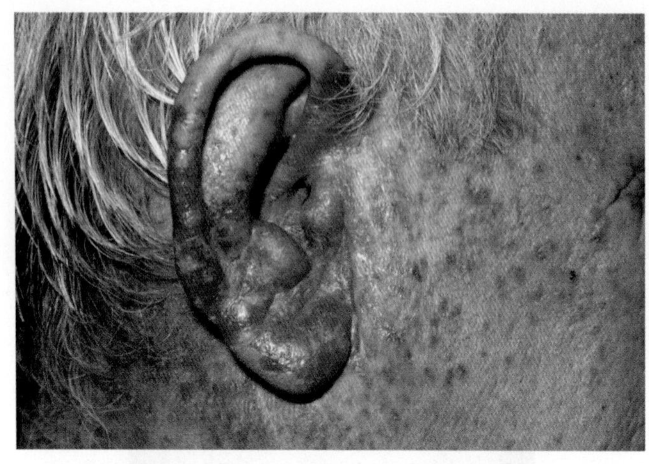

그림 5.27 귀 습진

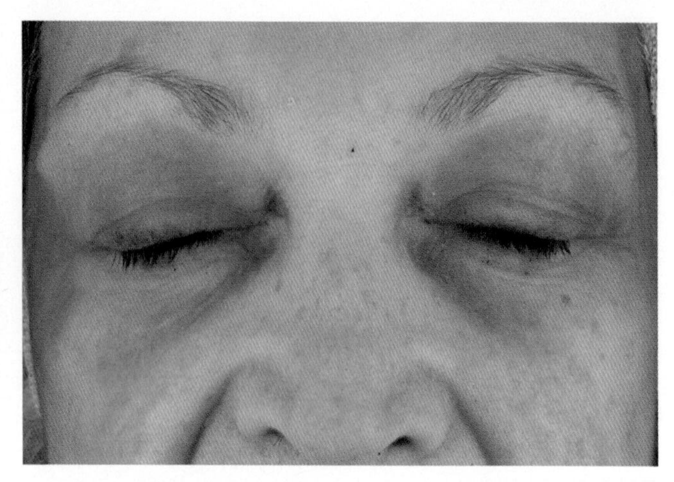

그림 5.28 눈꺼풀 습진

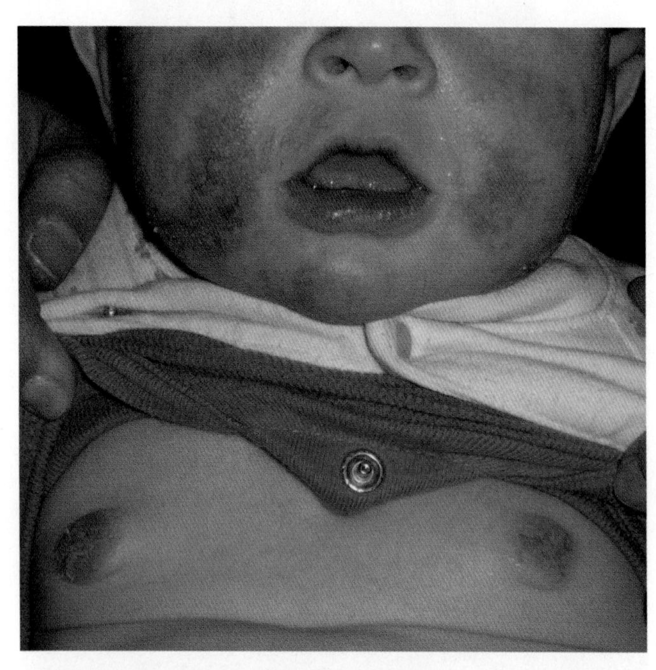

그림 5.29 아토피피부염 환아에서의 유두습진

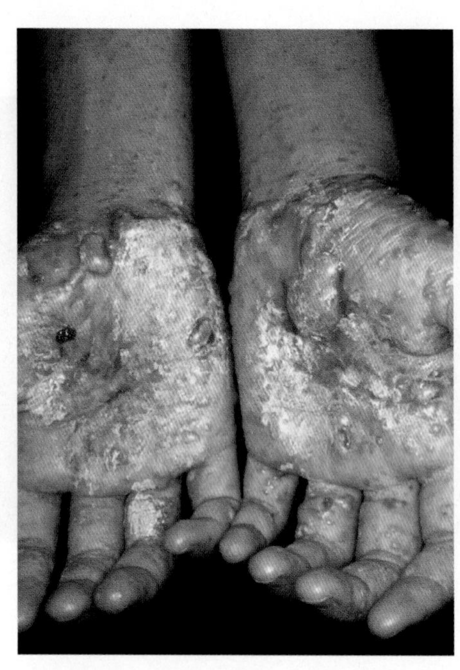

그림 5.30 이차 감염이 동반된 손습진

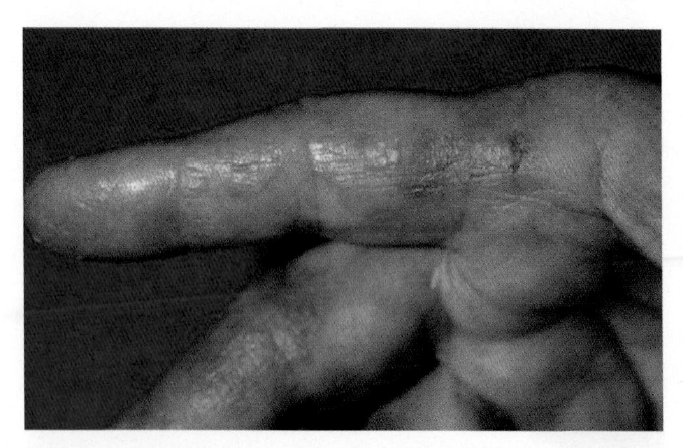

그림 5.31 달맞이꽃 알레르기에 의한 손가락 습진

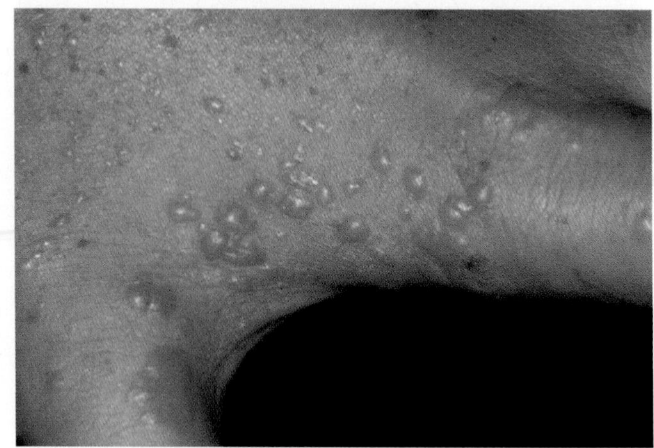

그림 5.32 한포진

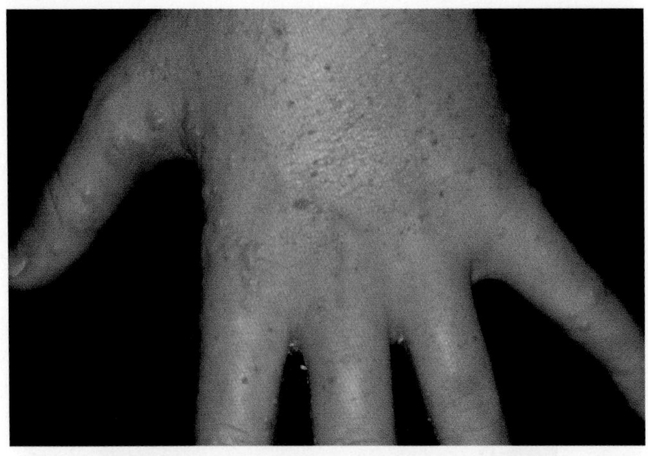

그림 5.33 한포진

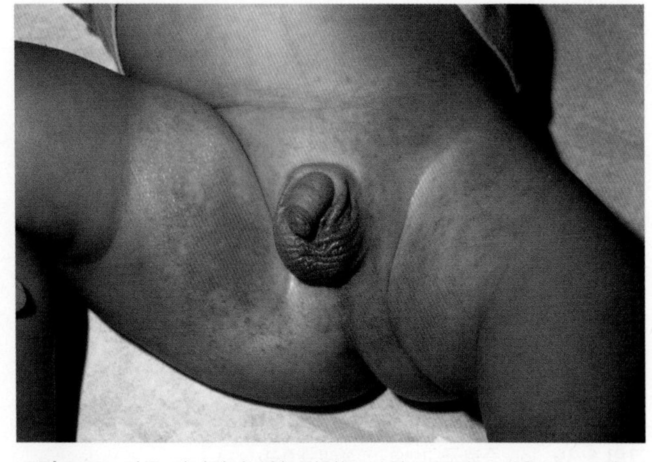

그림 5.34 자극 기저귀피부염. 접히는 부위 보존되는 것을 볼 수 있다.

그림 5.35 이드반응

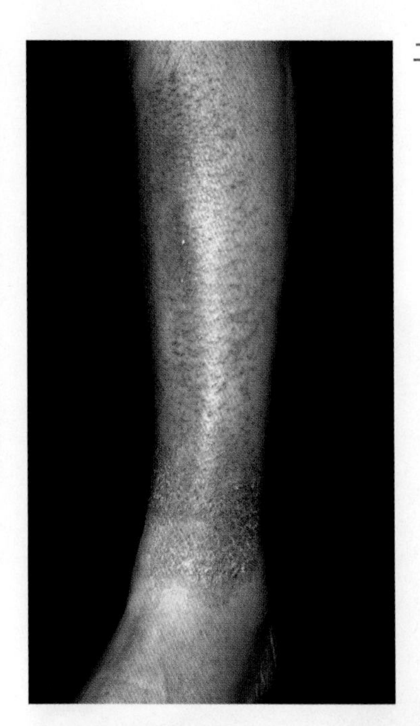

그림 5.36 건성습진

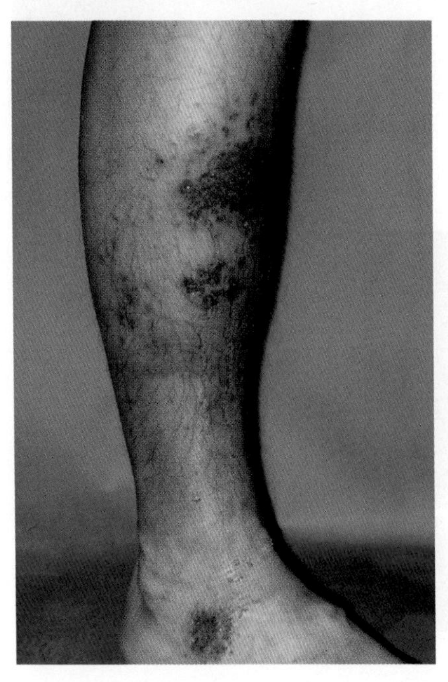

그림 5.37 화폐상습진

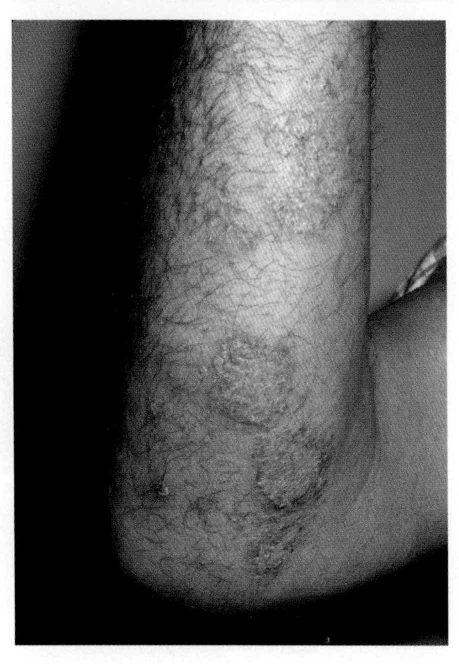

그림 5.38 화폐상 습진

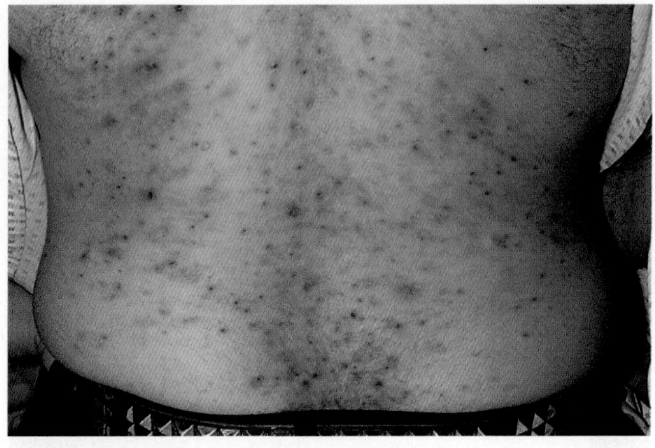
그림 5.39 Job 증후군(고면역글로불린E증후군)

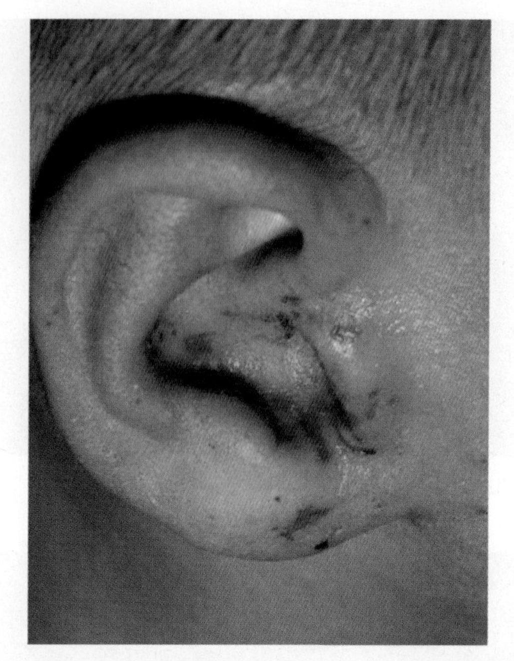
그림 5.40 Job 증후군

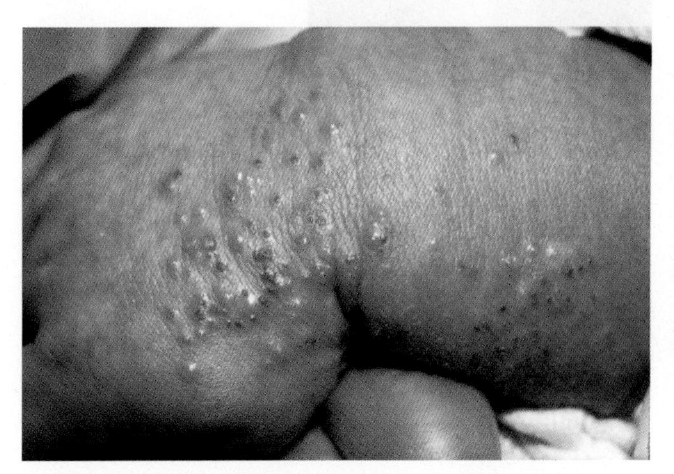
그림 5.41 이차감염이 동반된 Job 증후군

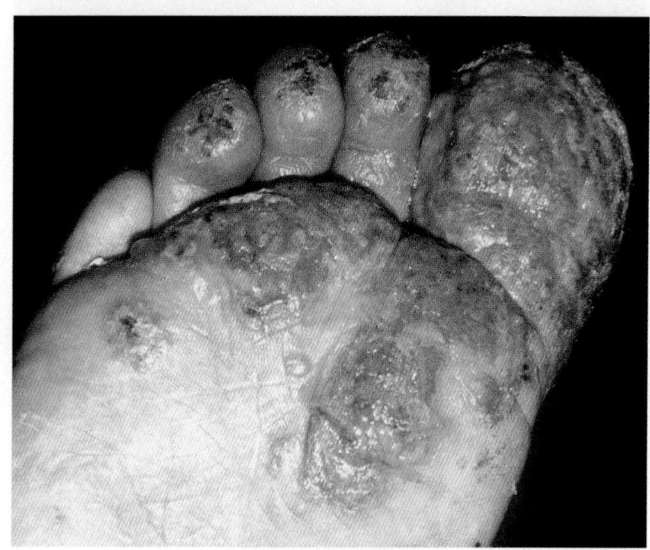
그림 5.42 위스콧-알드리히증후군에서의 습진

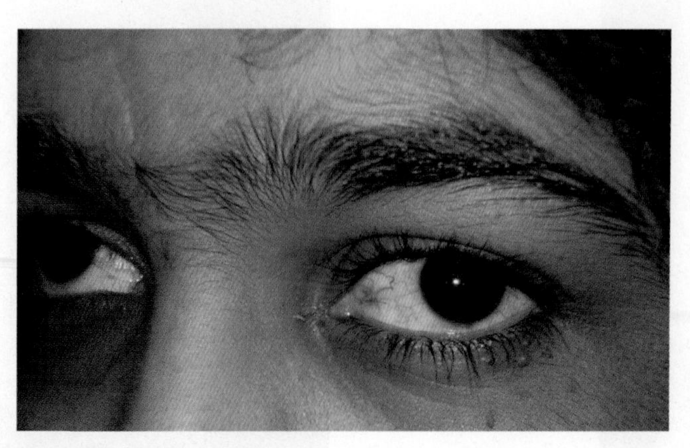
그림 5.43 모세혈관확장실조

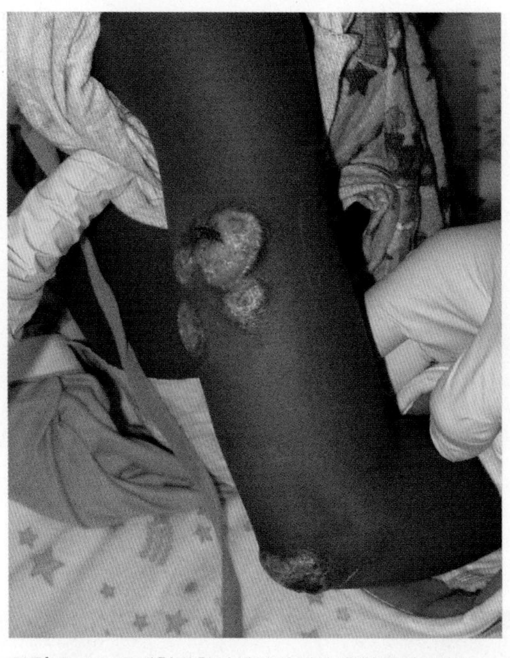

그림 5.44 모세혈관확장실조에서의 육아종성 병변

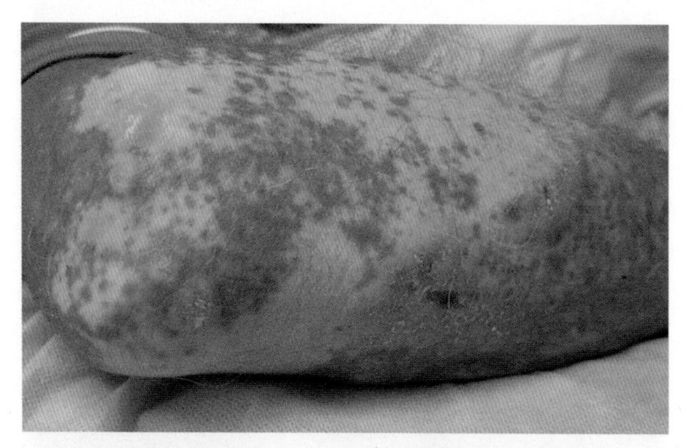

그림 5.45 육아종과 백반증이 동반된 공통가변면역결핍증

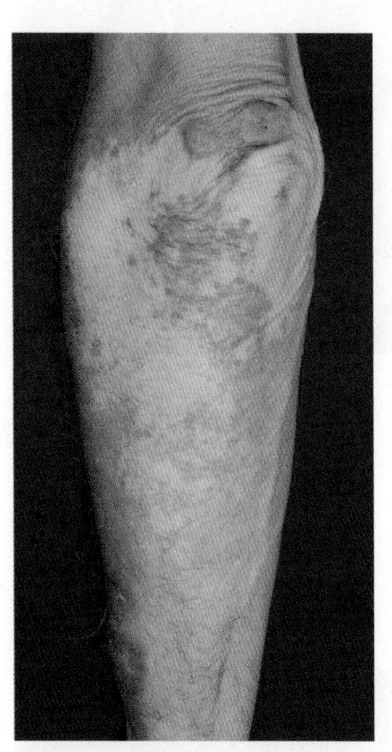

그림 5.46 육아종과 백반증이 동반된 공통가변면역결핍증

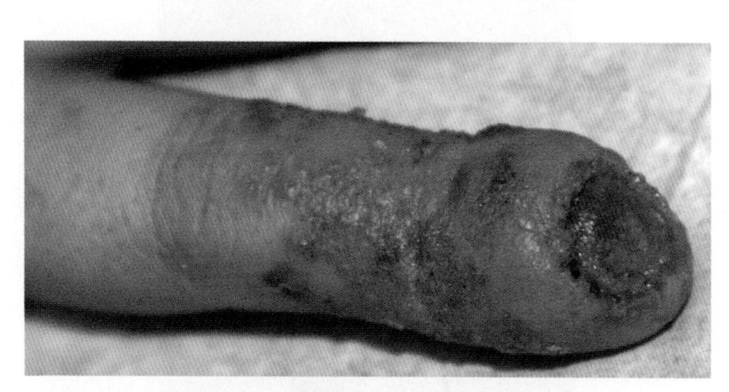

그림 5.47 칸디다증이 동반된 공통가변면역결핍증

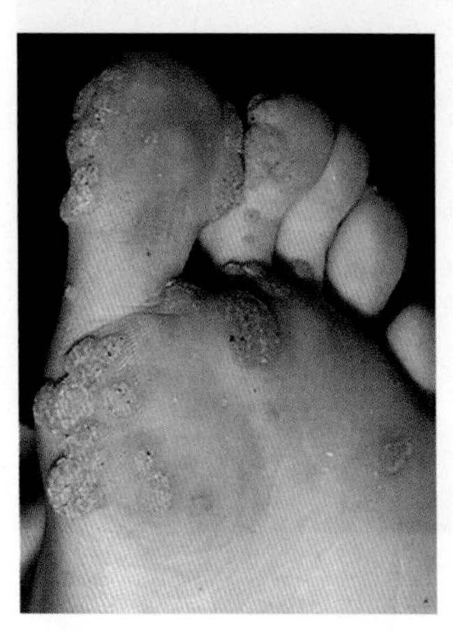

그림 5.48 DOCK8 면역결핍증 환자에서의 사마귀

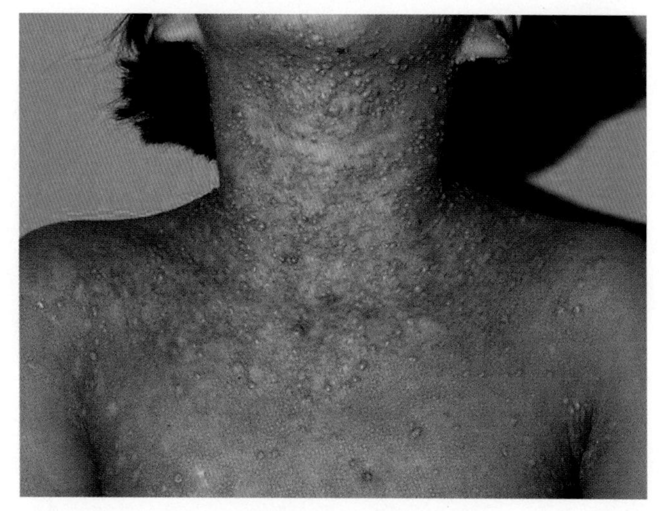

그림 5.49 DOCK8 면역결핍증 환자에서의 사마귀

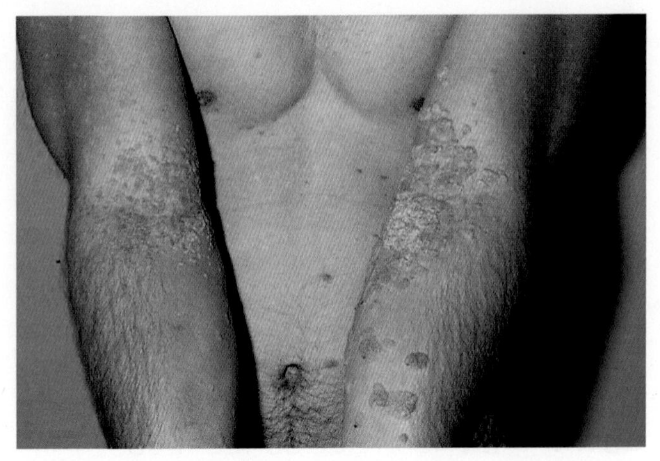
그림 5.50 DOCK8 면역결핍증 환자에서의 사마귀

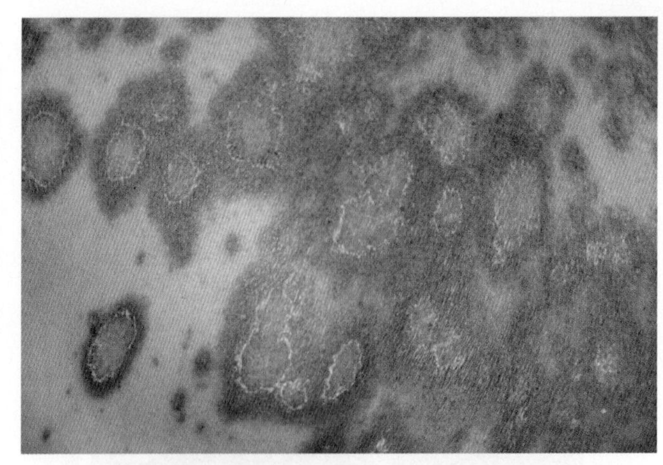
그림 5.51 보체결핍질환에서 보일 수 있는 아급성홍반루푸스

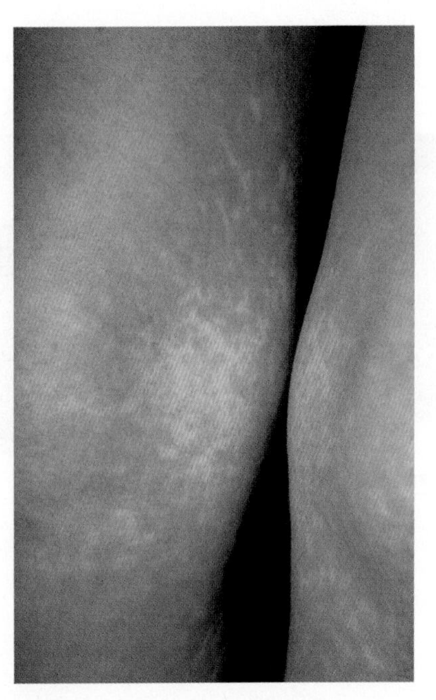
그림 5.52 급성이식편대숙주질환

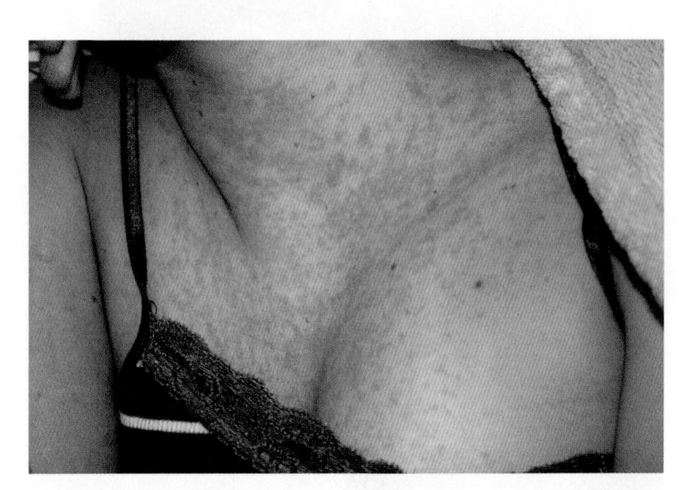
그림 5.53 급성이식편대숙주질환 2기

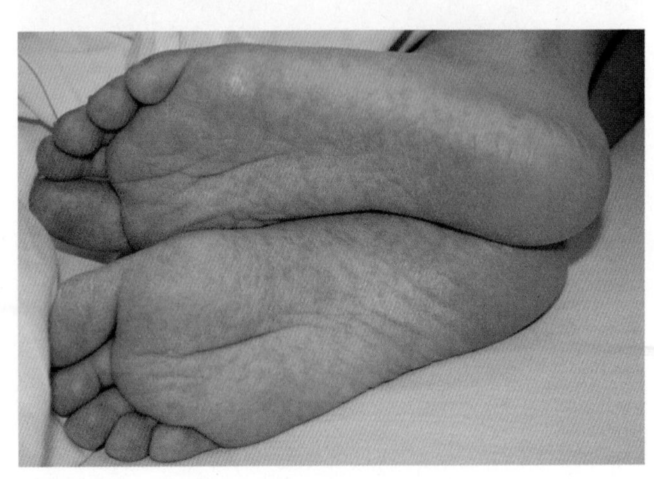
그림 5.54 급성이식편대숙주질환 2기

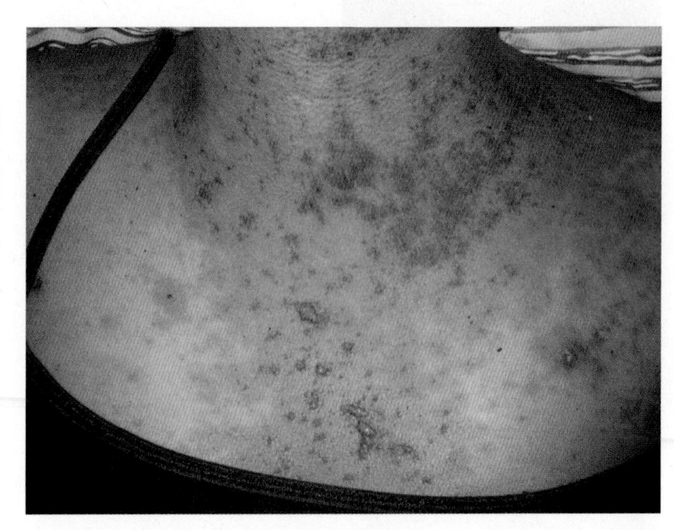
그림 5.55 급성이식편대숙주질환 4기

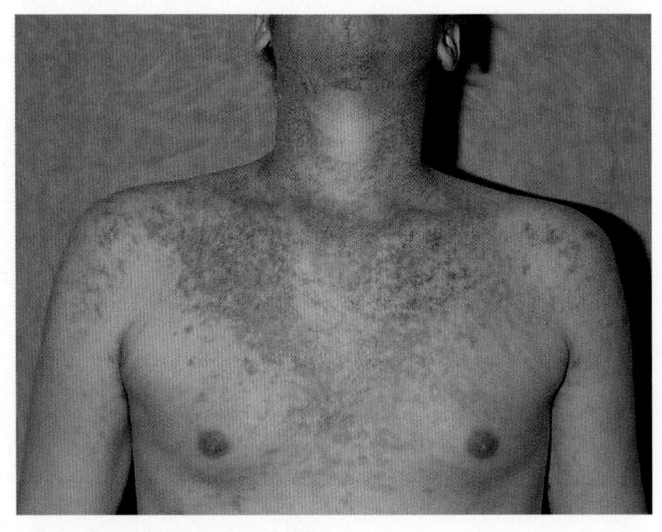

그림 5.56 급성이식편대숙주질환

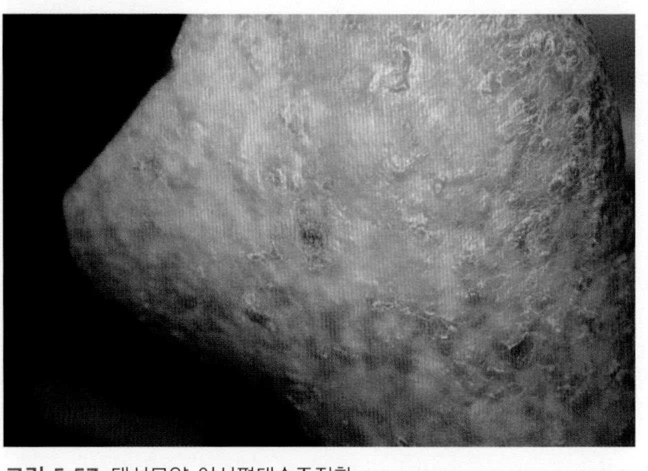

그림 5.57 태선모양 이식편대숙주질환

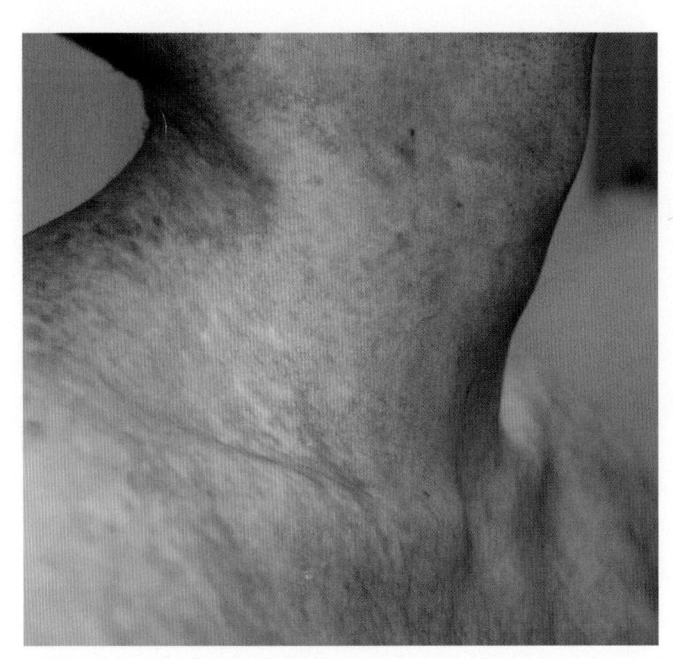

그림 5.58 만성이식편대숙주질환

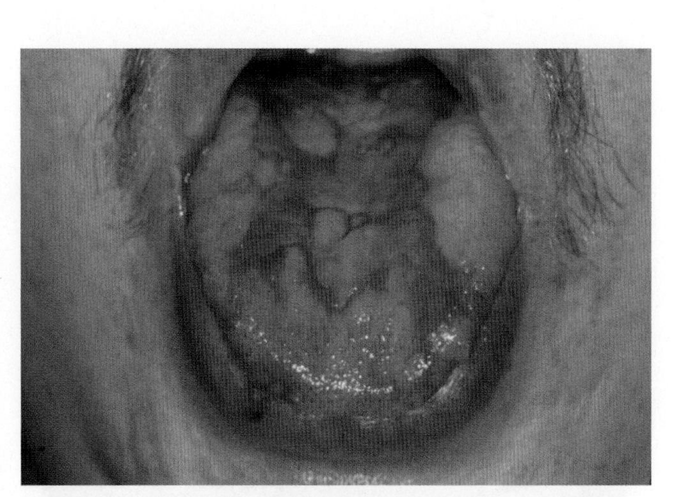

그림 5.59 구강의 만성이식편대숙주질환

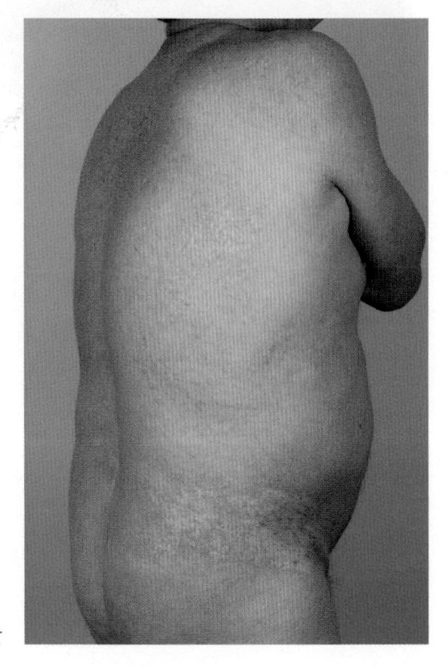

그림 5.60 경피양 만성이식편대숙주질환

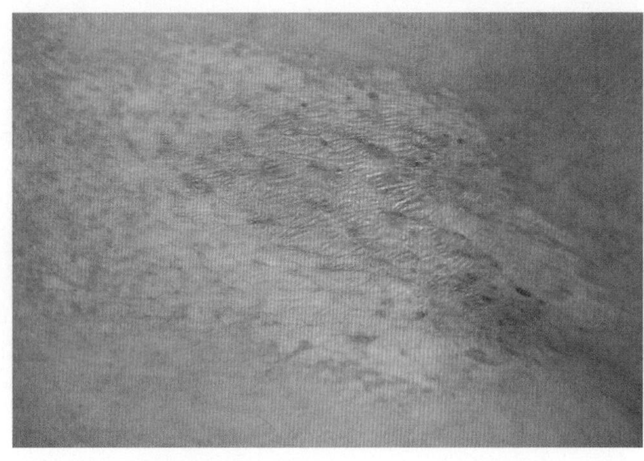
그림 5.61 만성이식편대숙주질환

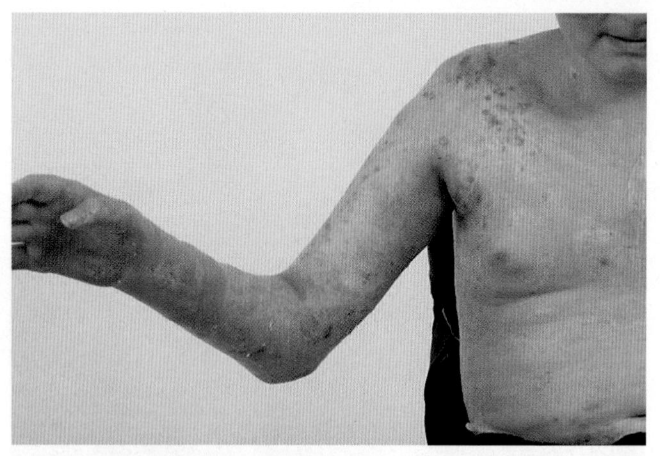
그림 5.62 경피양 이식편대숙주질환

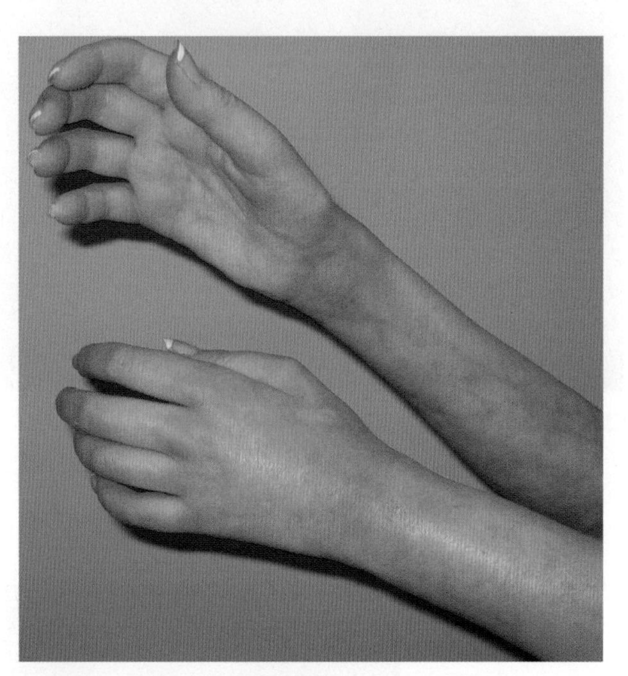
그림 5.63 경피양 이식편대숙주질환

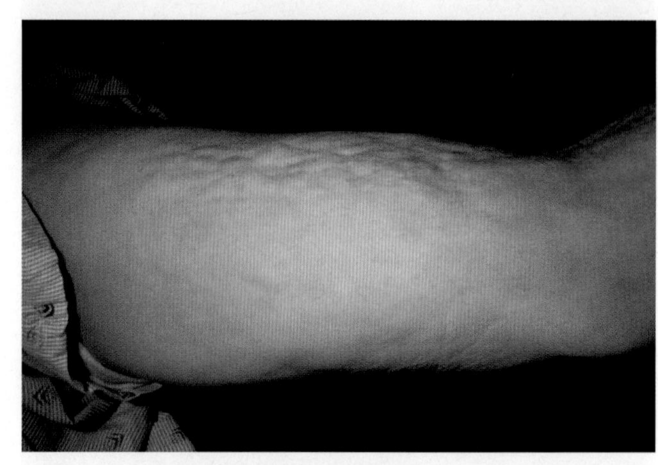
그림 5.64 이식편대숙주질환에서의 근막염

접촉피부염과 약진

6

접촉피부염과 피부 약진은 피부에 직접적 접촉이나 섭취한 외부물질에 의해 유발되는 피부 증상이다. 접촉피부염의 증상은 아토피피부염이나 다른 습진과 마찬가지로 가려움증, 홍반, 인설, 진물, 가피 등의 임상양상을 나타낸다. 그러나 접촉피부염 진단의 가장 핵심적인 단서는 습진증상이 외부의 자극성 혹은 알레르기성 물질에 접촉이 된 특정된 부위에서만 주로 관찰된다는 것이다. 이러한 모양은 Toxicodendron 피부염(옻나무피부염)처럼 선상으로 나타나거나 액상 자극물질에 의한 경우 이차적으로 물질이 떨어진 부위에 스플레터 모양으로 나타나고, 접착제에 의한 경우 이차적으로 기하학적 무늬 모양으로 혹은 향료와 같이 공기에 떠다니는 물질에 노출된 경우 주로 얼굴, 목과 몸의 다른 향료 노출부위에 집중적으로 발생한다. 접촉피부염의 원인 진단에 피부증상이 발생한 부위에 대한 정보가 도움을 준다. 예를 들면 하복부나 귀에 생기면 니켈피부염, 발의 신측부에 생기면 신발피부염, 눈꺼풀에 생기면 메니큐어 내의 특정한 성분을 의심할 수 있다. 아토피피부염과 로션이나 세정제내의 방부제나 향신료에 의한 접촉피부염이 함께 있을 때는 접촉반응이 훨씬 광범위하게 나타날 수 있다.

피부약진은 그 증상이 매우 다양하게 나타날 수 있다. 즉, 급성 전신성 피진성 농포증에서 보이는 광범위한 홍반위에 관찰되는 미세농포막부터 스티븐스 존슨 증후군이나 독성 표피괴사융해에서 보이는 출혈성 점막 미란과 소수포수포병변까지 다양하게 나타난다. 발열, 림프절병증, 안면 부종과 같은 동반증상들은 단순한 홍역모양 약진과 호산구증가증과 전신증상을 동반한 약물반응(DRESS)과 같은 전신성 약물 과민반응을 감별하는 데 긴요하다. DRESS가 의심되는 환자에서는 호산구증가, 비전형림프구와 종말기관 손상의 증거를 스크린하기 위해 혈액검사가 필요할 수 있다. 고정약진과 같이 짙은 적색의 환상의 반 혹은 판 모양의 약진이나 항암약물요법 후 수장족저에 나타나는 동통성 독성홍반의 형태는 매우 독특하다. 새로운 신약이 매년 생산되기 때문에 TNF 억제제로 치료한 환자에서 관찰되는 미란성 건선양 두피 귀뒤바퀴판과 같은 다양한 특이체질성 약진에 대해서도 새로운 정보가 필요하다.

이 장에서는 접촉피부염에 의해 발생한 피부소견뿐 아니라 경증 혹은 중증 약진에서 관찰되는 다양한 피부증상에 대해서 보여줄 것이다.

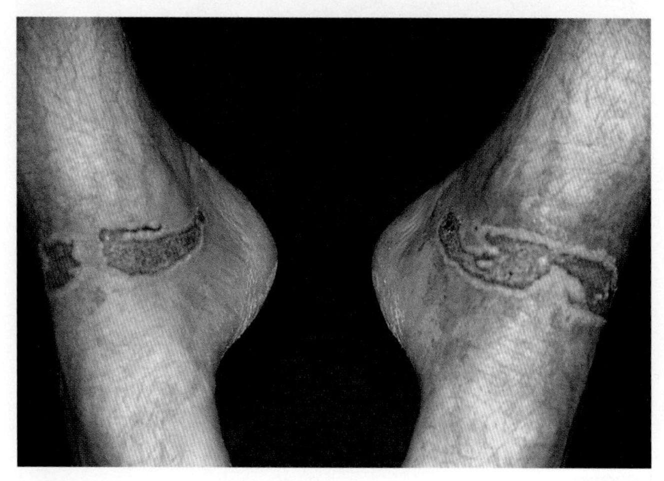

그림 6.1 시멘트 화상

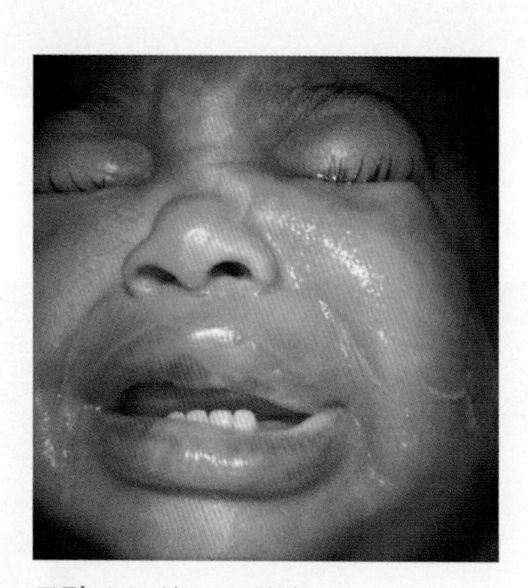

그림 6.2 산(acid) 화상

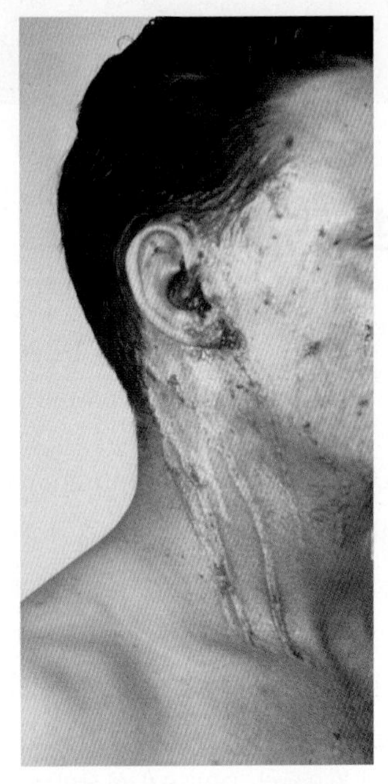

그림 6.3 산성 용액이 흘러내리면서 발생한 화상

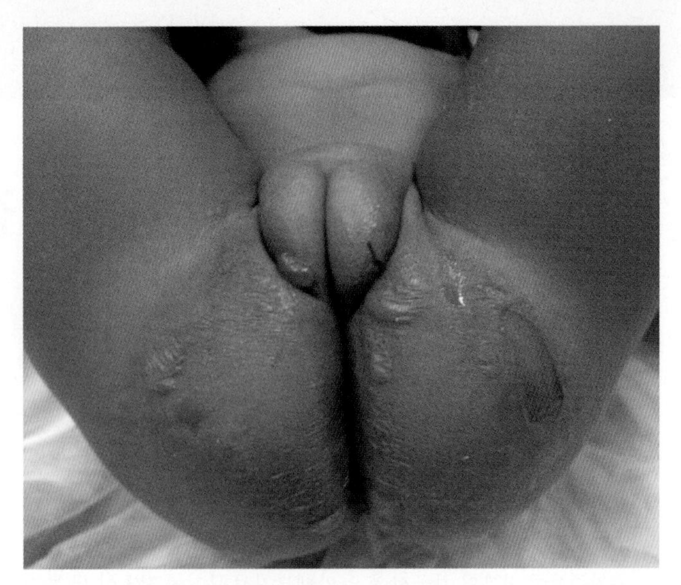

그림 6.4 차풀(senna) 화상

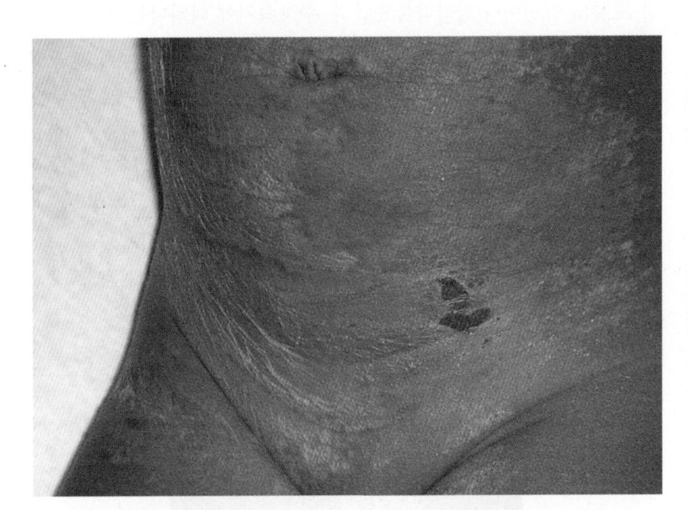

그림 6.5 살충제 화상

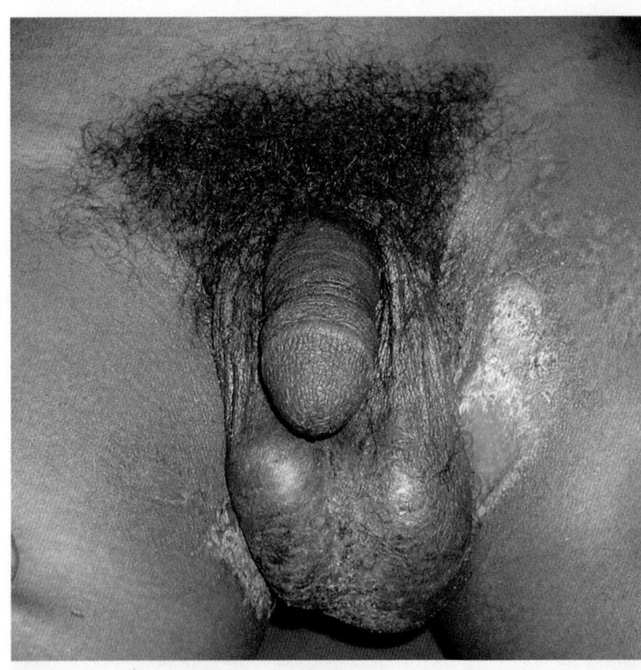

그림 6.6 등유에 의한 자극피부염

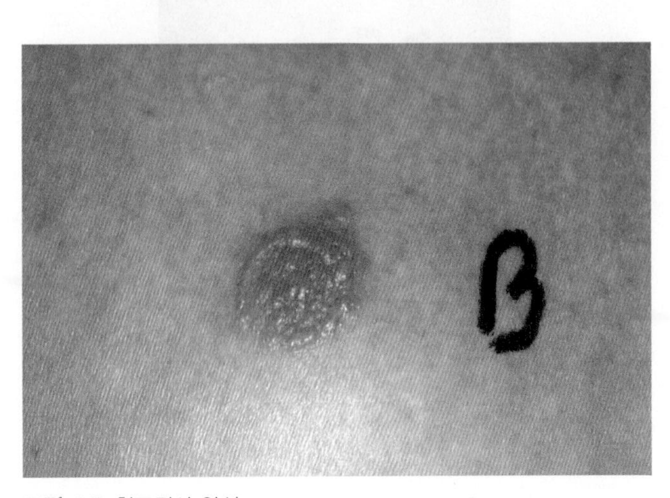

그림 6.7 첩포검사 양성

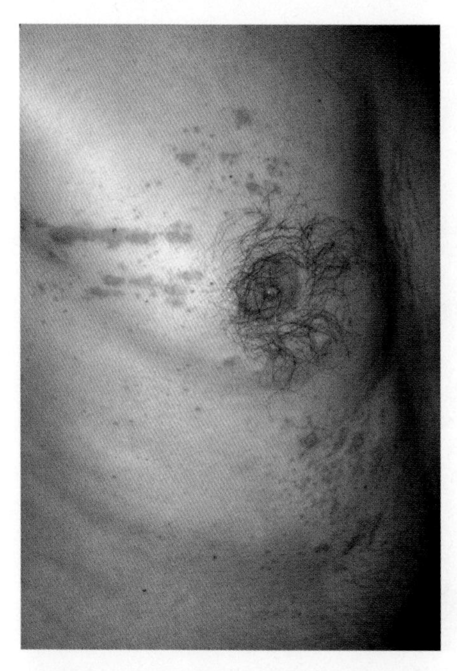

그림 6.8 옻나무 피부염. 선상의 병변들을 관찰할 수 있다.

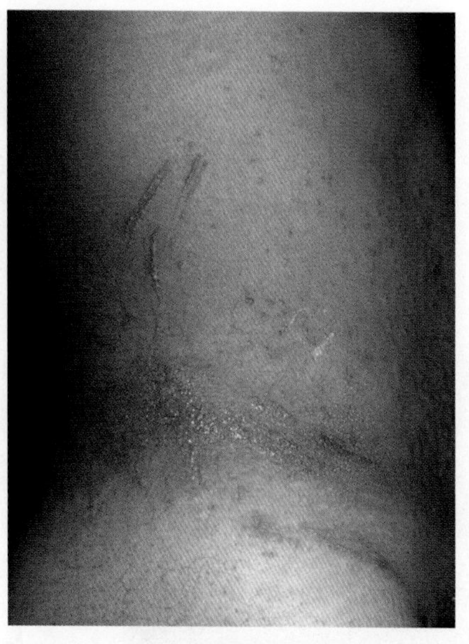

그림 6.9 옻나무 피부염. 선상의 병변들을 관찰할 수 있다.

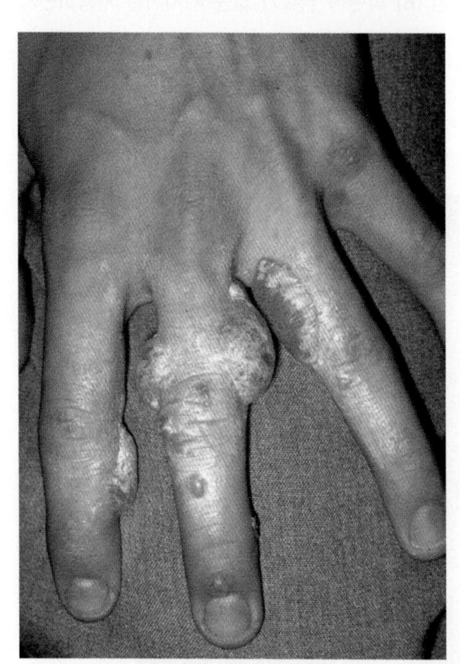

그림 6.10 옻나무 피부염

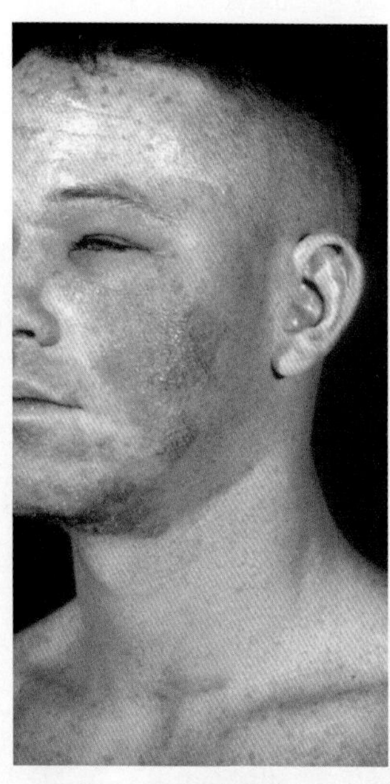

그림 6.11 옻나무 피부염

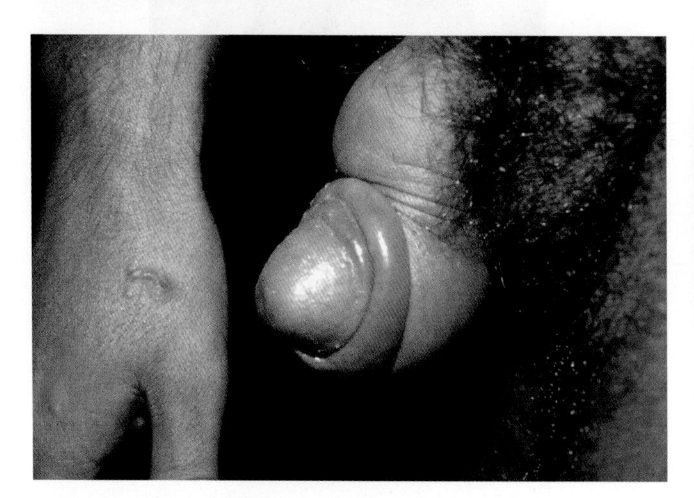

그림 6.12 옻나무 피부염

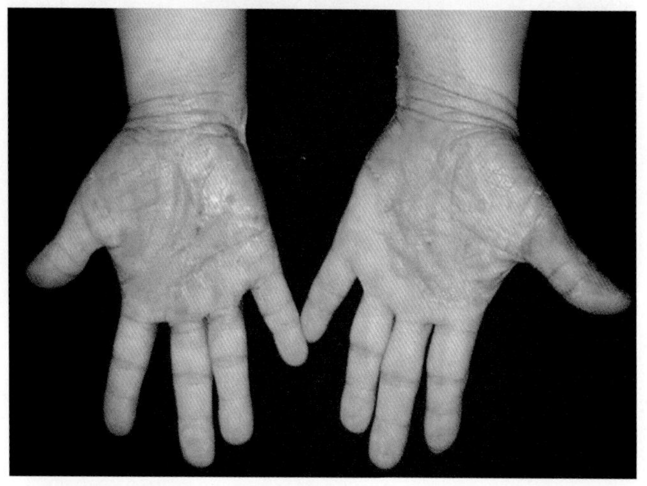

그림 6.13 티트리 오일 피부염

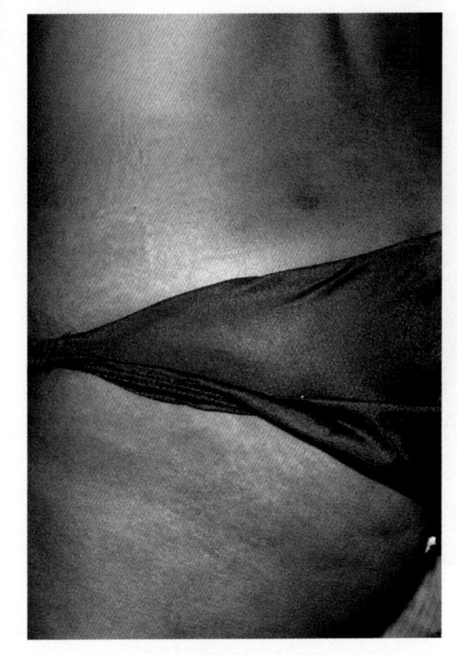

그림 6.14 옷에 의한 접촉피부염

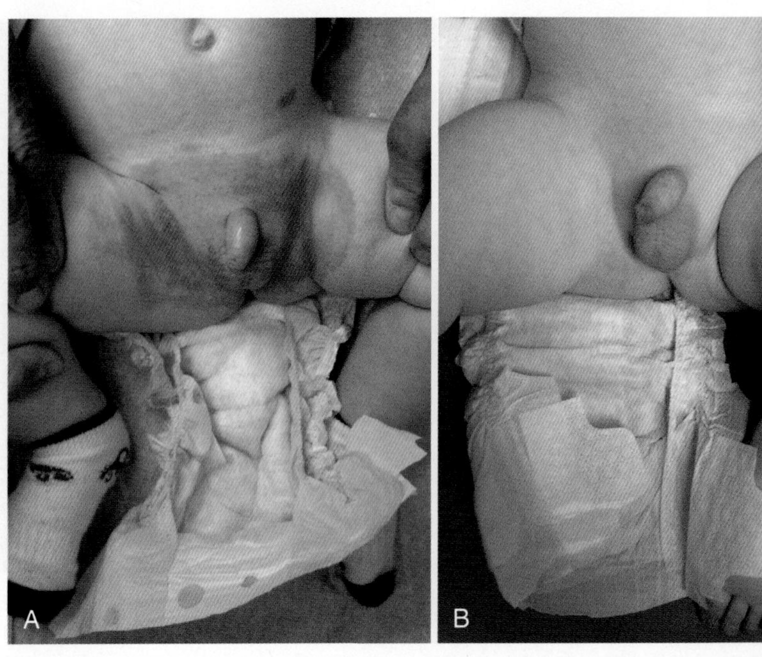

그림 6.15 (A) 파란색 염료에 의한 피부염 (B) 파란색 염료가 없는 기저귀를 사용하면서 증상이 소실됨.

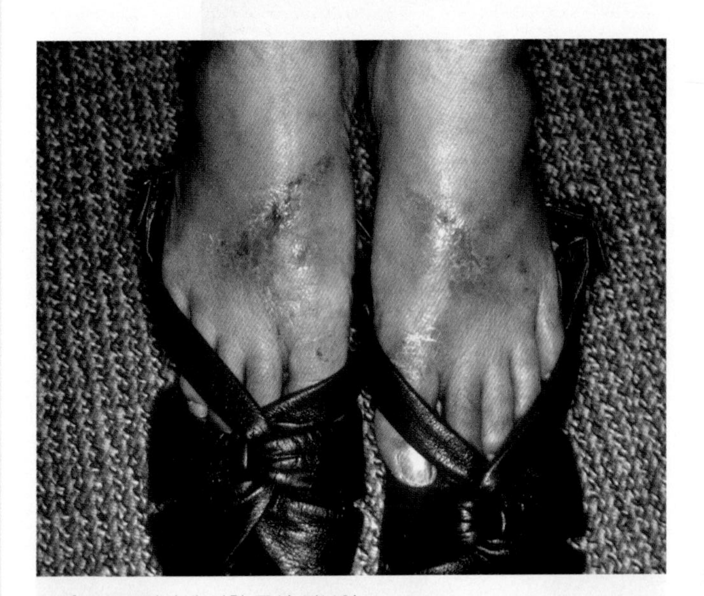

그림 6.16 신발에 의한 급성 피부염

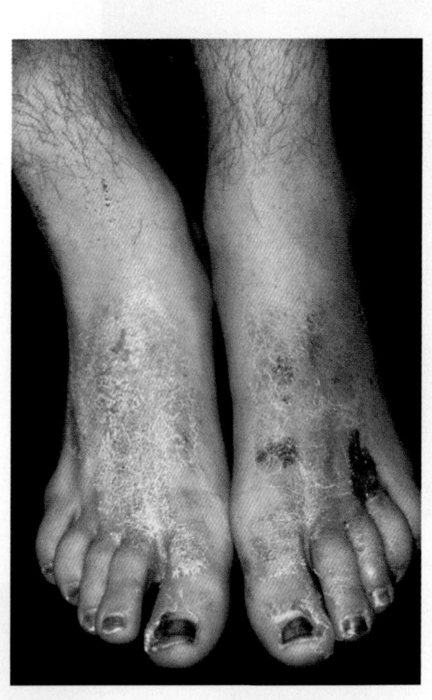

그림 6.17 신발에 의한 만성 피부염

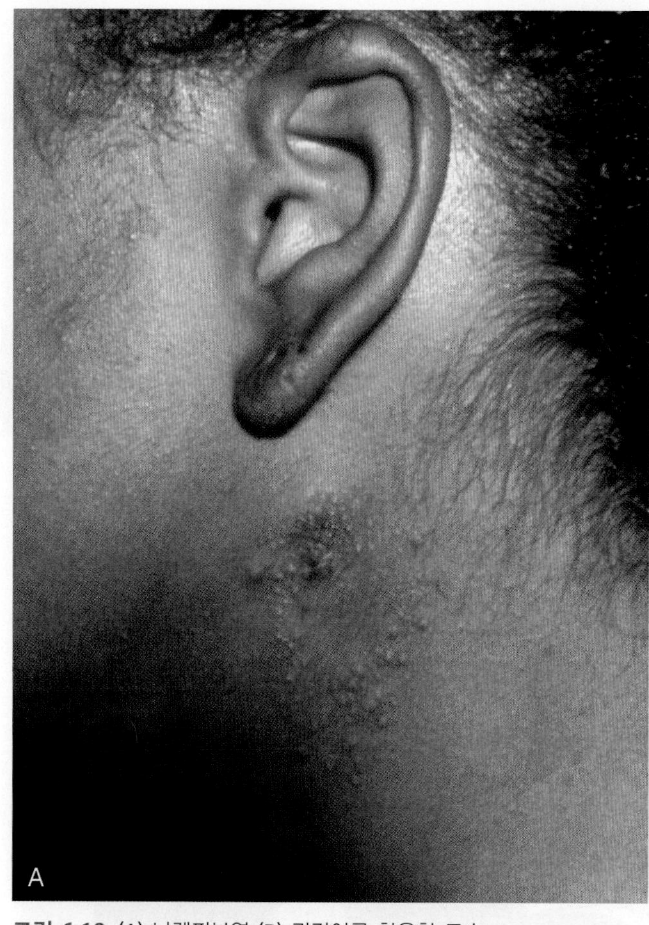

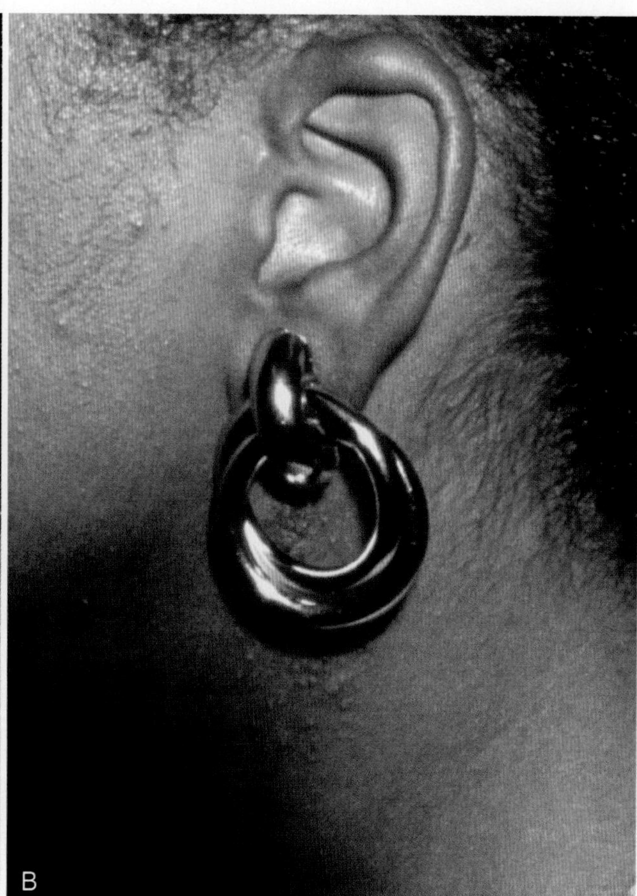

그림 6.18 (A) 니켈피부염 (B) 귀걸이를 착용한 모습

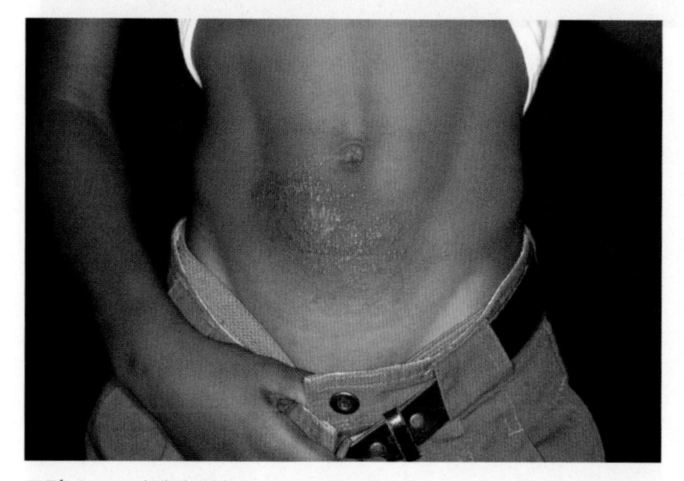

그림 6.19 니켈피부염

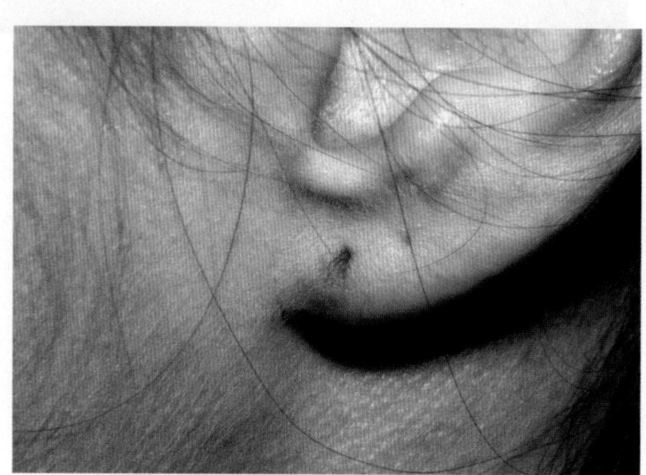

그림 6.20 흑색피부묘기증

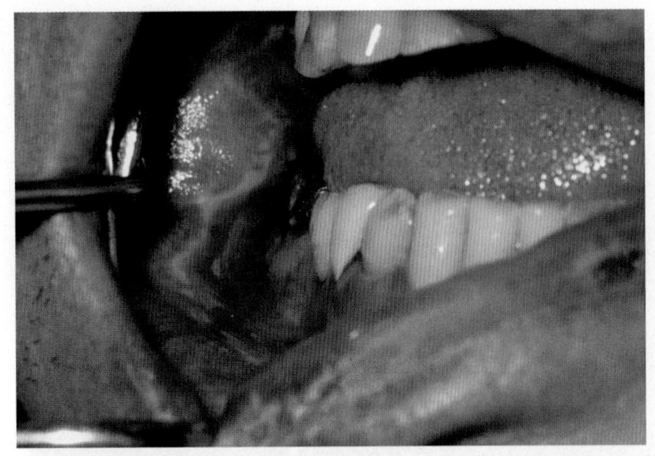

그림 6.21 금에 의한 구강 태선양피부염

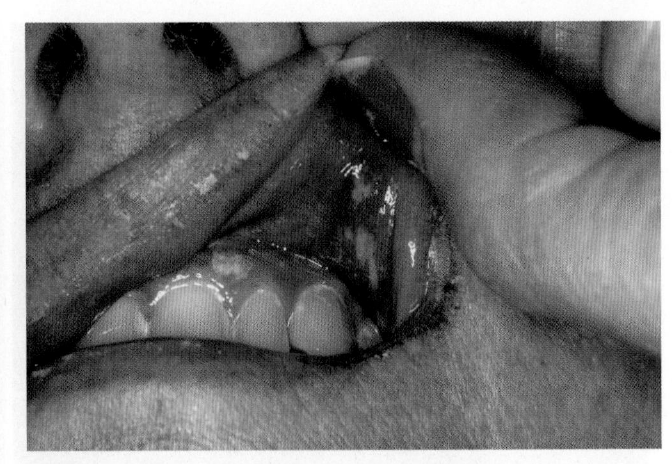

그림 6.22 치과인상재 알레르기에 의한 구내염

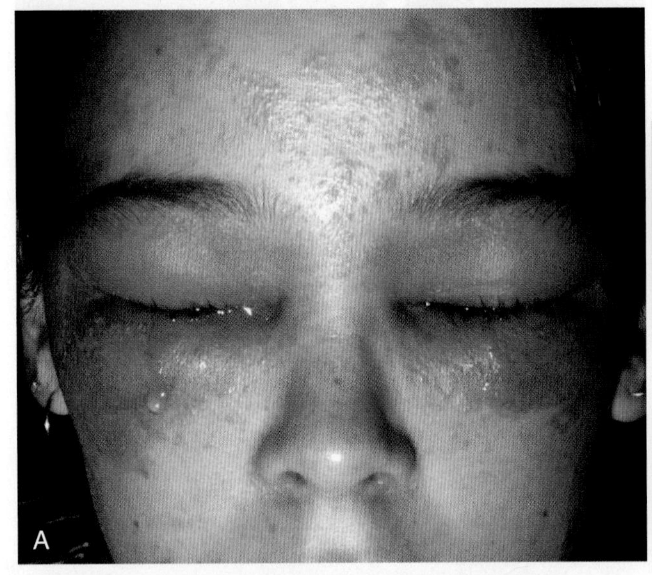

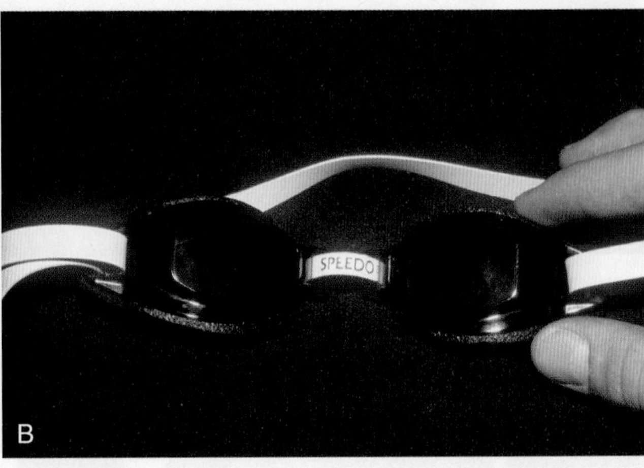

그림 6.23 (A) 고무피부염 (B) 원인인 수경

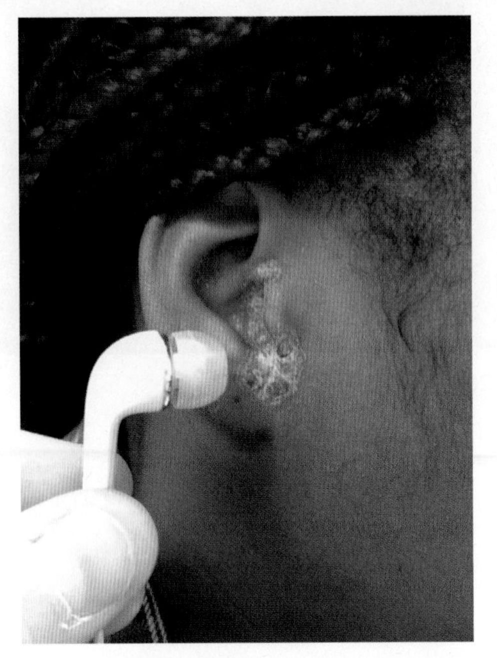

그림 6.24 이어폰에 의한 피부염

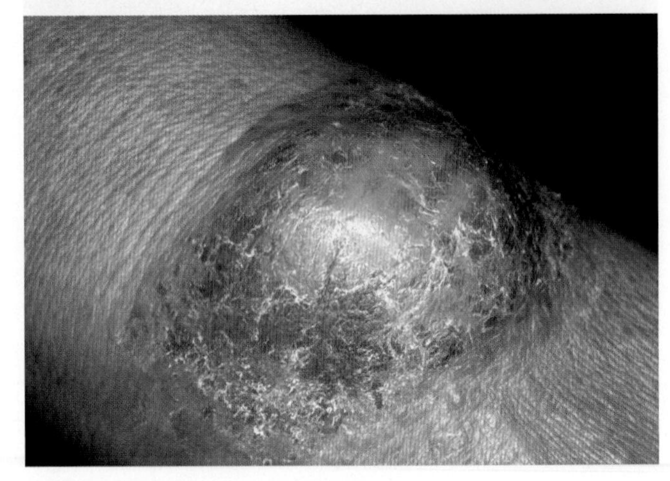

그림 6.25 붕대의 접착제에 의한 접촉알레르기

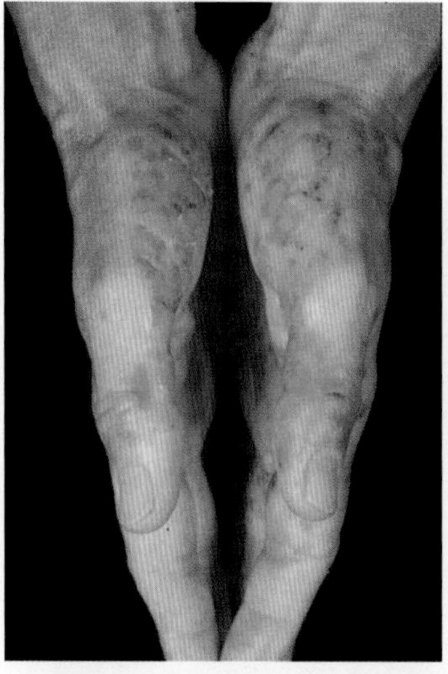

그림 6.26 아로마테라피로 인해 발생한 손피부염

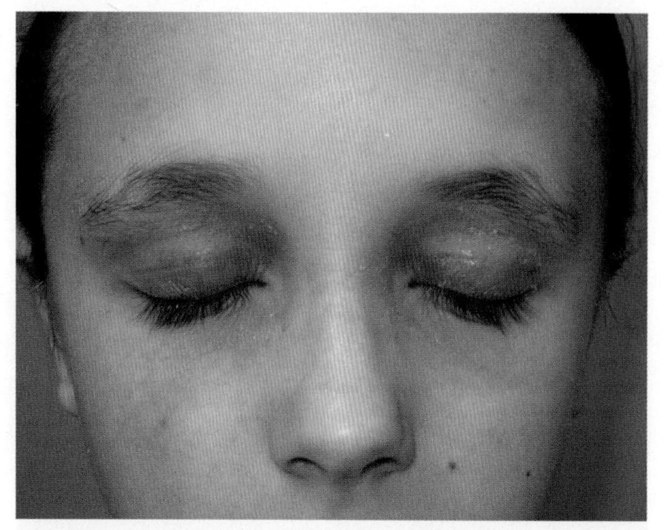

그림 6.27 매니큐어에 의해 이차적으로 발생한 눈꺼풀 피부염

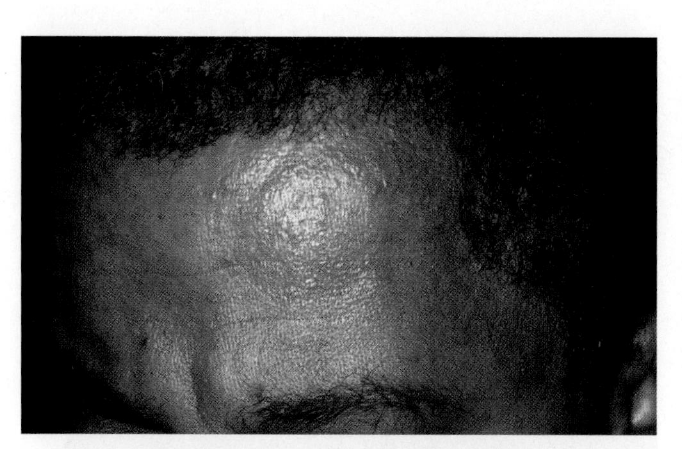

그림 6.28 모발염색제에 의한 피부염

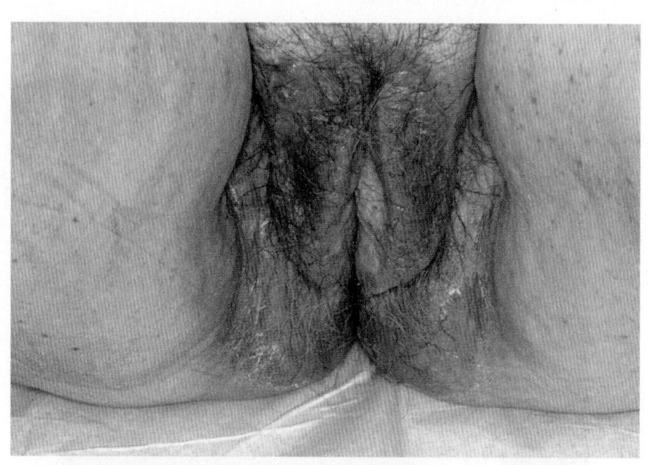

그림 6.29 보존제 때문에 발생한 음문 피부염

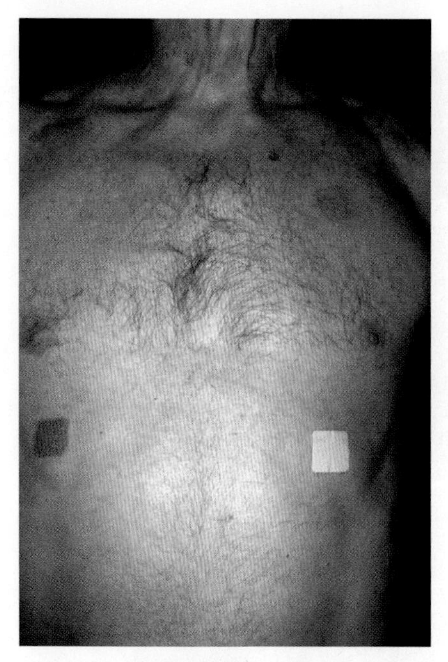

그림 6.30 클로니딘 패치 알레르기

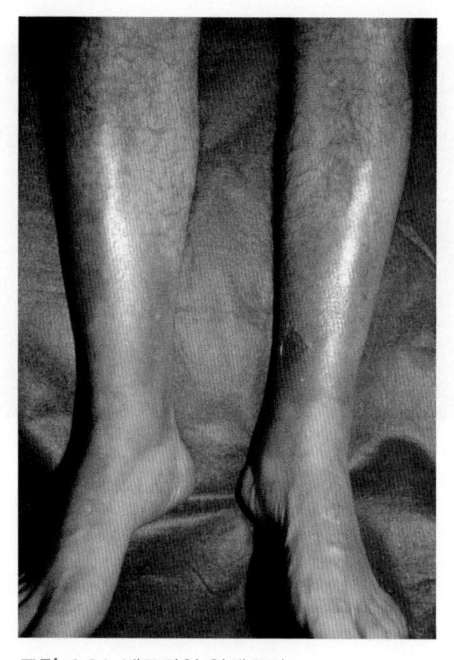

그림 6.31 벤조카인 알레르기

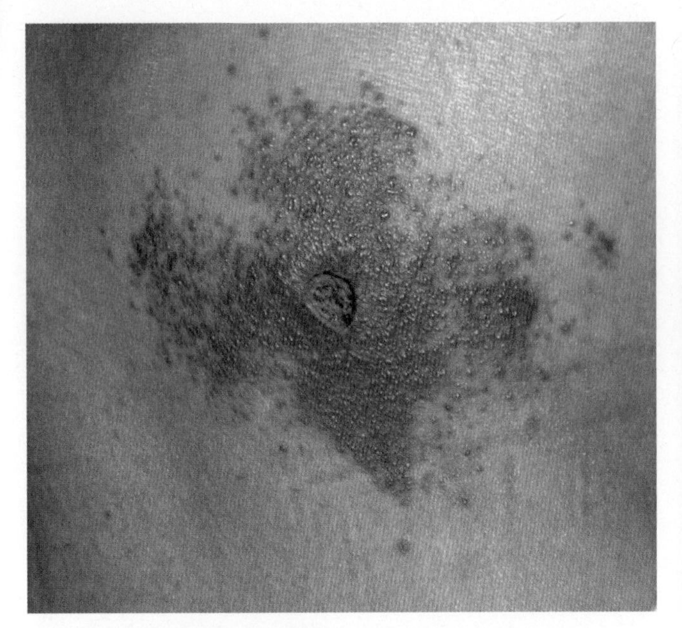
그림 6.32 국소 항생제 알레르기

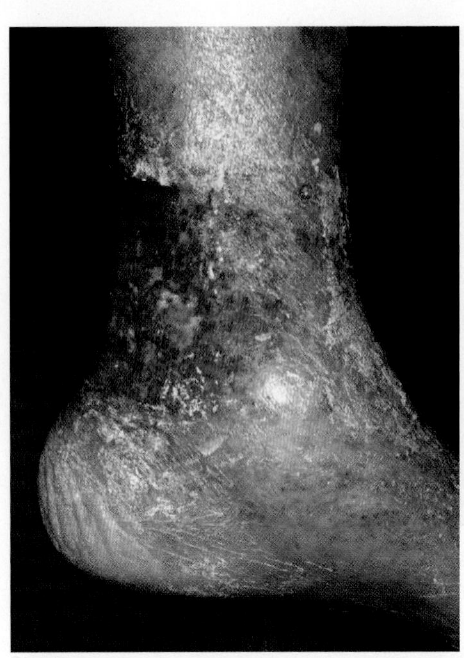
그림 6.33 다리 궤양과 국소 항생제 알레르기에 의한 접촉피부염

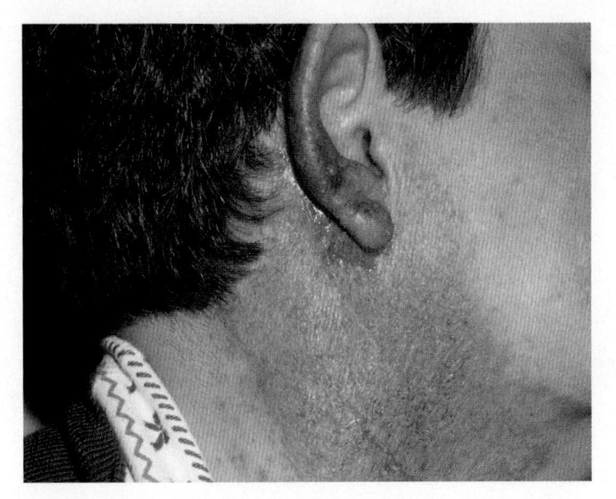
그림 6.34 국소 스테로이드제 접촉 알레르기

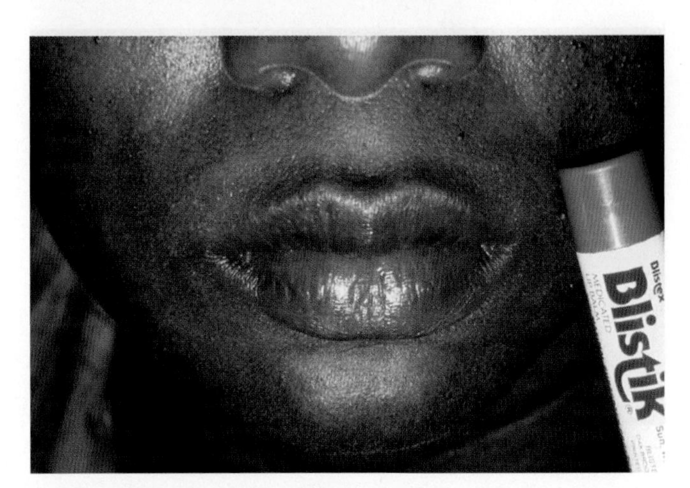

그림 6.35 Blistik에 의한 접촉구순염

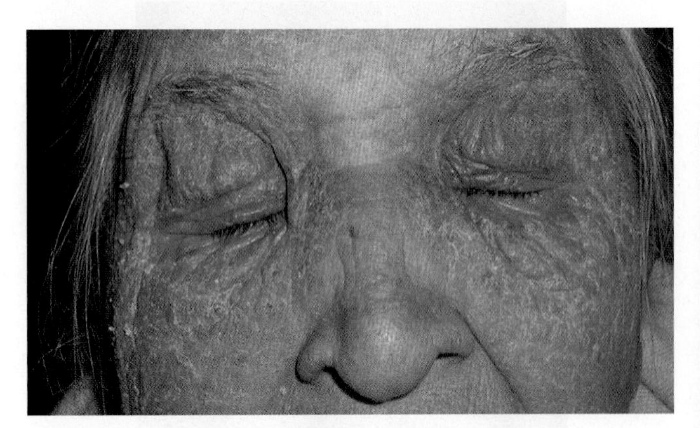
그림 6.36 점안제에 대한 접촉피부염

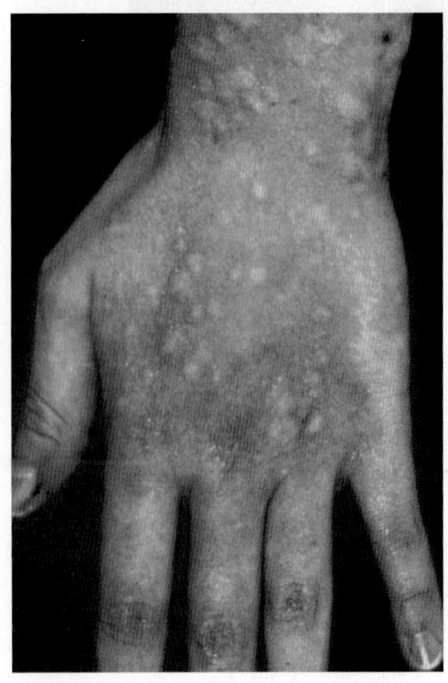
그림 6.37 수술장갑에 대한 접촉두드러기

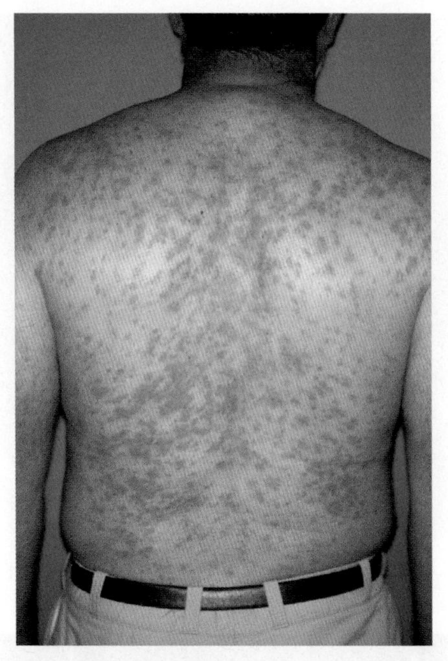

그림 6.38 약물발진

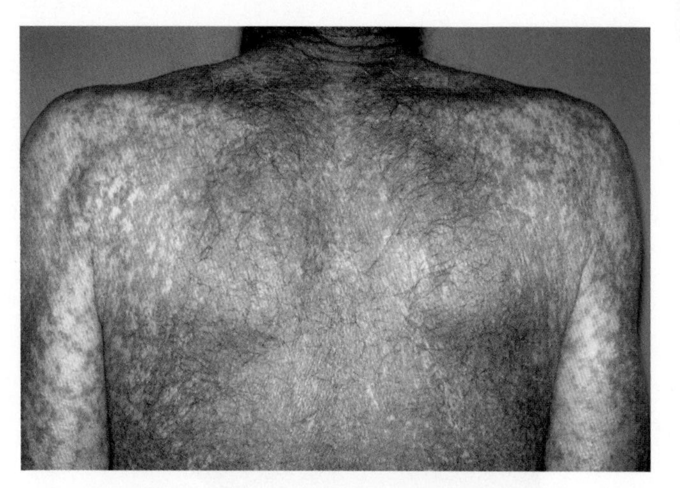

그림 6.39 약물발진

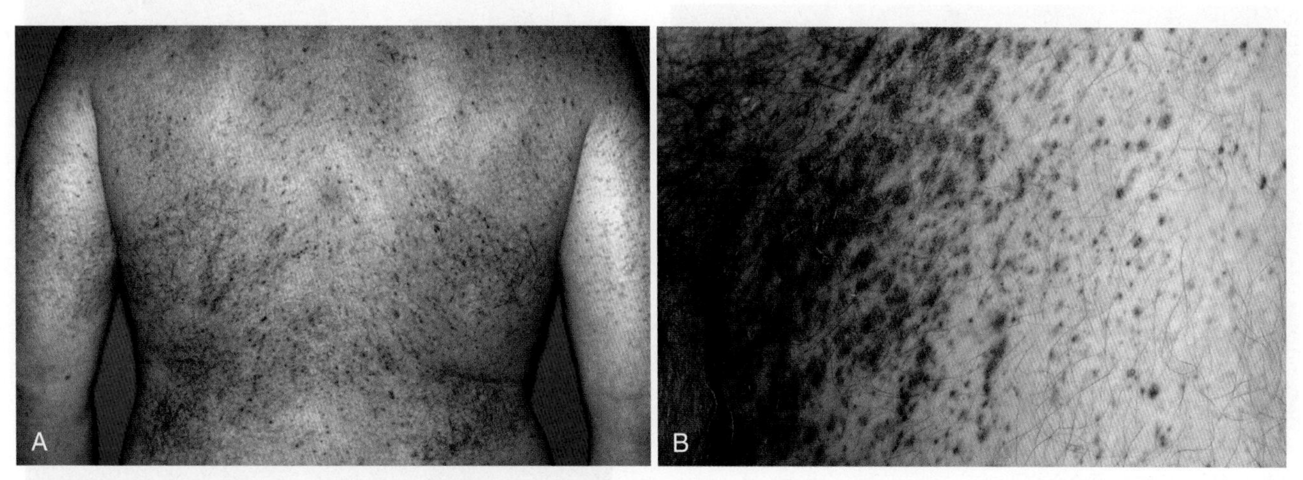

그림 6.40 (A) 백혈병 환자에서의 약물발진 (B) 혈소판 수치가 낮은 백혈병 환자에서 발생한 약물발진. 자반이 나타날 수도 있다.

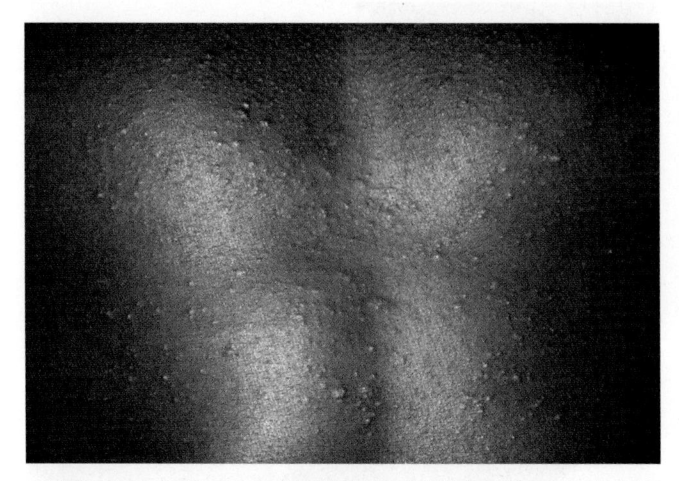

그림 6.41 호산구증가증과 전신 증상을 동반한 페니토인에 의한 약물발진

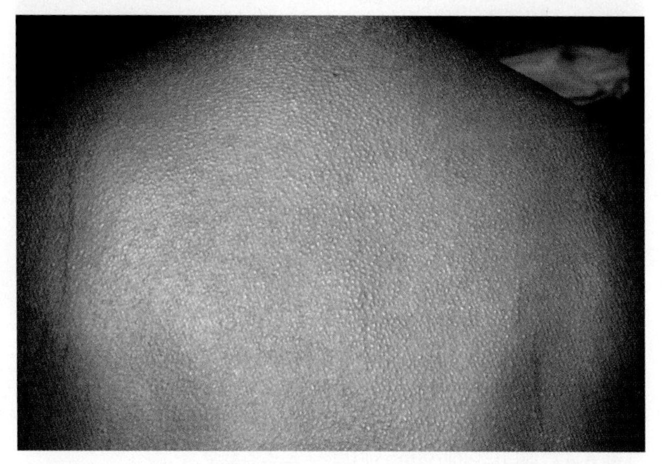

그림 6.42 호산구증가증과 전신 증상을 동반한 페니토인에 의한 약물발진

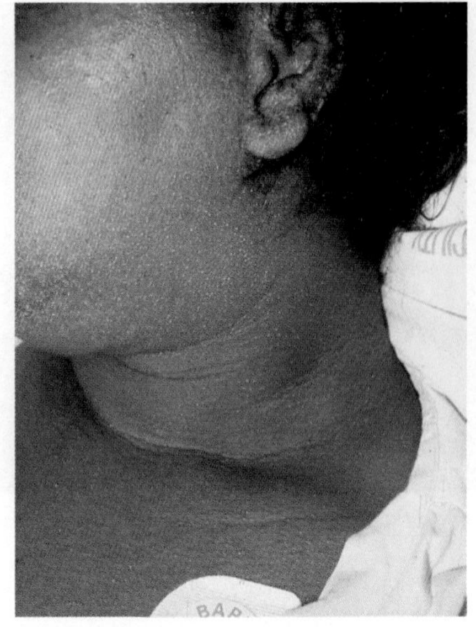

그림 6.43 호산구증가증과 전신 증상을 동반한 페니토인에 의한 약물발진

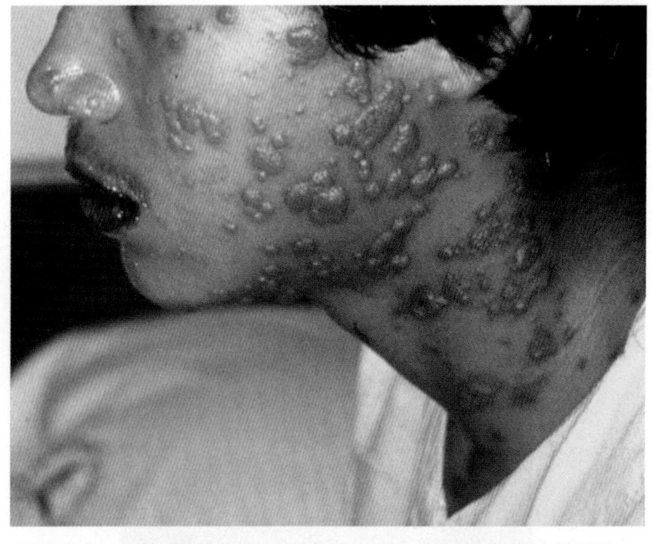

그림 6.44 마이코플라스마 감염 이후 발생한 스티븐스-존슨증후군

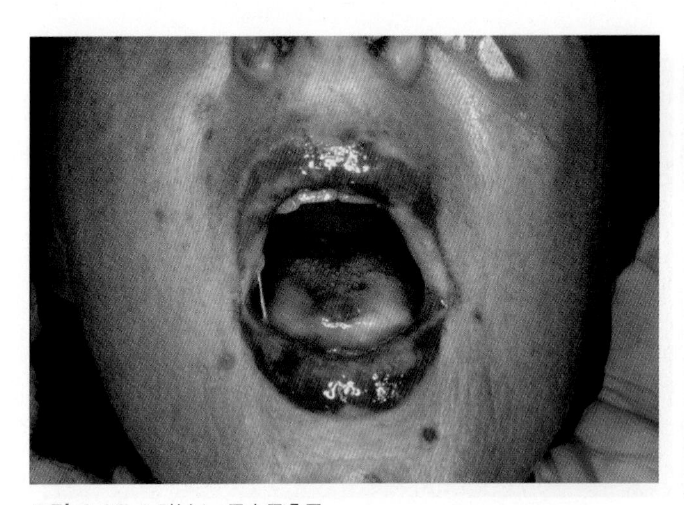

그림 6.45 스티븐스-존슨증후군

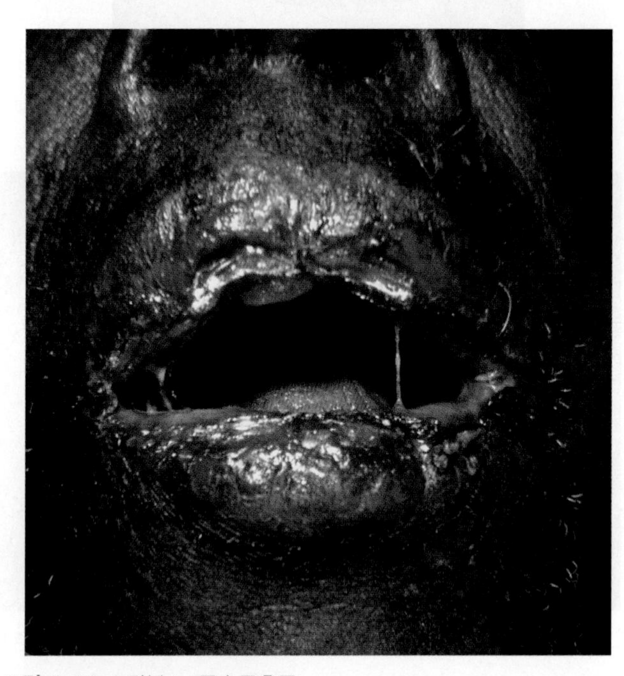

그림 6.46 스티븐스-존슨증후군

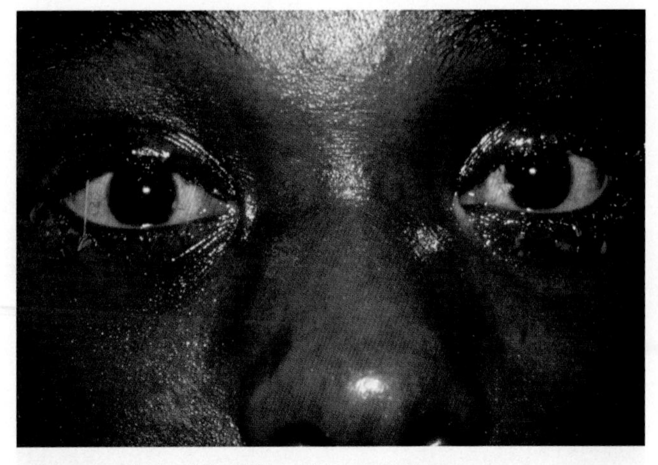

그림 6.47 페니토인에 의한 스티븐스-존슨증후군

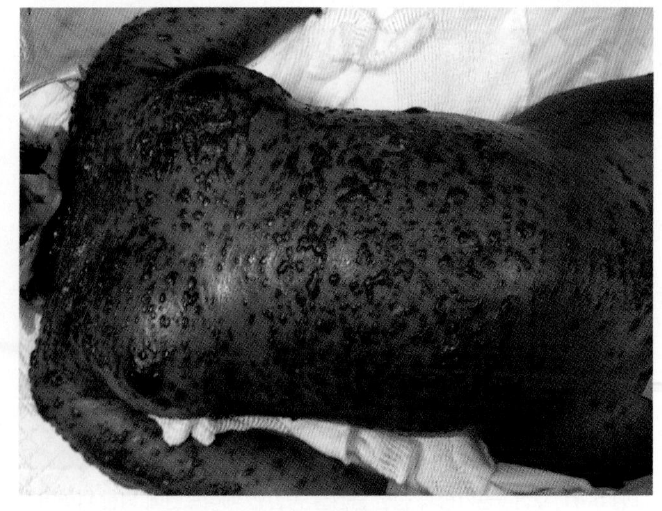

그림 6.48 라모트리진에 의한 독성표피괴사용해

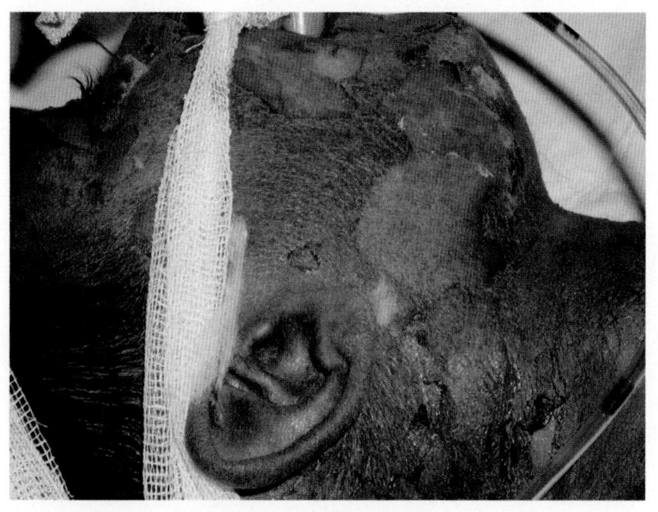

그림 6.49 라모트리진에 의한 독성표피괴사용해

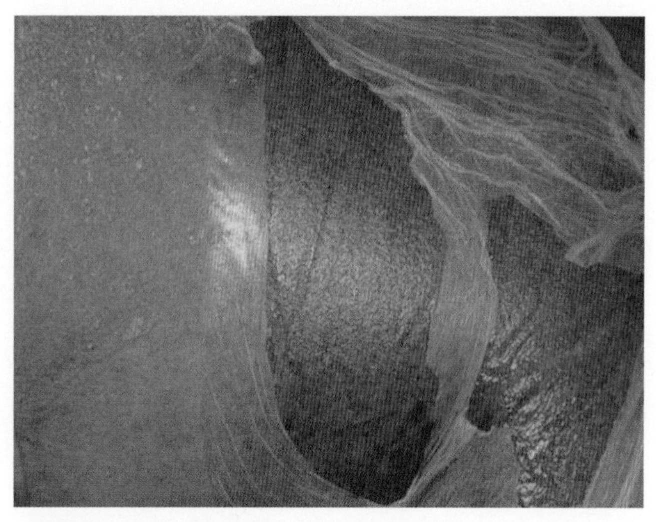

그림 6.50 독성표피괴사용해

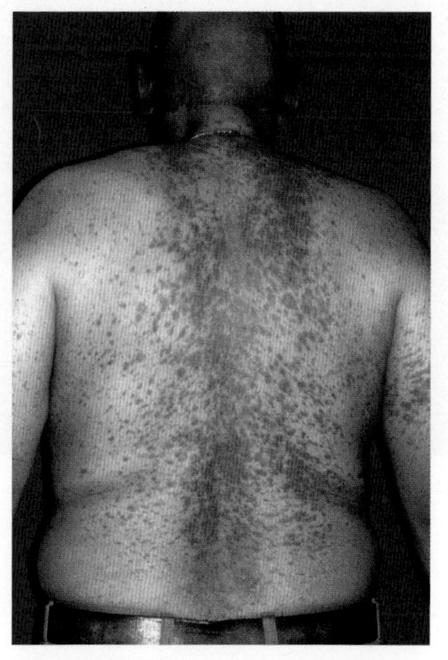

그림 6.51 페니토인과 방사선에 의한 반응

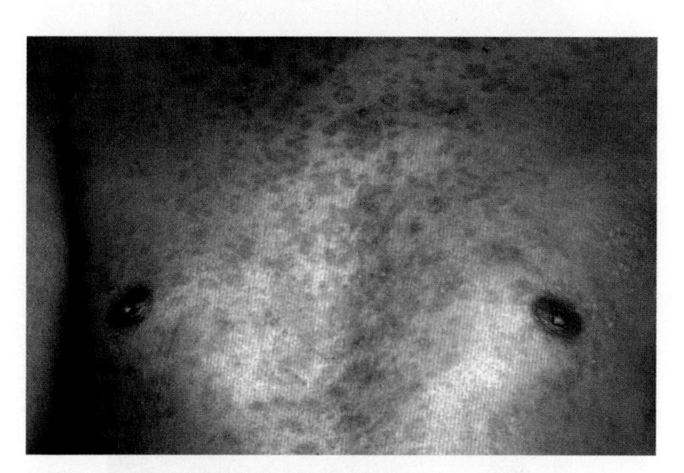

그림 6.52 HIV 환자에서의 설파 알레르기

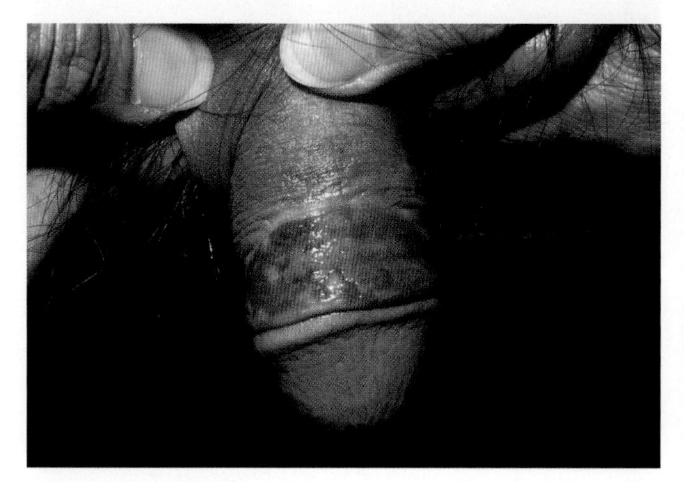

그림 6.53 고정약물발진

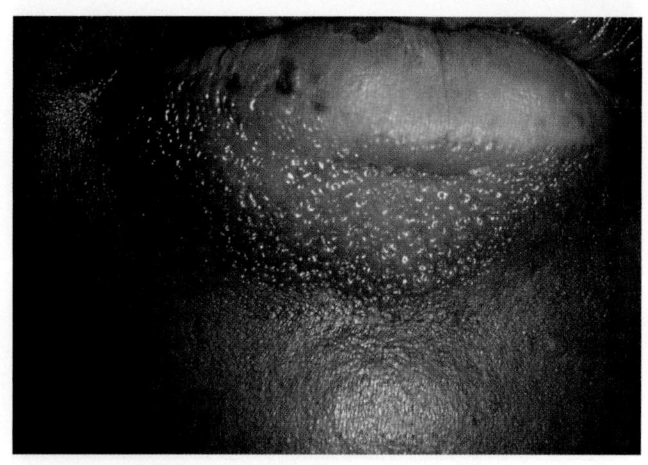

그림 6.54 아랫입술의 고정약물발진

그림 6.55 고정약물발진

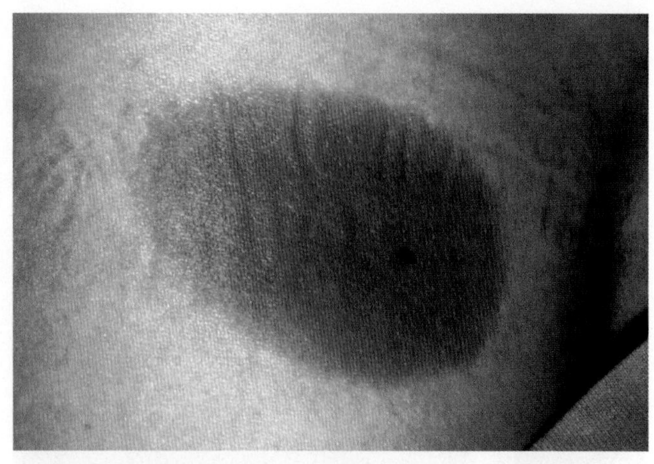

그림 6.56 고정약물발진

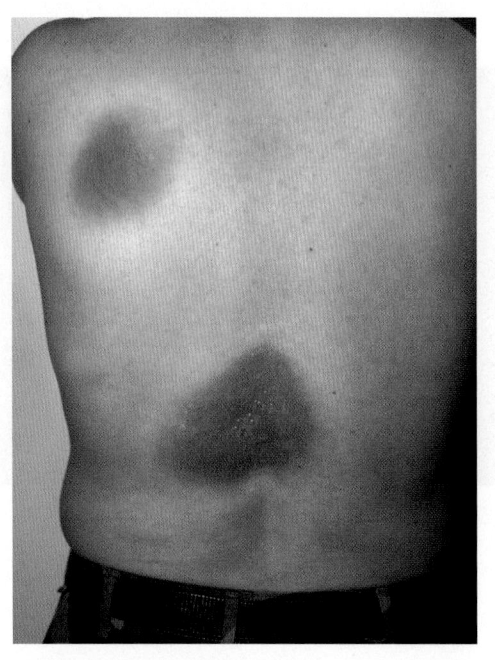

그림 6.57 고정약물발진

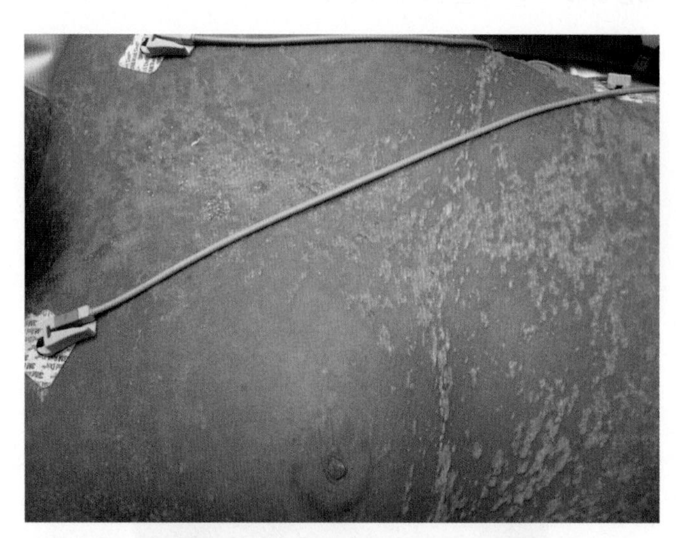

그림 6.58 급성전신발진농포증

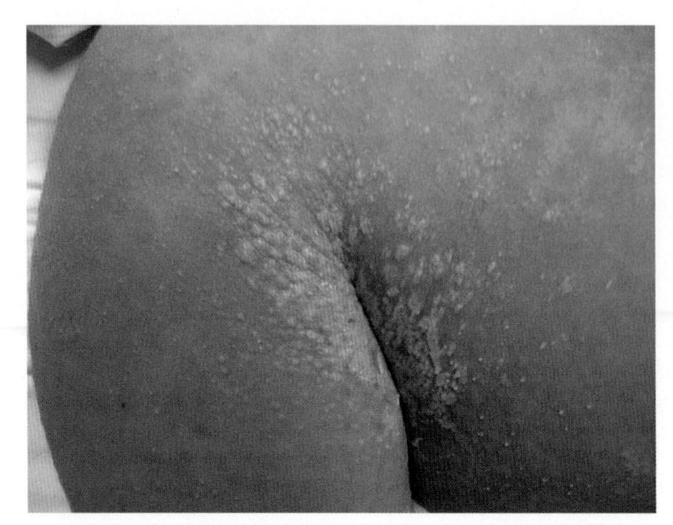

그림 6.59 급성전신발진농포증

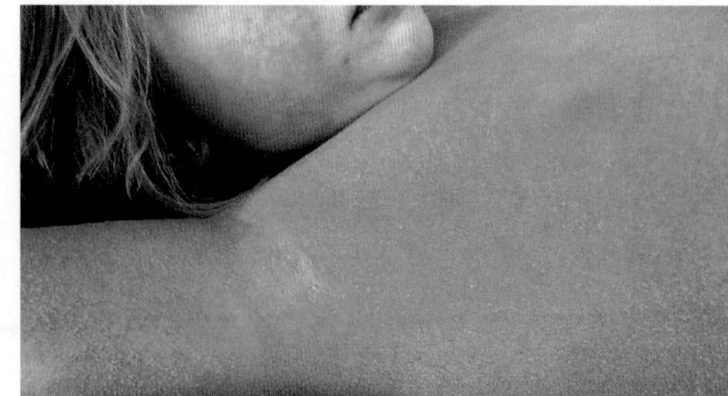

그림 6.60 급성전신발진농포증

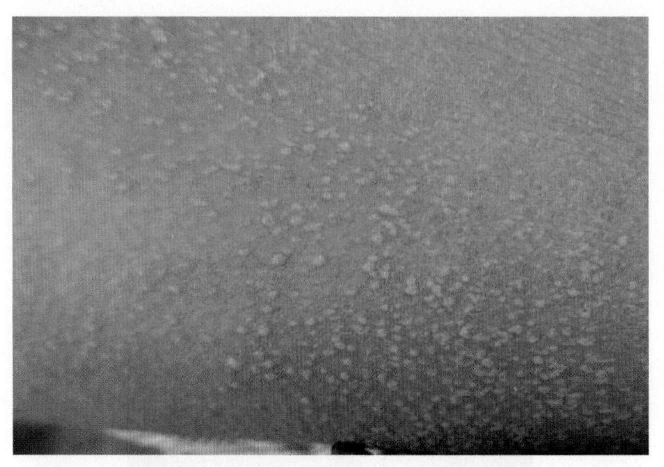

그림 6.61 급성전신발진농포증

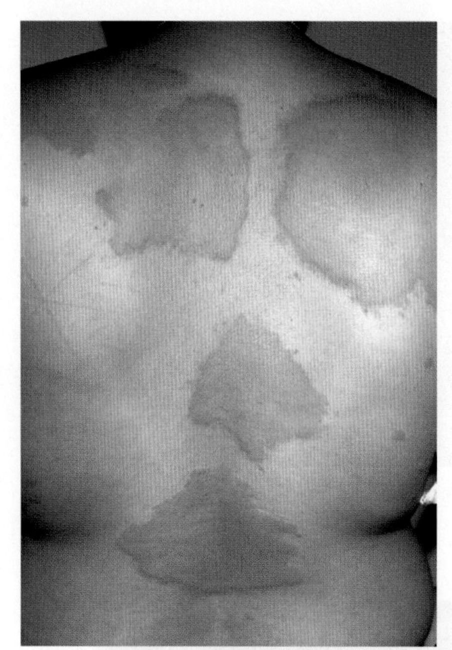

그림 6.62 두드러기

그림 6.63 보리코나졸 광독성

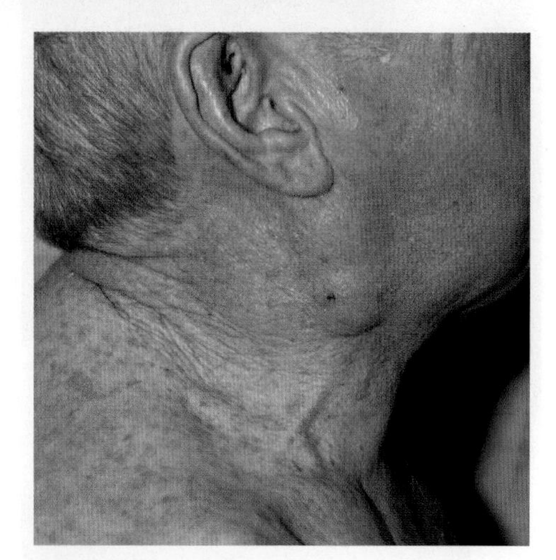

그림 6.64 보리코나졸 광독성

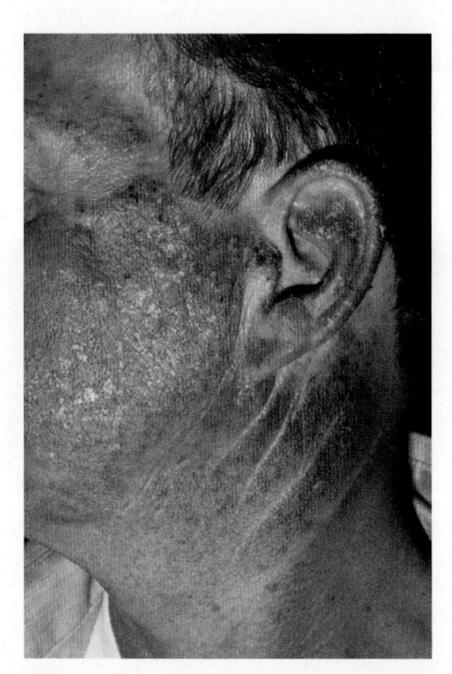

그림 6.65 미노사이클린에 의한 광과민

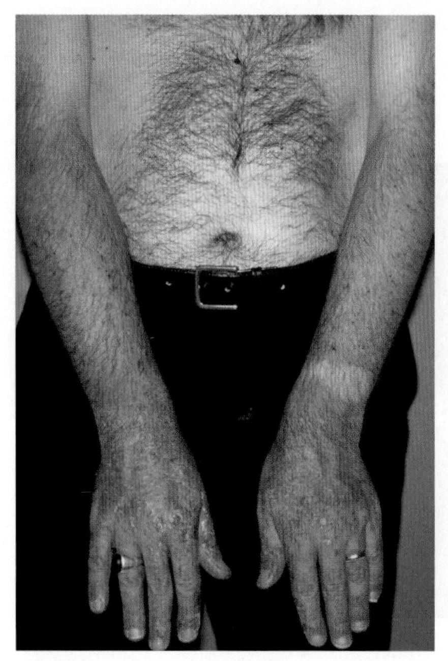

그림 6.66 피록시캄 광과민

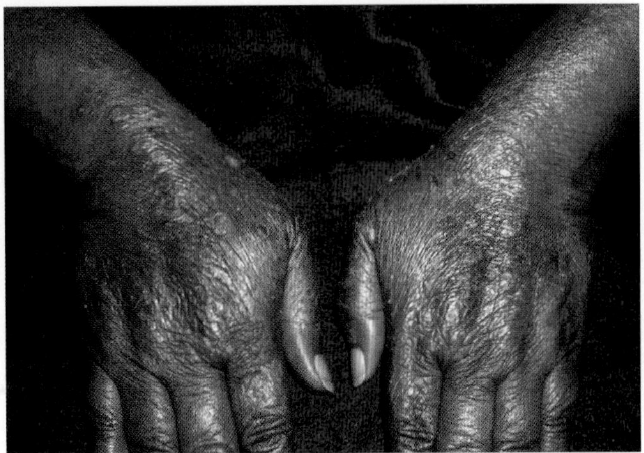

그림 6.37 퀴닌에 대한 광과민

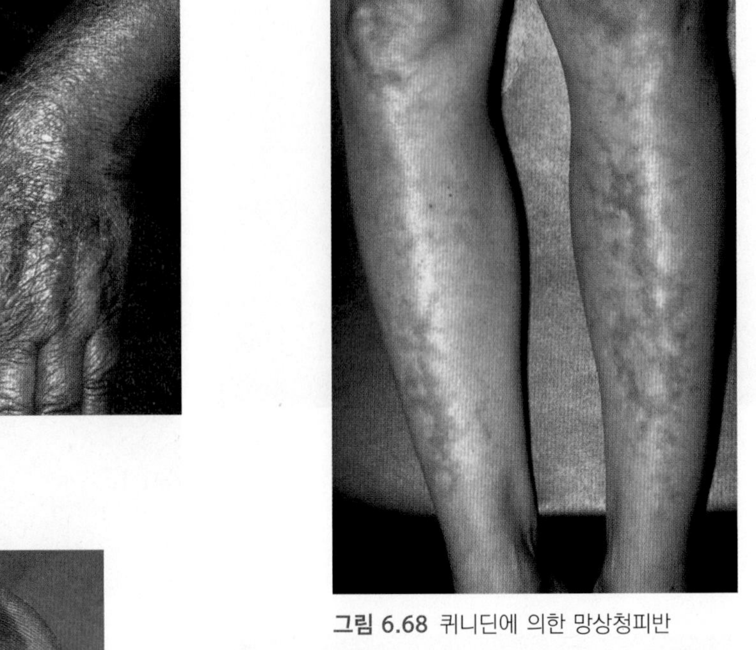

그림 6.68 퀴니딘에 의한 망상청피반

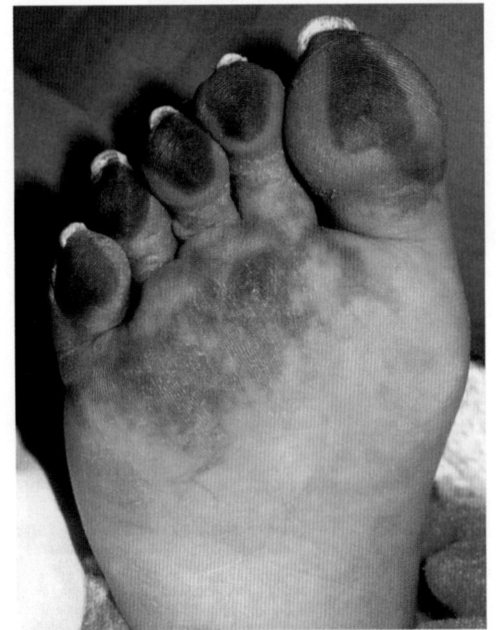

그림 6.69 와파린에 의한 괴사

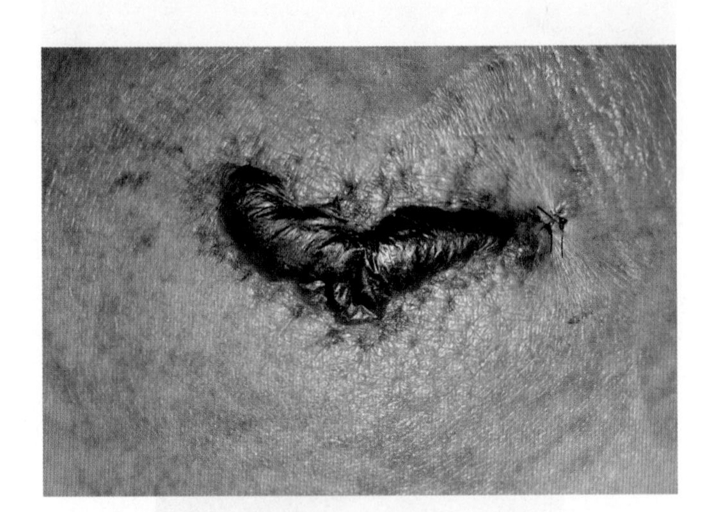

그림 6.70 와파린에 의한 괴사

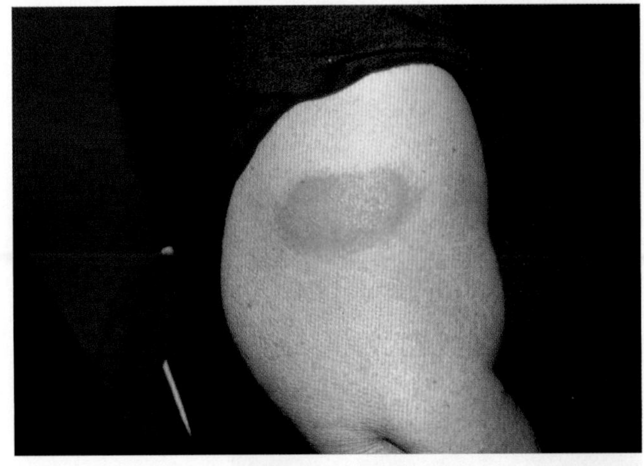

그림 6.71 비타민 K 주사부위반응

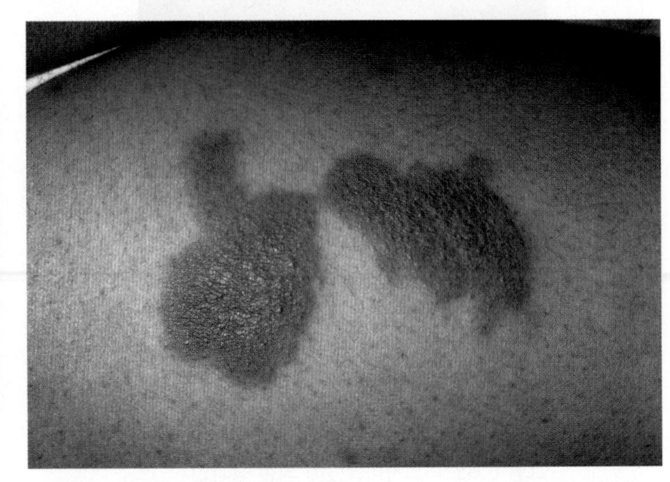

그림 6.72 비타민 K 주사부위반응

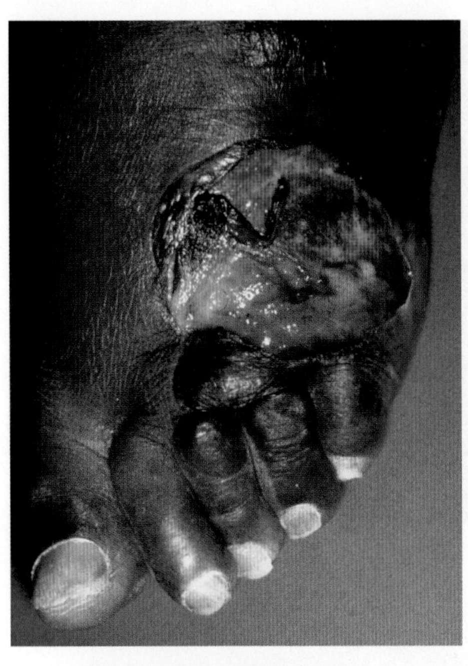

그림 6.73 괴사를 동반한 정맥혈관외 유출

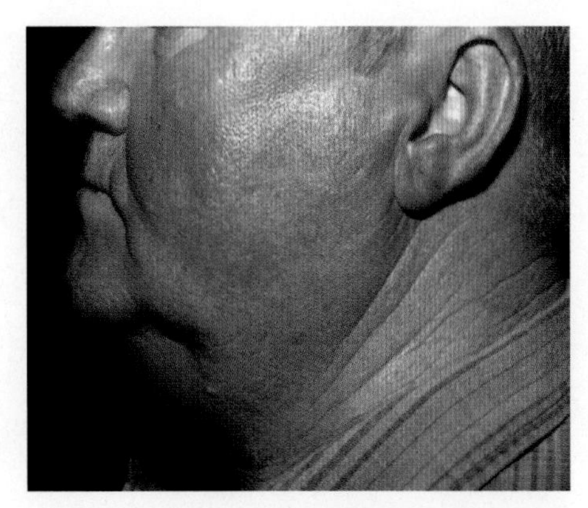

그림 6.74 아미오다론 과색소침착

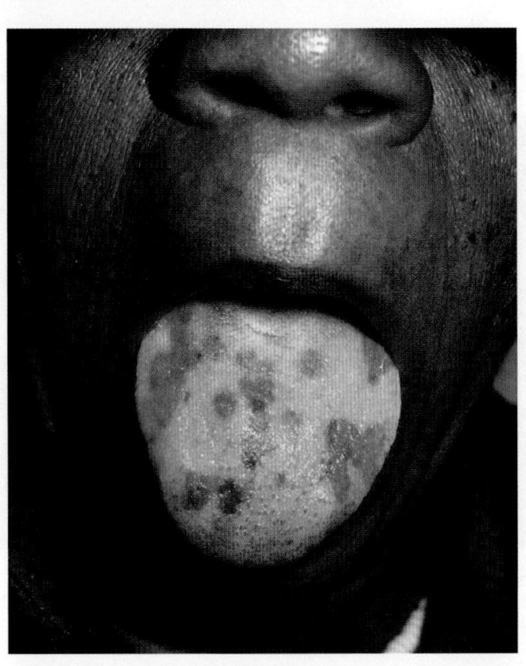

그림 6.75 독소루비신 과색소침착

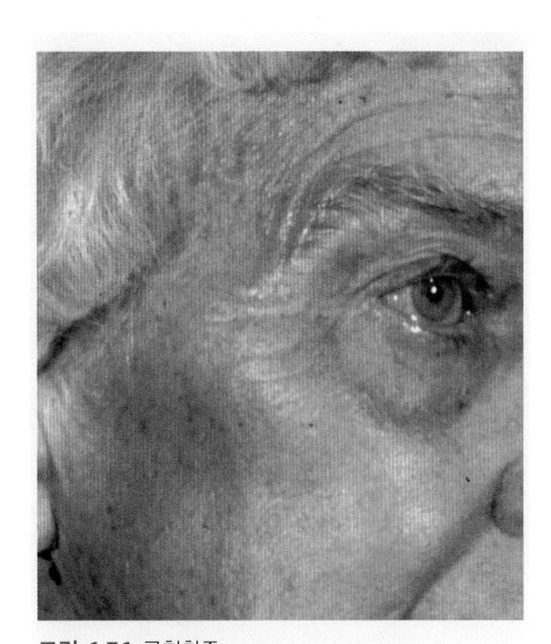

그림 6.76 금침착증

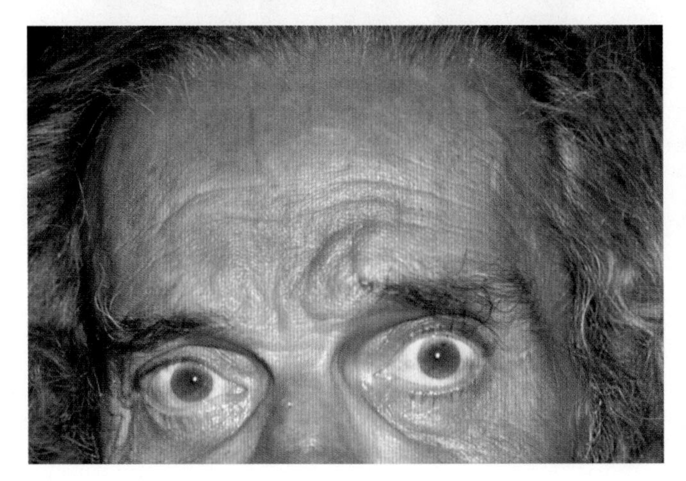

그림 6.77 클로르프로마진 과색소침착

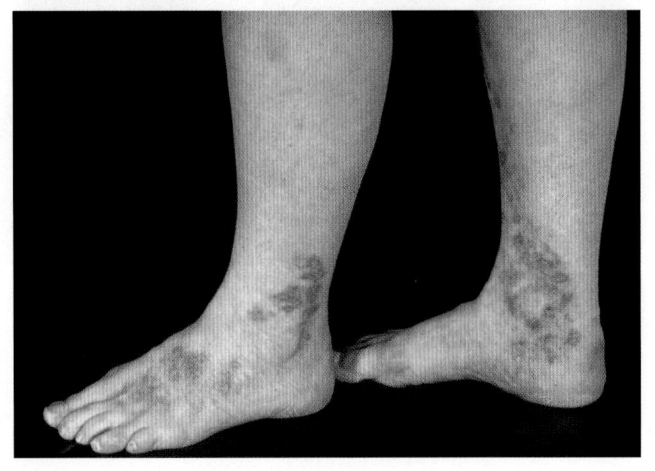

그림 6.78 미노사이클린 과색소침착

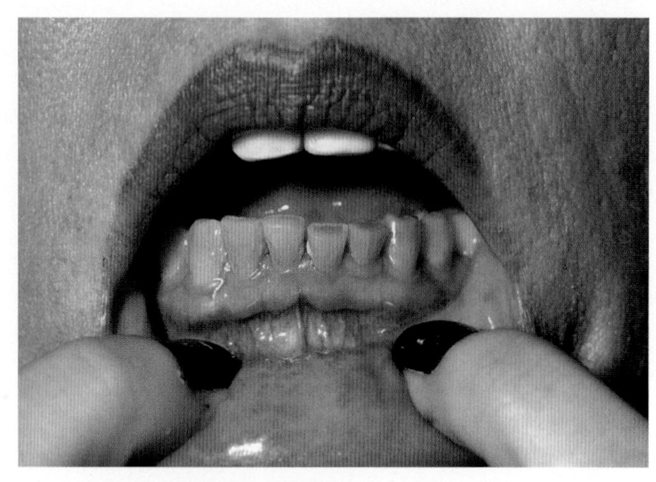

그림 6.79 미노사이클린 과색소침착

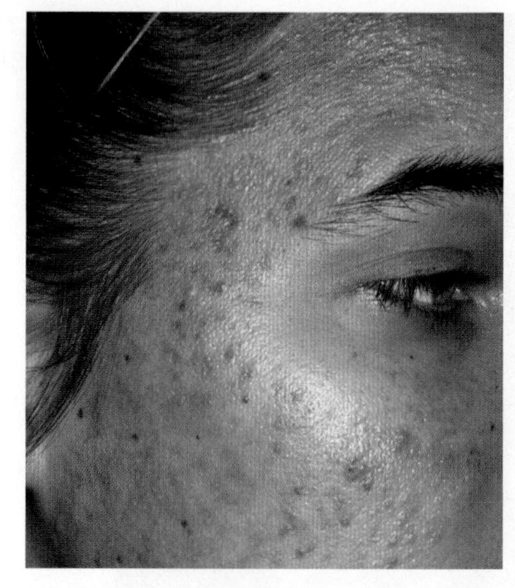

그림 6.80 미노사이클린 과색소침착

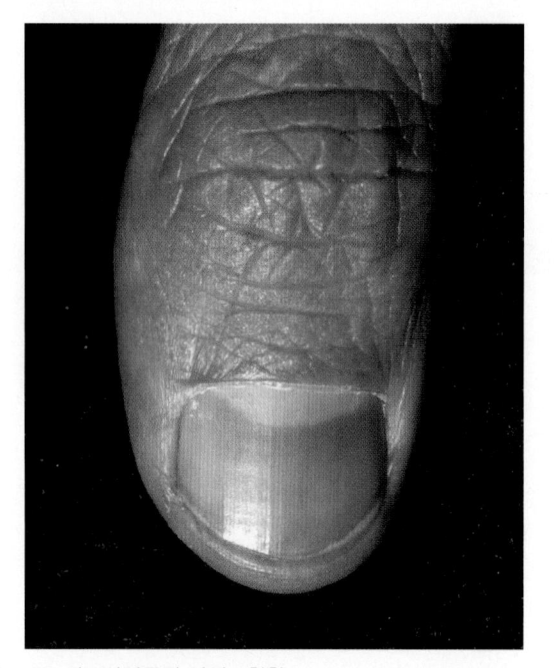

그림 6.81 미노사이클린 과색소침착

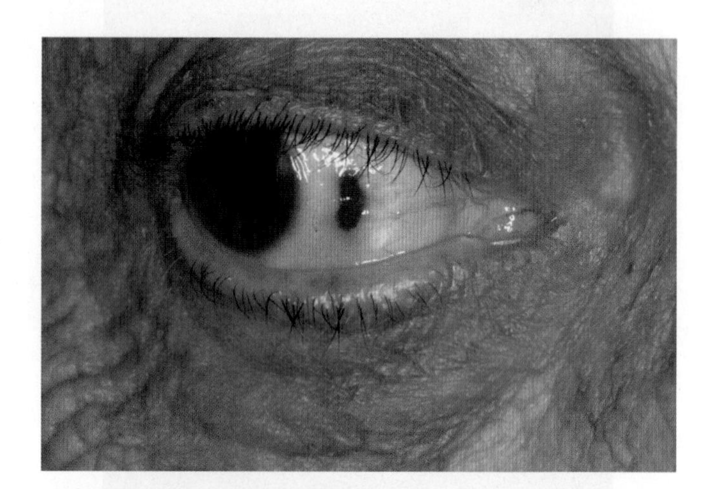

그림 6.82 미노사이클린 과색소침착

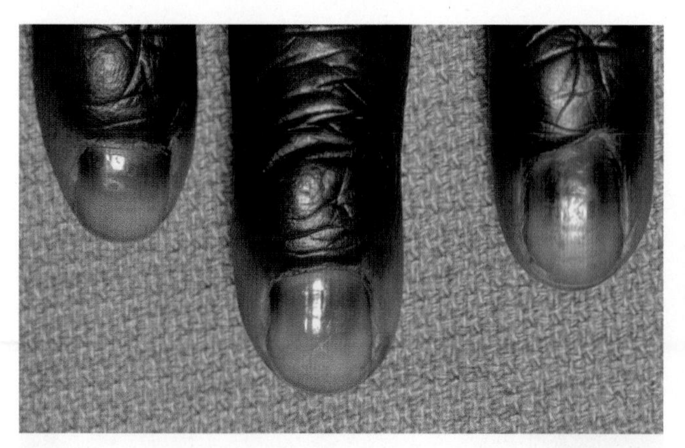

그림 6.83 독소루비신 과색소침착

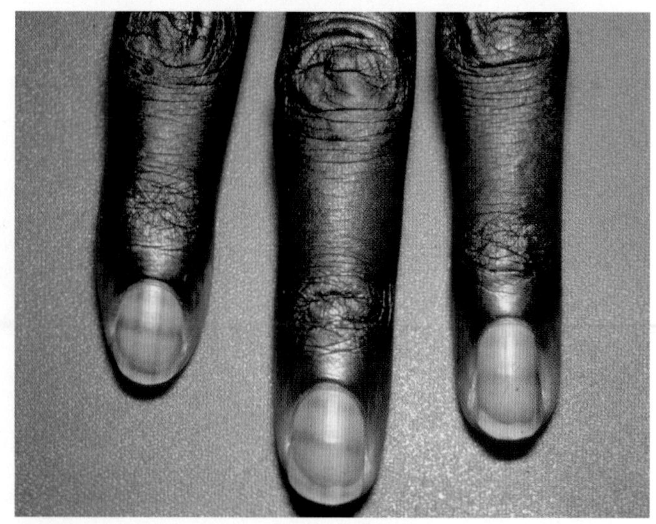

그림 6.84 항암치료에 의한 가로 조갑 과색소침착

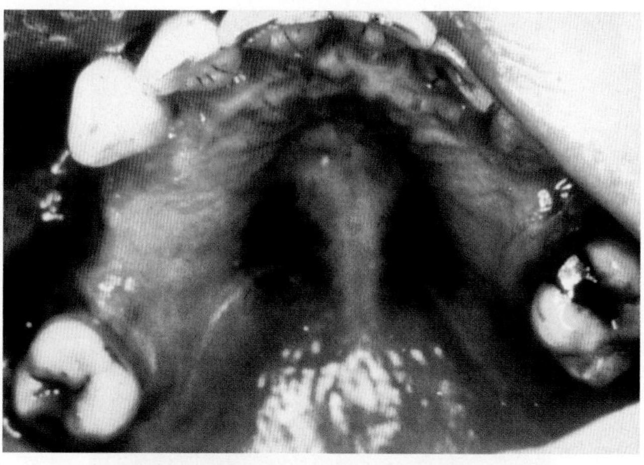

그림 6.85 메토트렉세이트에 의해 유발된 혈관 과색소침착

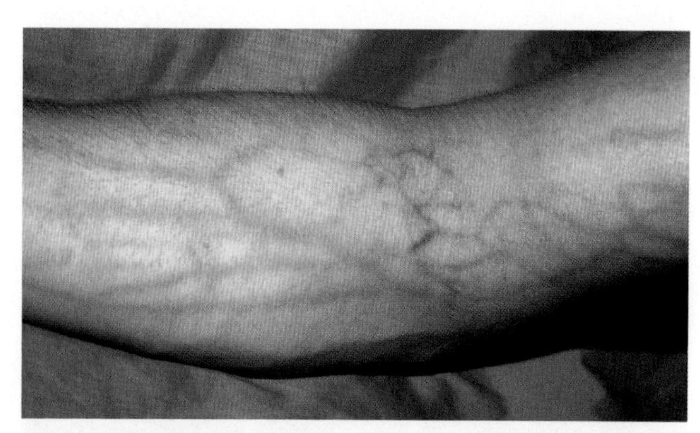

그림 6.86 클로로퀸 과색소침착

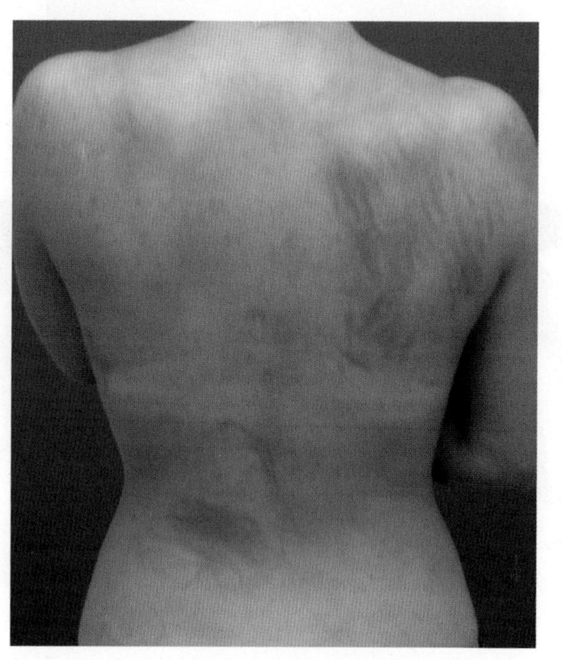

그림 6.87 블레오마이신에 의한 채찍모양 과색소침착

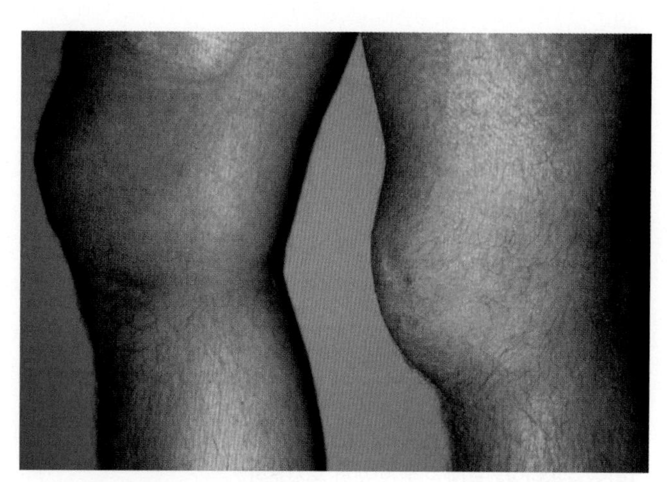

그림 6.88 혈청병 유사반응

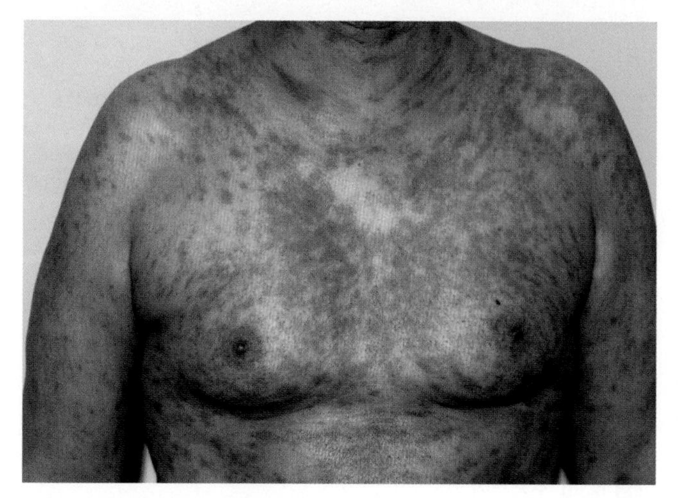

그림 6.89 태선모양 약물발진

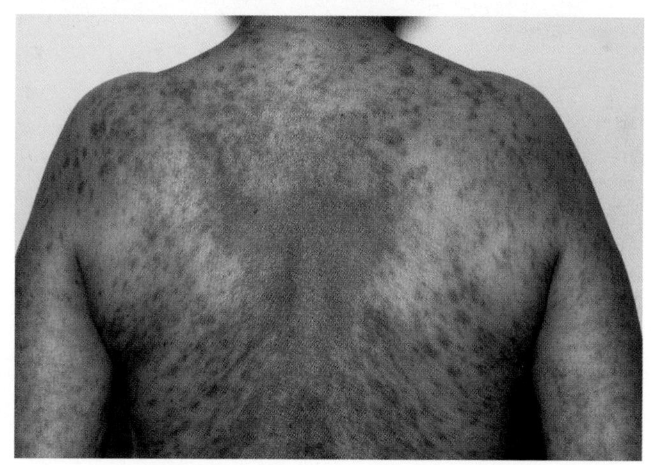

그림 6.90 태선모양 약물발진

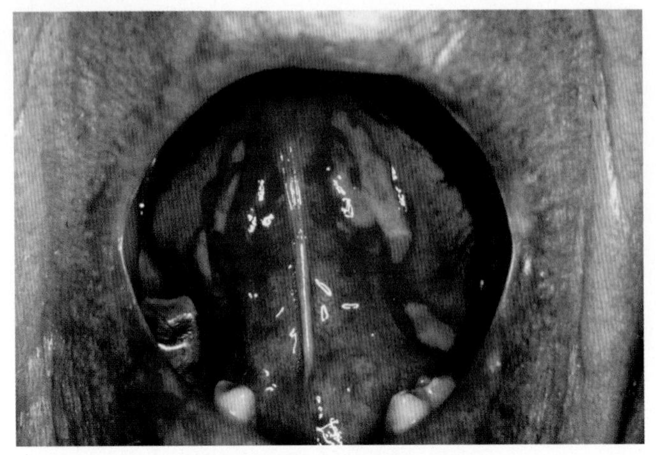

그림 6.91 메토트렉세이트에 의한 구강 궤양

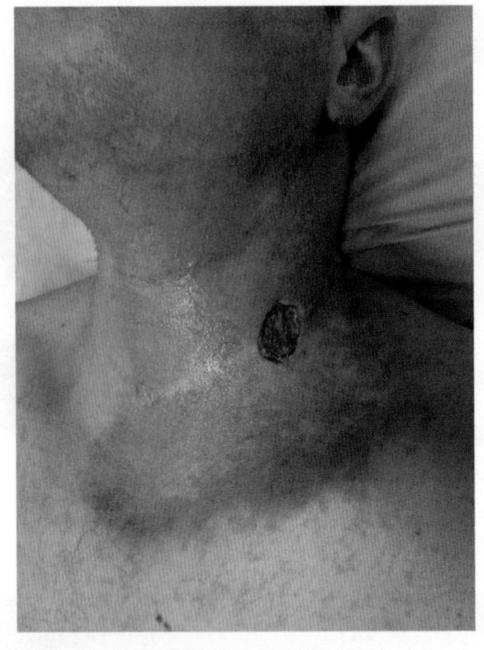

그림 6.92 베무라페닙에 의한 방사선회상피부염

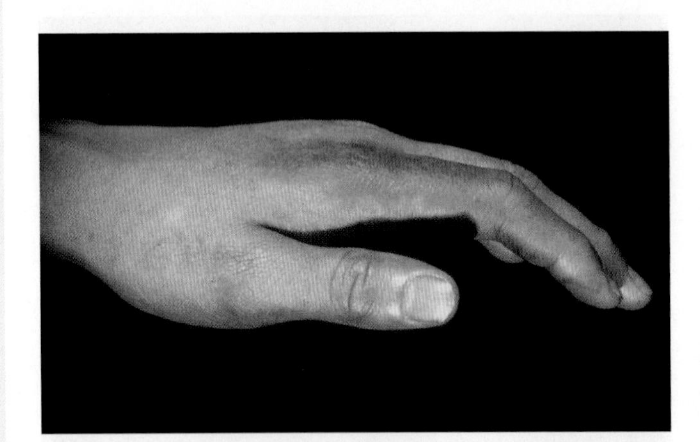

그림 6.93 항암치료에 의해 발생한 독성홍반

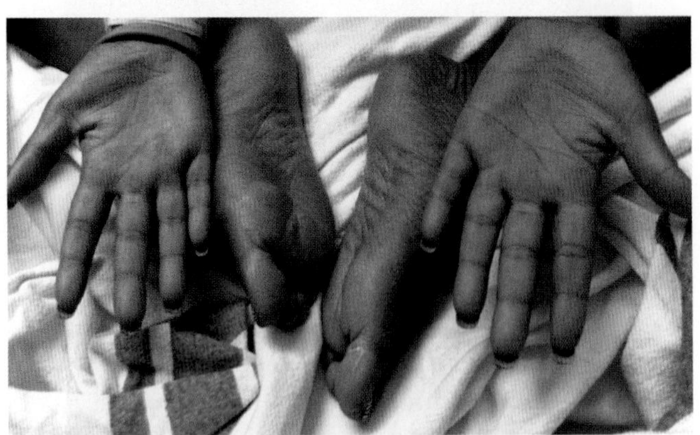

그림 6.94 항암치료에 의해 발생한 독성홍반

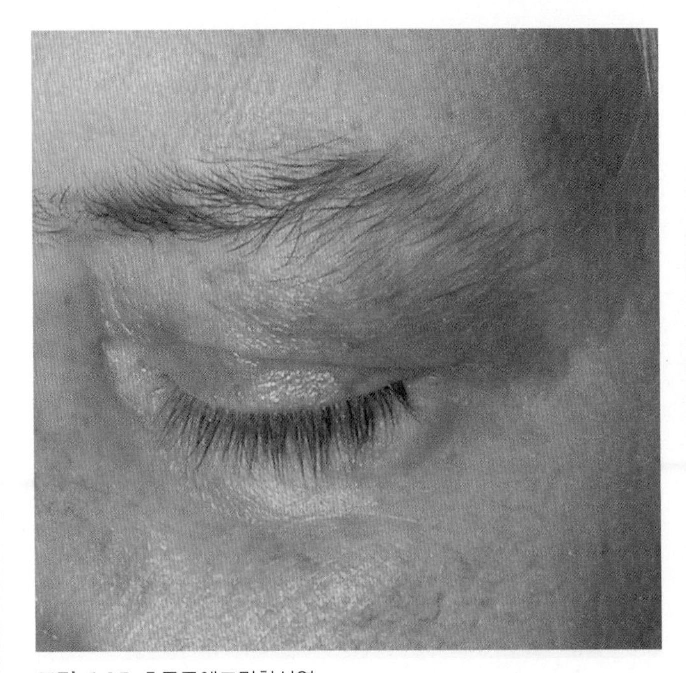

그림 6.95 호중구에크린한선염

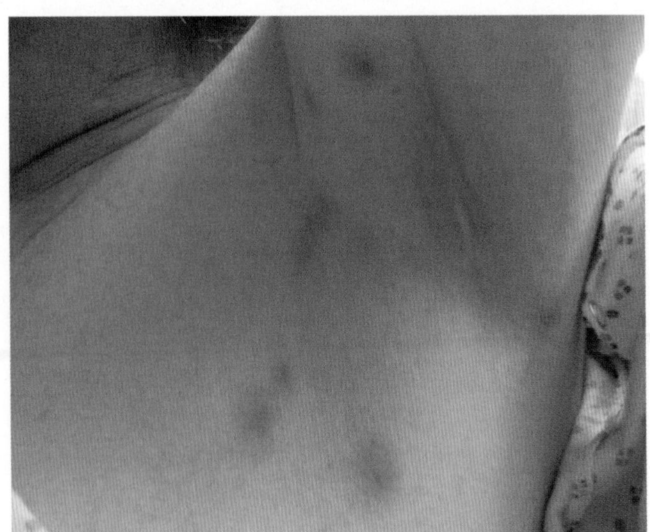

그림 6.96 호중구에크린한선염

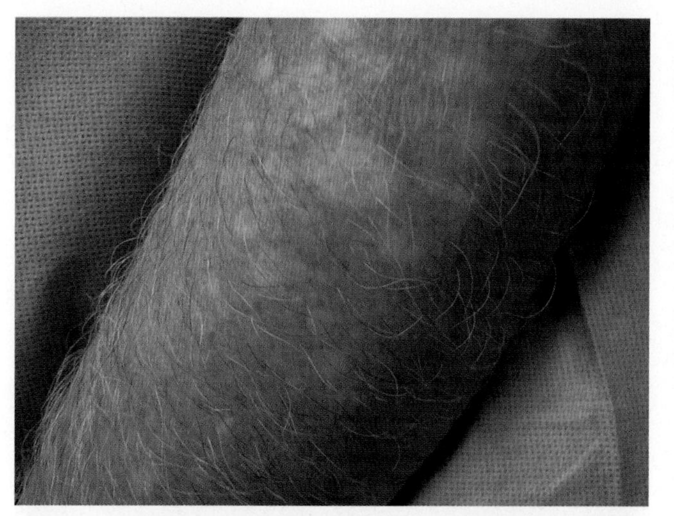

그림 6.97 펨브롤리주맙과 연관된 백반증

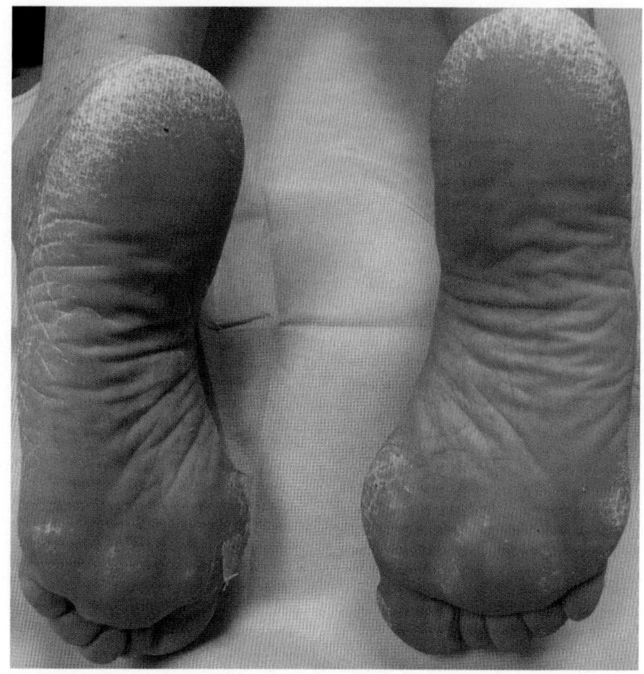

그림 6.98 BRAF 억제제에 의한 손발반응

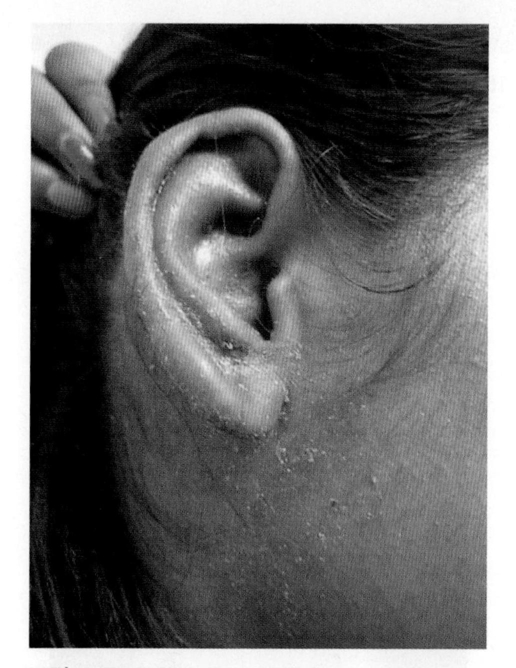

그림 6.99 종양괴사인자 억제제(tumor necrosis factor)와 연관된 건선양 반응

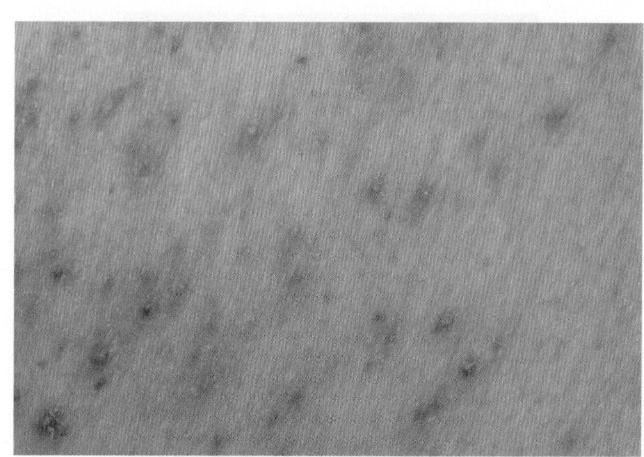

그림 6.100 상피세포증식인자 억제제(epidermal growth factor)에 의한 여드름모양 반응

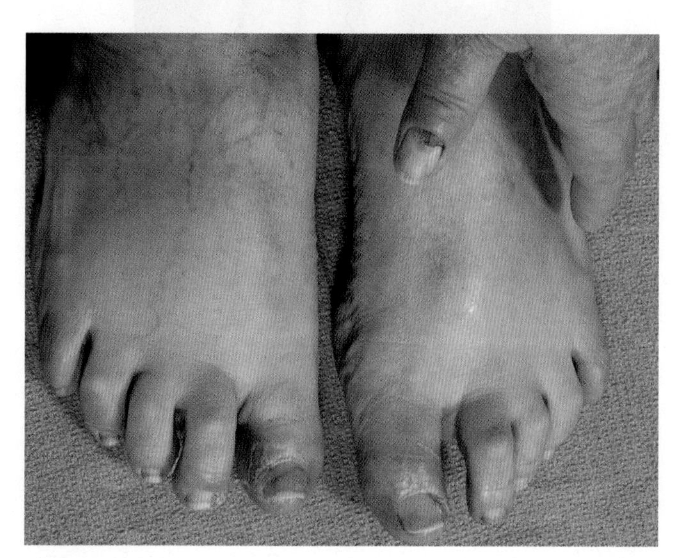

그림 6.101 상피세포증식인자 억제제(epidermal growth factor)에 의한 조갑주위염

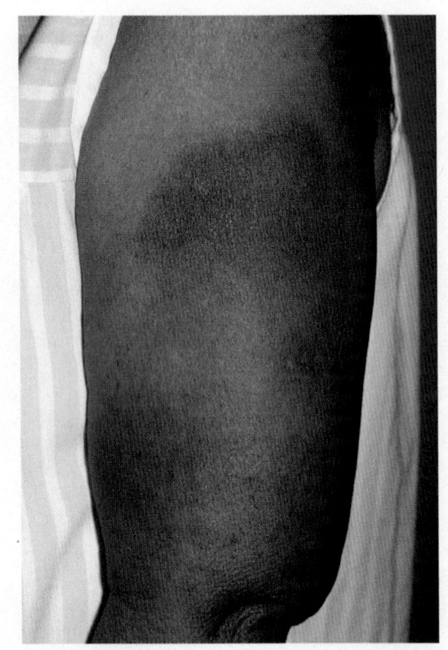

그림 6.102 과립구집락자극인자(granulocyte colony stimulating factor)에 의한 반응

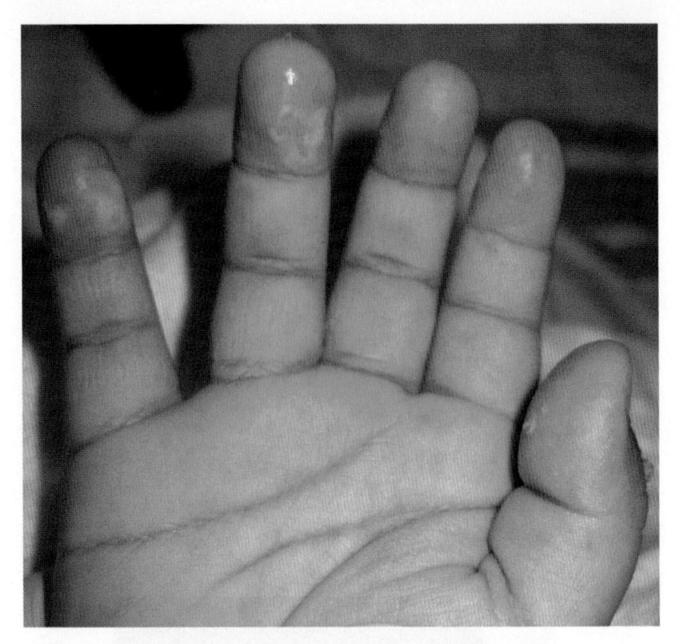

그림 6.103 Pirk 병(수은 독성)

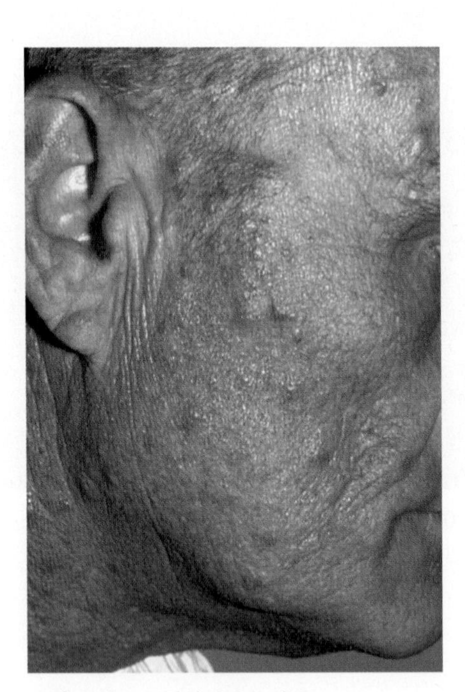

그림 6.104 모낭성 요오드피부

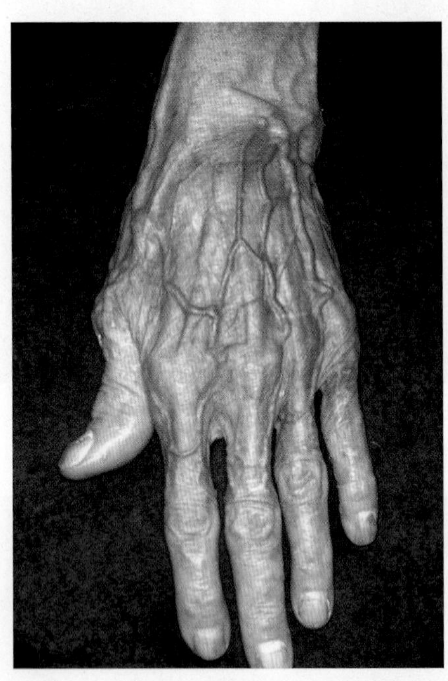

그림 6.105 국소 스테로이드제에 의해 유발된 위축

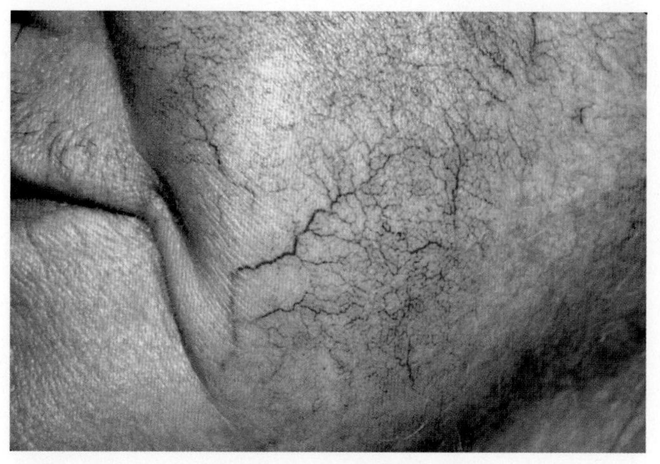

그림 6.106 국소 스테로이드제에 의해 유발된 위축

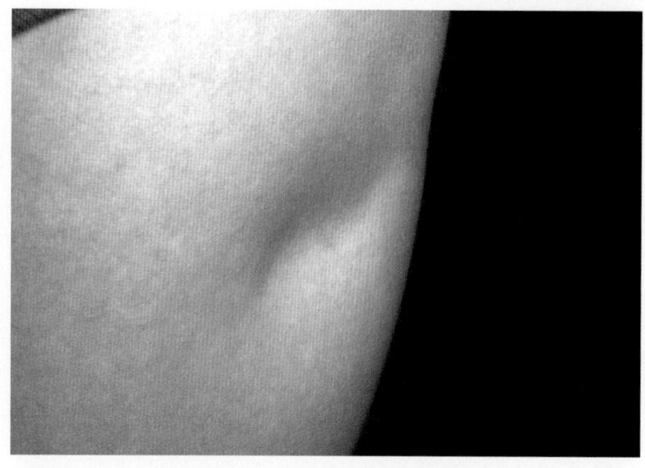

그림 6.107 스테로이드 주사 이후 발생한 지방위축

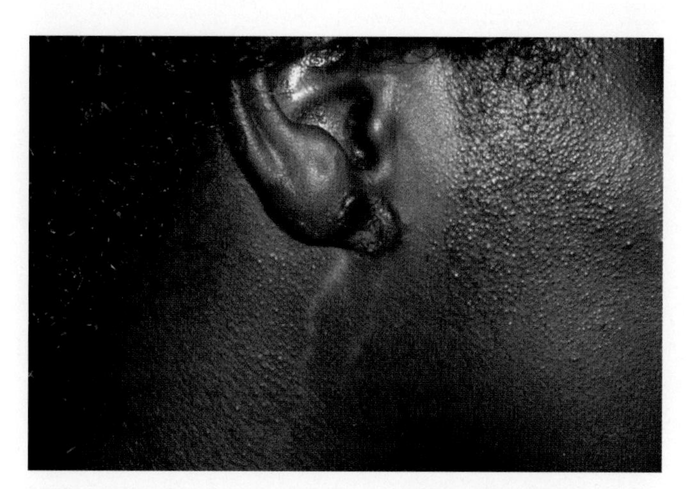

그림 6.108 병변 내 스테로이드 주사 후 발생한 저색소침착

홍반과 두드러기 7

광범위한 질환들에서 그 증상으로 홍반이나 두드러기의 병변이 나타날 수 있다. 두드러기나 맥관부종과 같이 많은 질환들에서는 피부병변의 표면에 변화가 없는 것도 있고 뚜렷한 인설이 보이는 것도 있다. 때로는 밀집된 호중구성 염증반응으로 인해 농포나 궤양의 형태로 나타나기도 한다.

두드러기, 환상 중심성 홍반, 뱀모양이랑홍반(erythema gyratum repens)와 같은 질환에서의 홍반증상은 환상이나 다륜의 형태로 나타난다. 또한 다형홍반은 개개의 병변이 고정된 자리에 표적양상을 나타낸다. 피부증상이 이곳 저곳에 시간 경과에 따라 이동하며 발생하는지 특정한 곳에 고정되어 발생하는지를 관찰하는 것은 특정한 고정된 자리에만 나타나는 피부질환과 보통 두드러기를 감별하는 데 도움을 준다. 피부묘기증 피부반응검사는 의심환자에서 두드러기의 개요를 설명하는 데 유용한 임상술기이다. 궁극적으로 Sweet 증후군(급성 열성호중구성 증후군)과 Well 증후군(호산구성 봉소염)과 같은 호산구성 질환을 감별하는 데 피부조직검사가 필요할 수도 있다. 임상양상만으로 진단해야 할 경우 괴저화농피부증이 의심될 때 세균, 진균, 비정형 미코박테리움과 같은 감염성 원인을 감별하기 위해 조직배양검사가 필요할 때가 있다.

이 장에서는 두드러기, 두드러기성 병변, 홍반, 맥관부종 등의 예를 보여준다.

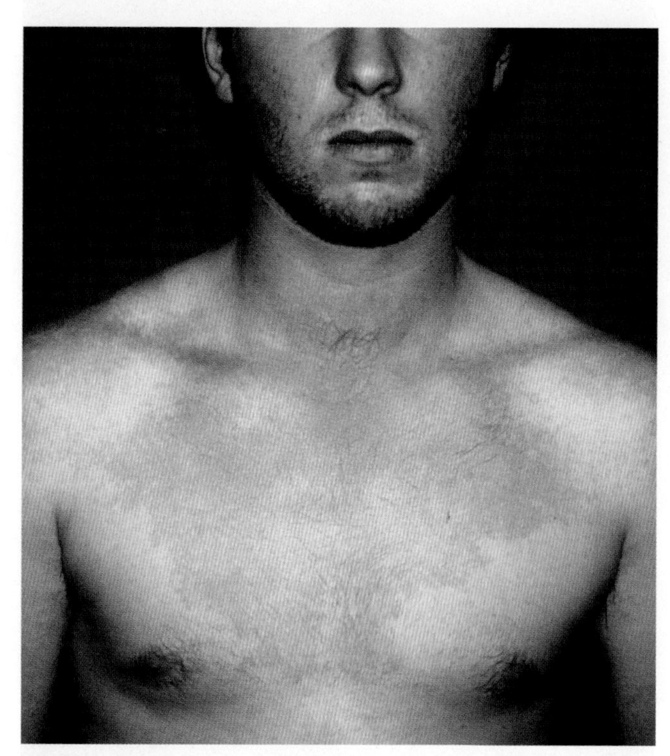

그림 7.1 홍조

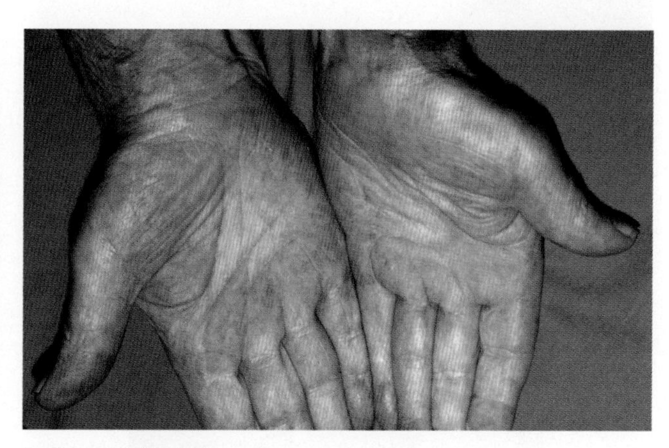

그림 7.2 손바닥홍반

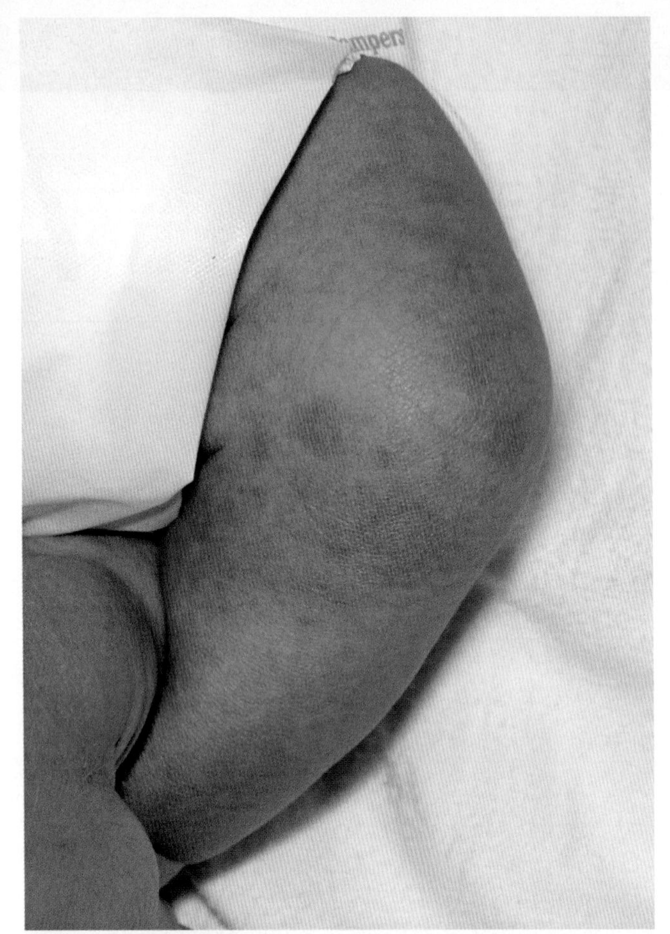

그림 7.3 독성신생아홍반

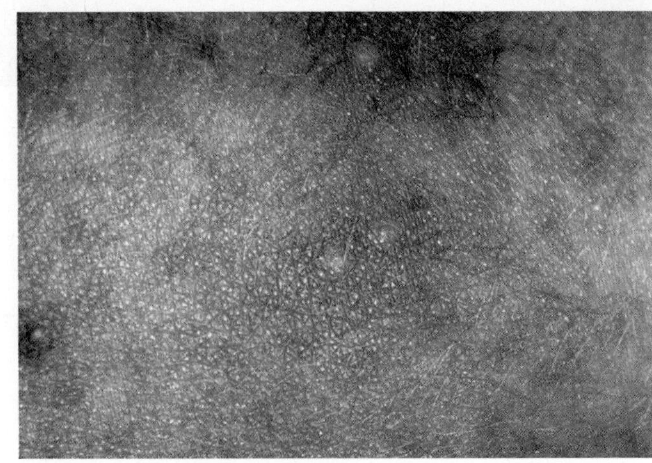

그림 7.4 독성신생아홍반

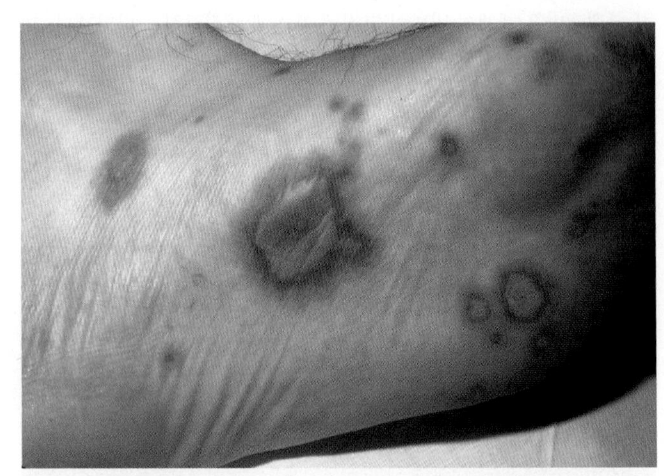

그림 7.6 다형홍반

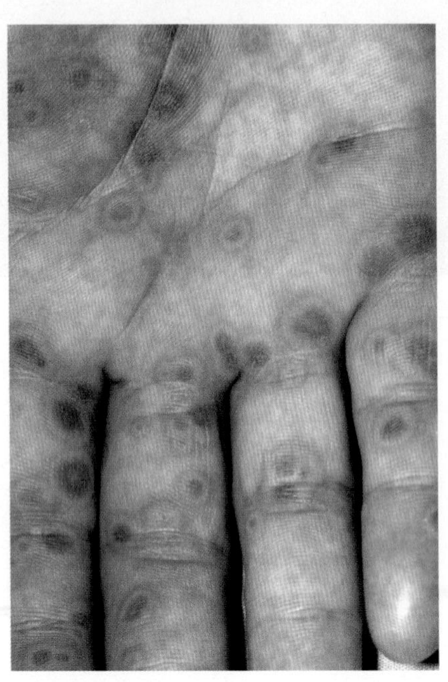

그림 7.5 다형홍반

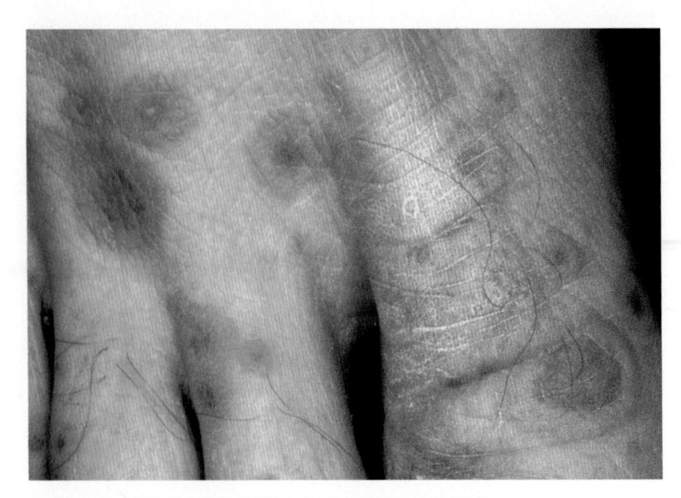

그림 7.7 설파에 의해 이차적으로 발생한 다형홍반

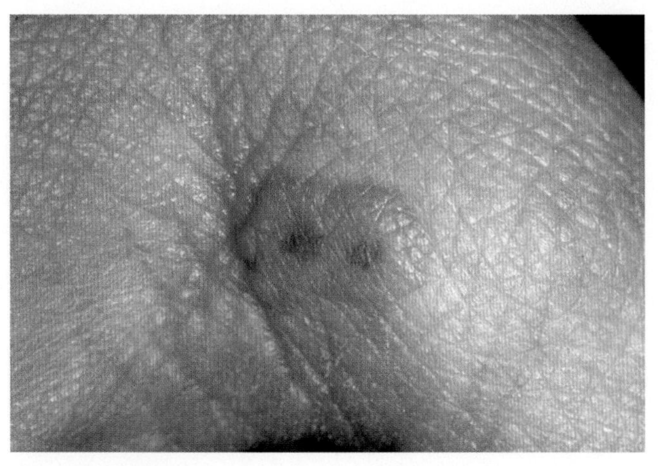

그림 7.8 다형홍반

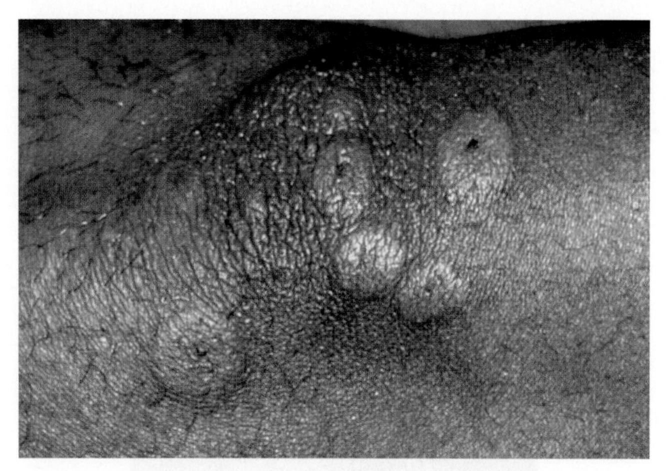

그림 7.9 다형홍반

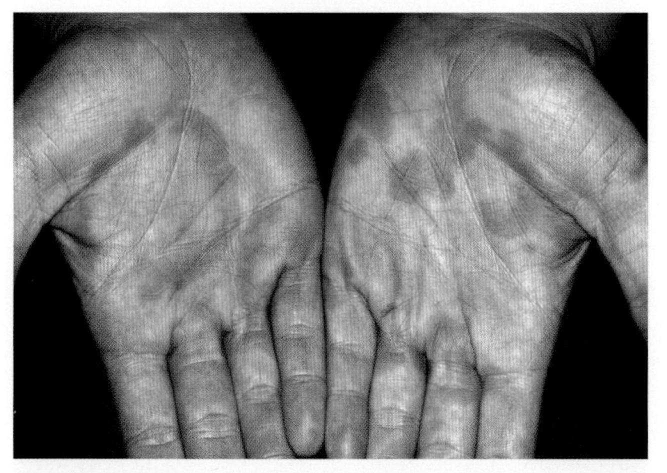

그림 7.10 다형홍반

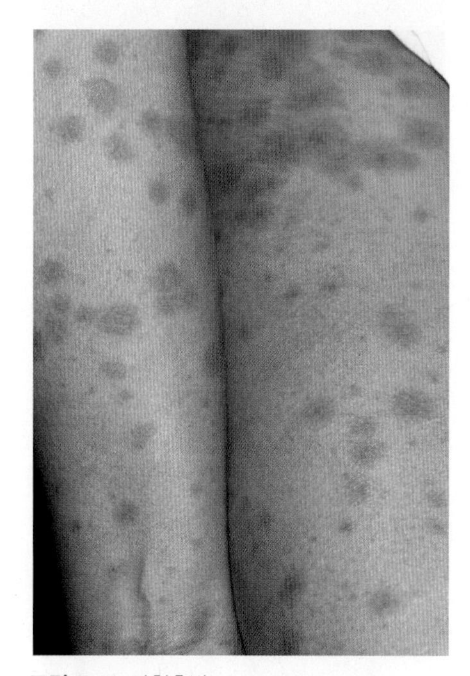

그림 7.11 다형홍반

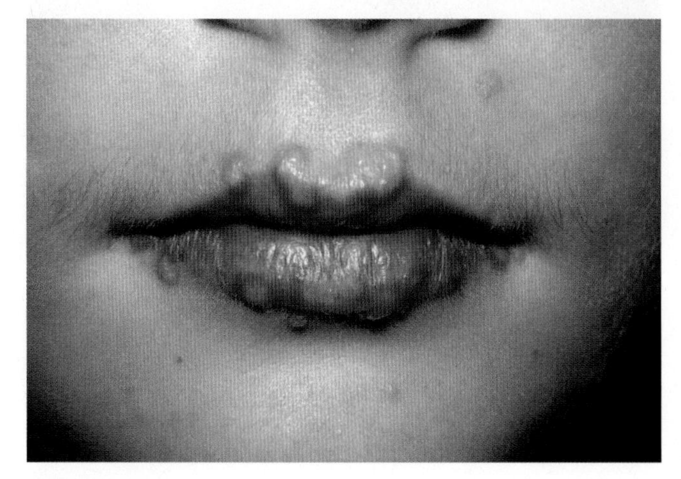

그림 7.12 다형홍반

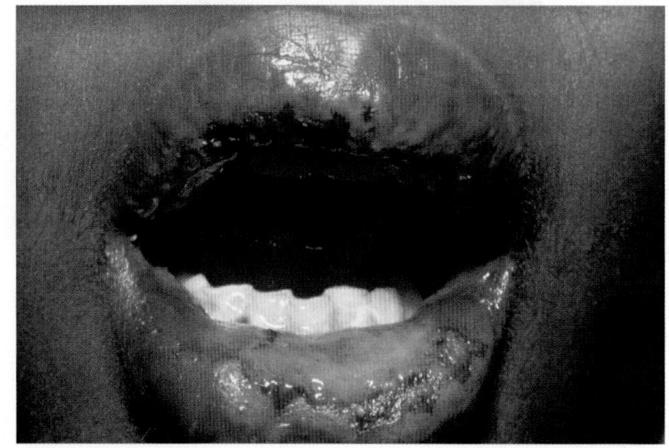

그림 7.13 다형홍반

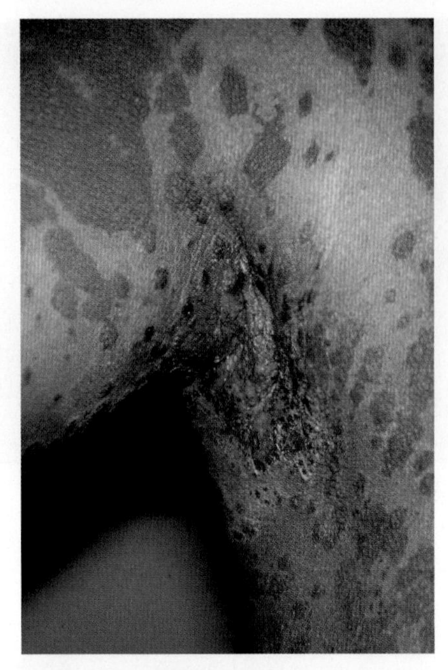

그림 7.14 스티븐스-존슨증후군

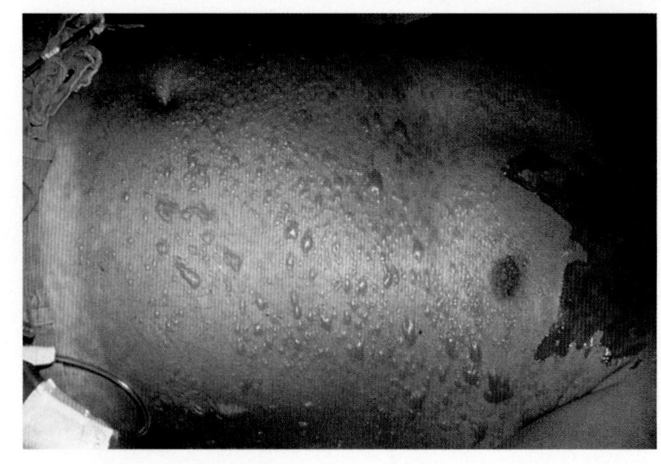

그림 7.15 독성표피괴사융해

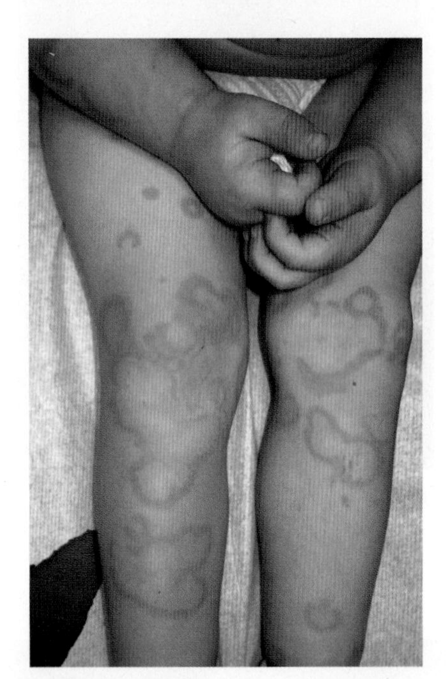

그림 7.16 다형두드러기

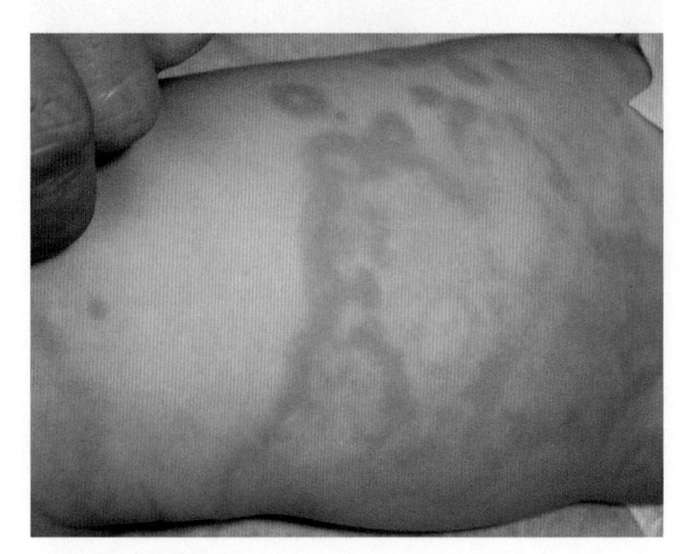

그림 7.17 다형두드러기

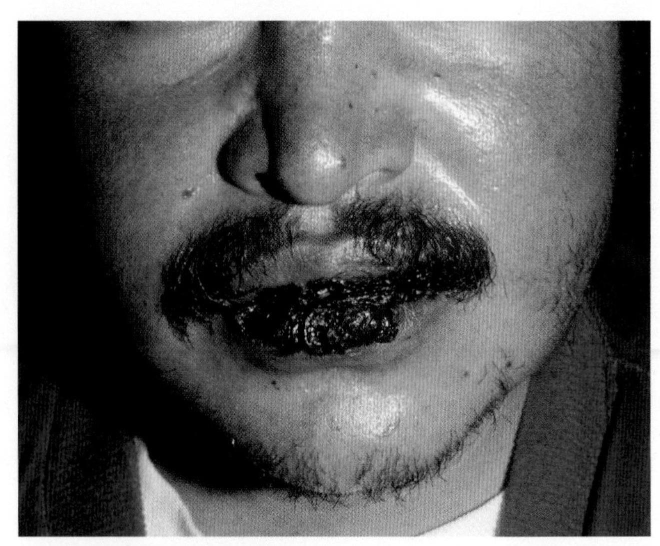

그림 7.18 재발성 구강 다형홍반

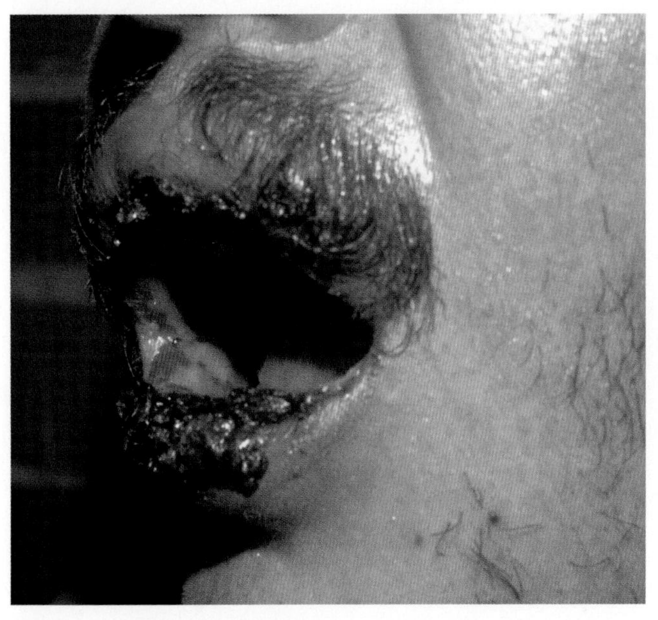

그림 7.19 재발성 구강 다형홍반

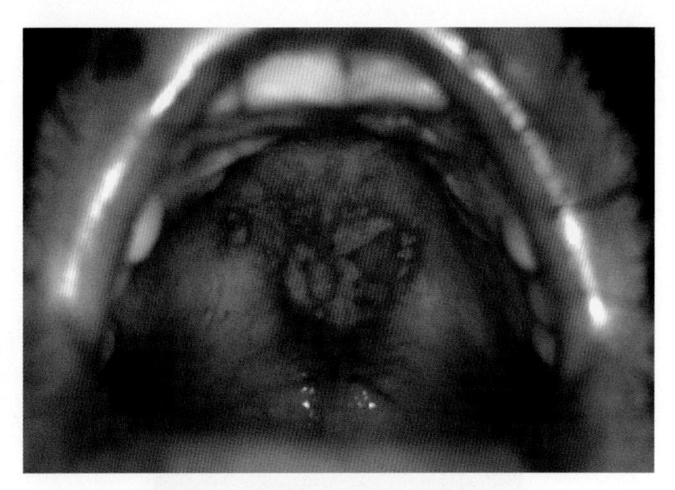

그림 7.20 재발성 구강 다형홍반

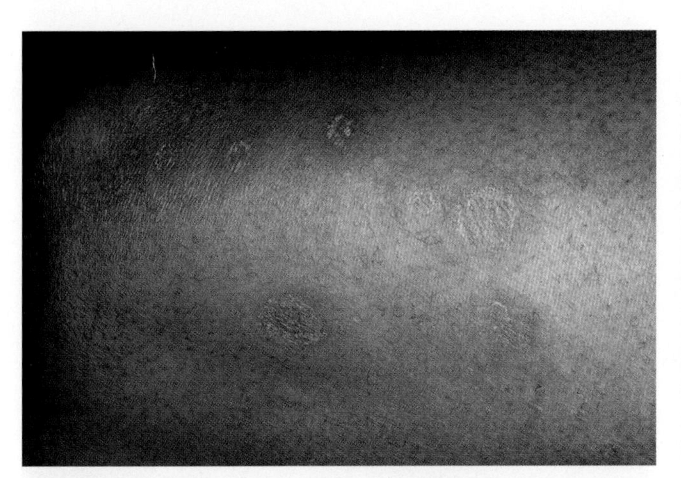

그림 7.21 중심원심고리홍반

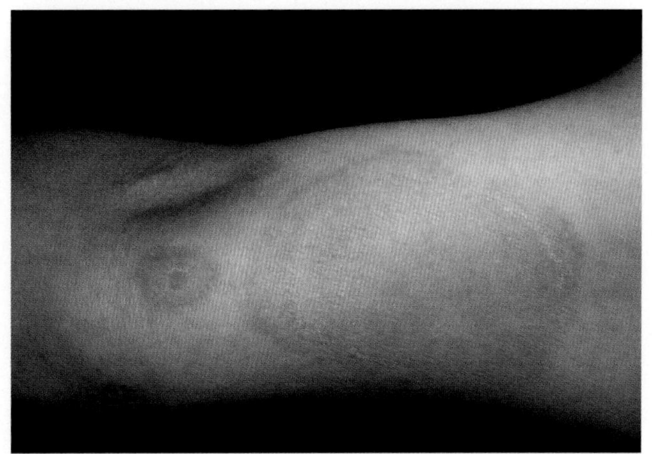

그림 7.22 중심원심고리홍반

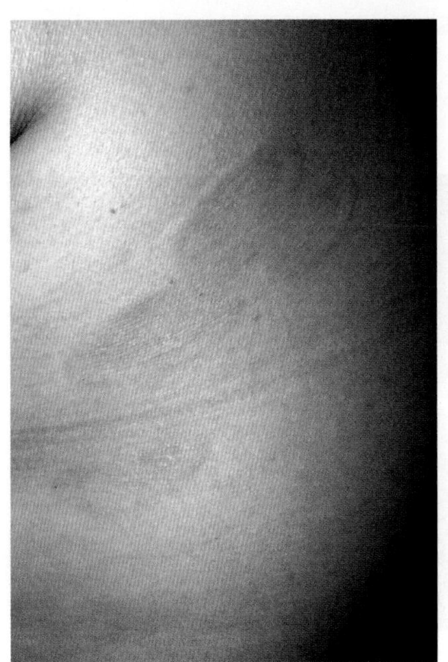

그림 7.23 중심원심 고리홍반

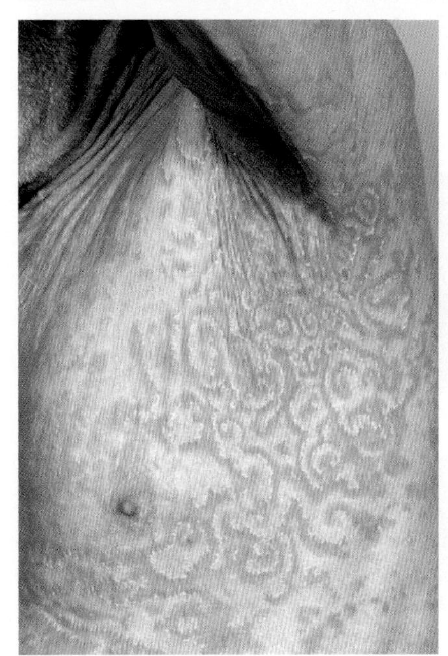

그림 7.24 뱀모양이 랑홍반

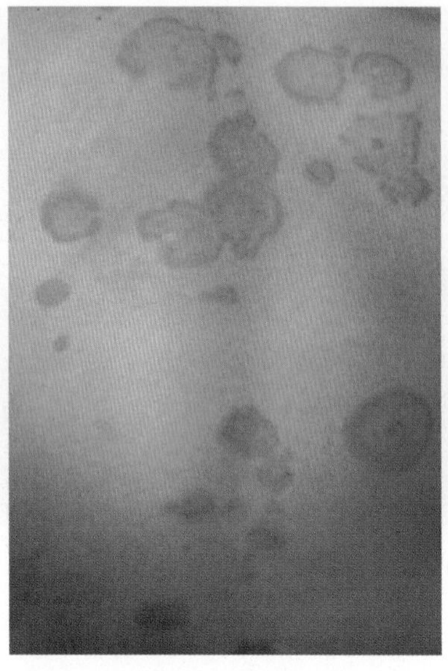

그림 7.25 호산구고리홍반

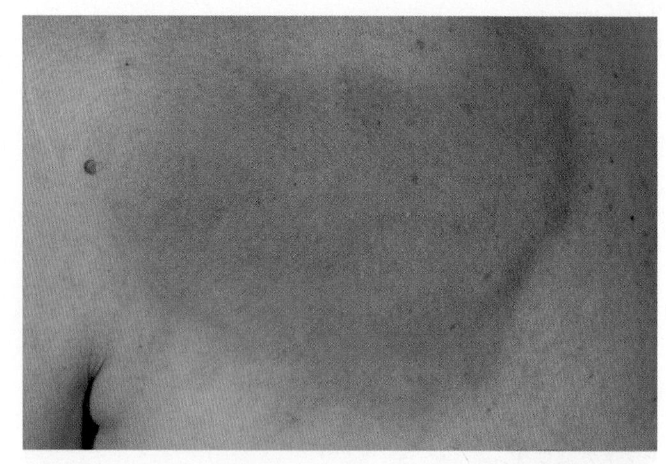

그림 7.26 호산구연조직염

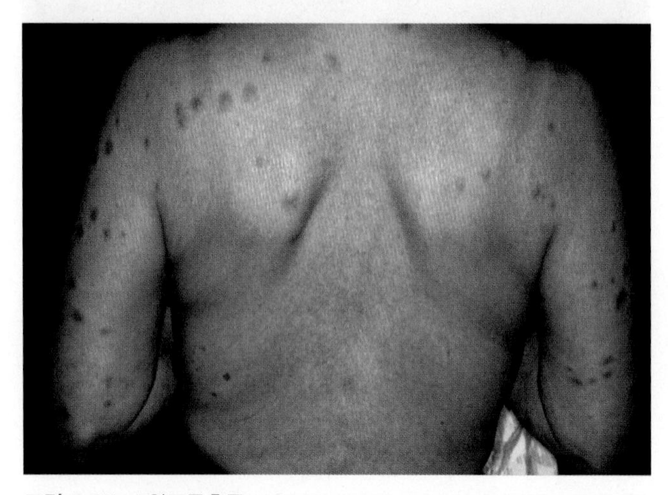

그림 7.27 스위트증후군

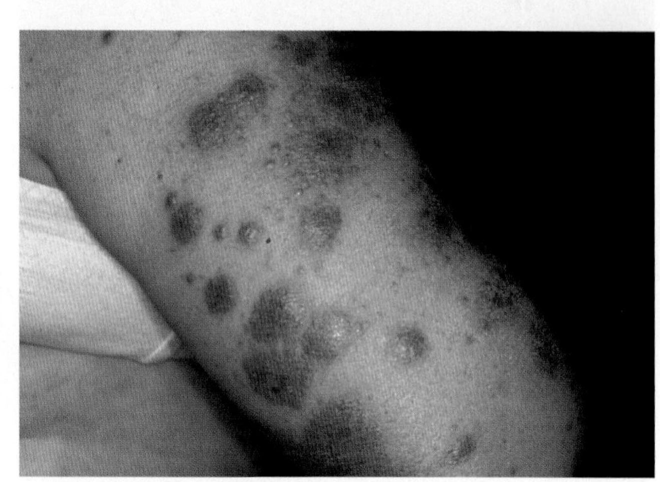

그림 7.28 급성골수백혈병에서의 스위트증후군

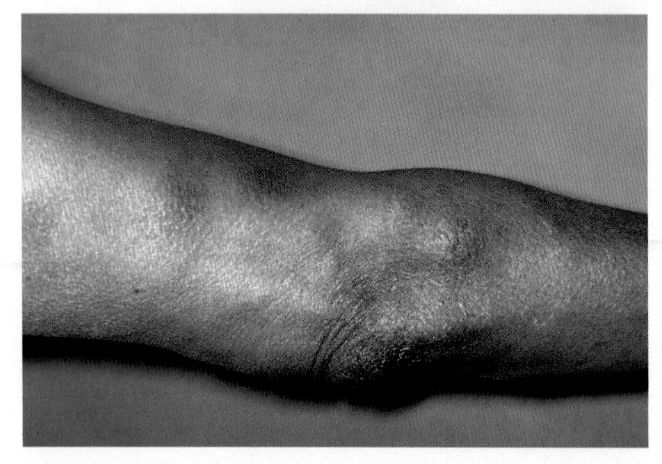

그림 7.29 스위트증후군

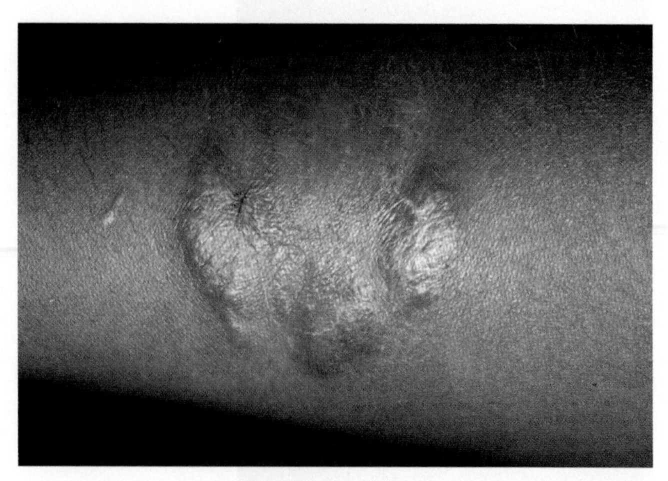

그림 7.30 스위트증후군

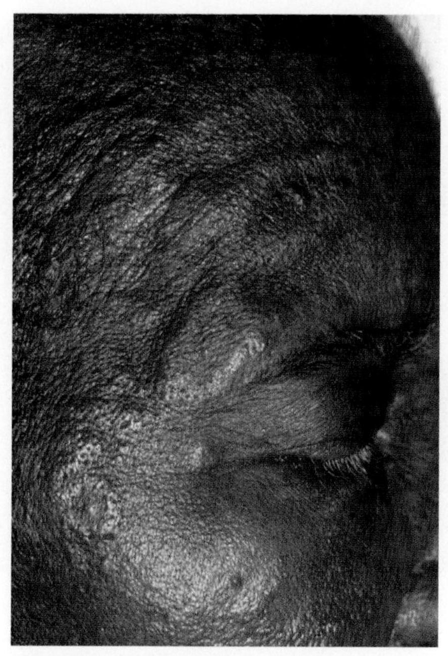

그림 7.31 스위트증후군

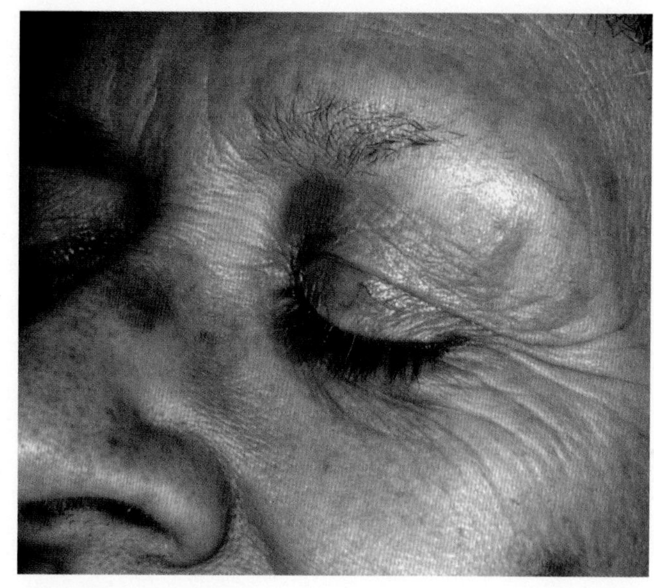

그림 7.32 스위트증후군

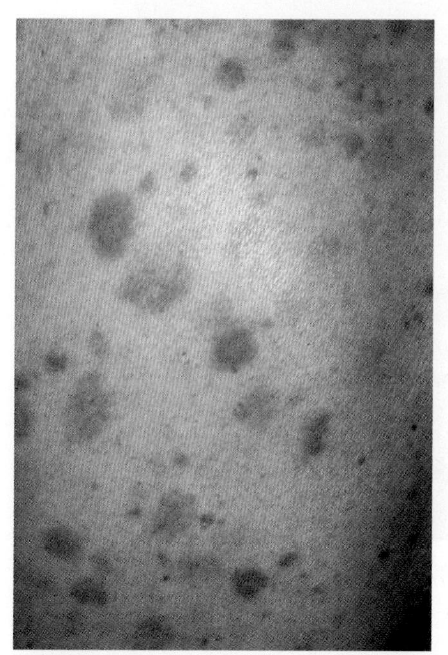

그림 7.33 전신홍반 루푸스 환자에서의 스위트증후군

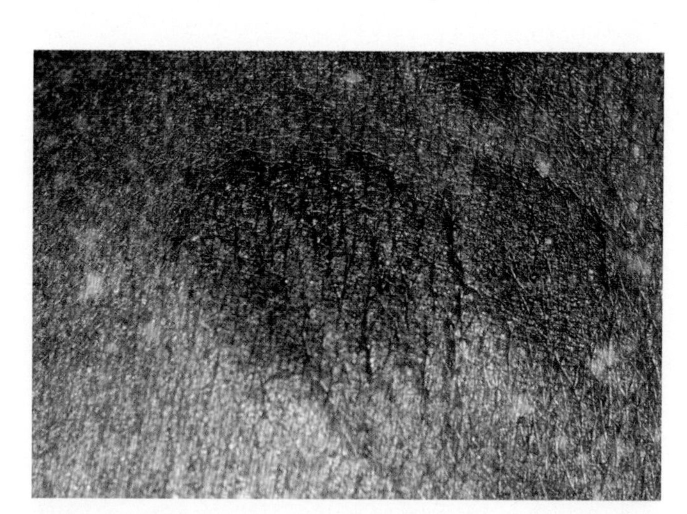

그림 7.34 급성골수백혈병에서의 스위트증후군

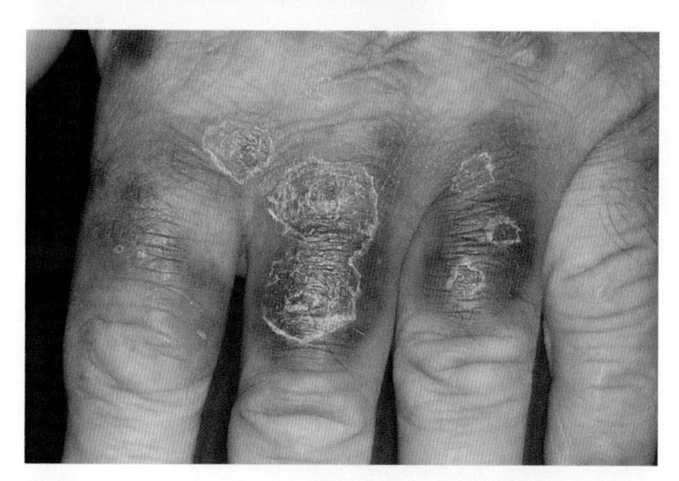

그림 7.35 백혈병에서의 스위트증후군

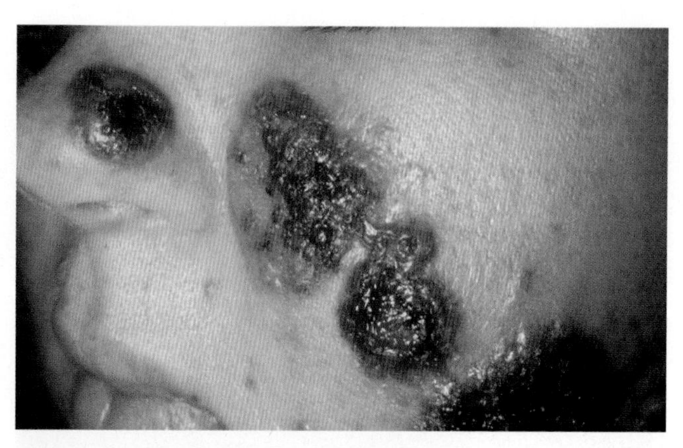

그림 7.36 급성백혈병에서의 스위트증후군

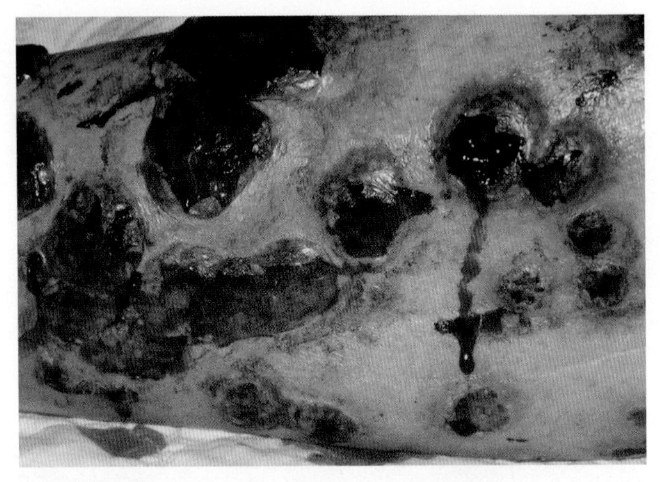

그림 7.37 스위트증후군

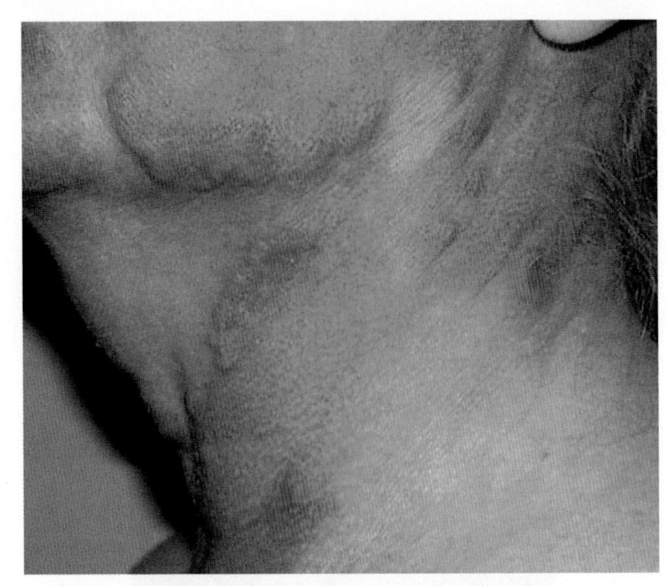

그림 7.38 조직구모양 스위트증후군

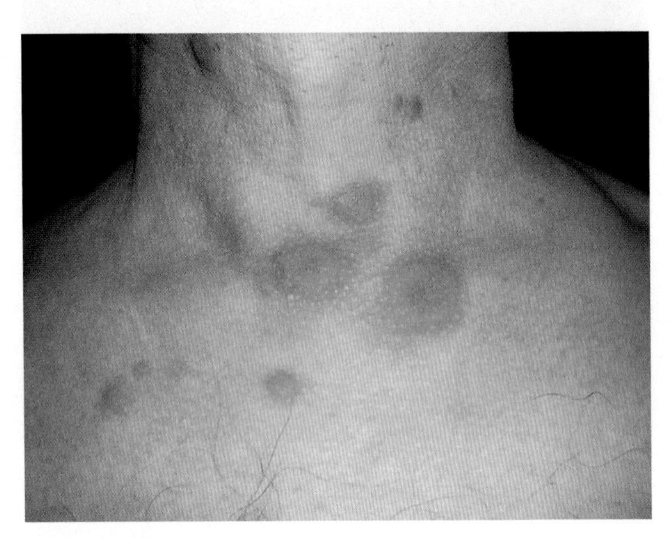

그림 7.39 림프구 스위트증후군

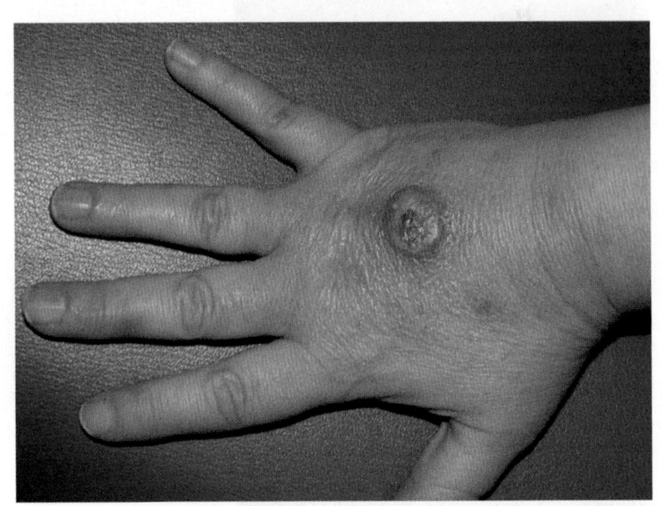

그림 7.40 손등에 발생한 호중구피부병

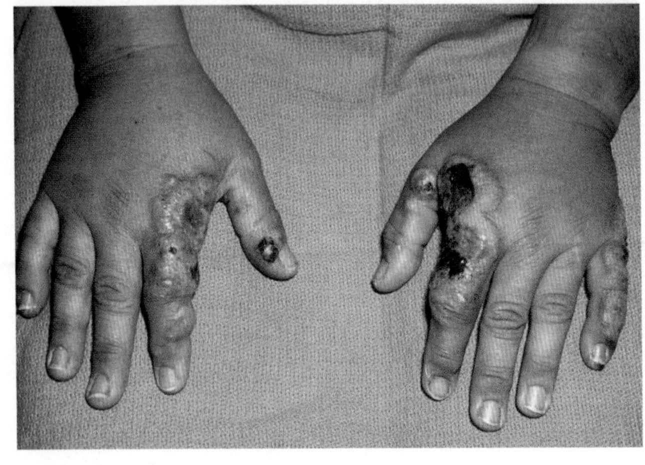

그림 7.41 손등에 발생한 호중구피부병

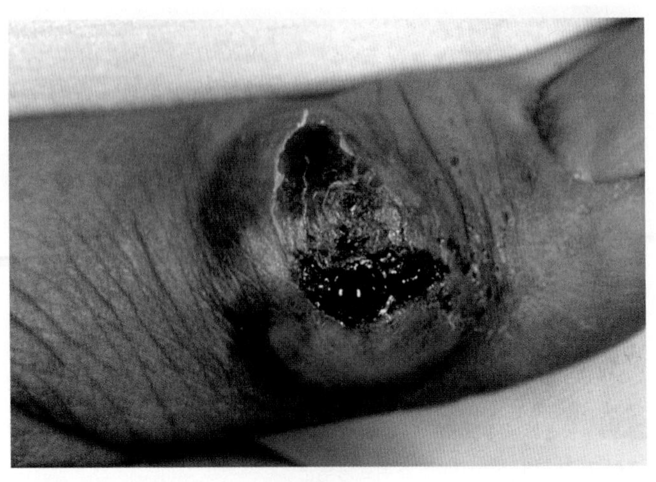

그림 7.42 손등에 발생한 호중구피부병

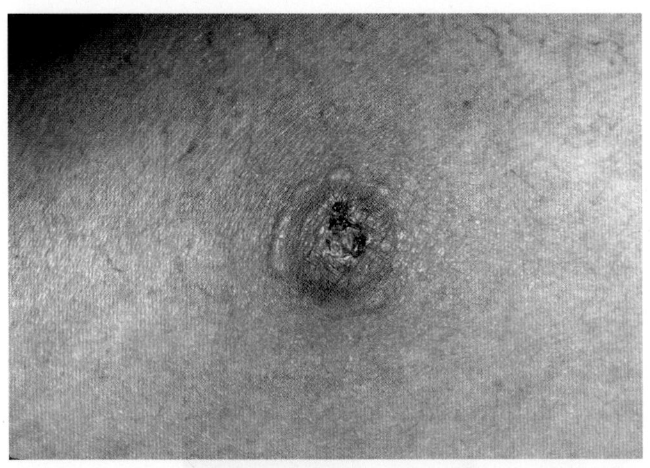

그림 7.43 초기 괴저화농피부증

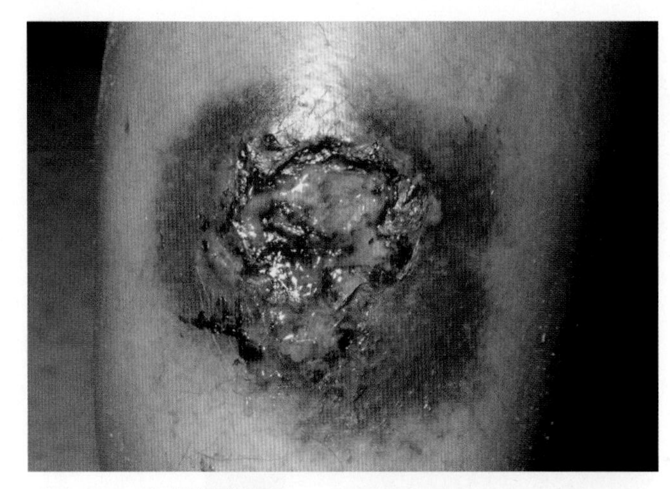

그림 7.44 괴저화농피부증

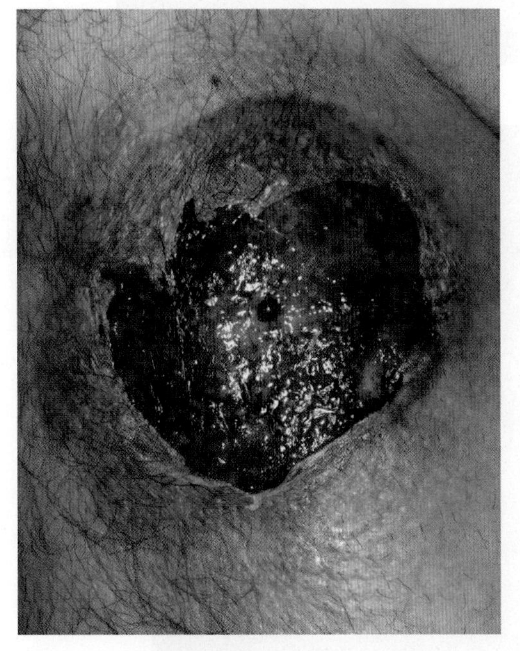

그림 7.45 괴저화농피부증

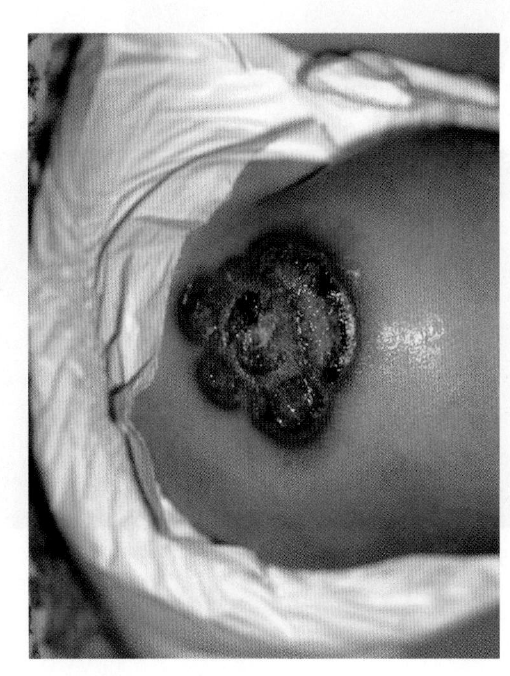

그림 7.46 괴저화농피부증

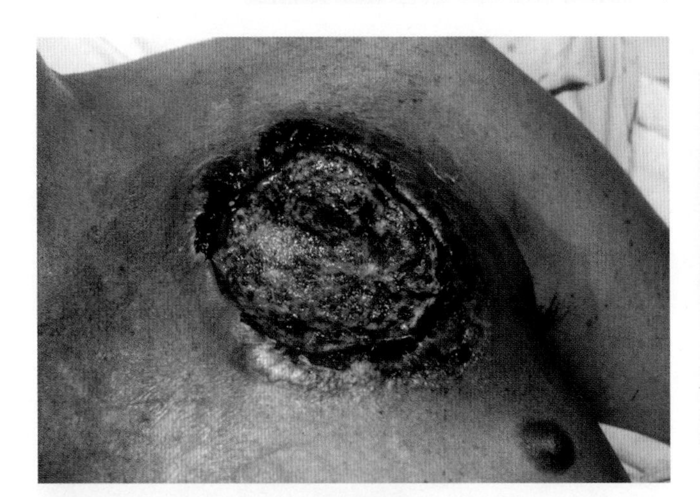

그림 7.47 HIV에 감염된 환자에서 발생한 괴저화농피부증

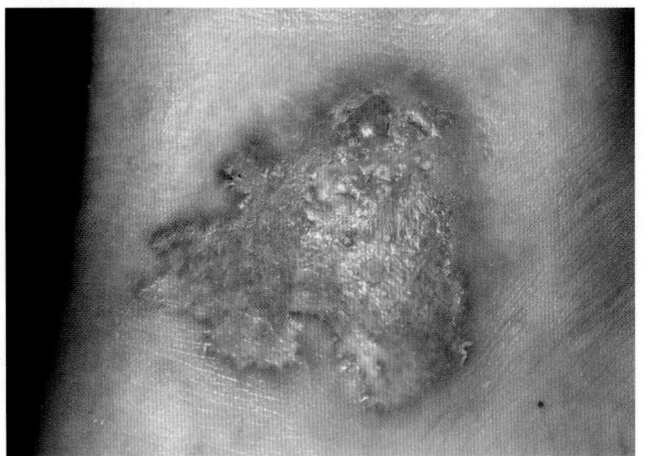

그림 7.48 치유되고 있는 괴저화농피부증

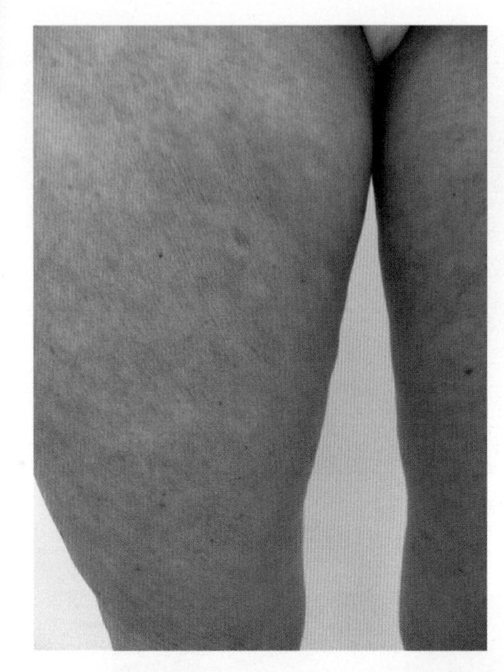

그림 7.49 크리오피린 관련 주기적 발열 증후군이 동반된 머클-웰스 증후군

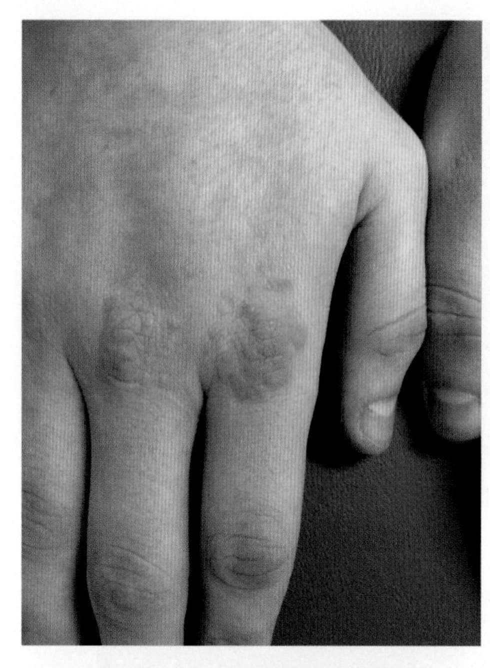

그림 7.50 크리오피린 관련 주기적 발열 증후군과 동반된 비전형적인 동창과 비슷한 병변

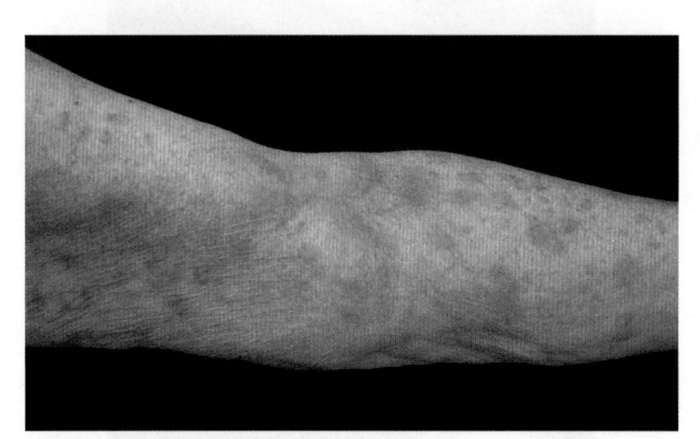

그림 7.51 Schnitzler 증후군

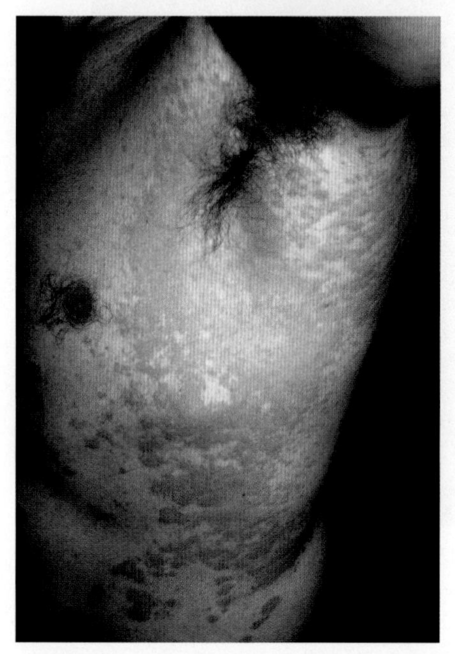

그림 7.52 두드러기

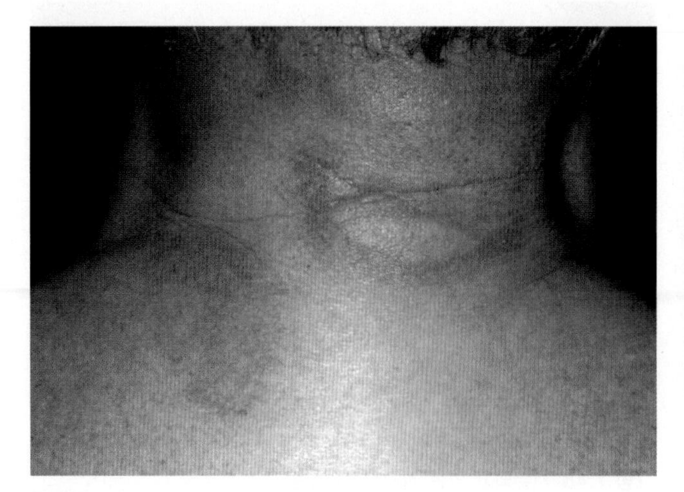

그림 7.53 두드러기

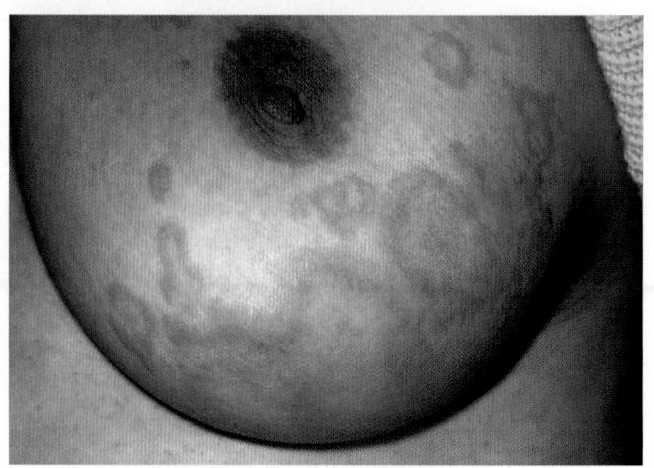

그림 7.54 두드러기

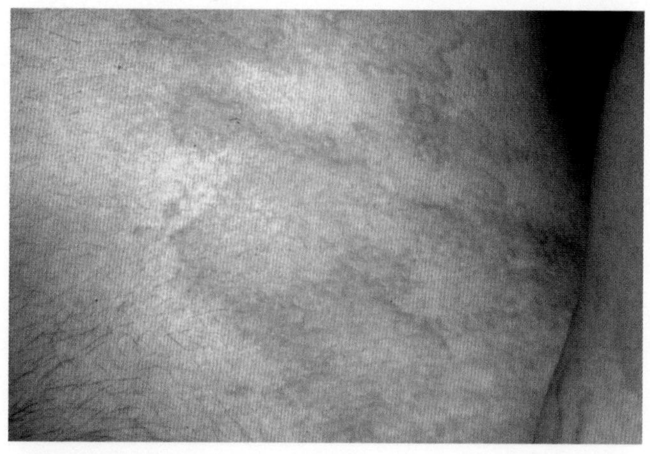

그림 7.55 두드러기

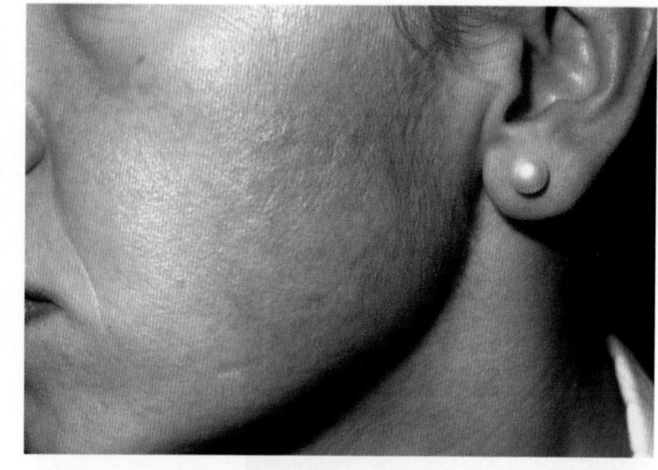

그림 7.56 한랭 두드러기

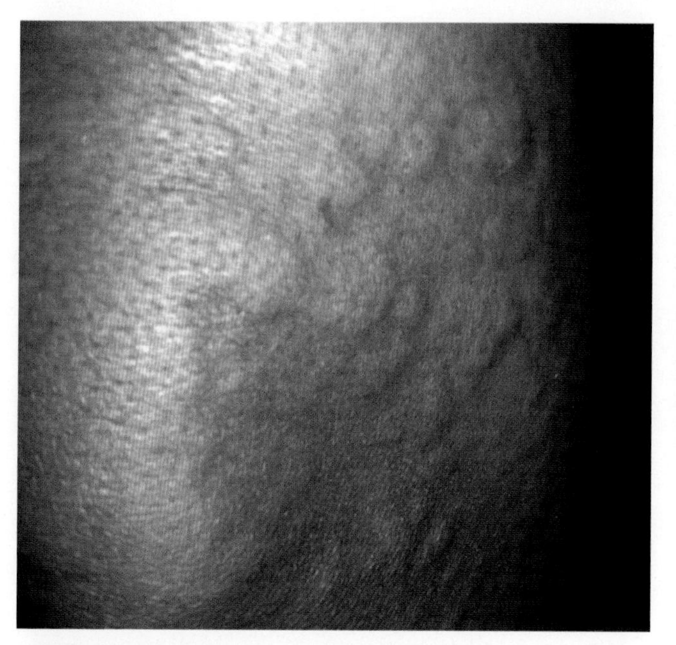

그림 7.57 한랭 두드러기

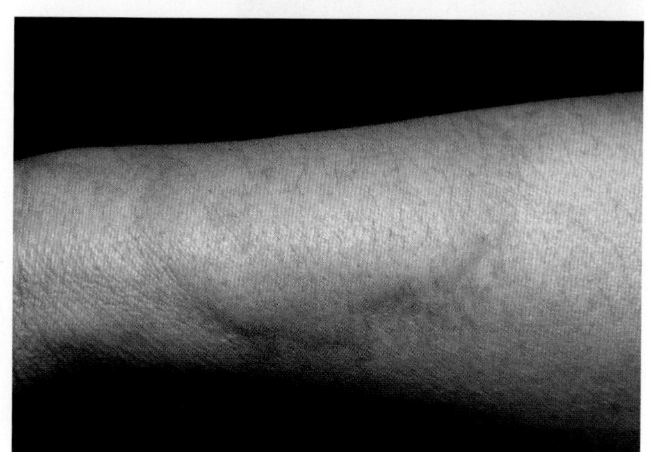

그림 7.58 한랭 두드러기

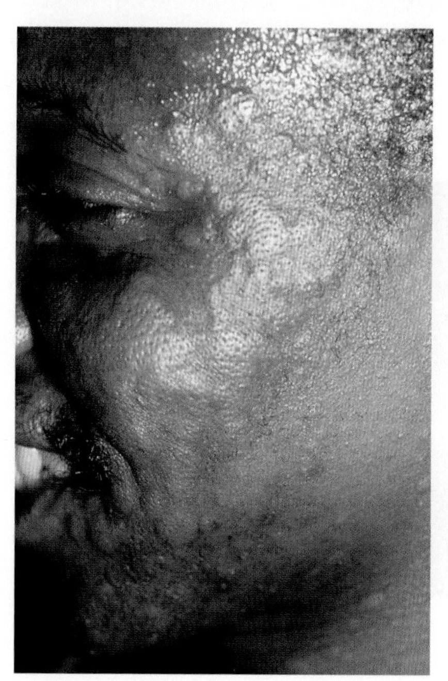

그림 7.59 운동유발 두드러기

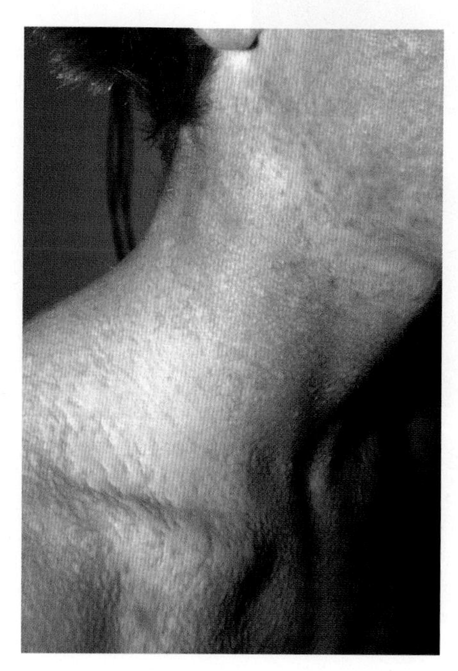

그림 7.60 콜린성 두드러기

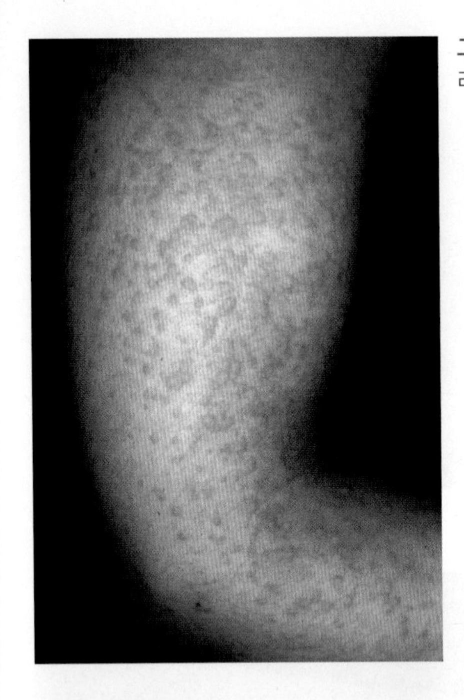

그림 7.61 콜린성두드러기

그림 7.62 콜린성두드러기

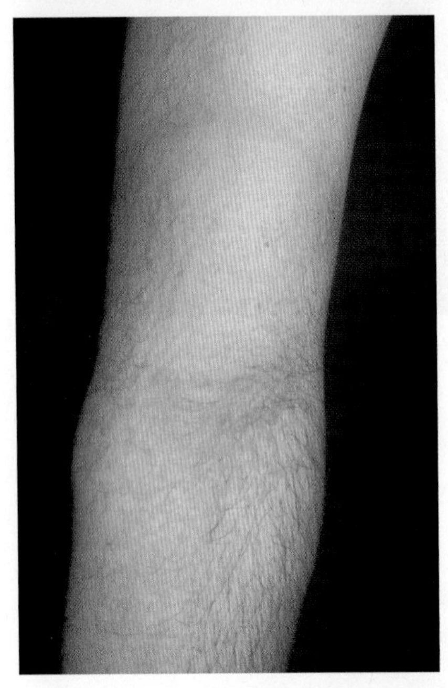

그림 7.63 일광두드러기

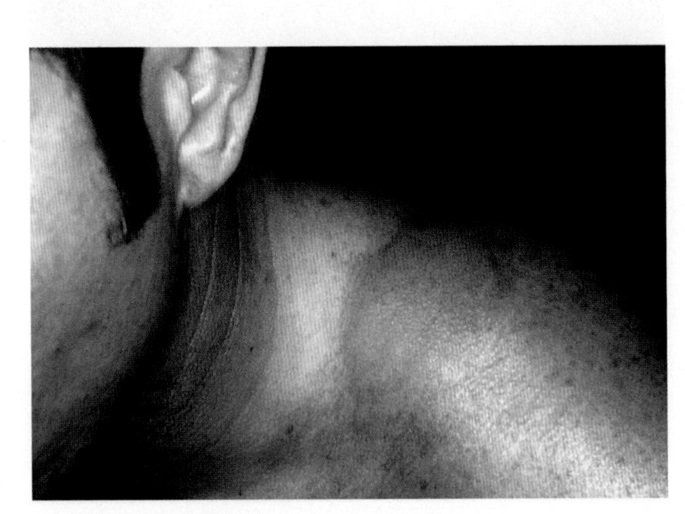

그림 7.64 지연압박두드러기

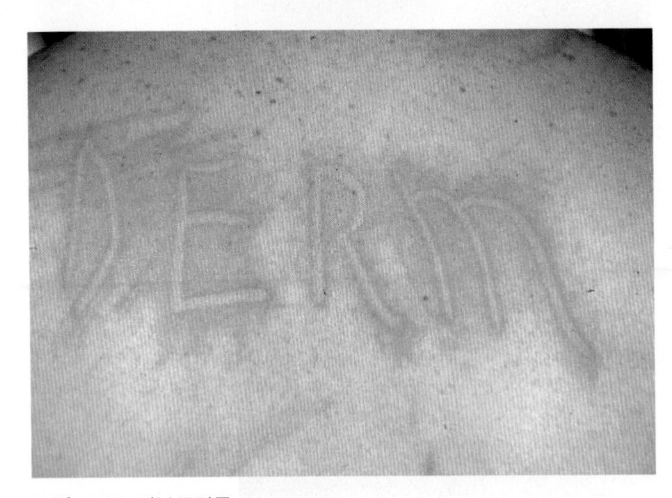

그림 7.65 피부묘기증

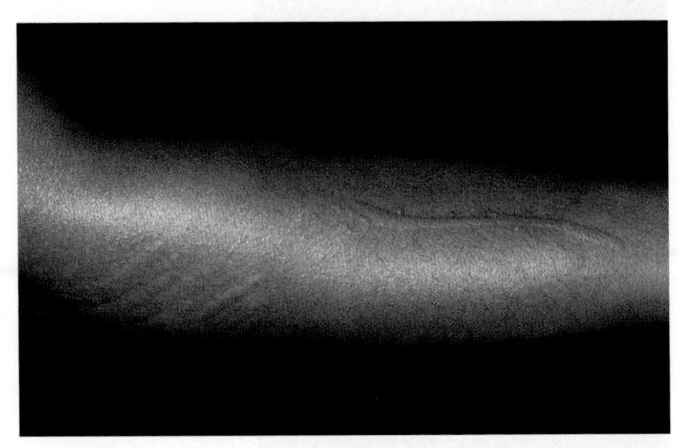

그림 7.66 피부묘기증

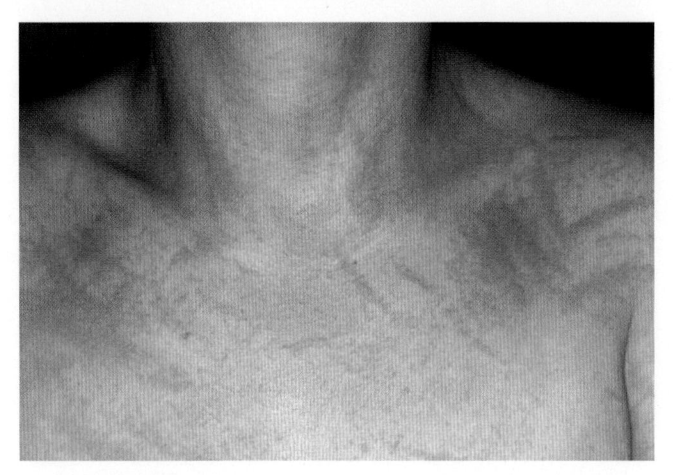
그림 7.67 피부묘기증

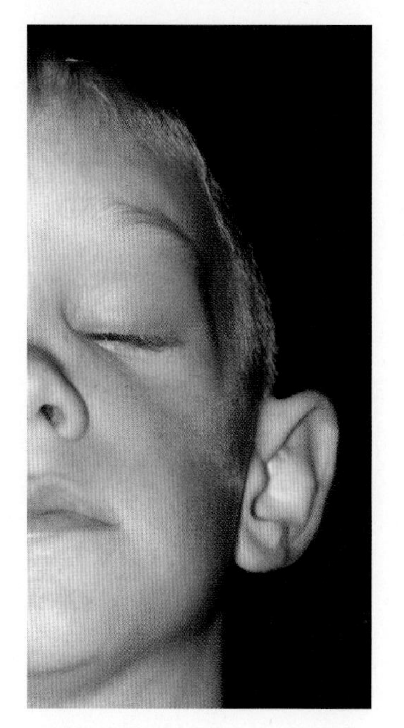
그림 7.68 혈관부종

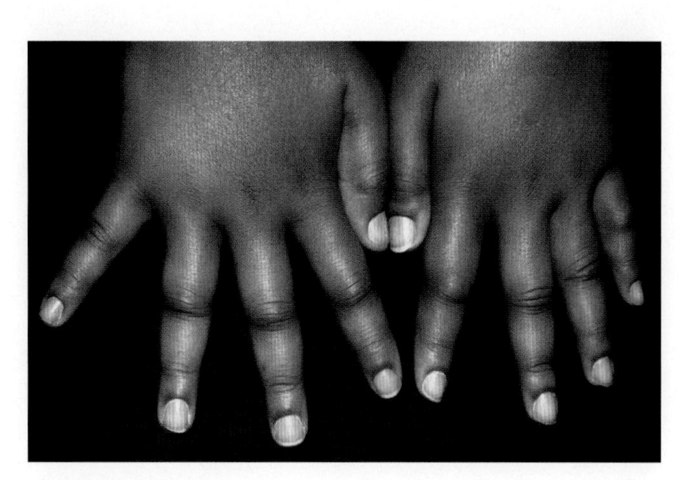
그림 7.69 혈관부종

결체조직질환

8

결체조직질환의 피부증상은 진단되지 않은 전신성 자가면역질환의 진단을 위한 근거가 될 수 있기 때문에 임상의사가 그 증상을 인식하는 것이 중요하다. 전신성홍반성루푸스와 피부근염에서는 많은 병변이 진피-표피 경계부에 과밀한 림프구성 침윤으로 인해 눈에 띄는 밝은 핑크색 혹은 자주색으로 나타난다. 이들 질환에서 흔히 관찰되는 광대뼈 부위에 발생하는 홍반처럼 광과민성은 일부 결체조직질환의 또 다른 공통 증상이다. 따라서 일광 노출부위에 발생하는 광분포양상을 인식하는 것이 결체조직질환에서 중요하다.

홍반루푸스의 각 아형은 이학적 소견상 각기 독특한 증상을 나타낸다. 원반모양홍반루푸스의 반흔과 이상색소침착, 아급성 피부홍반루푸스의 환상 건선양 판, 심부홍반루푸스의 심부 촉지성 결절 혹은 함몰, 피부근염에서는 연자색 홍반(heliotrope 징후), 피부근염과 전신홍반루푸스에서는 눈꺼풀 주위 자주색 반이 관찰된다. 또한 국소 및 전신피부경화증에서 보여지는 피부 스펙트럼에 대해서도 보여줄 것이다. 국소피부경화증(morphea)에서는 퍼져나가는 단단한 분홍빛 경결성 반과 함께 때로는 병변 가운데에 라이락 색깔로 흉터처럼 이상색소침착을 남기는 원반의 병변을 보인다. 이 증상은 형태손상, 관절수축, 피부궤양 등으로 진행된다. 반면, 일부 제한된 전신피부경화증에서는 메트양 모세혈관확장증, 피부칼슘증과 같은 특징적인 양상을 보이기도 하고 일부에서는 대칭성으로 진행되는 나무같이 딱딱한 부종을 보인다.

결체조직질환이 의심될 때는 전신적인 검사가 필요하며 이학적 검사에서 점막미란, 궤양 등의 피부점막 증상과 탈모증, 손발가락경화증, 손톱주름모세혈관 변화, 림프선증 등의 증상도 점검해 보아야 한다. 피부조직검사도 다른 질환과의 감별을 위해 항상 시행하는 것이 좋으며 도움을 준다.

이 장에서는 앞에서 설명한 질환과 다른 드문 결체조직질환과 피부 성흔과도 같은 다양한 양상도 보여주고자 한다.

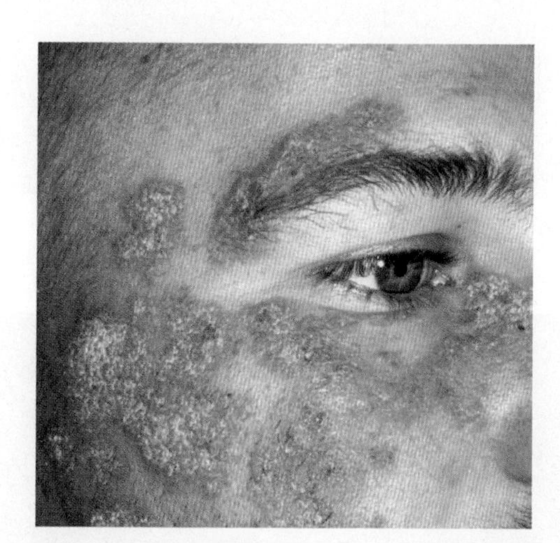

그림 8.1 원반모양홍반루푸스

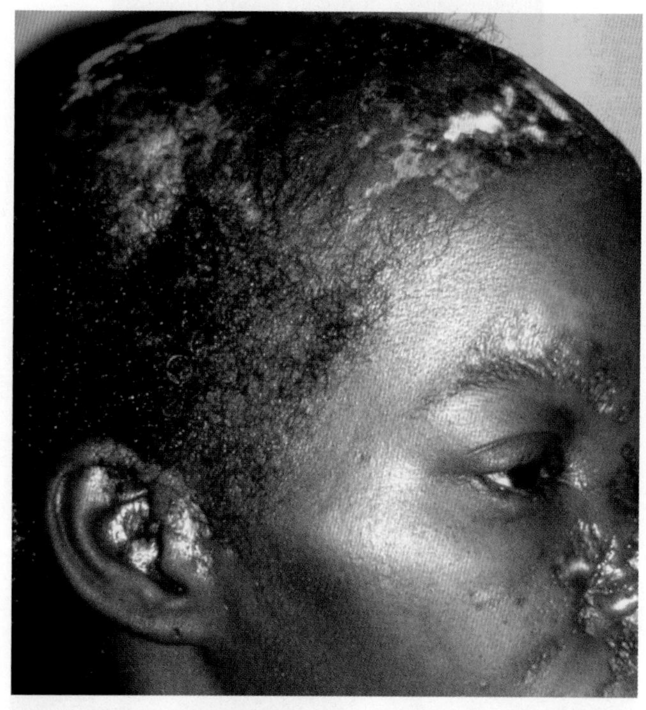

그림 8.2 원반모양홍반루푸스

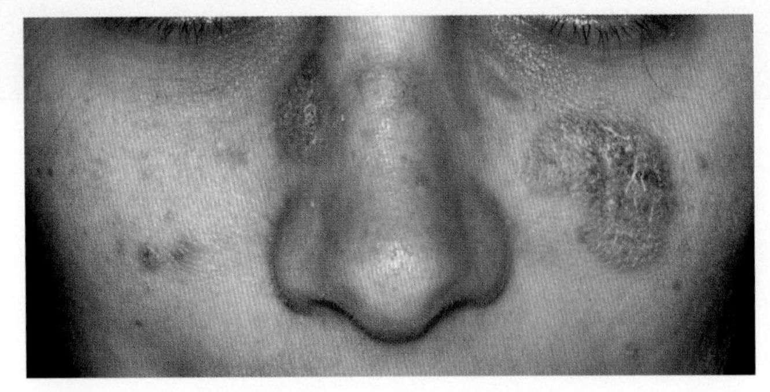

그림 8.3 원반모양홍반루푸스

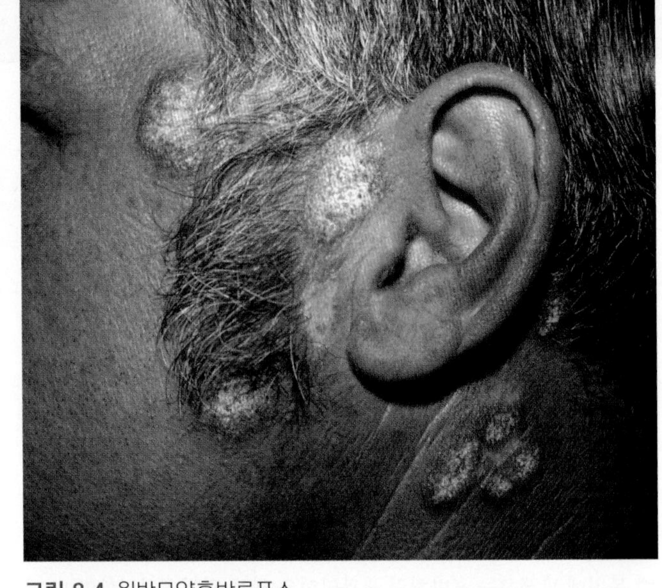

그림 8.4 원반모양홍반루푸스

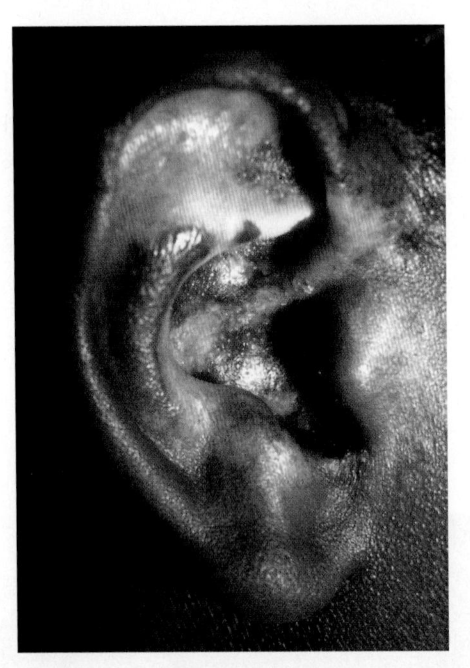

그림 8.5 원반모양홍반루푸스

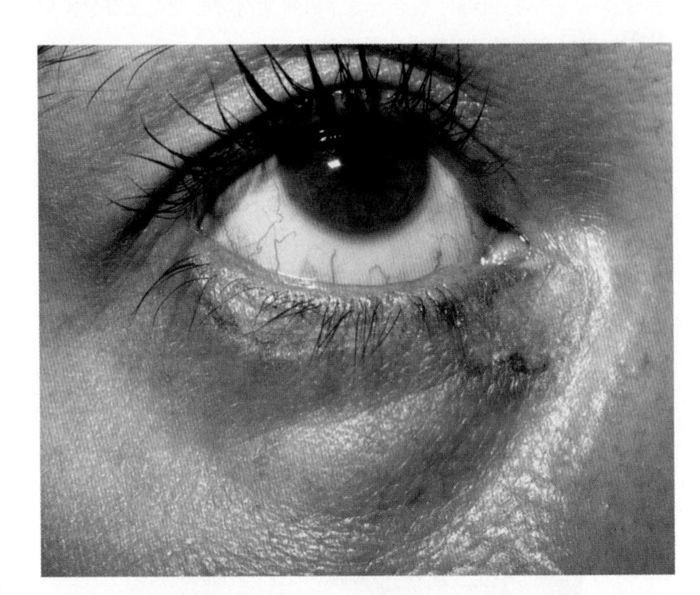

그림 8.6 원반모양홍반루푸스

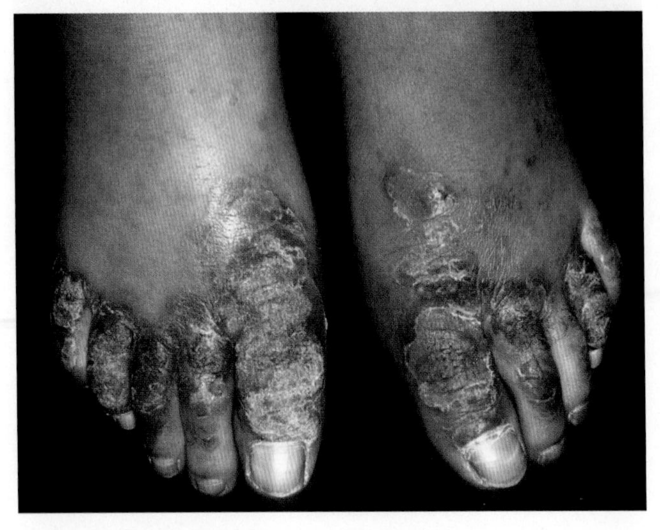

그림 8.7 원반모양홍반루푸스

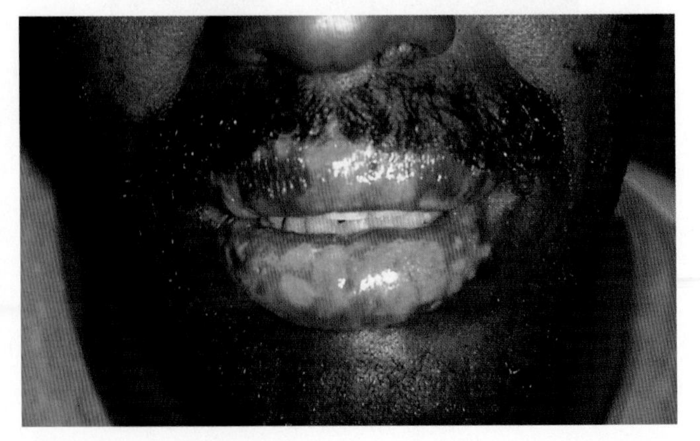

그림 8.8 원반모양홍반루푸스

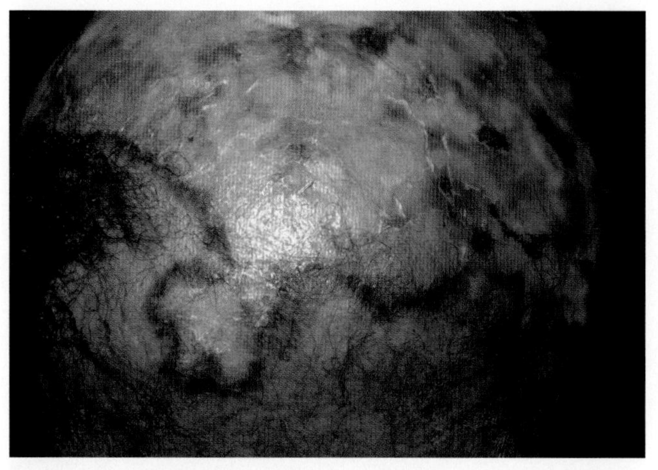

그림 8.9 원반모양홍반루푸스

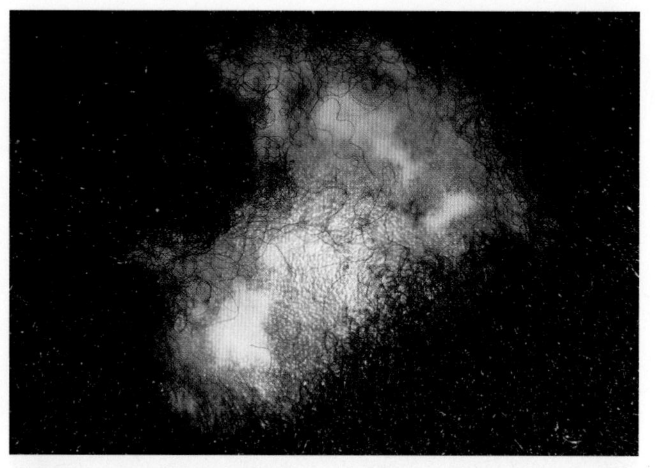

그림 8.10 원반모양홍반루푸스

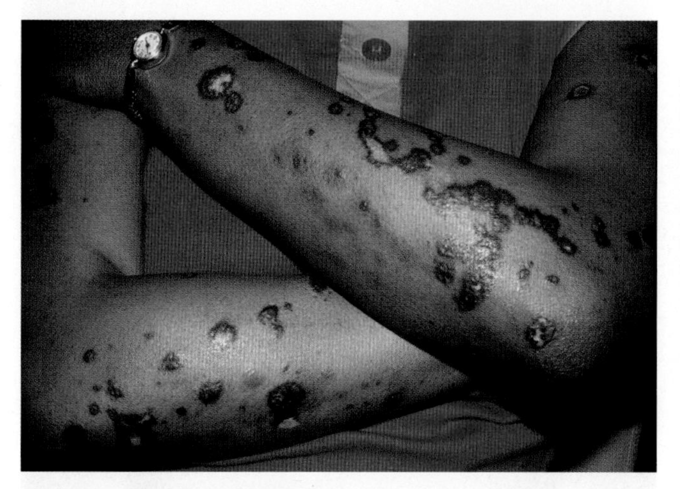

그림 8.11 전신원반모양홍반루푸스

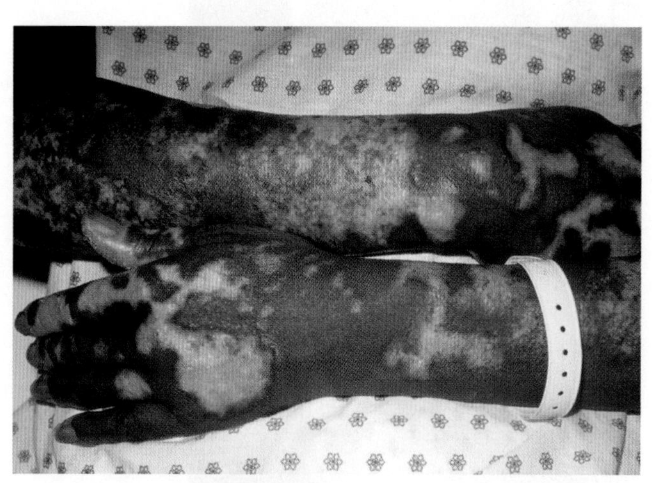

그림 8.12 전신원반모양홍반루푸스

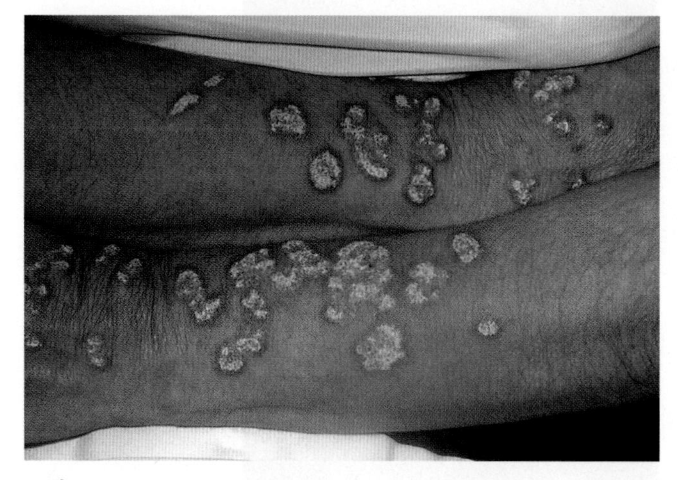

그림 8.13 비대홍반루푸스

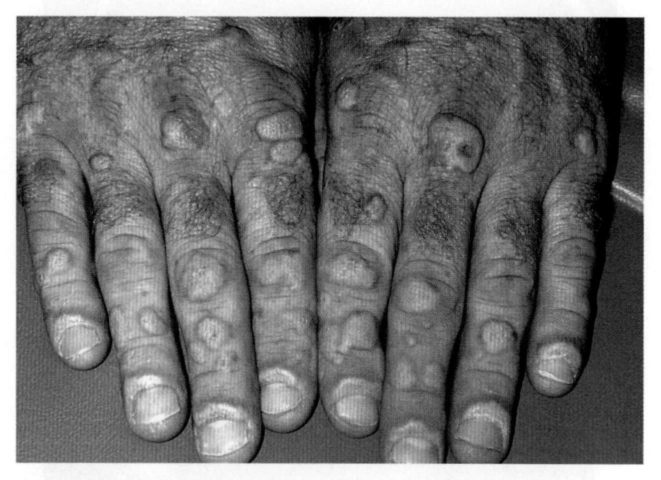

그림 8.14 비대홍반루푸스

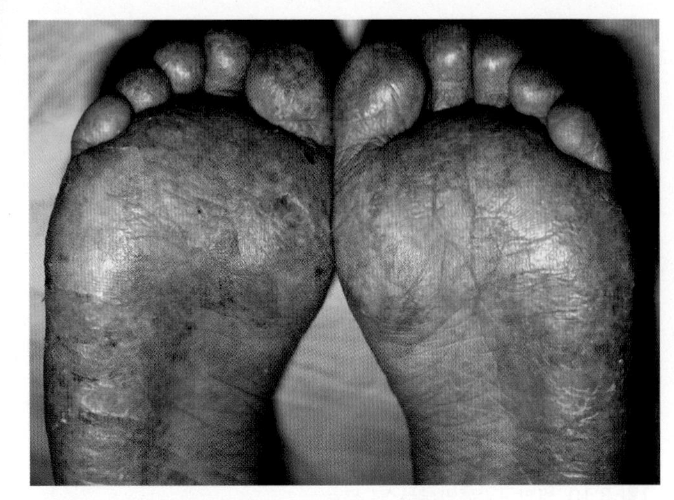

그림 8.15 편평태선 홍반루푸스 중첩

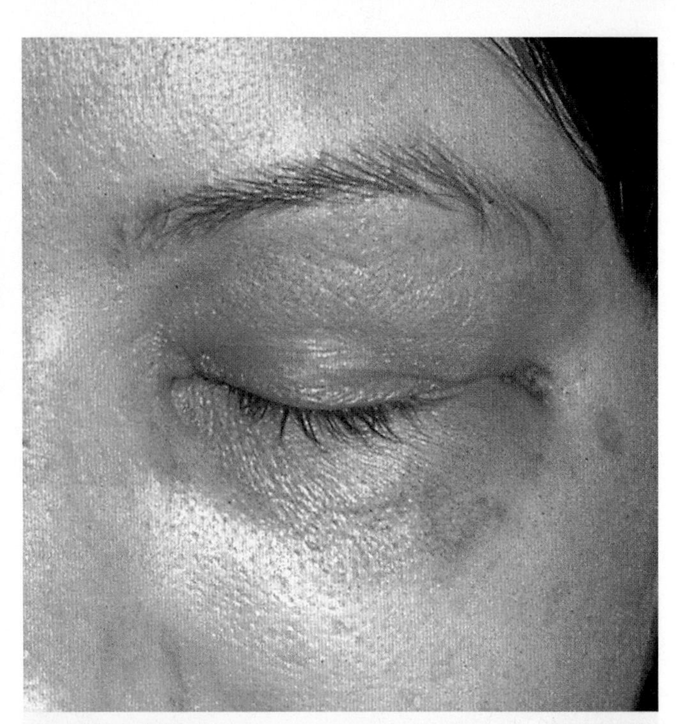

그림 8.16 심부홍반루푸스

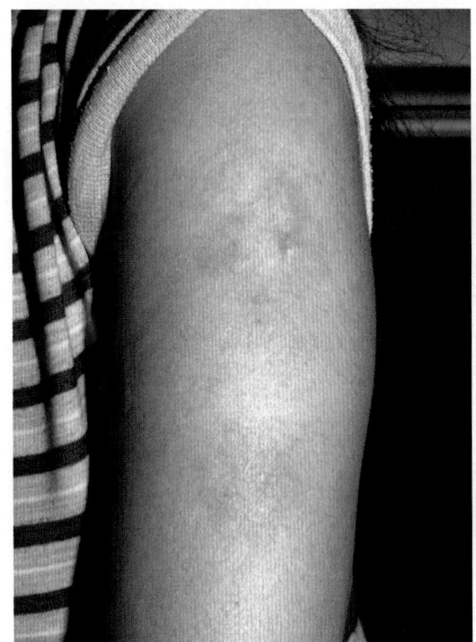
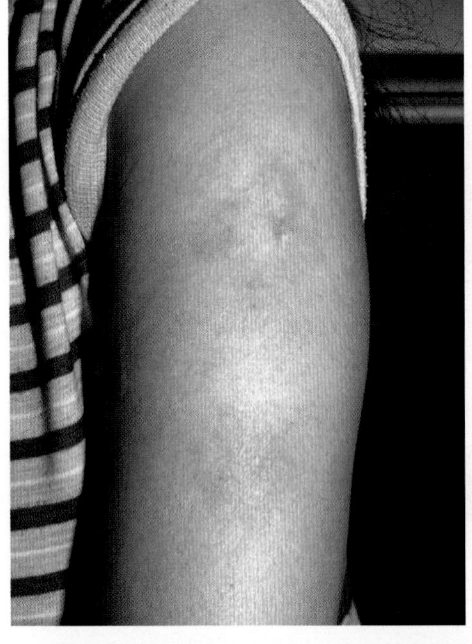

그림 8.17 심부홍반루푸스

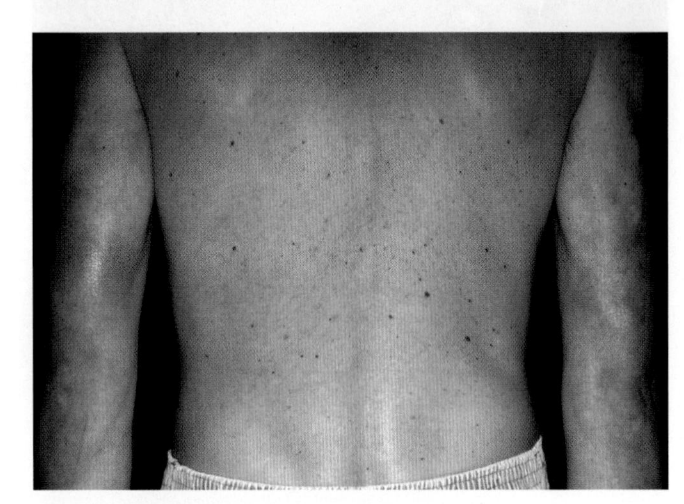

그림 8.18 심부홍반루푸스

그림 8.19 심부홍반루푸스와 그로 인한 위축

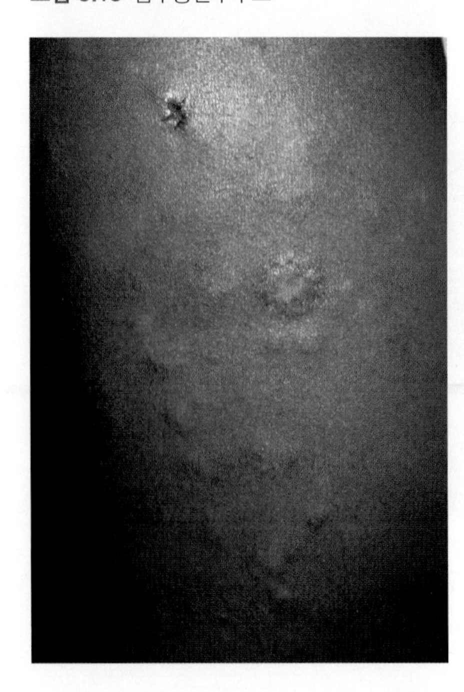

그림 8.20 비대홍반루푸스

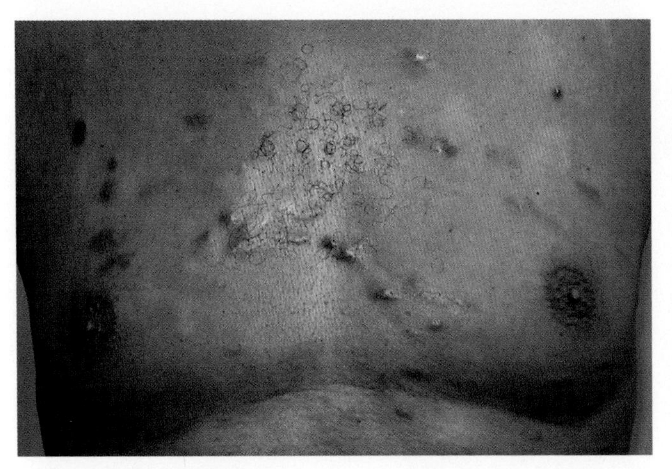

그림 8.21 비대홍반루푸스

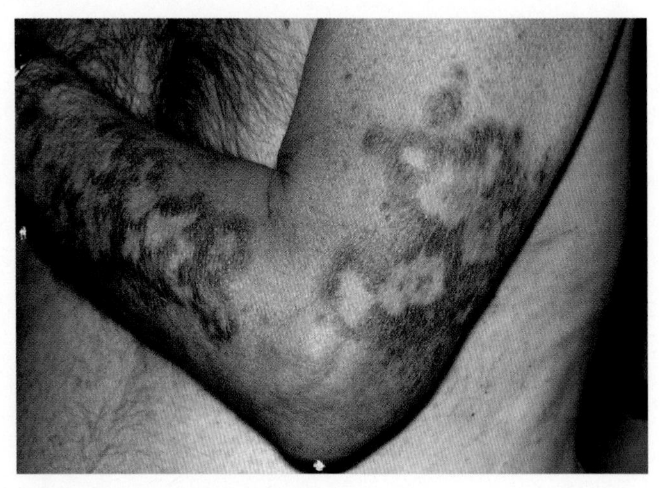

그림 8.22 아급성피부홍반루푸스

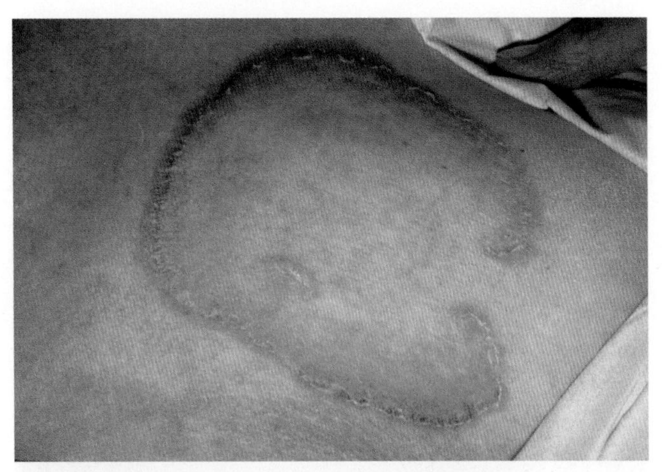

그림 8.23 아급성피부홍반루푸스

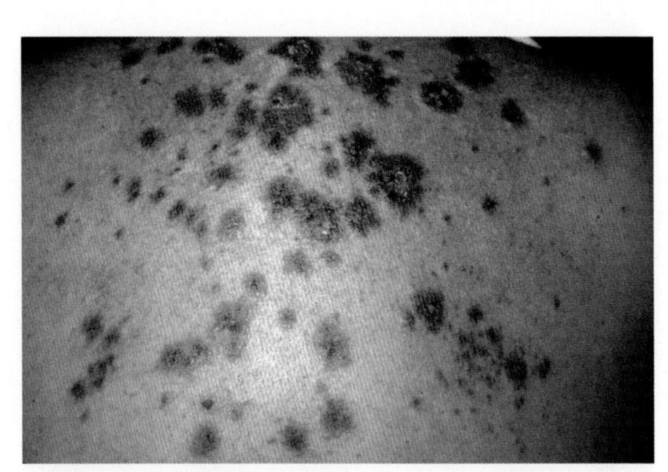

그림 8.24 아급성피부홍반루푸스

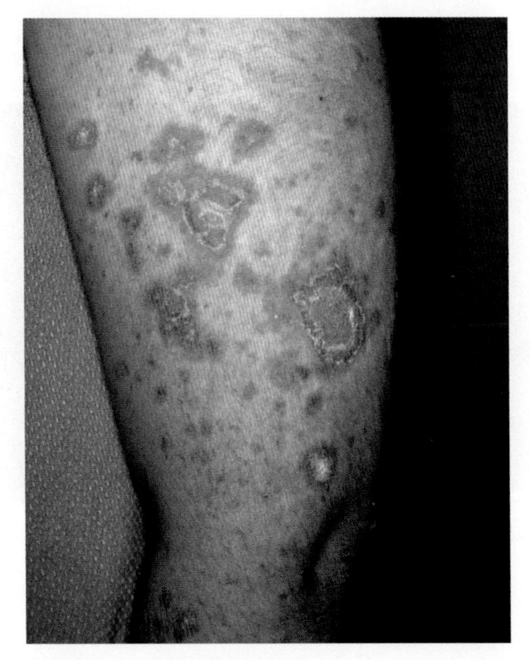

그림 8.25 아급성피부홍반루푸스

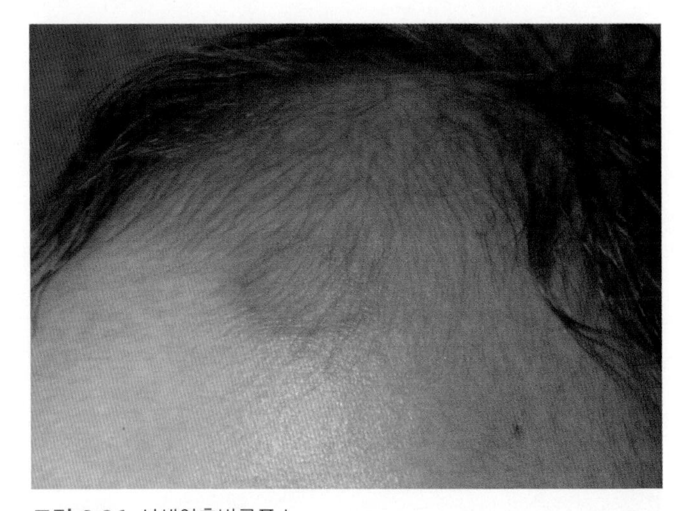

그림 8.26 신생아홍반루푸스

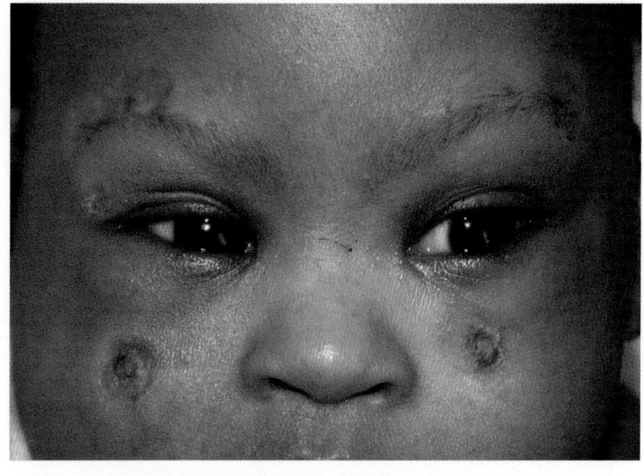

그림 8.27 흉터를 동반한 신생아홍반루푸스

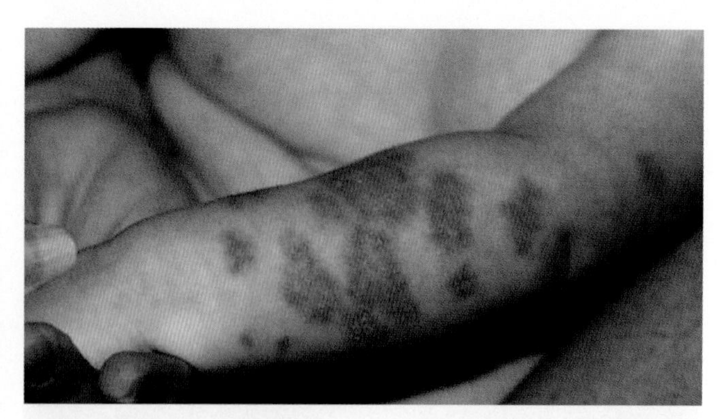

그림 8.28 신생아홍반루푸스

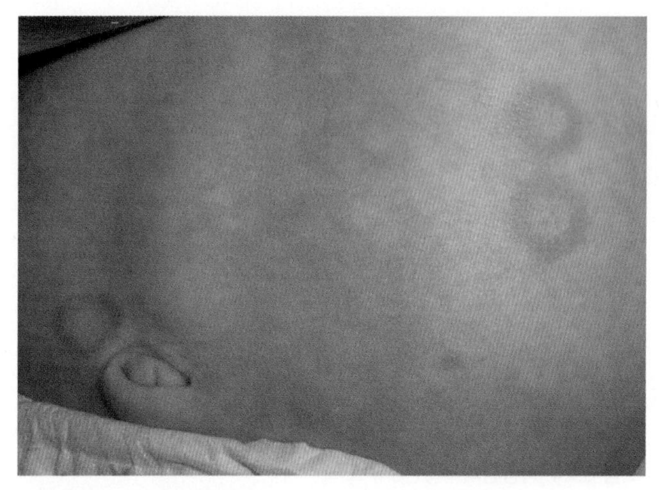

그림 8.29 신생아홍반루푸스

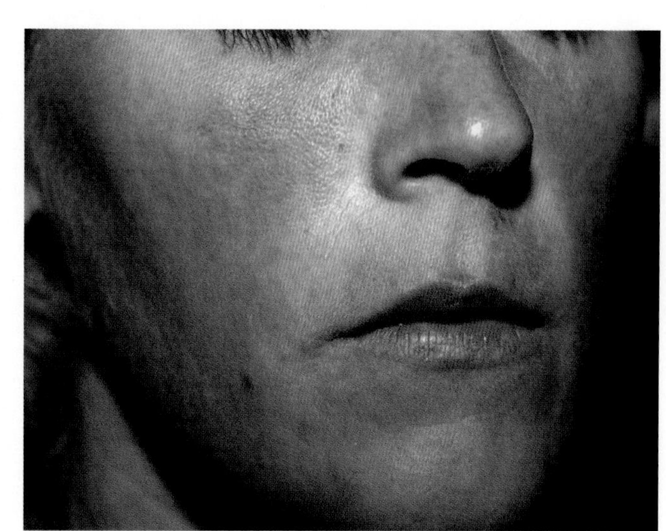

그림 8.30 급성전신홍반루푸스

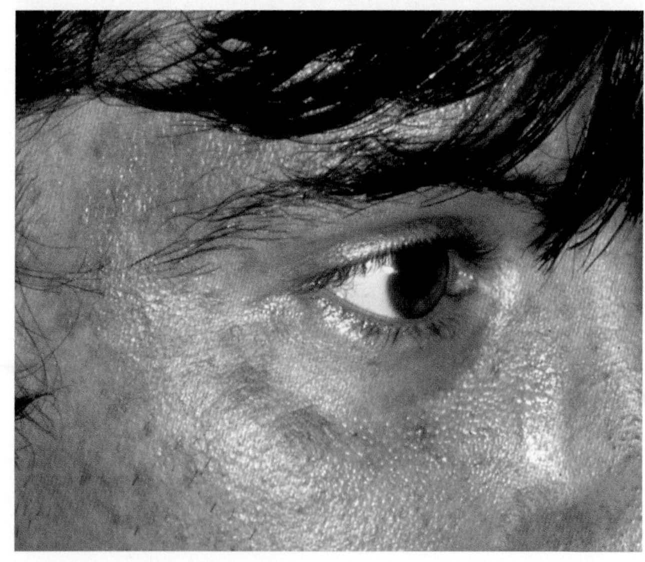

그림 8.31 급성전신홍반루푸스

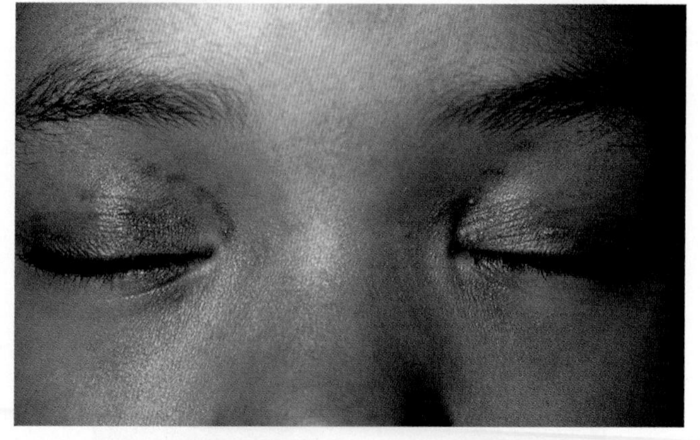

그림 8.32 급성전신홍반루푸스

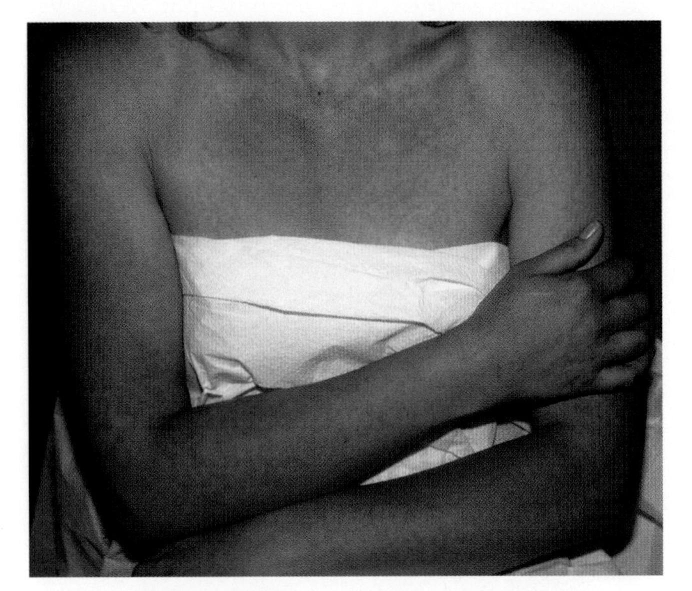

그림 8.33 급성전신홍반루푸스

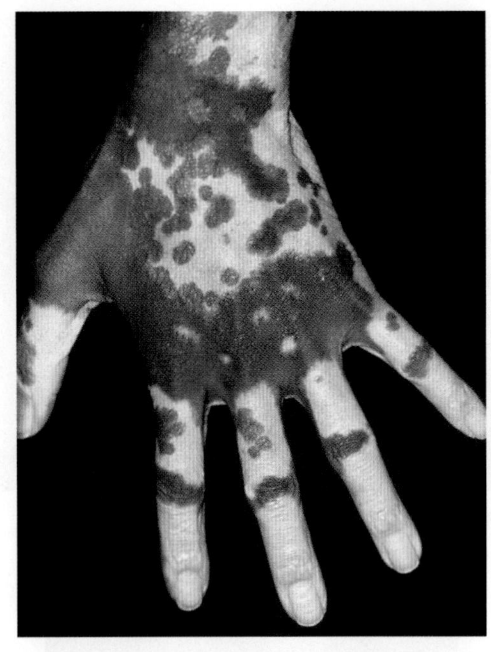

그림 8.34 색소침착이상을 동반한 전신홍반루푸스

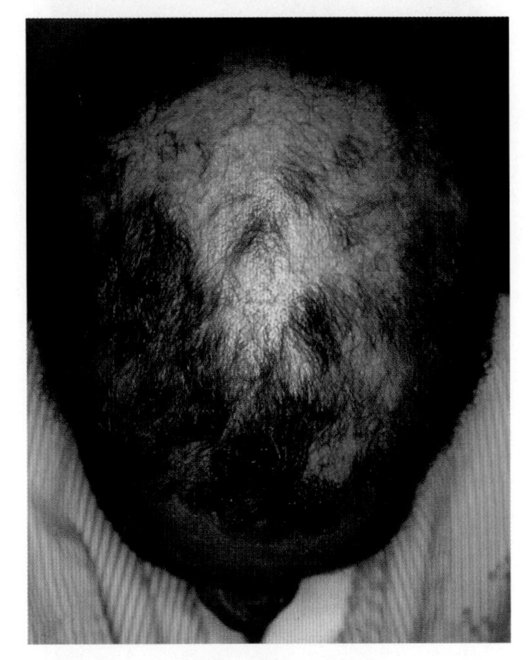

그림 8.35 전신홍반루푸스에서의 탈모

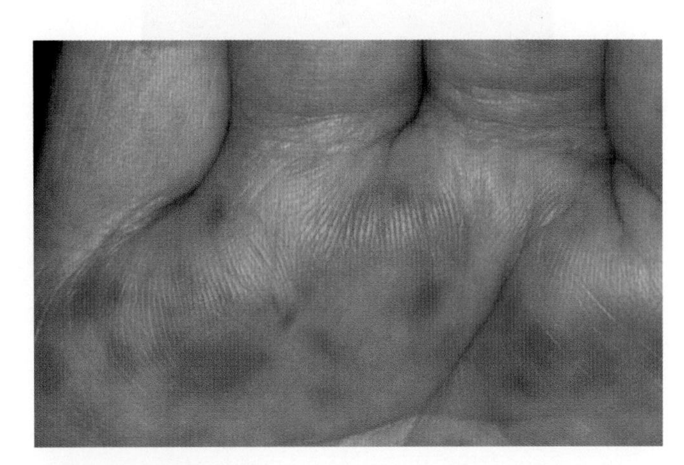

그림 8.36 전신홍반루푸스

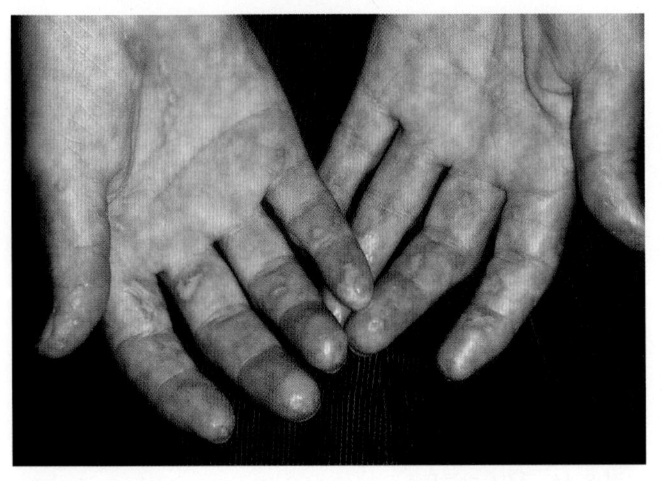

그림 8.37 흉터를 동반한 동창전신홍반루푸스

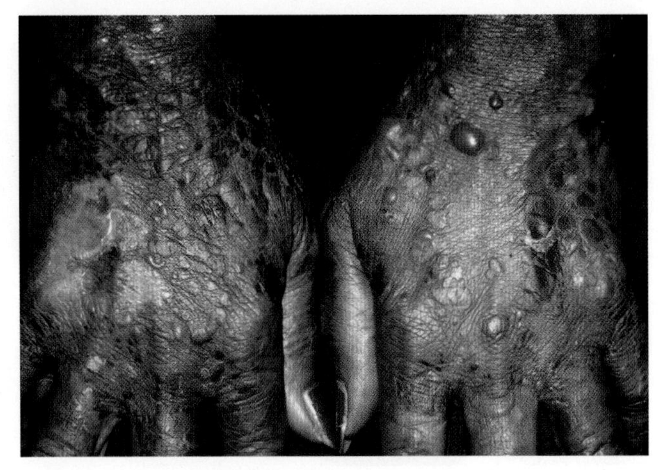

그림 8.38 물집전신홍반루푸스

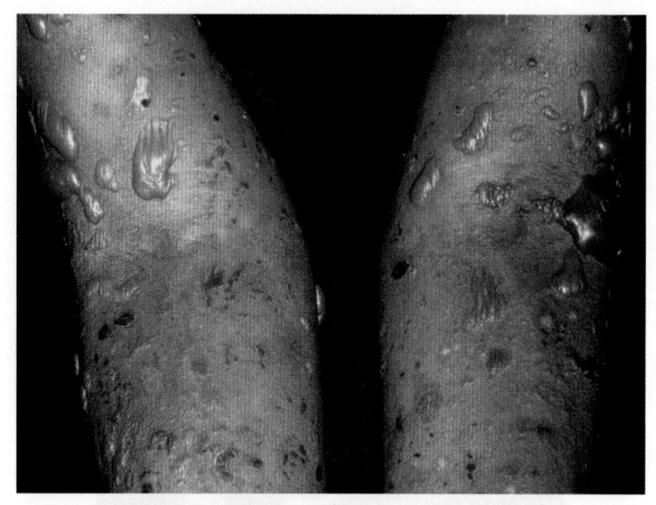

그림 8.39 물집전신홍반루푸스

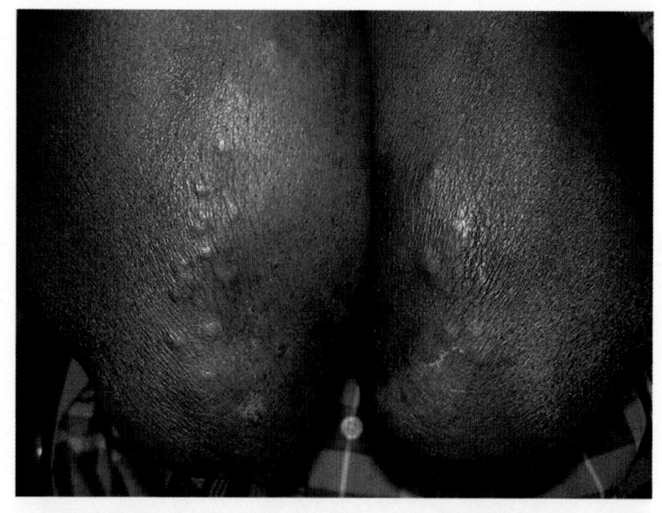

그림 8.40 책상 호중구성 육아종 피부염(Palisaded neutrophilic granulomatous dermatitis)

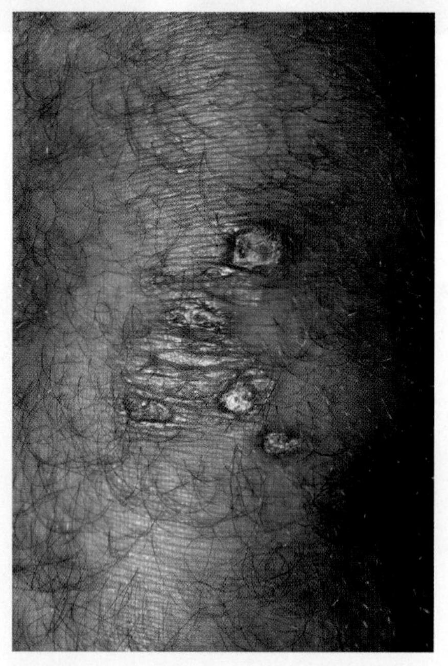

그림 8.41 책상 호중구성 육아종 피부염

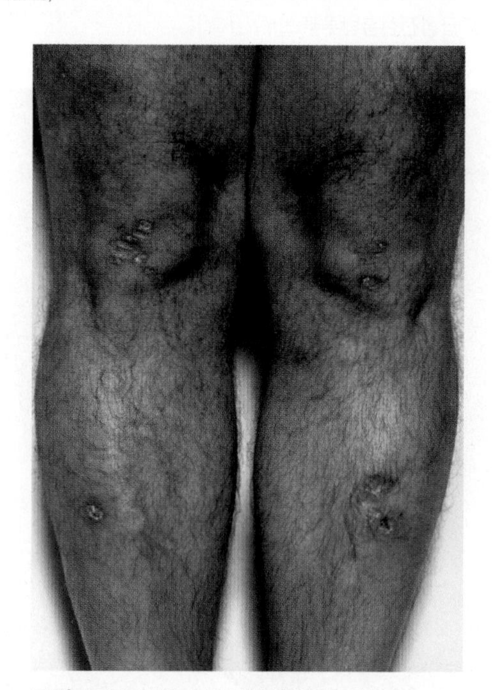

그림 8.42 책상 호중구성 육아종 피부염

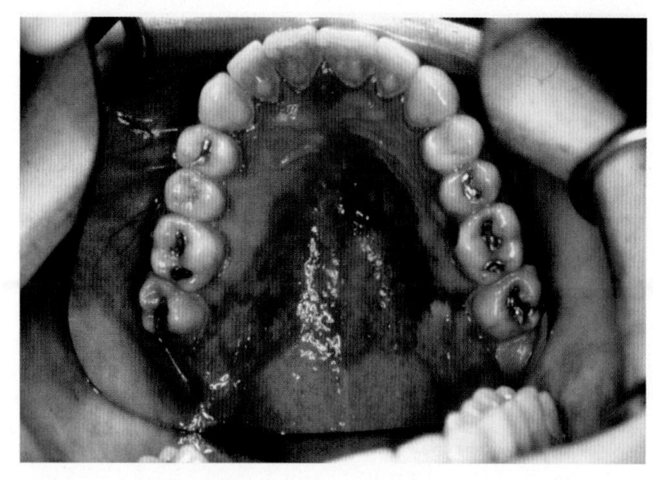

그림 8.43 구강홍반루푸스

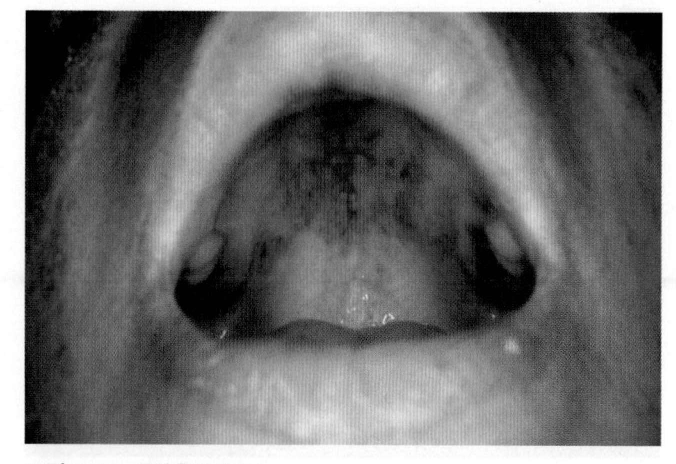

그림 8.44 구강홍반루푸스

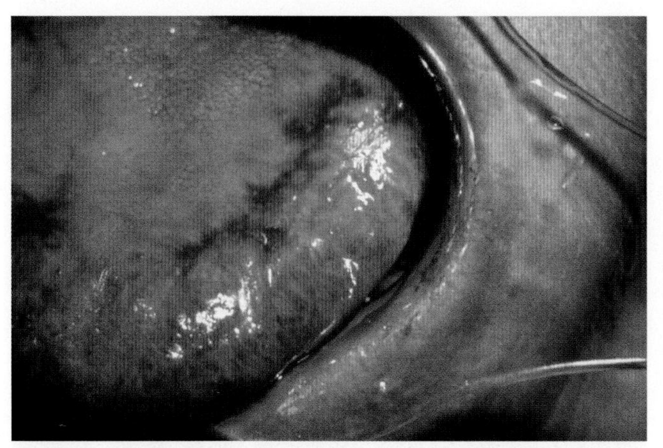

그림 8.45 구강홍반루푸스

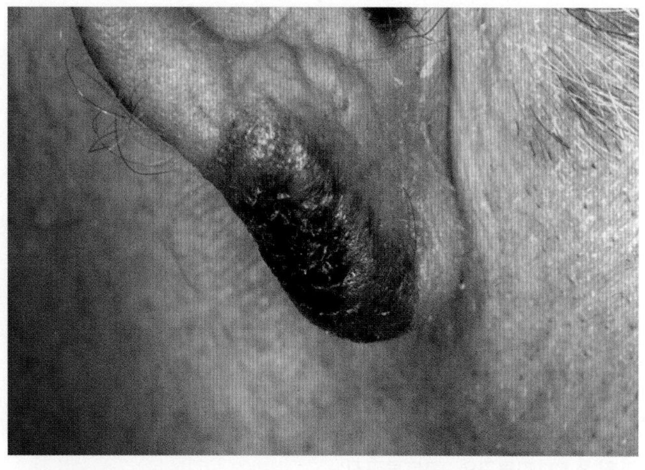

그림 8.46 전신홍반루푸스에서의 항인지질항체에 의해 이차적으로 발생한 피부병변

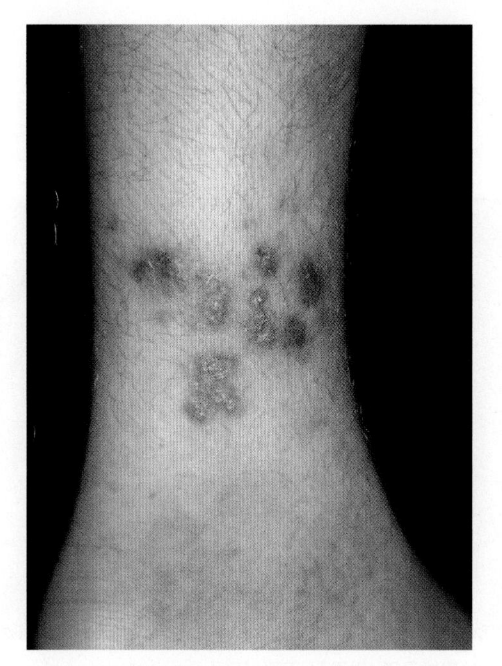

그림 8.47 전신홍반루푸스에서의 항인지질항체에 의해 이차적으로 발생한 피부병변

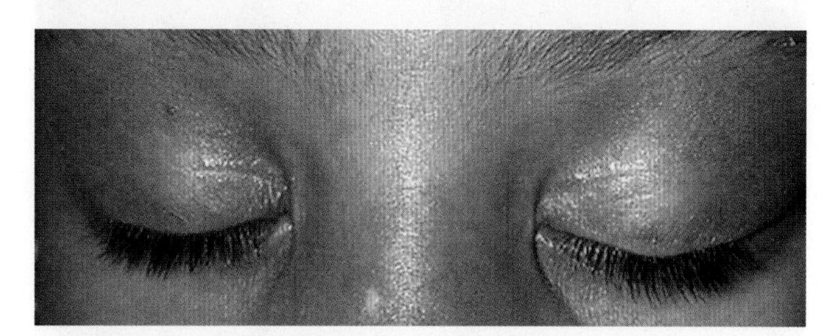

그림 8.48 피부근염, 연자색홍반

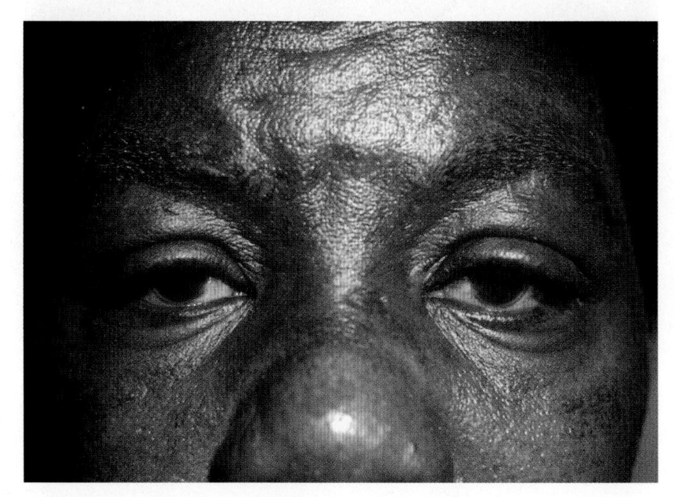

그림 8.49 피부근염, 연자색홍반

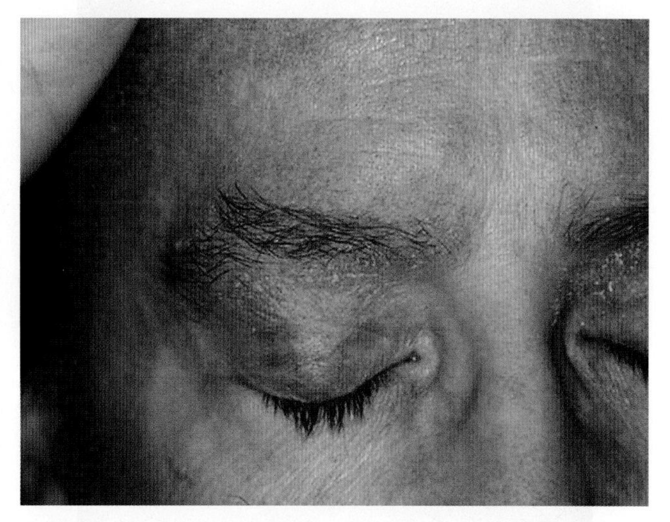

그림 8.50 피부근염, 연자색홍반

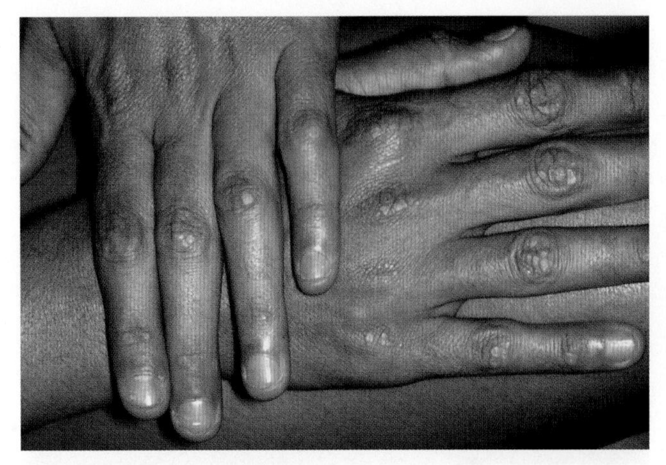
그림 8.51 피부근염, 고트론구진

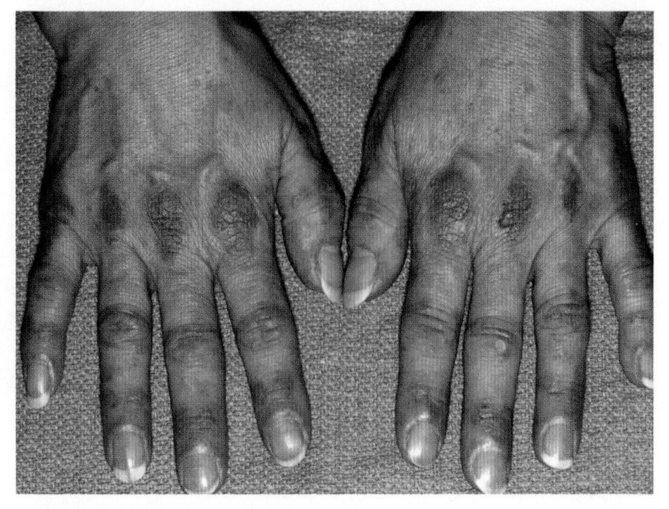
그림 8.52 피부근염, 고트론구진

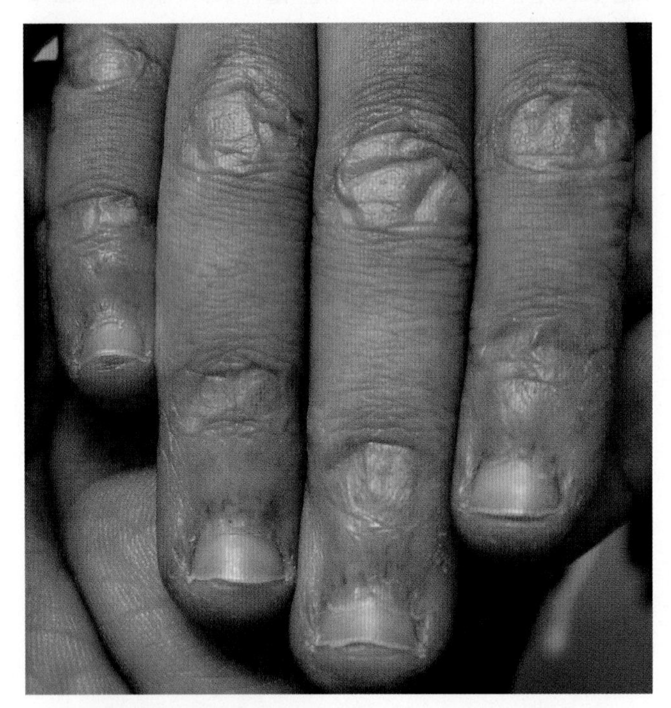
그림 8.53 피부근염, 고트론구진

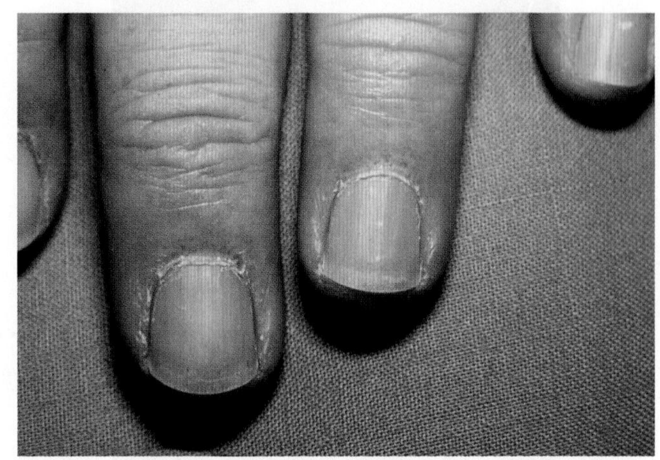
그림 8.54 피부근염, 갈라진 조갑각피(Samitz 징후)

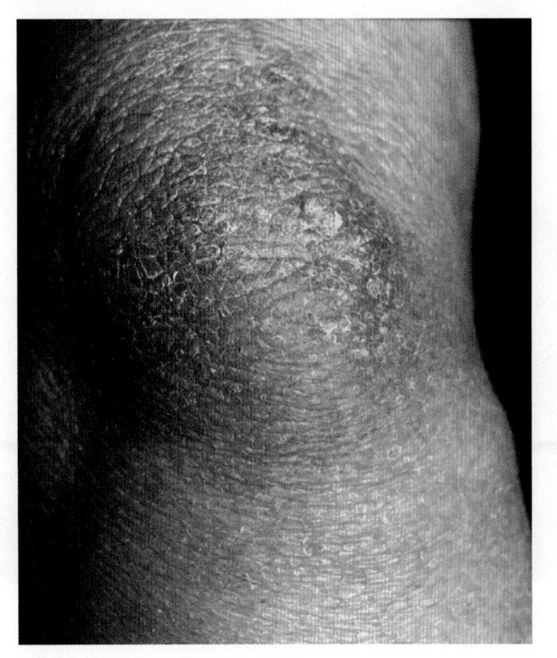
그림 8.55 피부근염, 고트론징후

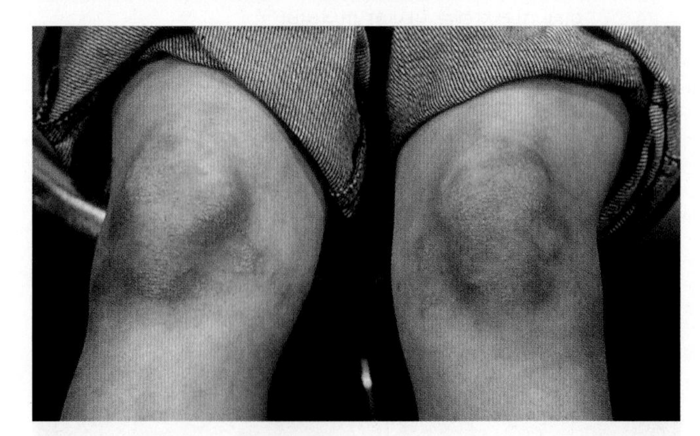
그림 8.56 피부근염, 고트론징후

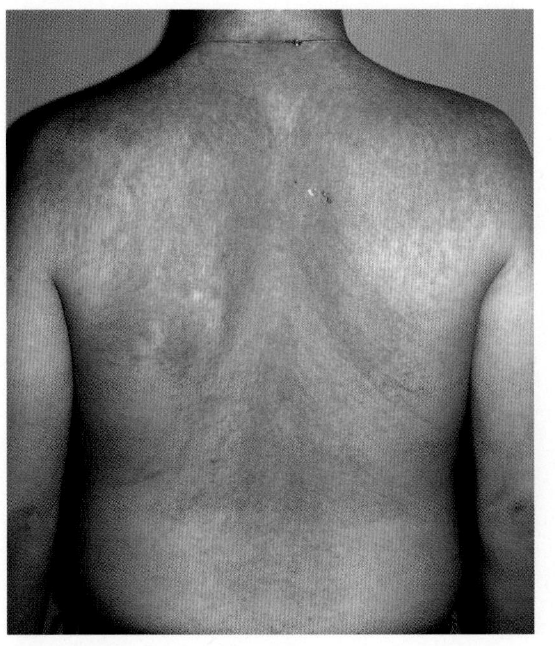

그림 8.57 피부근염, shawl 징후

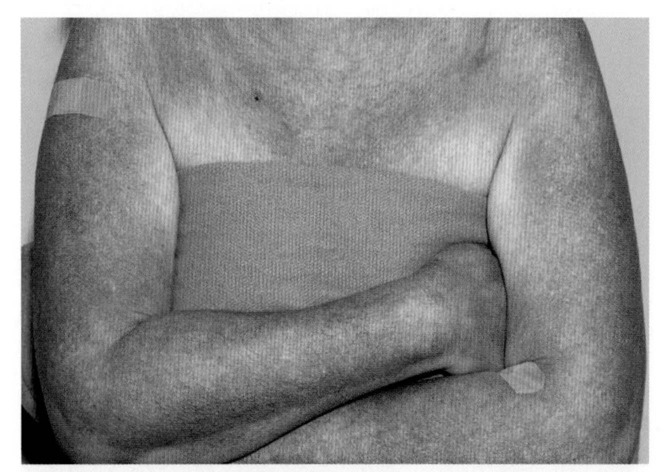

그림 8.58 피부근염, shawl 징후

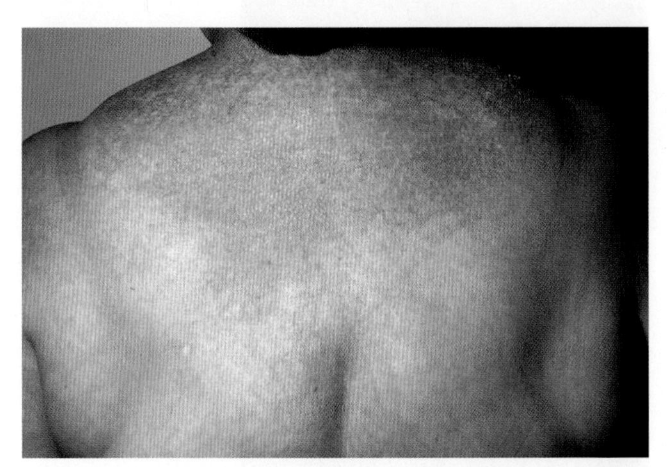

그림 8.59 피부근염, shawl 징후

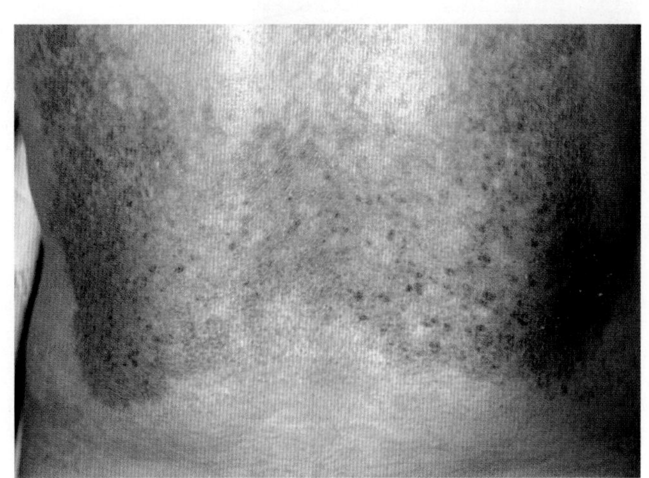

그림 8.60 피부근염

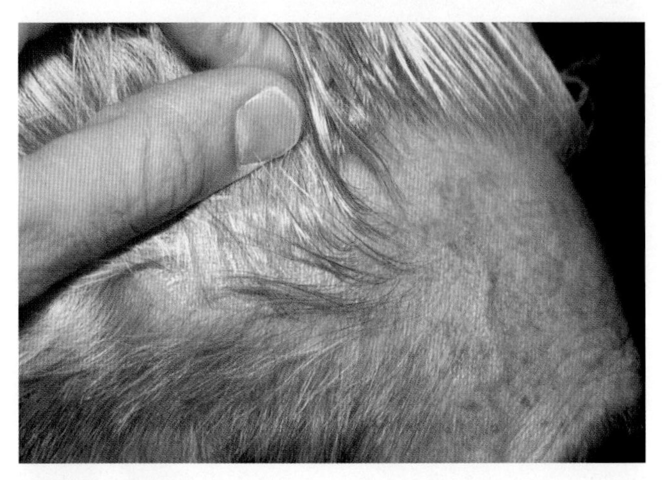

그림 8.61 피부근염

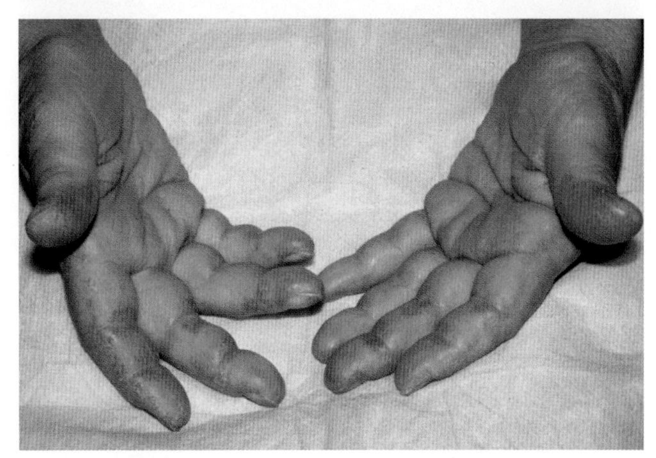

그림 8.62 피부근염

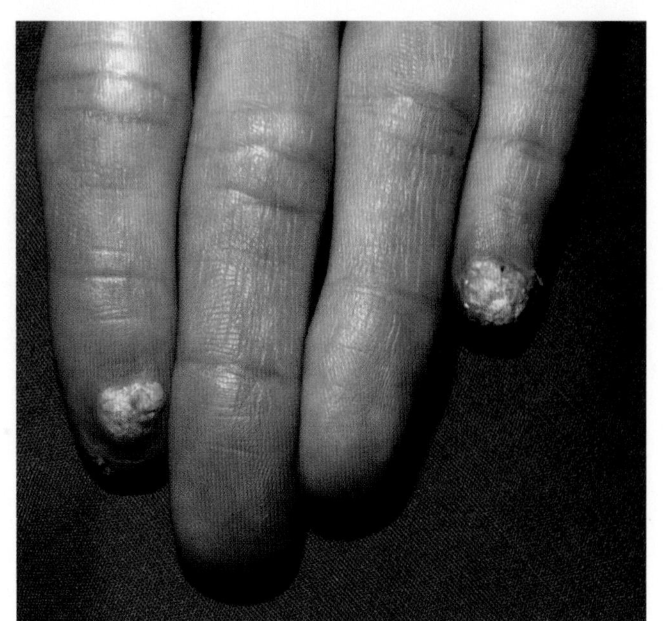

그림 8.63 석회화를 동반한 피부근염

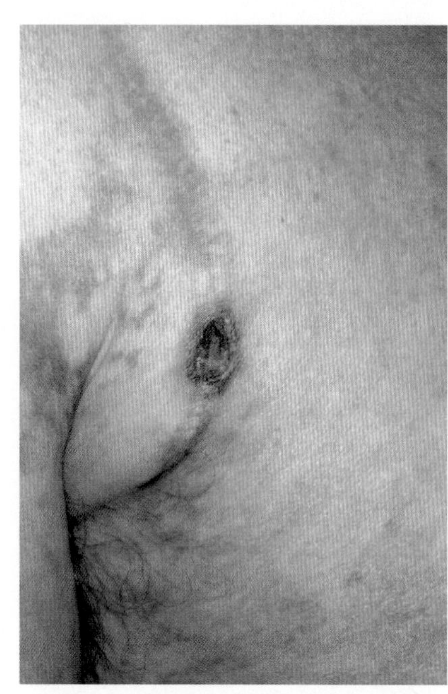

그림 8.64 궤양을 동반한 피부근염

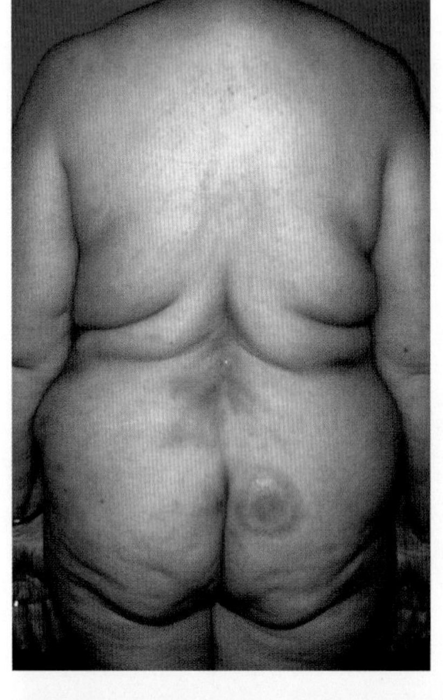

그림 8.65 피부경화증

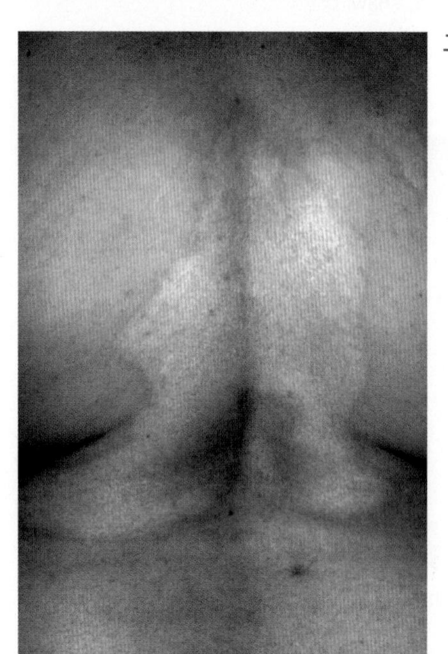

그림 8.66 피부경화증

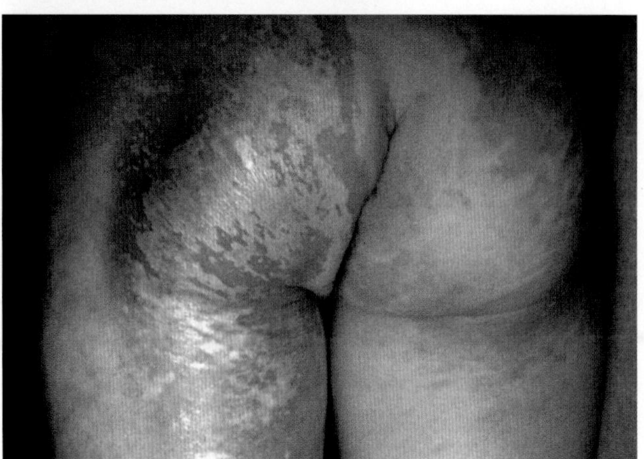

그림 8.67 피부경화증과 경화태선 중첩

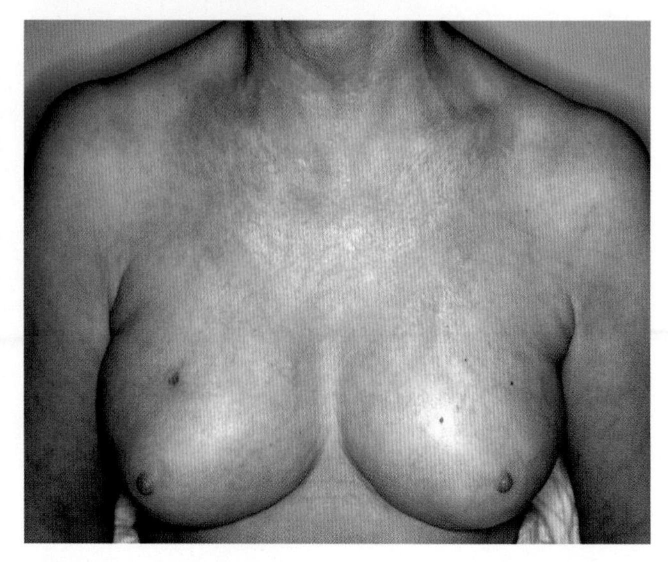

그림 8.68 전신국소피부경화증

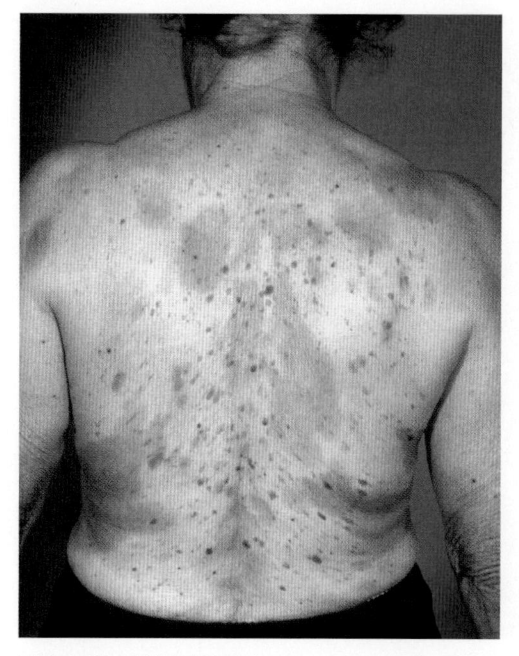

그림 8.69 파시니피에리니(Pasini and Pierini)피부위축증

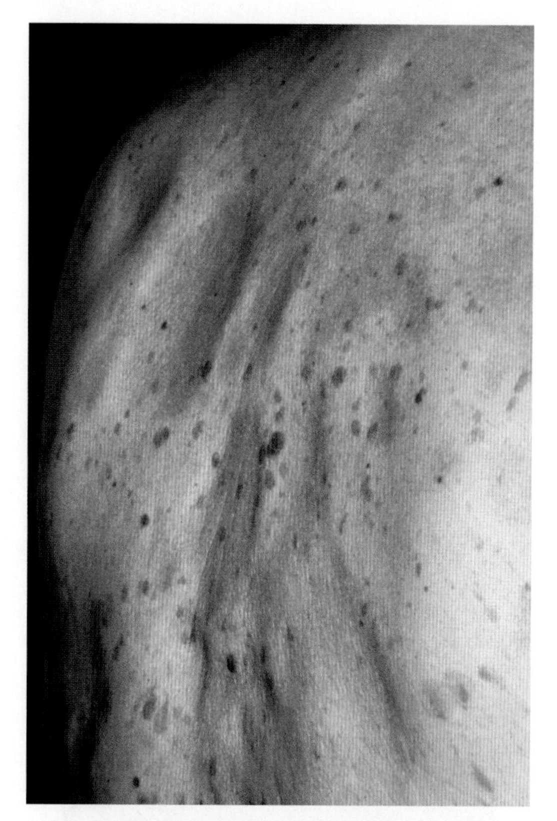

그림 8.70 파시니피에리니(Pasini and Pierini)피부위축증

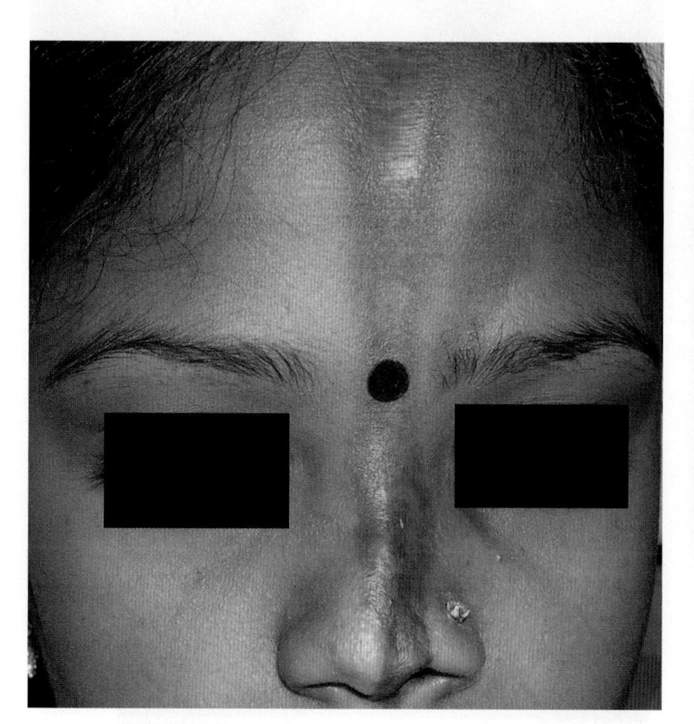

그림 8.71 선국소피부경화증

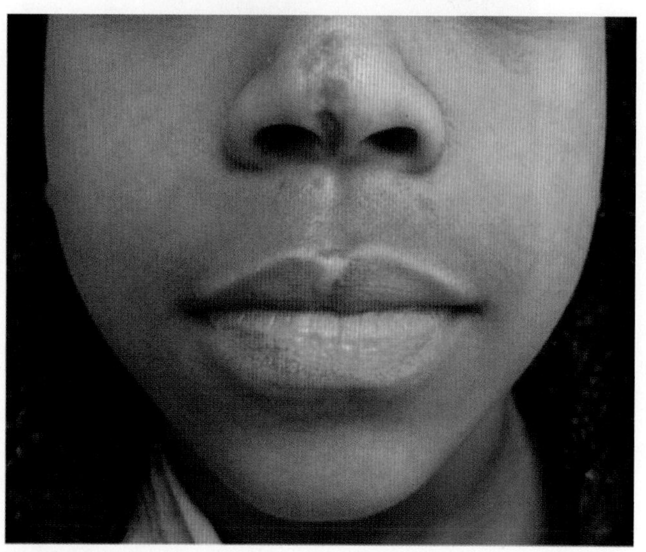

그림 8.72 선국소피부경화증

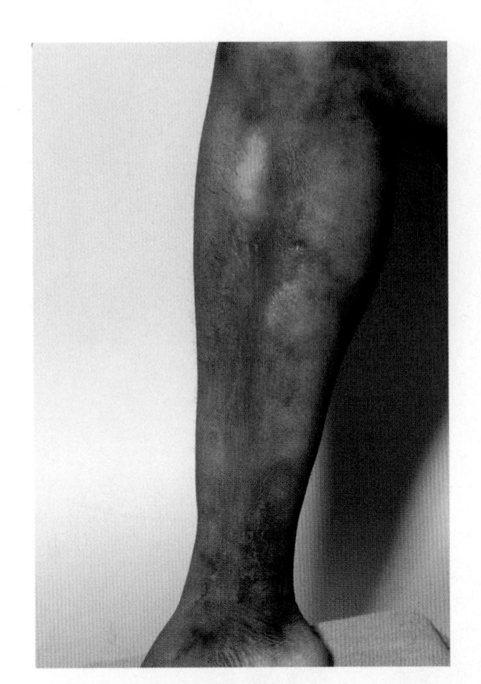

그림 8.73 선국소피부경화증

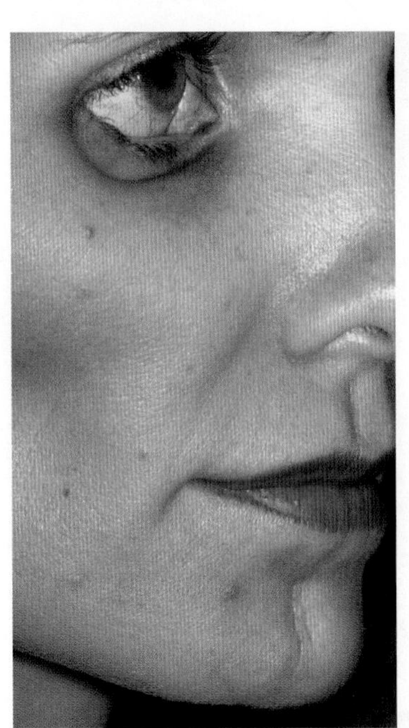

그림 8.74 Parry–Romberg 증후군

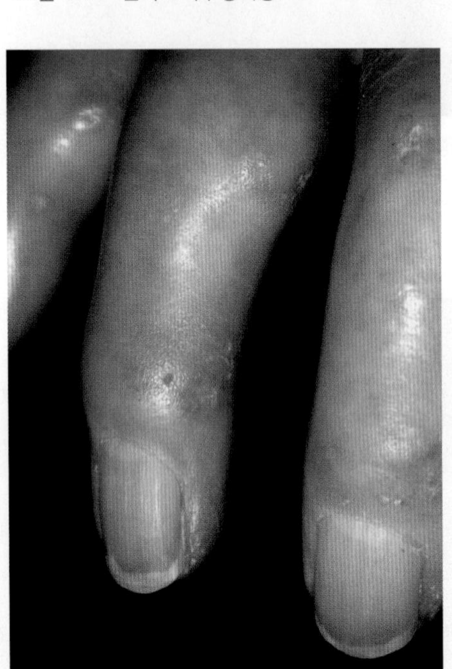

그림 8.75 제한피부경화증에서의 손발가락경화증

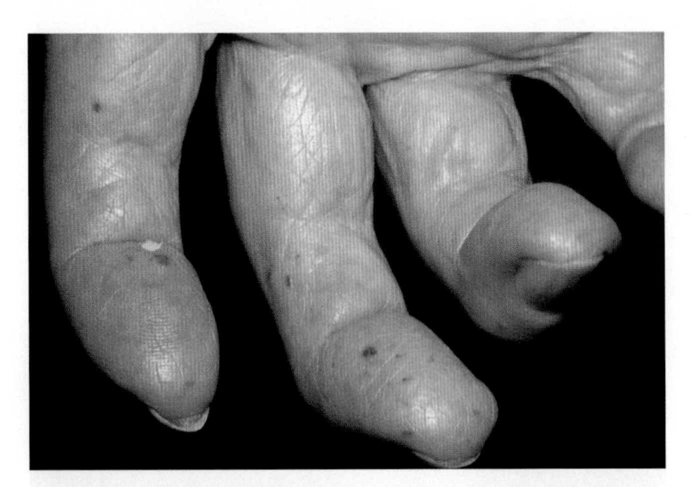

그림 8.76 제한피부경화증에서의 손발가락경화증과 모세혈관확장

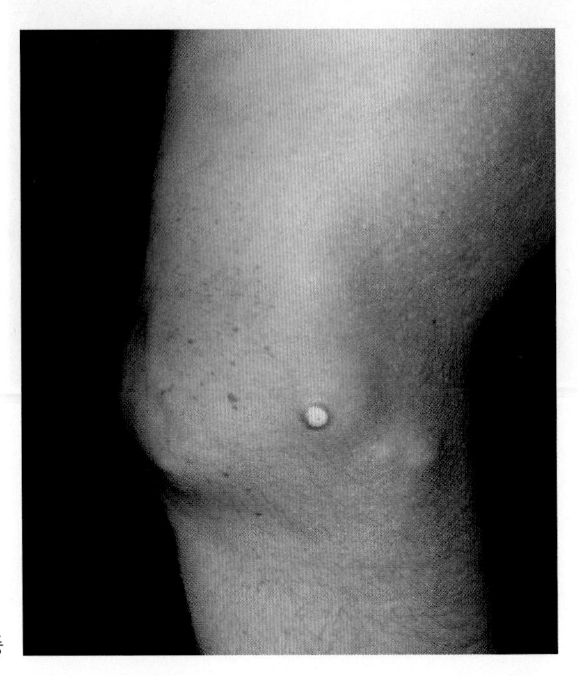

그림 8.77 피부경화증 환자의 무릎의 석회증

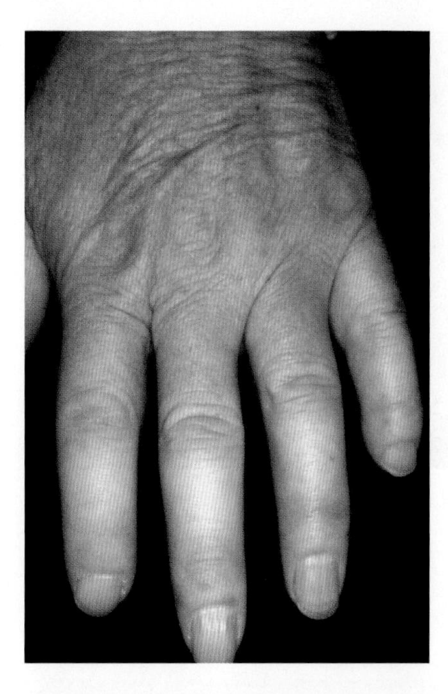

그림 8.78 전신경화증의 손발가락경화증

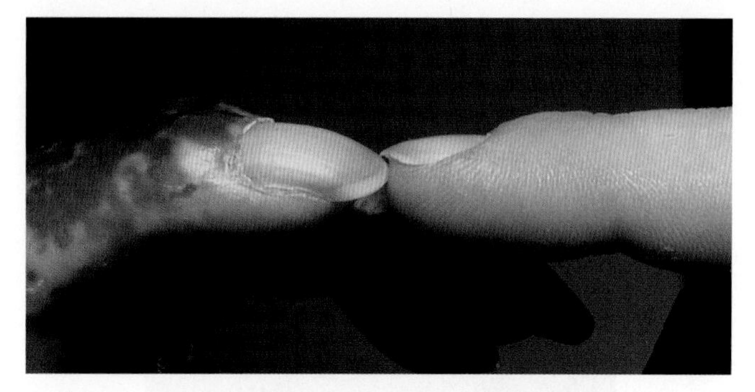

그림 8.79 경화증이 발생한 손가락(왼쪽)과 정상 손가락(오른쪽)

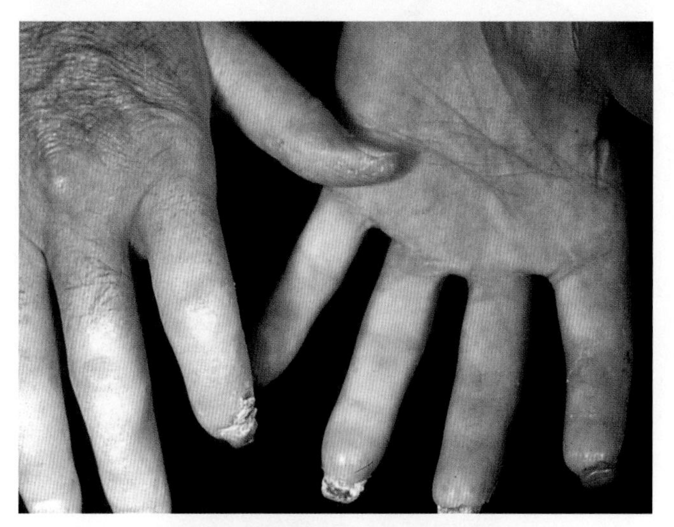

그림 8.80 전신경화증에서 궤양을 동반한 손발가락경화증

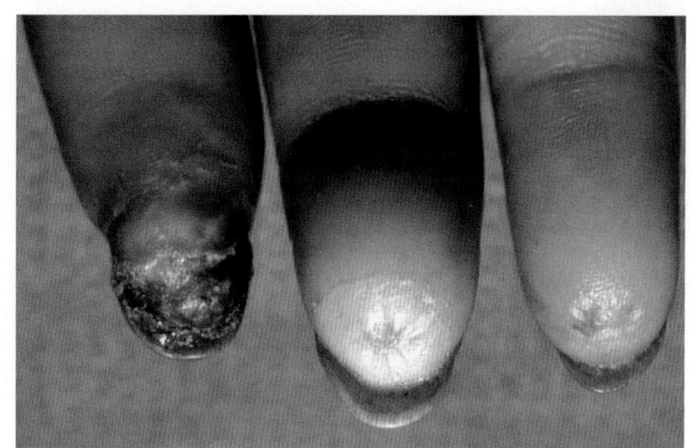

그림 8.81 전신경화증 환자에서의 궤양

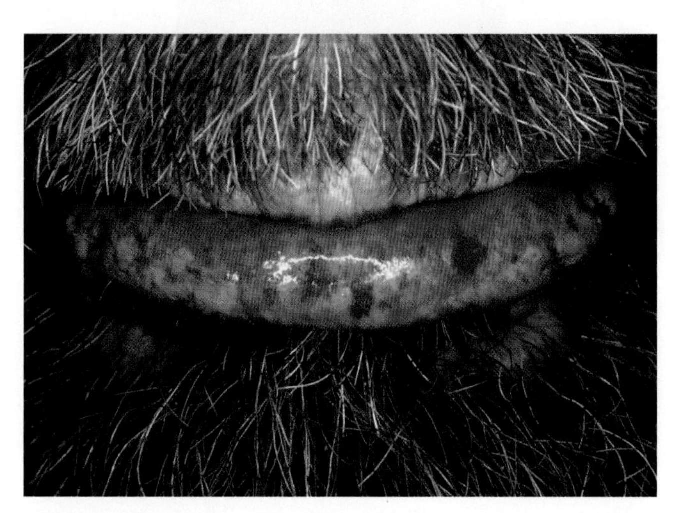

그림 8.82 전신경화증에서의 모세혈관확장

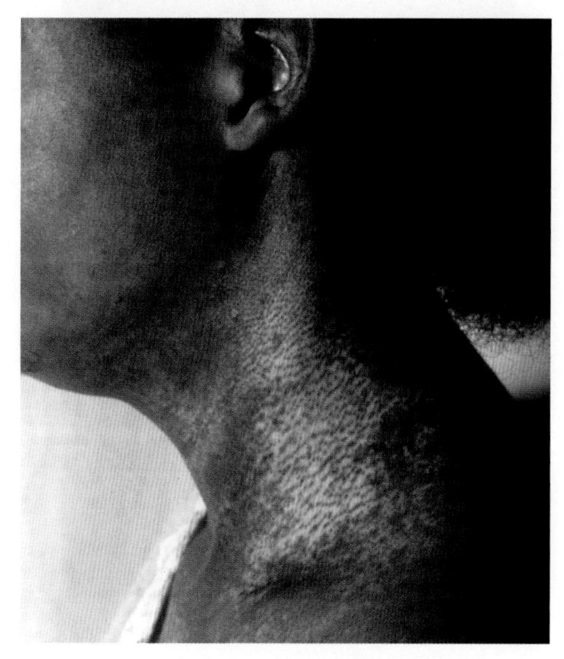

그림 8.83 전신경화증에서의 색소침착이상

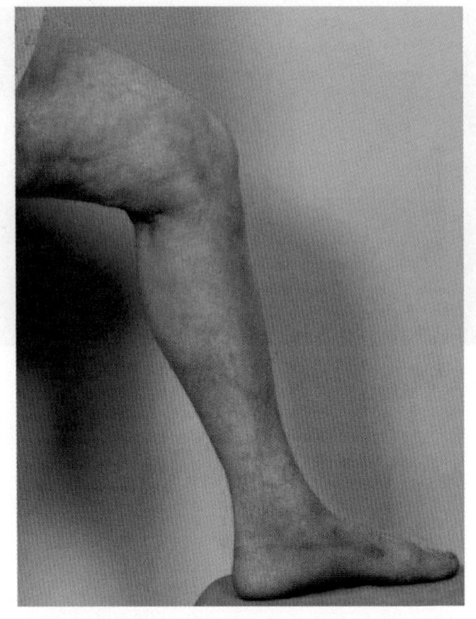

그림 8.84 호산구근막염

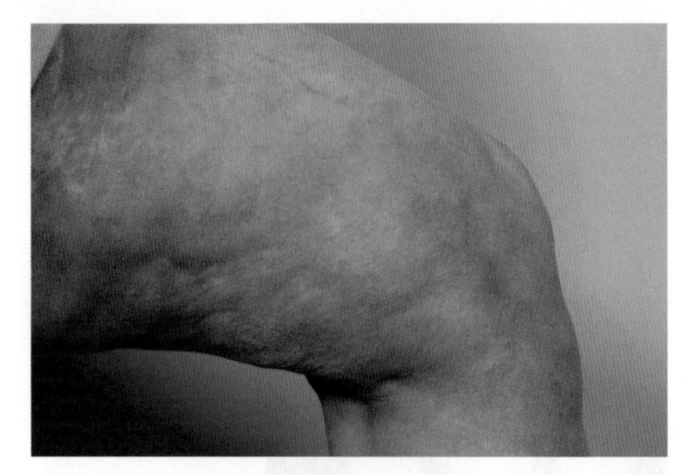

그림 8.85 호산구근막염

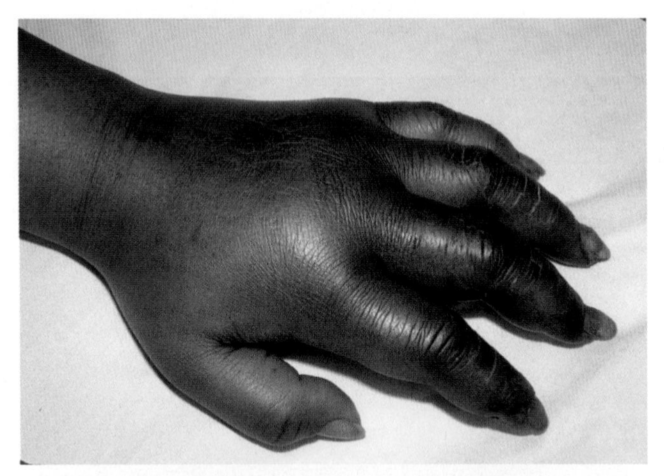

그림 8.86 혼합결합조직병

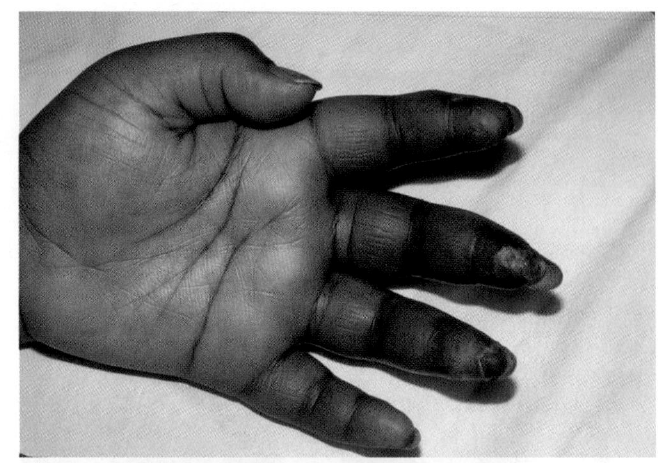

그림 8.87 혼합결합조직병

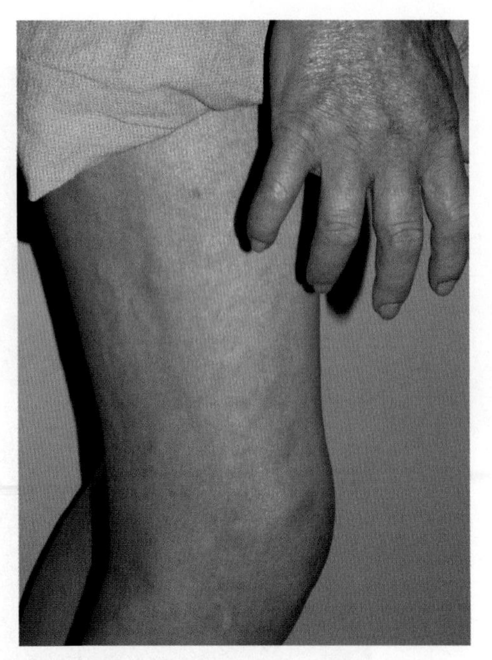

그림 8.88 신성전신섬유화증

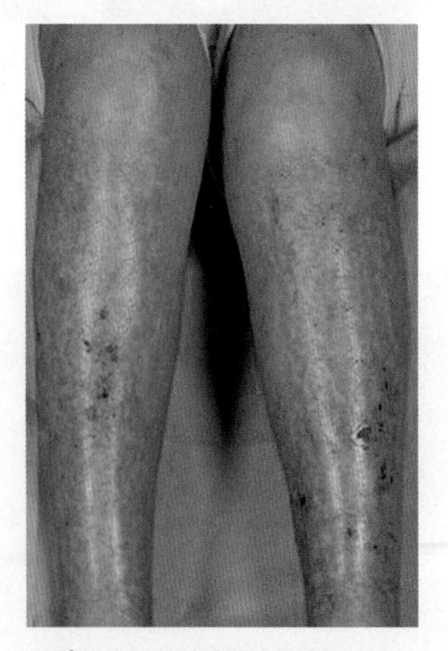

그림 8.89 신성전신섬유화증

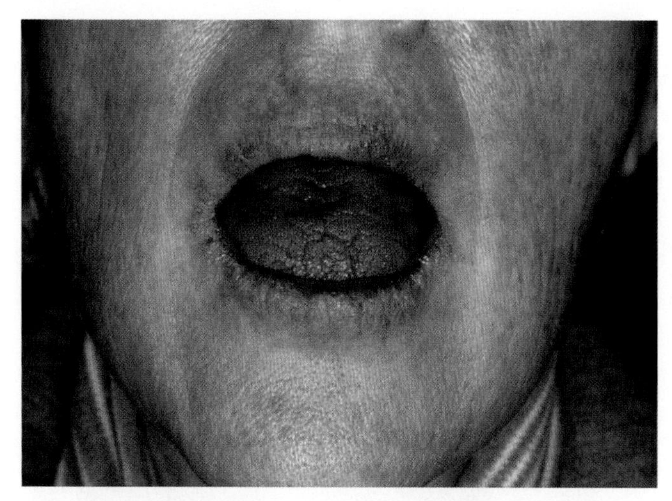

그림 8.90 쇼그렌증후군

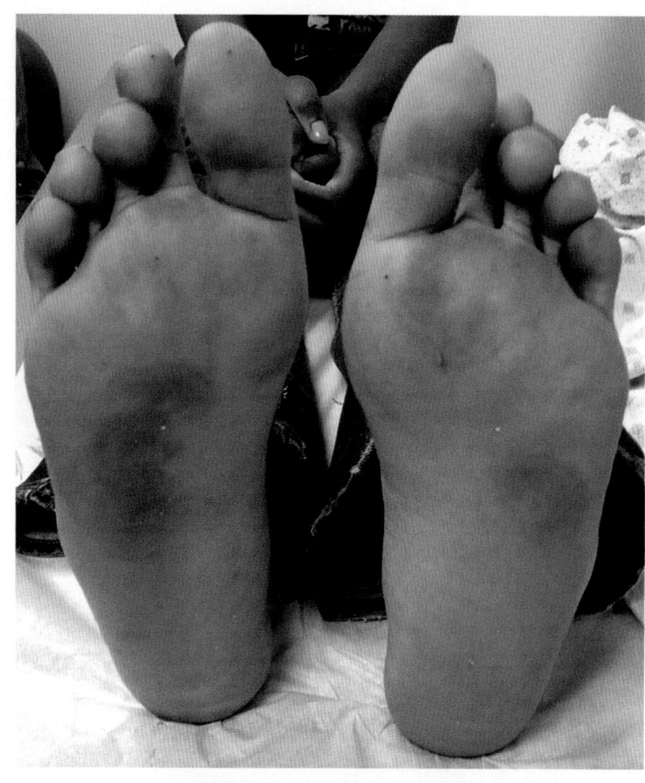

그림 8.91 쇼그렌증후군에서의 고리홍반

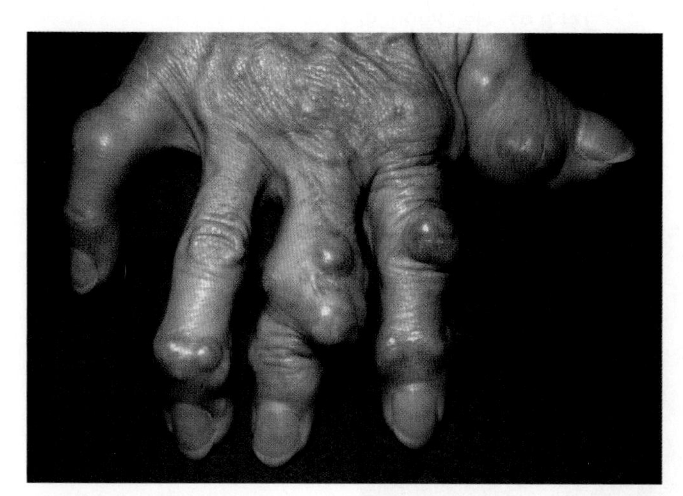

그림 8.92 류마티스결절

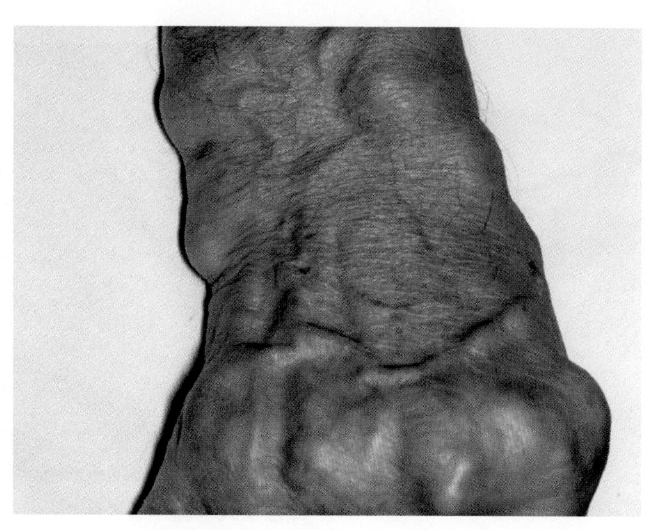

그림 8.93 류마티스결절

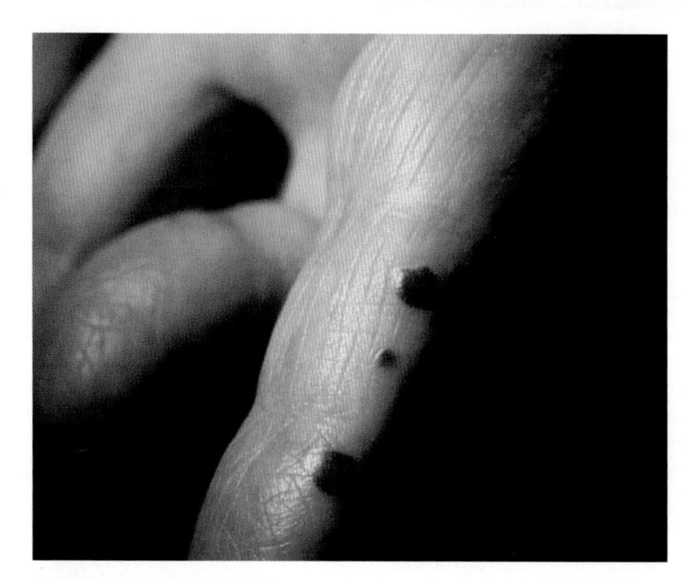

그림 8.94 류마티스혈관염

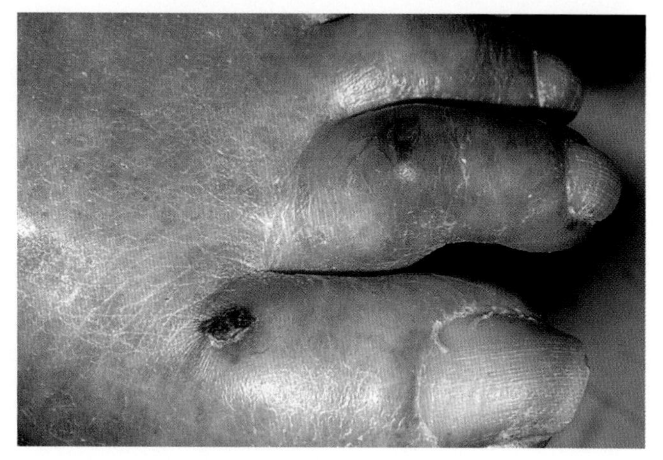

그림 8.95 류마티스혈관염

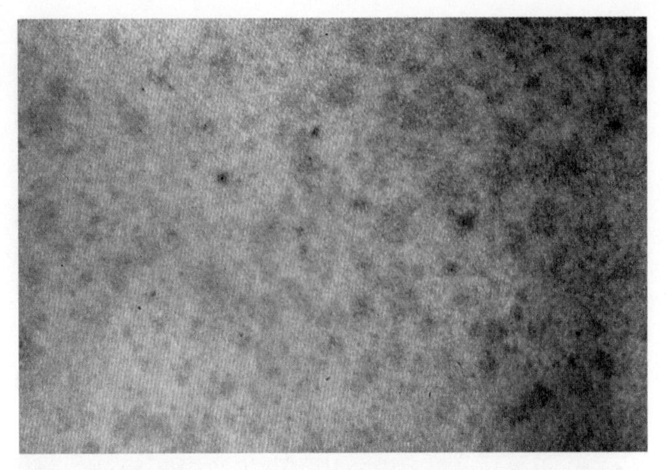

그림 8.96 스틸병

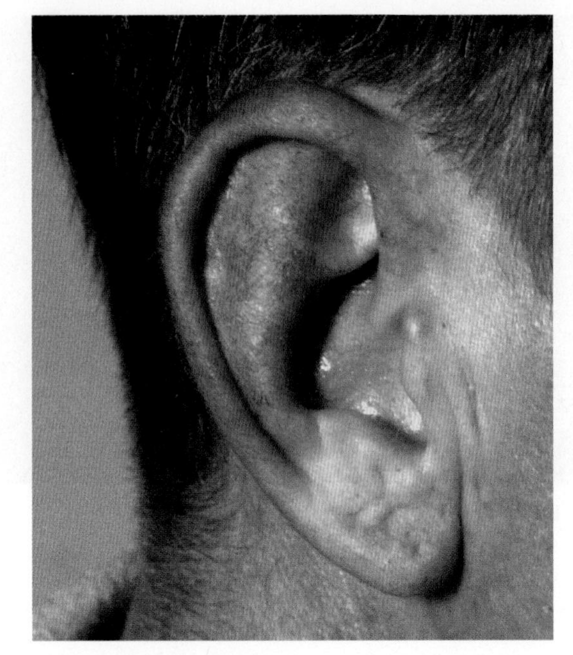

그림 8.97 재발다발연골염

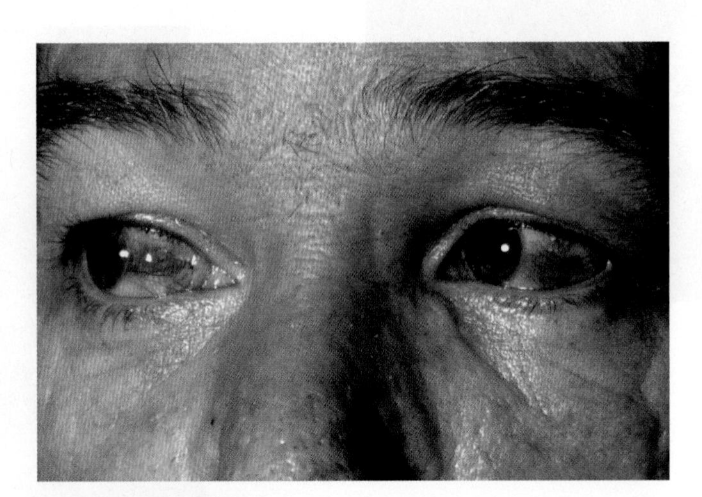

그림 8.98 재발다발연골염

점액증 9

수족지점액낭 혹은 국소피부점액증에서는 국소적으로 점액이 침착되어서 투명한 색 혹은 홍색의 구진 병변이 관찰된다. 파라단백혈증을 동반한 형질세포질환과 관련된 구진점액증에서는 선상의 배열을 가지는 독특한 양상의 구진들을 관찰할 수 있다. 조직학적으로 섬유아세포나 손상된 콜라젠의 증가에 비해 점액은 뚜렷하게 관찰되지 않는다. 그래서 이것은 피부가 경화되는 상태로 이행되며 나중에는 전신경화증과 유사한 증상으로 진행되게된다.

점액수종은 눈 밑에 진피 전층에 걸쳐 점액 침착을 일으킨다. 반면 정강뼈앞점액수종은 발배측뿐 아니라 정강뼈앞 부위에만 국소적인 침착을 보일 수 있다. 정체성으로 야기되는 점액증에서도 유사한 양상을 보일 수 있지만 갑상선 질환에서 보이는 것처럼 점액이 진피 전층보다는 주로 상부진피에 국한되는 경향을 보인다.

모낭점액증은 양성점액탈모증이나 균상식육종에서 홍반성, 경결성 무모반으로 나타난다. 확장된 모낭 입구는 면포(흑색면포)의 양상을 보여주며 끈적거리는 젤리 같은 물질이 병변으로 배출되기도 한다.

이 장에서는 점액증과 수반되는 여러 임상증상을 보여준다.

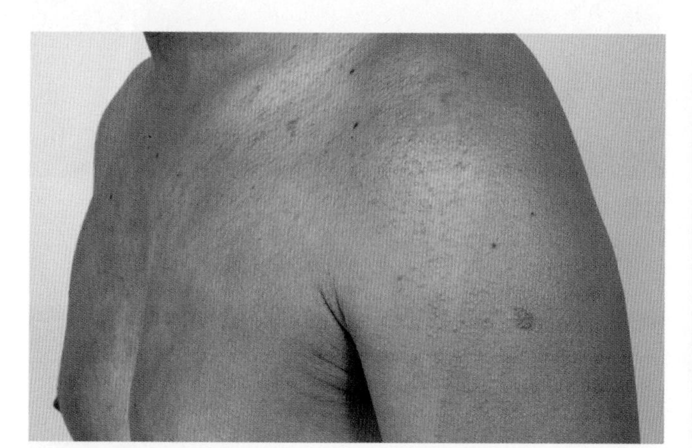

그림 9.1 초기 경화점액수종

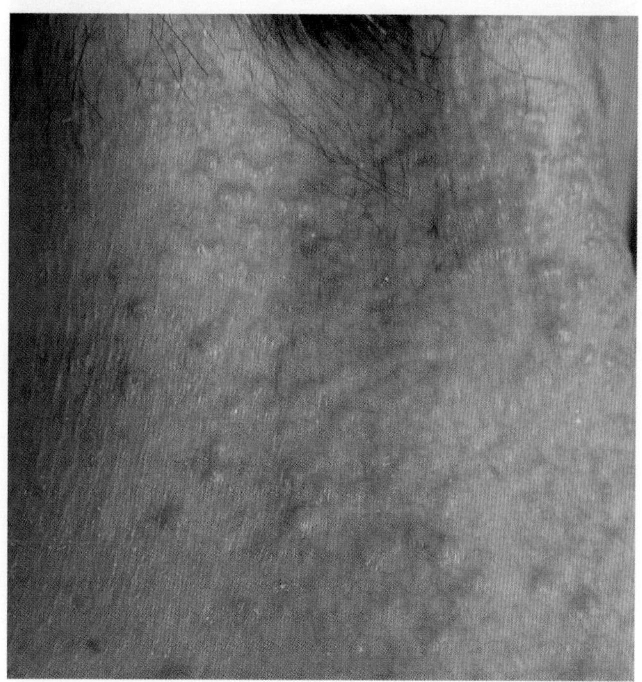

그림 9.2 경화점액수종

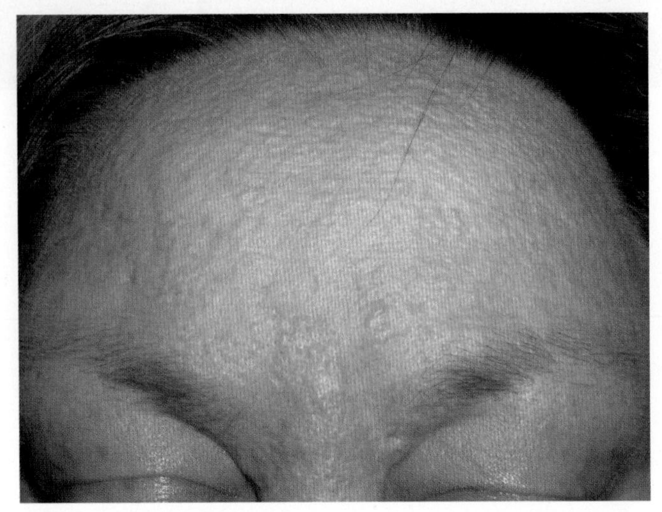

그림 9.3 경화점액수종

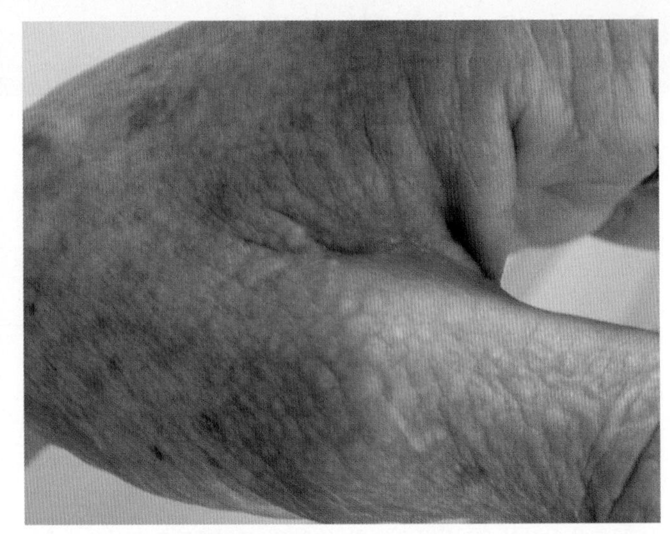

그림 9.4 경화점액수종

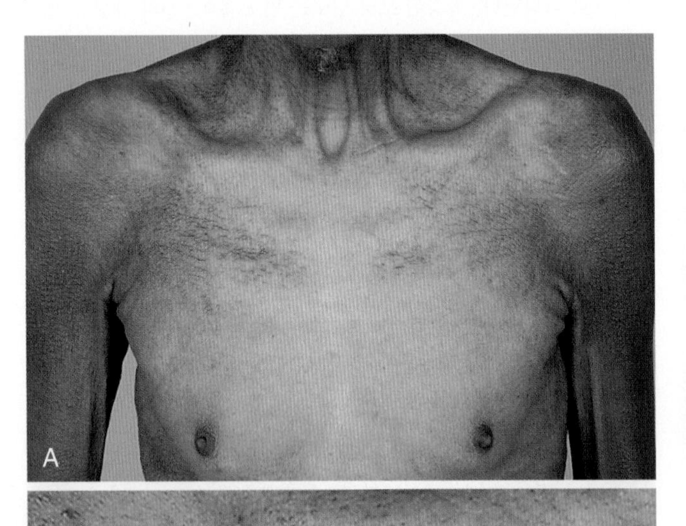

그림 9.5 (A) 경화점액수종 (B) 경화점액수종

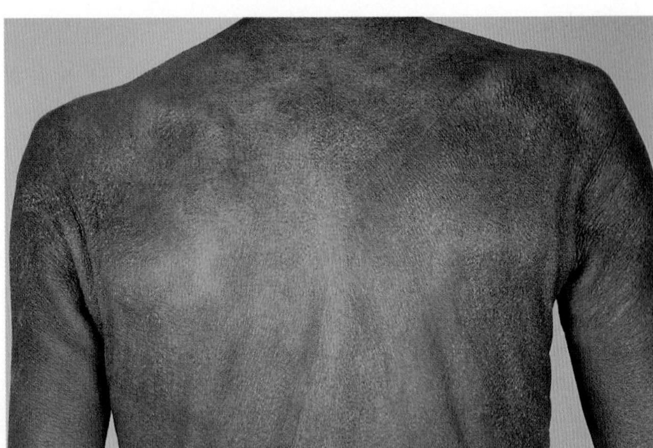

그림 9.6 경화점액수종

그림 9.7 경화점액수종

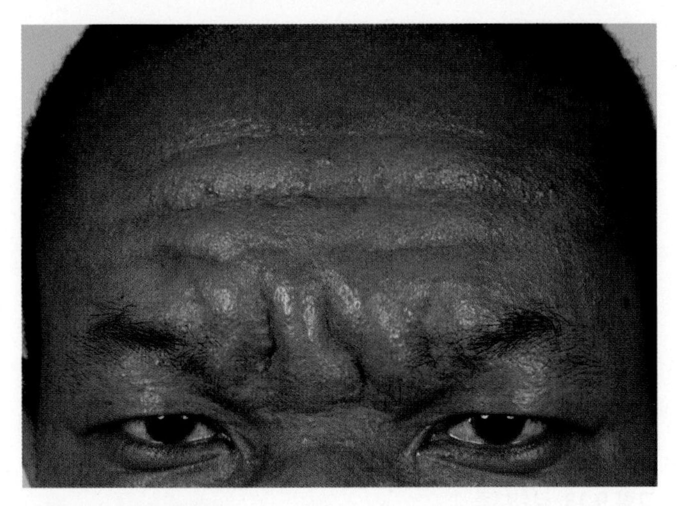

그림 9.8 경화점액수종

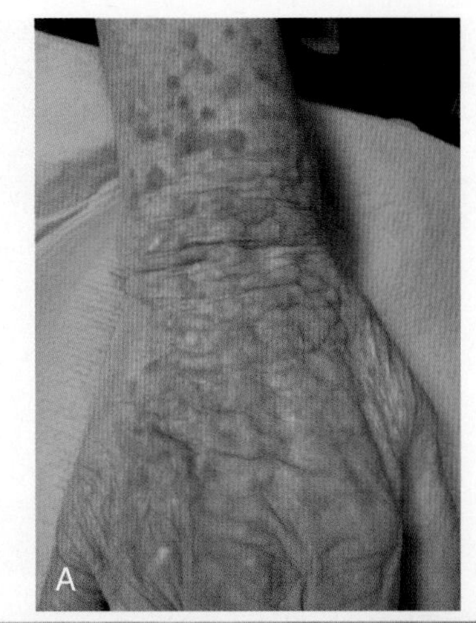

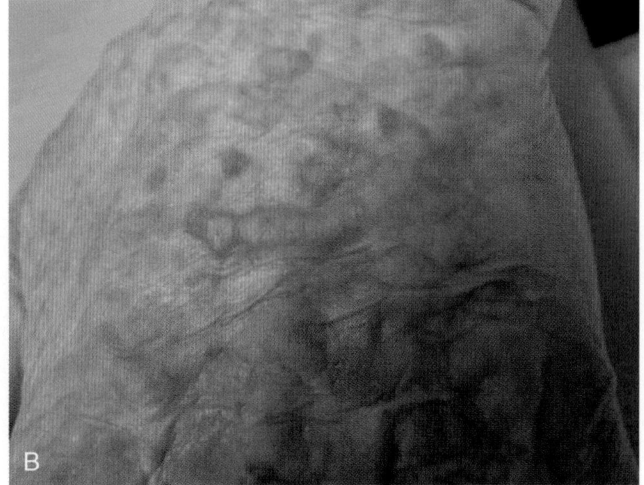

그림 9.9 (A) 말단지속구진점액증 (B) 말단지속구진점액증 확대사진

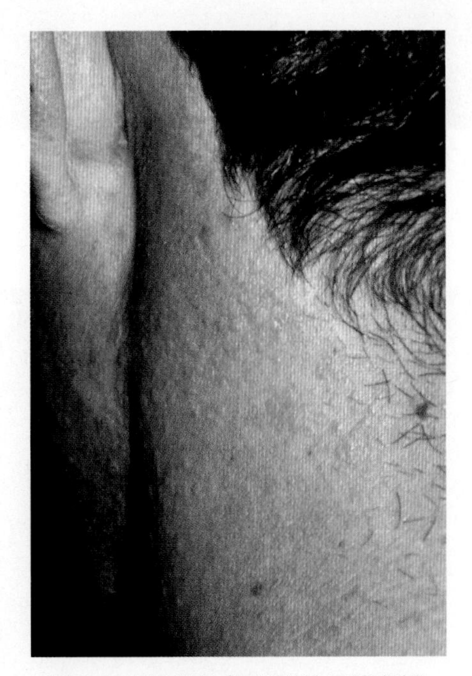

그림 9.10 HIV 양성 환자에서의 구진점액증

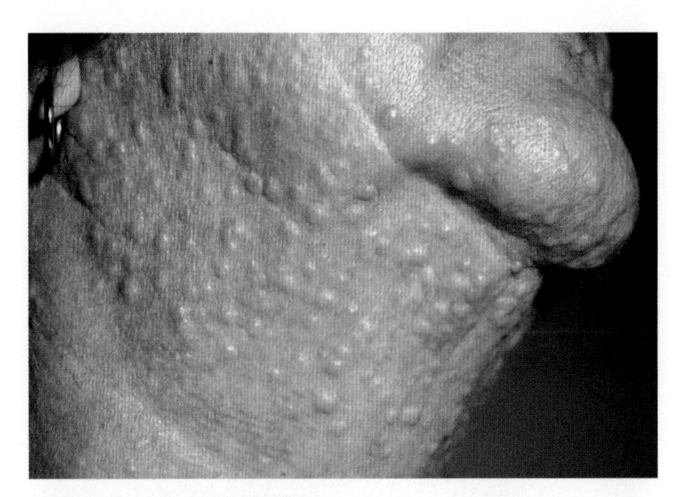

그림 9.11 자가치유 구진점액증

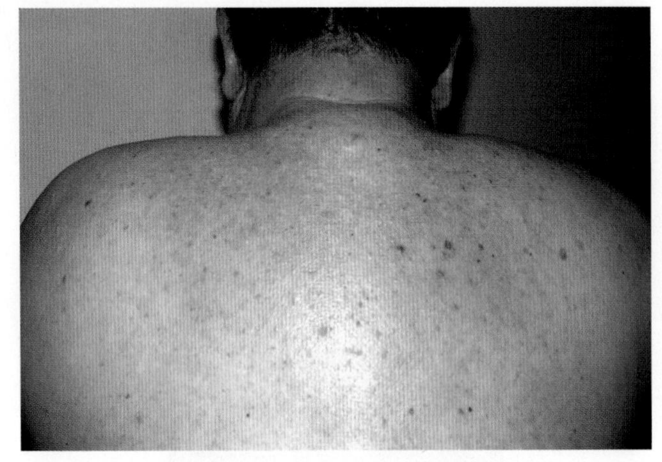

그림 9.12 경화부종

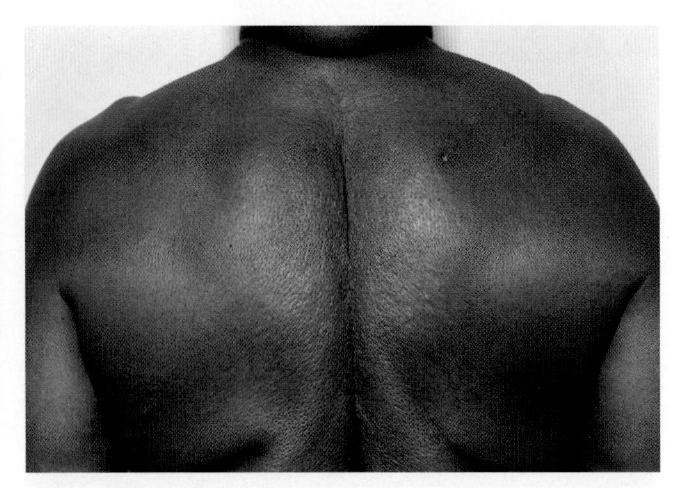

그림 9.13 경화부종

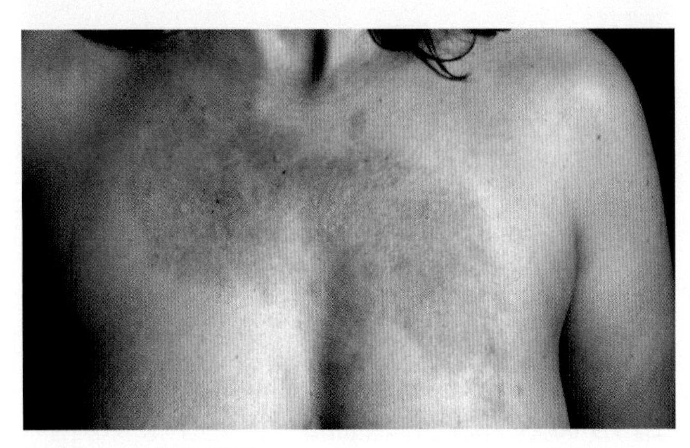

그림 9.14 망홍반점액증

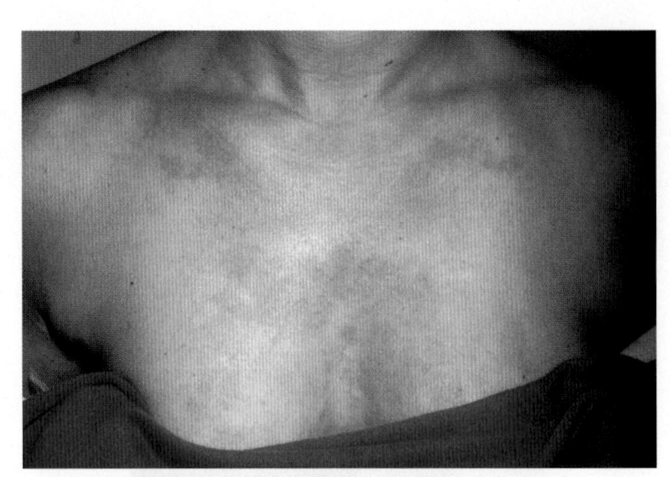

그림 9.15 망홍반점액증

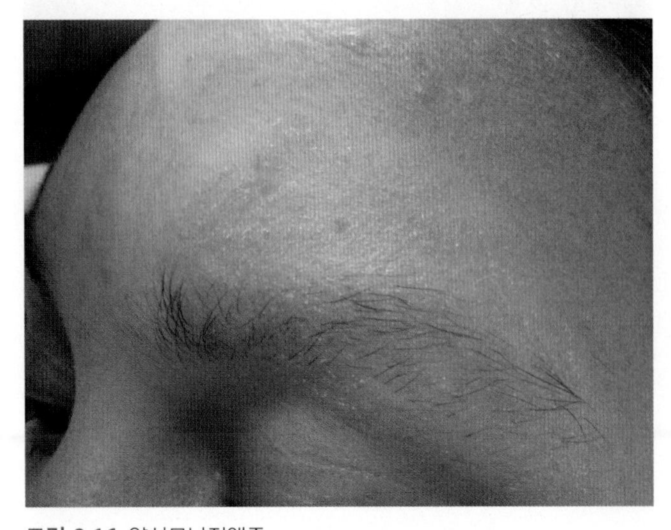

그림 9.16 양성모낭점액증

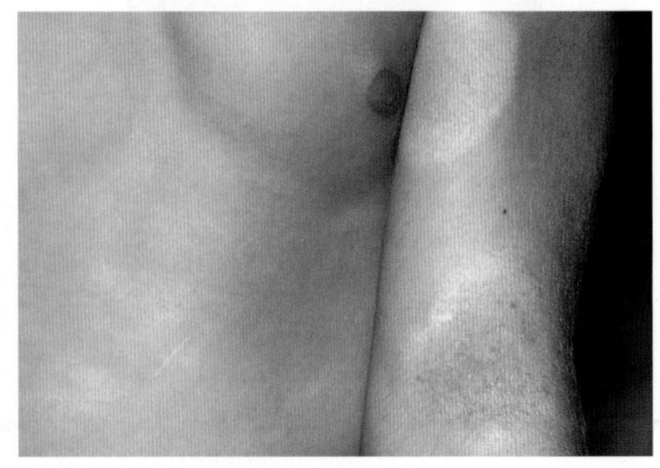

그림 9.17 양성모낭점액증

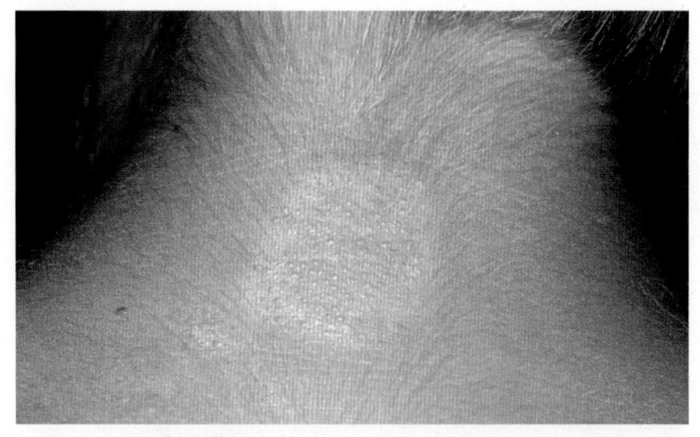

그림 9.18 양성모낭점액증

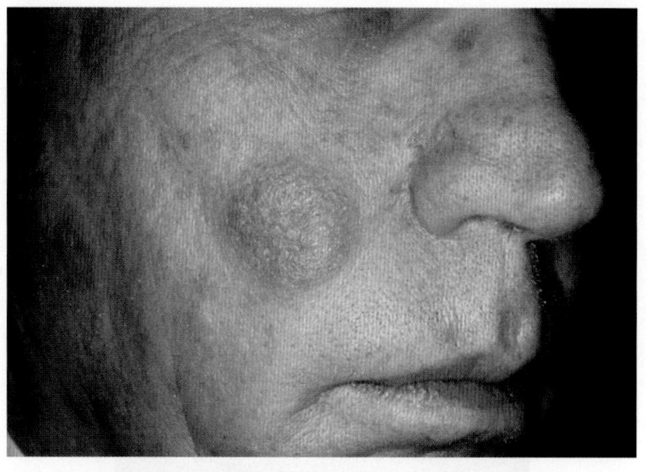

그림 9.19 양성모낭점액증

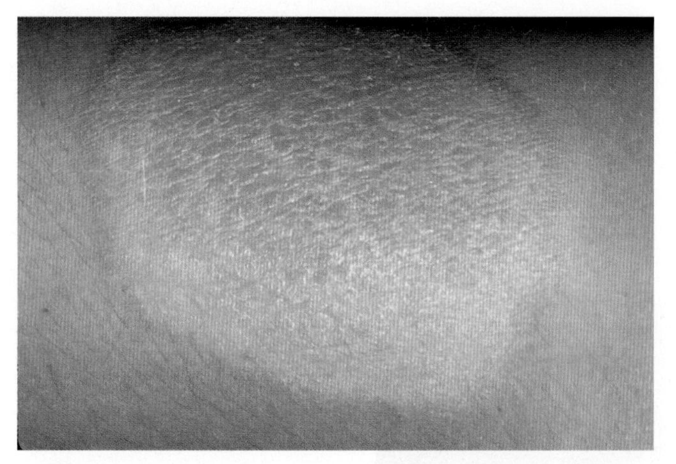

그림 9.20 양성모낭점액증

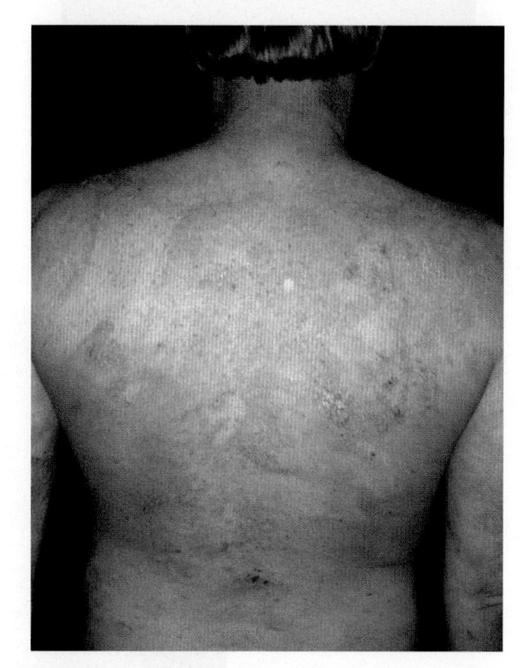

그림 9.21 균상식육종과 연관되어 발생한 모낭점액증

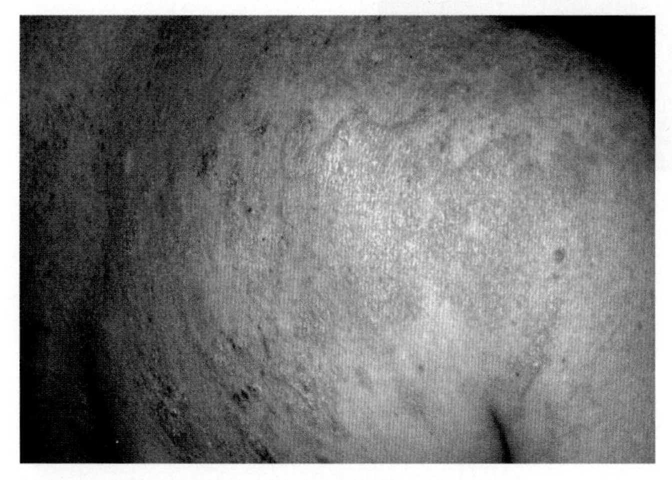

그림 9.22 균상식육종과 연관되어 발생한 모낭점액증

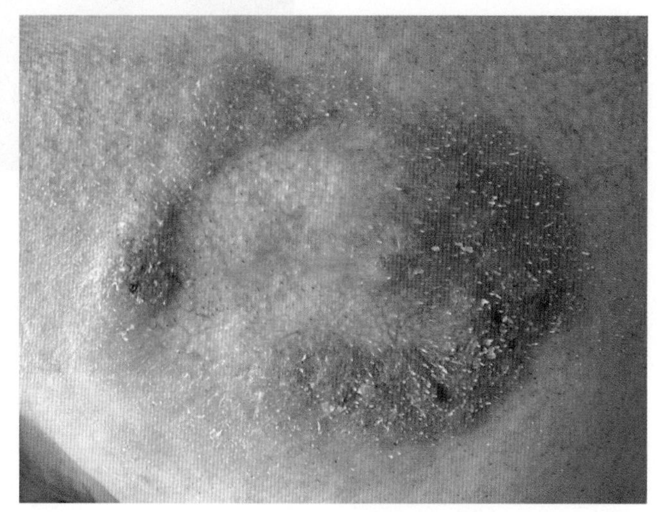

그림 9.23 균상식육종과 연관되어 발생한 모낭점액증

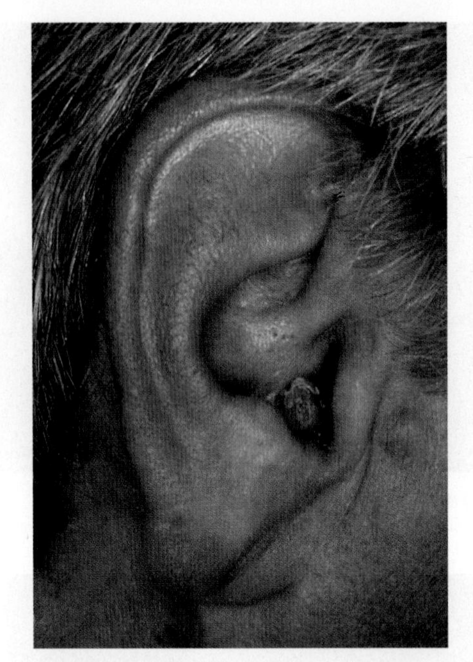

그림 9.24 국소피부점액증

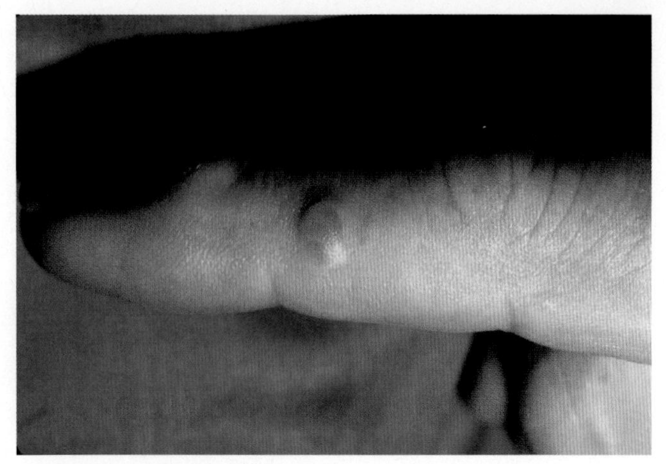

그림 9.25 점액낭

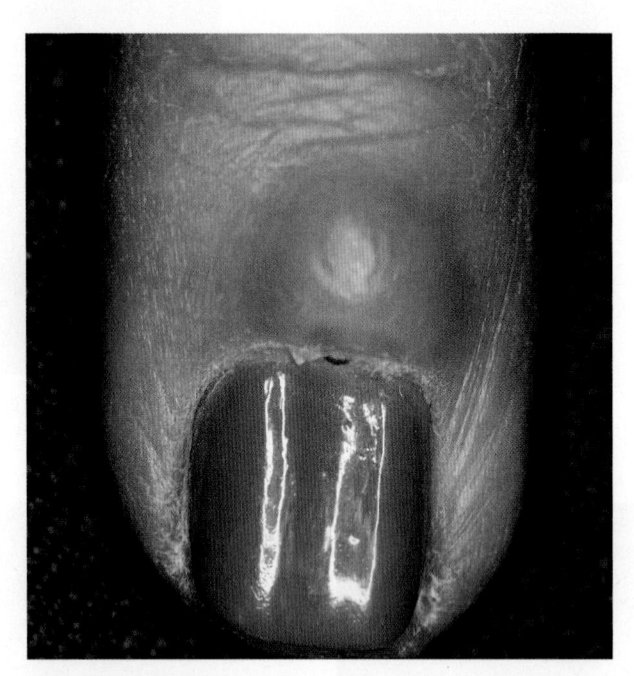

그림 9.26 점액낭

지루피부염, 건선, 난치성 손발바닥 발진, 농포피부염, 홍색피부증

10

구진비늘질환의 일차병변은 인설을 동반한 구진이지만 대부분의 환자가 질환이 진행된 이후에 내원하기 때문에 이러한 일차병변이 관찰되지 않을 수 있으며, 대신에 인설성 판, 반, 염증 후의 변화, 또는 홍색피부증에서의 전반적인 홍반과 인설을 보일 수 있다.

지루피부염은 눈썹, 코입술주름, 두피, 귀, 후이 부위, 가슴, 겨드랑 등에 주로 병변이 발생한다. 인설은 보통 노란색 빛을 띠는데 이는 딱지 내의 카로티노이드에 의한 것으로 생각되고있다. 이는 전형적인 건선에서 보이는 은백색의 인설과는 확연한 차이를 보인다. 건선은 조직학적으로 해면화를 보이지 않으며(또한 조직액에 녹아 있는 노란색의 카로티노이드도 없다), 물방울건선, 간찰부건선, 손발바닥건선, 그리고 홍피건선 등의 일부 건선에서는 해면화를 보이면서 인설에 흐릿한 노란빛을 띠는 경우도 있지만 이러한 건선들에서도 진노란색의 인설과 딱지는 드물다.

홍색피부증은 전신의 홍반과 인설로 나타나게 된다. 부종이 특히 얼굴과 사지에 동반될 수 있으며, 환자들은 체온의 소실로 인해 오한을 느낄 수 있다. 또한 노인에서는 고박출심부전이 나타날 수 있다. 이 장에서는 지루피부염과 건선, 그리고 이와 연관된 질환들의 다양한 임상 양상들을 정리하였다.

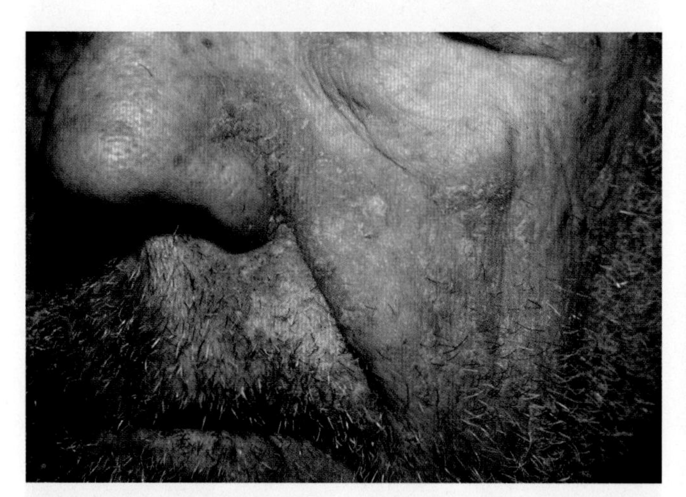

그림 10.1 지루피부염

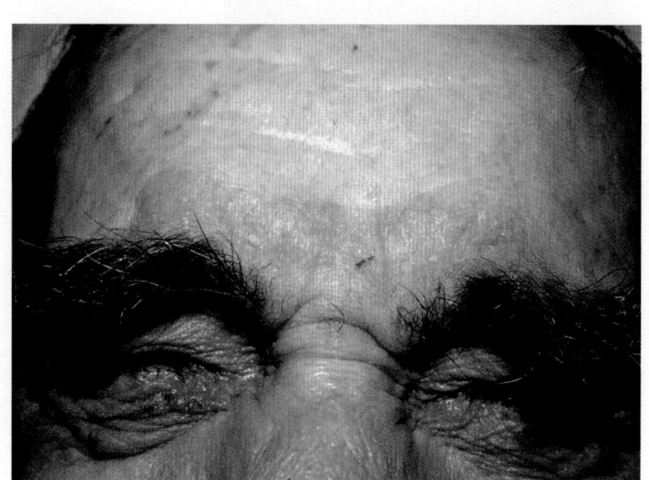

그림 10.2 지루피부염

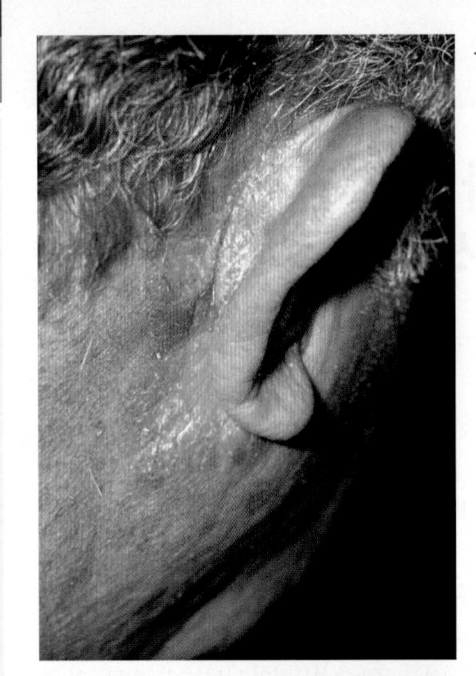

그림 10.3 지루피부염

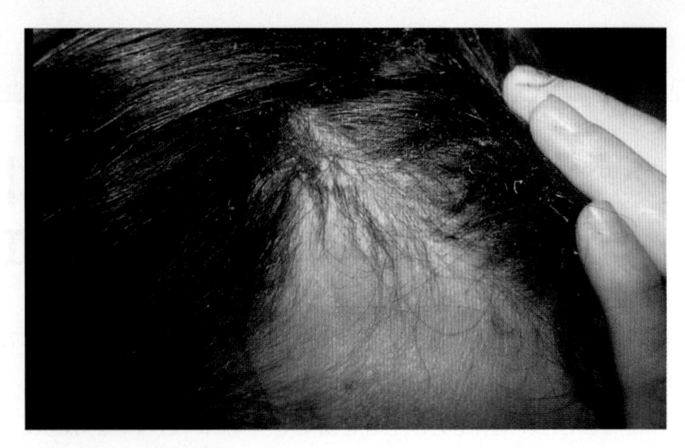

그림 10.4 지루피부염

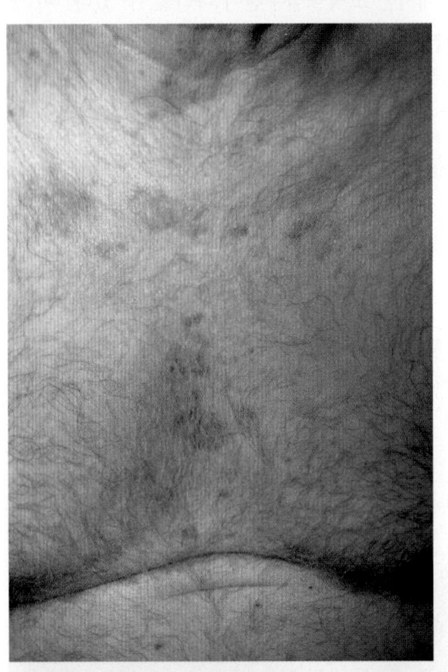

그림 10.5 지루피부염

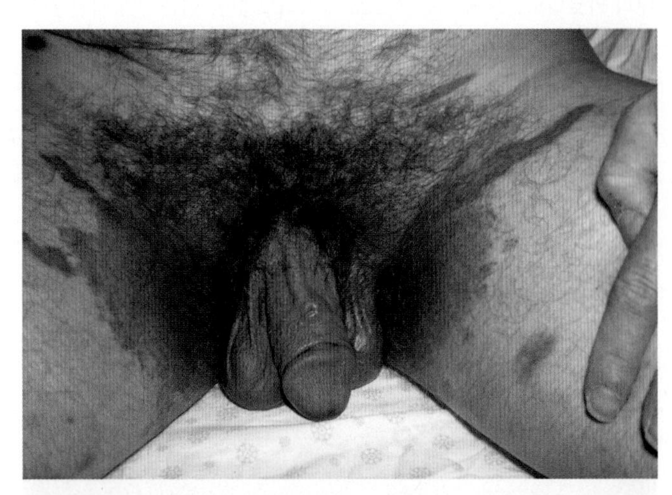

그림 10.6 HIV 양성 환자에서의 지루피부염

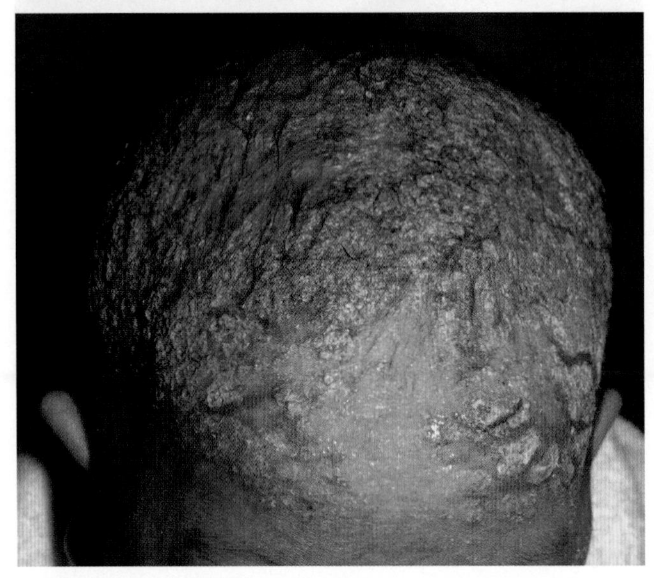

그림 10.7 머리기름딱지

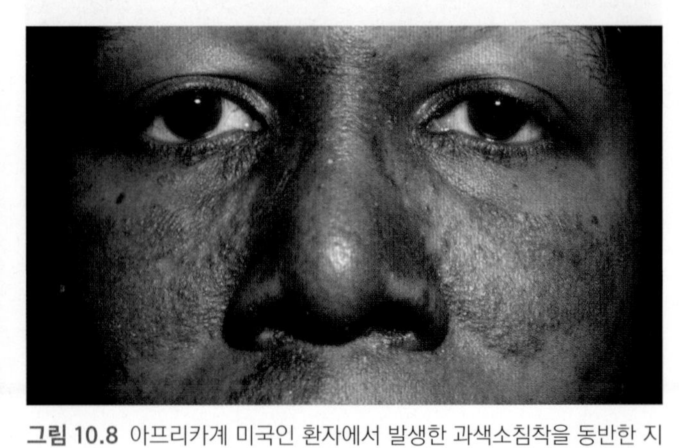

그림 10.8 아프리카계 미국인 환자에서 발생한 과색소침착을 동반한 지루피부염

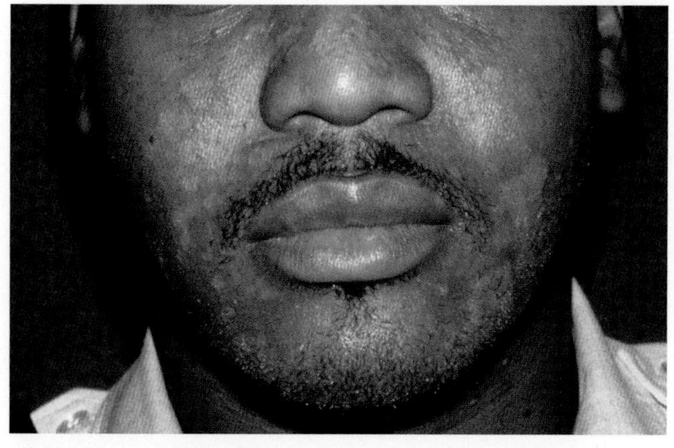

그림 10.9 아프리카계 미국인 환자에서 발생한 저색소침착을 동반한 지루피부염

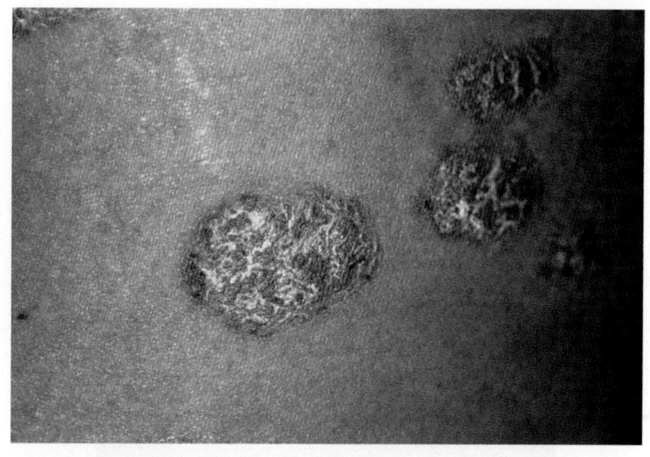

그림 10.10 건선

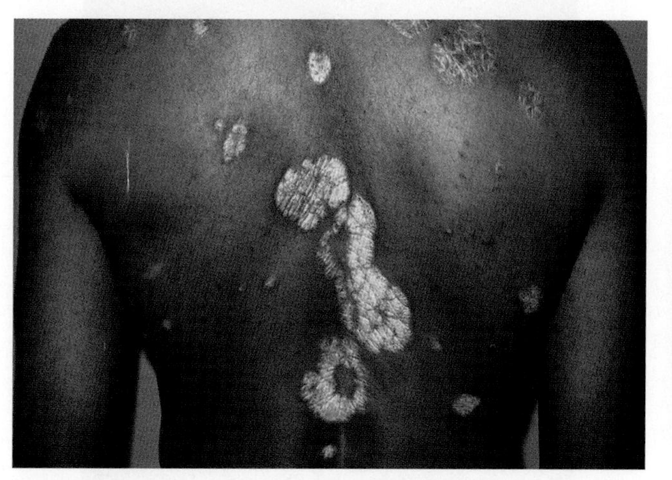

그림 10.11 건선

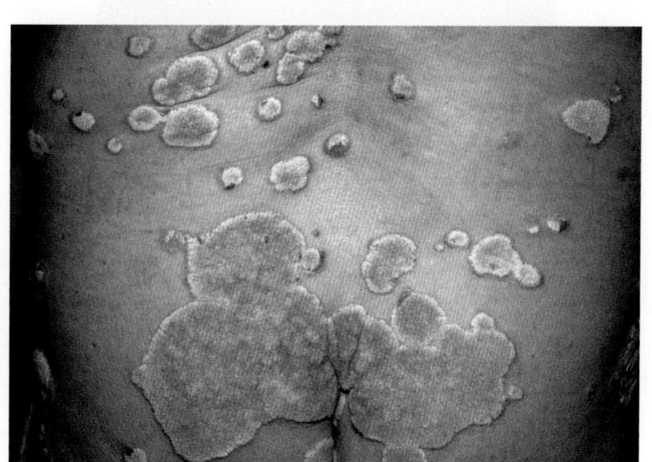

그림 10.12 건선

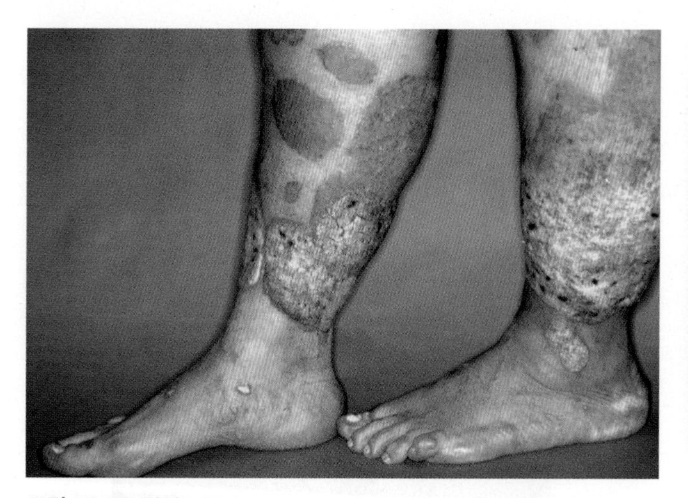

그림 10.13 건선

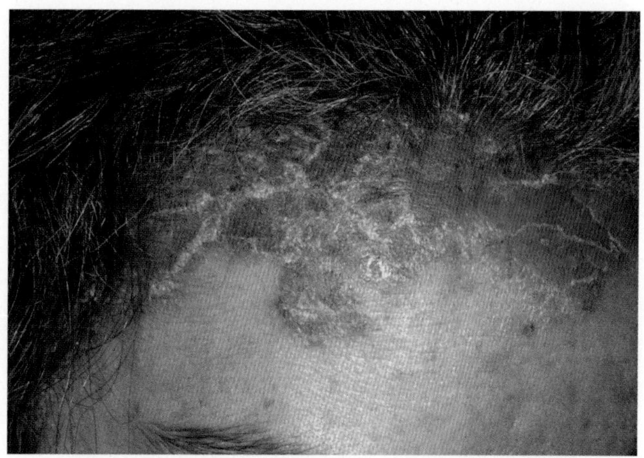

그림 10.14 건선

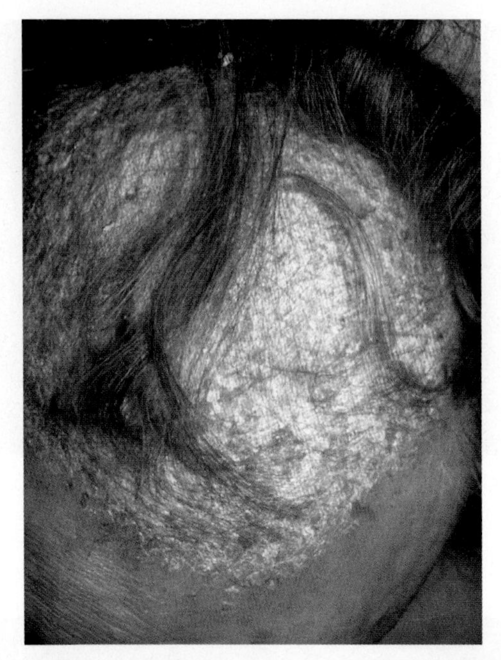
그림 10.15 건선

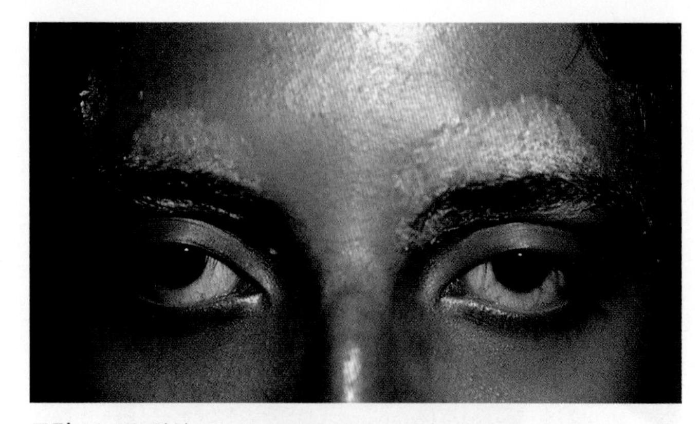
그림 10.16 건선

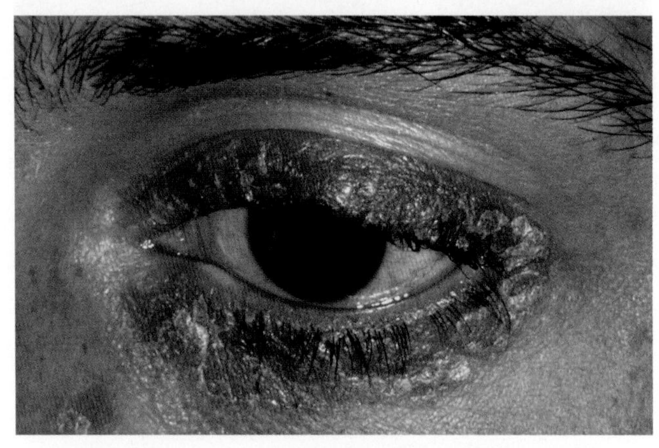
그림 10.17 건선

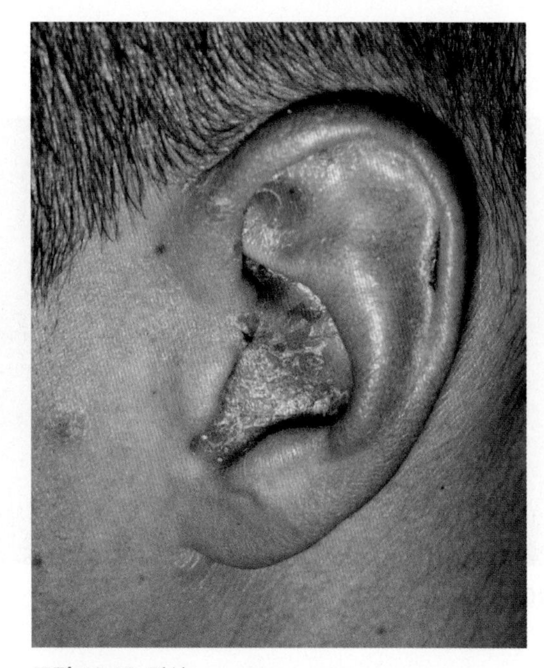
그림 10.18 건선

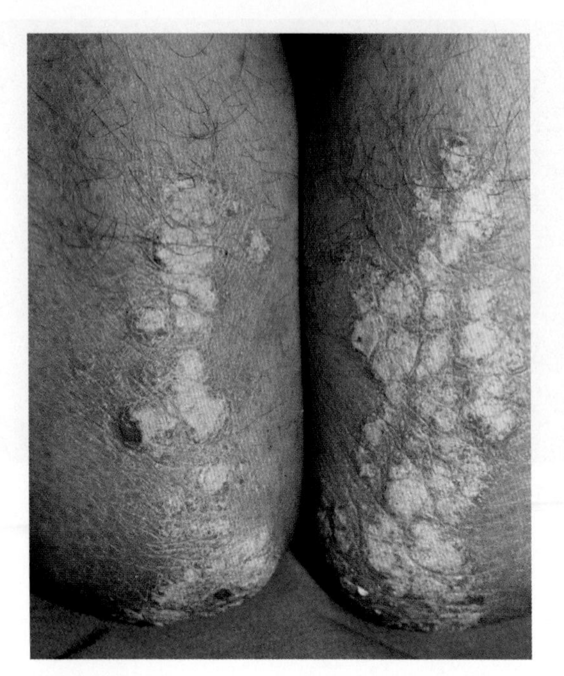
그림 10.19 건선

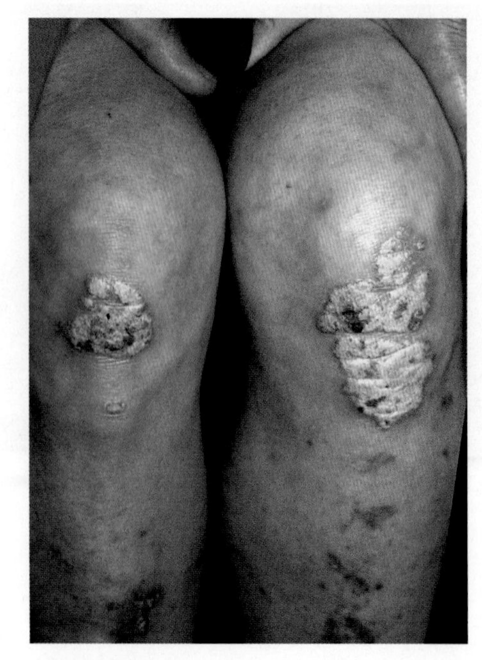
그림 10.20 건선

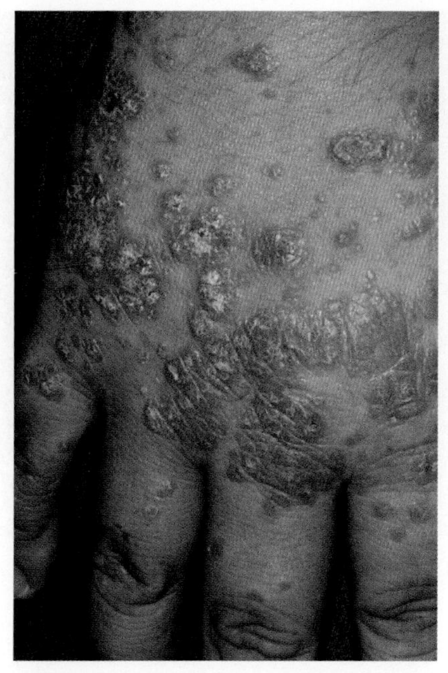

그림 10.21 건선

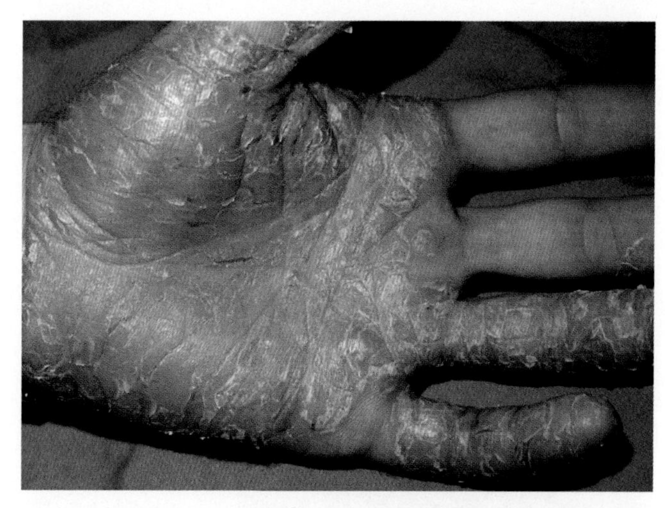

그림 10.22 건선

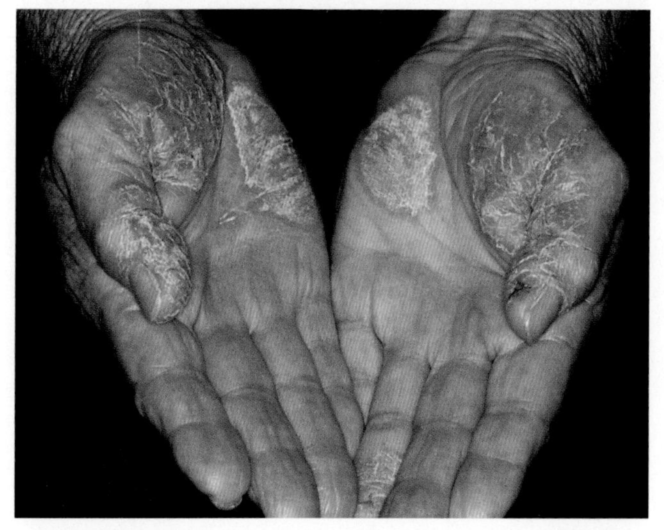

그림 10.23 건선

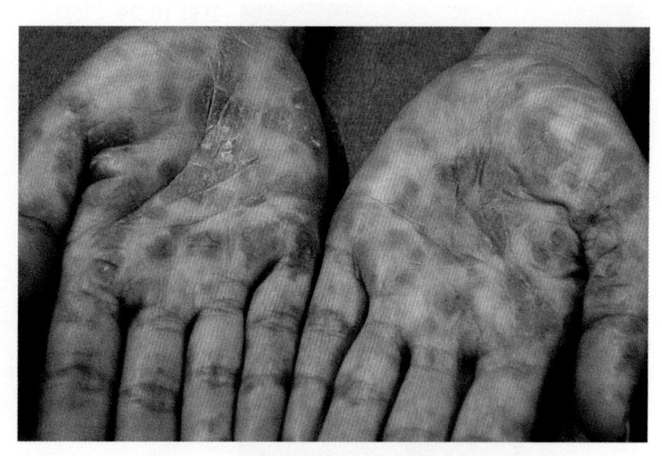

그림 10.24 건선

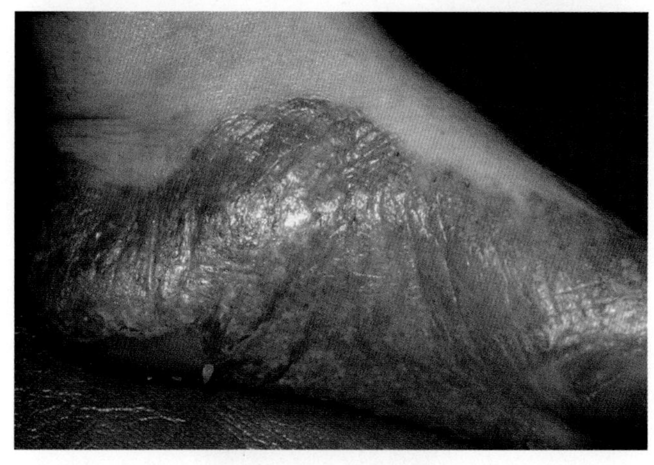

그림 10.25 건선

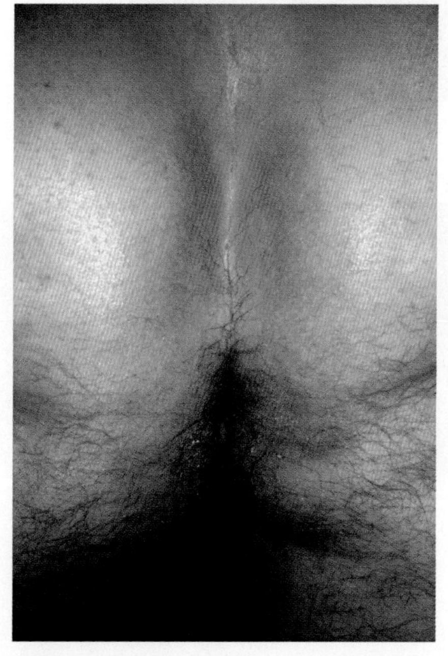

그림 10.26 건선

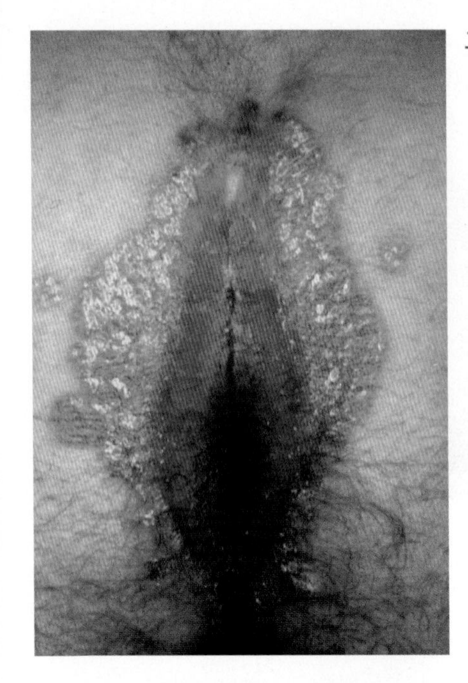

그림 10.27 건선

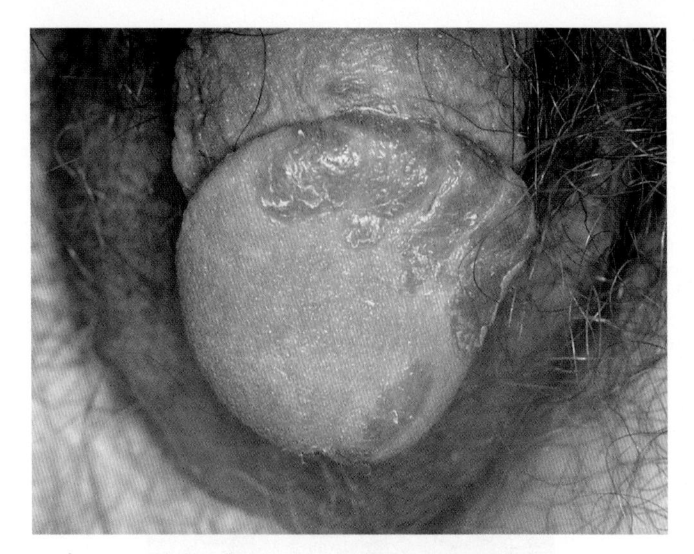

그림 10.28 건선

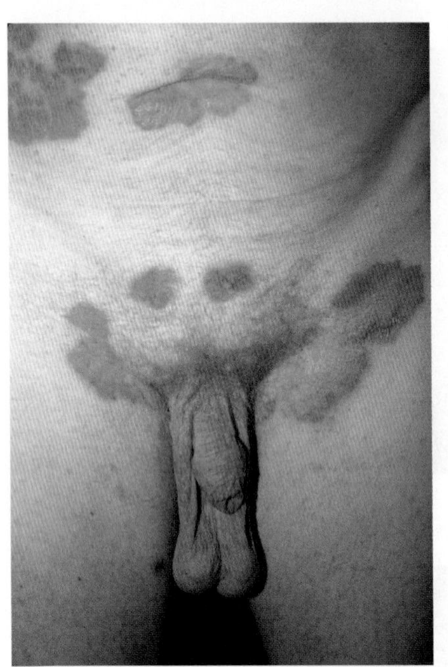

그림 10.29 건선

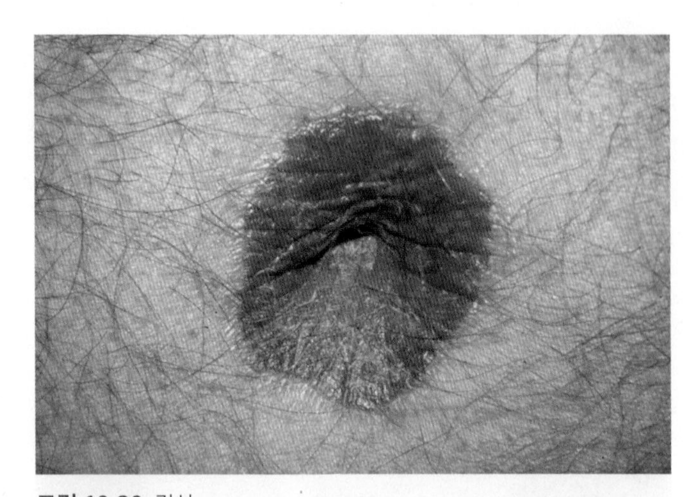

그림 10.30 건선

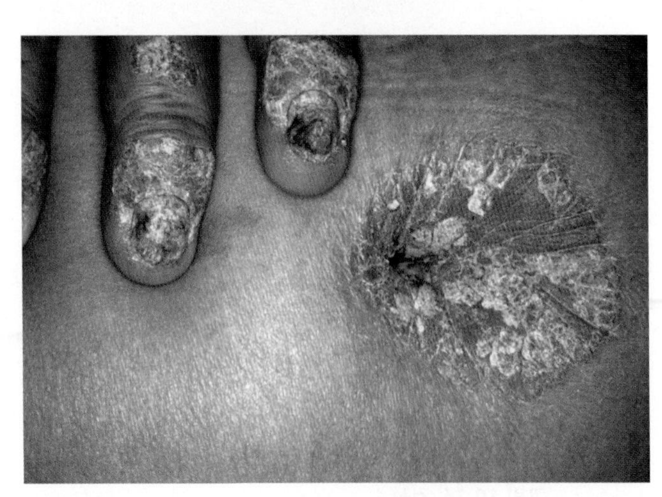

그림 10.31 건선

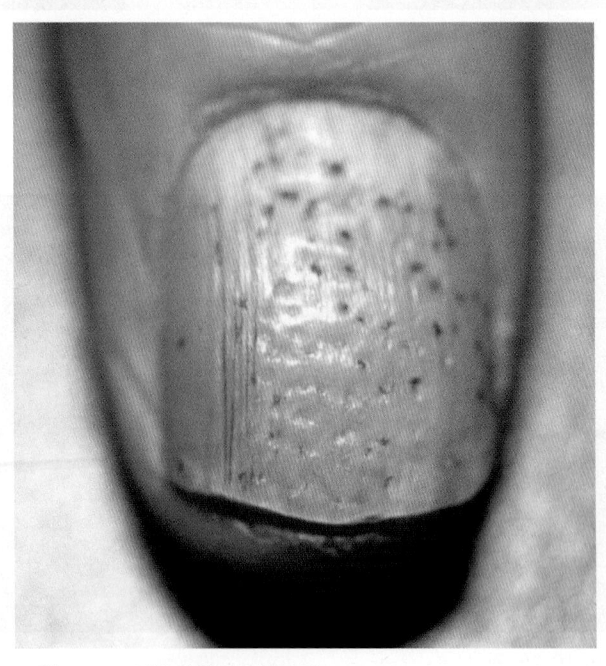

그림 10.32 건선에서의 오목조갑

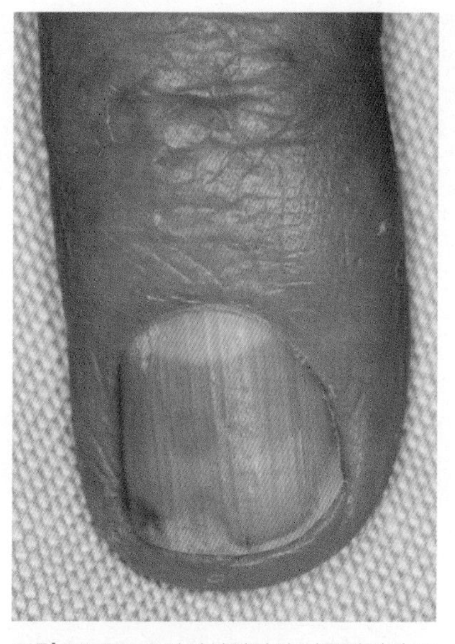

그림 10.33 조갑건선에서의 기름반점과 조갑하과각화증

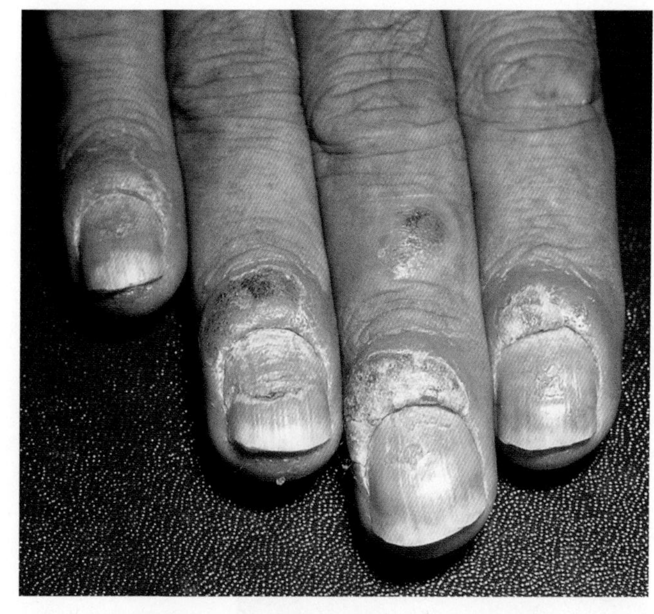

그림 10.34 조갑건선

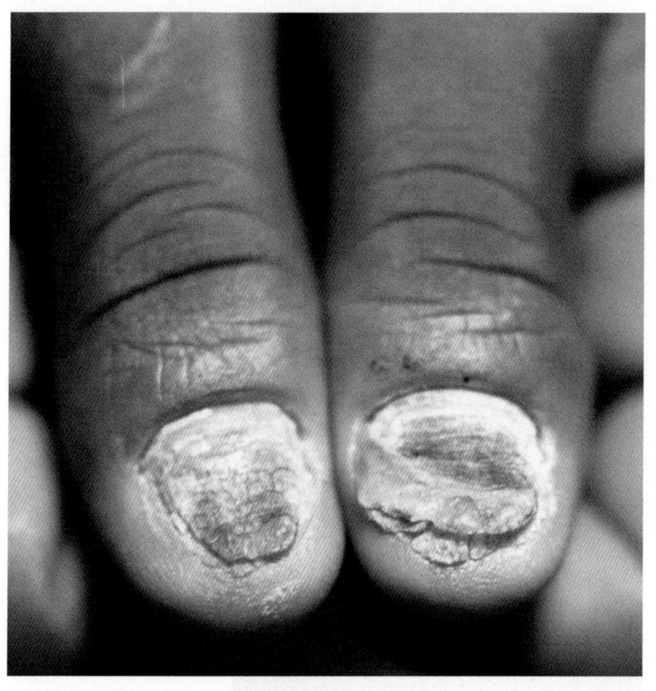

그림 10.35 조갑건선

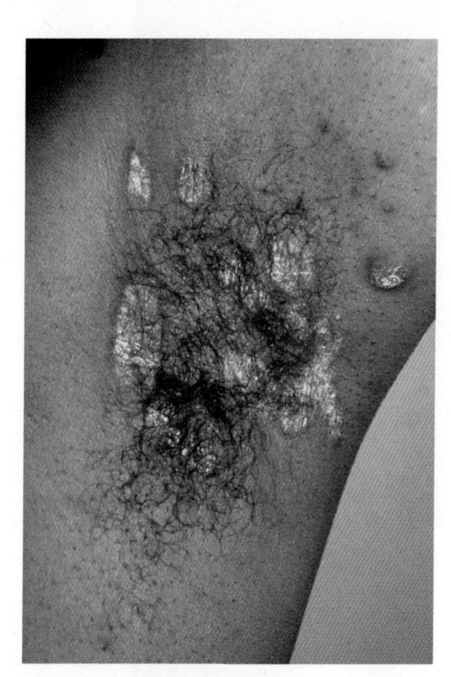

그림 10.36 간찰부건선

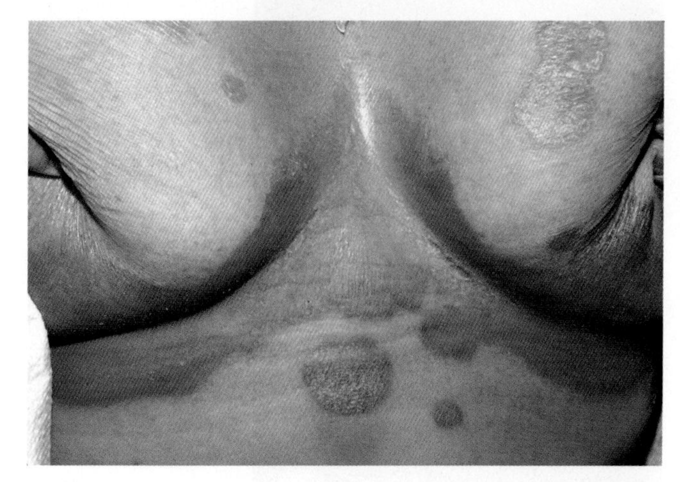

그림 10.37 간찰부건선

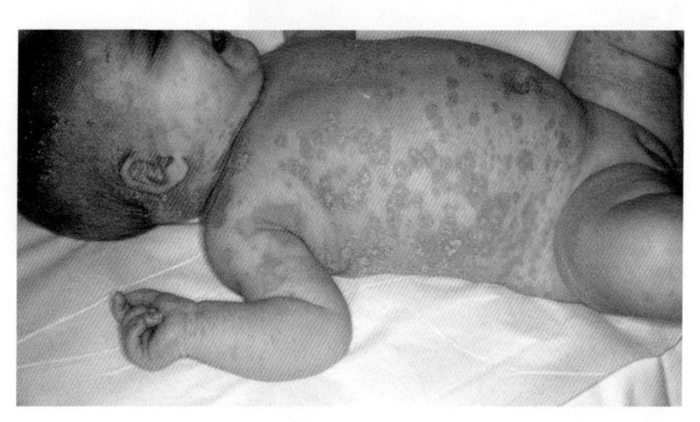

그림 10.38 유아건선

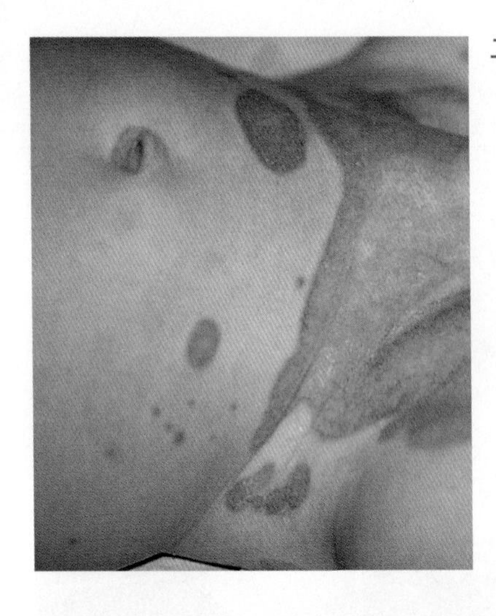
그림 10.39 유아건선

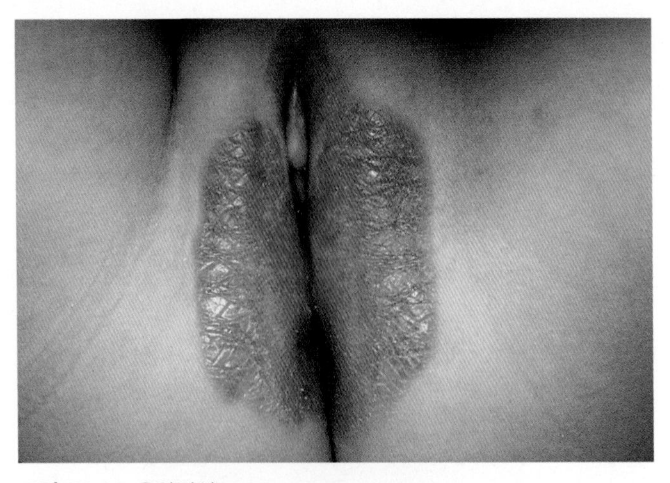
그림 10.40 유아건선

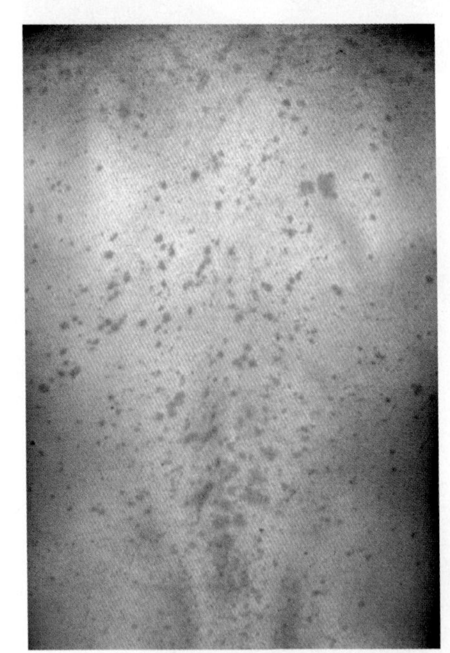
그림 10.41 적상건선

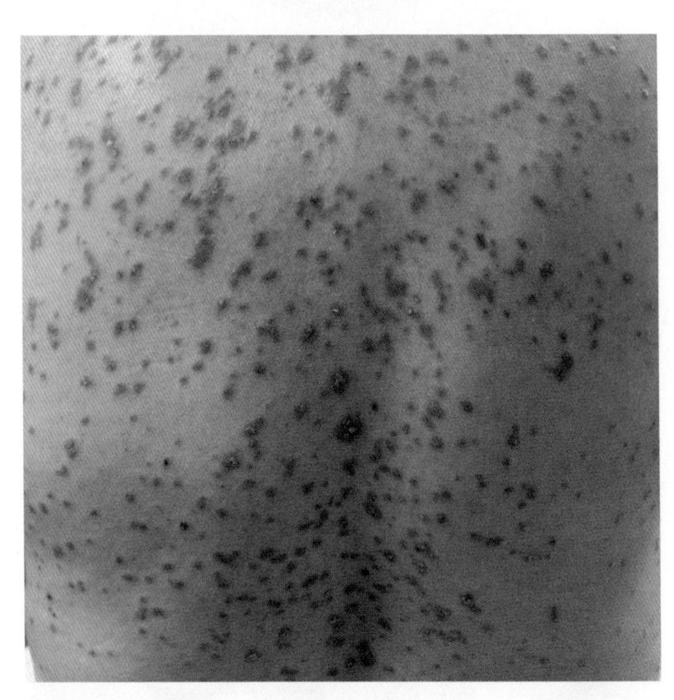
그림 10.42 적상건선

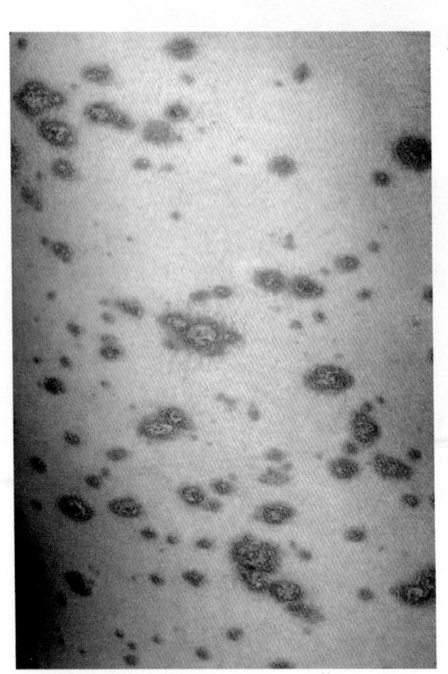
그림 10.43 적상건선

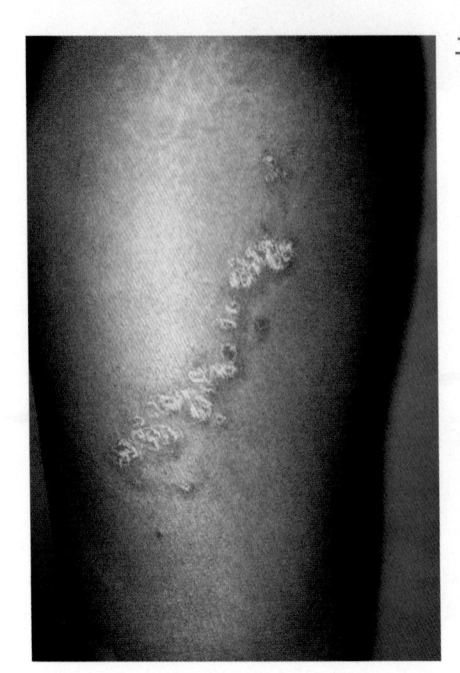
그림 10.44 선상건선

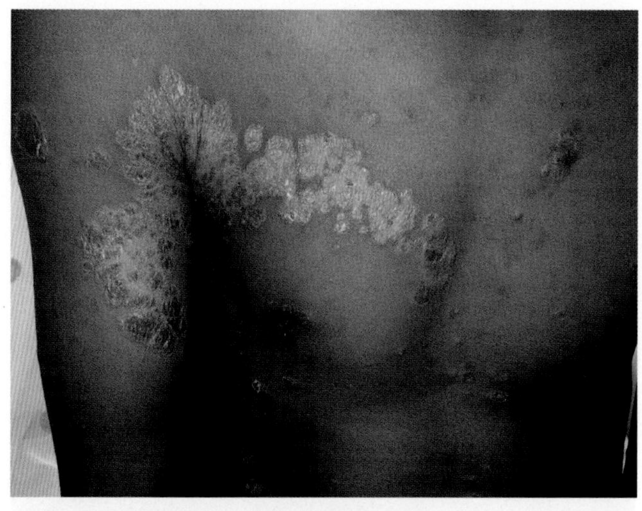

그림 10.45 HIV에 감염된 환자에서 대상포진을 앓은 후 발생한 건선

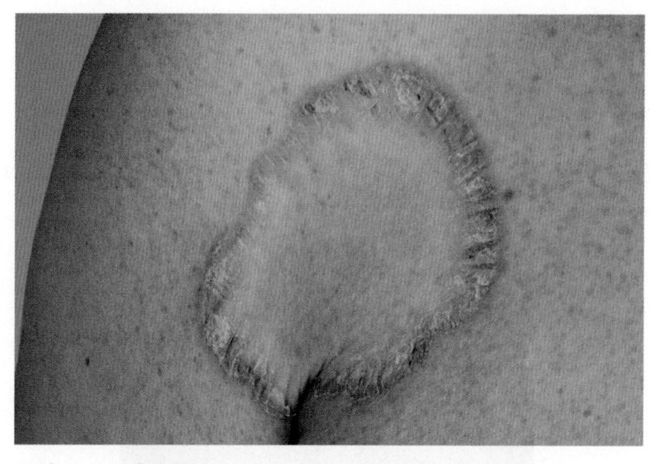

그림 10.46 윤상건선

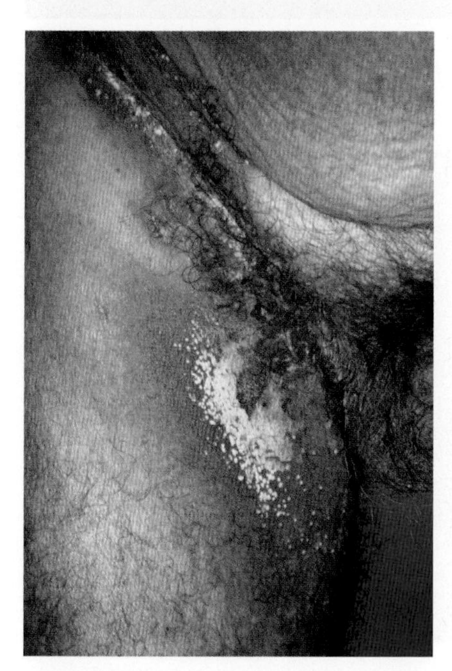

그림 10.47 농포건선

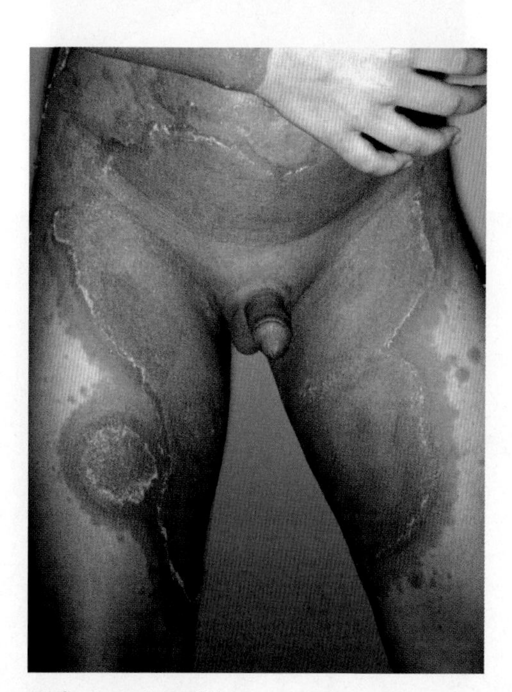

그림 10.48 농포건선

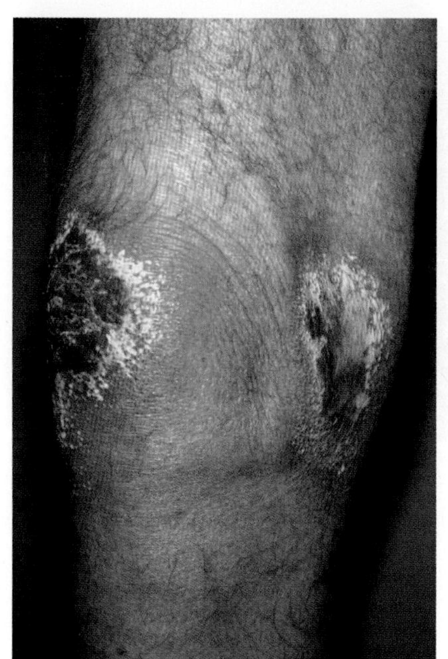

그림 10.49 농포건선

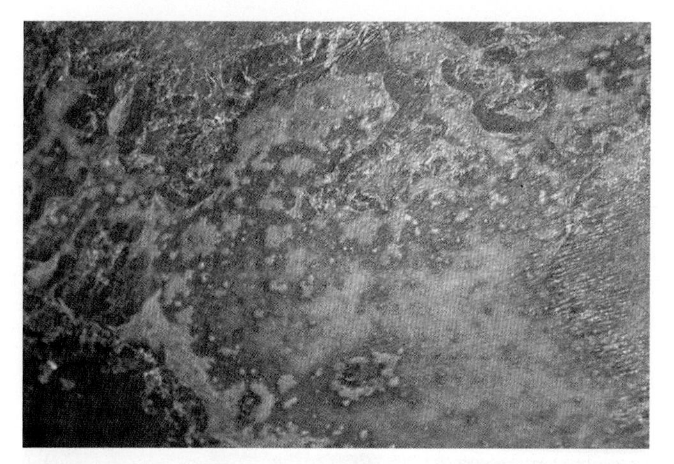

그림 10.50 농포건선

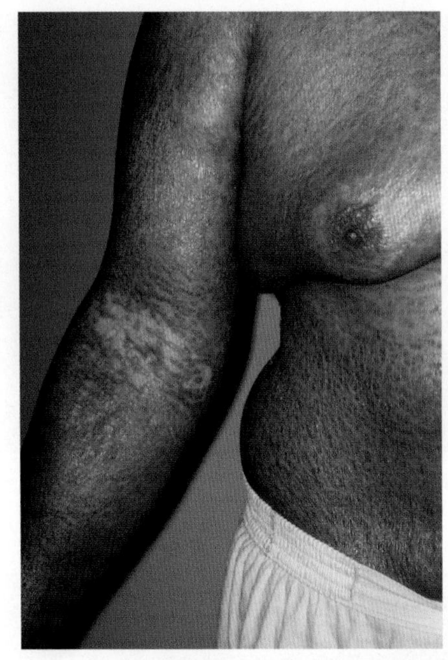

그림 10.51 홍피건선

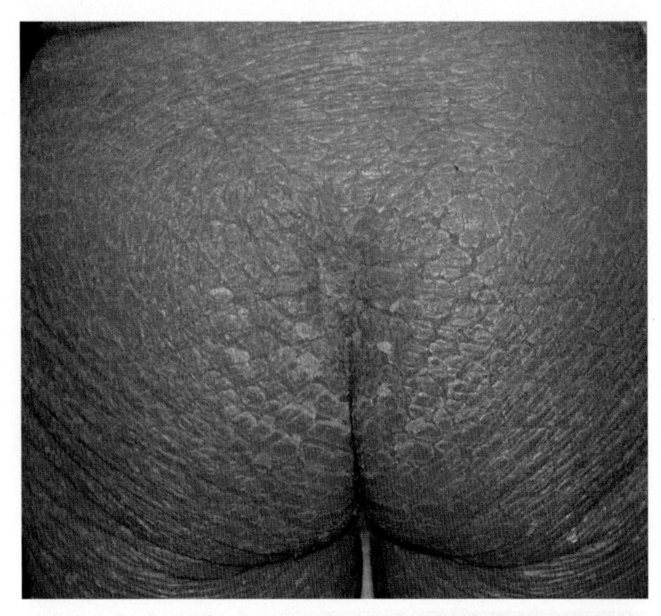

그림 10.52 홍피건선

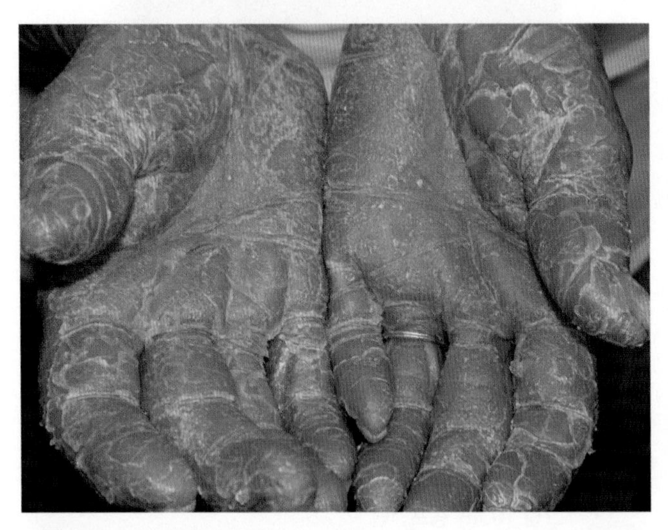

그림 10.53 홍피건선 환자의 손

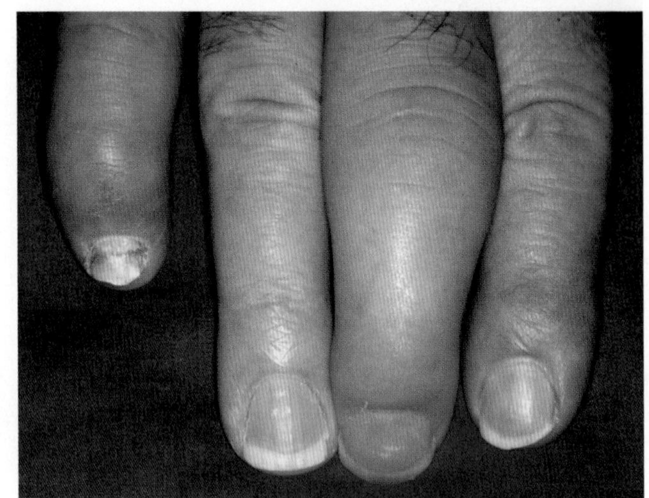

그림 10.54 건선관절염

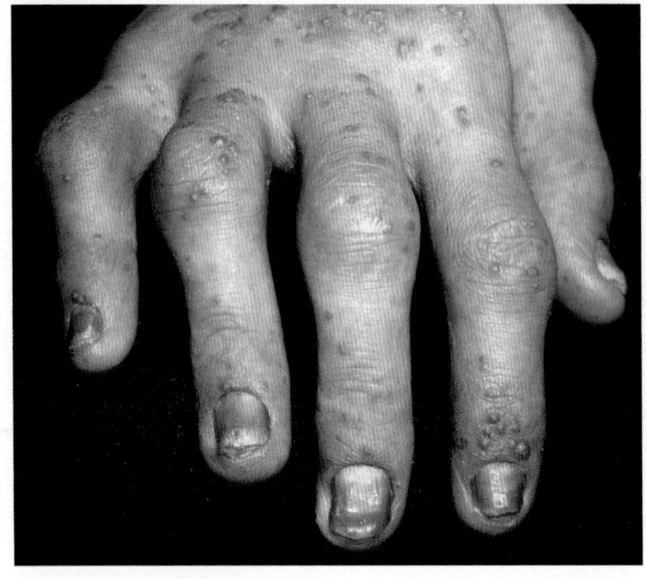

그림 10.55 건선관절염

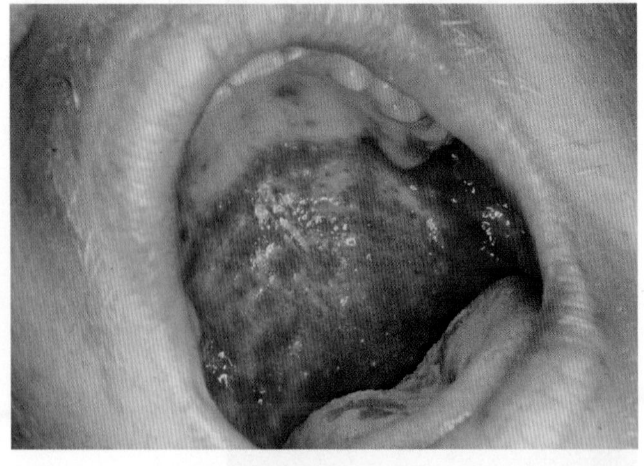

그림 10.56 반응관절염에서의 구강 홍반

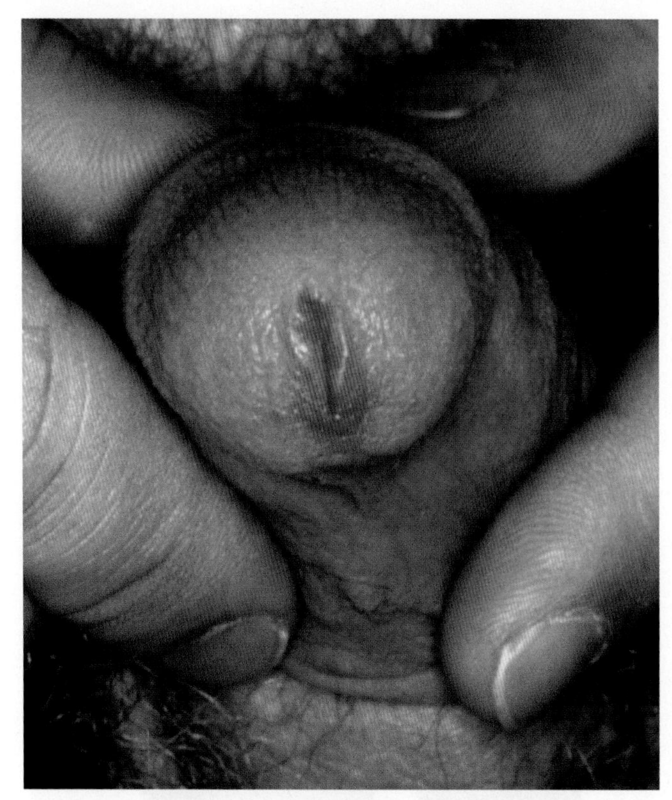

그림 10.57 반응관절염에서의 요도 염증

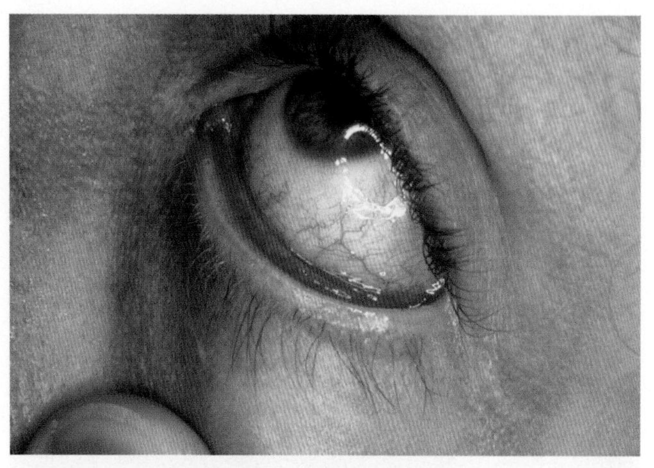

그림 10.58 반응관절염에서의 결막 홍반

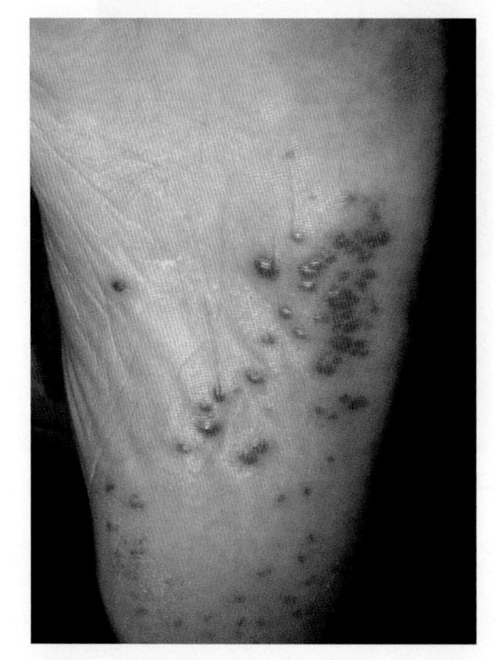

그림 10.59 반응관절염

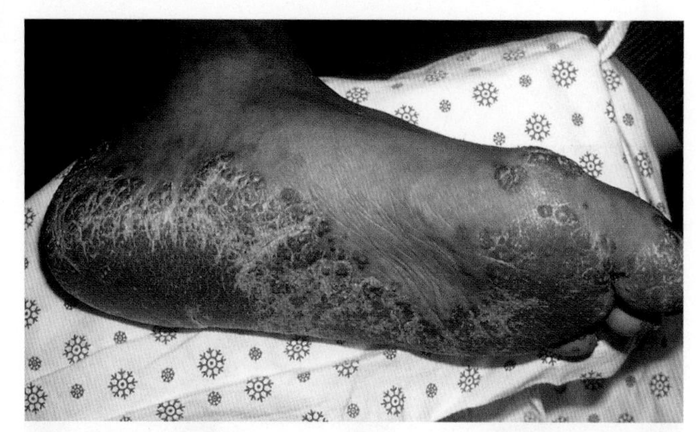

그림 10.60 반응관절염

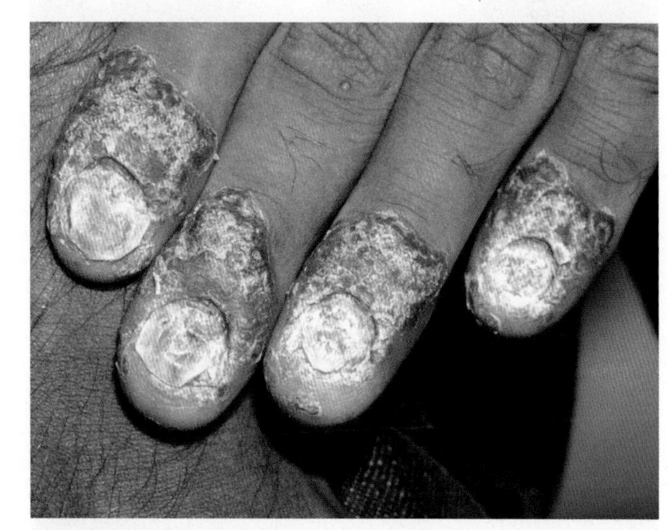

그림 10.61 반응관절염

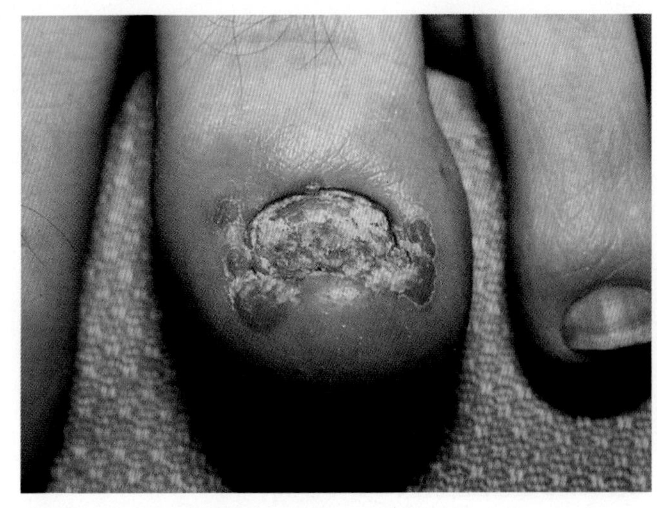
그림 10.62 반응관절염

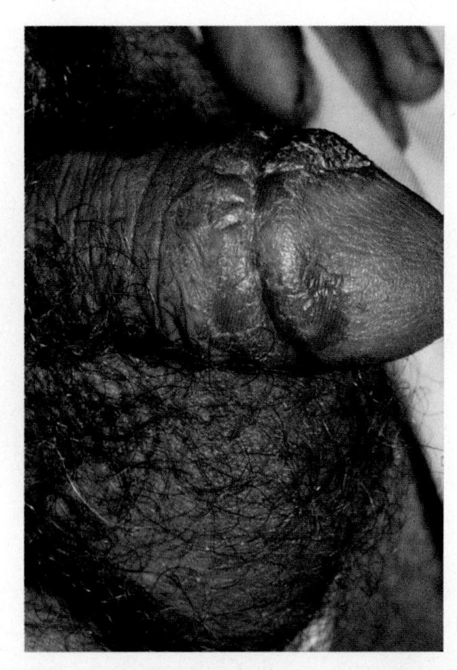
그림 10.63 반응관절염

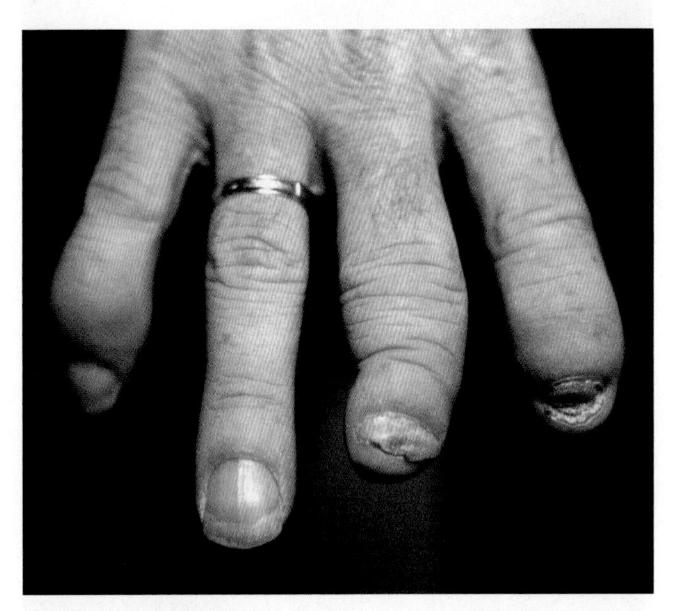
그림 10.64 반응관절염

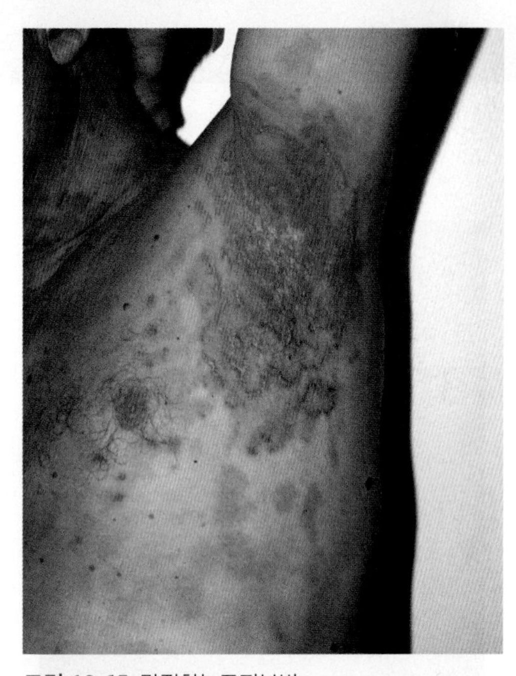
그림 10.65 각질하농포피부병

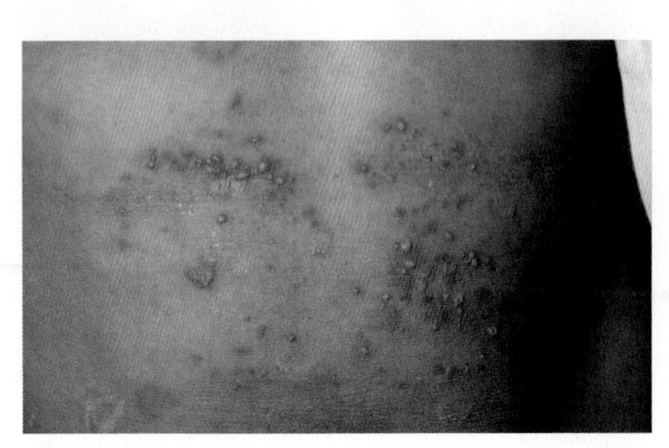
그림 10.66 각질하농포피부병

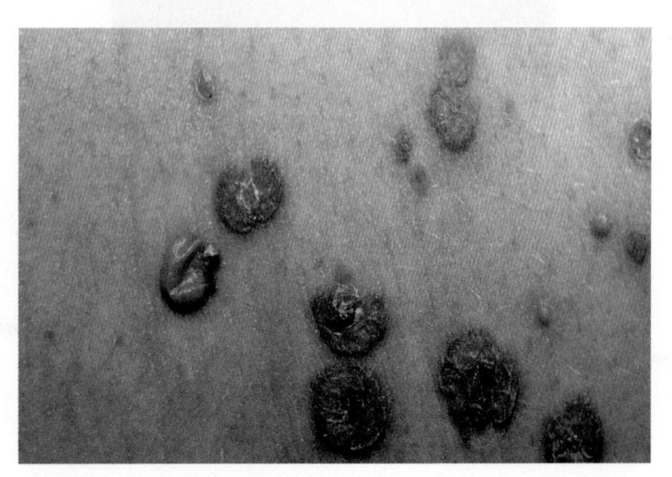
그림 10.67 각질하농포피부병

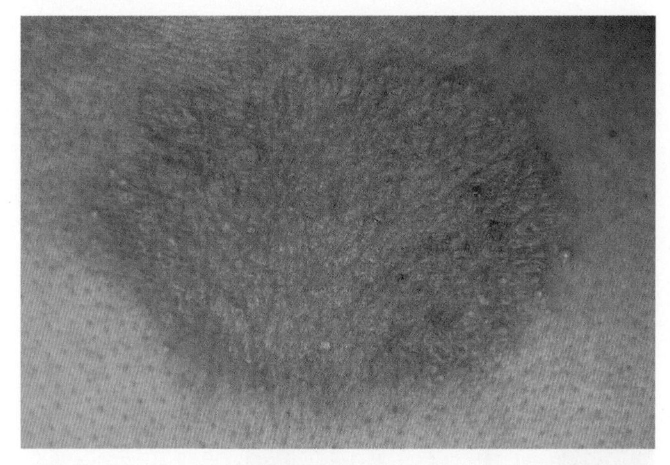
그림 10.68 오푸지구진홍반(papuloerthroderma of Ofuji)

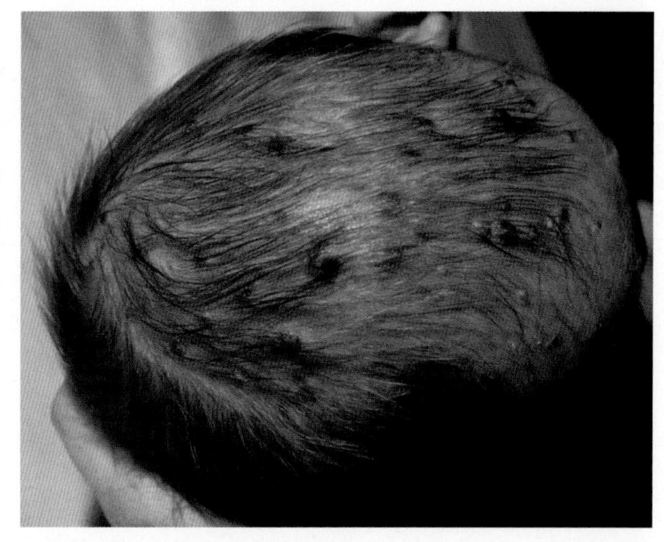
그림 10.69 소아호산구농포모낭염

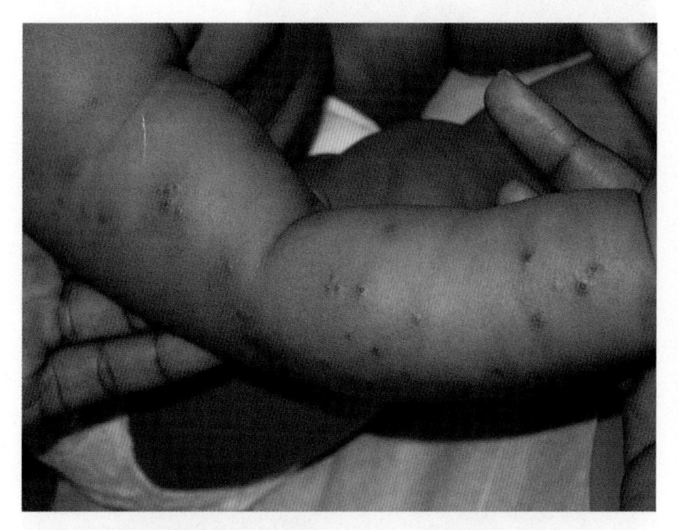
그림 10.70 소아호산구농포모낭염

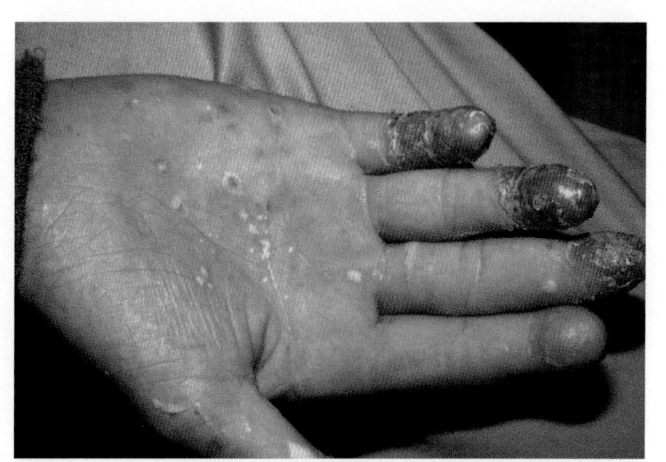
그림 10.71 지속선단피부염

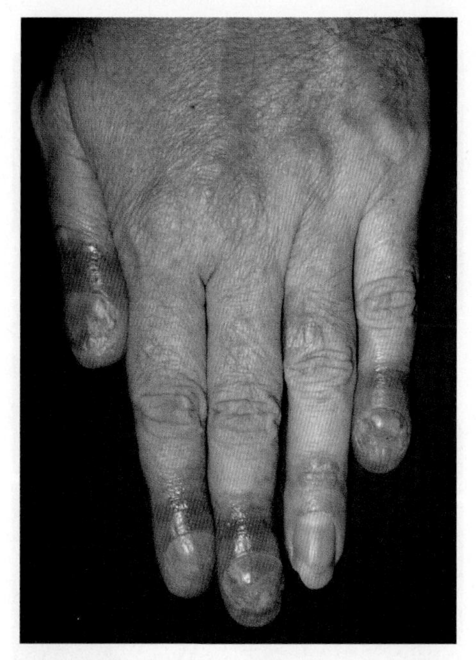
그림 10.72 지속선단피부염

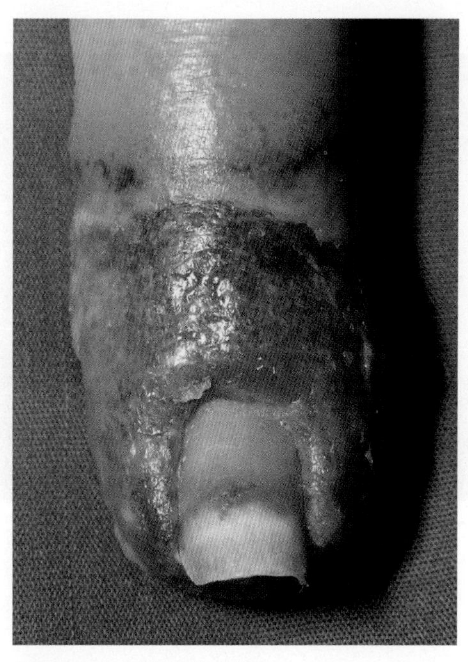
그림 10.73 지속선단피부염

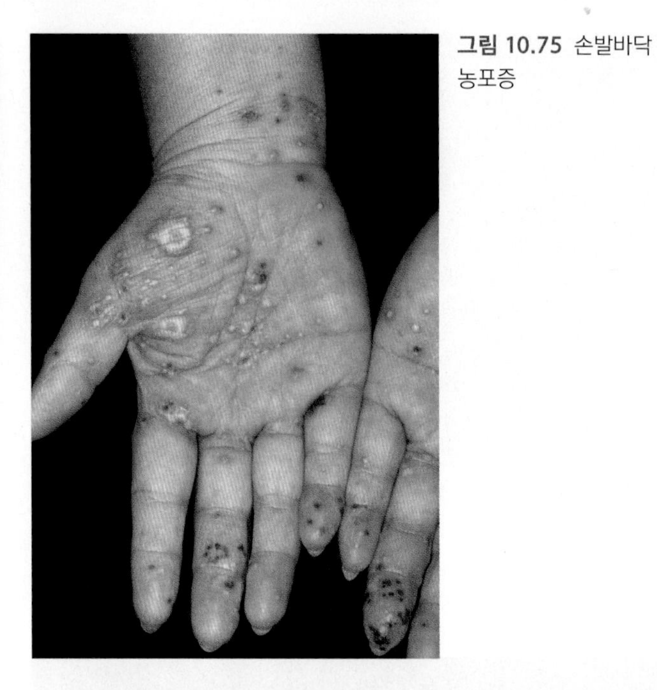

그림 10.75 손발바닥농포증

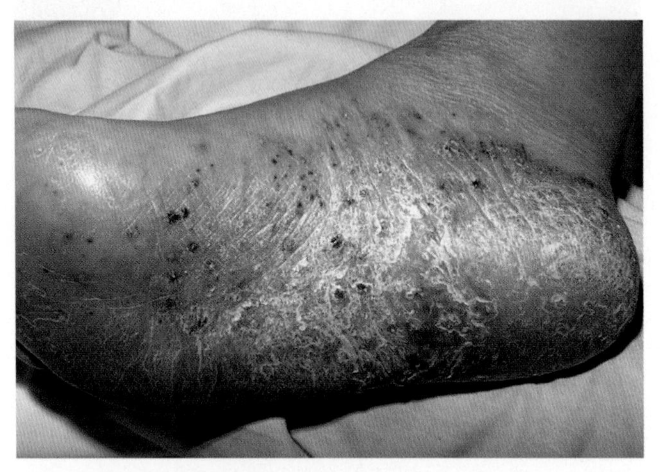

그림 10.74 재발성 손발바닥농포증

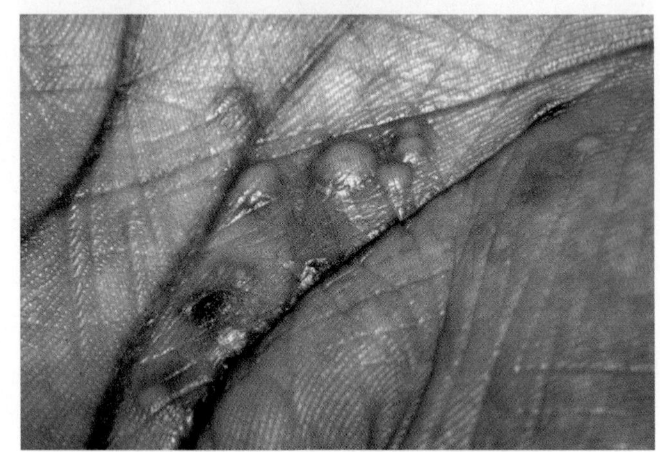

그림 10.77 손발바닥농포증

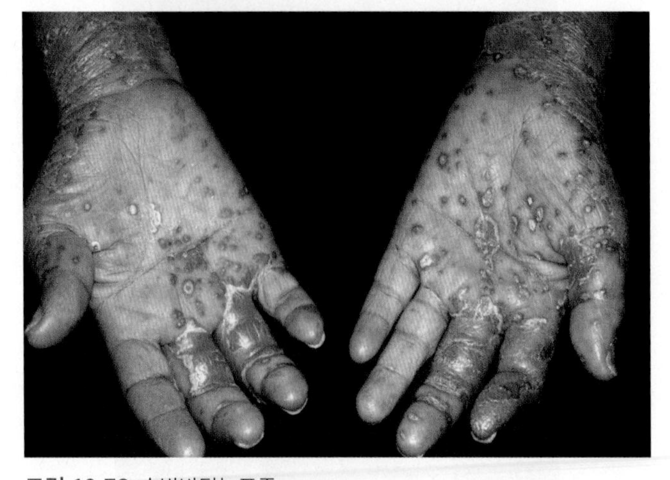

그림 10.76 손발바닥농포증

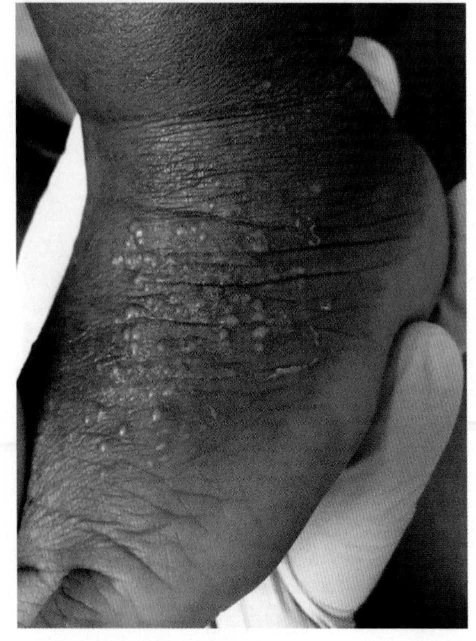

그림 10.79 유아선단농포증

그림 10.78 손발바닥농포증

장미비강진, 모공홍색비강진과 기타 구진인설, 과각화성 질환들

11

장미비강진은 각 병변의 중심부에 미세한 회색 인설을 동반한 홍반성 반점으로 나타난다. 병변이 진행됨에 따라 개개의 병변은 타원형의 모양이 되며 보통 등이나 옆구리에서 가장 잘 관찰된다. 인설 또한 점차 주변부로 잔고리모양을 형성한다. 조직학적으로 적혈구의 혈관외유출이 특징적이며 이로 인해 종종 임상적으로 자반이 보이기도 한다. 피부색이 어두운 환자의 경우 장미비강진 병변이 조금 더 구진처럼 보일 수 있다. 더 특징적인 타원형 모양의 병변은 옆구리 위쪽과 겨드랑 근처에 더 잘 관찰되며 이는 진단에 중요한 도움이 될 수 있다.

모공홍색비강진은 뾰족한 각화성 구진으로 나타나거나 더 선명한 홍반과 인설로 손, 얼굴, 두피에 발생한다. 빠르게 진행될 수 있어 홍색피부증 가운데 남아 있는 정상부위가 특징적인 섬처럼 관찰된다. 발진은 귤 껍질 같은 모양을 보이기도 하며, 이는 특히 손바닥에서 더 두드러지게 나타난다. 소아형의 경우 동전모양 배열의 뾰족한 구진 또는 과각화성 판이 신측부위에 발생하여 건선과 비슷한 양상을 보이기도 한다. 뚜렷한 각화성 모낭성 구진들이 주변부에서 관찰될 수 있고 이를 통해 조직검사 없이 진단을 하는 데 도움이 될 수 있다. 이 장에서는 이런 질환들의 다양한 임상양상에 대해 익숙해질 수 있도록 보여줄 것이다.

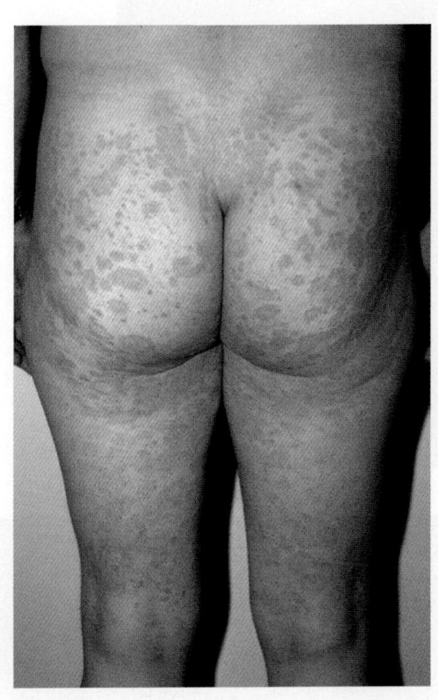

그림 11.1 작은판유사건선

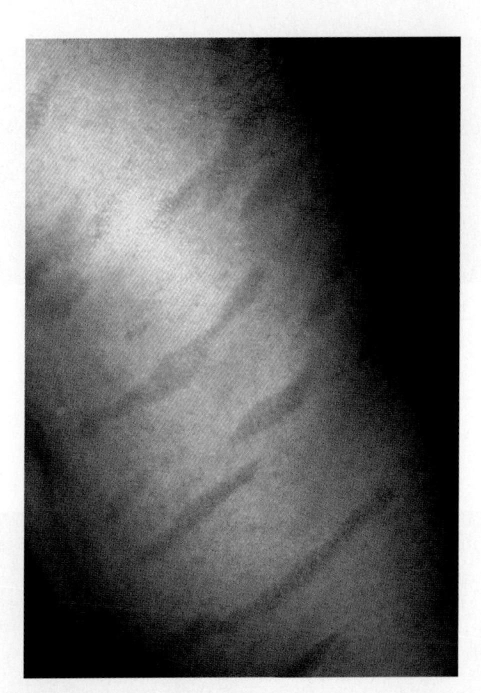

그림 11.2 유사건선

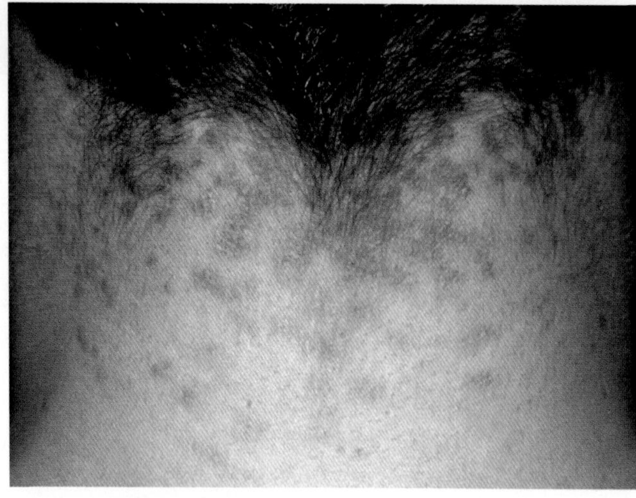
그림 11.3 융합망유두종증

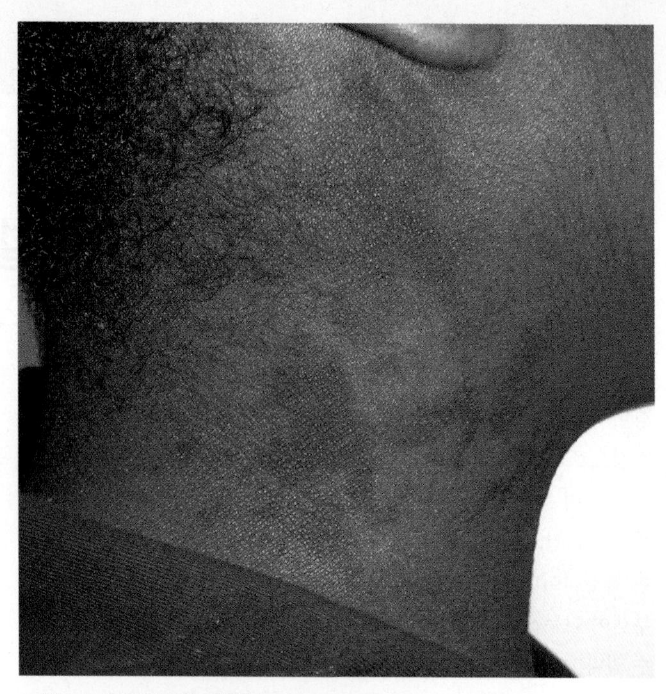
그림 11.4 융합망유두종증

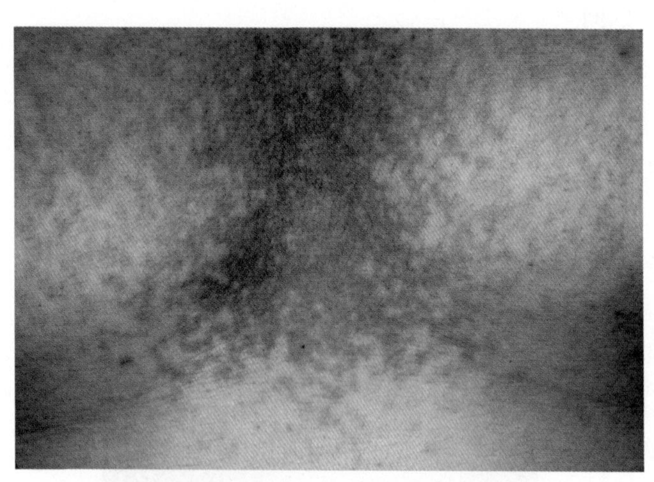
그림 11.5 융합망유두종증

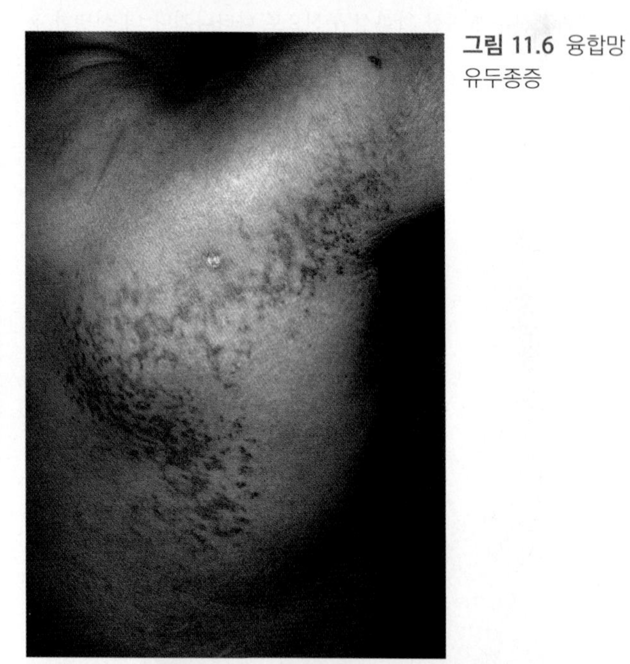
그림 11.6 융합망유두종증

그림 11.7 융합망유두종증

그림 11.8 융합망유두종증

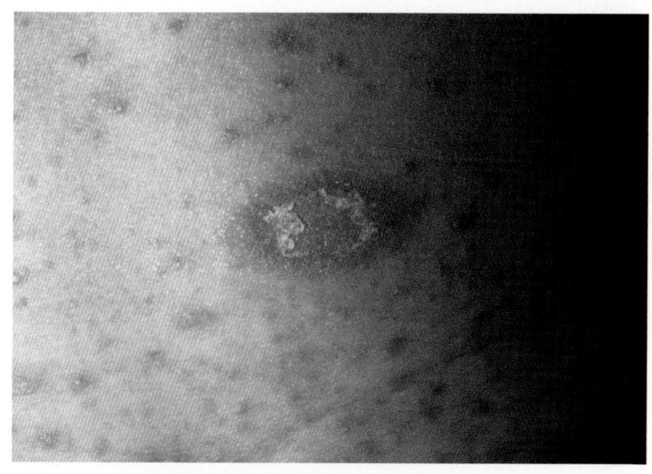
그림 11.9 장미비강진의 전조반

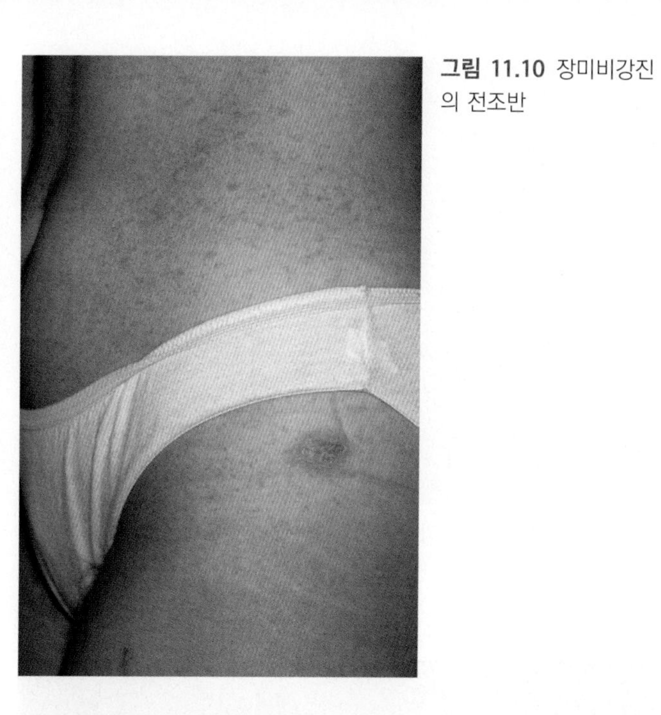
그림 11.10 장미비강진의 전조반

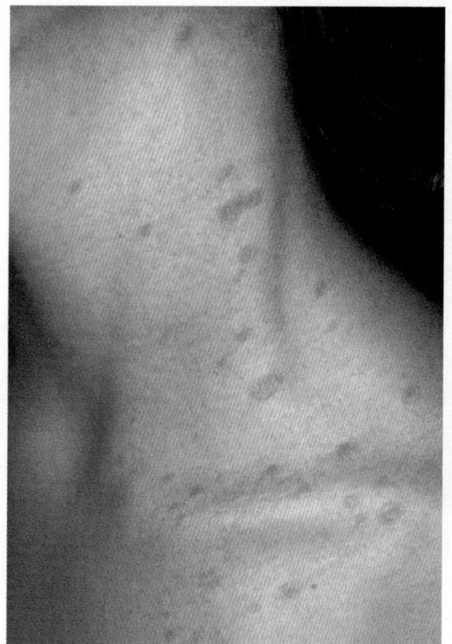
그림 11.11 장미비강진

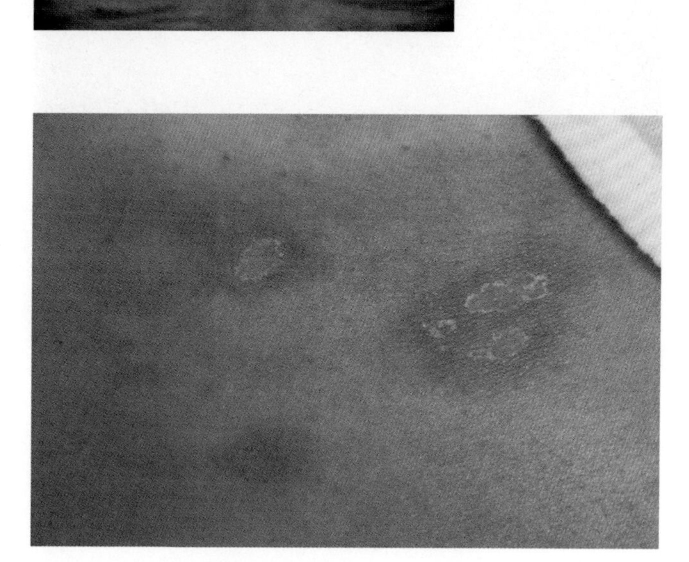
그림 11.12 장미비강진

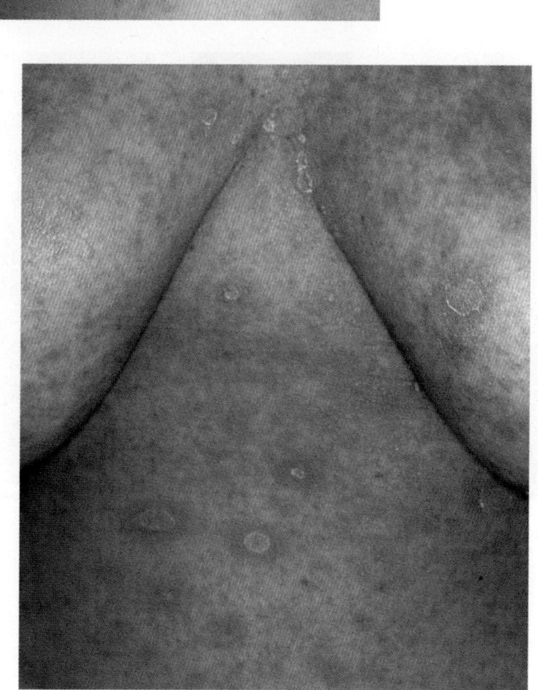
그림 11.13 장미비강진

그림 11.14 장미비강진

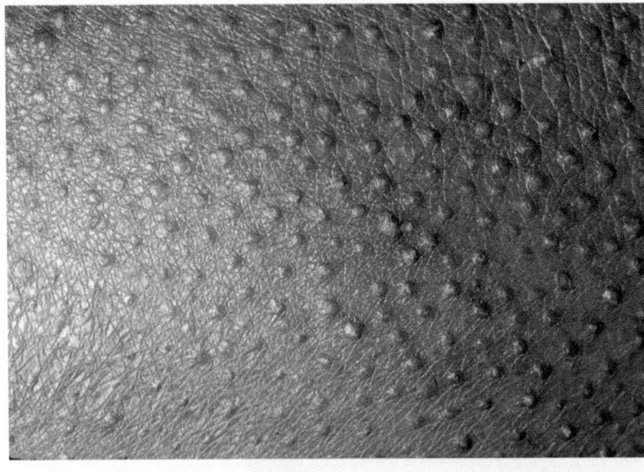

그림 11.15 모공홍색비강진의 초기 모낭과각화증

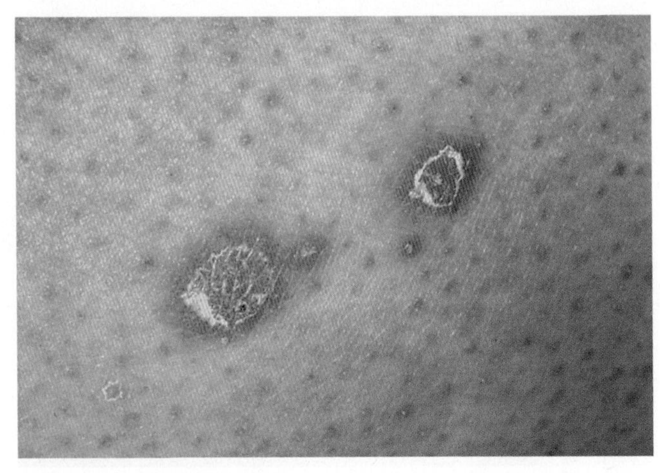

그림 11.16 모공홍색비강진

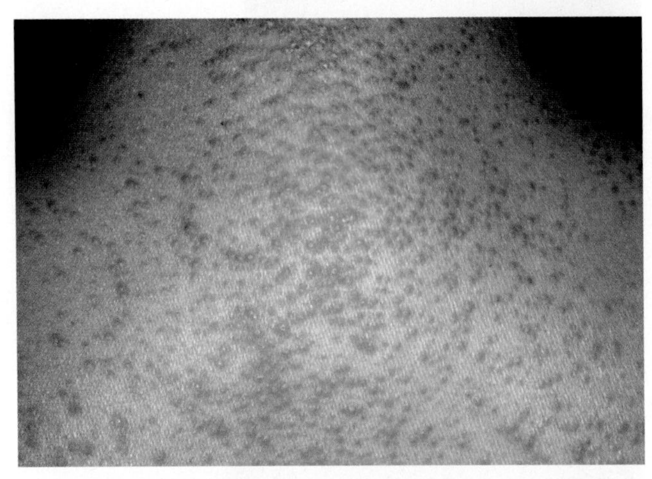

그림 11.17 모공홍색비강진

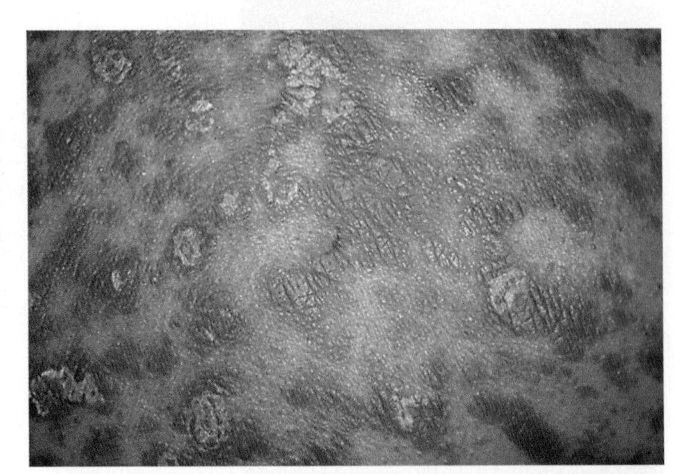

그림 11.18 모공홍색비강진

그림 11.19 모공홍색비강진

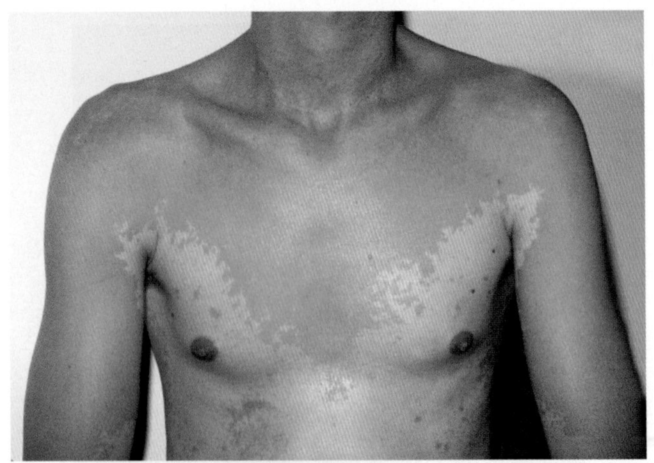

그림 11.20 모공홍색비강진

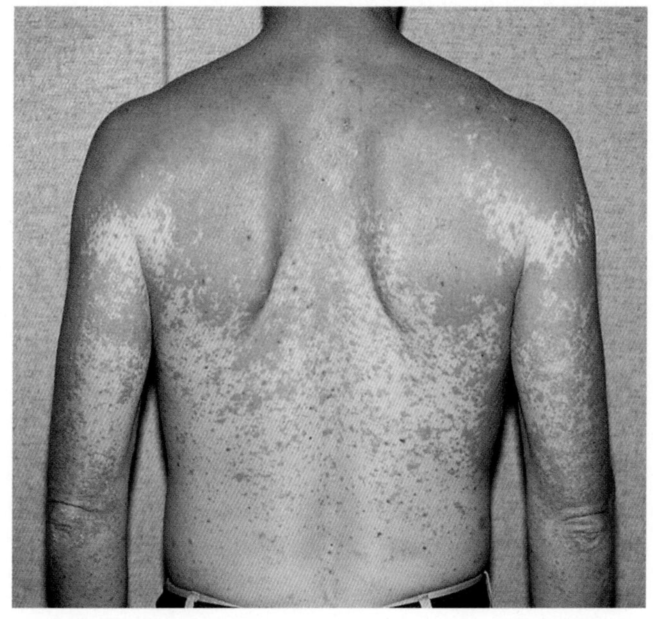

그림 11.21 모공홍색비강진

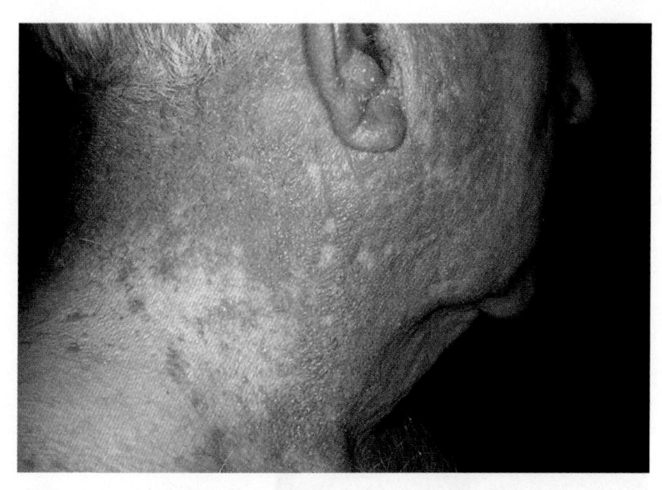

그림 11.22 모공홍색비강진

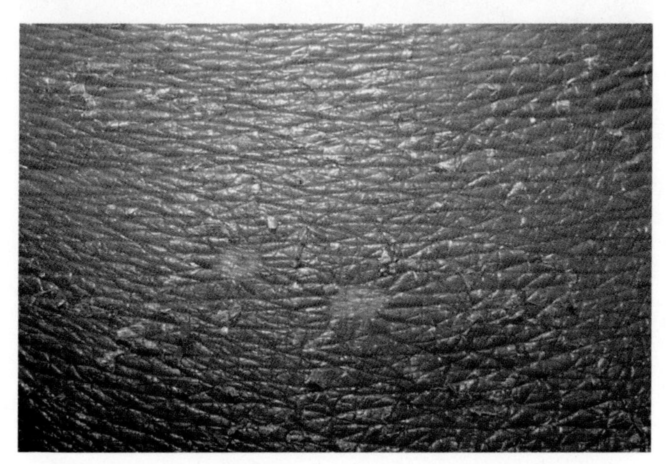

그림 11.23 모공홍색비강진

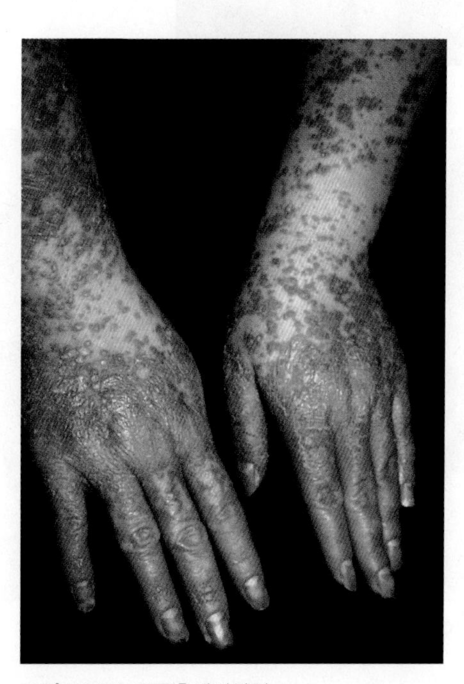

그림 11.24 모공홍색비강진

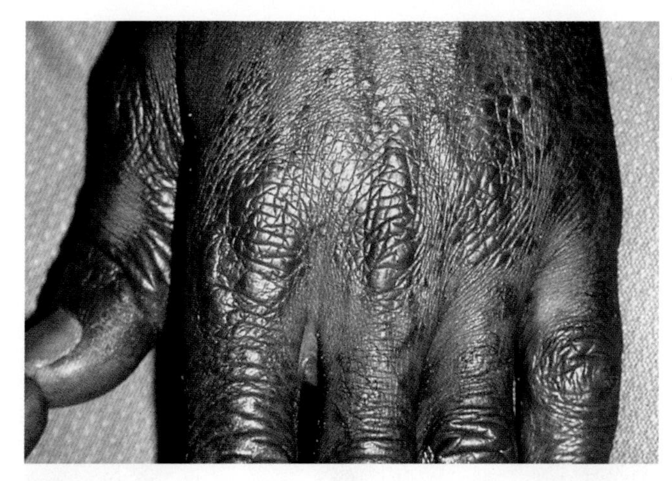

그림 11.25 모공홍색비강진

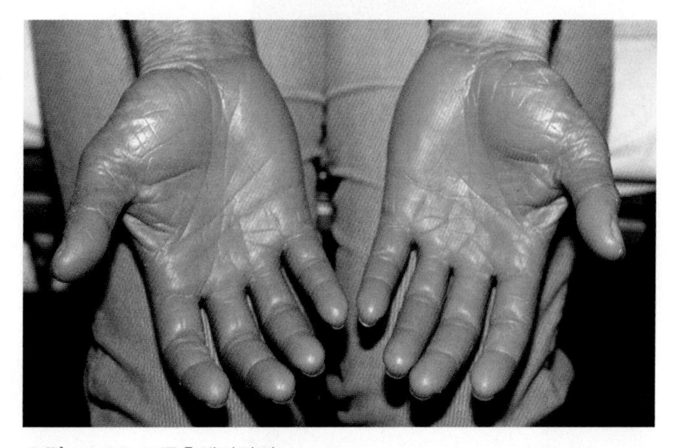

그림 11.26 모공홍색비강진

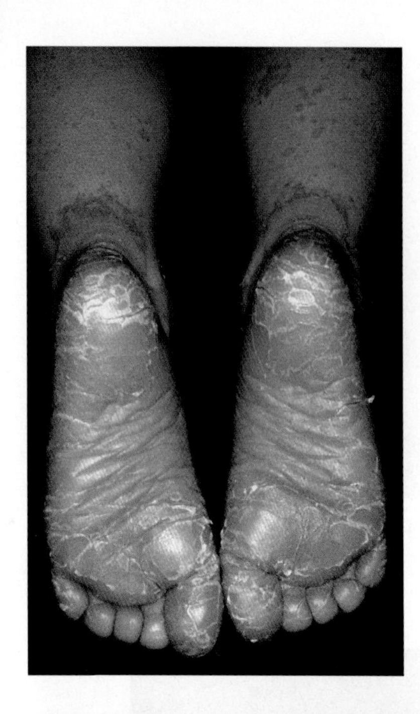

그림 11.27 모공홍색비강진

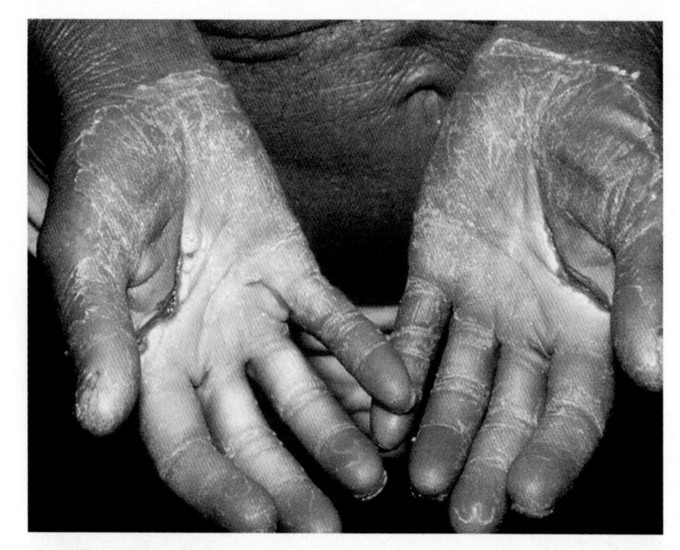

그림 11.28 모공홍색비강진

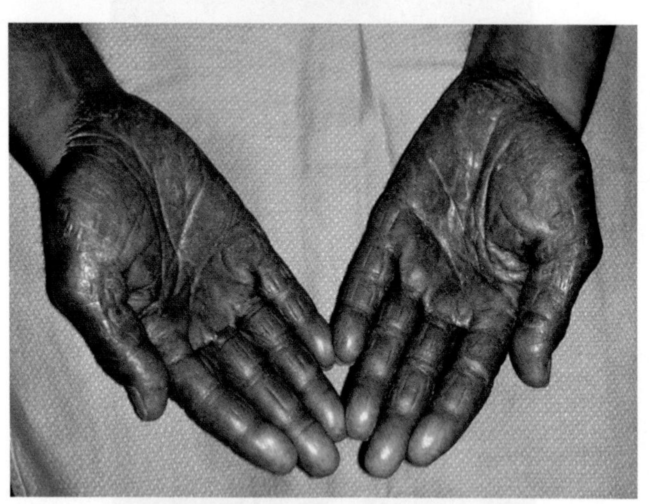

그림 11.29 모공홍색비강진

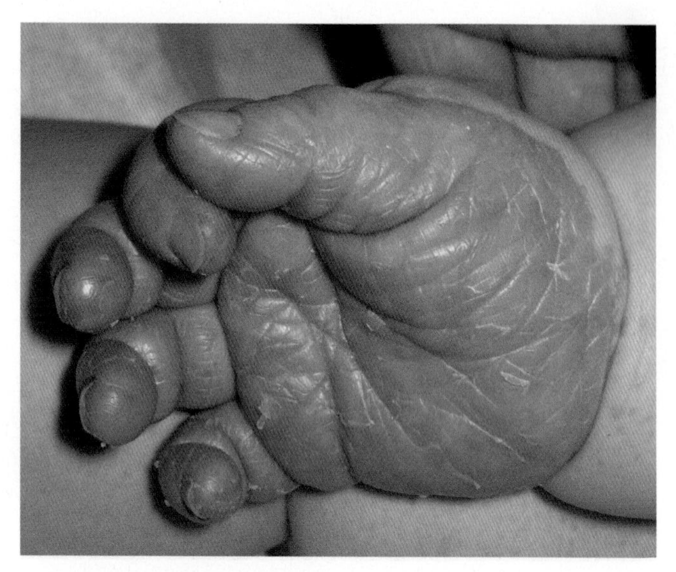

그림 11.30 소아 모공홍색비강진

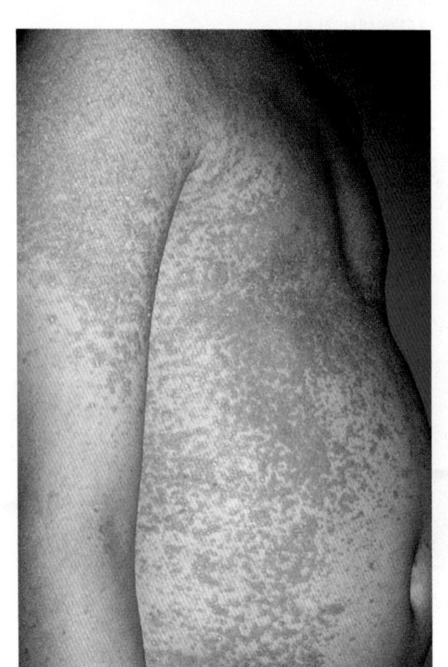

그림 11.31 소아 모공홍색비강진

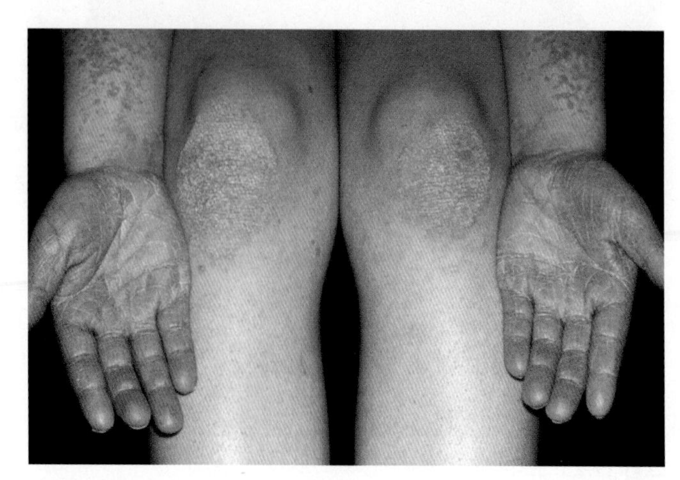

그림 11.32 소아 모공홍색비강진

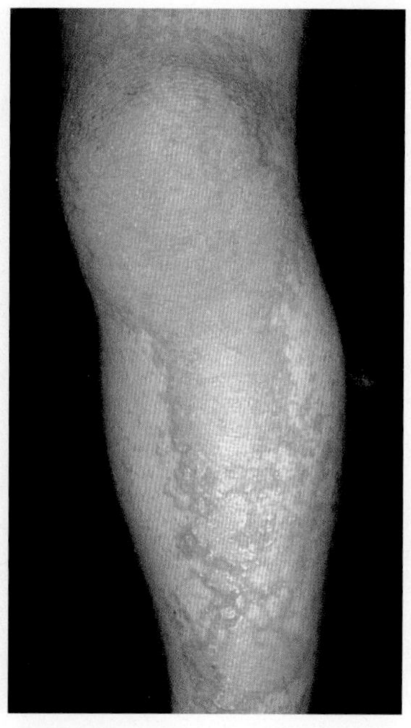

그림 11.33 국한성 소아형 모공홍색비강진

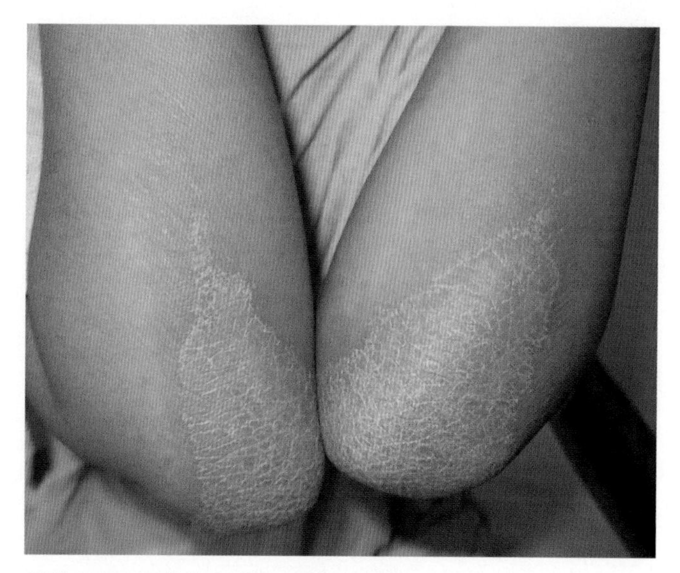

그림 11.34 국한성 소아형 모공홍색비강진

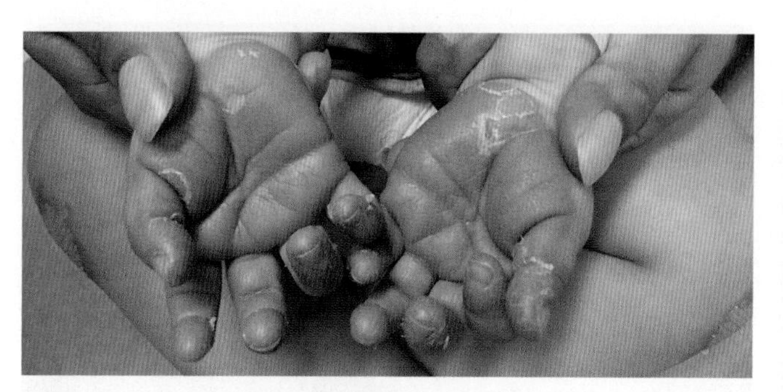

그림 11.35 국한성 소아형 모공홍색비강진

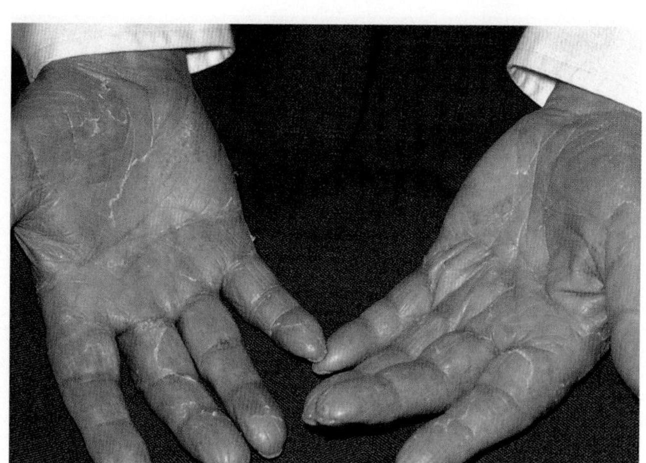

그림 11.36 박탈각질용해증

그림 11.37 박탈각질용해증

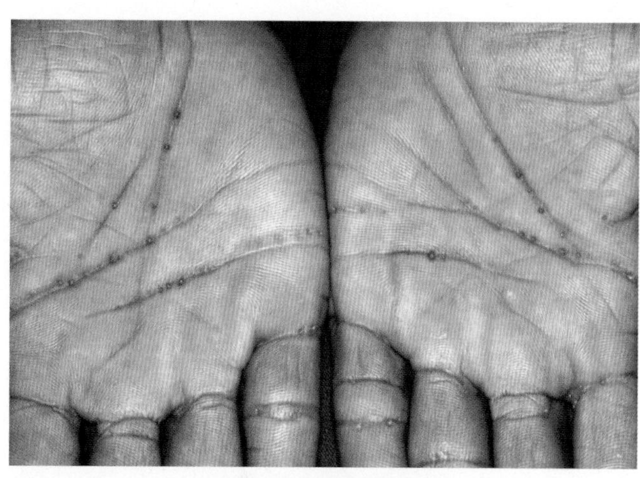

그림 11.38 손바닥 주름의 점모양각질피부증

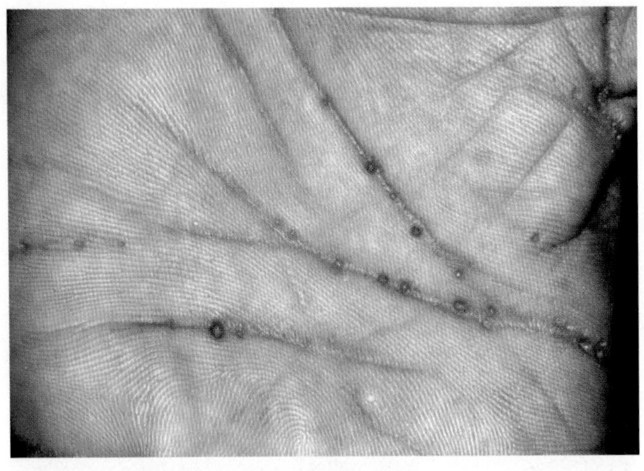
그림 11.39 손바닥 주름의 점모양각질피부증

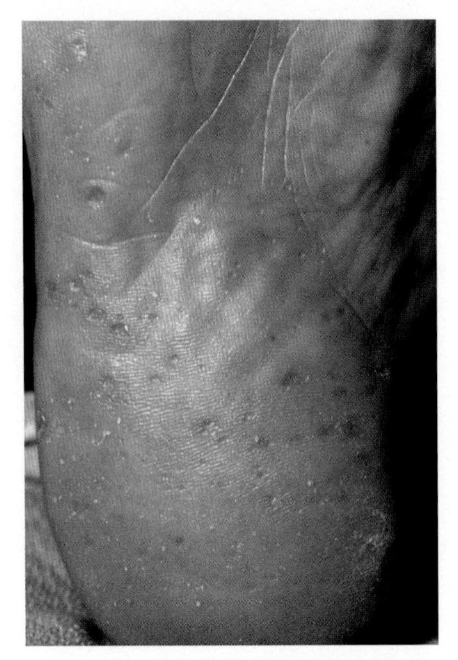
그림 11.40 점모양각질피부증

그림 11.41 점모양각질피부증

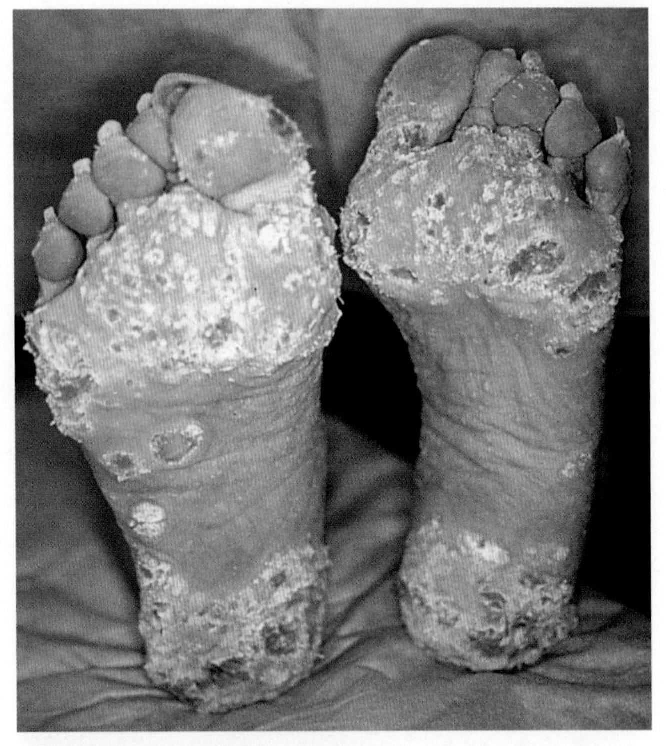
그림 11.42 점모양각질피부증

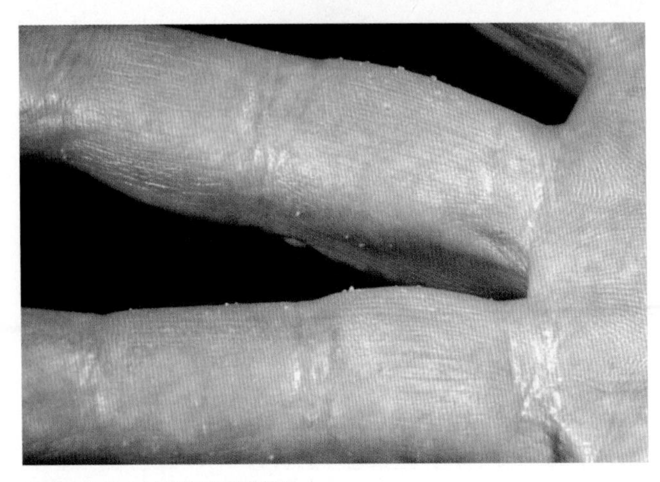
그림 11.43 손바닥의 과각화증

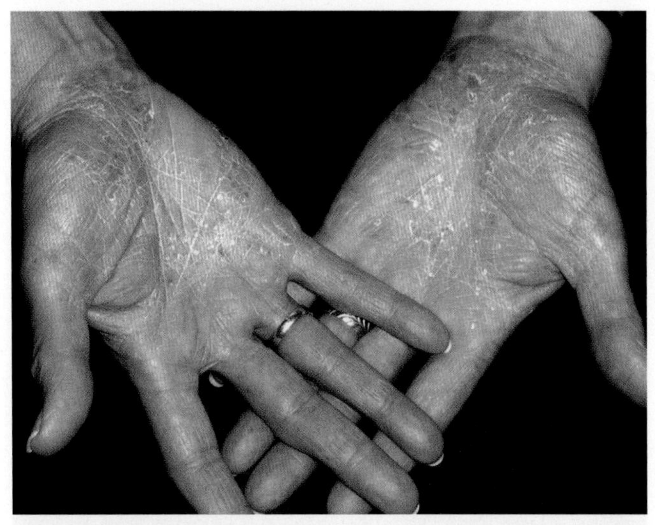

그림 11.44 갱년기각질피부증

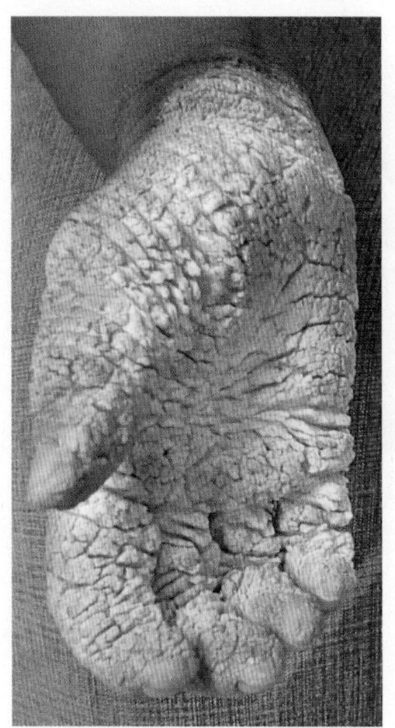

그림 11.45 Keratin 1의 돌연변이가 있는 전신표피모반 (Curth-Macklin)

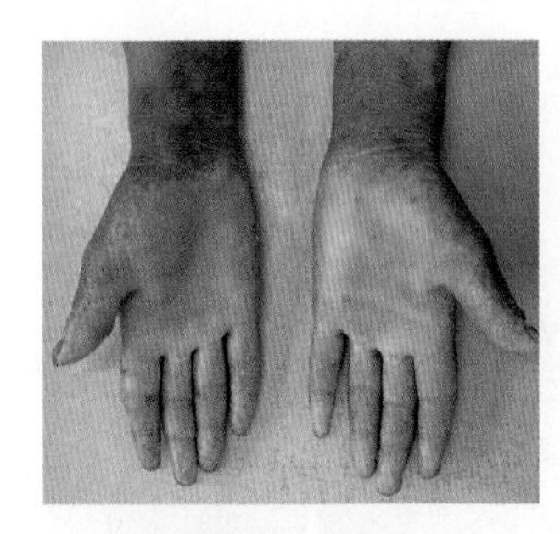

그림 11.46 손바닥에 광범위한 과각화증을 보이는 손발바닥각질피부증(Unna-Thost)

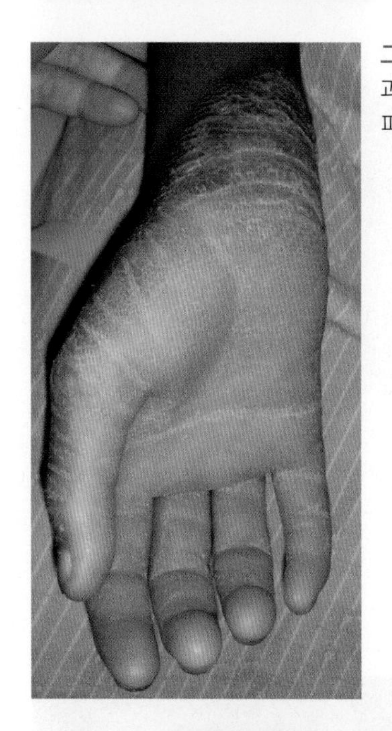

그림 11.47 손바닥에 광범위한 과각화증을 보이는 손발바닥각질피부증 (Unna-Thost)

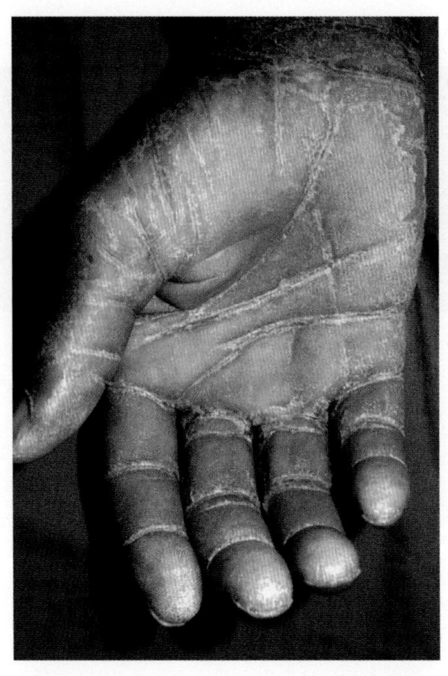

그림 11.48 폐암이 있는 환자에서의 과각화증

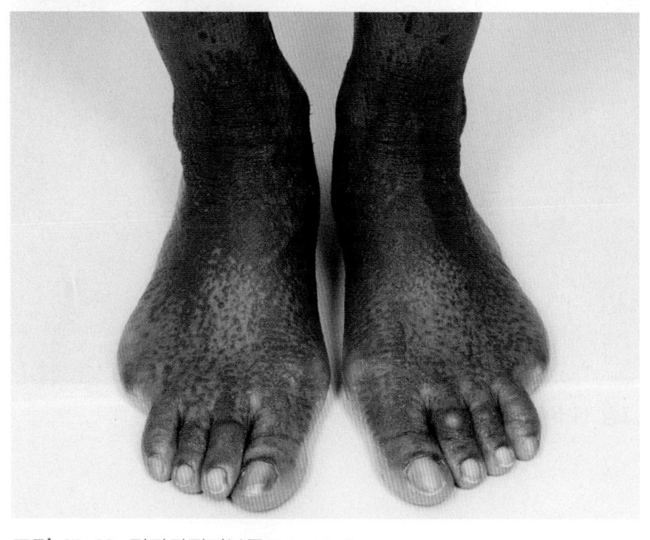

그림 11.49 절단각질피부증(Vohwinkel)

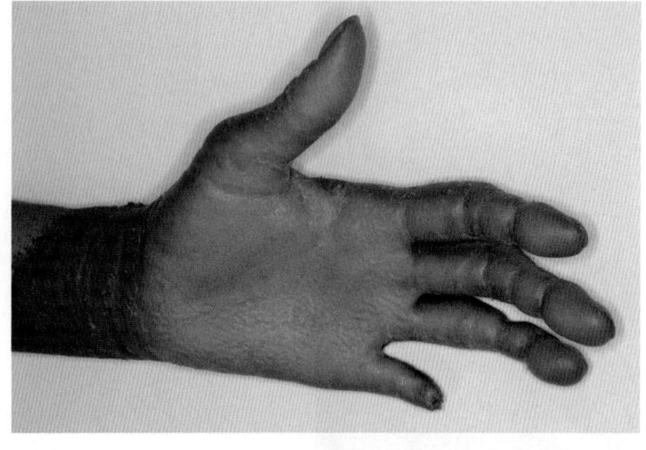

그림 11.50 절단각질피부증 (Vohwinkel)

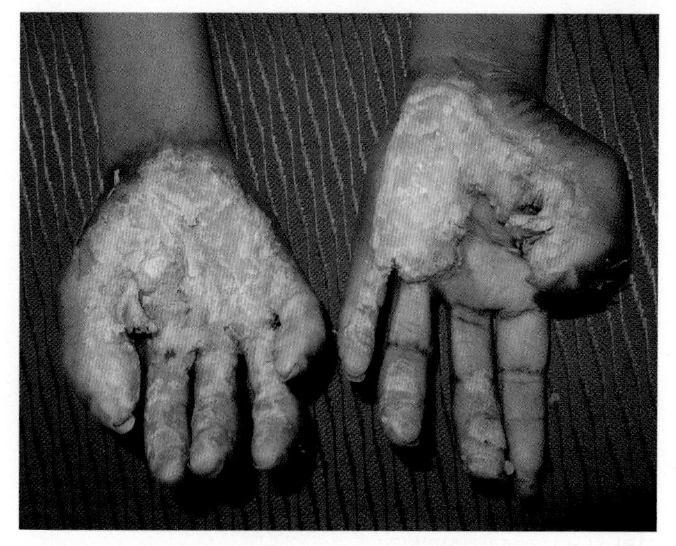

그림 11.51 Olmsted 증후군

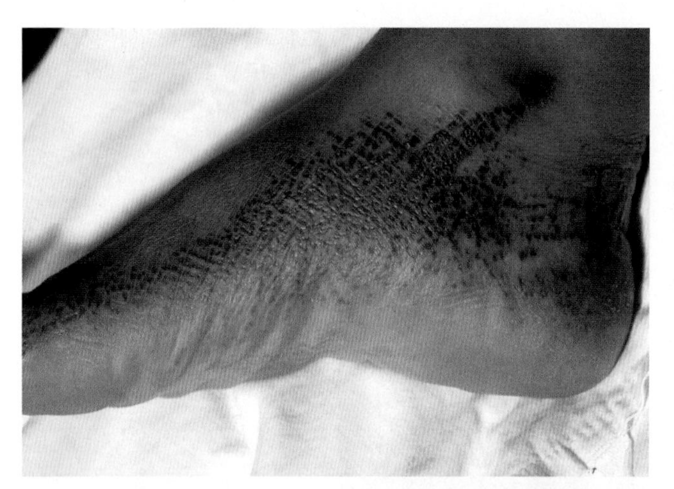

그림 11.52 말단각화탄력섬유증

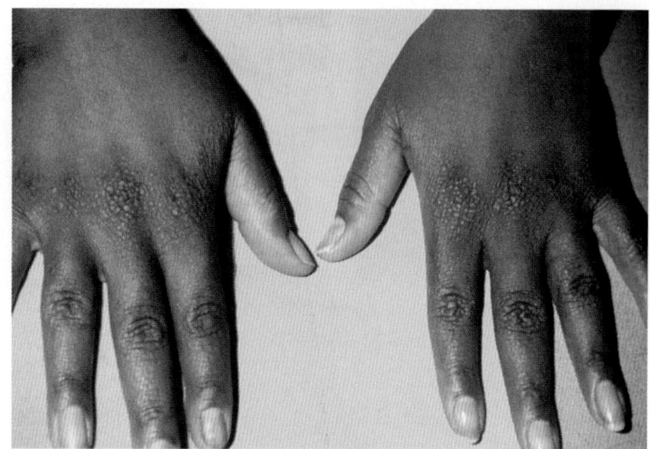

그림 11.53 말단각화탄력섬유증

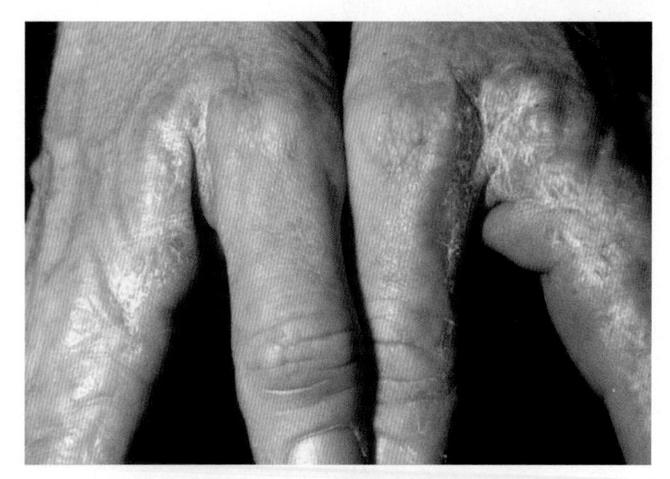

그림 11.54 손의 콜라겐 및 탄력섬유 변연판

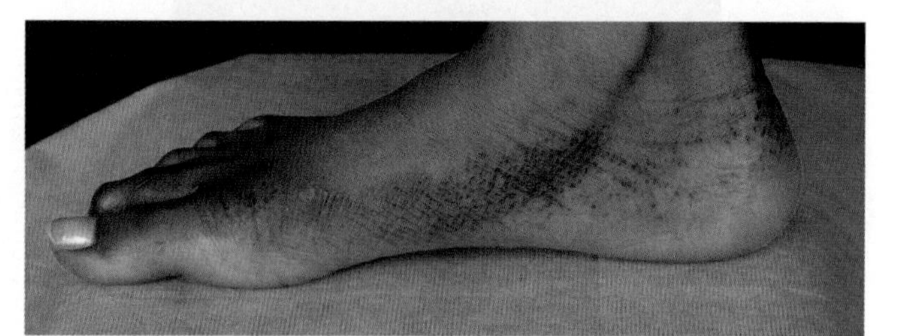

그림 11.55 국소말단과각화증

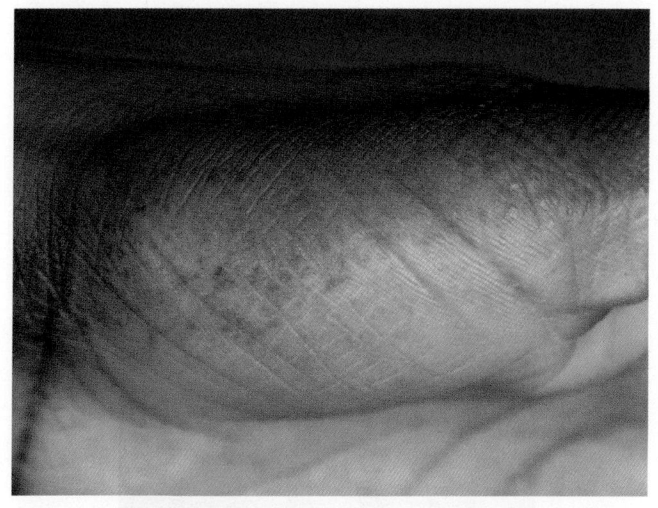

그림 11.56 국소말단과각화증

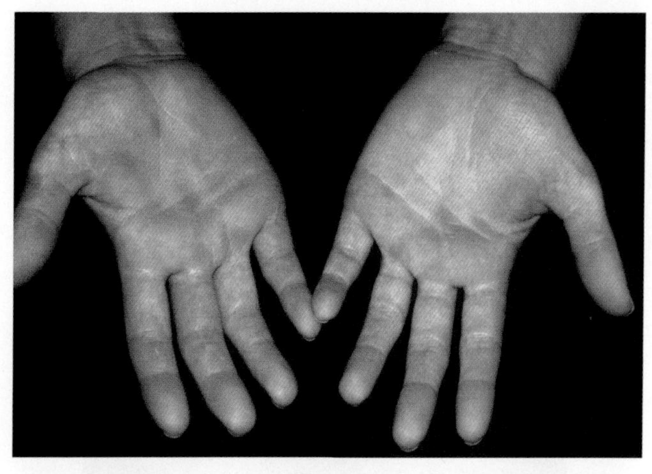

그림 11.57 멜레다병

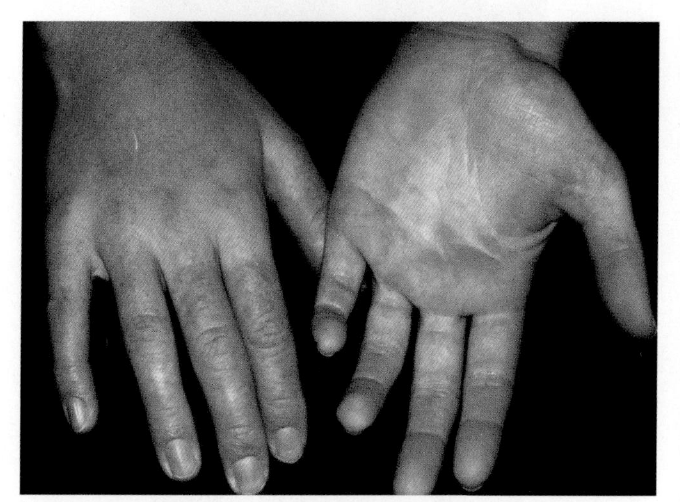

그림 11.58 멜레다병

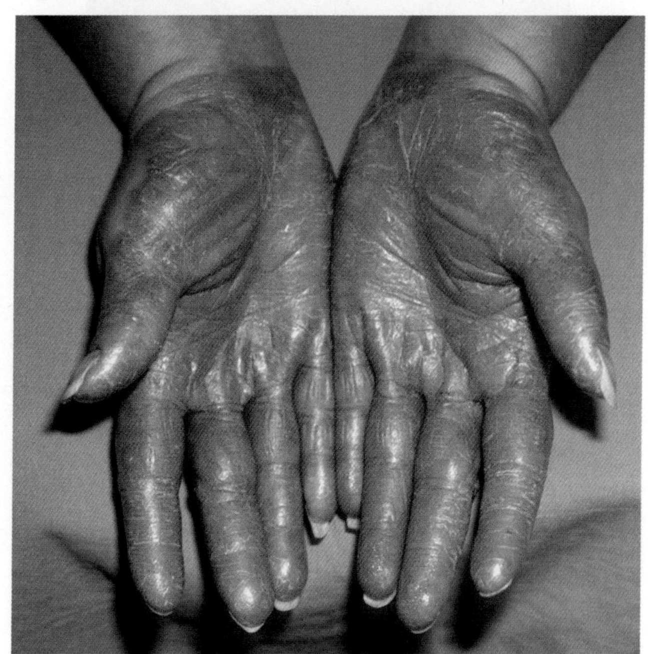

그림 11.59 빠삐용-레페브레증후군

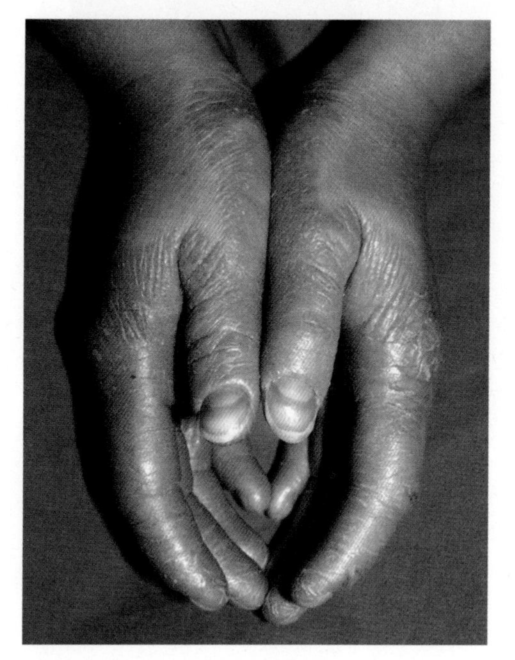

그림 11.60 빠삐용-레페브레증후군

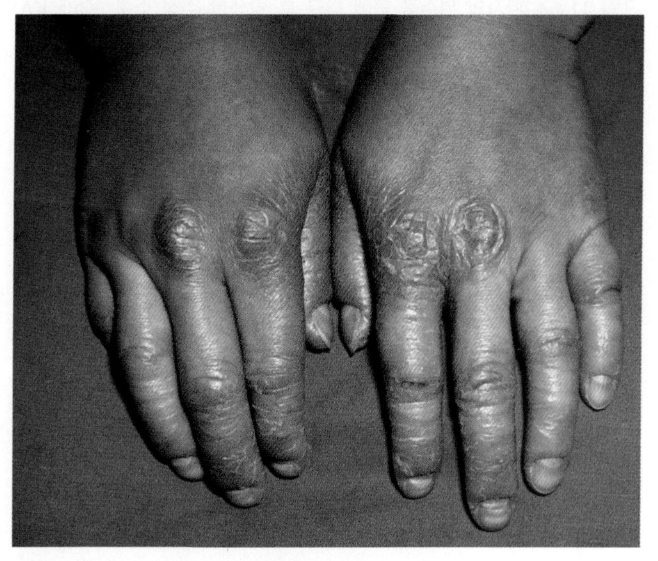

그림 11.61 빠삐용-레페브레증후군

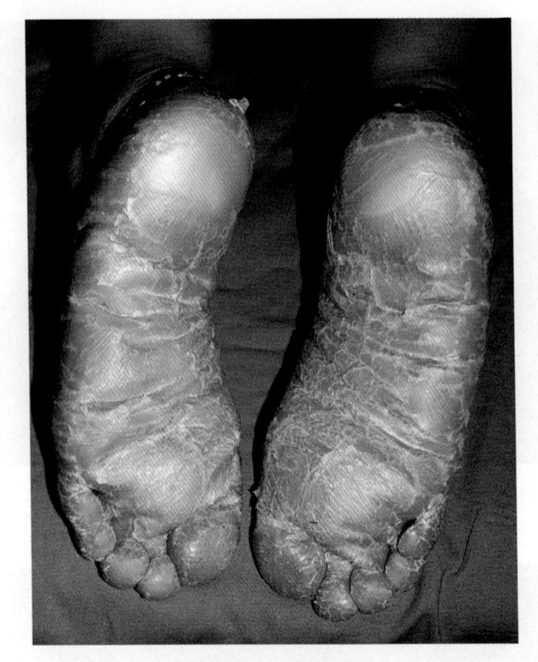

그림 11.62 빠삐용-레페브레증후군

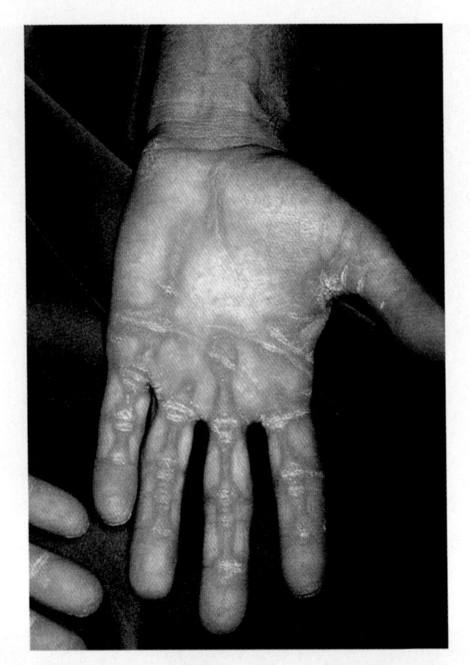

그림 11.63 선각질피부증

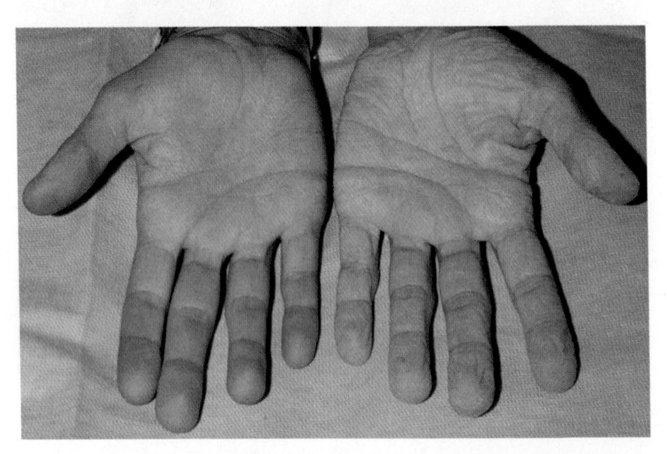

그림 11.64 환자의 왼손을 물에 담근 후 발생한 수성 주름. Katz KA, Yan AC, Turner ML: Aquagenic wrinkling of the palms in patients with cystic fi brosis homozygous for the delta F508 CFTR mutation. Arch Dermatol 2005: 141: 621-4에 처음으로 보고되었다.

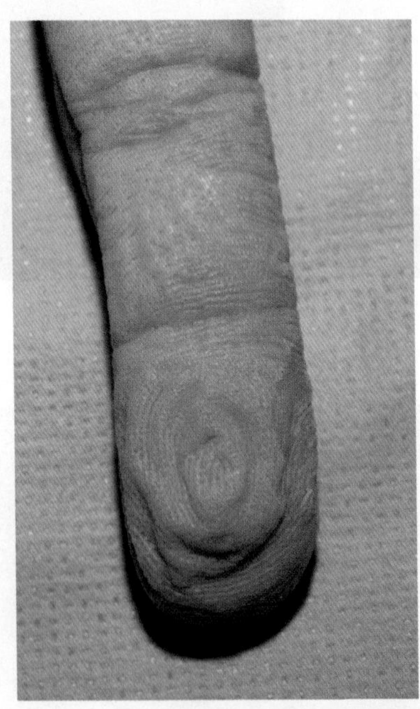

그림 11.65 환자의 왼손을 물에 담근 후 발생한 수성 주름. Katz KA, Yan AC, Turner ML: Aquagenic wrinkling of the palms in patients with cystic fi brosis homozygous for the delta F508 CFTR mutation. Arch Dermatol 2005: 141: 621-4에 처음으로 보고되었다.

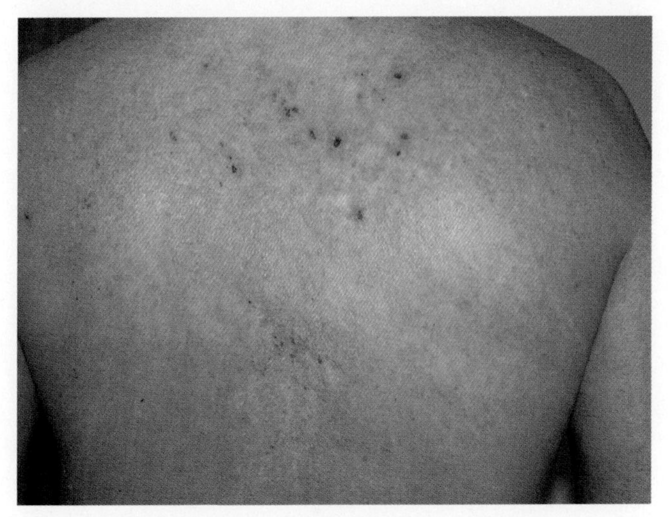

그림 11.66 아토피피부염에 의한 홍색피부증

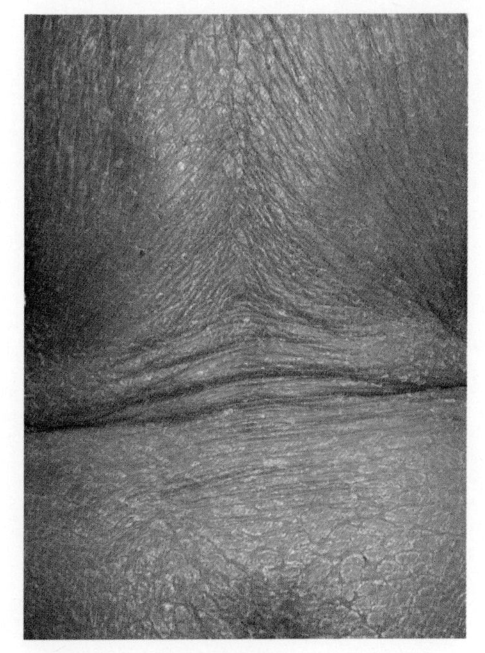

그림 11.67 건선 홍색피부증

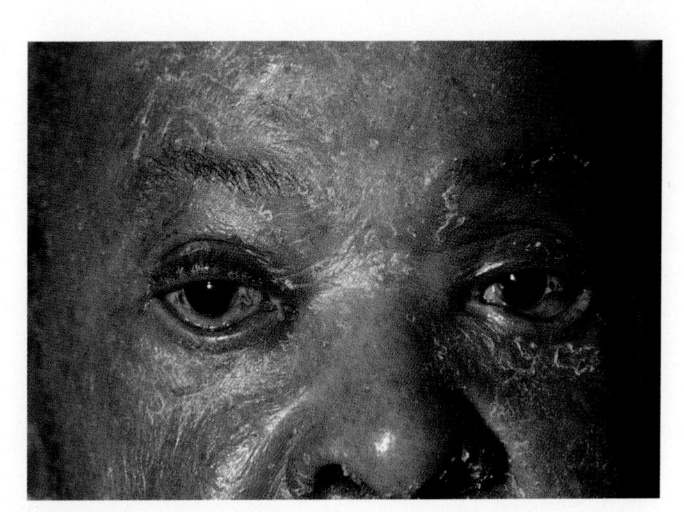

그림 11.68 건선 홍색피부증

편평태선과 이와 연관된 질환들 12

편평태선과 기타 태선모양 발진은 특징적인 일차병변들을 보이는 경향이 있다. 편평태선에서 가려움을 동반한, 보라색 다각형의, 표면이 납작한 전형적인 구진들을 자세히 관찰하면 반짝이는 표면을 볼 수 있다. 이 구진들은 넓게 퍼지고 서로 융합되어 판과 선조를 형성하며 쾨브너현상도 관찰되어 진단에 도움이 될 수 있다. 자세한 병변의 관찰을 통해 구강 점막의 하얀 레이스모양의 백색판, 성기 부위의 고리모양 병변, 그리고 다양한 조갑의 변화를 확인할 수 있다. 색소편평태선은 광선노출부위에 발생하는 편평태선의 일종이며 특징적인 과색소침착을 보인다.

광택태선과 선상태선은 모두 개개의 병변들이 태선모양을 보이며 소아에서 더 흔히 발생한다. 반짝이는 납작한 구진들로 나타나는 광택태선은 어두운 피부에서는 약간의 저색소성으로 보일 수 있다. 편평태선처럼 쾨브너 현상을 보일 수 있고 국소적으로 또는 광범위하게도 발생할 수 있다. 선상태선은 특징적인 곡선모양의 판이 보통 소아의 사지에 발생하지만 몸통에서도 발생할 수 있으며 드물게 얼굴에도 생길 수 있다. 블라쉬코선을 따라 발생하며 조갑을 침범하여 변형을 일으키기도 한다. 병변이 경과하면 일시적으로 저색소침착 또는 과색소침착의 반을 남기므로 이런 병변은 선상태선이 최근 소실된 흔적이라는 것을 시사한다.

경화태선은 대부분 성기부위를 침범하며 여성에서의 발병률이 더 높다. 성기부위에 발생하는 경화태선은 위축성 하얀색 반으로 나타나고 주름과 미란이 동반될 수 있으며 정상 해부학적 구조를 손상시키고 흉터를 남길 수 있다. 일부 환자에서 멍이 관찰될 수 있는데 이로 인해 성적학대로 인한 타박상으로 오인될 수 있기 때문에 조심스럽게 신체진찰을 할 필요가 있으며 증상이 애매할 경우 조직검사도 고려해야 한다. 성기외 경화태선은 위축성의 하얀색 구진과 반점이 주로 몸통에 발생한다.

피부 조직검사는 태선모양을 보이는 여러 피부질환에서 진단적 가치가 높으며, 조직학적으로 표피진피경계의 띠 모양의 염증과 함께 각각의 질환에 따른 특징적인 소견들로 감별을 할 수 있다. 이 장에서는 많은 증례사진들을 통해 편평태선과 이와 연관된 여러 질환들을 임상적으로 감별하는 데 도움을 주고자 한다.

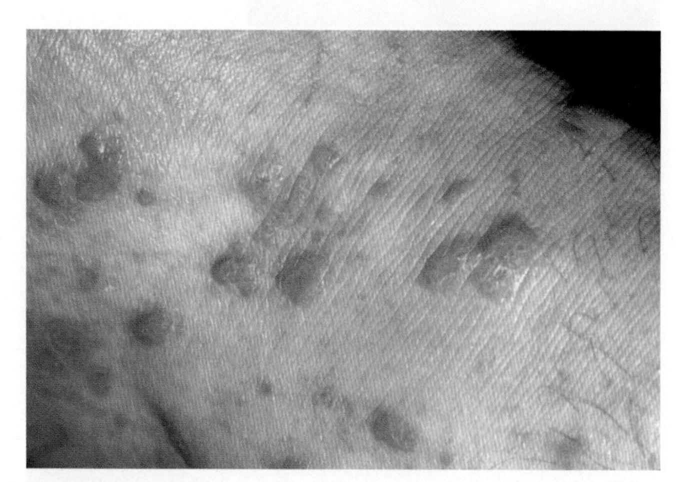

그림 12.1 편평태선

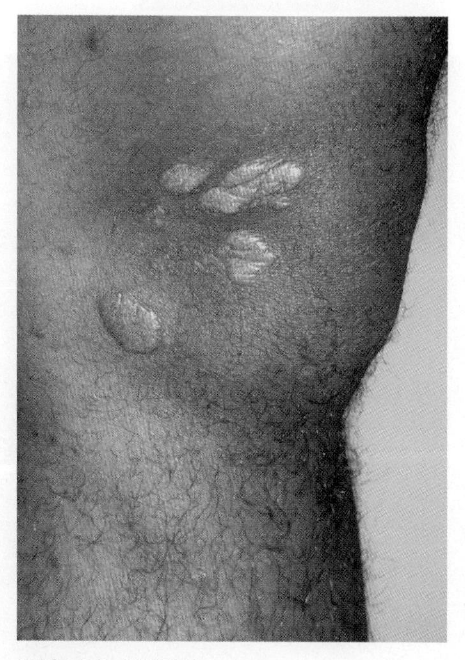

그림 12.2 편평태선

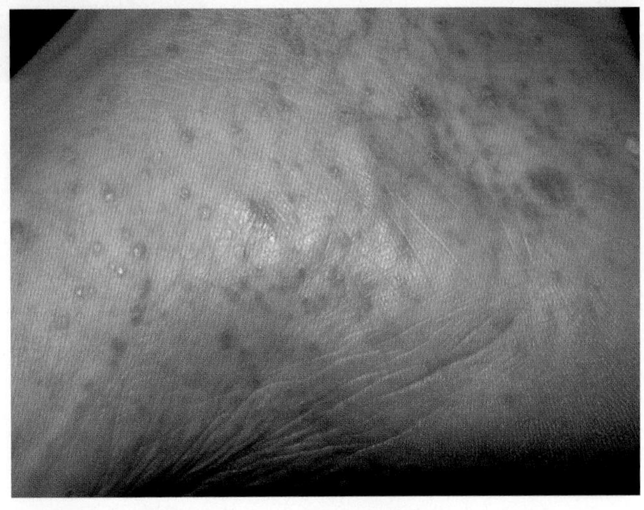
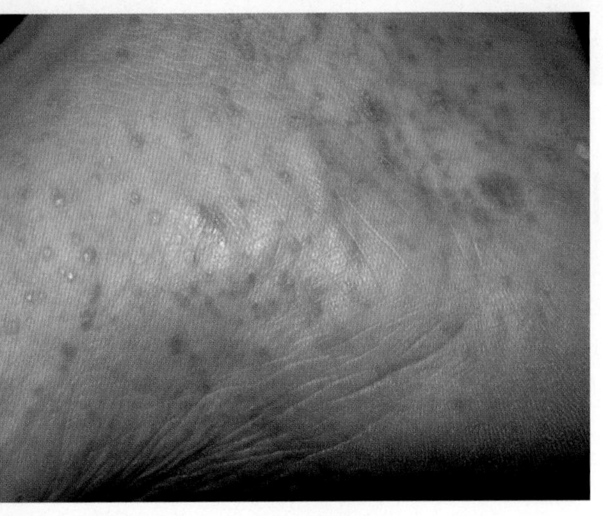

그림 12.3 편평태선

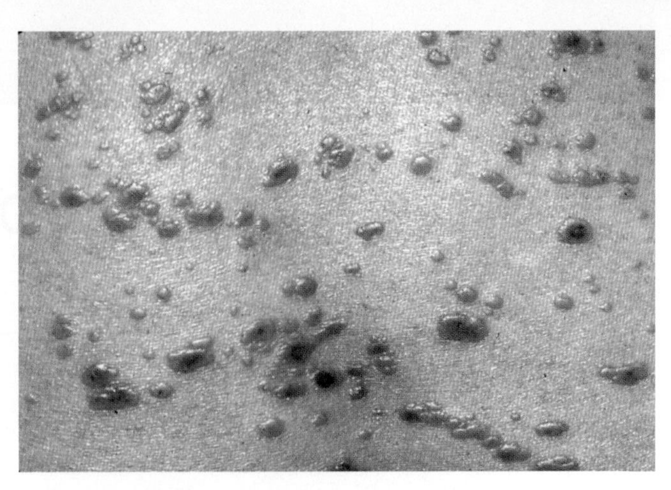

그림 12.4 편평태선

그림 12.5 편평태선

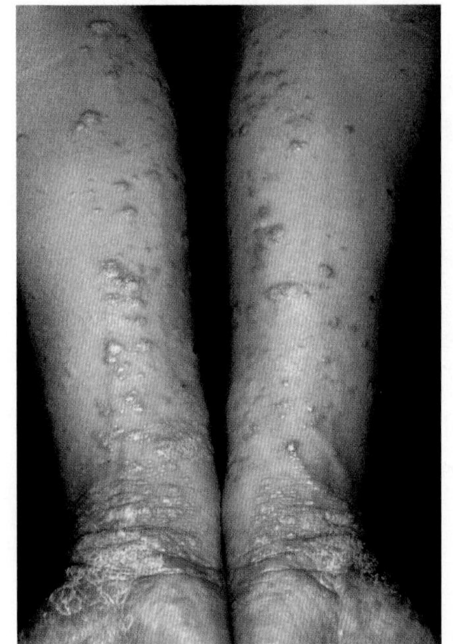

그림 12.6 편평태선

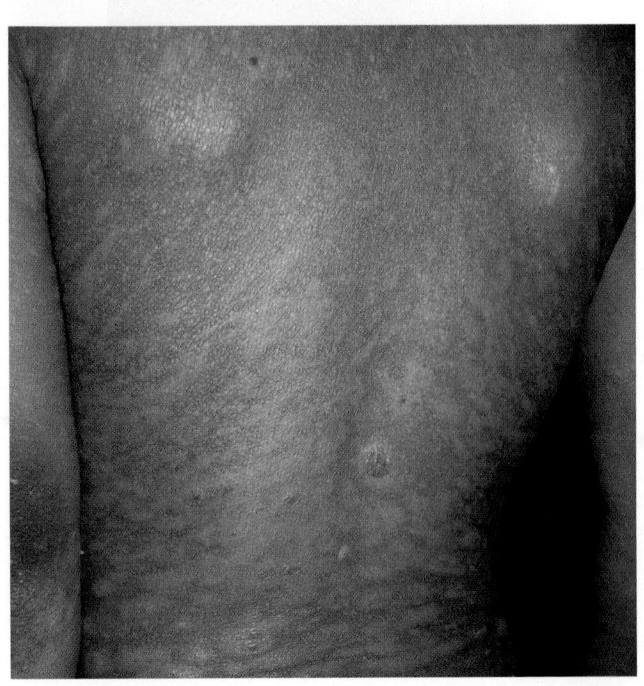

그림 12.7 편평태선

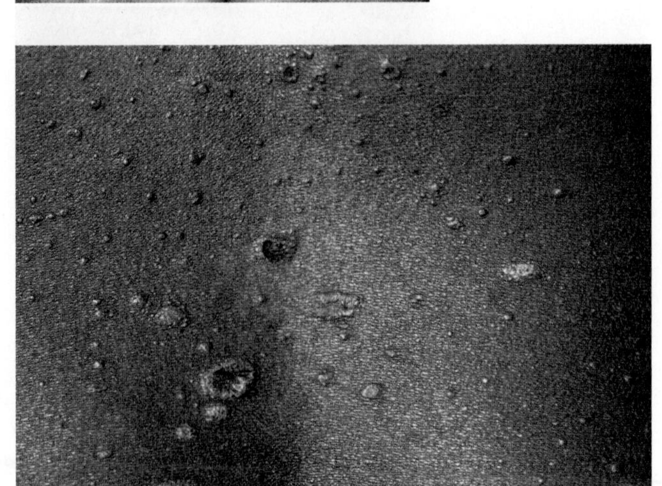

그림 12.8 편평태선

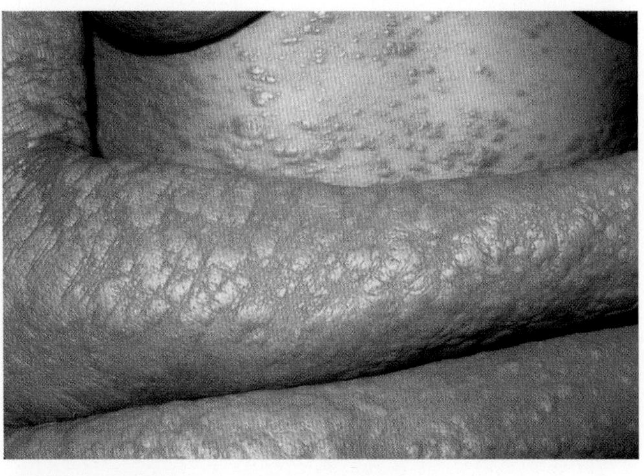

그림 12.9 편평태선

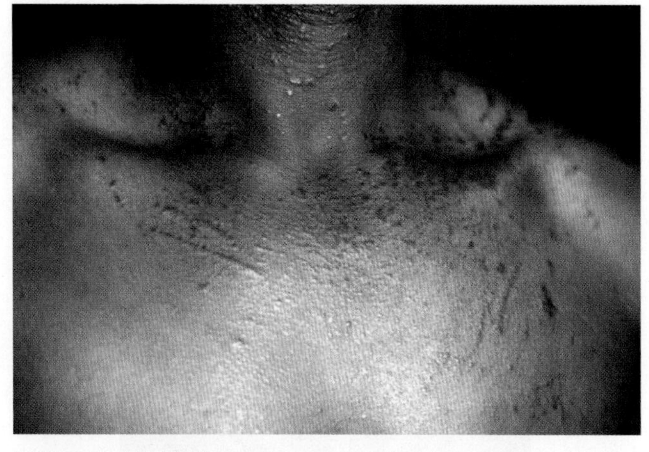

그림 12.10 편평태선

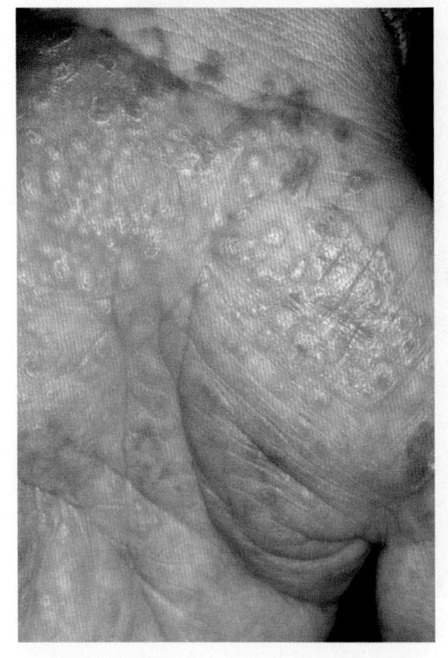

그림 12.11 편평태선

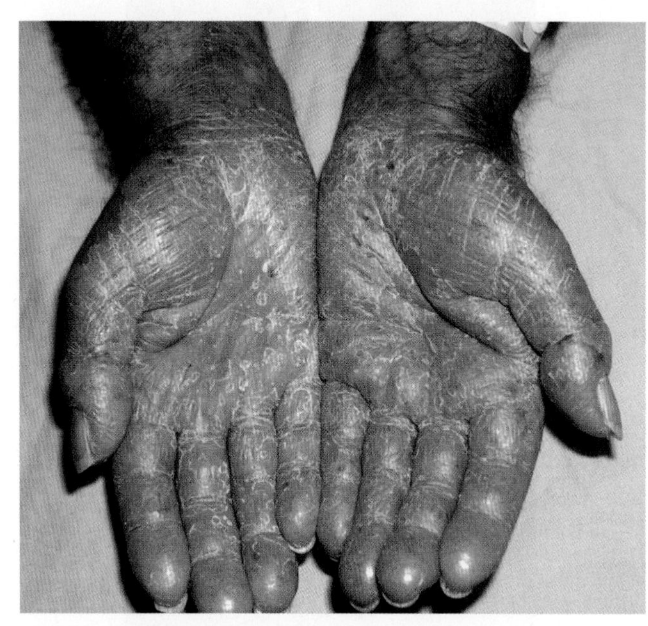

그림 12.12 편평태선

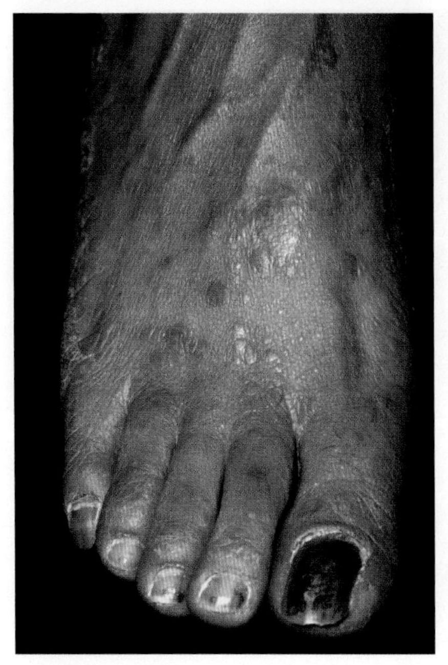

그림 12.13 편평태선

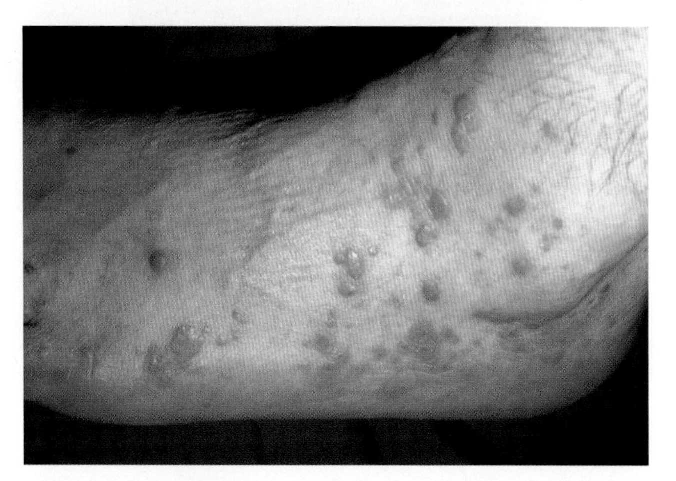

그림 12.14 편평태선

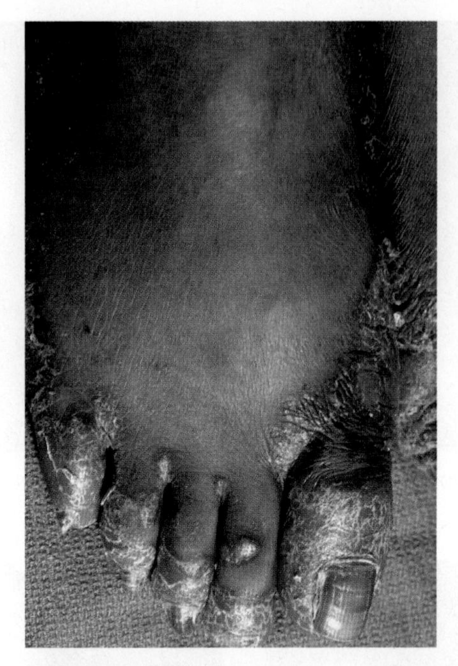
그림 12.15 편평태선

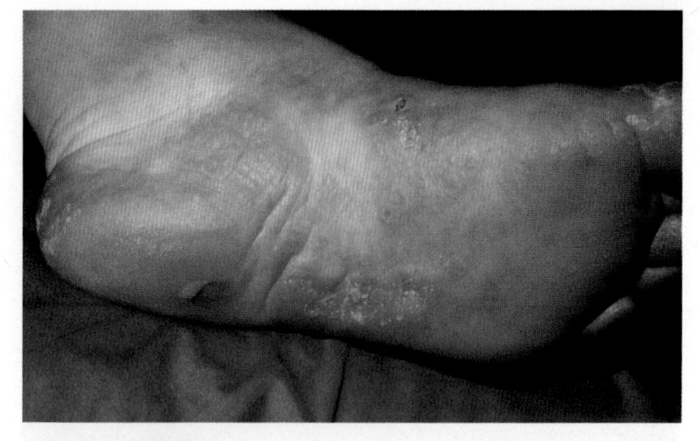
그림 12.16 편평태선

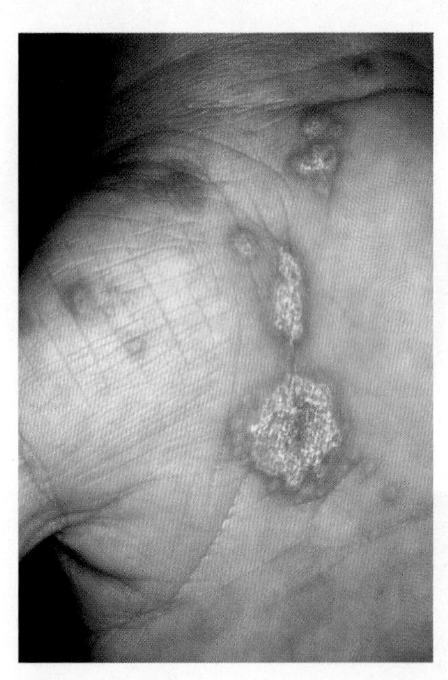
그림 12.17 편평태선

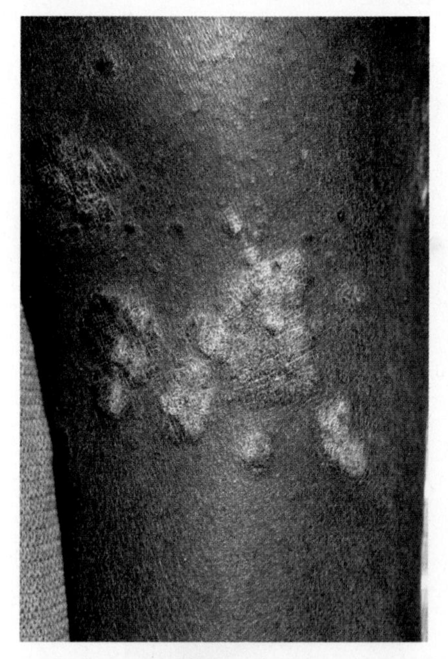
그림 12.18 비대편평태선

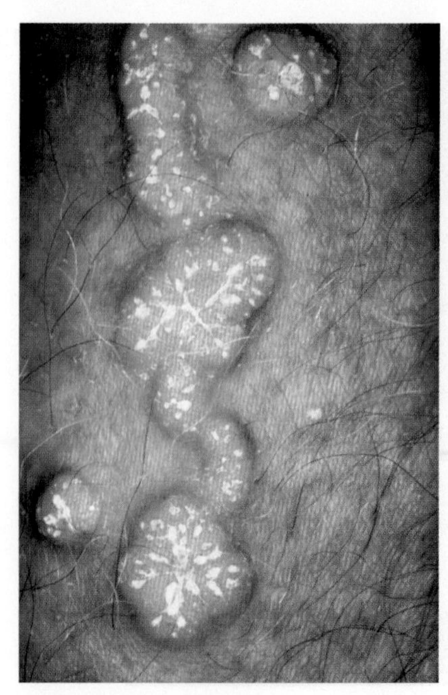
그림 12.19 비대편평태선

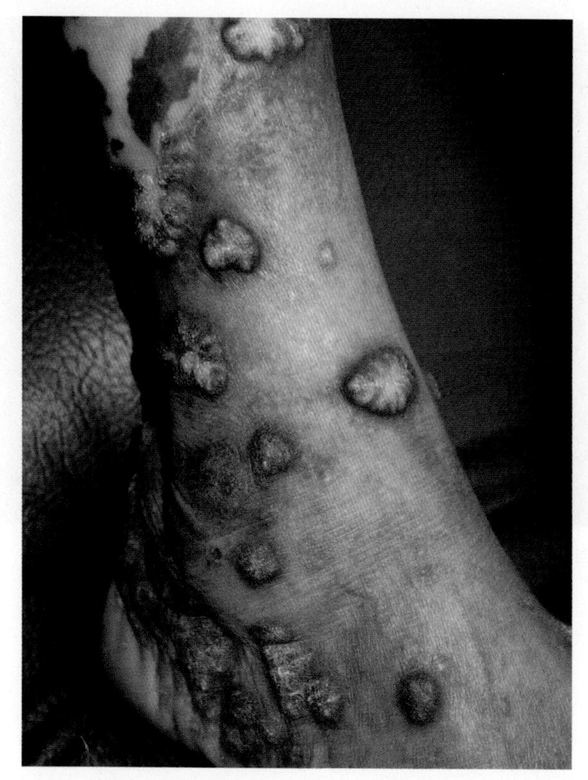

그림 12.20 비대편평태선

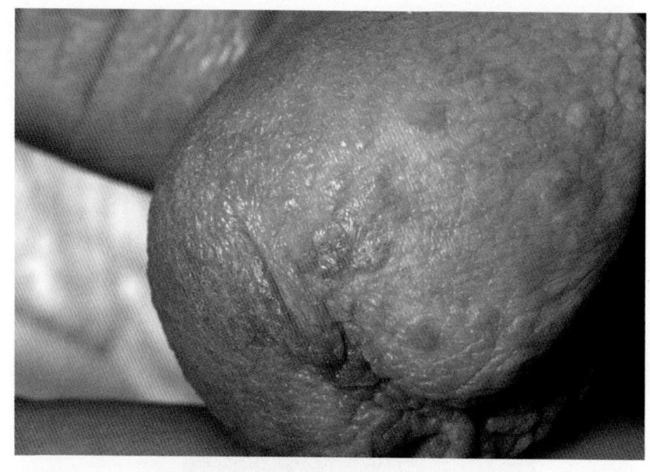

그림 12.21 귀두의 편평태선

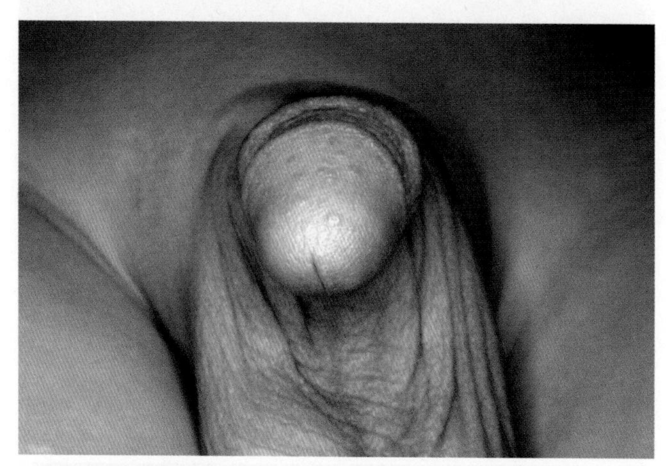

그림 12.22 편평태선

그림 12.23 편평태선

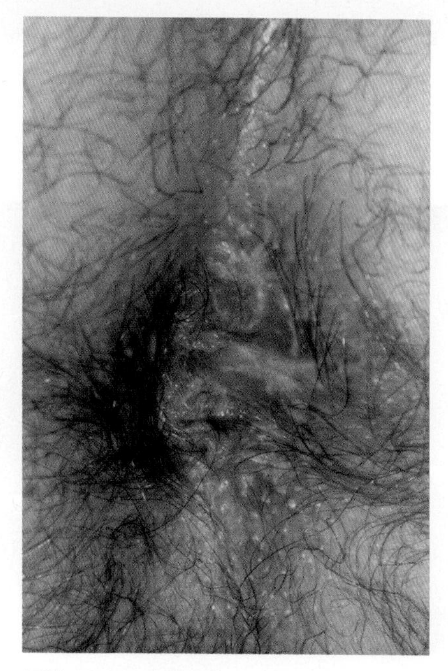

그림 12.24 편평태선

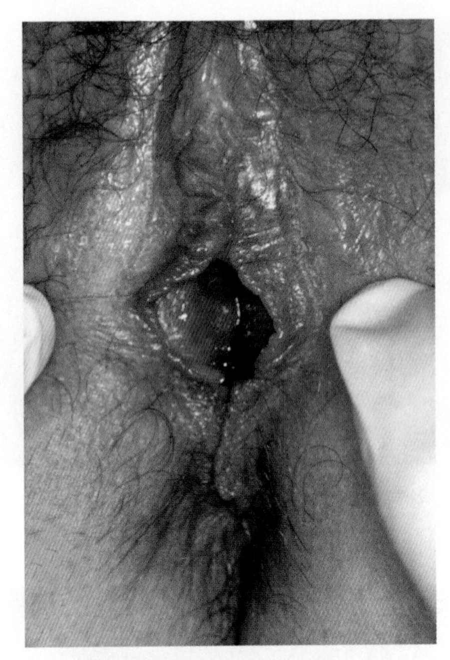

그림 12.25 음문질-치은 증후군

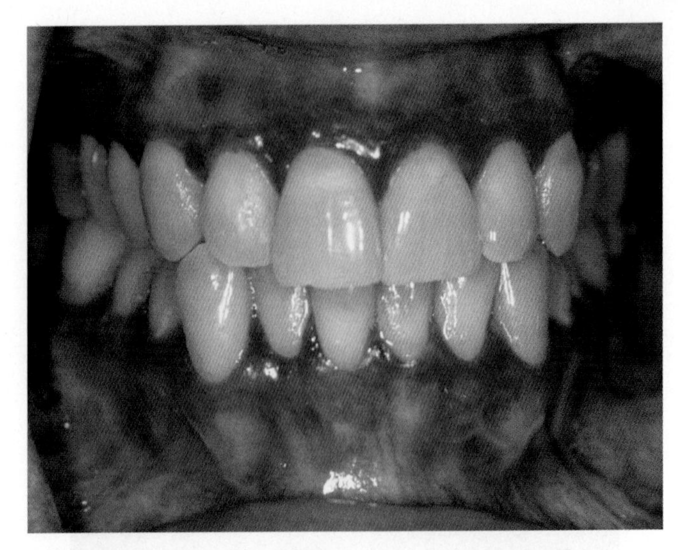

그림 12.26 음문질-치은 증후군

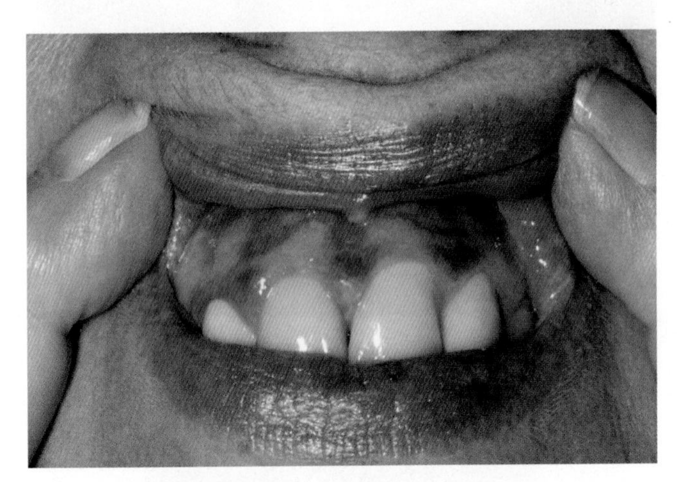

그림 12.27 구강 편평태선

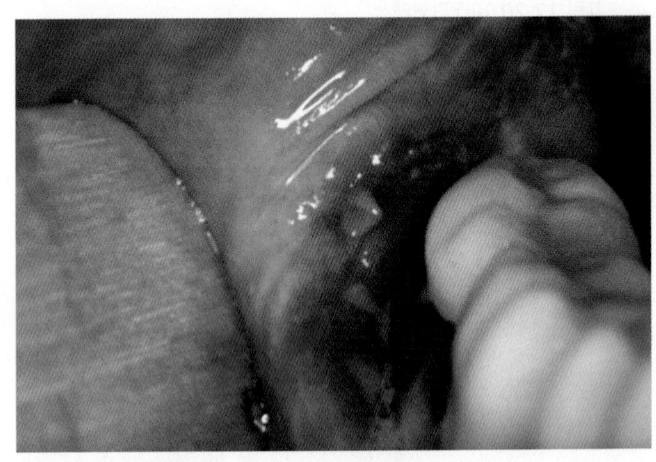

그림 12.28 구강 편평태선

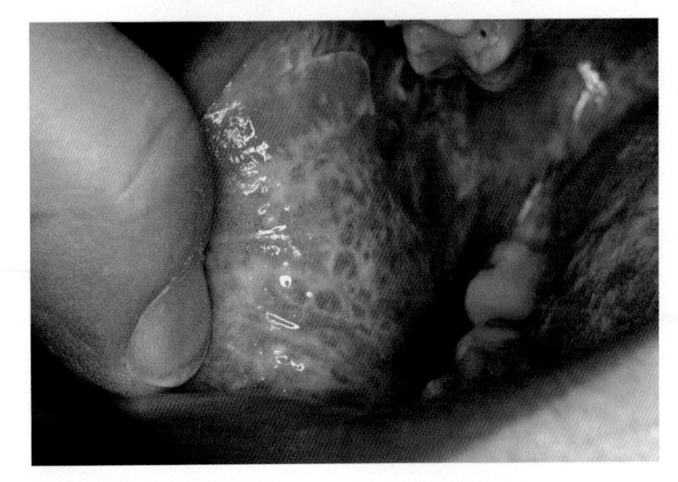

그림 12.29 구강 편평태선

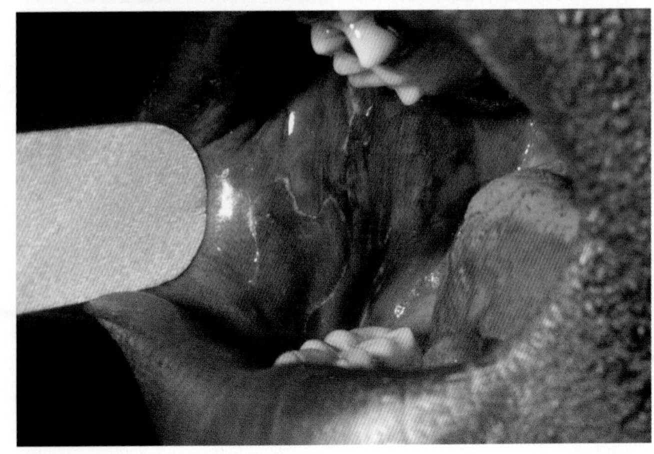

그림 12.30 구강 편평태선

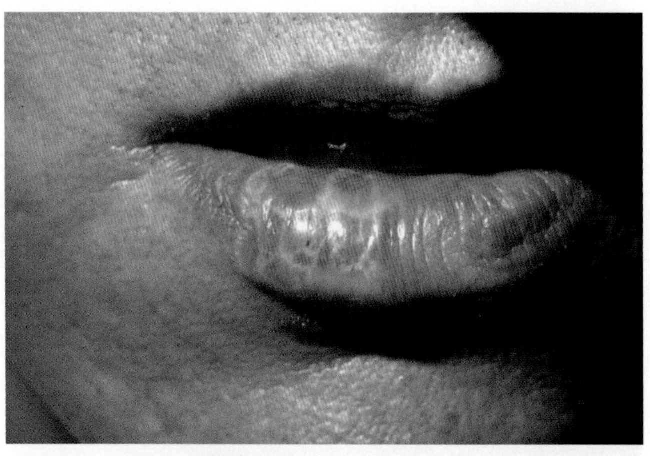

그림 12.31 입술 편평태선

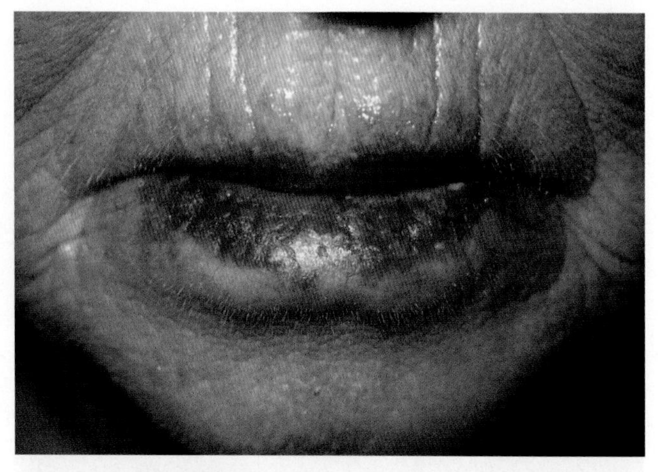

그림 12.32 미란 편평태선

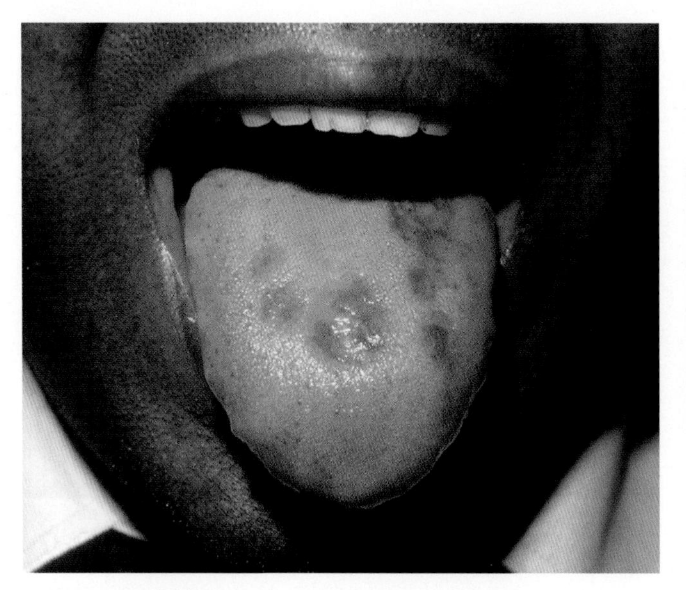

그림 12.33 편평태선

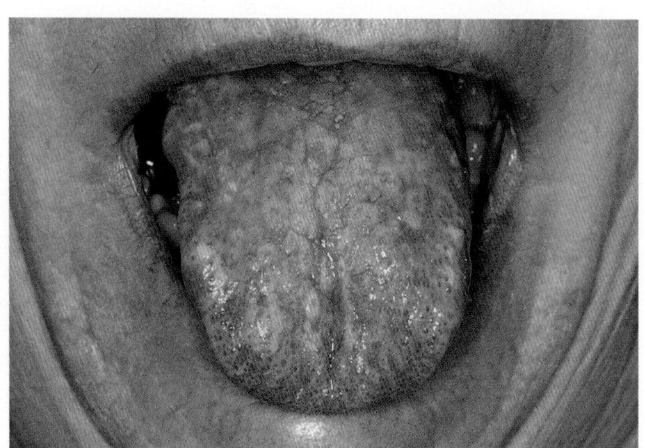

그림 12.34 편평태선

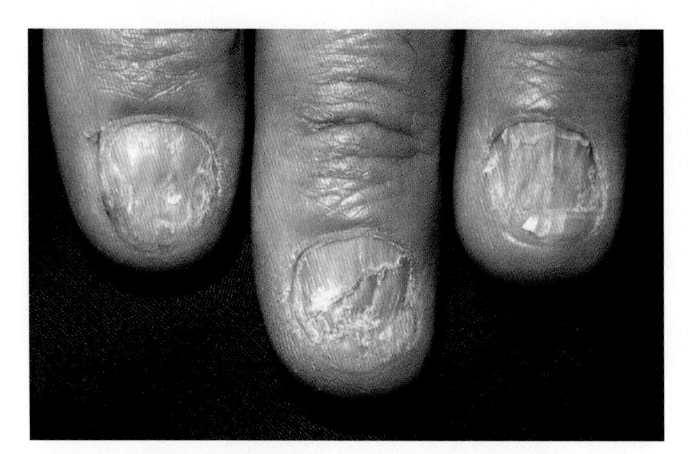

그림 12.35 조갑의 편평태선

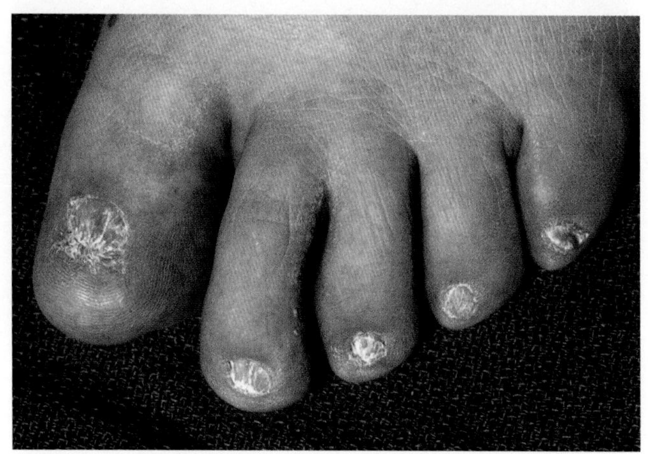

그림 12.36 조갑의 편평태선

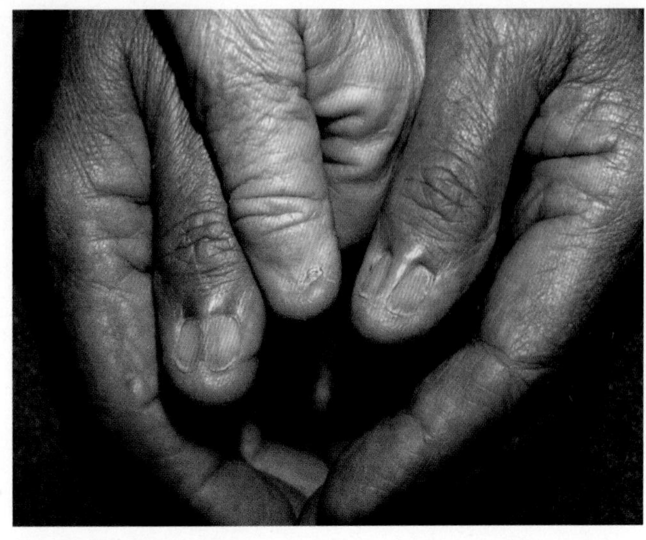
그림 12.37 조갑의 편평태선

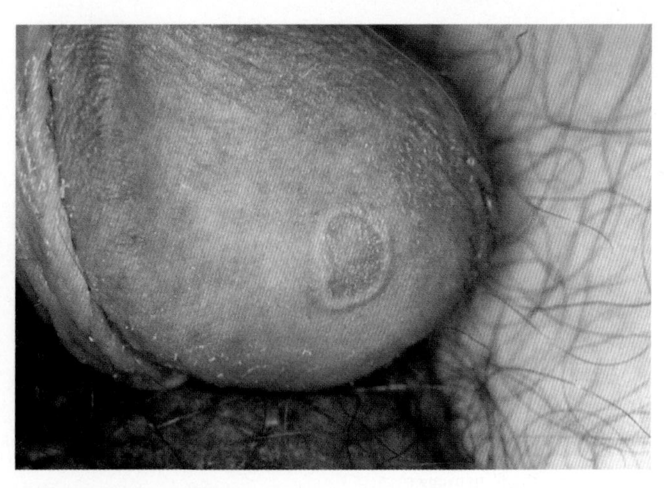
그림 12.38 윤상편평태선

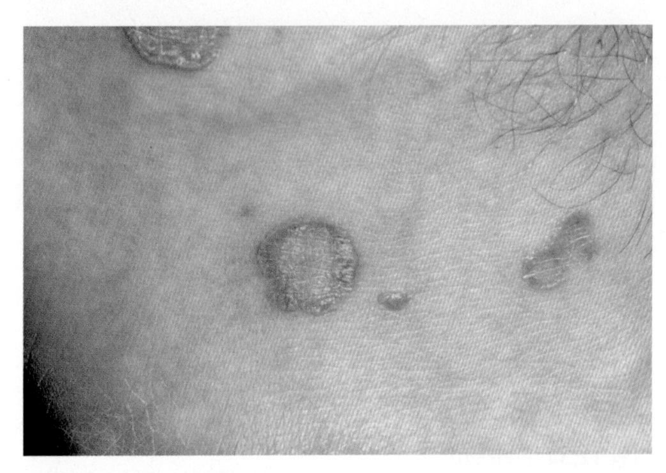
그림 12.39 윤상편평태선

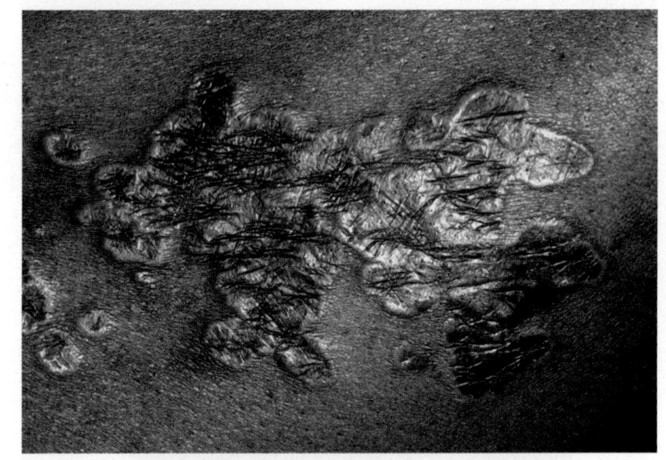
그림 12.40 윤상편평태선

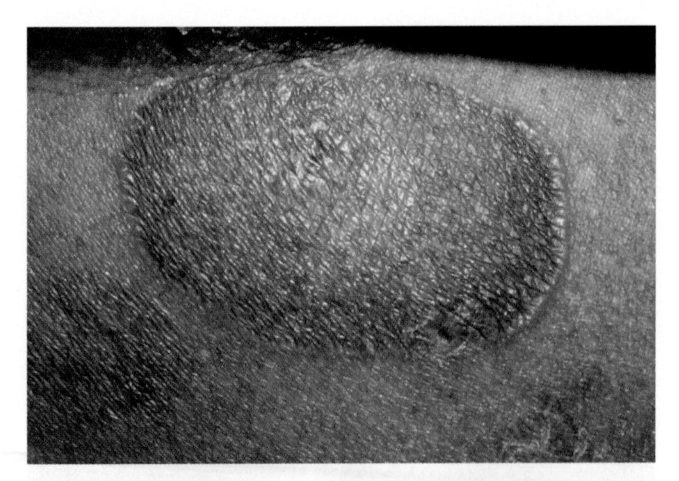
그림 12.41 윤상편평태선

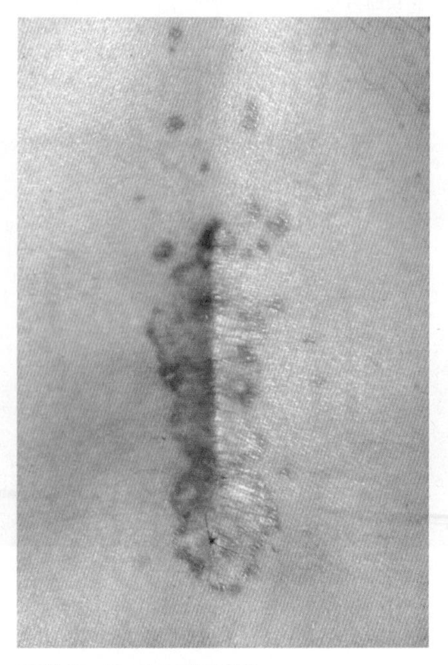
그림 12.42 위축편평태선

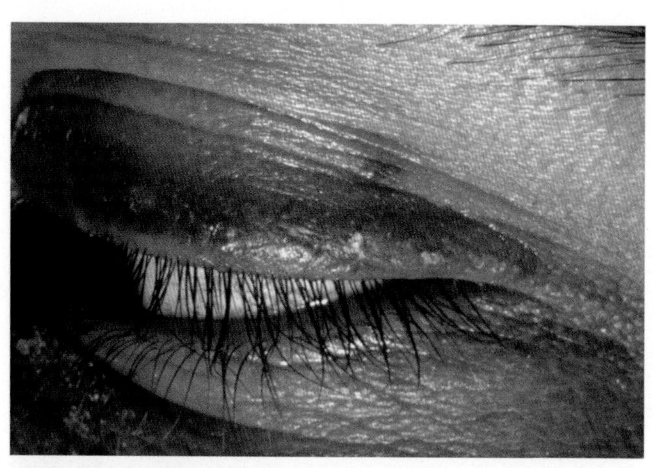

그림 12.43 눈꺼풀의 편평태선

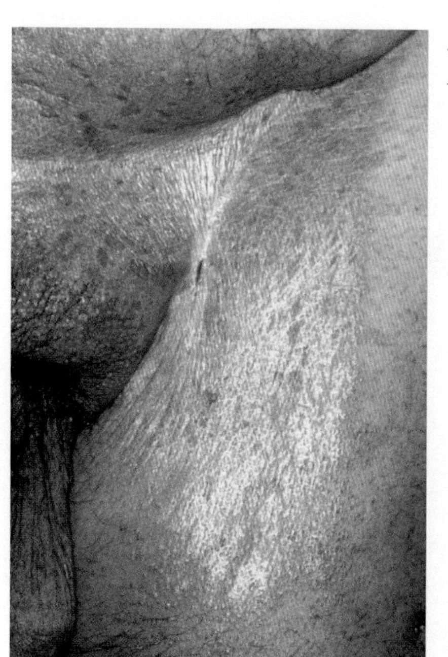

그림 12.44 방사선치료 후 발생한 편평태선

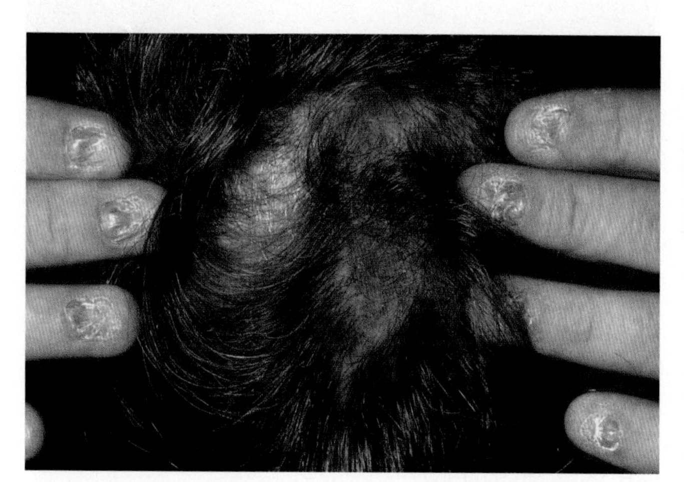

그림 12.45 모공편평태선

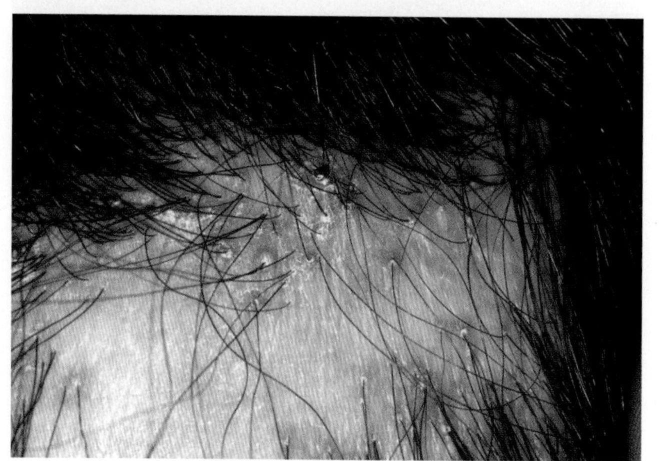

그림 12.46 모공편평태선

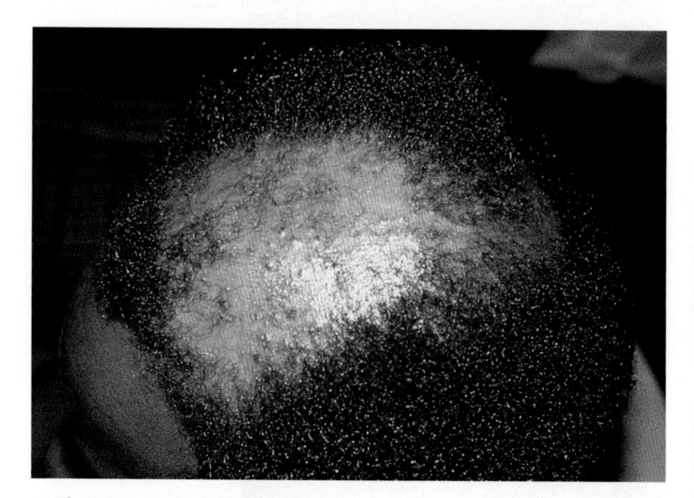

그림 12.47 모공편평태선

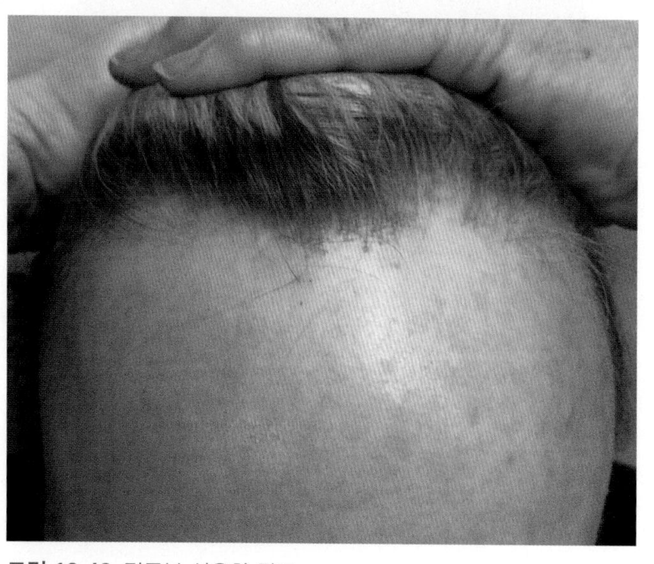

그림 12.48 전두부 섬유화 탈모

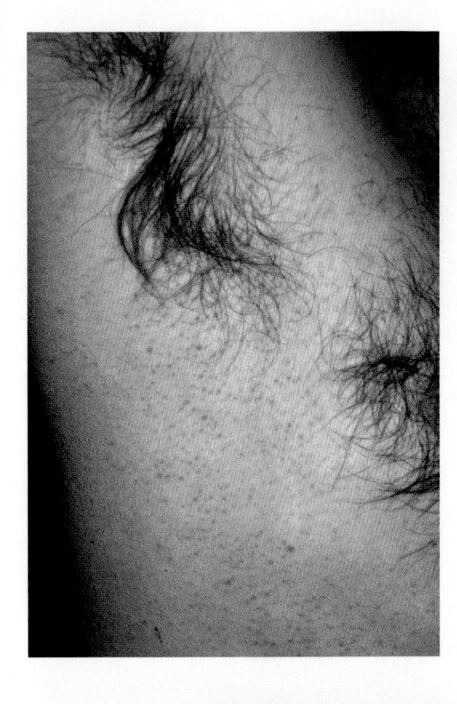

그림 12.49 그라함-리틀증후군에서의 체간의 비반흔 탈모

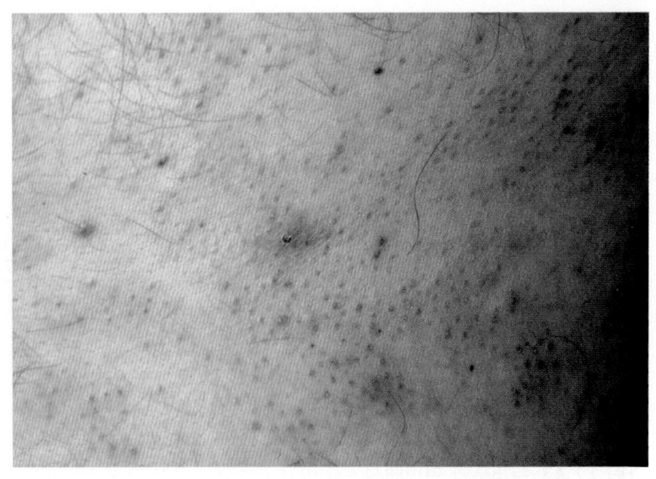

그림 12.50 그라함-리틀증후군에서의 체간의 비반흔 탈모

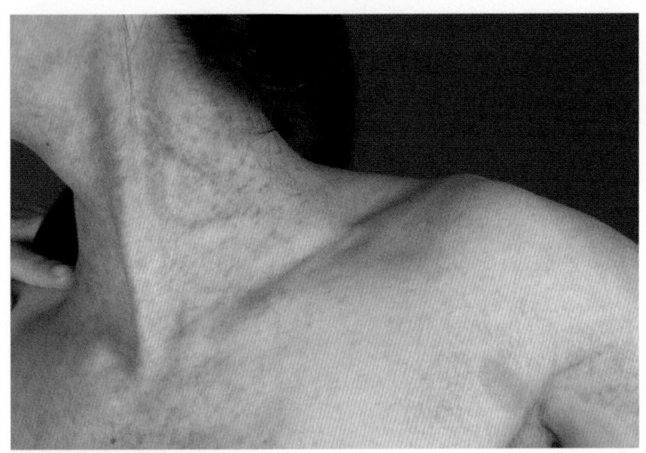

그림 12.51 색소편평태선

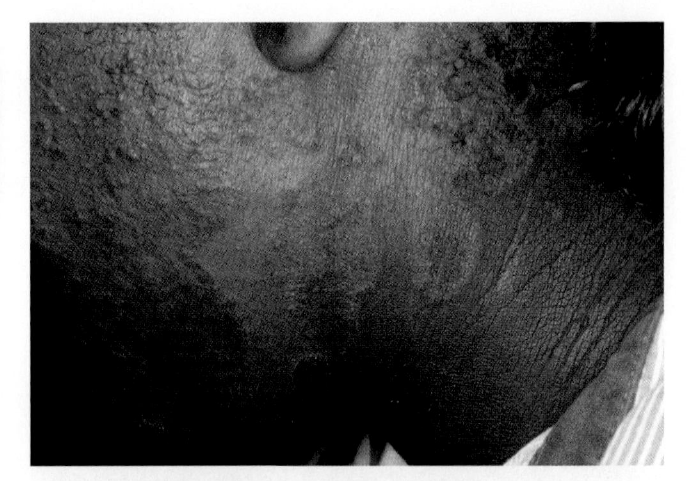

그림 12.52 광선편평태선

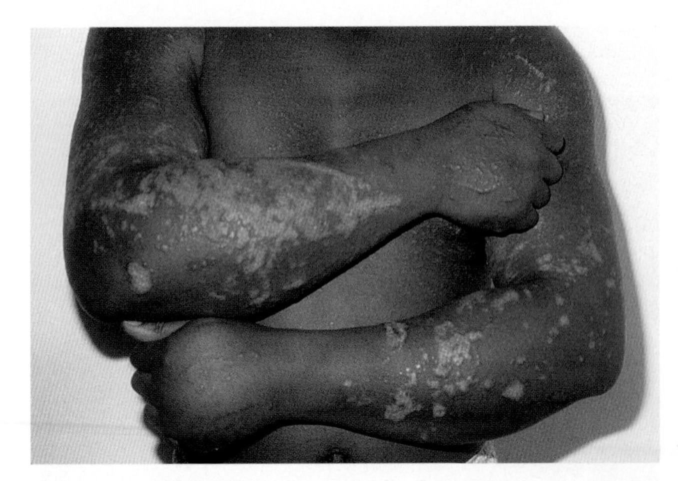

그림 12.53 광선편평태선

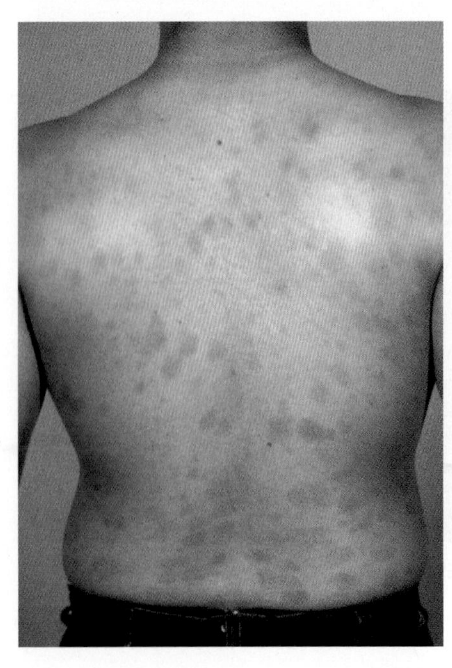

그림 12.54 지속이색홍반

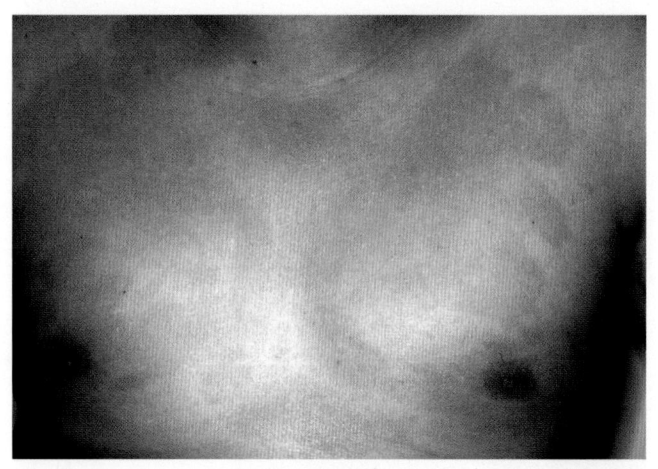

그림 12.55 지속이색홍반

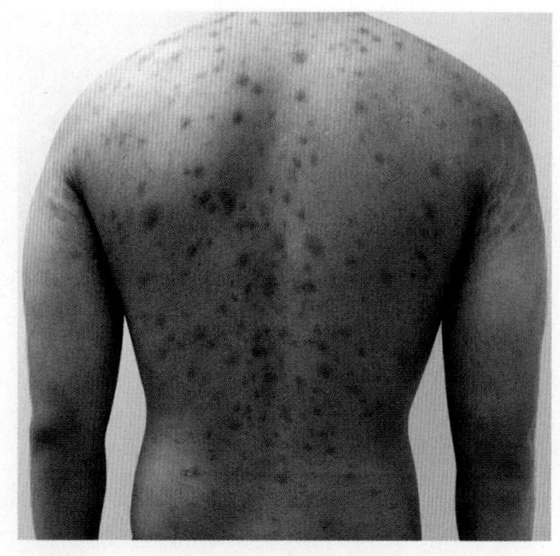

그림 12.56 유두종증을 동반한 특발성 발진성 반상 과색소증

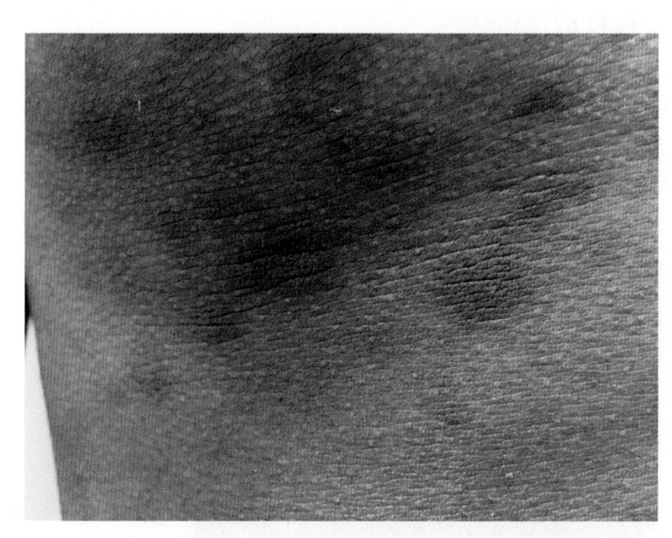

그림 12.57 유두종증을 동반한 특발성 발진성 반상 과색소증

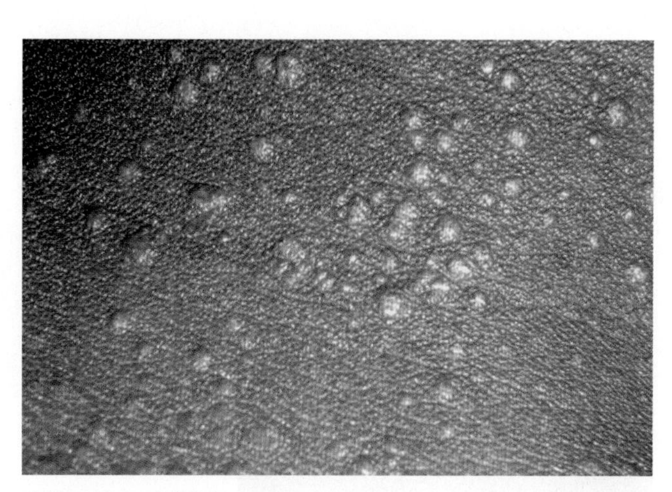

그림 12.58 광택태선

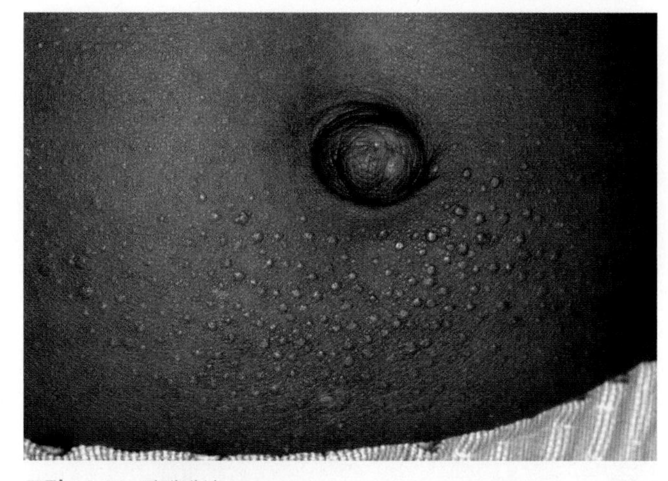

그림 12.59 광택태선

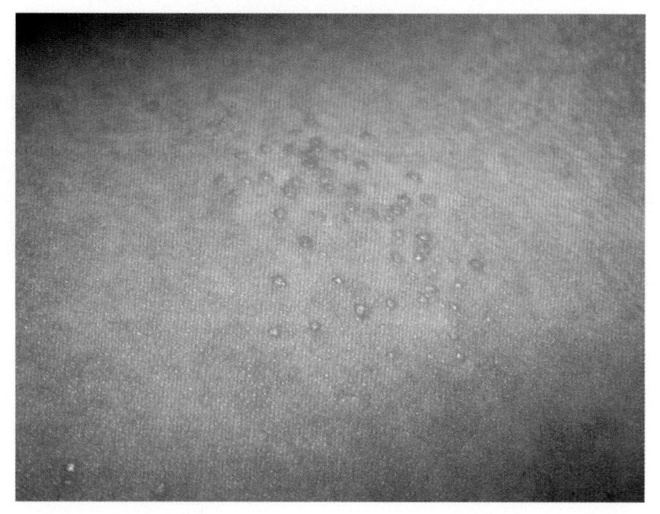

그림 12.60 광택태선

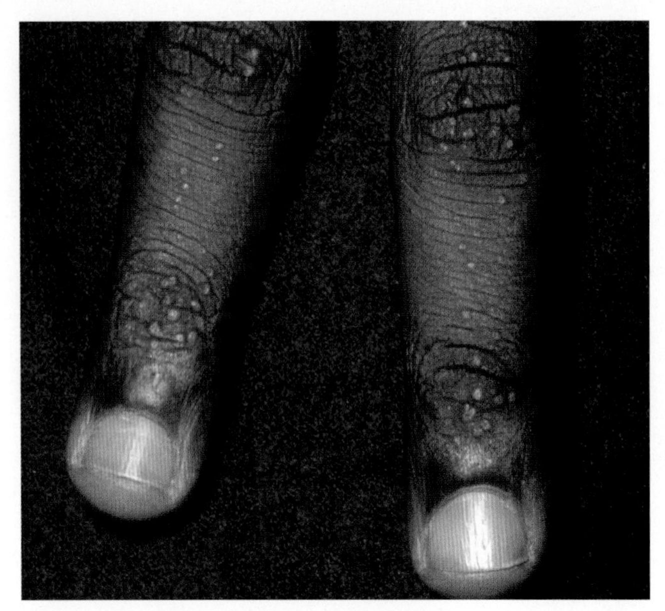

그림 12.61 광택태선

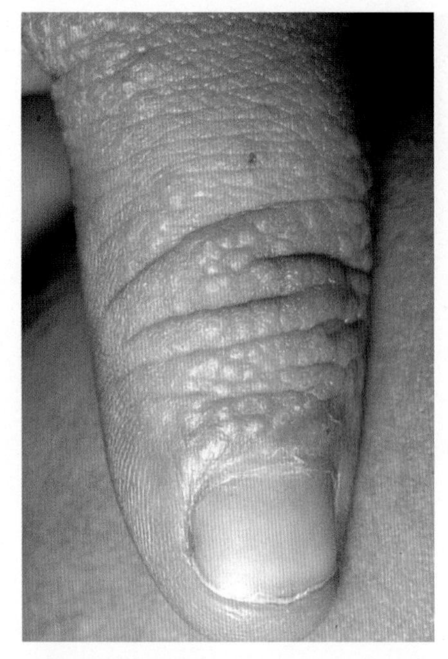

그림 12.62 광택태선

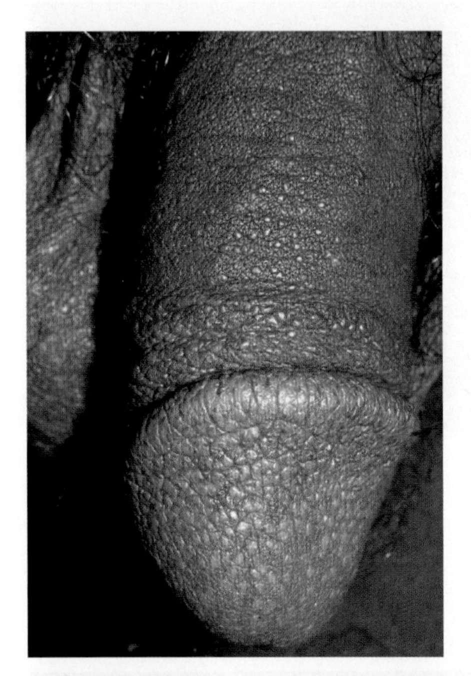

그림 12.63 광택태선

그림 12.64 광택태선

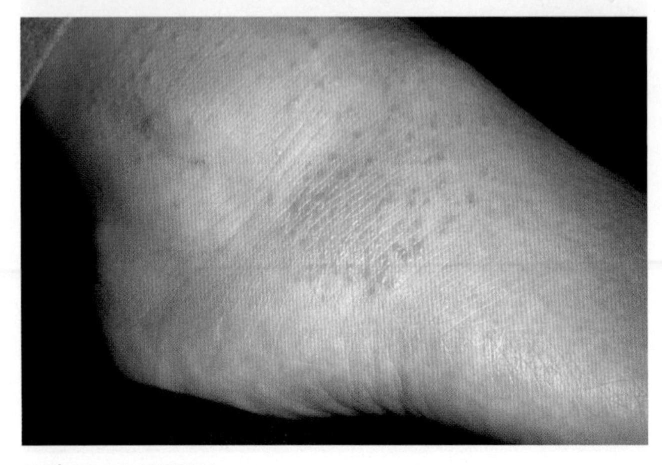

그림 12.65 광택태선

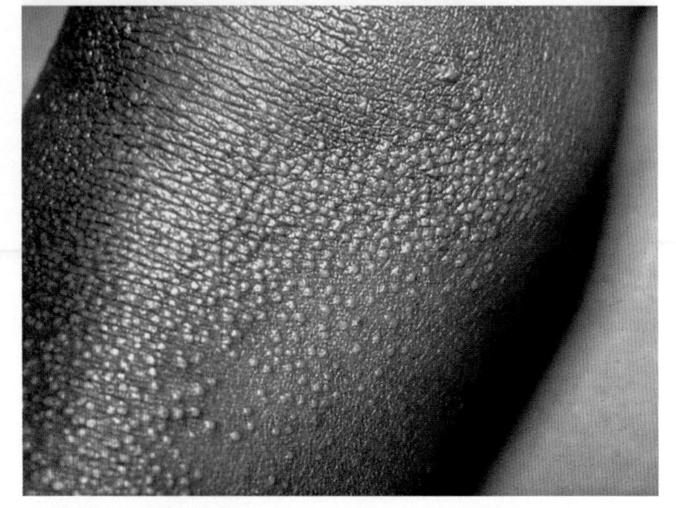

그림 12.66 광택태선

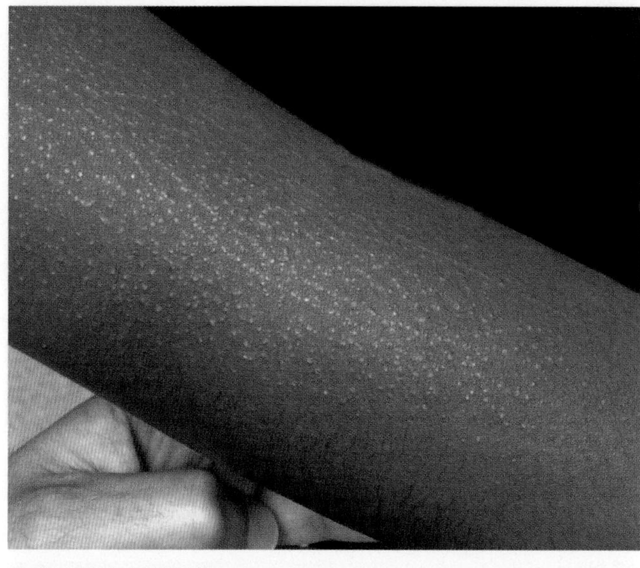

그림 12.67 광택태선

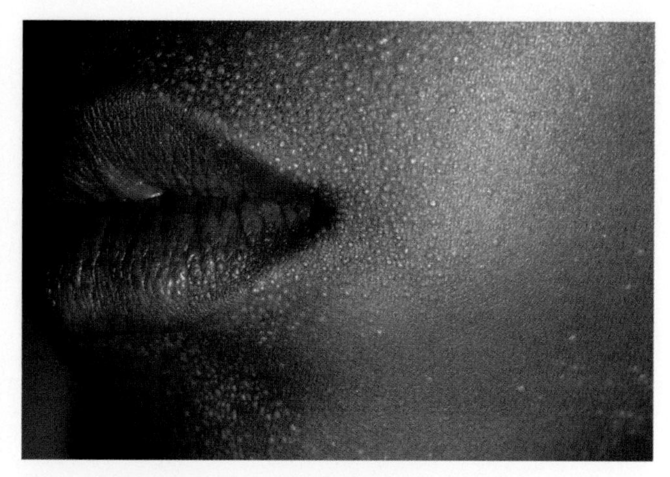

그림 12.68 광택태선

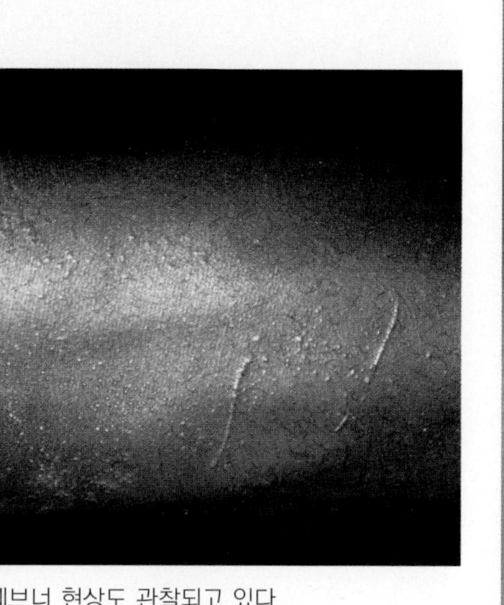

그림 12.69 광택태선. 쾨브너 현상도 관찰되고 있다.

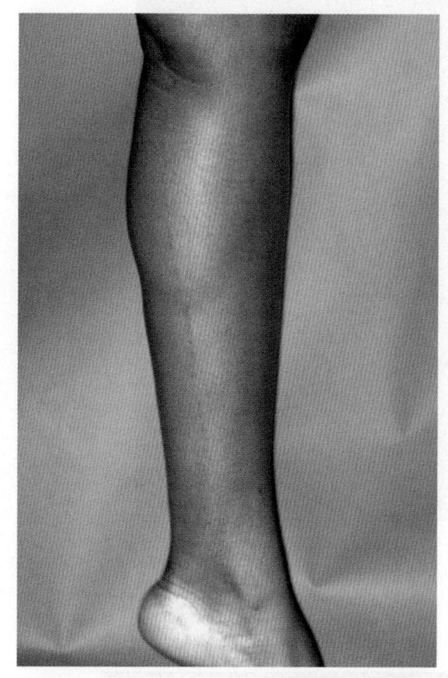

그림 12.70 선상태선

그림 12.71 선상태선

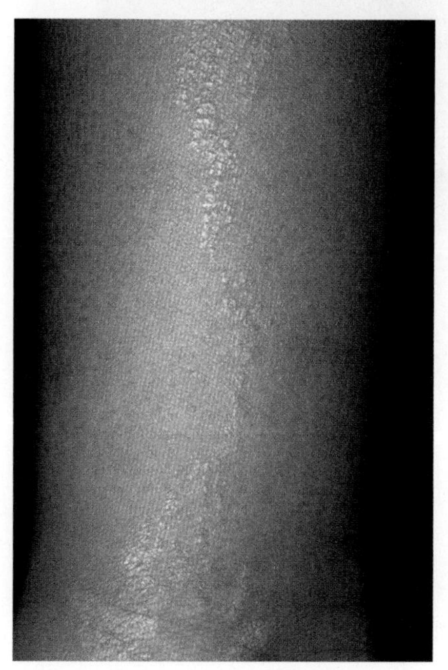

그림 12.72 선상태선

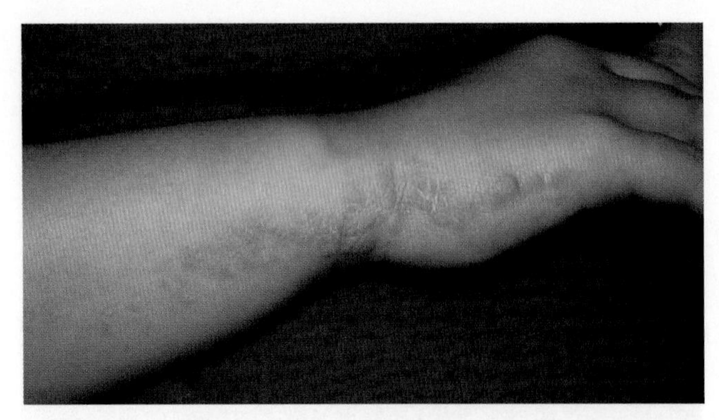
그림 12.73 선상태선

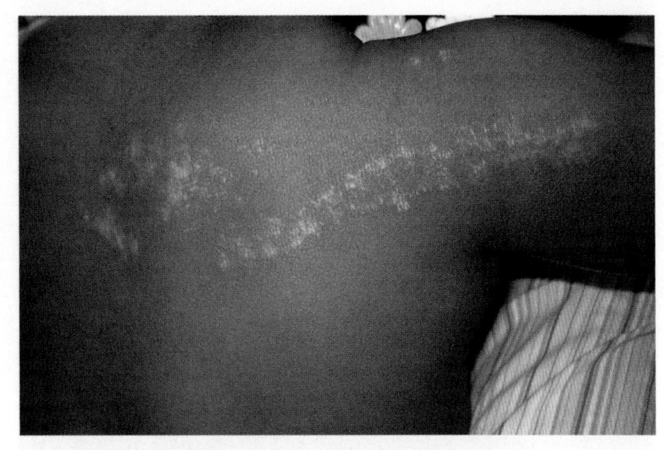
그림 12.74 선상태선

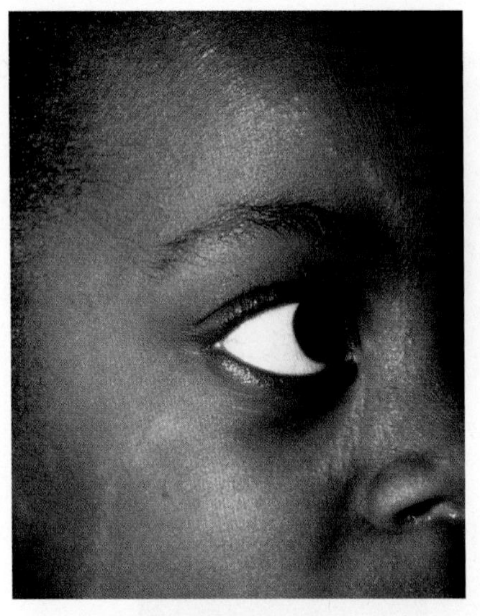
그림 12.75 선상태선

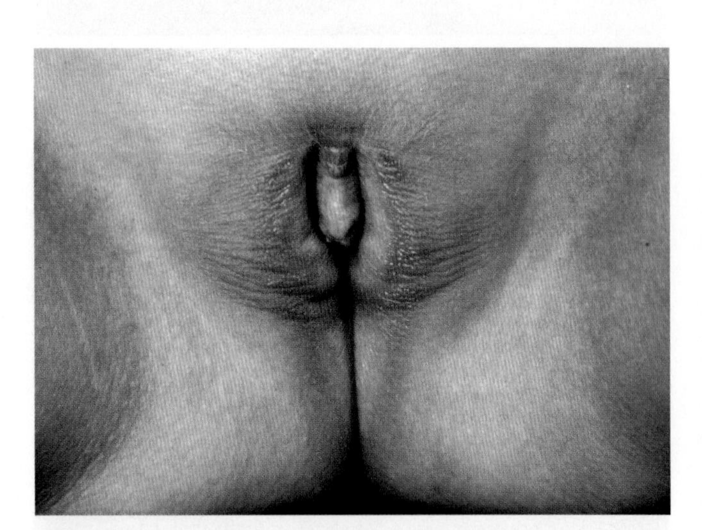
그림 12.76 경화위축태선

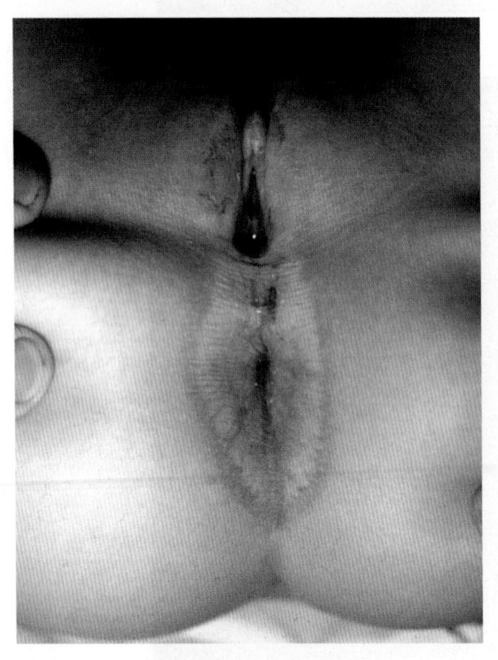
그림 12.77 경화위축태선

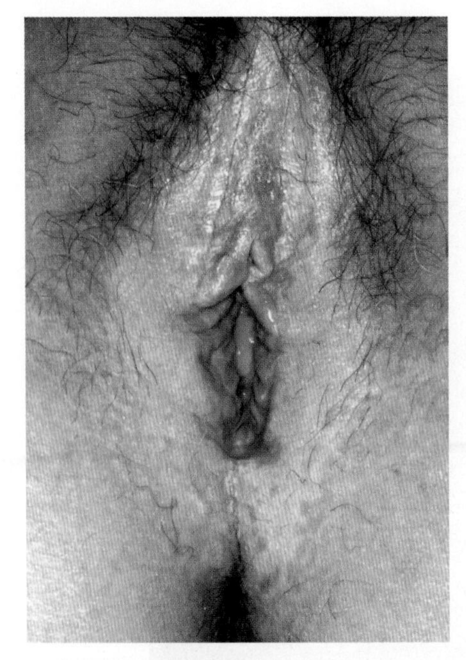
그림 12.78 경화위축태선

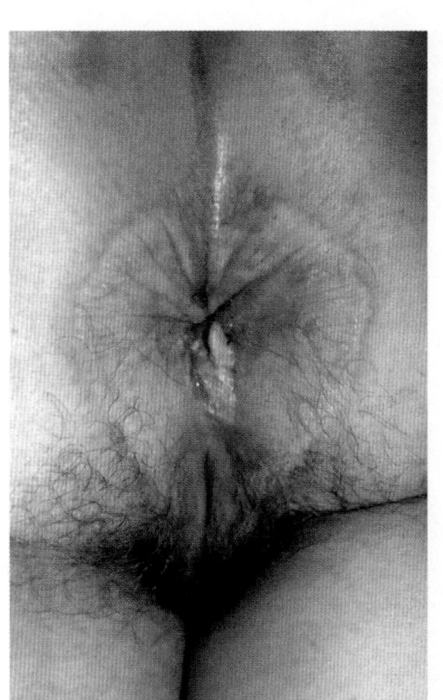

그림 12.79 경화위축태선

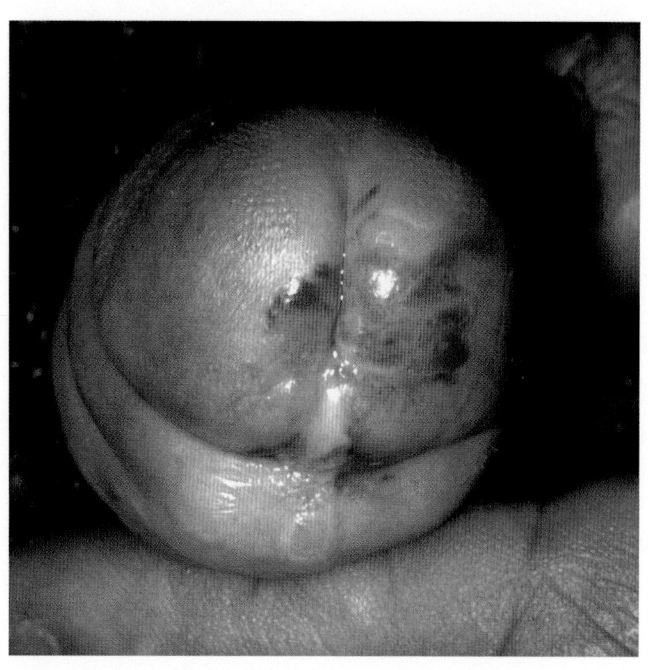

그림 12.80 위축과 외상에 의한 출혈이 동반된 경화위축태선

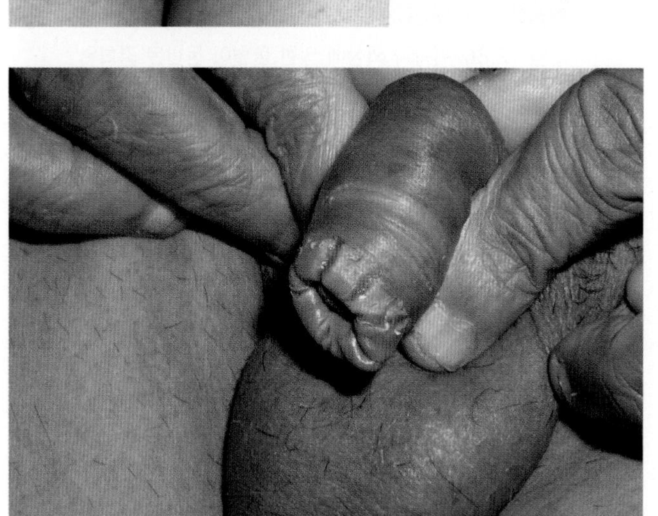

그림 12.81 경화위축태선

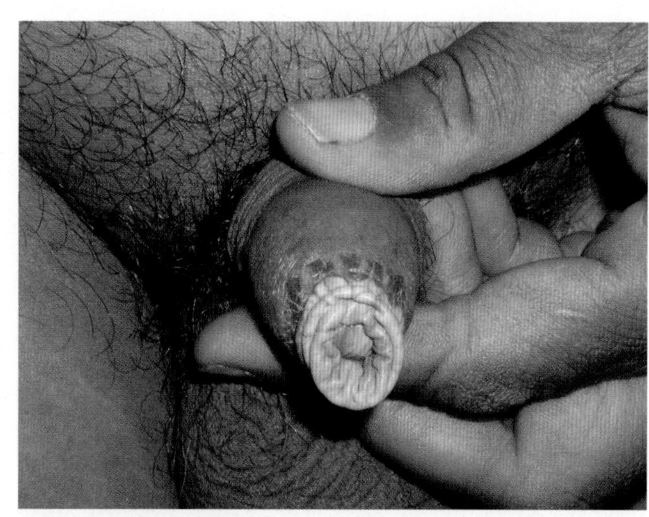

그림 12.82 경화위축태선

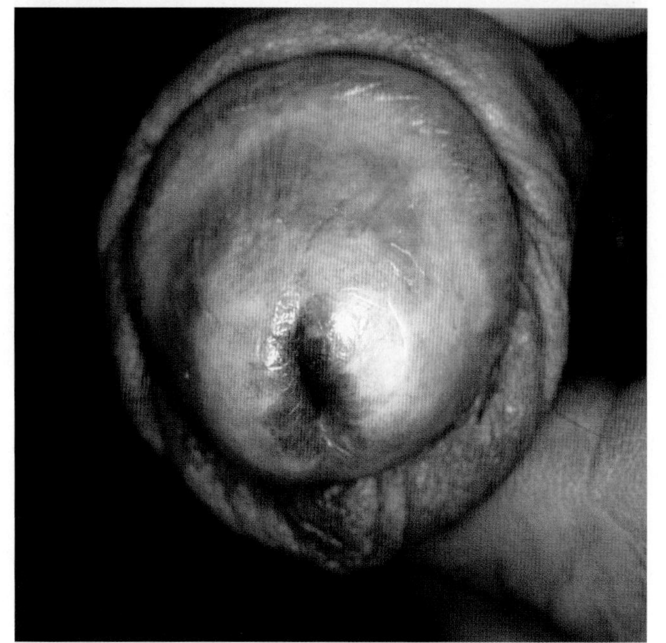

그림 12.83 경화위축태선

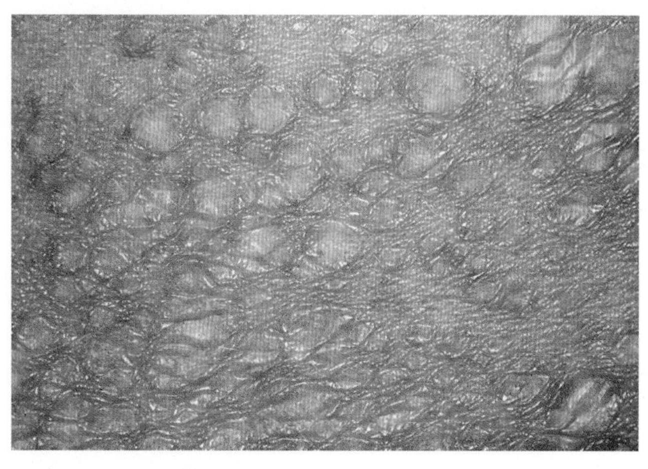

그림 12.84 경화위축태선

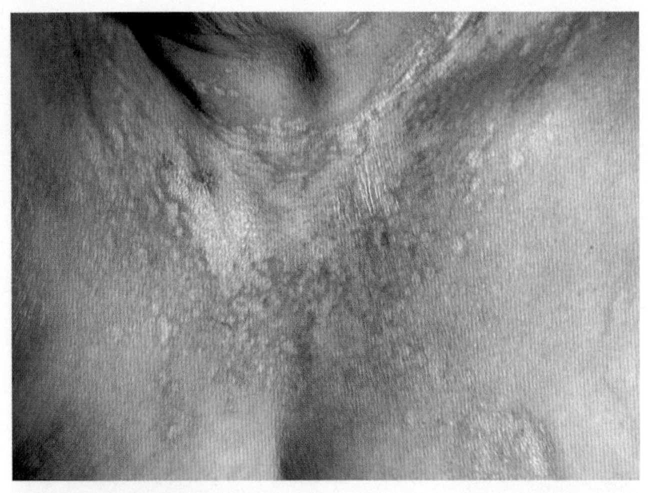
그림 12.85 경화위축태선

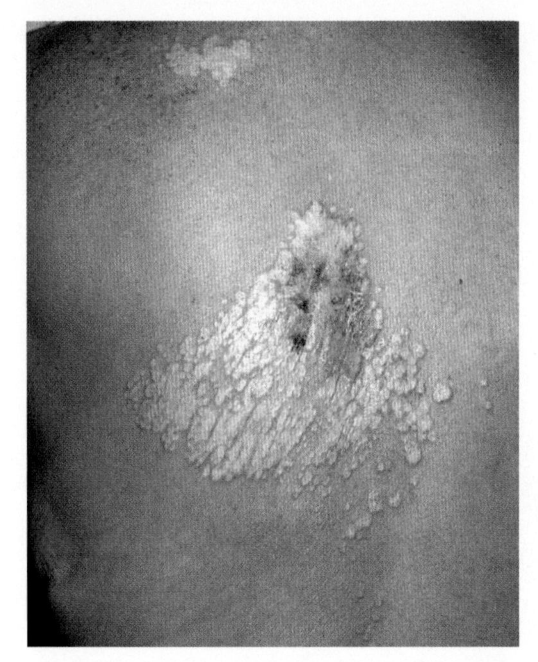
그림 12.86 위축과 외상에 의한 출혈이 동반된 경화위축태선

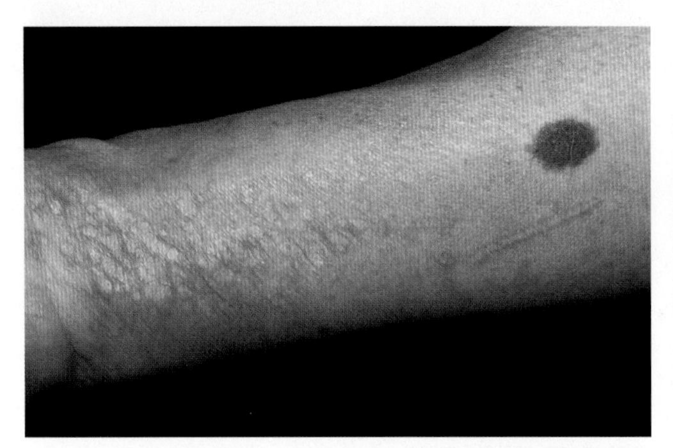
그림 12.87 경화위축태선. 퀘브너 현상이 동반된 것을 볼 수 있다.

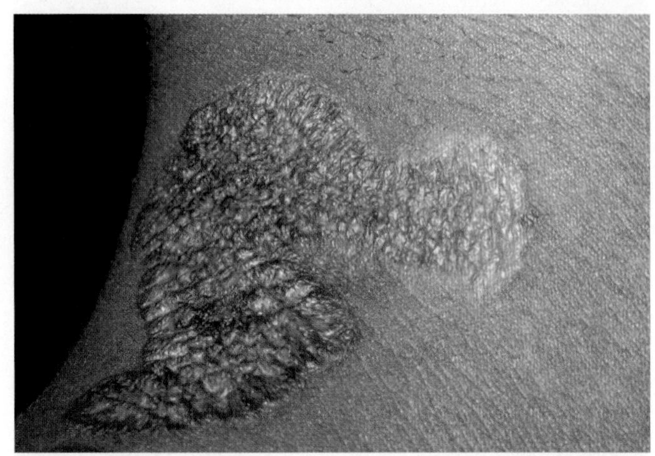
그림 12.88 경화위축태선

여드름 13

전형적인 여드름은 너무나도 흔하며 면포, 구진과 농포로 바로 알아볼 수 있다. 하지만 여드름, 여드름모양발진과 주사의 양상은 매우 다양하기 때문에 여러 증례사진들을 통해 의료종사자들에게 도움을 주고자 한다.

여드름의 가장 초기병변들은 개방면포와 폐쇄면포로 나타나며 청소년기에 보통 이마에서 시작된다. 구진, 농포, 결절, 낭종과 흉터 병변들이 일반적으로 여드름이 잘 발생하는 부위인 얼굴, 가슴, 어깨, 등 위쪽과 위팔에서 관찰된다. 가장 심한 형태의 여드름은 전격여드름으로, 통증을 동반한 결절, 낭종으로 나타나며 피부병변과 함께 관절통과 때로는 발열도 동반할 수 있다. 기타 여드름모양발진으로 모낭에 농포를 보이다가 결국 흉터를 남기는 후경부 켈로이드여드름, 균일한 형태의 농포성 발진으로 나타나는 코르티코스테로이드에 의한 여드름과 농포와 결절을 형성하는 그람음성모낭염 등이 있다.

신생아에서 일시적으로 작은 농포들이 얼굴과 목에 발생하는 경우가 있는데, 과거에는 이런 증상을 신생아여드름으로 불렀지만 현재는 신생아머리농포증으로 명명되었는데, 이는 면포와 결절 등이 생기지 않기 때문이다. 이와 반면에 유아여드름은 볼에 대부분 발생하며 면포, 구진, 농포와 결절이 발생하기 때문에 여드름의 아형으로 볼 수 있다. 그리고 입주위피부염도 여드름모양발진의 일종으로 소아와 젊은 성인의 입, 코, 눈 주변에 구진과 농포를 보인다.

화농한선염은 겨드랑, 유방밑, 사타구니와 둔부주름에 만성적인 염증성 농양, 결절과 굴을 형성하는데 이 장에서 이런 증례들을 포함하였다. 주사는 여드름과 바로 비교할 수 있도록 이 장에 포함하였다. 홍조와 홍반, 그리고 미세혈관확장이 얼굴의 볼록한 표면에서 관찰되는 홍반혈관확장형 주사가 있는 반면에 구진, 농포과 간혹 결절도 보일 수 있는 고름구진물집형 주사도 있다.

이 질환들은 대부분 임상 양상만으로 진단해야 하는 경우가 많지만, 일부에서는 피부 조직검사나 세균배양이 필요할 수 있다. 이 장에서는 여드름과 여드름모양발진의 알아야 할 주요한 임상 소견들을 정리하였다.

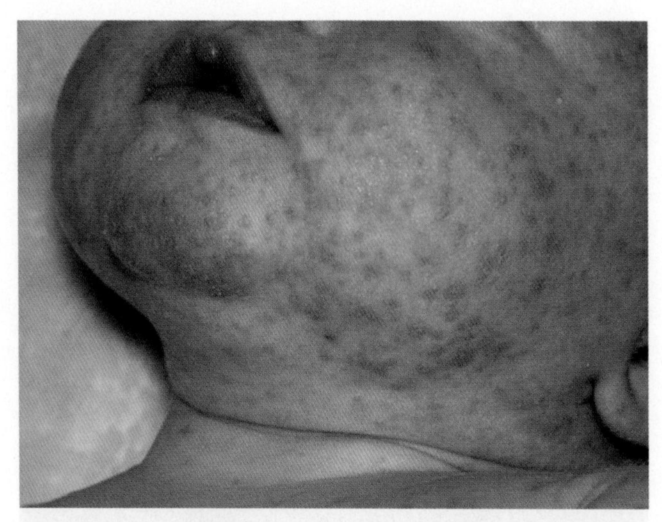

그림 13.2 신생아머리농포증(신생아여드름)

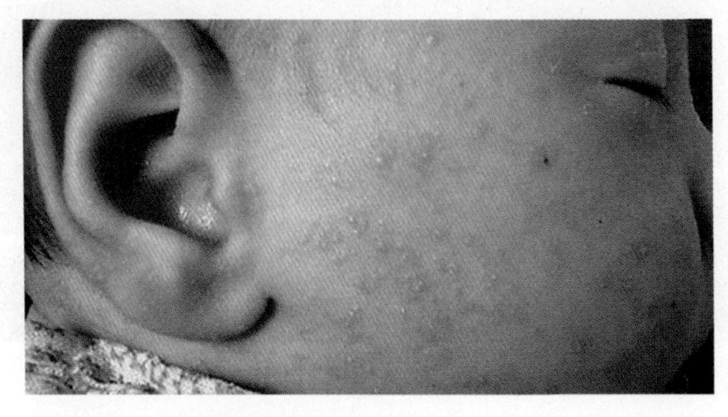

그림 13.1 신생아머리농포증(신생아여드름)

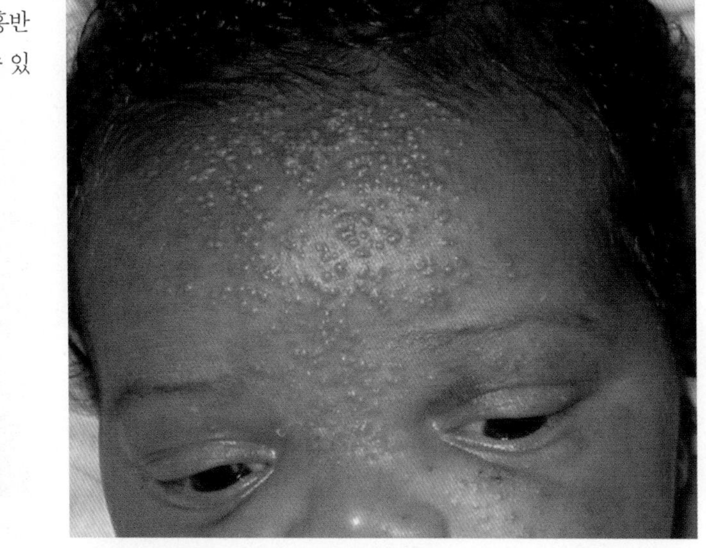

그림 13.3 신생아머리농포증(신생아여드름)

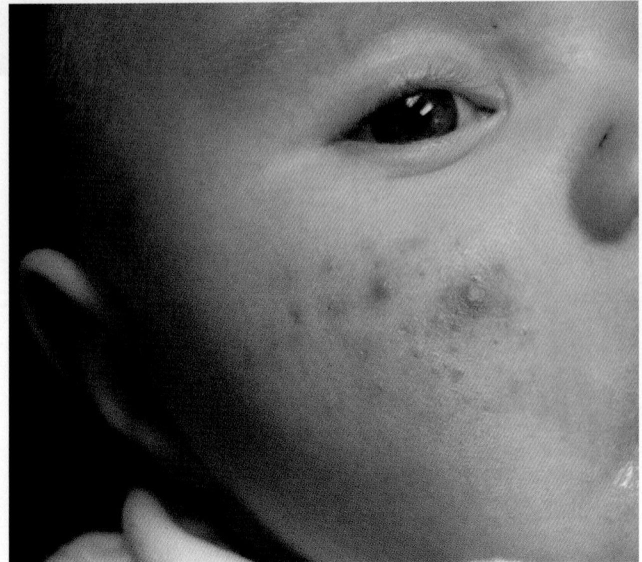
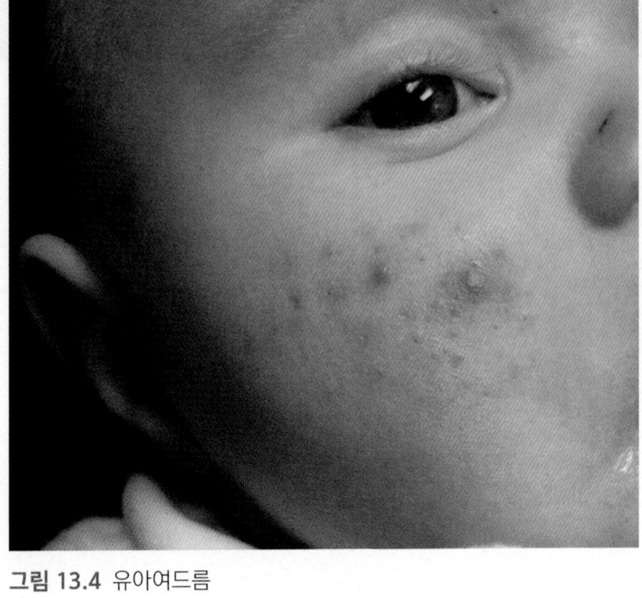

그림 13.4 유아여드름

그림 13.5 유아여드름

그림 13.6 중증 유아여드름

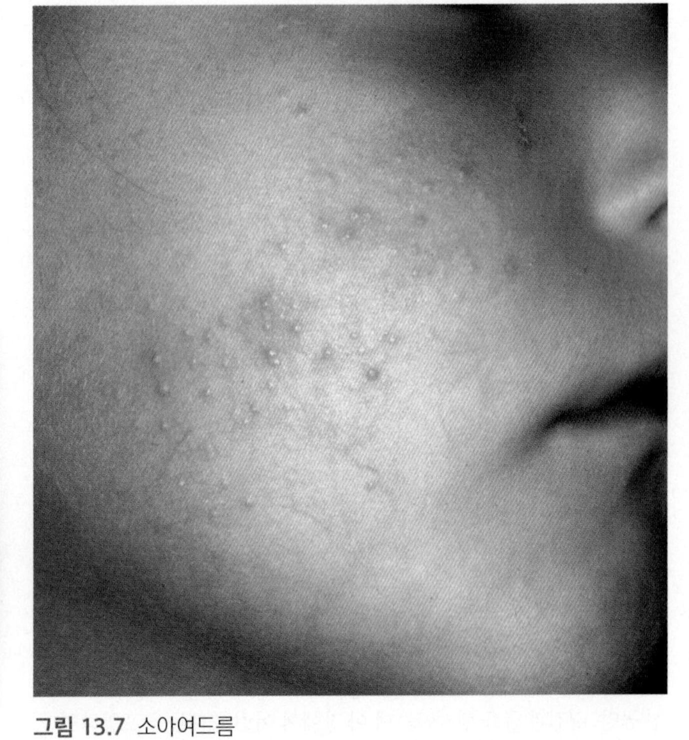

그림 13.7 소아여드름

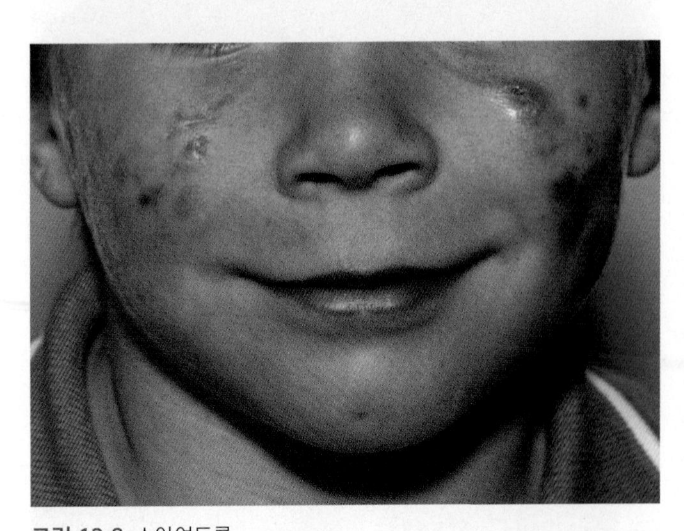

그림 13.8 소아여드름

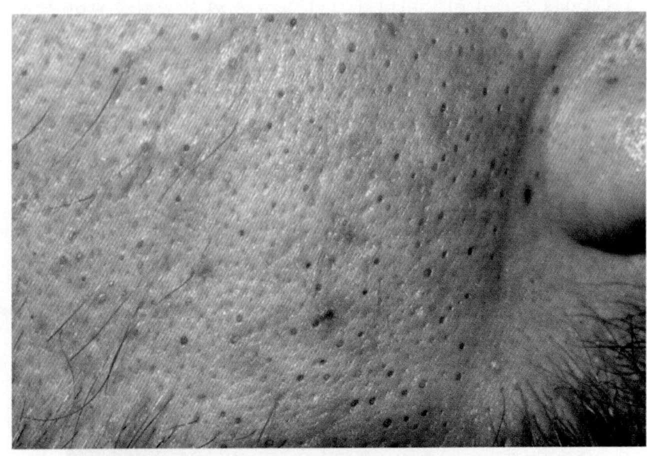

그림 13.9 개방면포

그림 13.10 개방면포

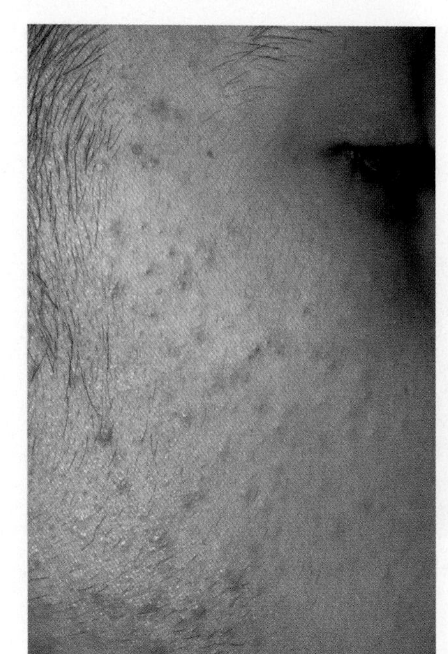

그림 13.11 폐쇄면포

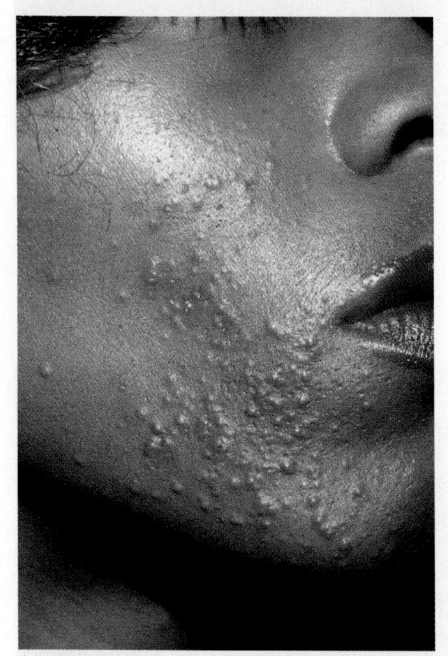

그림 13.12 폐쇄면포

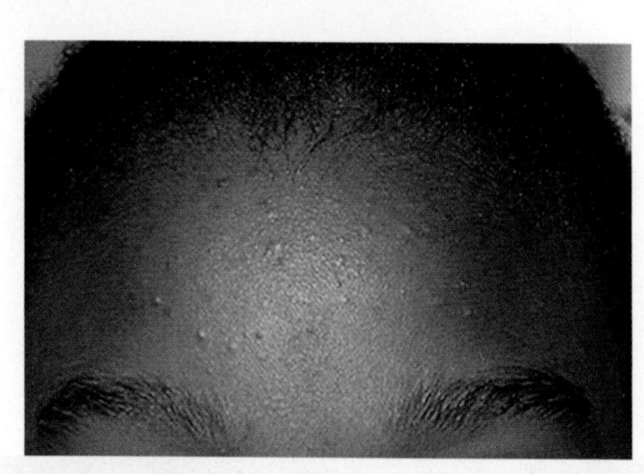

그림 13.13 사춘기전 여드름

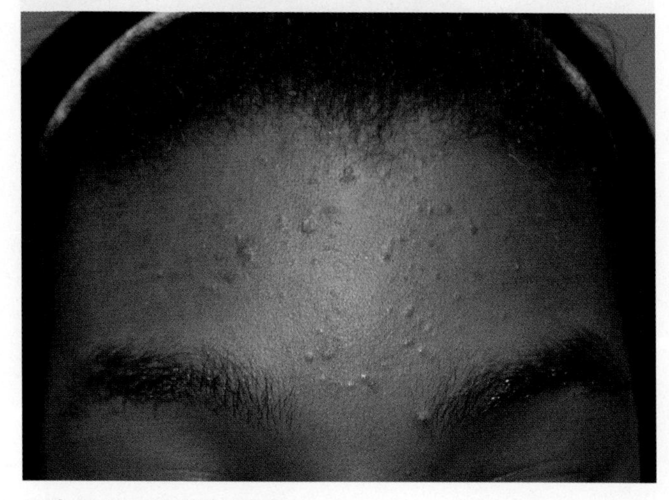

그림 13.14 사춘기전 여드름

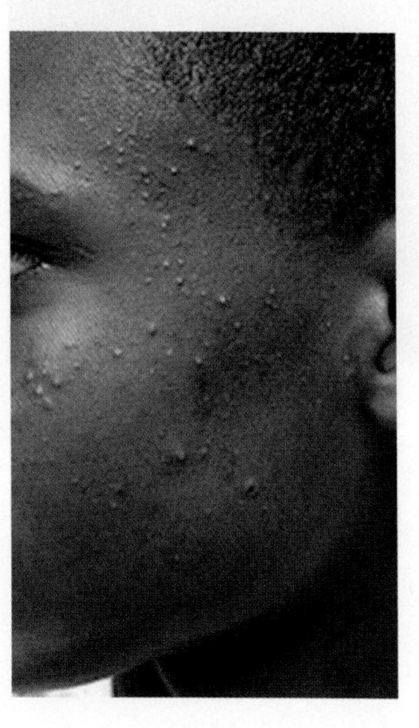

그림 13.15 경증에서 중등도의 여드름

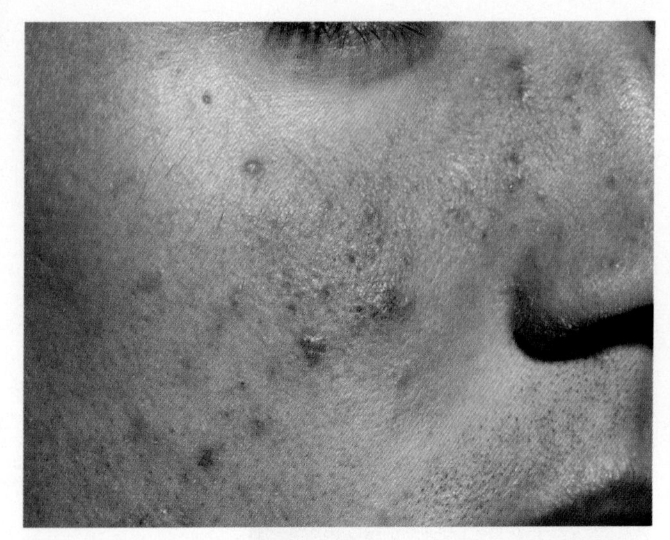

그림 13.16 경증에서 중등도의 여드름

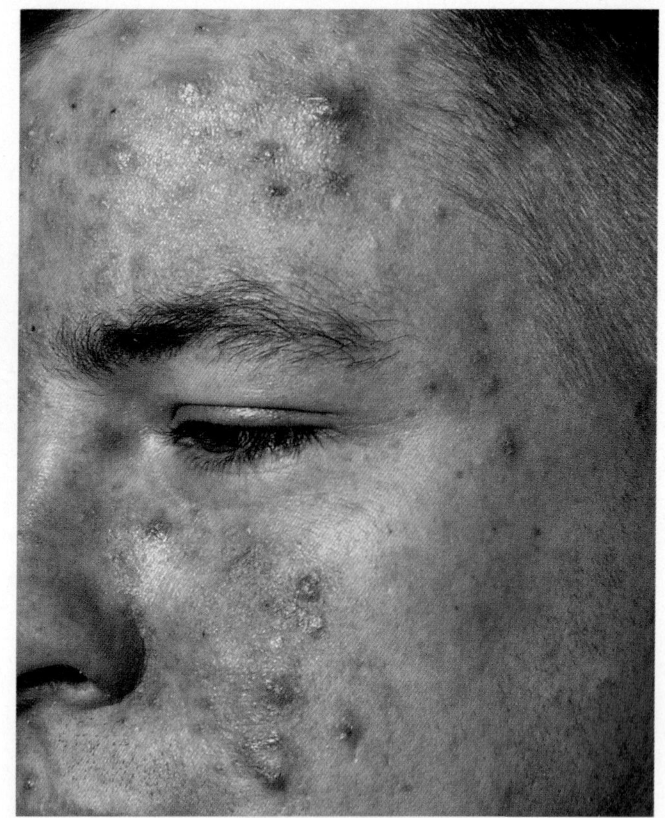

그림 13.17 중등도에서 중증의 여드름

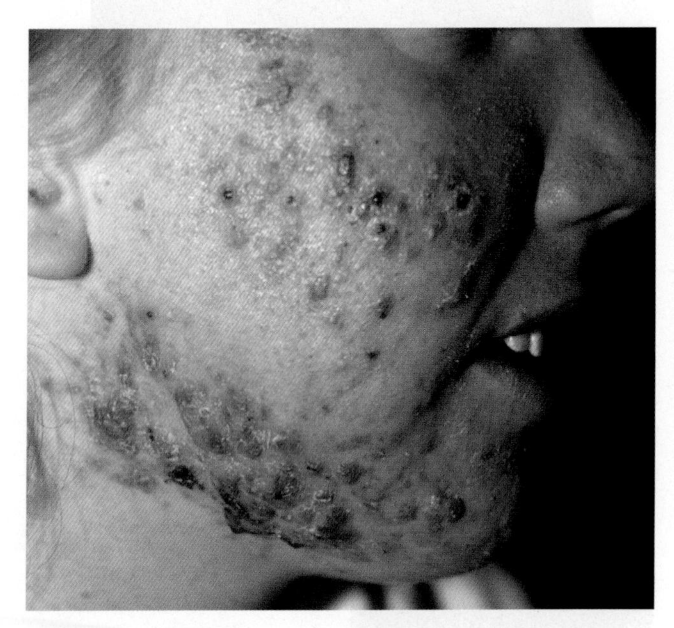

그림 13.18 중증 여드름

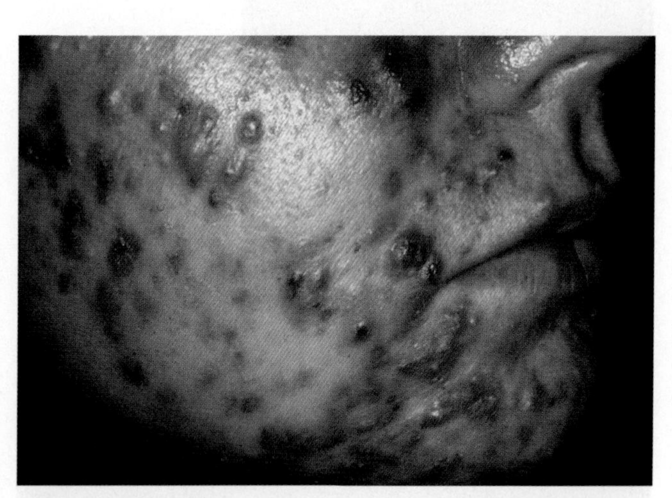

그림 13.19 중증 여드름

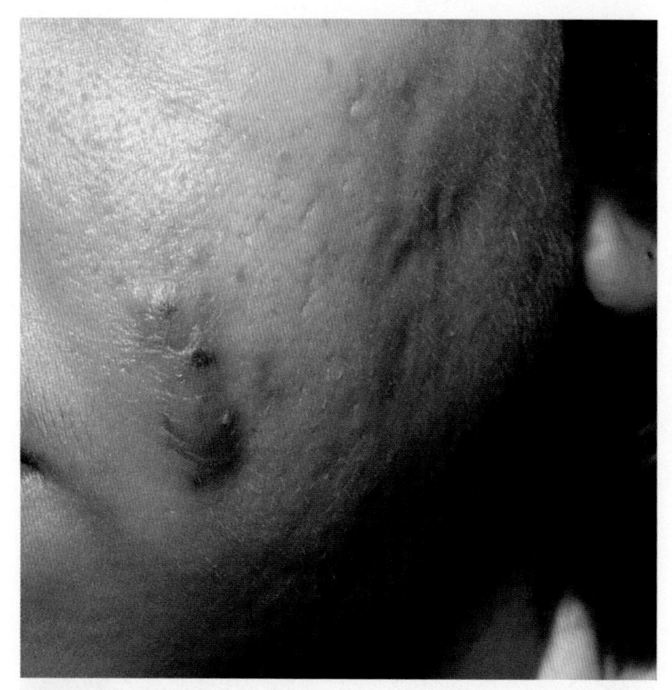

그림 13.20 흉터를 동반한 낭성여드름

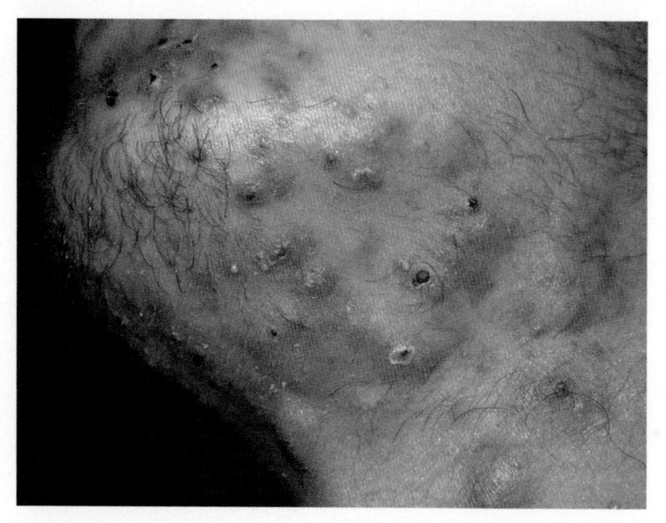

그림 13.21 중증 여드름

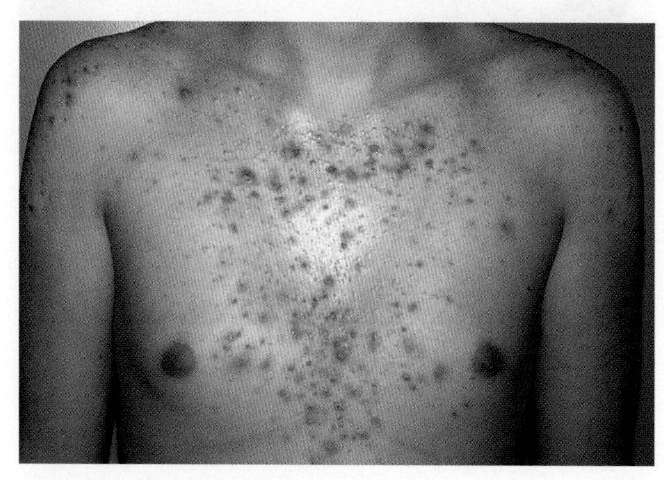

그림 13.22 중증의 몸통 여드름

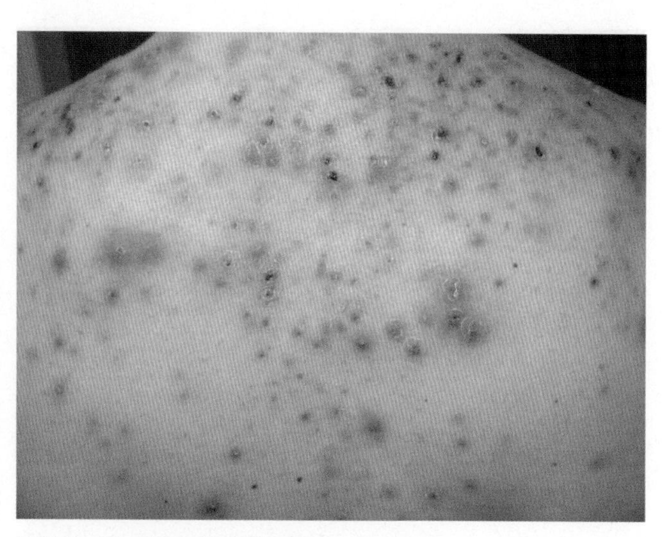

그림 13.23 중증의 몸통 여드름

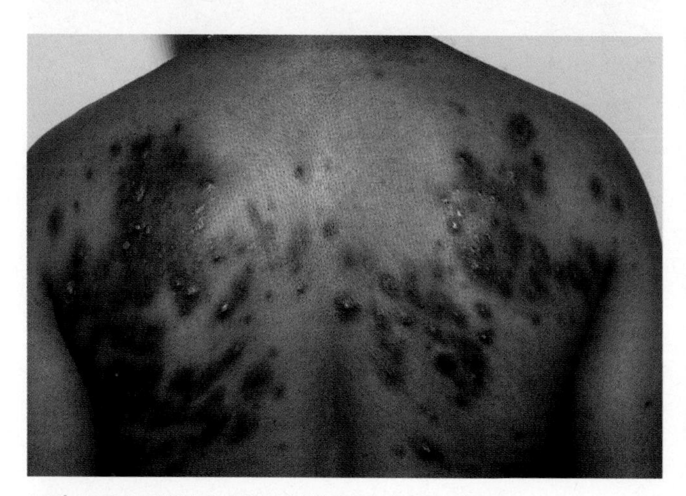

그림 13.24 과색소침착을 동반한 중증의 몸통 여드름

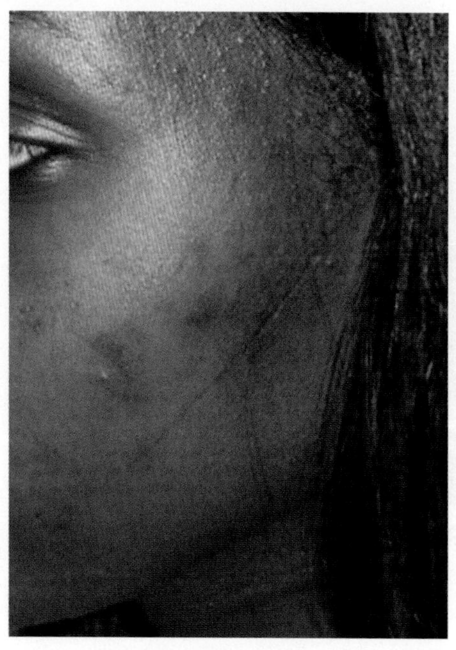

그림 13.25 과색소침착을 동반한 여드름

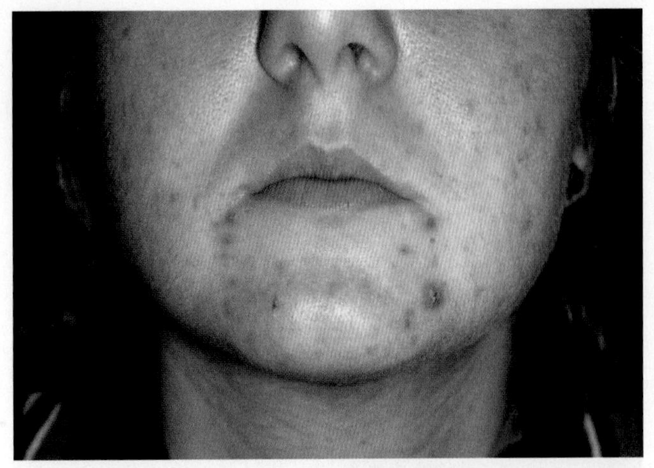

그림 13.26 안면 하부에 여드름이 발생한 성인 여성

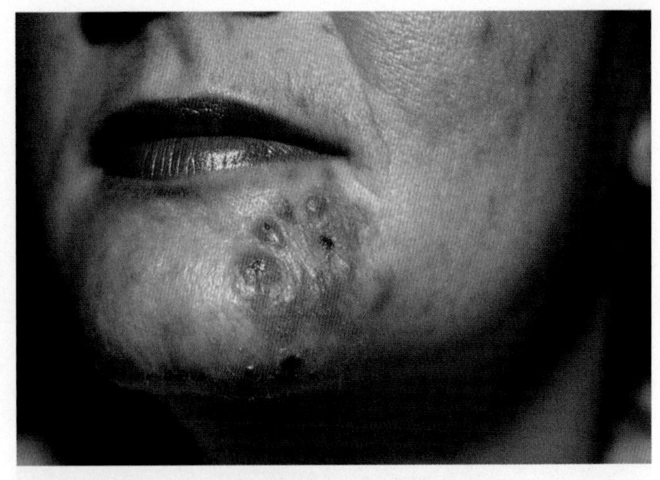

그림 13.27 안면 하부에 여드름이 발생한 성인 여성

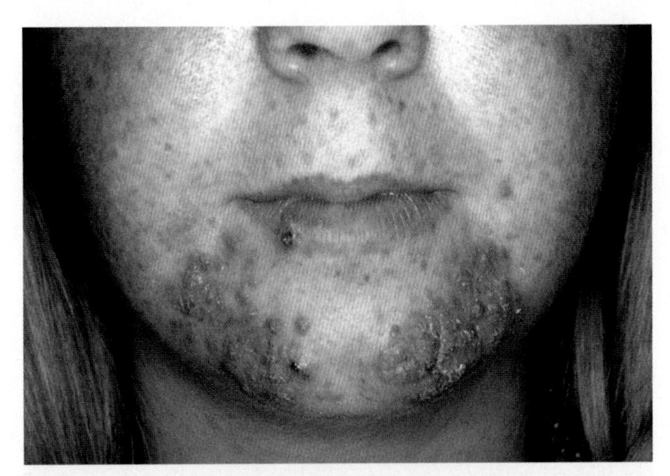

그림 13.28 안면 하부에 여드름이 발생한 성인 여성

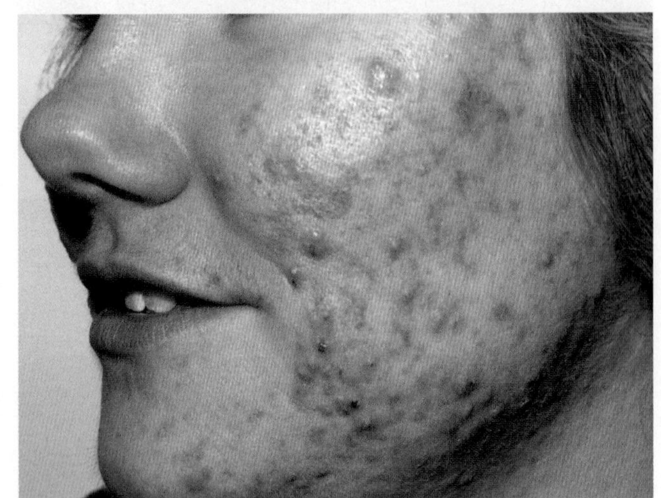

그림 13.29 21-hydroxylase 결핍이 있는 여성에서의 여드름

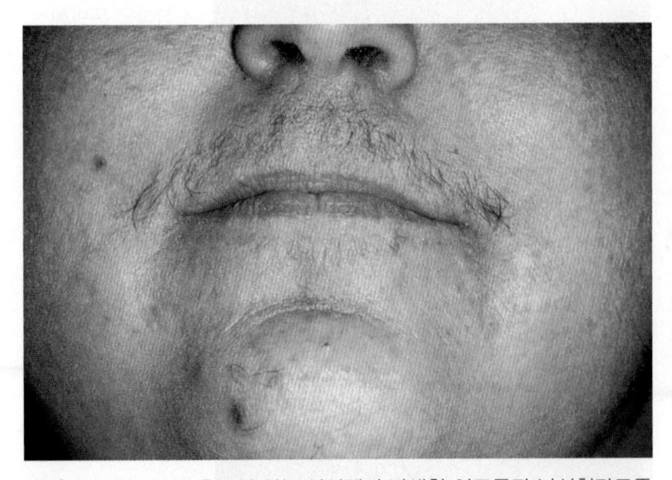

그림 13.30 쿠싱증후군이 있는 여성에서 발생한 여드름과 남성형다모증

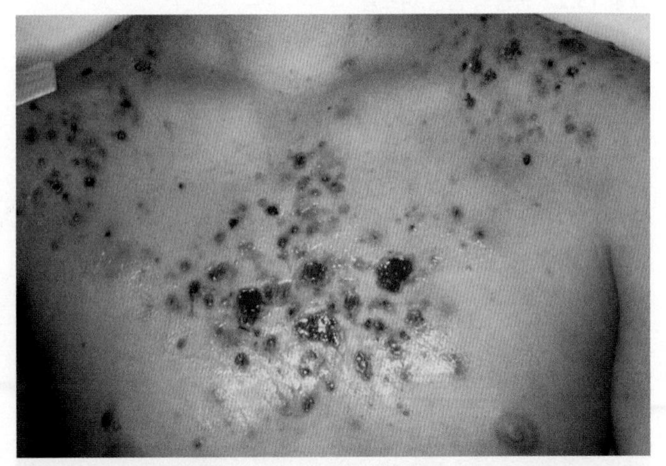

그림 13.31 전격여드름

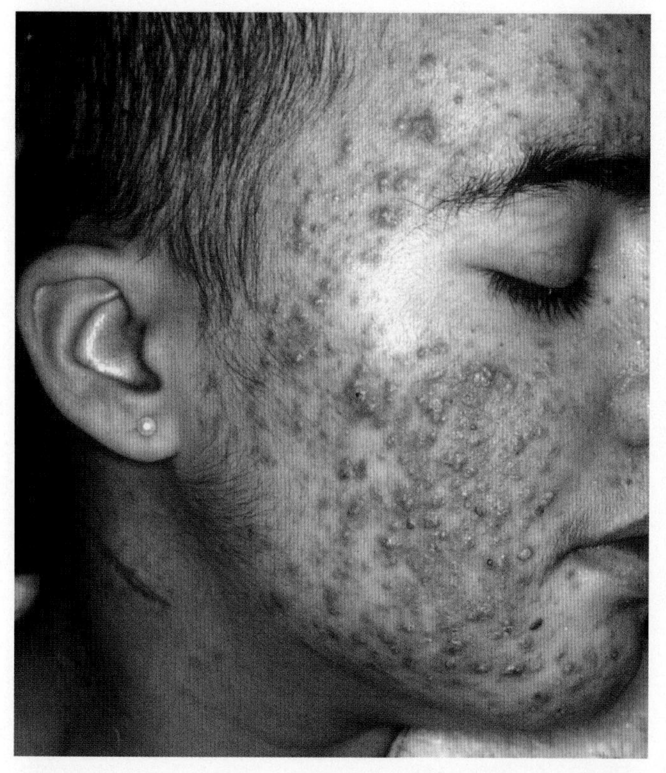

그림 13.44 뇌수술 후 경구 스테로이드제 복용하여 발생한 스테로이드 여드름

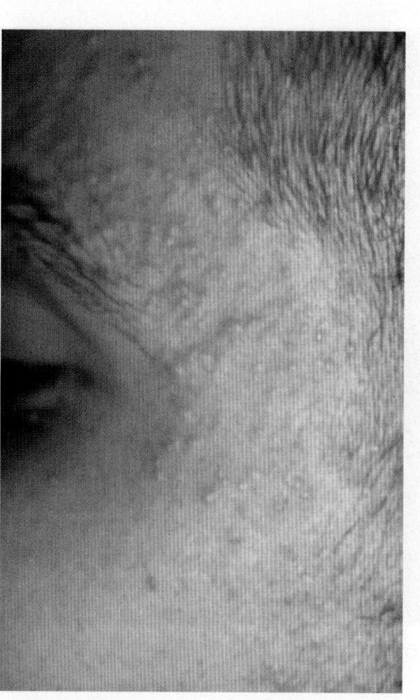

그림 13.45 스테로이드 여드름

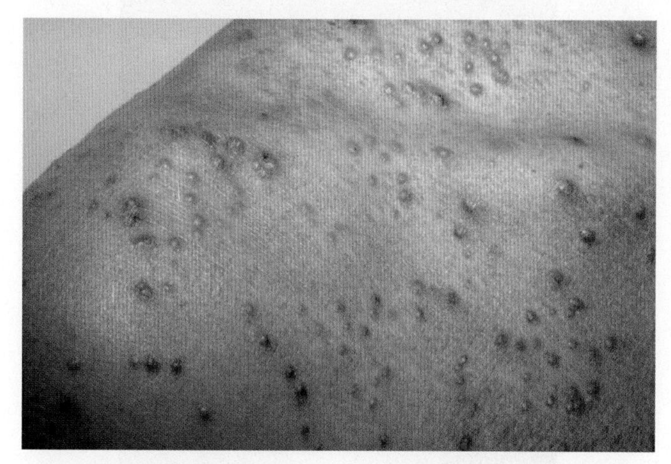

그림 13.46 스테로이드여드름

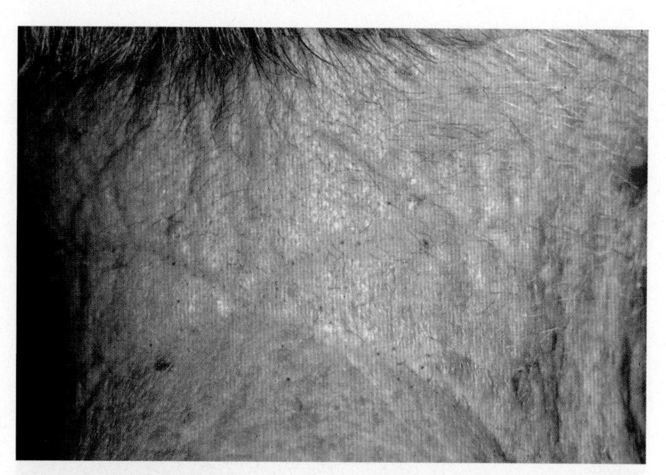

그림 13.47 염소여드름

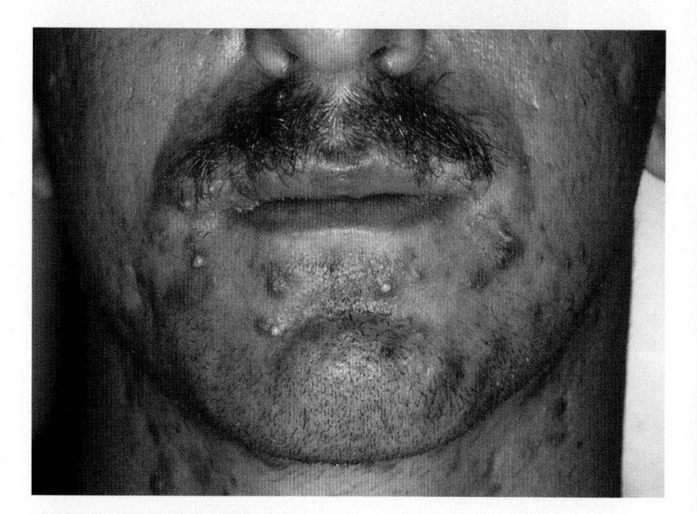

그림 13.48 그람음성모낭염

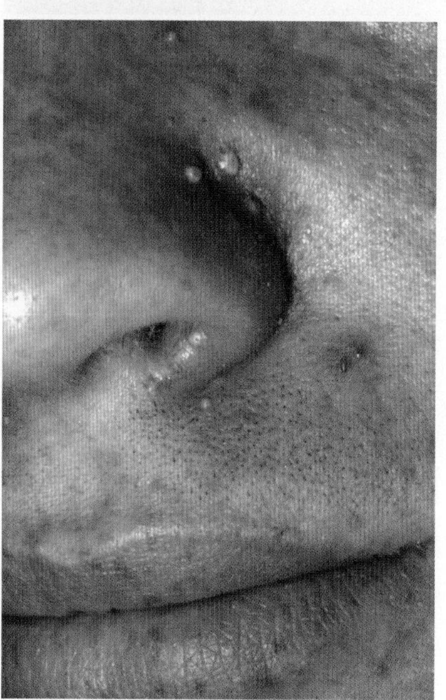

그림 13.49 그람음성모낭염

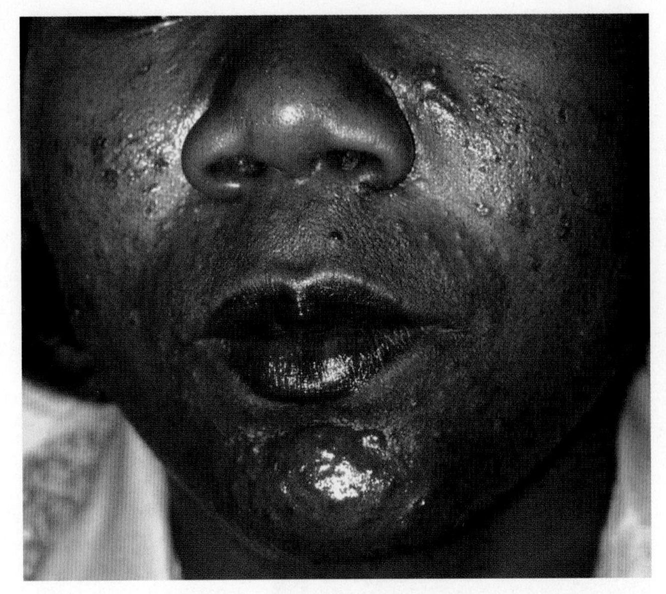

그림 13.50 그람음성모낭염

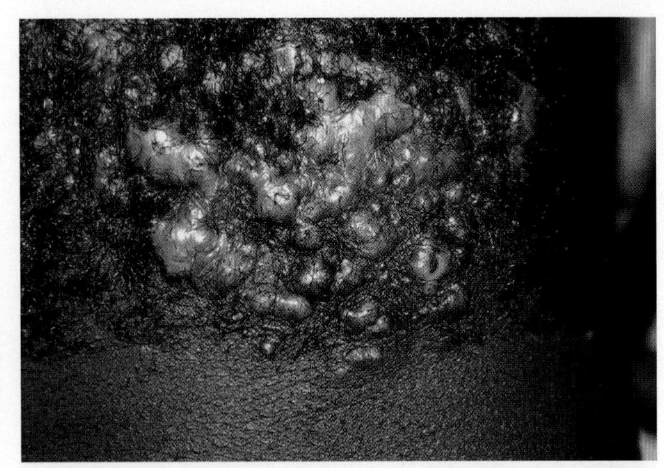

그림 13.51 켈로이드여드름

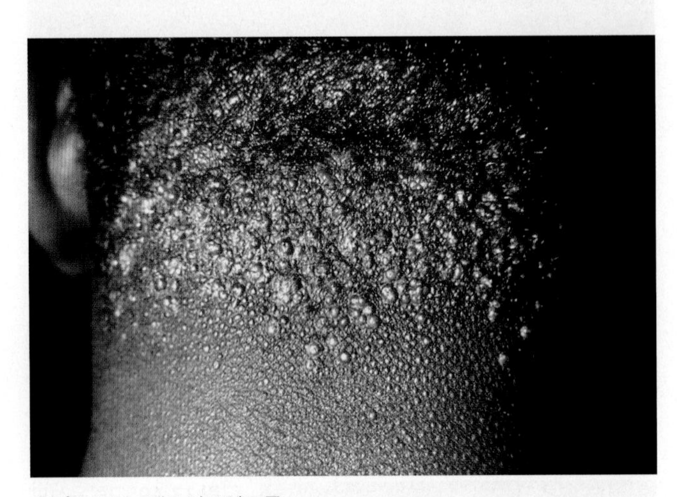

그림 13.52 켈로이드여드름

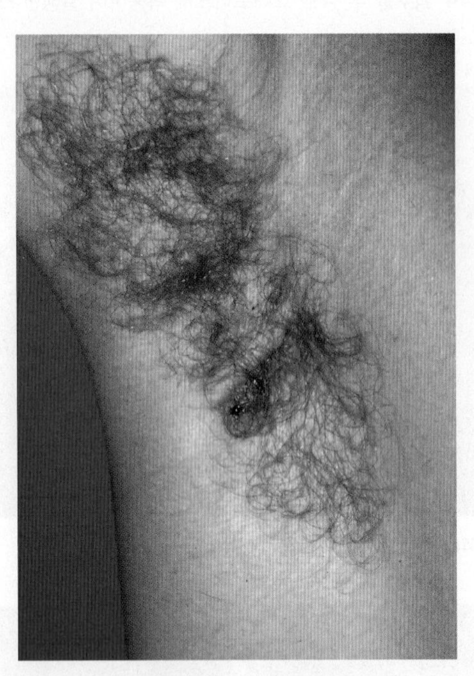

그림 13.53 화농한선염

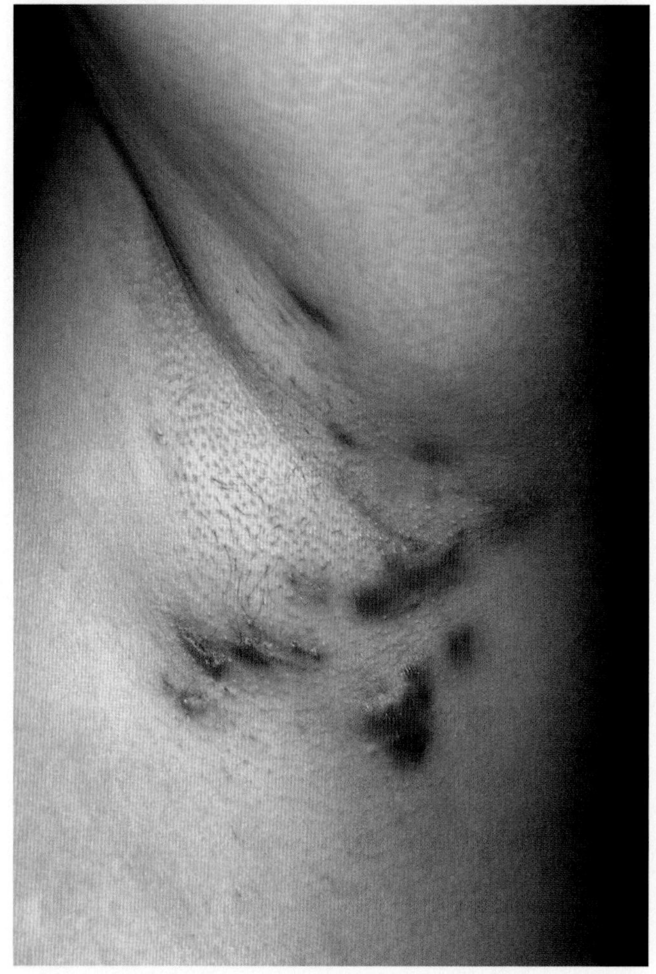

그림 13.54 화농한선염

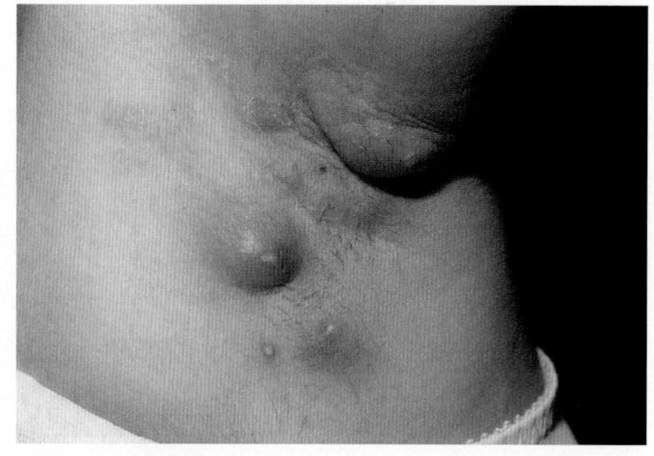

그림 13.55 화농한선염

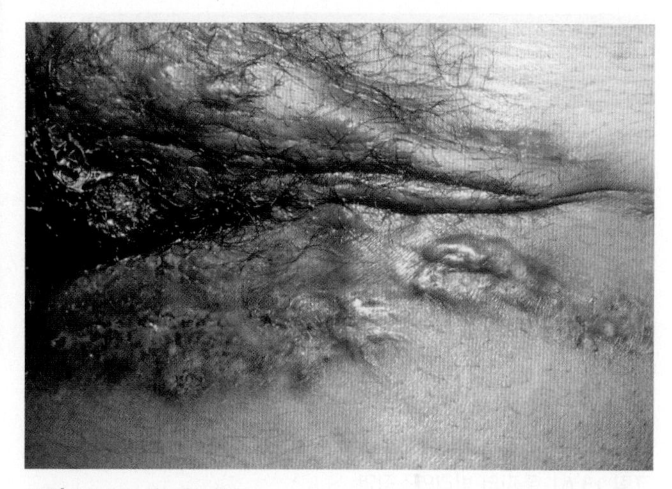

그림 13.57 화농한선염

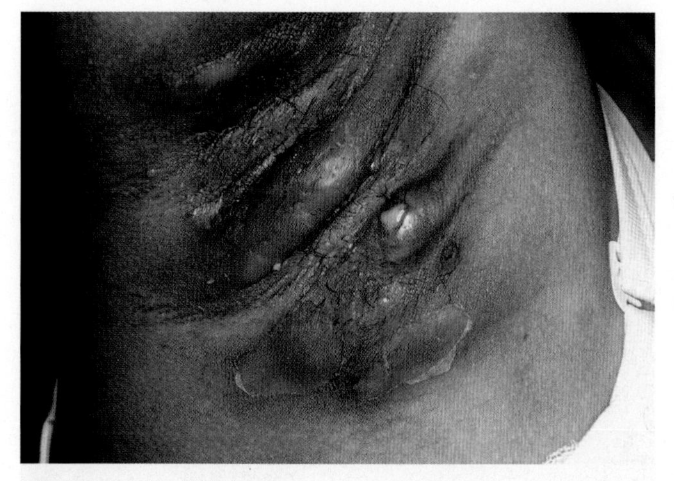

그림 13.56 화농한선염

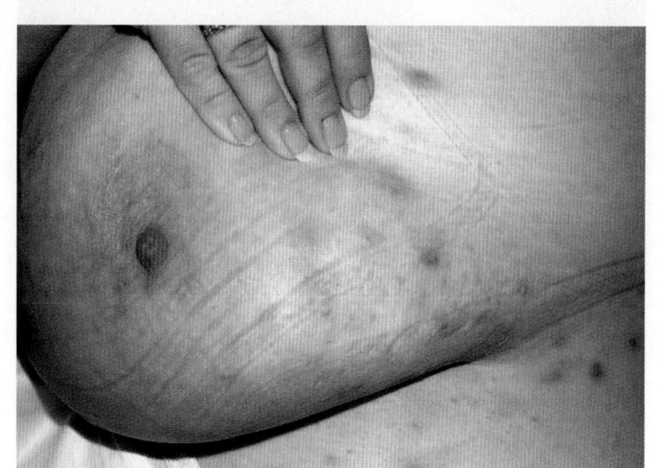

그림 13.58 화농한선염

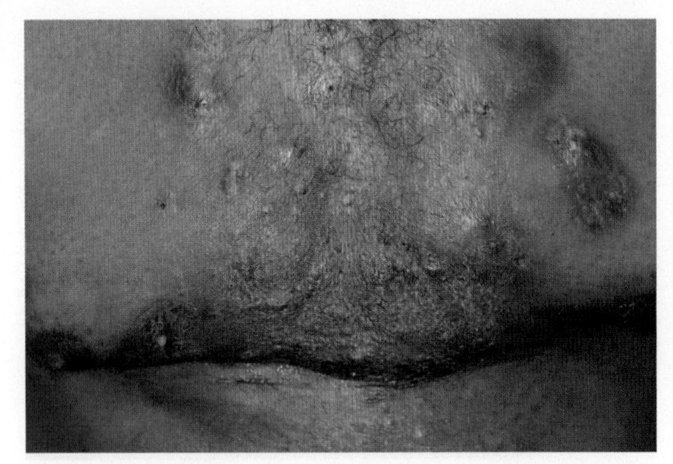

그림 13.59 화농한선염

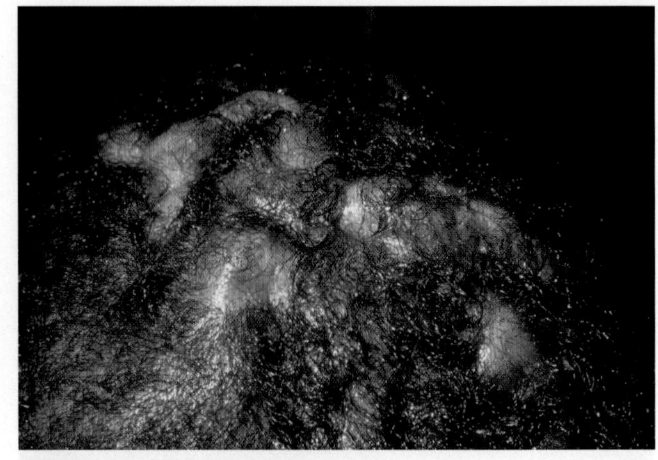

그림 13.60 두피의 박리연조직염

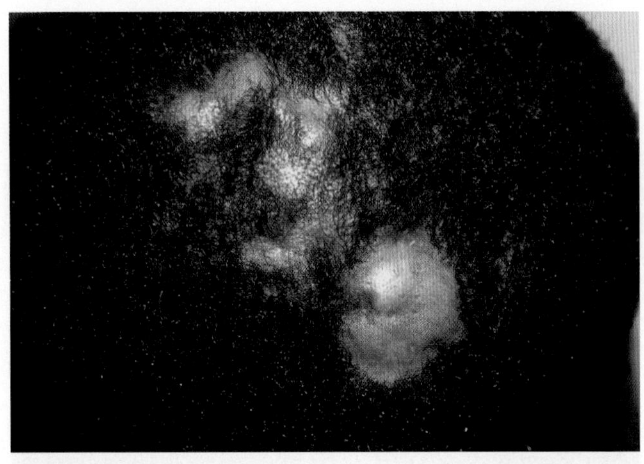

그림 13.61 두피의 박리연조직염

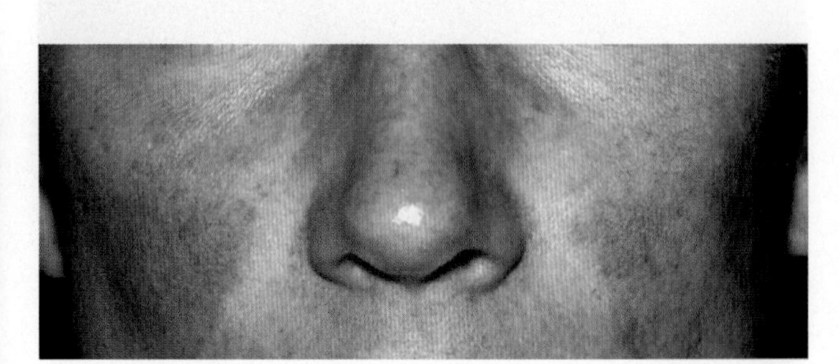

그림 13.62 홍반혈관확장형 주사

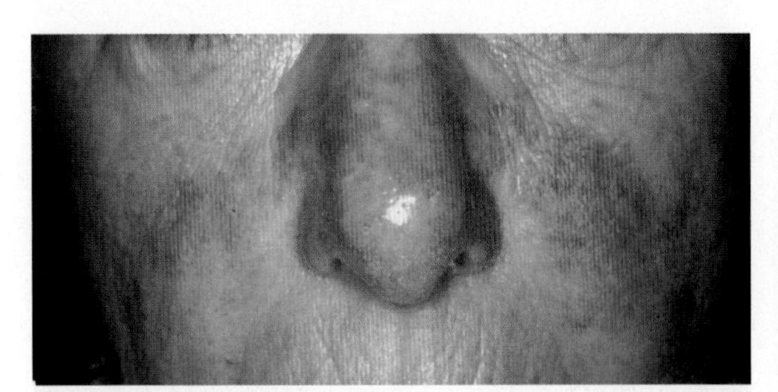

그림 13.63 홍반혈관확장형 주사

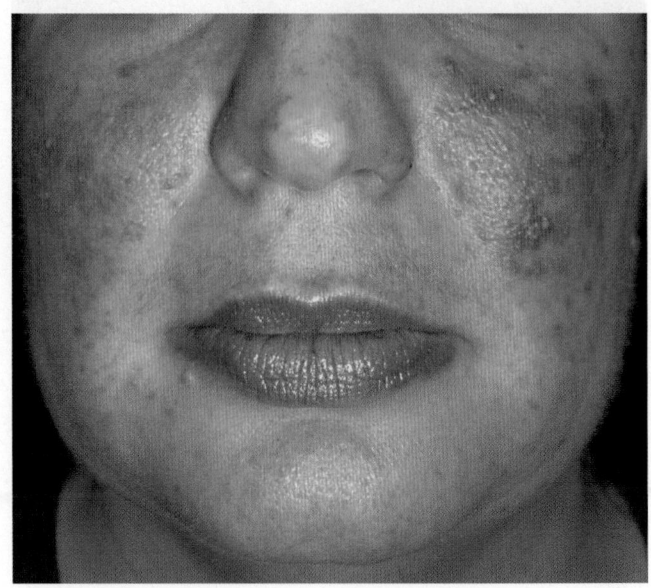

그림 13.64 구진고름물집형 주사

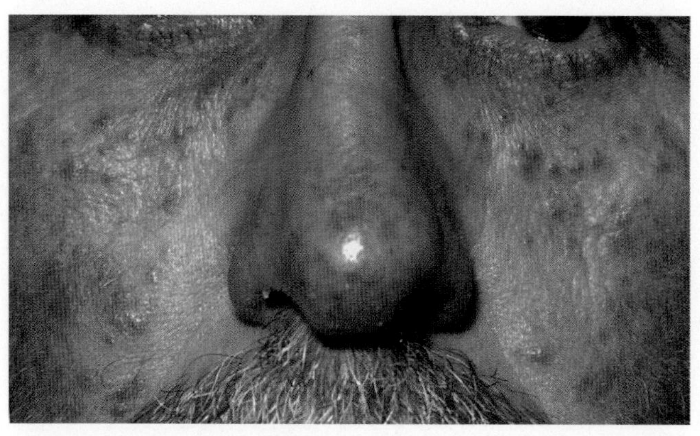

그림 13.65 구진고름물집형 주사

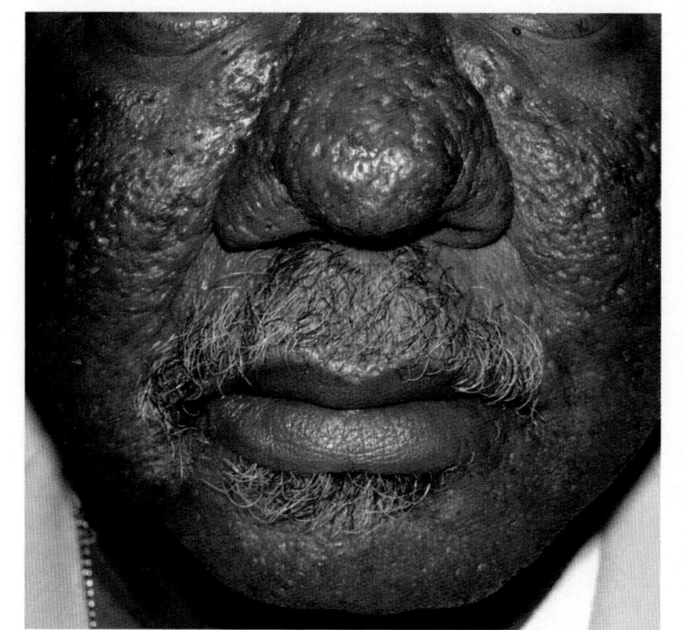

그림 13.67 샘형 주사

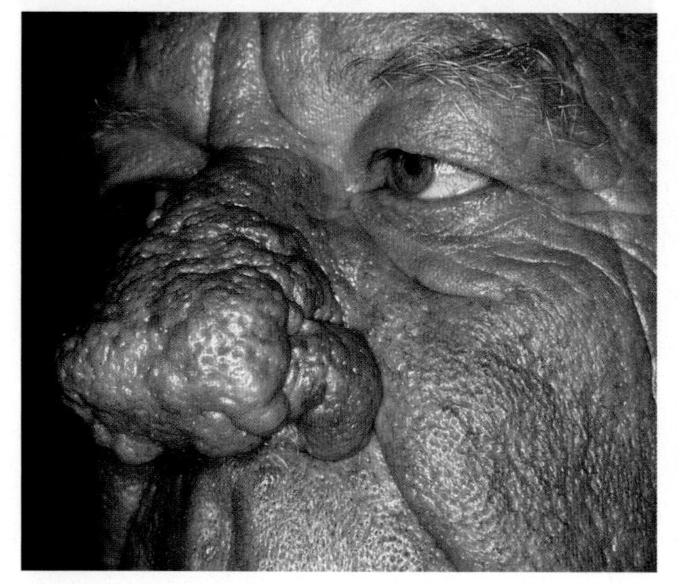

그림 13.69 비류

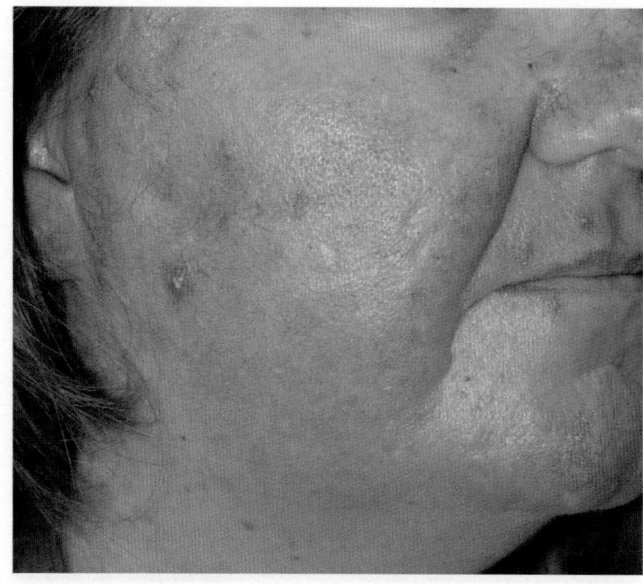

그림 13.66 샘형 주사

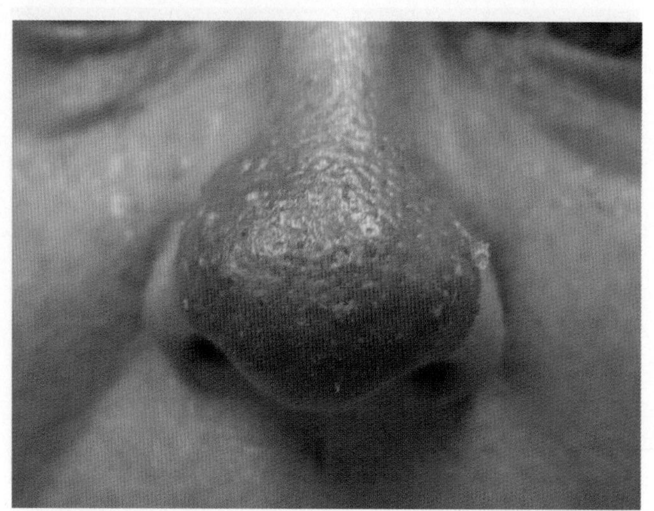

그림 13.68 비류

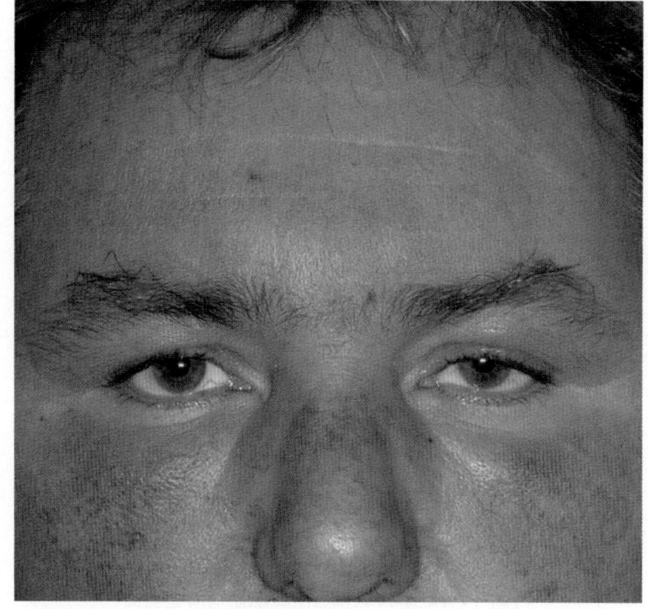

그림 13.70 주사에 의한 부종

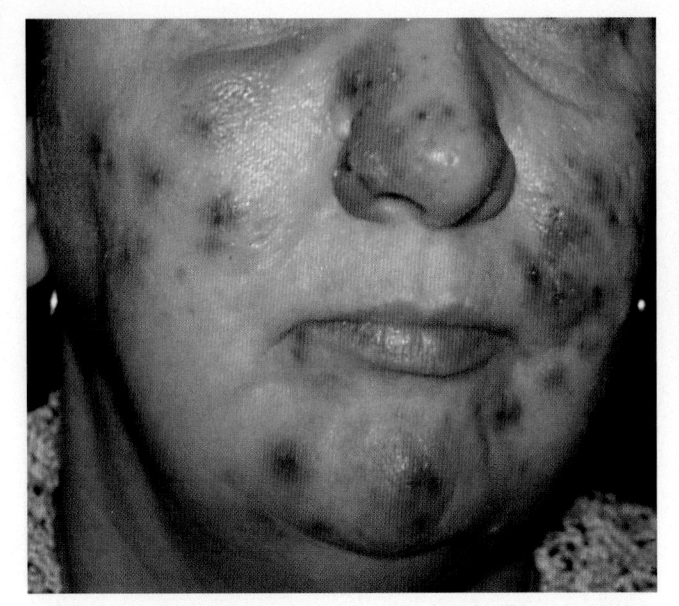

그림 13.71 안면화농피부증

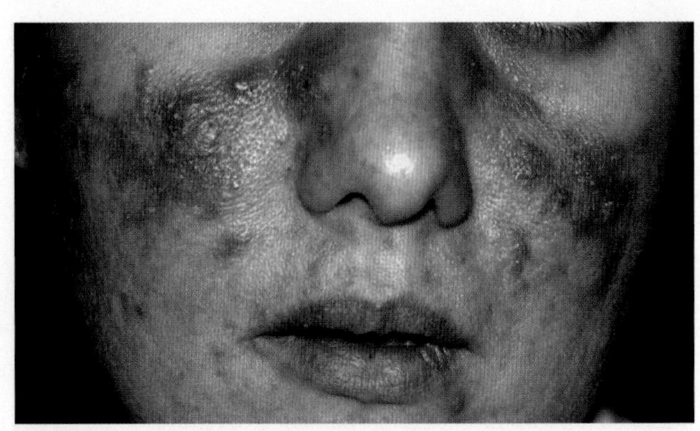

그림 13.72 안면화농피부증

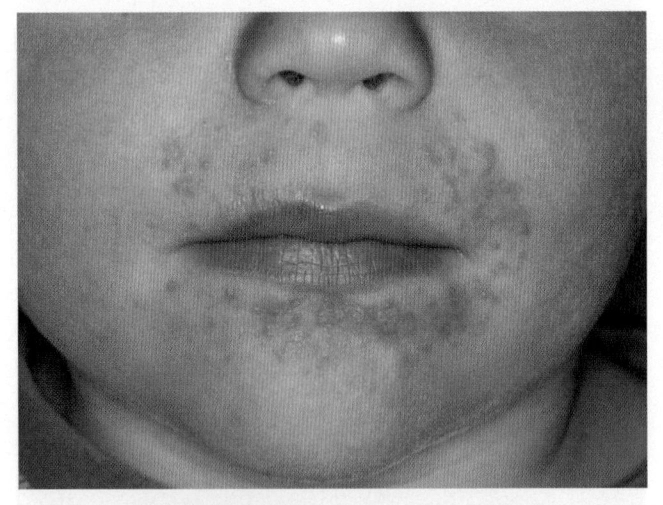

그림 13.73 입주위피부염

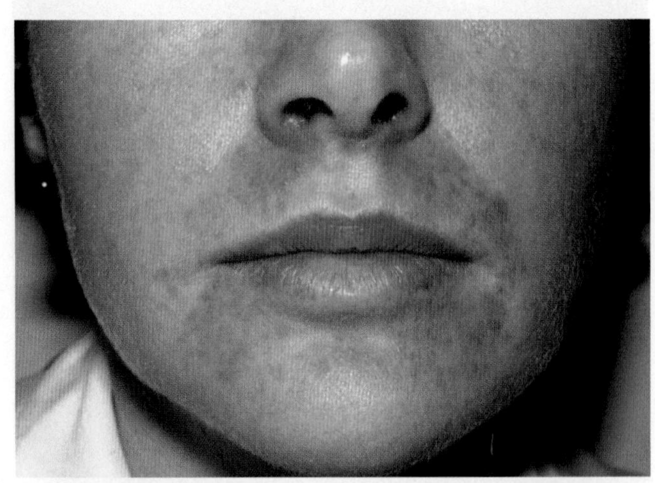

그림 13.74 입주위피부염

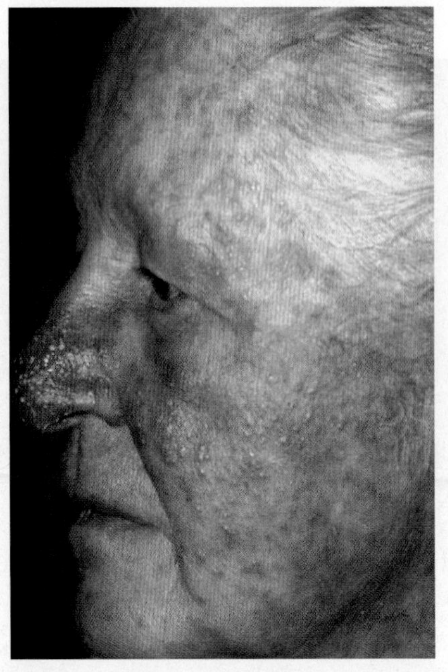

그림 13.75 국소 스테로이드제에 의해 유발된 주사

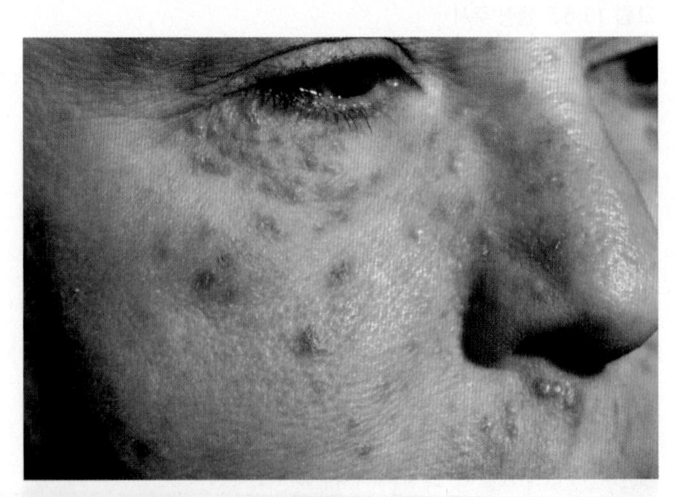

그림 13.76 육아종성 얼굴 피부염

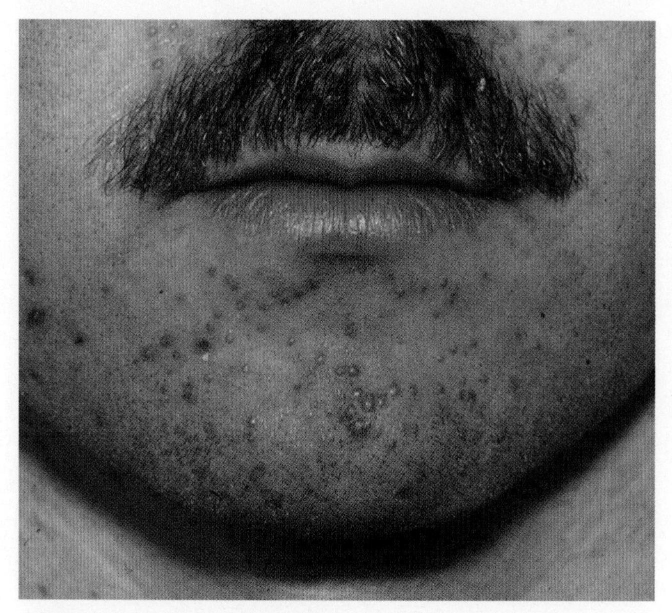

그림 13.77 육아종성 얼굴 피부염

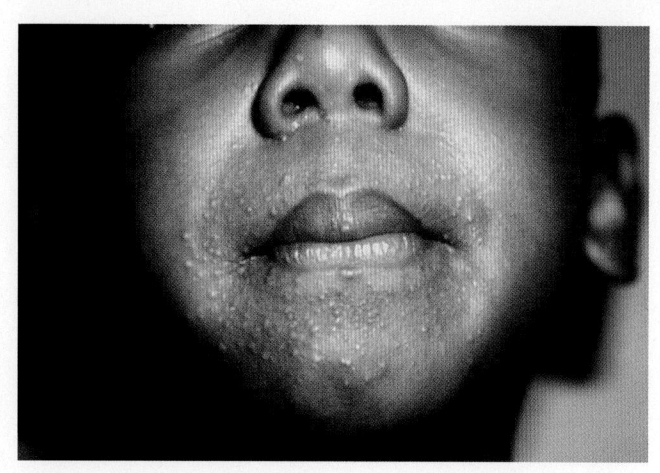

그림 13.78 육아종성 얼굴 피부염

세균 감염 14

세균 감염은 농포, 괴사성 결절과 궤양까지 여러 가지 피부 병변을 일으킬 수 있다. 이러한 감염으로 인한 피부증상은 농가진에서 보이는 가피와 미란을 동반하는 표재성 병변부터 수막알균혈증에서 관찰되는 전신성 자반성 판까지 다양하게 나타난다. 세균성 감염을 그람양성, 그람음성, 그리고 리케차를 포함한 기타 균들로 분류하여 정리하였다. 세균감염증의 대부분에서 국소 또는 전신 치료가 필요하기 때문에 세균 감염의 징후를 인지하는 것은 매우 중요하다. 포도알균 피부 감염은 농포, 가피, 종기 또는 수포로도 나타날 수 있다. 독소에 의한 포도알균화상피부증후군 또는 독소쇽증후군의 경우 일광화상처럼 일시적인 홍반이 굴측부에 두드러지게 보일 수 있다. 사슬알균 감염은 농포와 가피, 연조직염이나 단독에서는 단단한 통증을 동반한 홍반성 판, 그리고 농창에서는 궤양으로 나타날 수 있다.
수포성 원위부 손발가락염, 항문주위 사슬알균 감염, 간찰진, 또는 그람음성 지간 감염 등과 같이 침범하는 해부학적 위치도 어떤 세균에 의한 감염인지에 대한 단서가 될 수 있다. 괴사성 구진, 결절, 궤양, 또는 괴사딱지를 보일 경우 심재성 진균 감염과 부정형 마이코박테리움 감염과 함께 일부 세균 감염 또한 원인으로 고려해야 한다. 이러한 감별진단은 면역저하환자에서 특히 더 중요하다. 이런 경우 슈도모나스와 같이 비교적 흔한 세균들에 의한 파종성 질환부터 드문 야토병과 탄저병까지 모두 고려의 대상이 되어야 한다. 마지막으로, 로키산맥반점열에서의 출혈점, 간균성혈관종증에서의 혈관종증, 그리고 라임병에서의 이동홍반과 같이 특이한 병변들도 있다.
의심되는 원인균에 따라 조직배양, 피부 조직검사 그리고 추가적인 염색 등을 시행할 수 있다. 흔한 세균과 흔하지 않은 세균, 그리고 표재성과 파종성 세균 감염을 모두 다루었고 그에 따른 다양한 양상을 보이는 피부 감염의 사진들을 담았다.

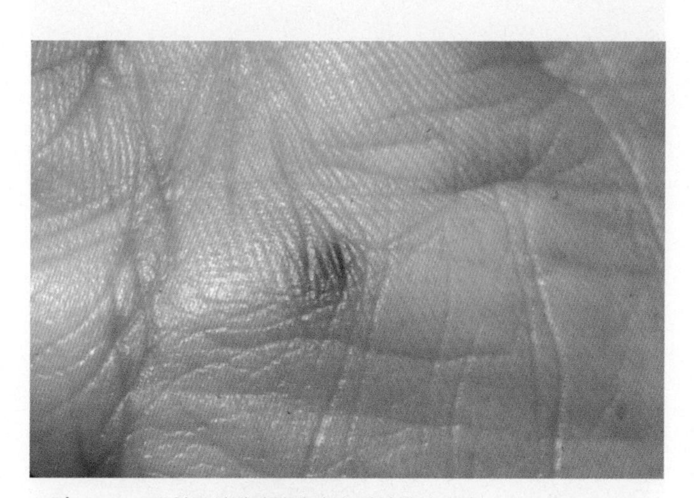

그림 14.1 포도알균심내막염에서의 제인웨이반점

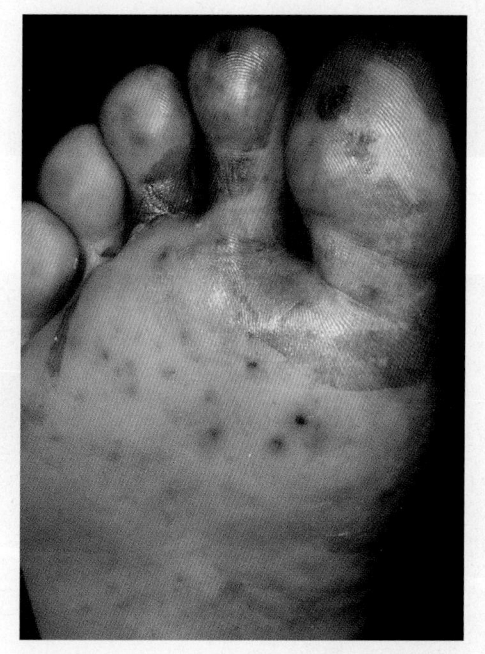

그림 14.2 장골동맥류의 감염으로 인해 발생한 포도알균색전

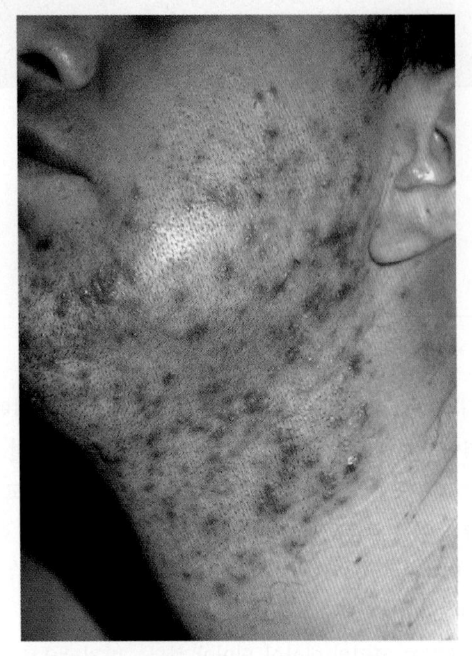

그림 14.3 수염모창

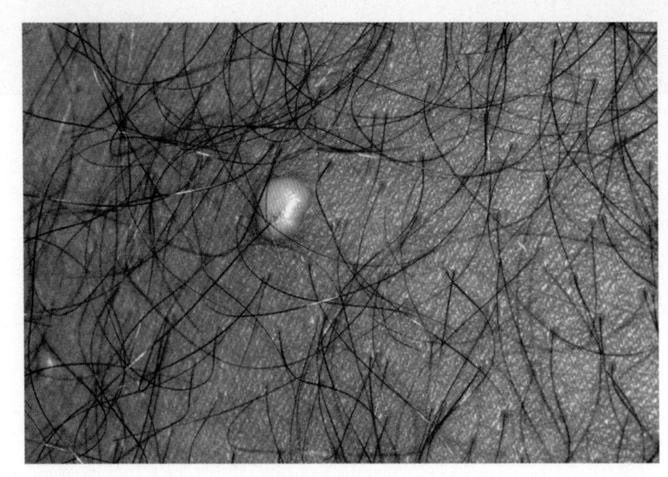

그림 14.4 포도알균 모낭염

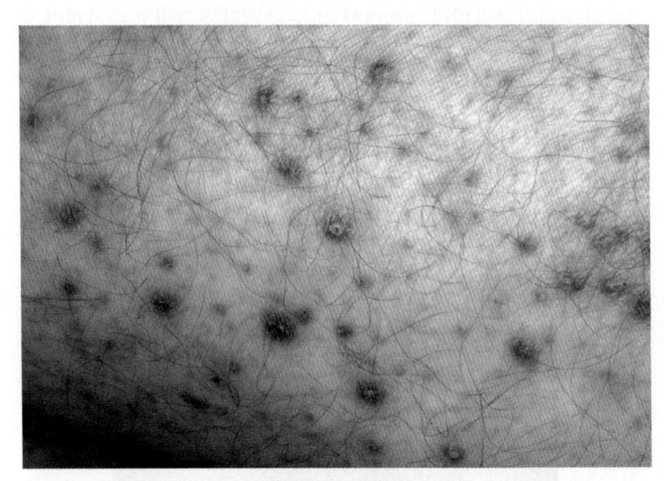

그림 14.5 포도알균 모낭염

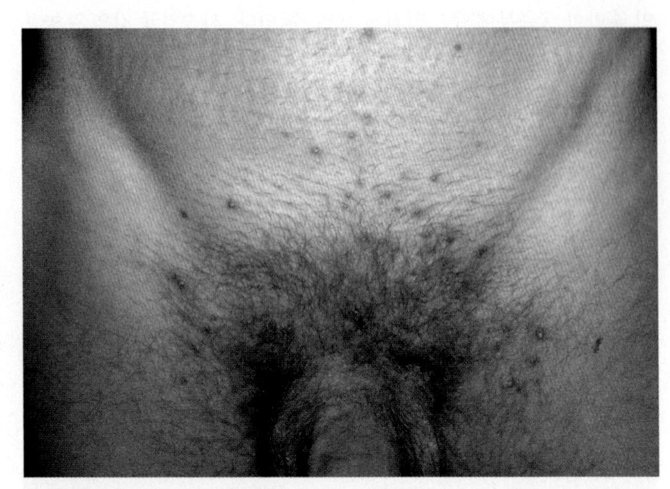

그림 14.6 포도알균 모낭염

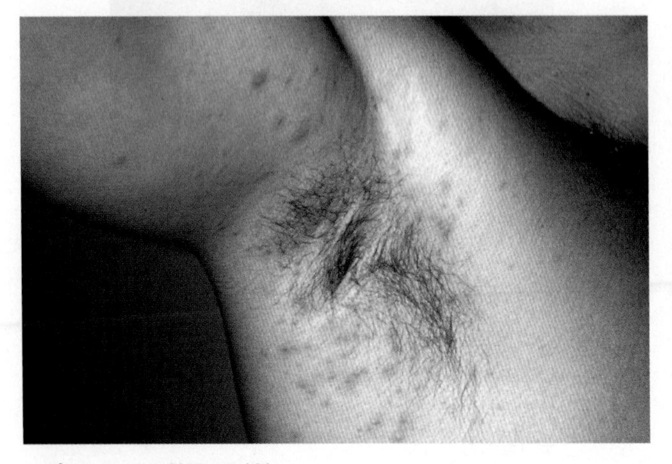

그림 14.7 포도알균 모낭염

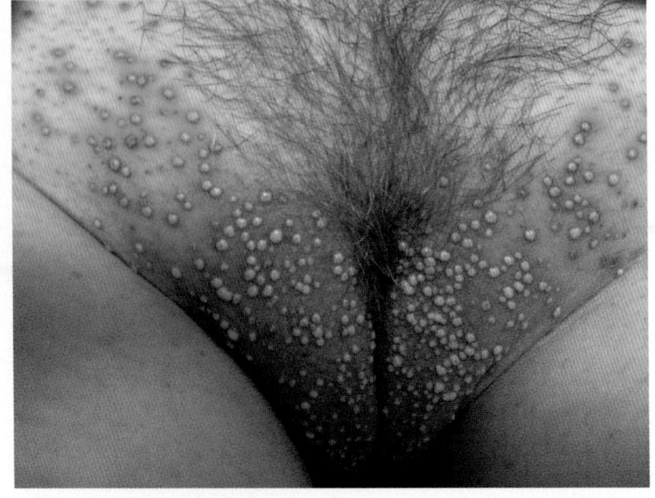

그림 14.8 포도알균 모낭염

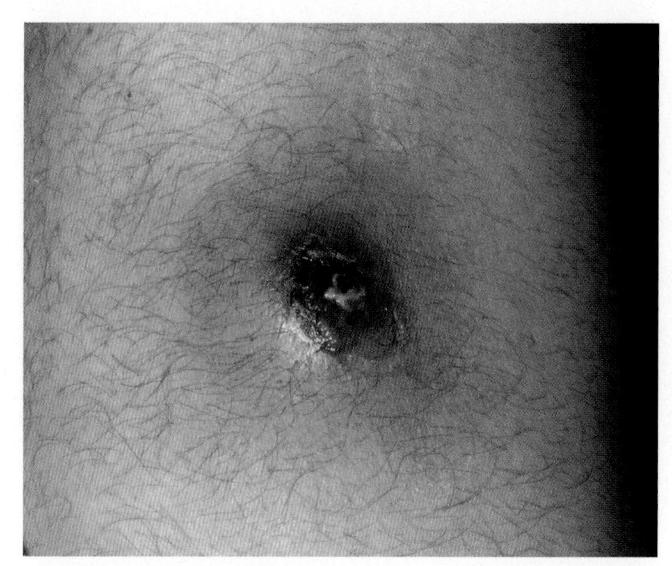

그림 14.9 포도알균 모낭염

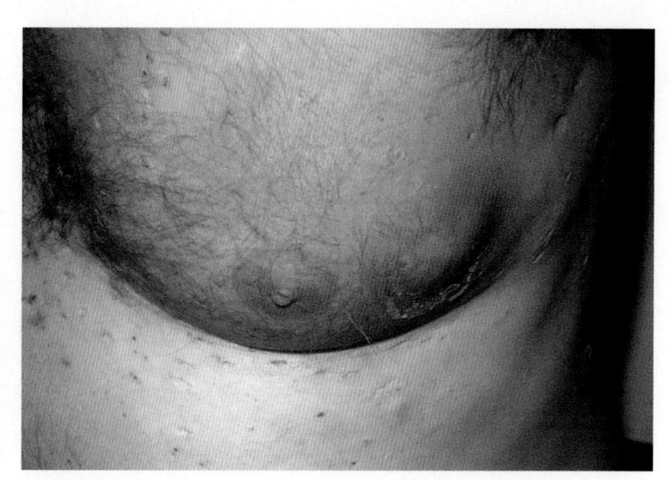

그림 14.10 포도알균 모낭염

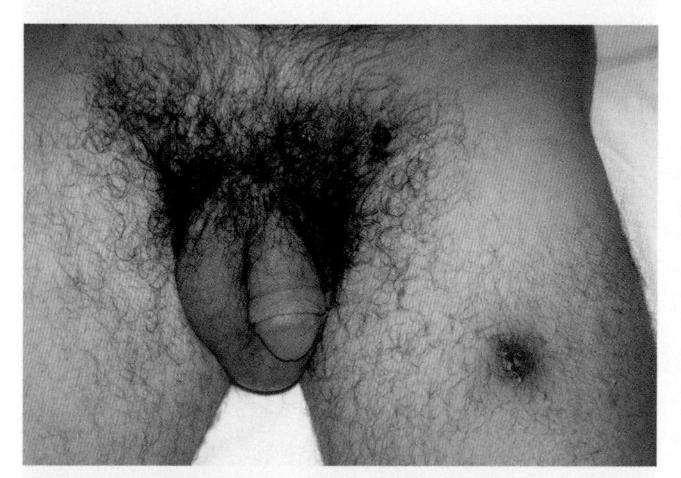

그림 14.11 포도알균 모낭염

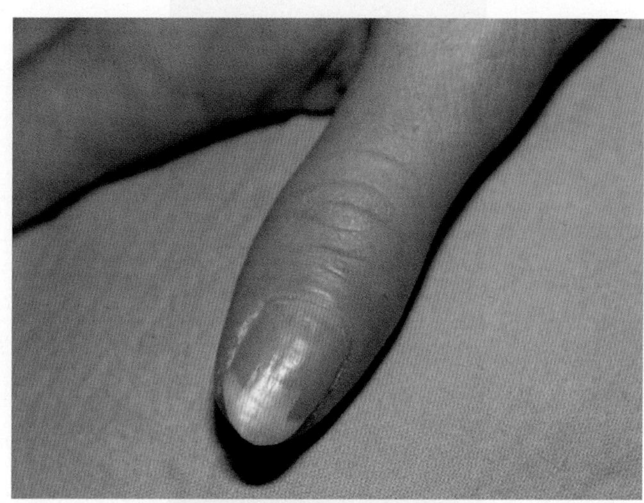

그림 14.12 조갑하 포도알균 농양

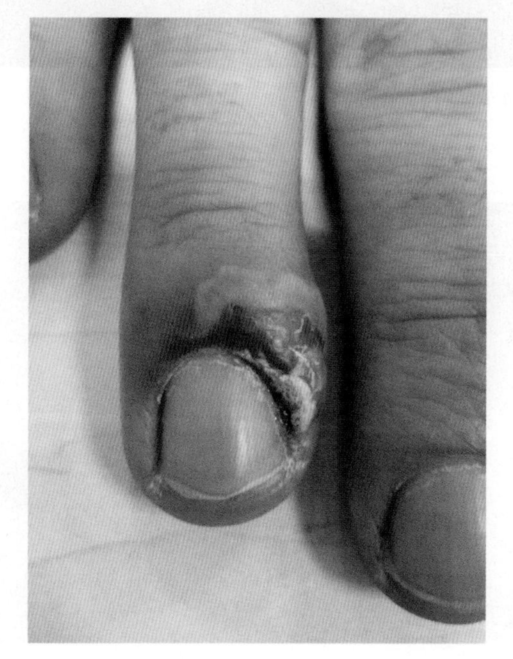

그림 14.13 급성 조갑주위염

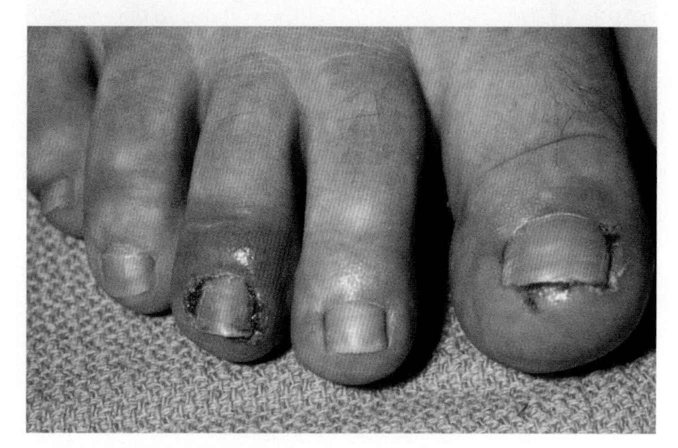

그림 14.14 급성 조갑주위염

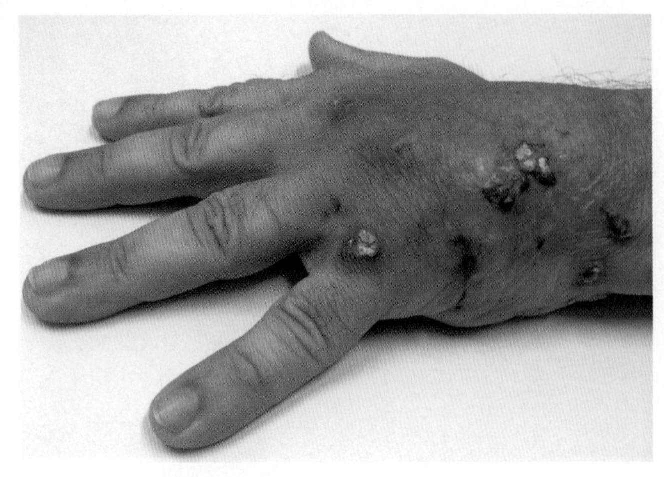
그림 14.15 포도상진균증

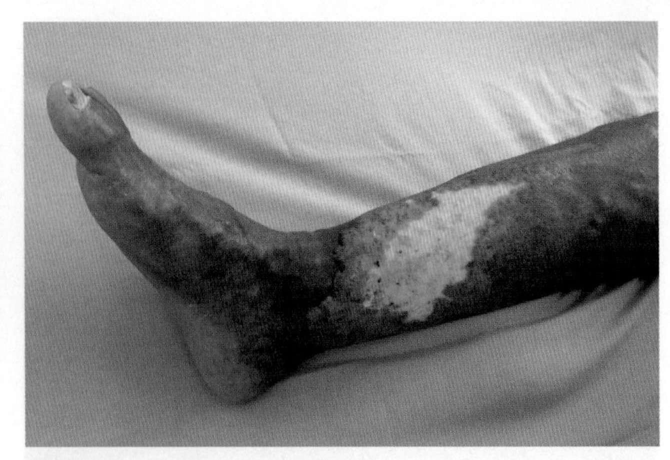
그림 14.16 포도상진균증

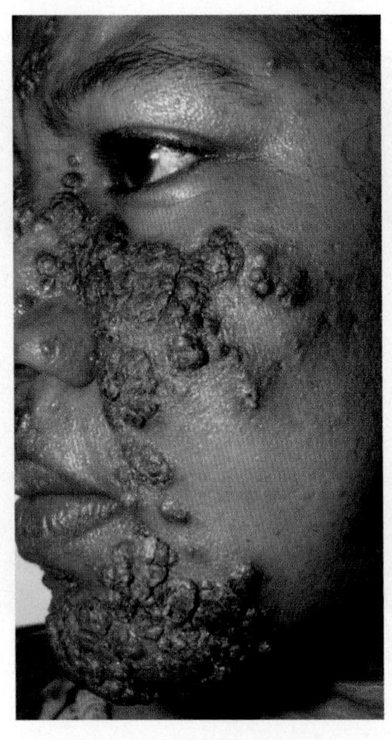
그림 14.17 증식화농피부증

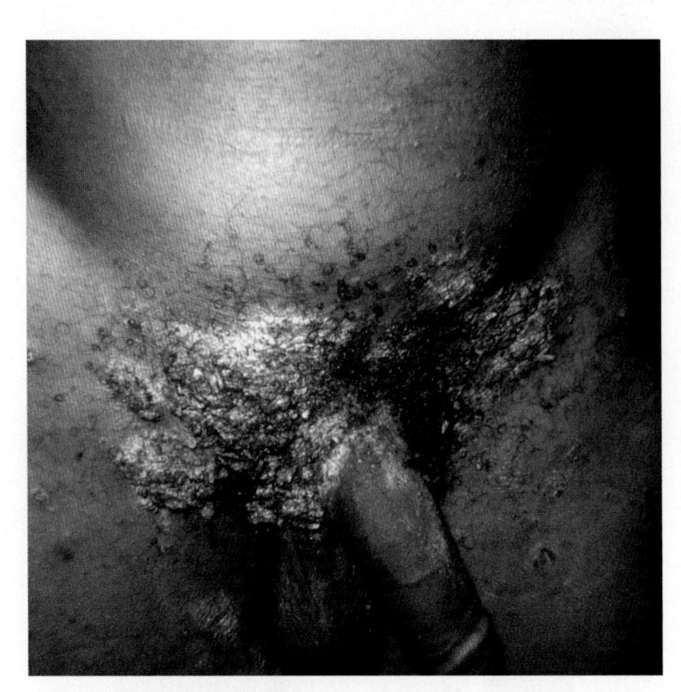
그림 14.18 증식화농피부증

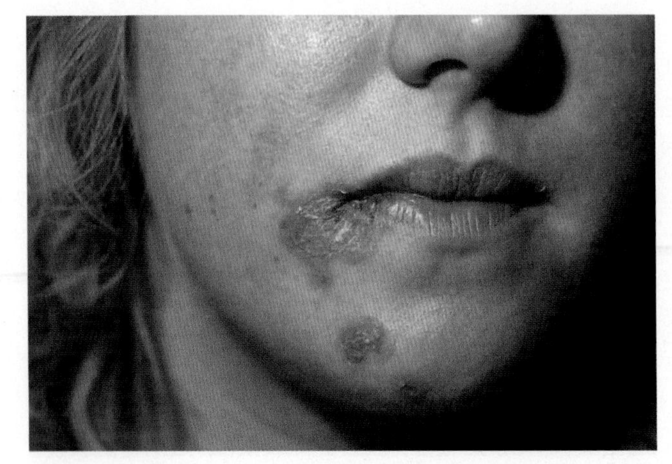
그림 14.19 농가진

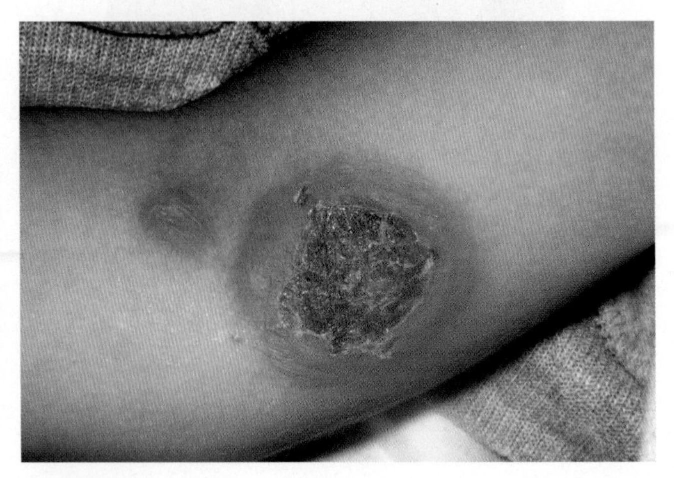
그림 14.20 농가진

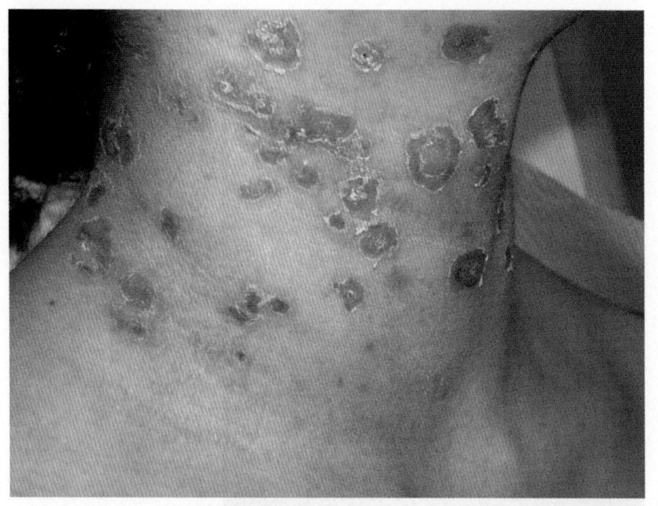

그림 14.21 수포농가진

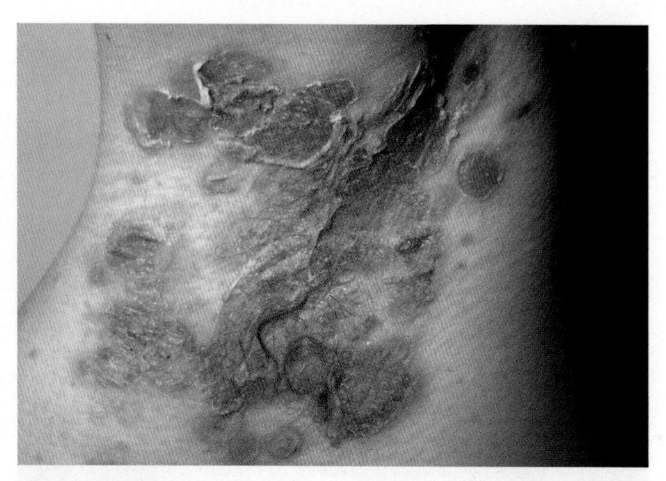

그림 14.22 수포농가진

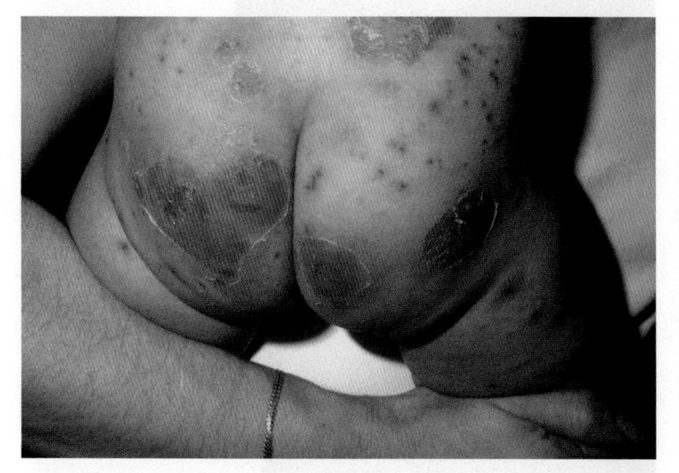

그림 14.23 수포농가진

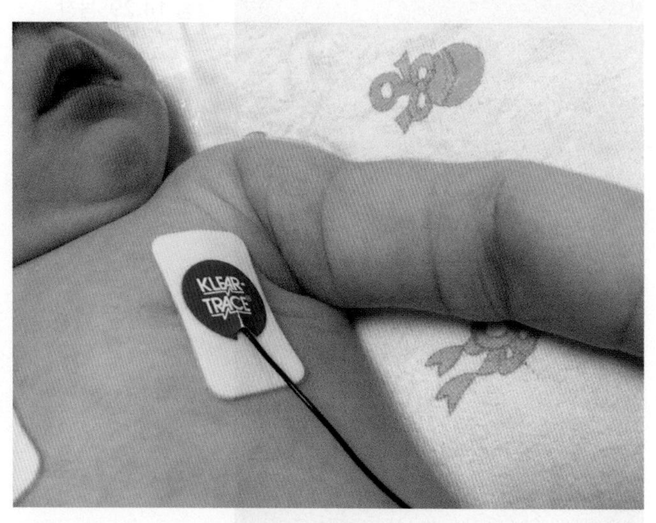

그림 14.24 초기 포도알균화상피부증후군. 굴측부의 홍반이 두드러진 것을 관찰할 수 있다.

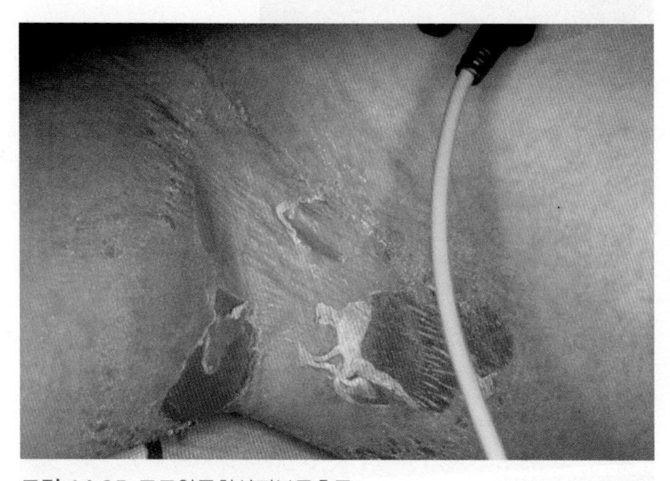

그림 14.25 포도알균화상피부증후군

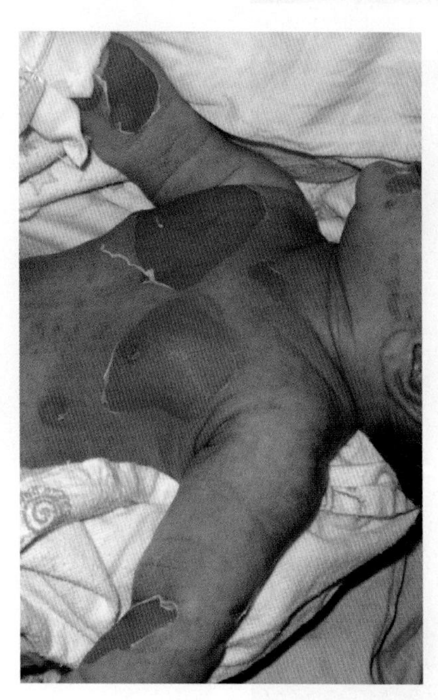

그림 14.26 포도알균화상피부증후군

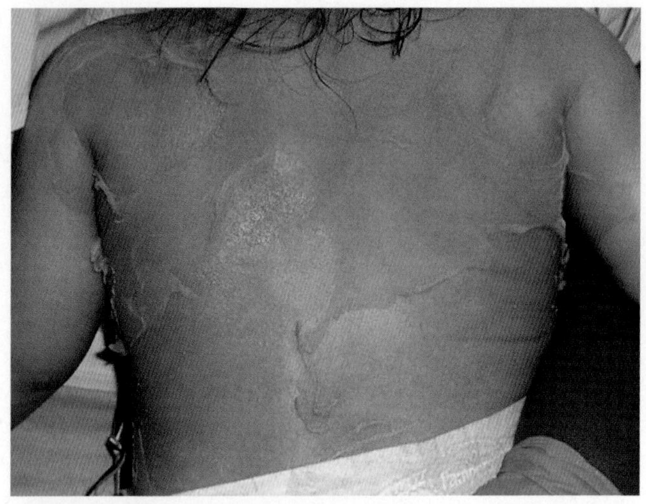

그림 14.27 포도알균화상피부증후군

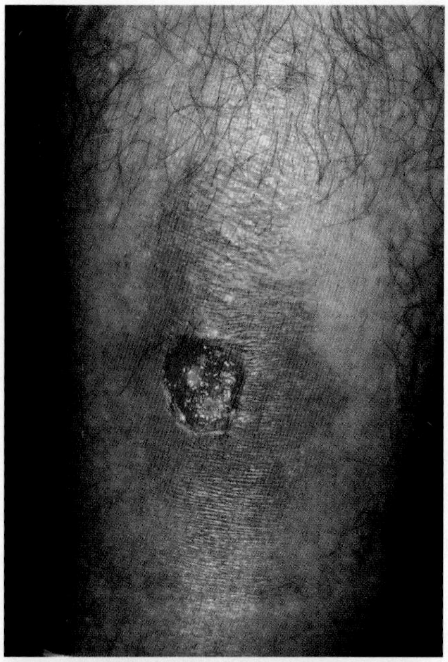

그림 14.28 농창

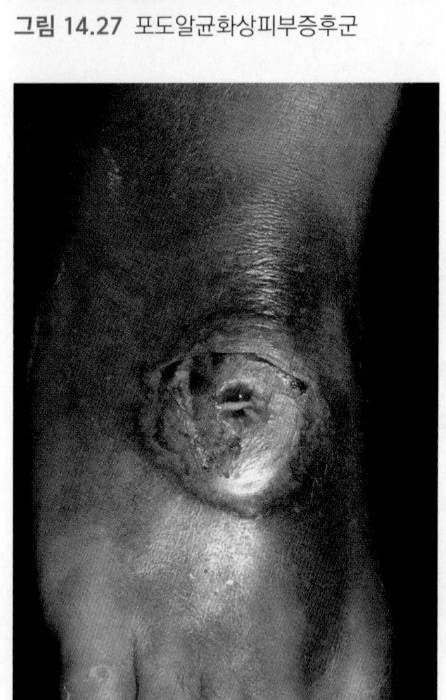
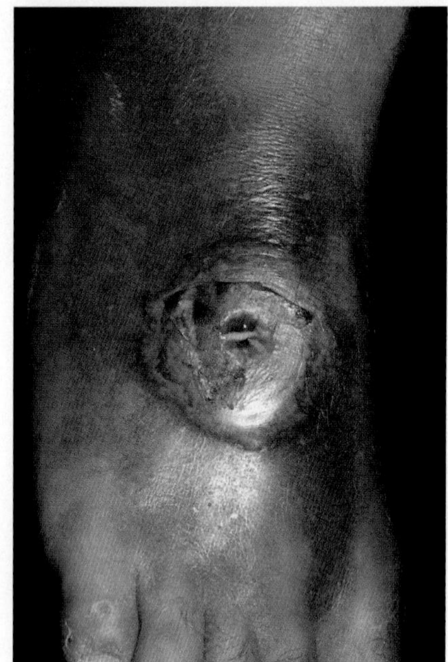

그림 14.29 농창

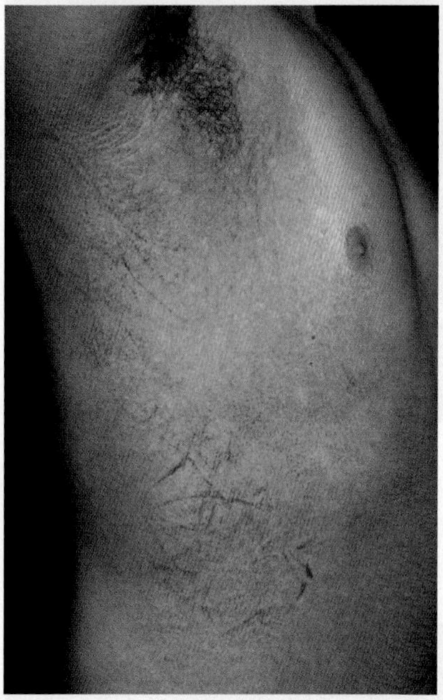

그림 14.30 성홍열

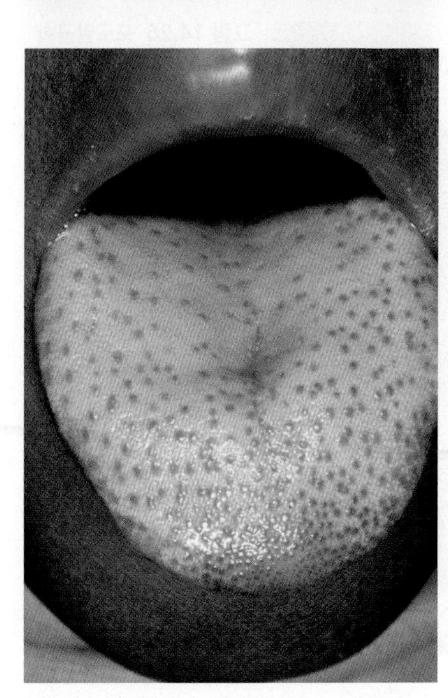

그림 14.31 딸기혀

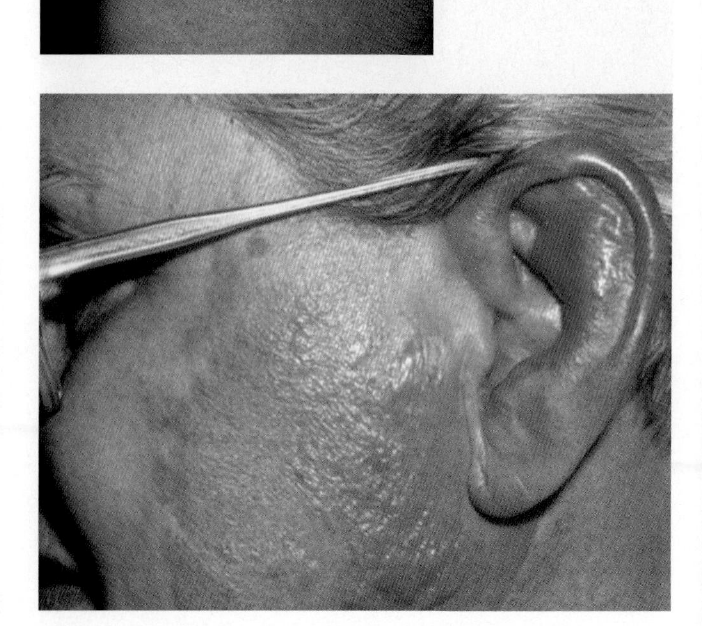

그림 14.32 단독

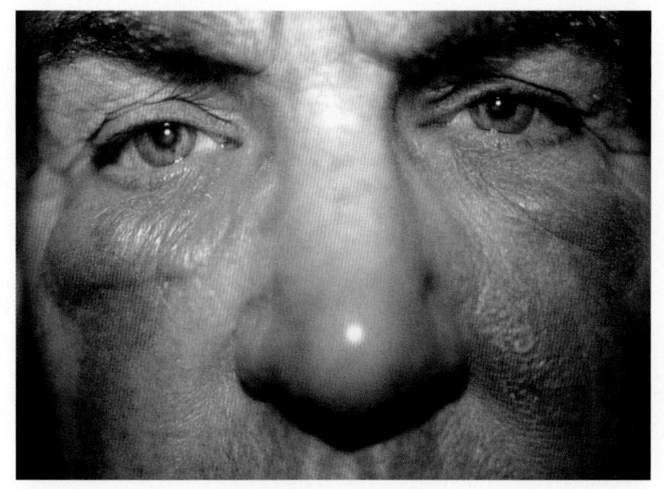

그림 14.33 단독

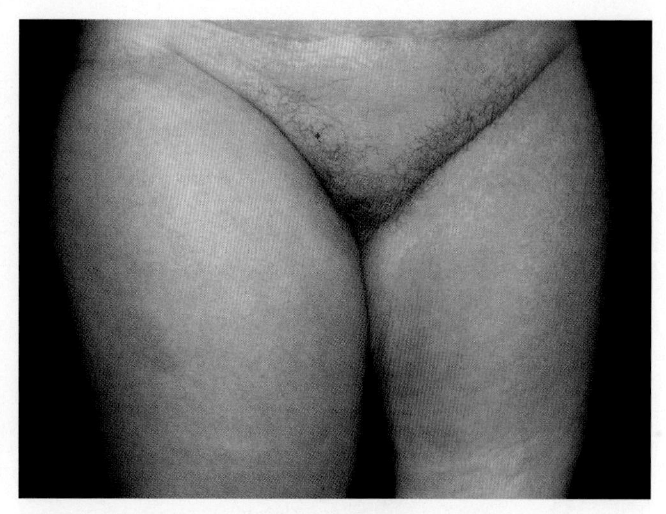

그림 14.34 단독

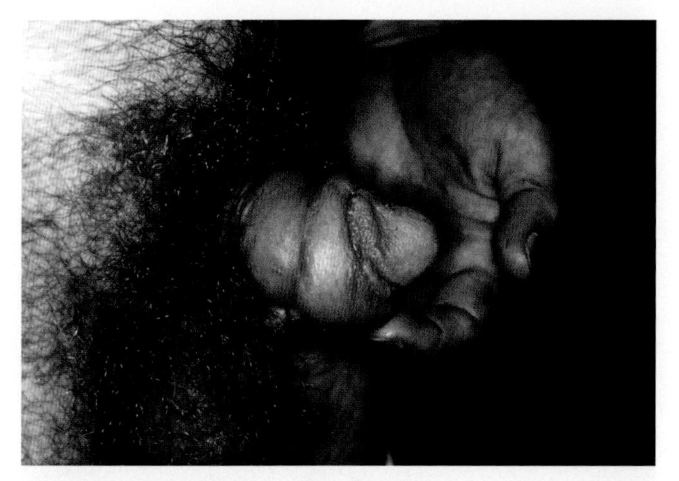

그림 14.35 단독

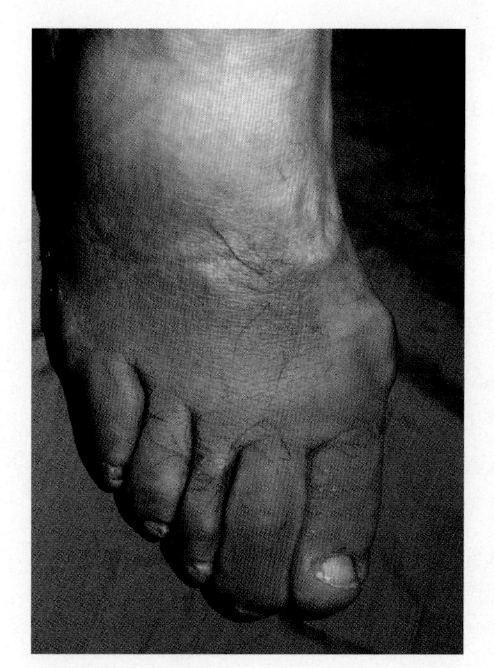

그림 14.36 연조직염

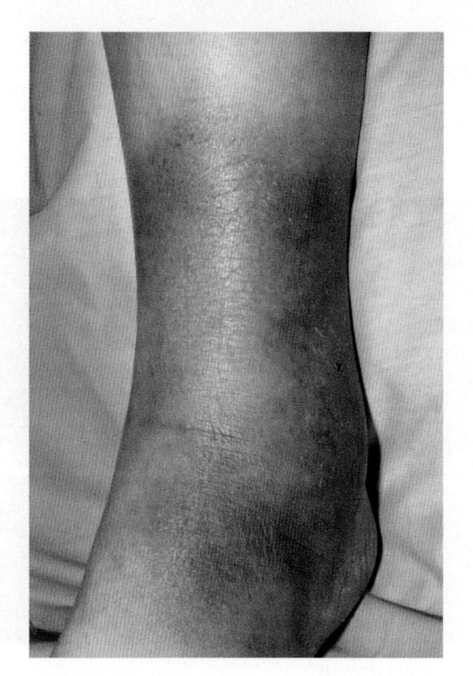

그림 14.37 연조직염

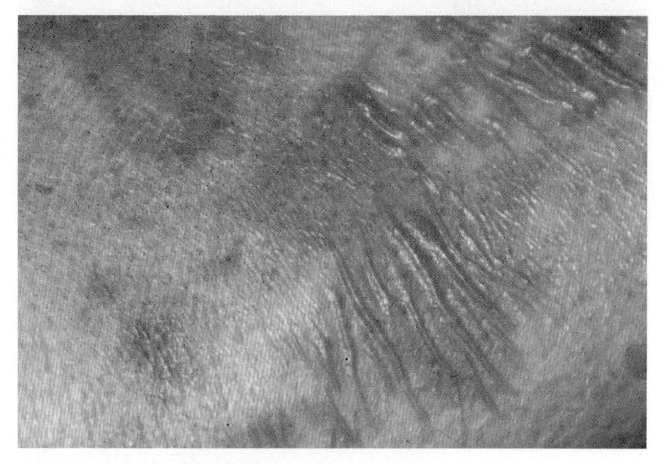

그림 14.38 초기 괴사근막염

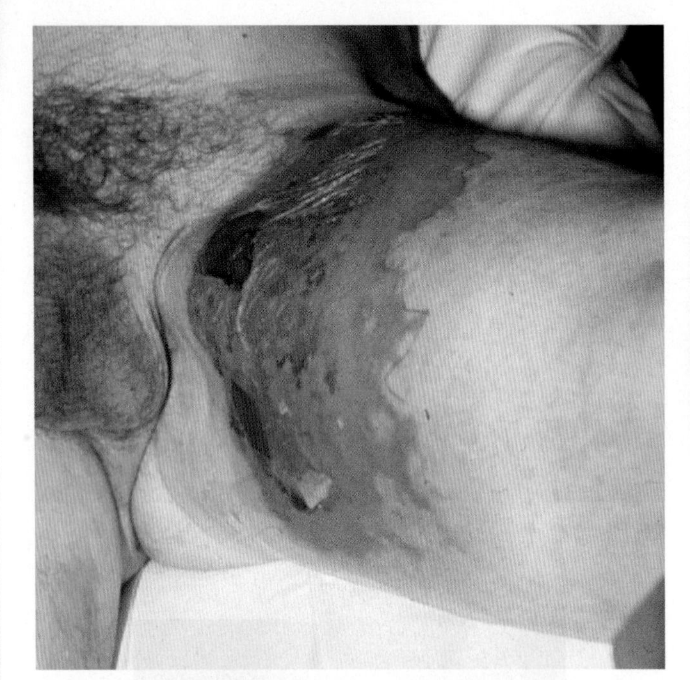

그림 14.39 괴사근막염

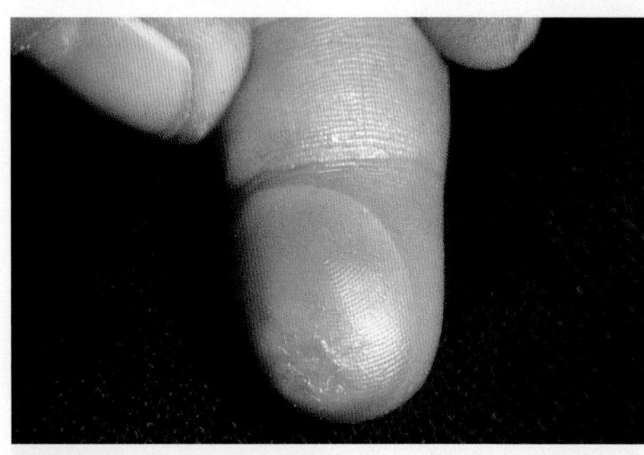

그림 14.40 수포성 손발가락염

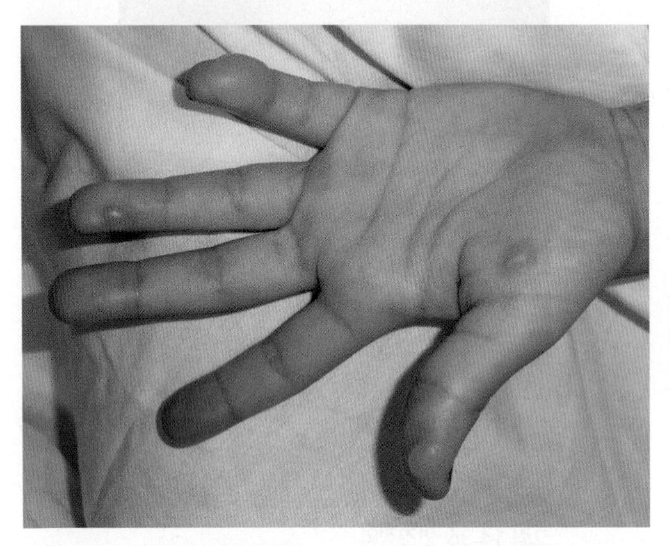

그림 14.41 수포성 손발가락염

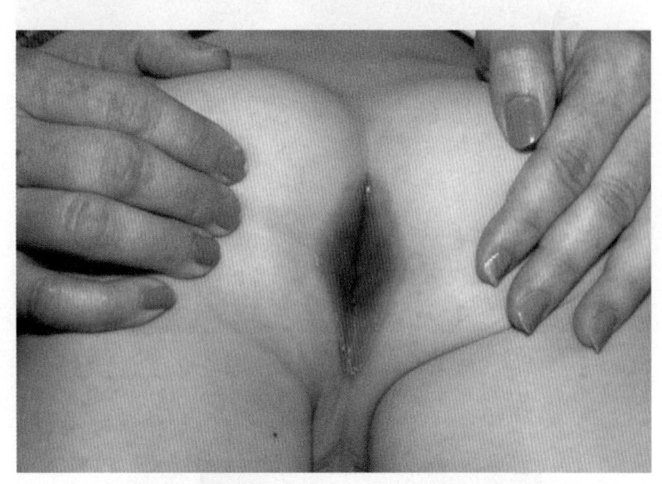

그림 14.42 항문주위 사슬알균 감염

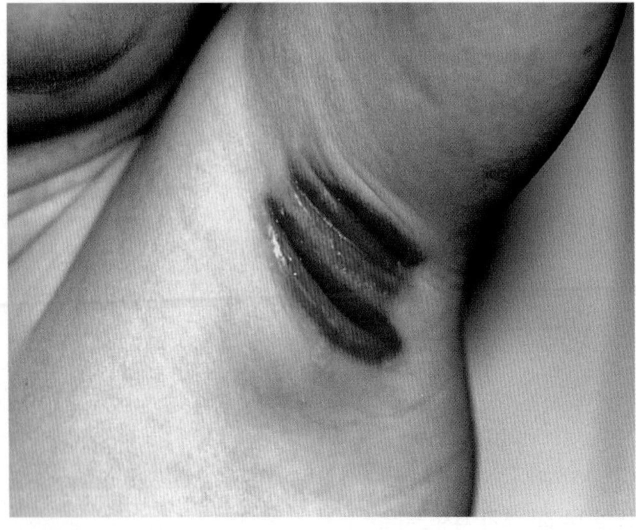

그림 14.43 사슬알균 간찰진

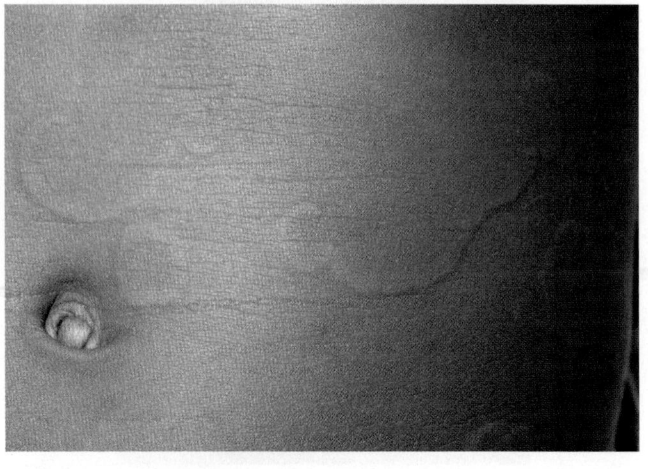

그림 14.44 가장자리홍반

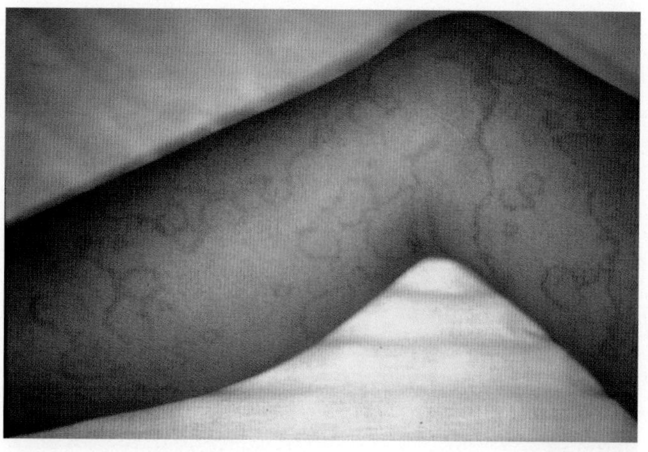

그림 14.45 가장자리홍반

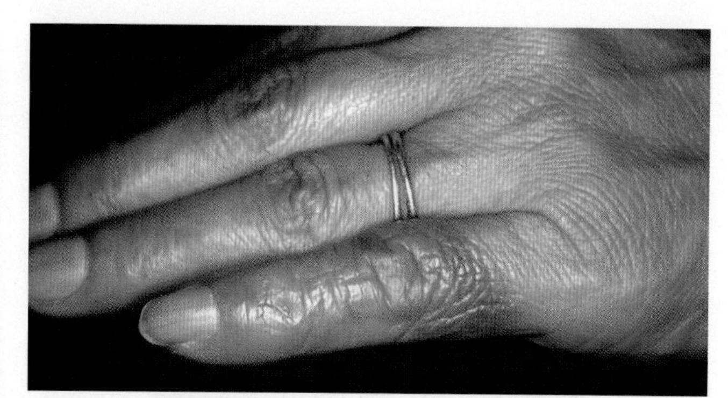

그림 14.46 유사단독

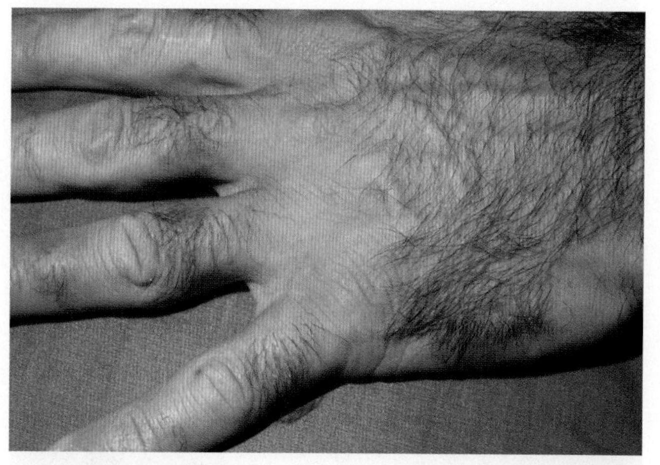

그림 14.47 유사단독

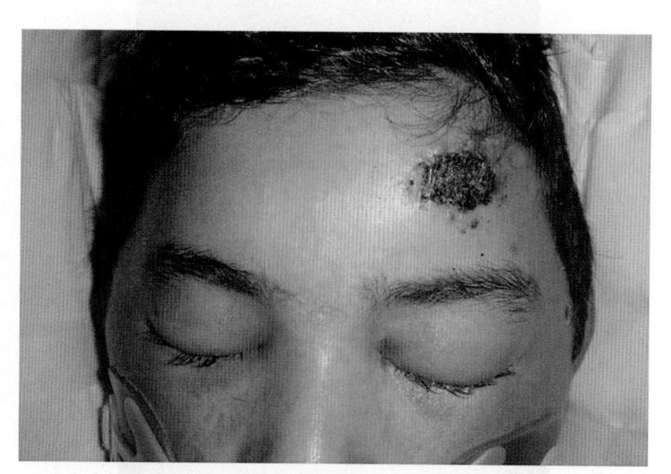

그림 14.48 탄저병과 이차 부종

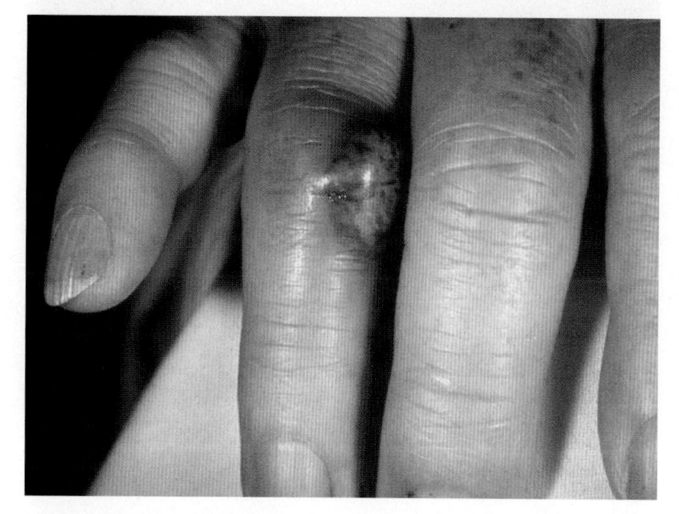

그림 14.49 피부 디프테리아

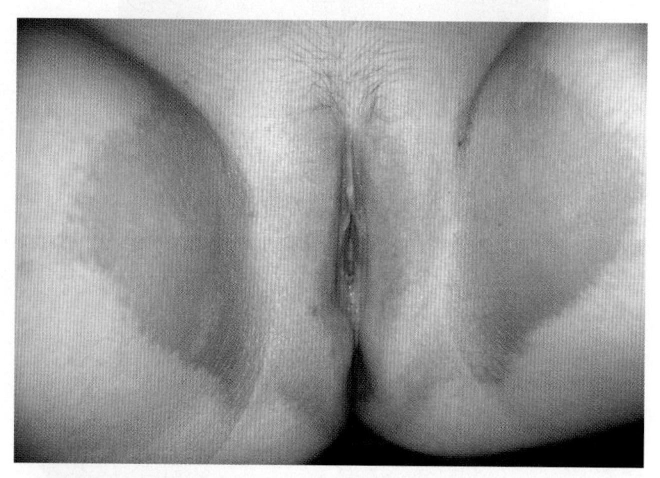

그림 14.50 홍색음선

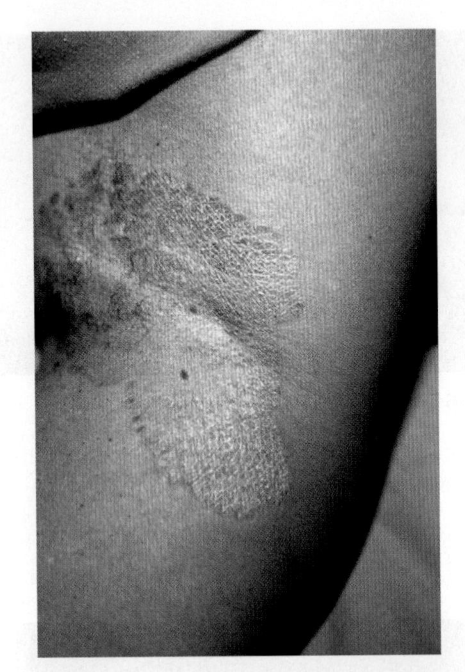
그림 14.51 홍색음선

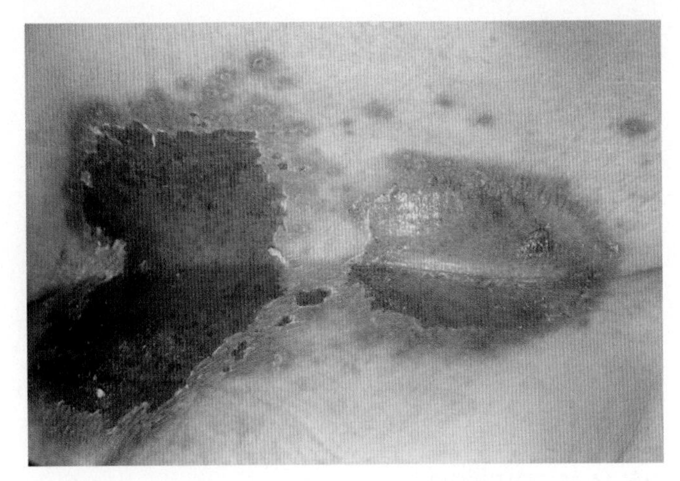
그림 14.52 간찰진

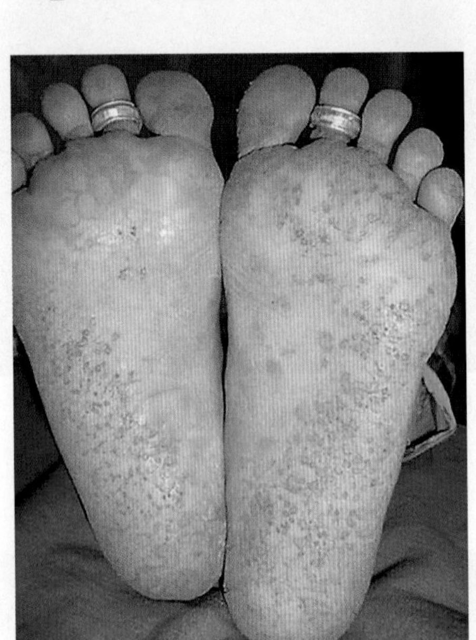
그림 14.53 오목각질용해

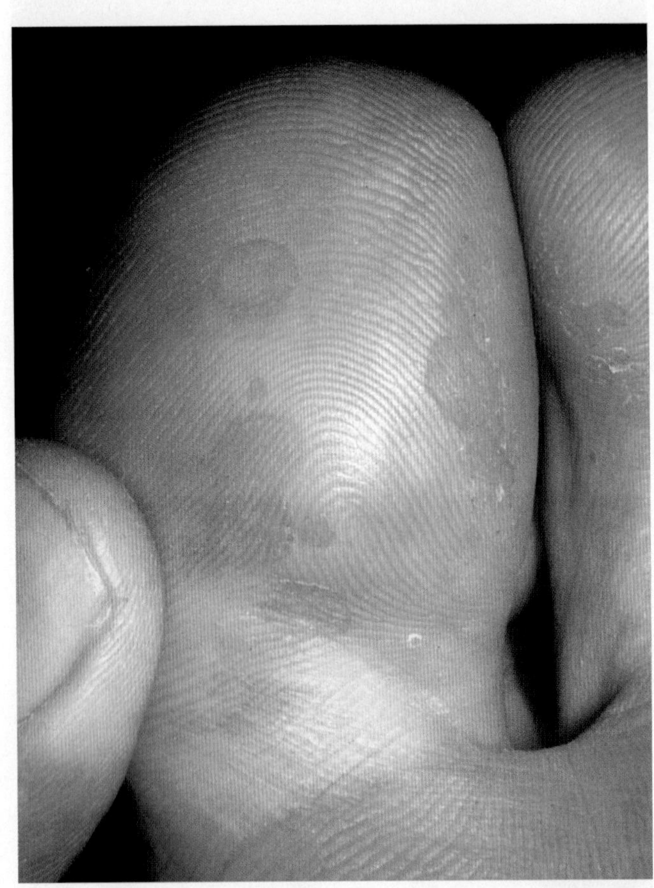
그림 14.54 오목각질용해

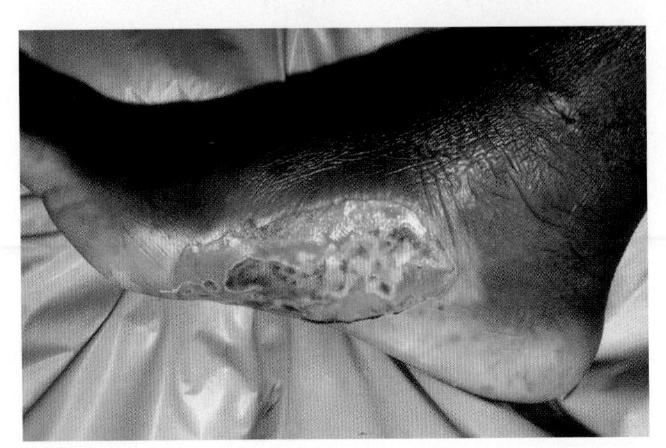
그림 14.55 클로스트리듐 궤양

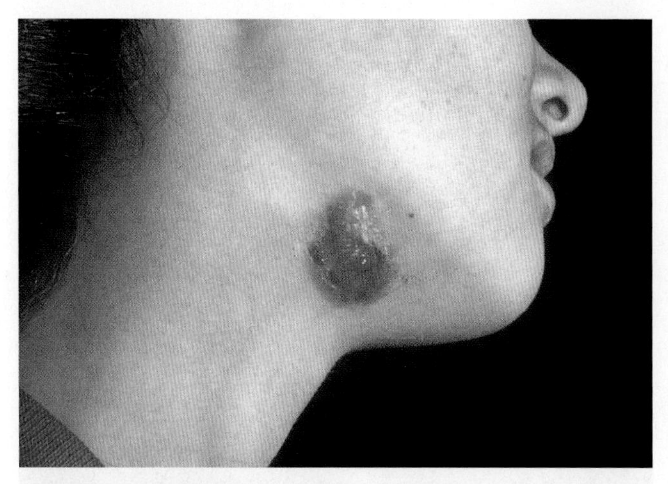

그림 14.56 방선균증

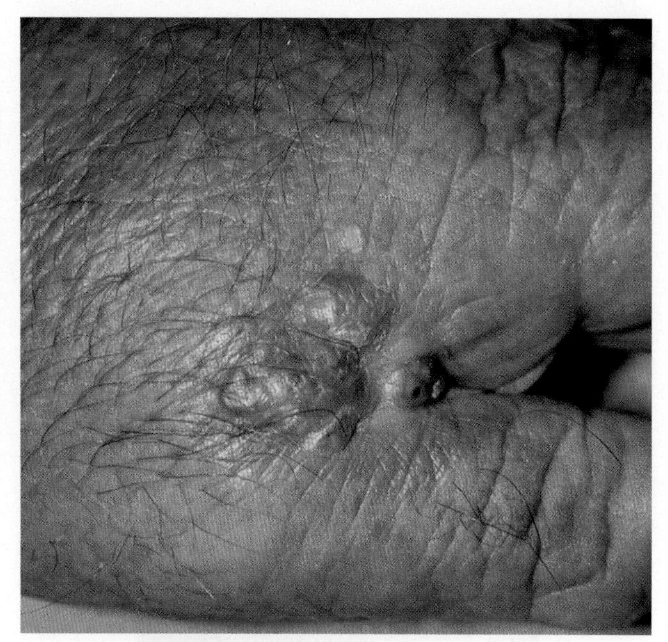

그림 14.57 방선균증

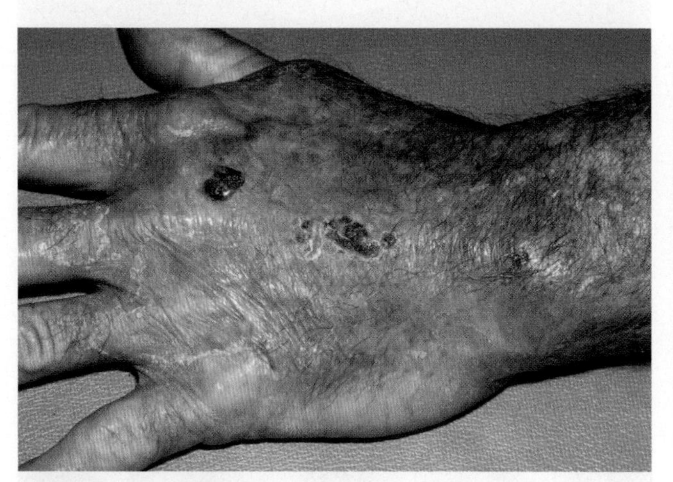

그림 14.58 노카르디아

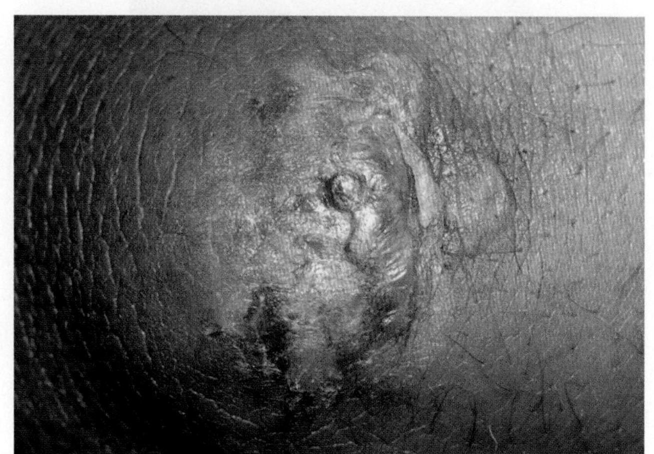

그림 14.59 노카르디아

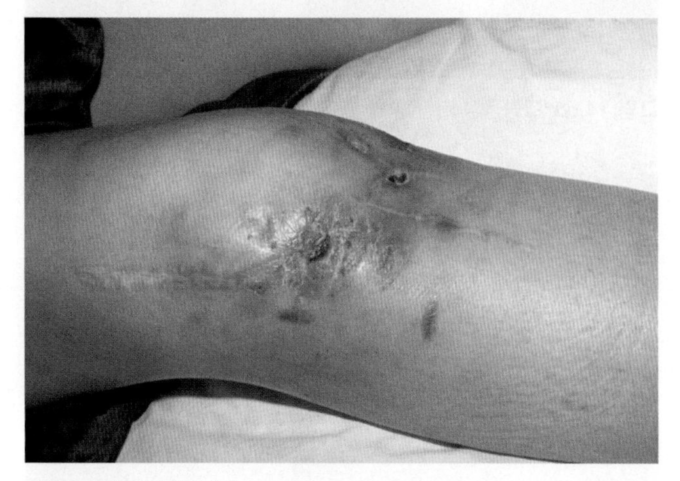

그림 14.60 노카르디아

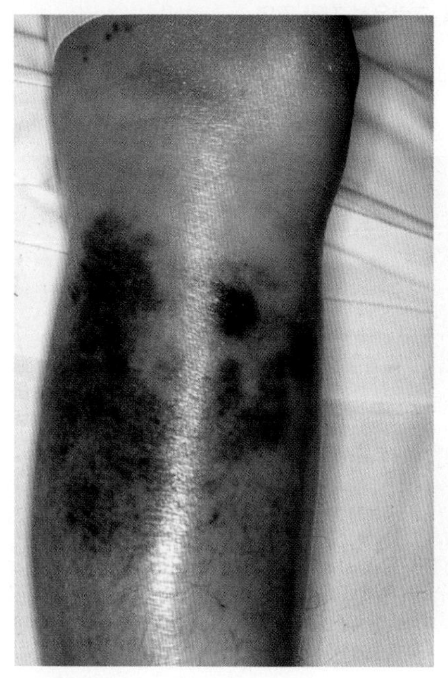

그림 14.61 괴저농창

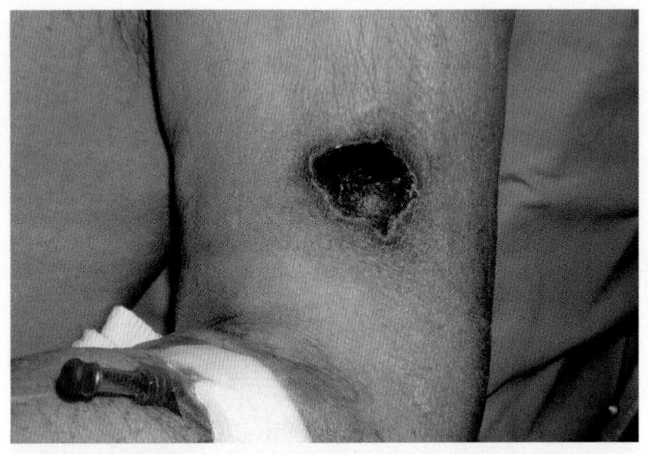

그림 14.62 괴저농창

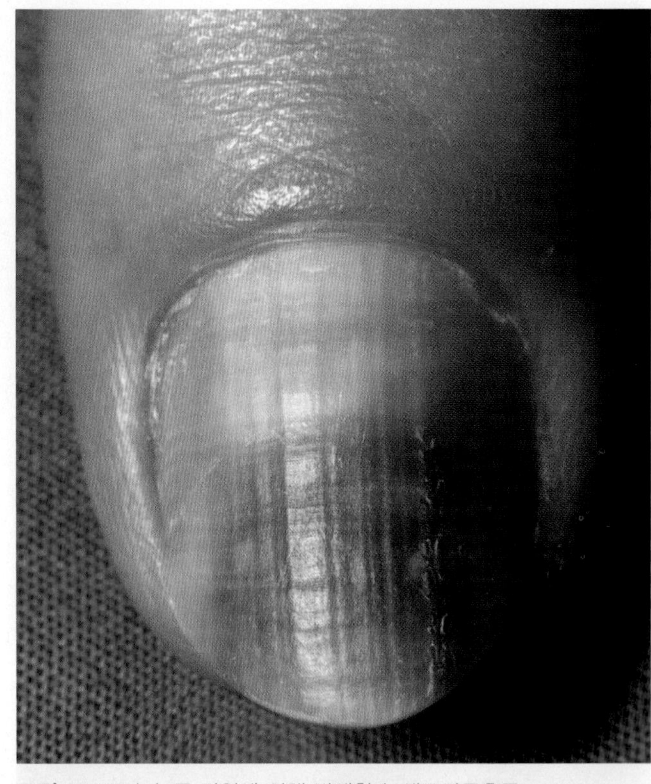

그림 14.63 녹농균 감염에 의해 발생한 녹색조갑증후군

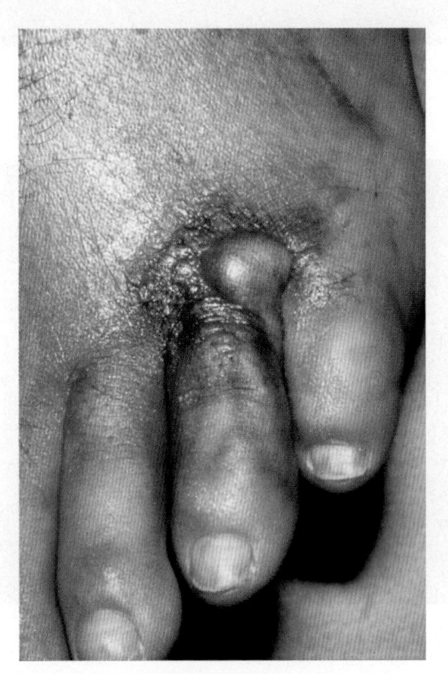

그림 14.64 그람음성 지간 감염

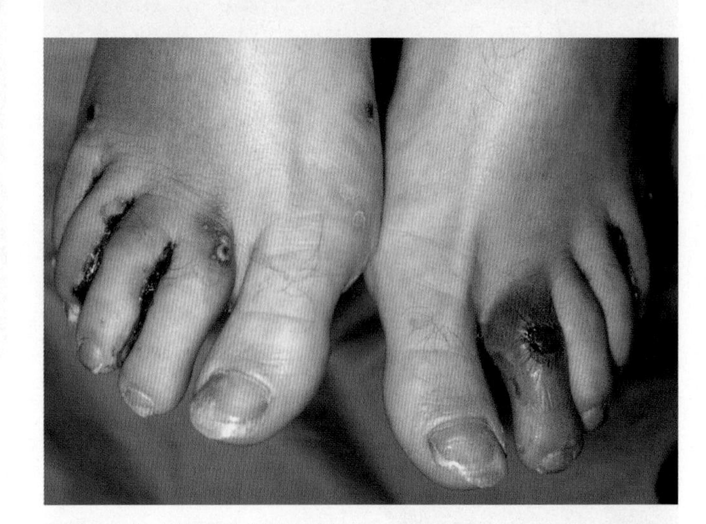

그림 14.65 그람음성 지간 감염

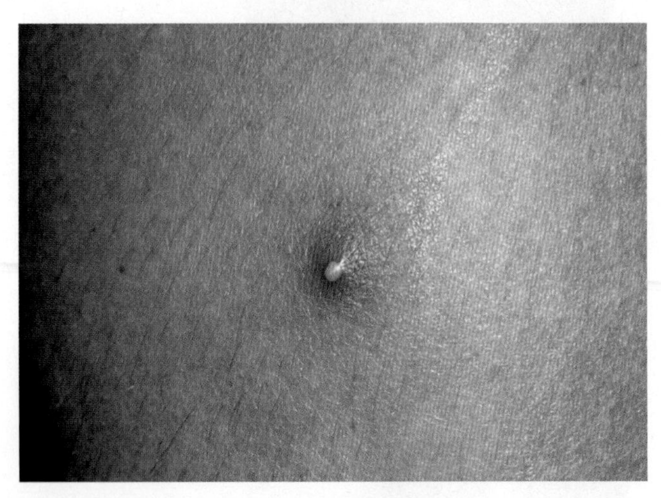

그림 14.66 욕조 모낭염

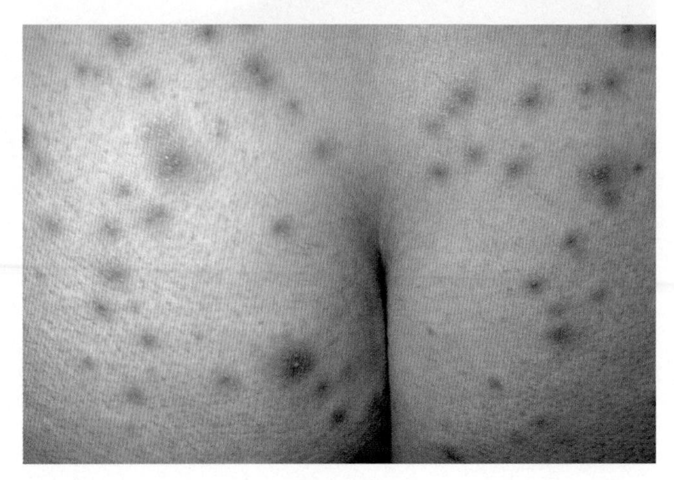

그림 14.67 욕조 모낭염

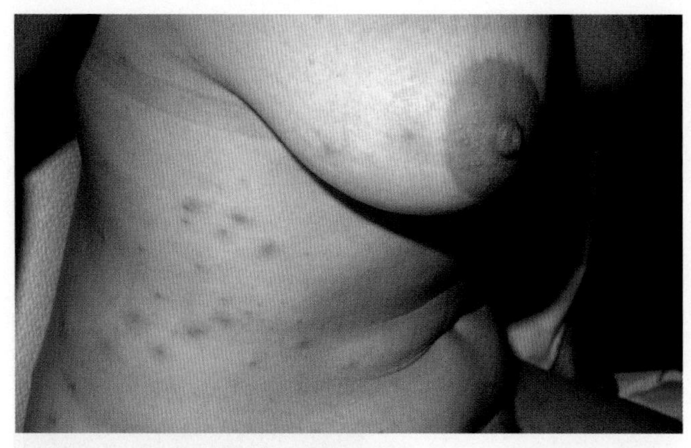

그림 14.68 욕조 모낭염

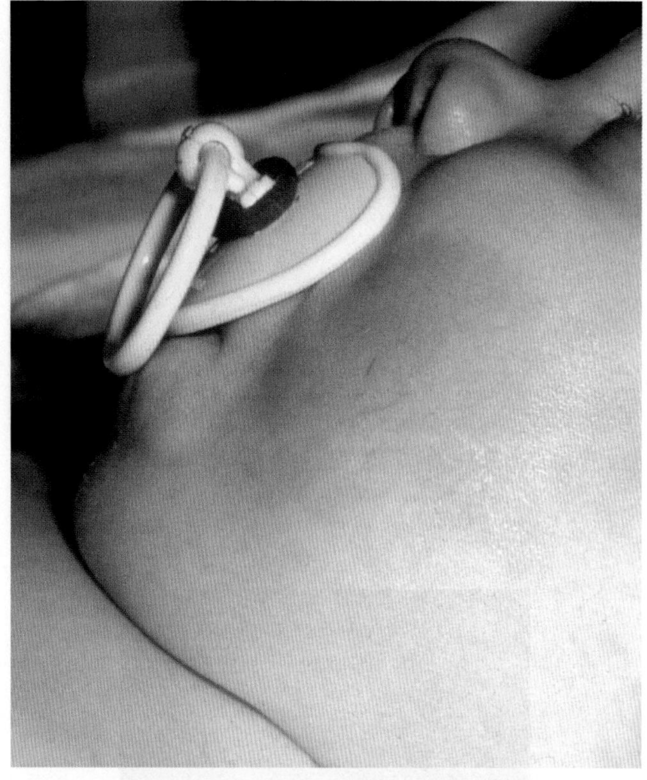

그림 14.69 Haemophilus influenzae 연조직염

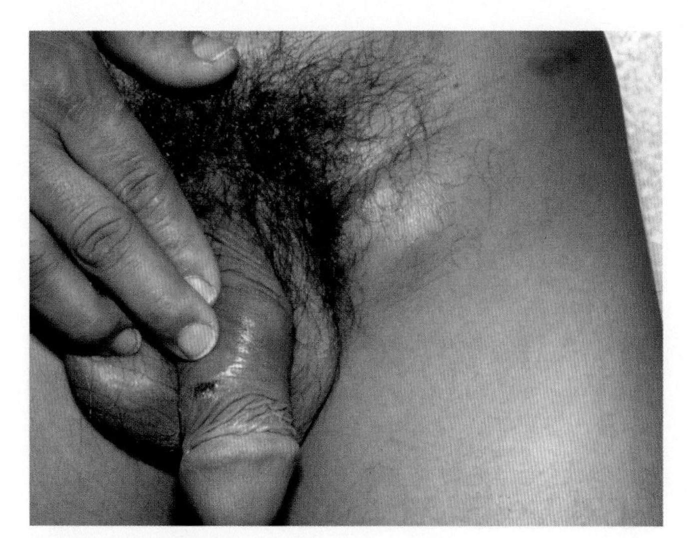

그림 14.70 연성하감

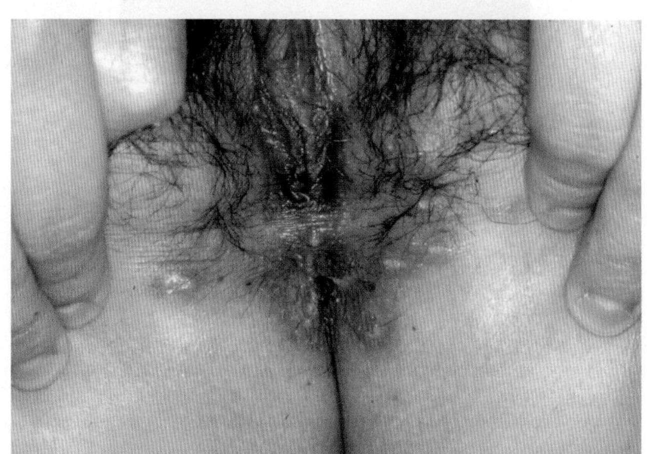

그림 14.71 연성하감

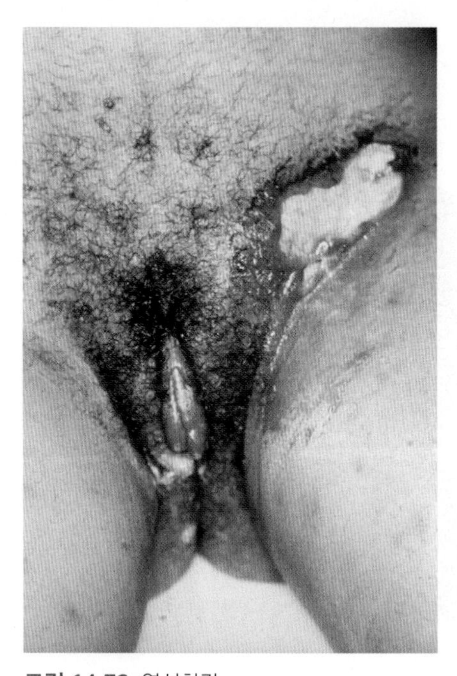

그림 14.72 연성하감

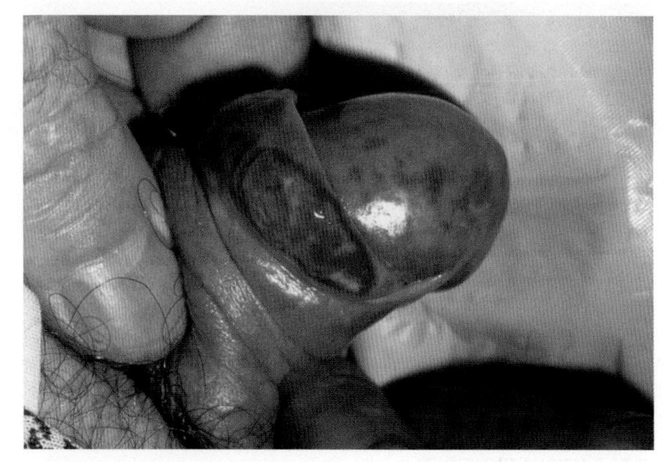

그림 14.73 서혜부육아종

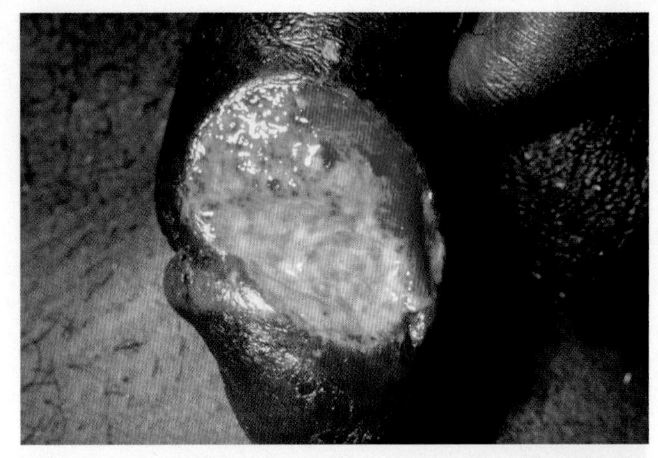

그림 14.74 서혜부육아종

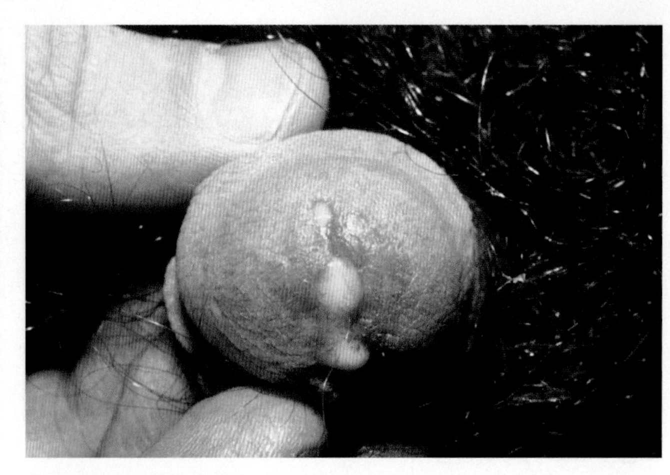

그림 14.75 임균 감염

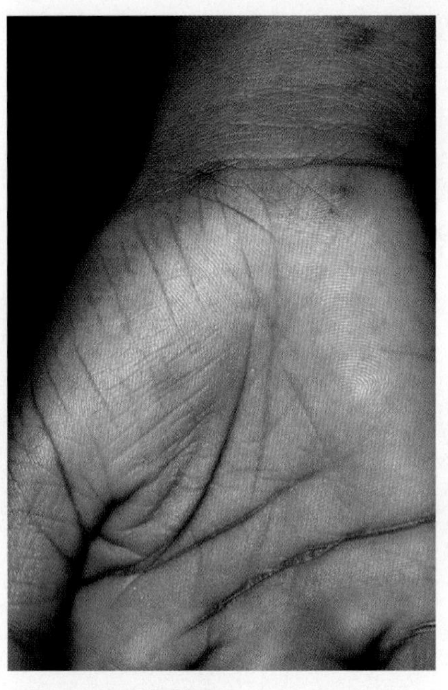

그림 14.76 임균혈증

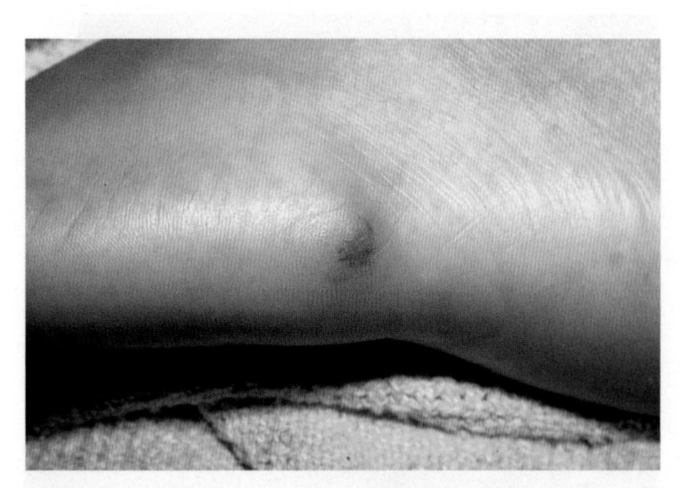

그림 14.77 임균혈증

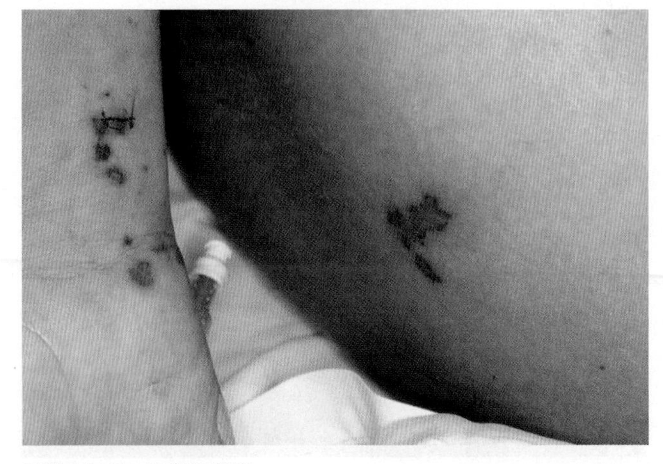

그림 14.78 수막알균혈증

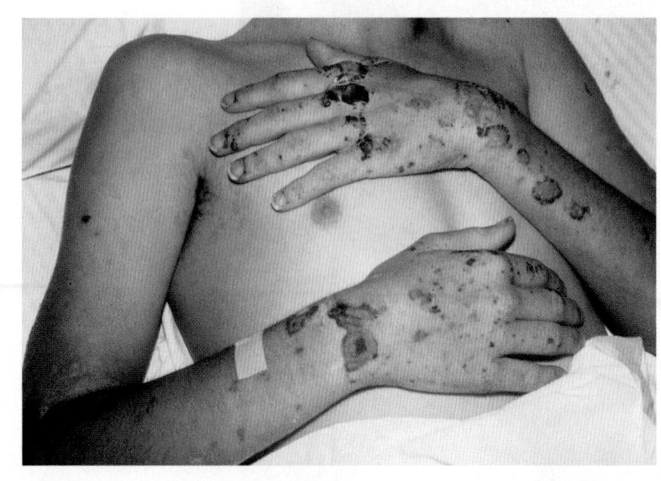

그림 14.79 수막알균혈증

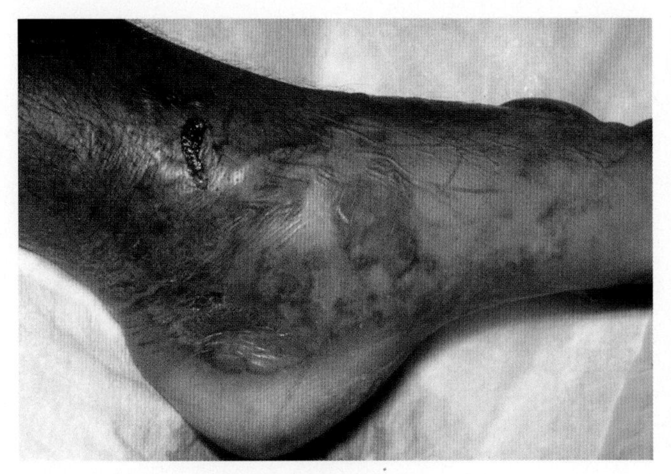

그림 14.80 Vibrio vulnificus 감염

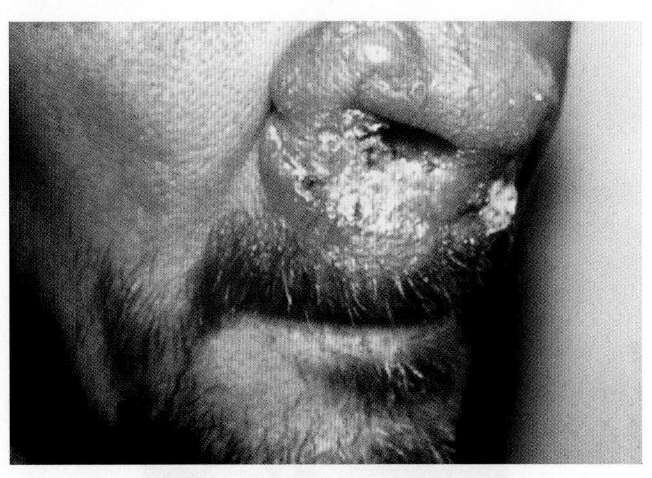

그림 14.81 코경화증

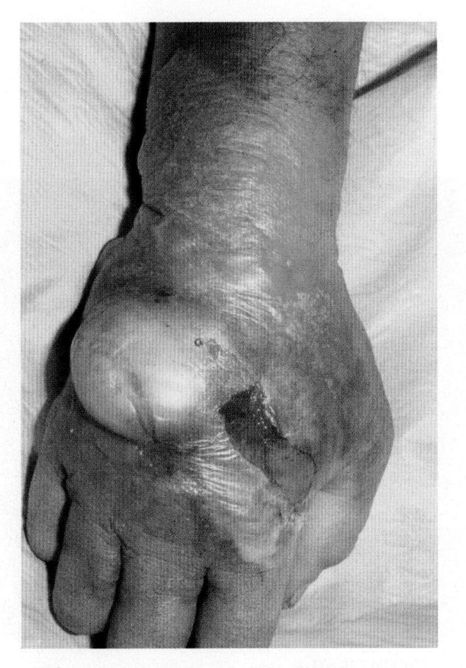

그림 14.82 사람교상에 의한 감염증

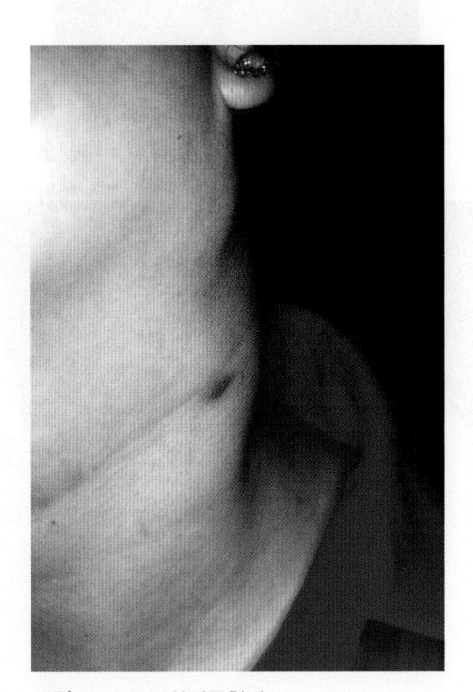

그림 14.83 고양이긁힘병

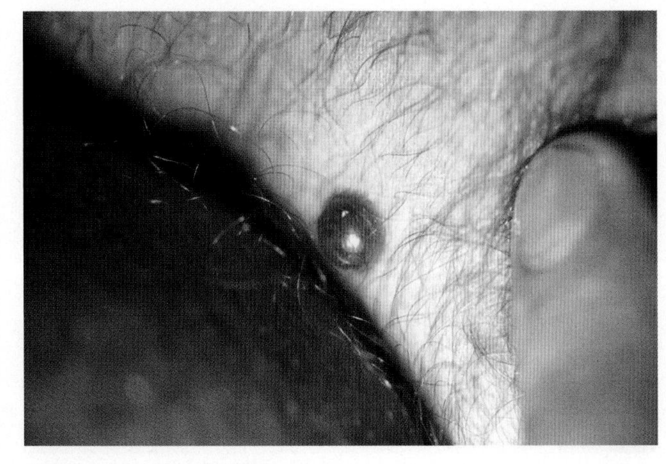

그림 14.84 간균성혈관종증

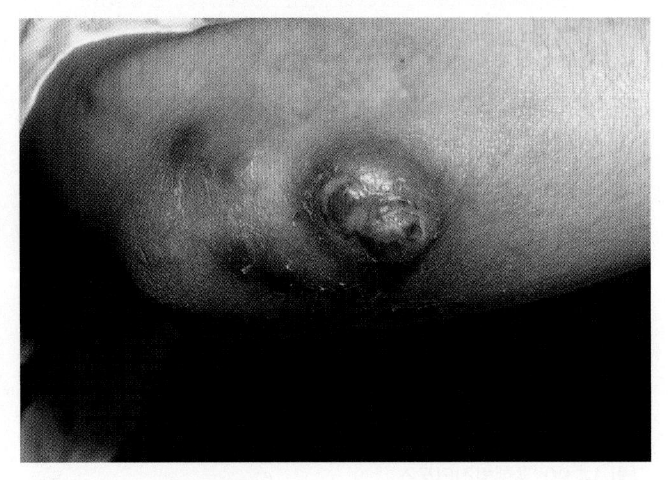

그림 14.85 간균성혈관종증

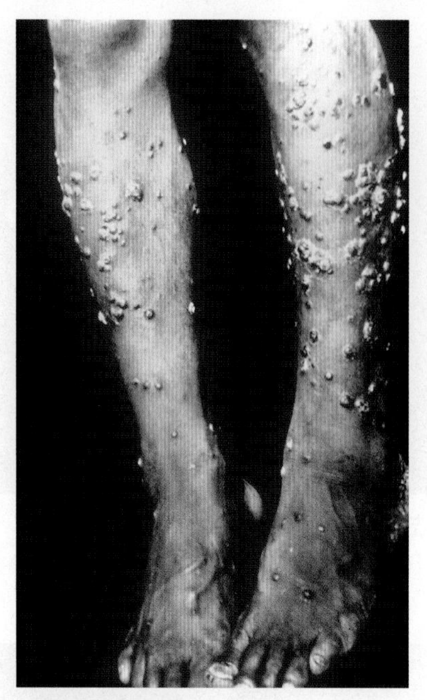

그림 14.86 바르토넬라증

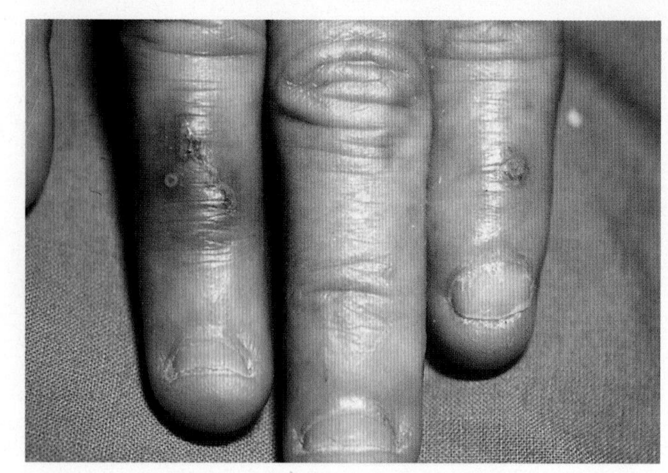

그림 14.87 야생토끼병

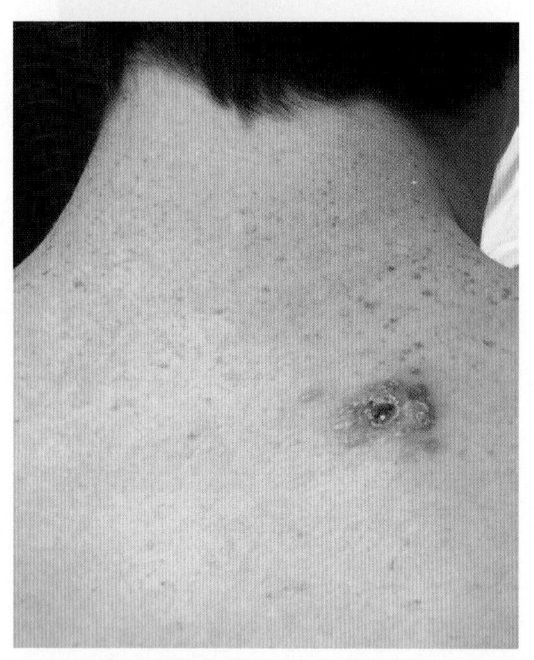

그림 14.88 야생토끼병

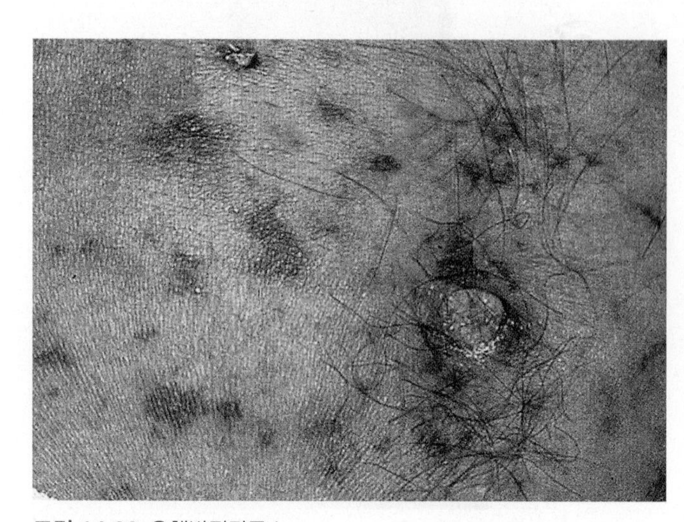

그림 14.89 유행발진티푸스

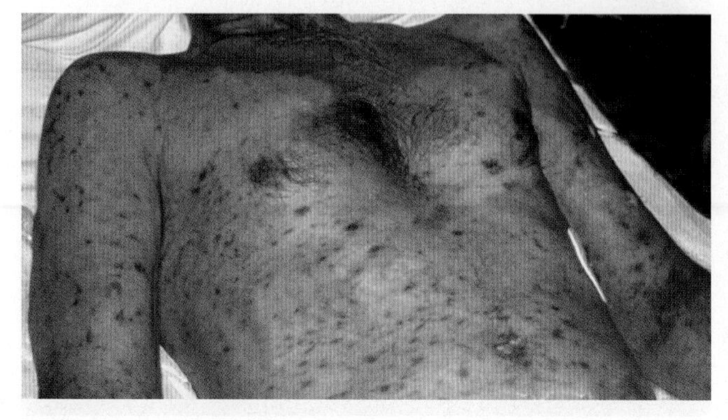

그림 14.90 유행발진티푸스

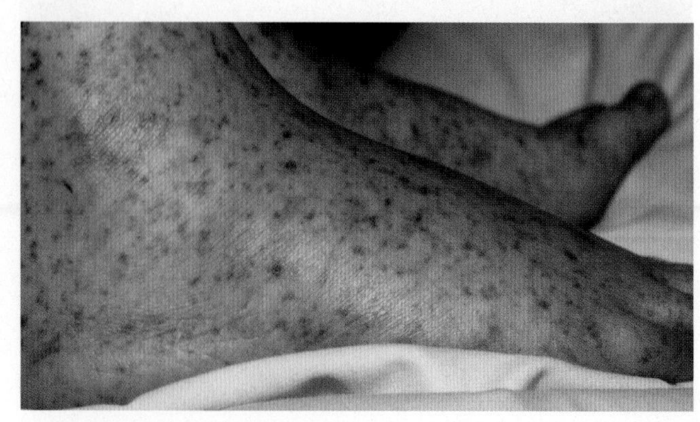

그림 14.91 로키산맥반점열

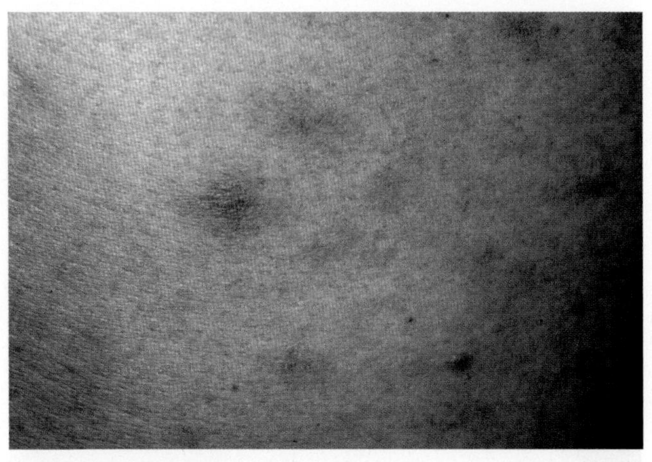

그림 14.92 부토뇌즈열

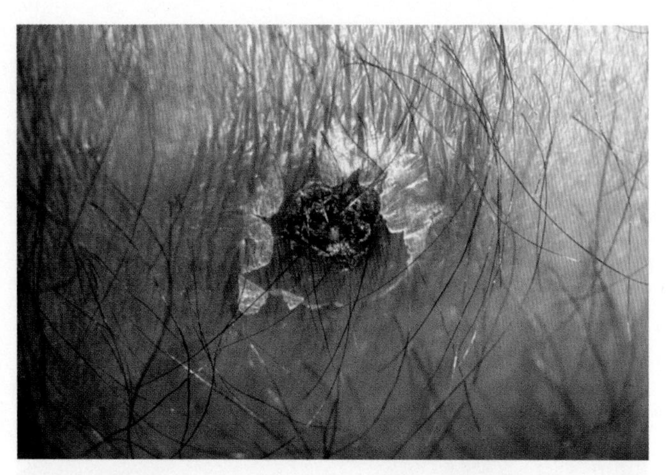

그림 14.93 흑반(Tache noire)

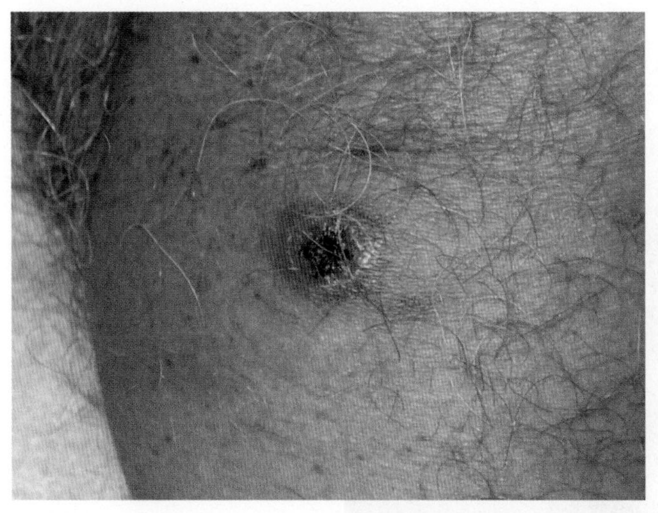

그림 14.94 리케차마마

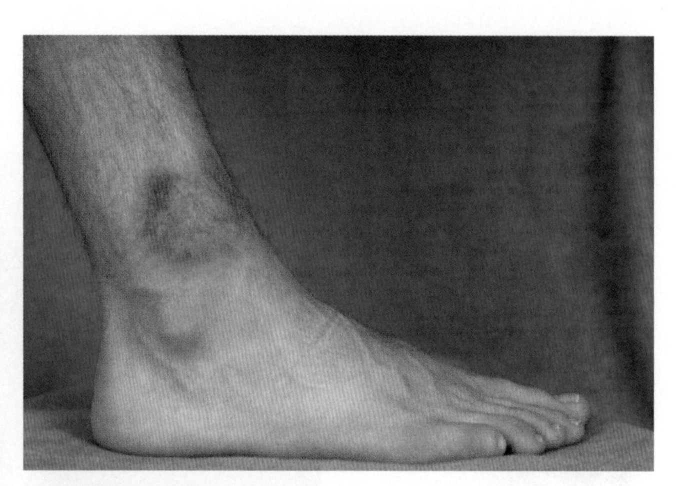

그림 14.95 이동홍반

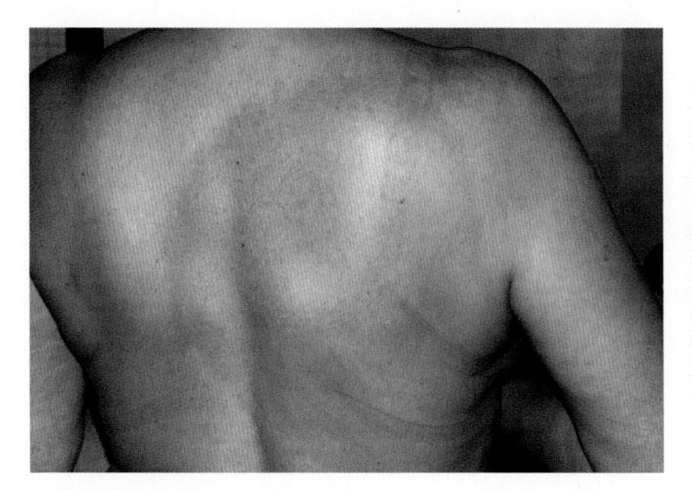

그림 14.96 이동홍반

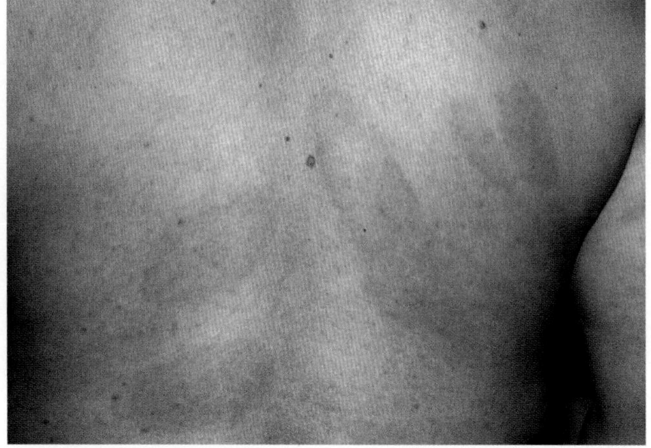

그림 14.97 이동홍반

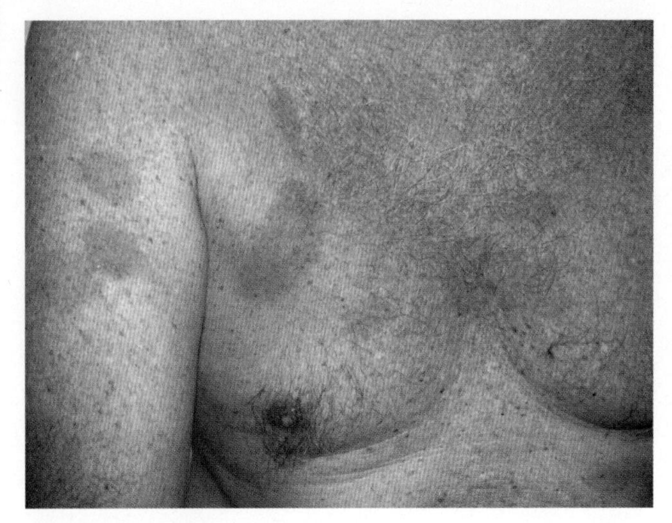

그림 14.98 이동홍반

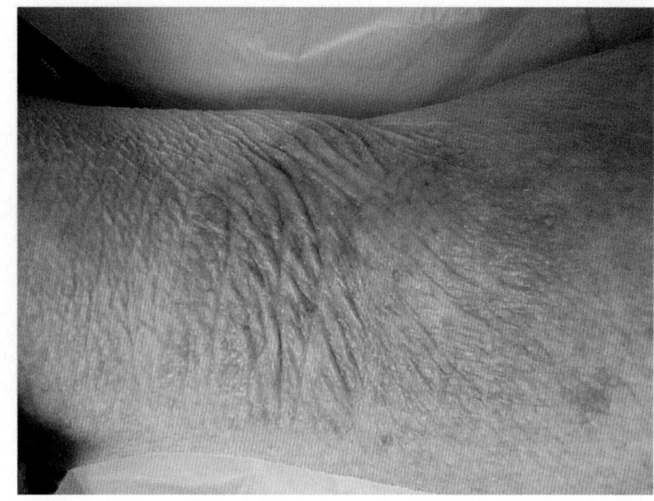

그림 14.99 만성위축선단피부염

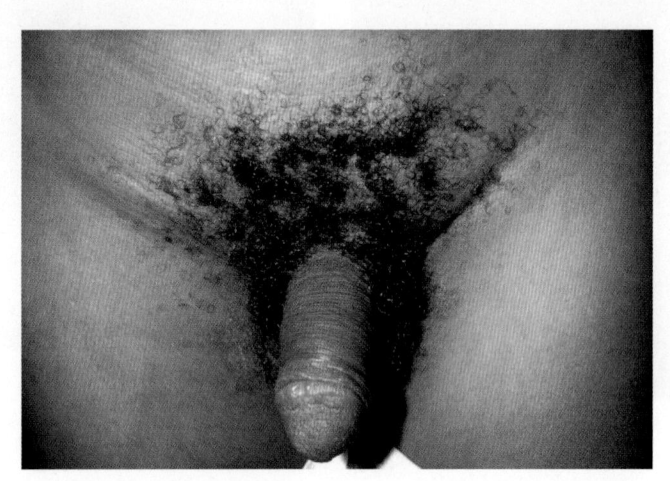

그림 14.100 성병림프육아종

진균과 효모에 의한 질환 15

진균과 효모는 피부에서 표재성과 심재성 감염을 모두 일으킬 수 있으며 다양한 임상양상으로 나타날 수 있다. 건강한 숙주에서는 칸디다와 같은 공생균이 표재성으로 존재하지만 면역이 저하된 숙주에서는 파종성 기회감염을 일으킬 수 있으며 일부의 경우에서는 치명적일 수 있다. 진균과 효모 중 흔한 것과 흔하지 않은 것들에 대해 모두 익숙해야 하며 피부 병변으로 어떻게 나타나는지 알아야 빠른 진단과 치료를 할 수 있게 된다.

피부사상균 감염은 흔하며 보통 가려움증을 동반하면서 침범 부위에 대부분 홍반과 인설을 유발한다. 두부백선은 국소적으로 또는 광범위하게 탈모, 털 부러짐, 인설, 농포, 또는 통증을 동반한 판과 반응성 목 또는 후두부의 림프절병증으로 나타날 수 있다. 백선은 다른 진균과 효모처럼 겨드랑과 사타구니와 같은 습한 해부학적 부위나 조갑주름을 침범하는 경향이 있다. 체부백선과 안면백선은 전형적으로 경계부위의 인설을 동반한 고리모양 또는 활모양의 점차 넓어지는 반 또는 얇은 판으로 나타난다. 하지만 코, 귀와 같이 볼록하거나 편평하지 않는 부위의 경우 이러한 고리모양을 인지하기 어려울 수 있다. 또한 국소 코르티코스테로이드제를 피부사상균 감염에 무심코 바르게 될 경우 인설과 홍반이 분명하지 않을 수 있어 오진을 초래할 수 있다.

피부의 칸디다 감염은 다음과 같은 다양한 피부 질환들을 일으킬 수 있다. 구강 백색판증(아구창), 구강교련(oral commissures)의 홍반과 균열을 동반하는 구각구순염, 만성 조갑주위염, 가려움증, 홍반과 하얀 분비물을 동반하는 칸디다 음문질염, 그리고 영아의 기저귀피부염과 같이 기저귀 차는 부위에 붉은 미란성의 간찰진과 주변의 농포를 보이는 양상으로 나타나기도 한다. 신생아에서 선천칸디다증은 여러 형태를 띠게 되는데, 광범위한 땀띠 같은 발진과 농포, 미란 등이 생길 수 있으며 만삭아에서는 대부분 자연치유되지만 미숙아에서는 더욱 번질 수 있다.

심재성 진균감염은 건강한 사람에서도 지역에 따라 발생할 수 있는 히스토플라스마증과 콕시디오이데스진균증, 그리고 기회감염을 일으킬 수 있는 푸사륨, 아스페르길루스증와 접합균증 등이 있다. 많은 진균들은 농양, 궤양, 과각화 판, 결절 등의 비특이적인 병변으로 나타날 수 있지만, 일부에서는 특이적인 양상을 보이기도 한다. 이러한 특이적인 발진은 환자의 면역상태를 반영하는 단서가 될 수 있는데, 예를 들어 콕시디오이데스진균증 또는 히스토플라스마증은 면역적격자에서는 결절홍반을 일으킬 수 있는 반면 동일한 감염균이라도 면역저하환자에서는 전염연속종처럼 다수의 파종성 구진의 형태로 나타날 수도 있다.

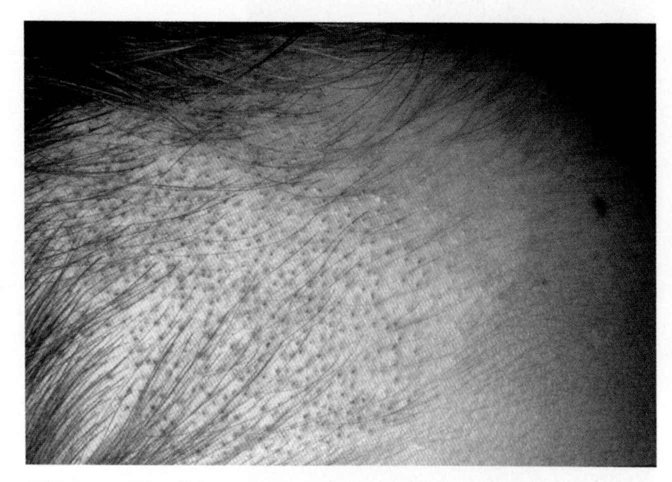

그림 15.1 두부백선

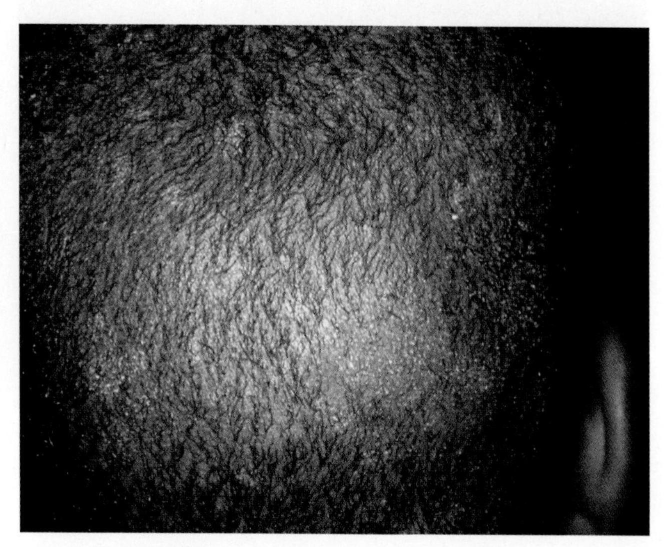

그림 15.2 두부백선

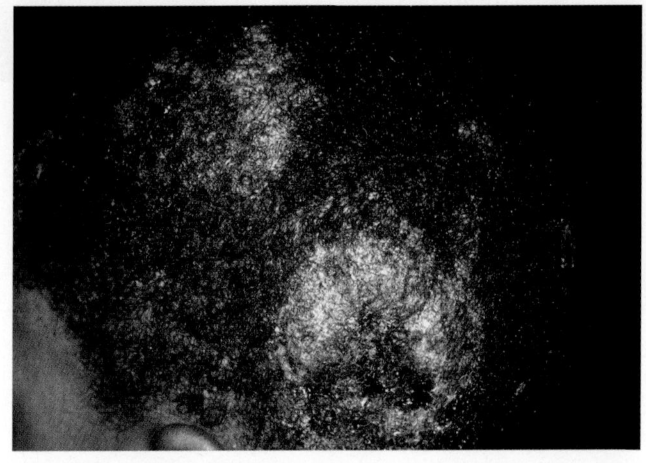

그림 15.3 백선종창

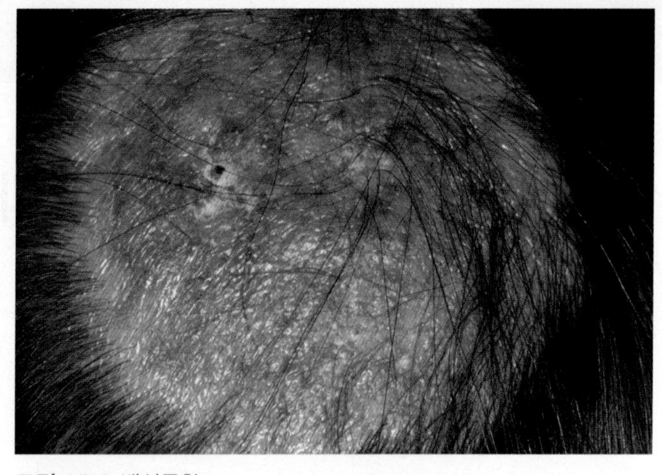

그림 15.4 백선종창

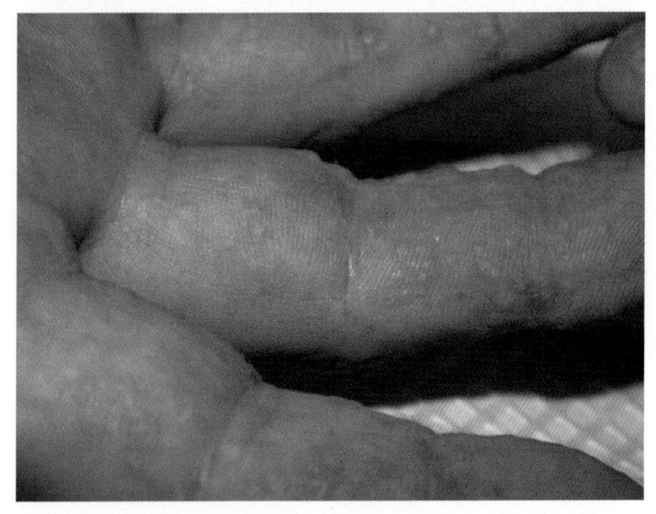

그림 15.5 이드반응

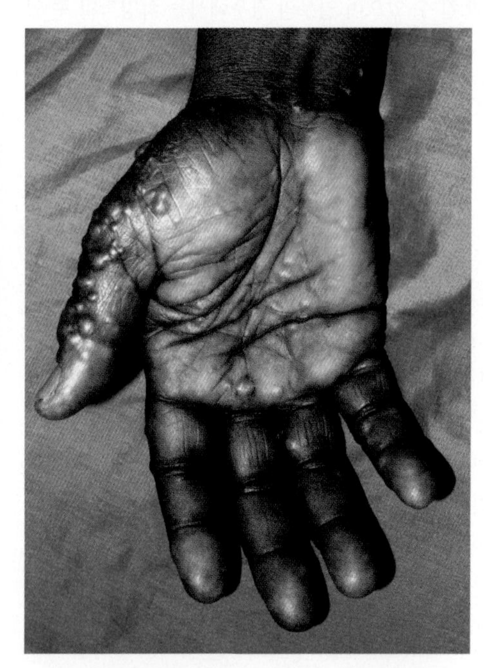

그림 15.6 이드반응

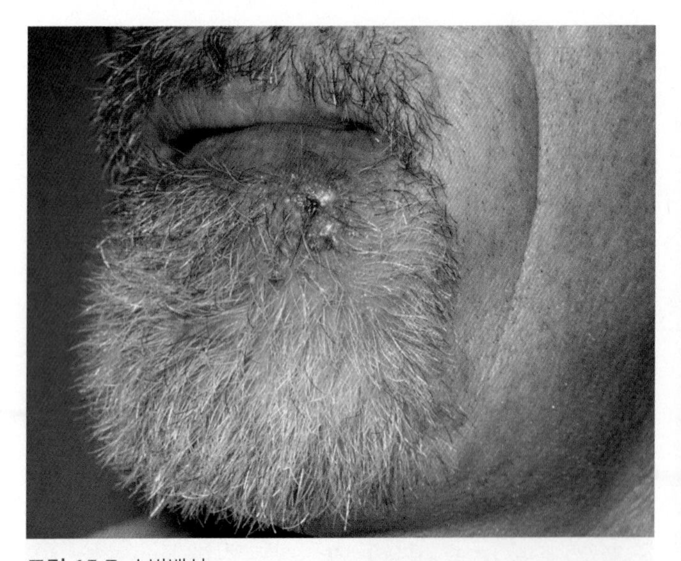

그림 15.7 수발백선

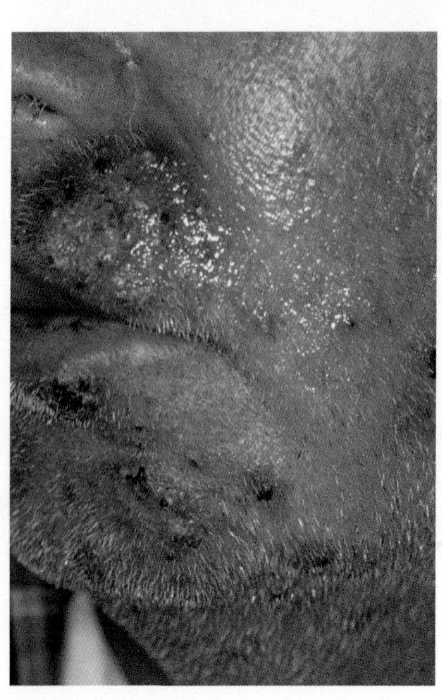

그림 15.8 수발백선

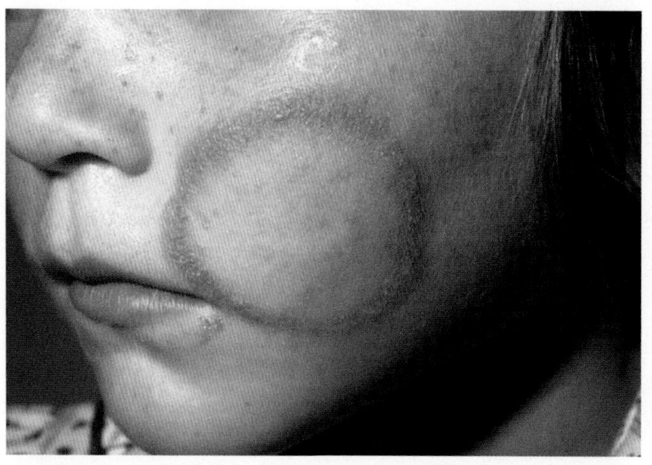
그림 15.9 안면백선

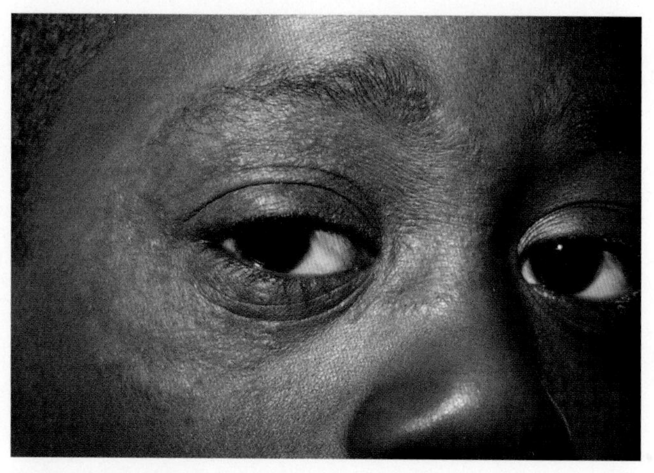
그림 15.10 안면백선

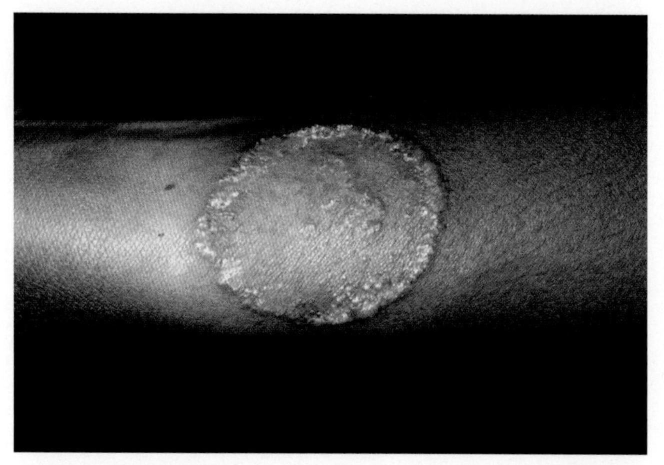
그림 15.11 체부백선

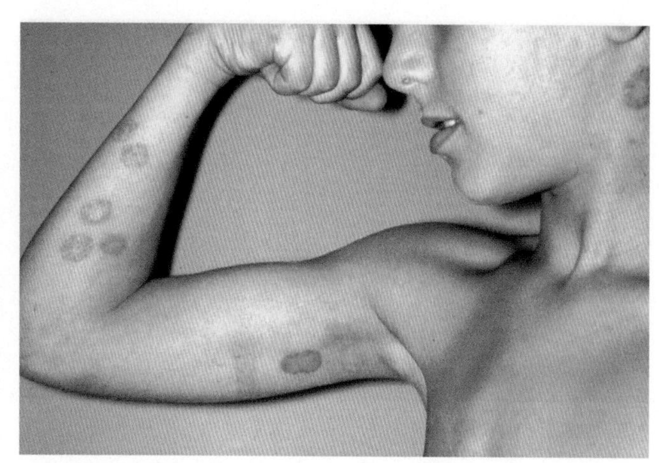
그림 15.12 체부백선

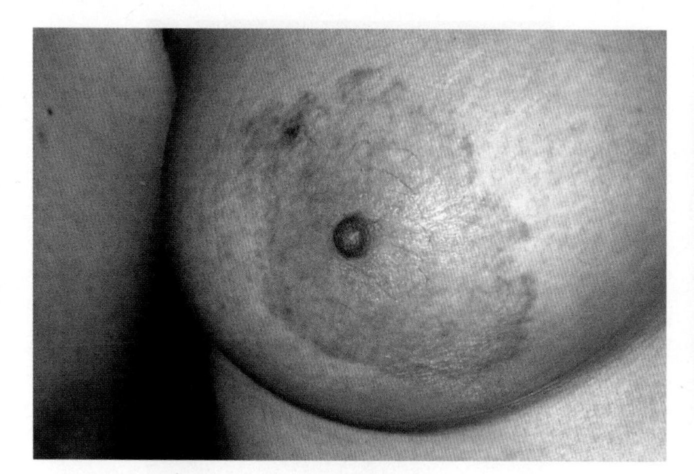
그림 15.13 체부백선

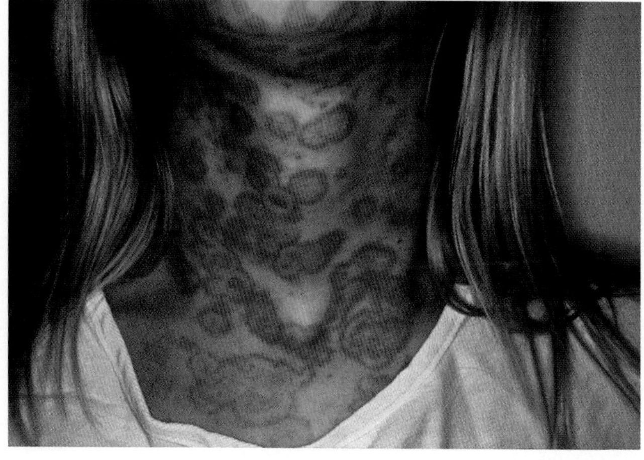
그림 15.14 체부백선

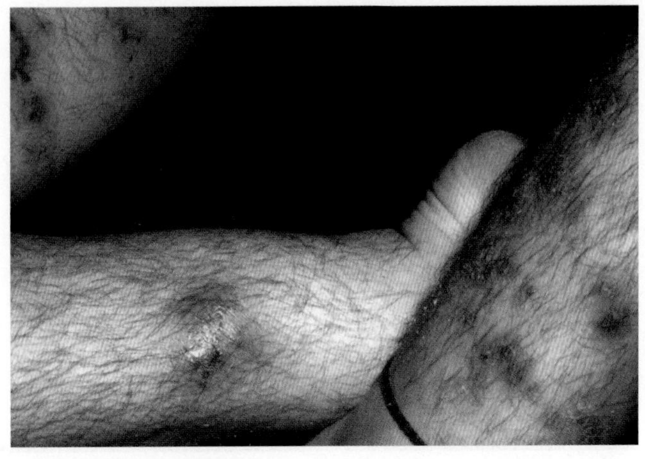
그림 15.15 마요키육아종

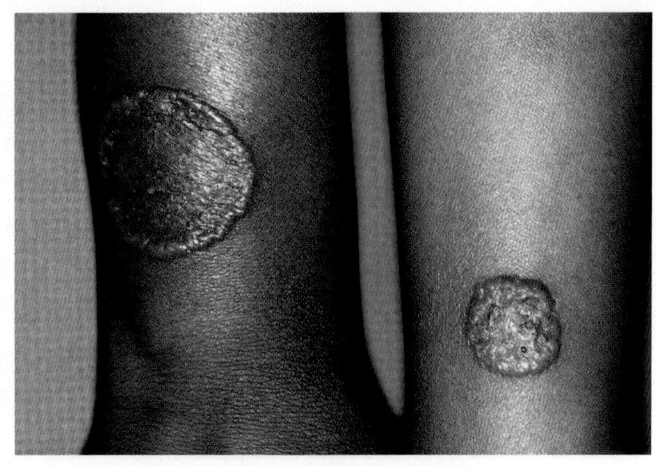
그림 15.16 마요키육아종

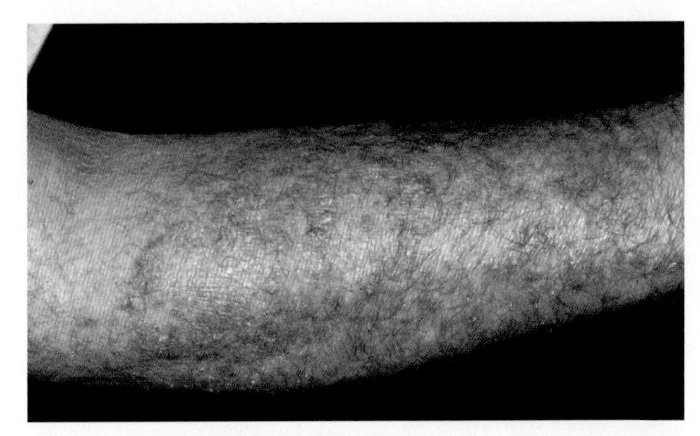
그림 15.17 마요키육아종

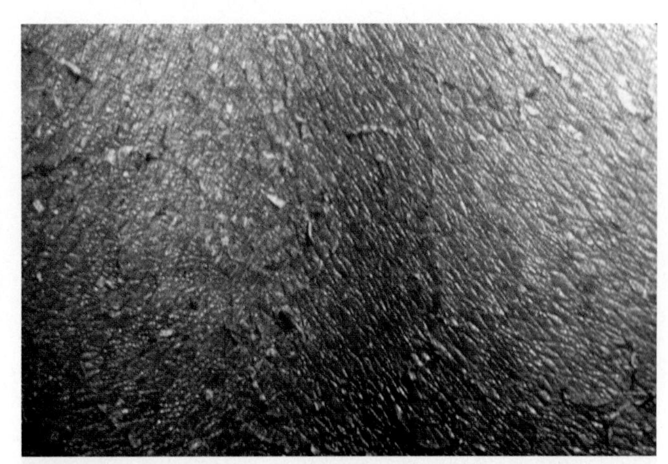
그림 15.18 와상백선

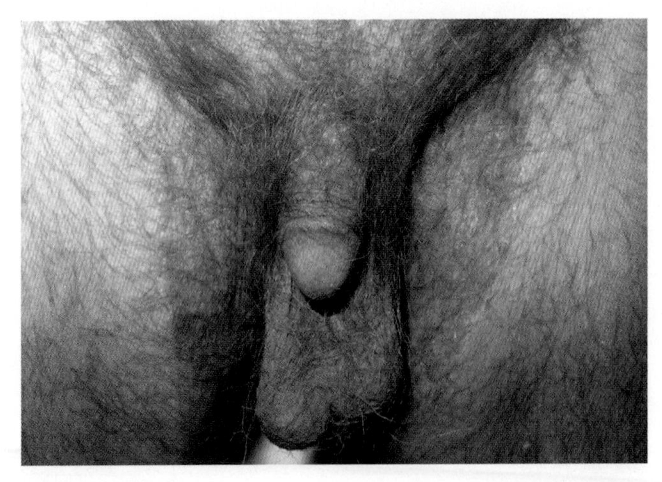
그림 15.19 완선

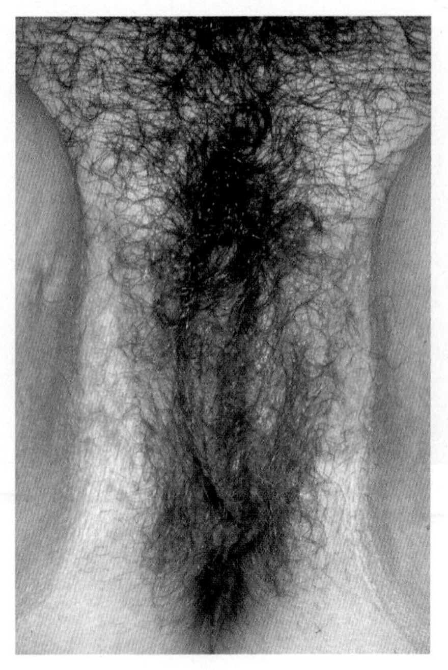
그림 15.20 완선

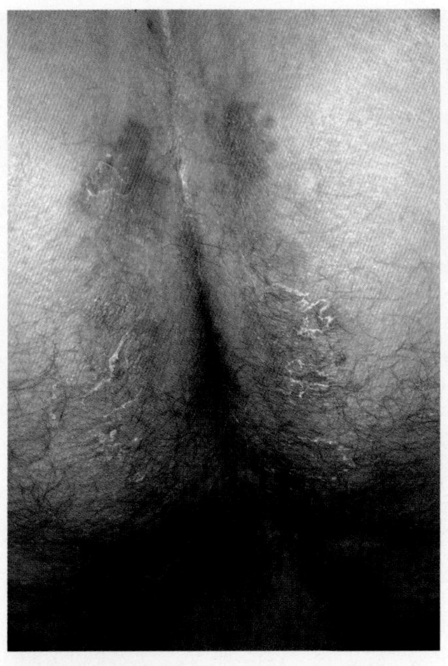

그림 15.21 항문주위 백선

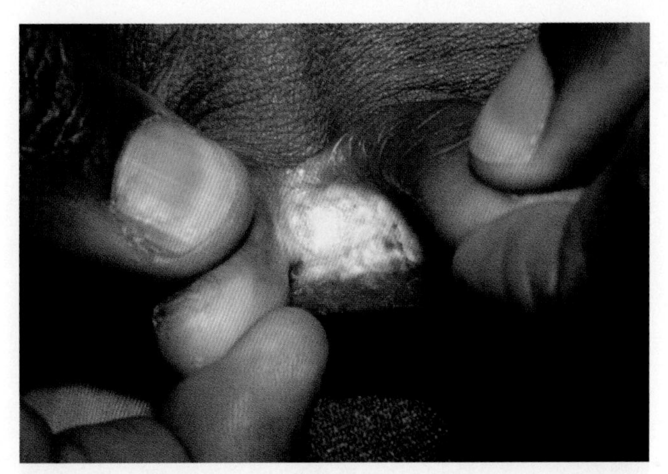

그림 15.22 지간백선

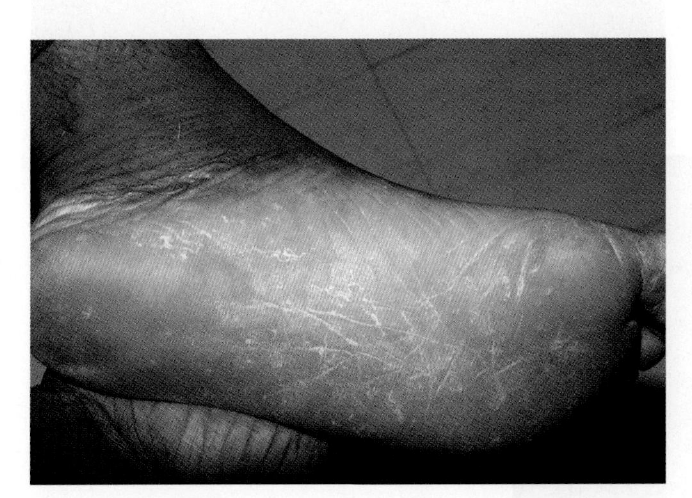

그림 15.23 족부백선

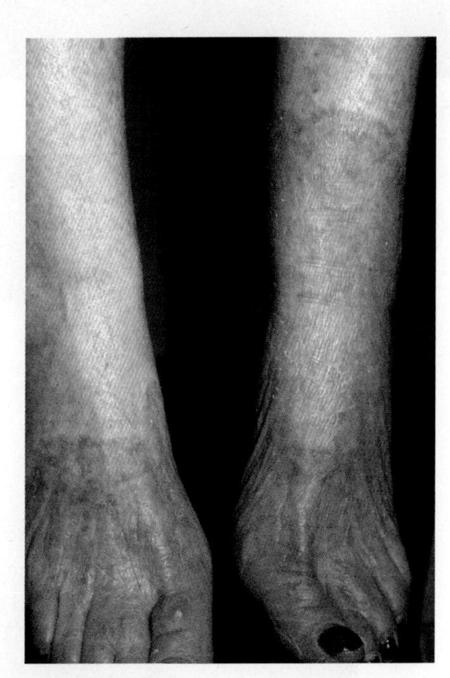

그림 15.24 족부백선

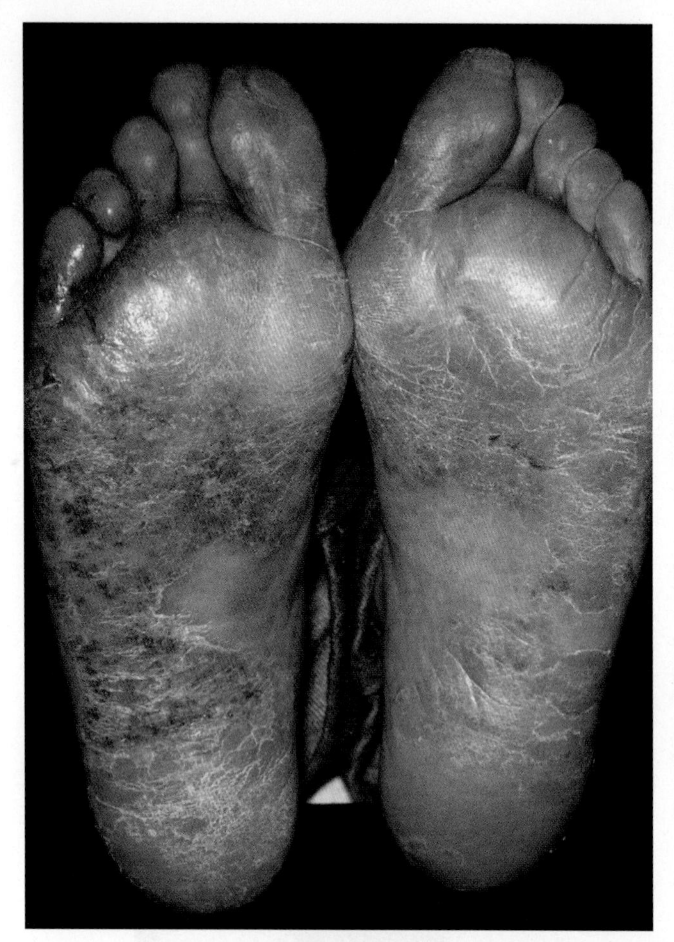

그림 15.25 족부백선

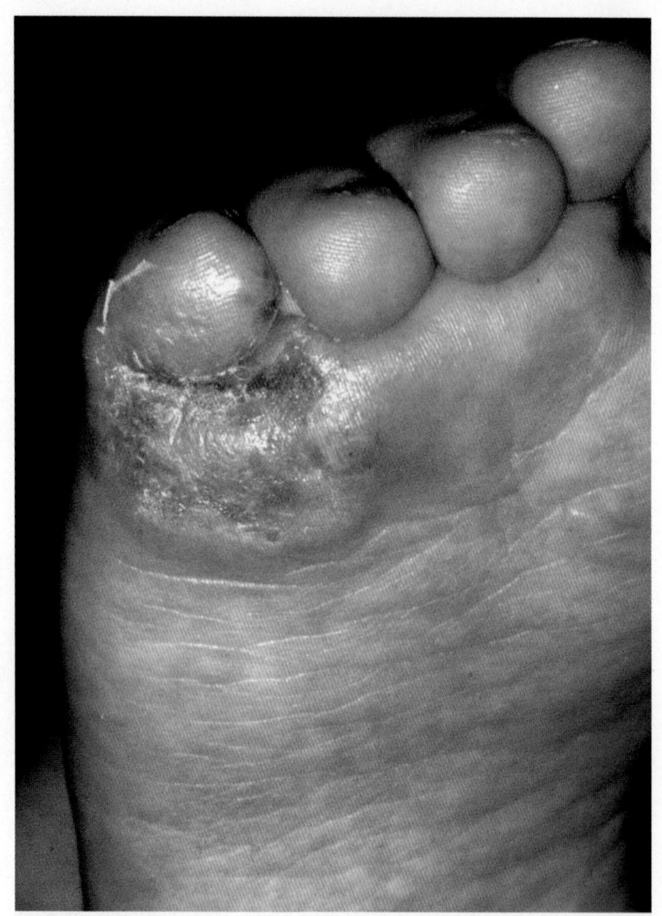

그림 15.26 22개월 남아에서 발생한 수포성 족부백선

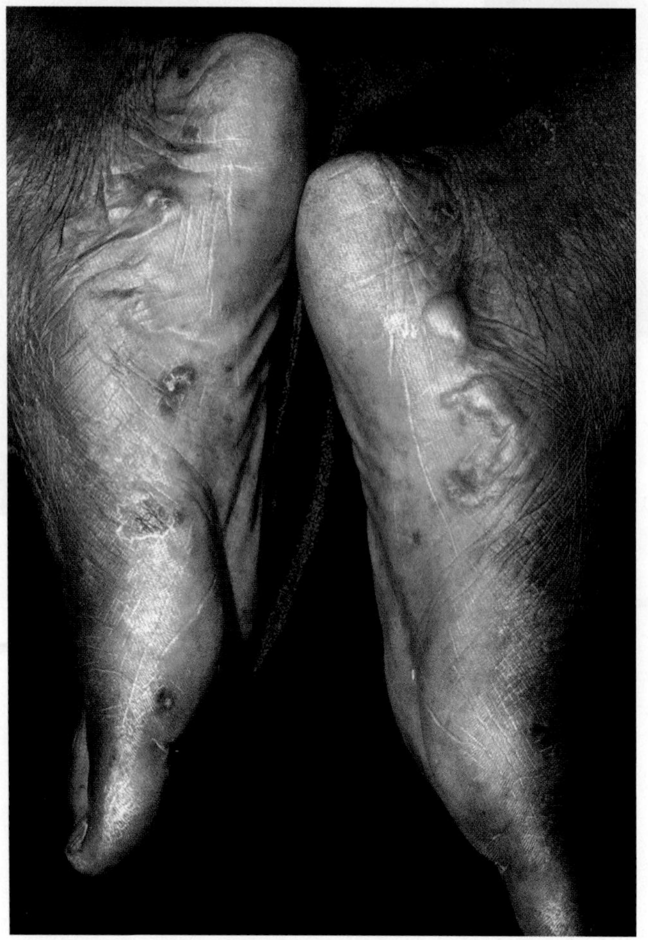

그림 15.27 수포성 족부백선

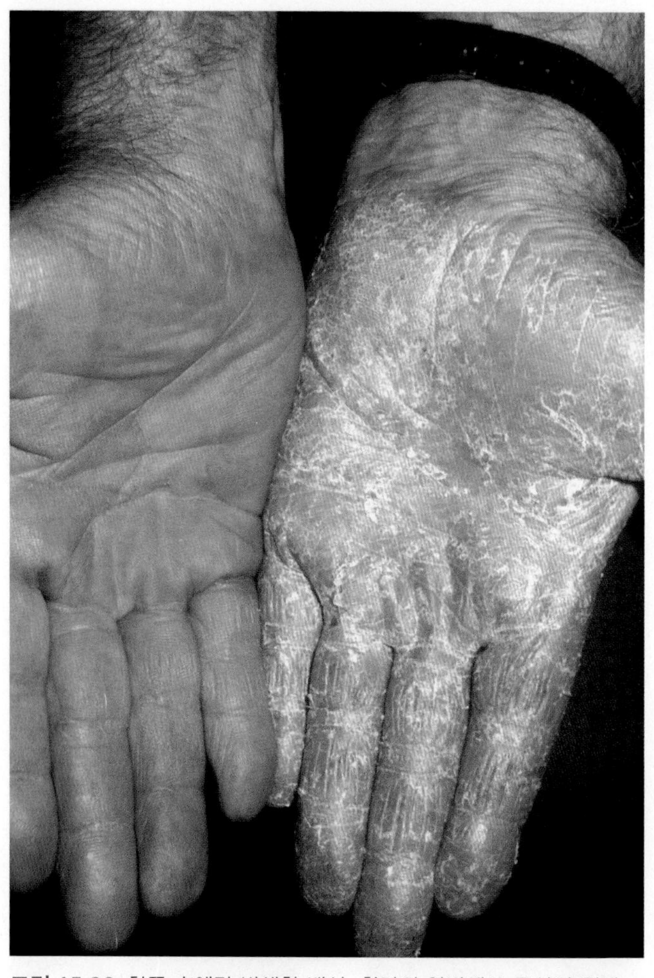

그림 15.28 한쪽 손에만 발생한 백선. 환자의 양발에도 증상이 있다.

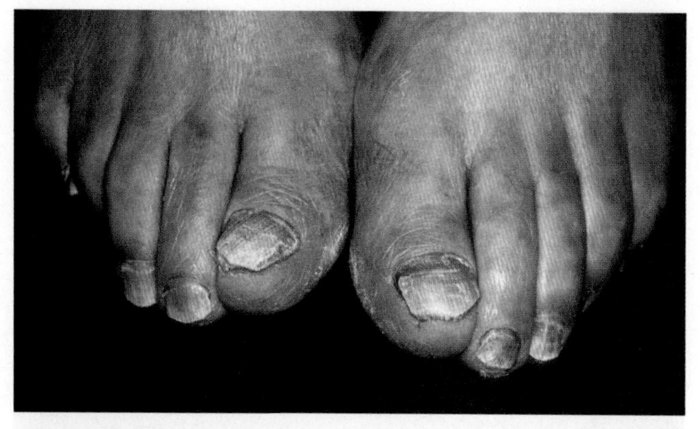

그림 15.29 조갑백선

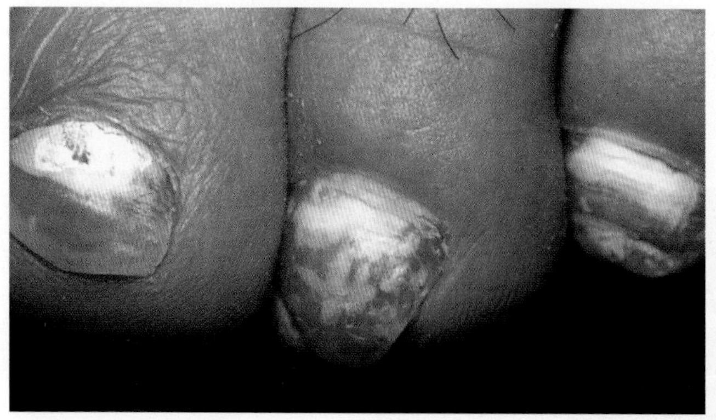

그림 15.30 조갑백선

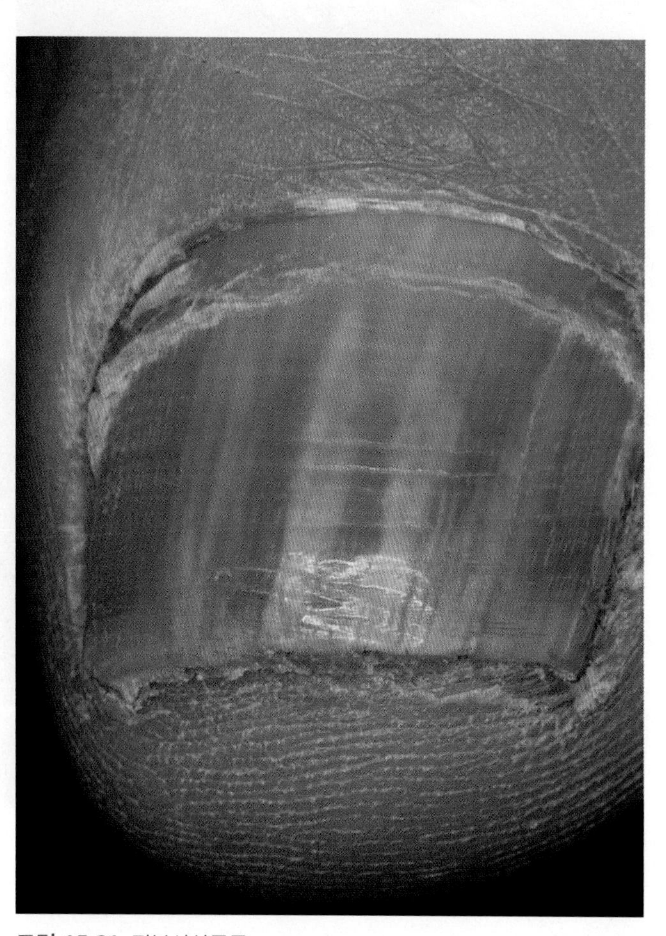

그림 15.31 피부사상균종

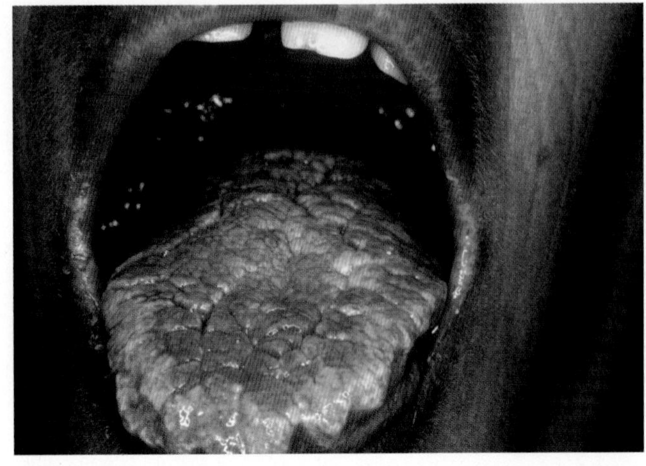

그림 15.32 만성점막피부칸디다증에서의 아구창

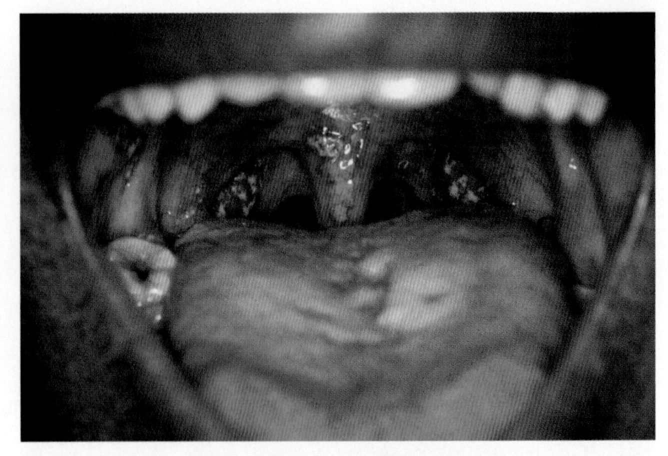

그림 15.33 HIV에 감염된 환자에서의 구강칸디다증

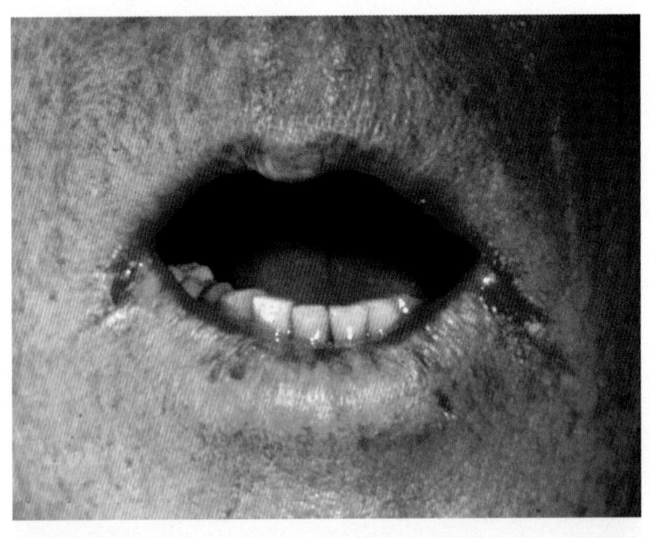

그림 15.34 구각염

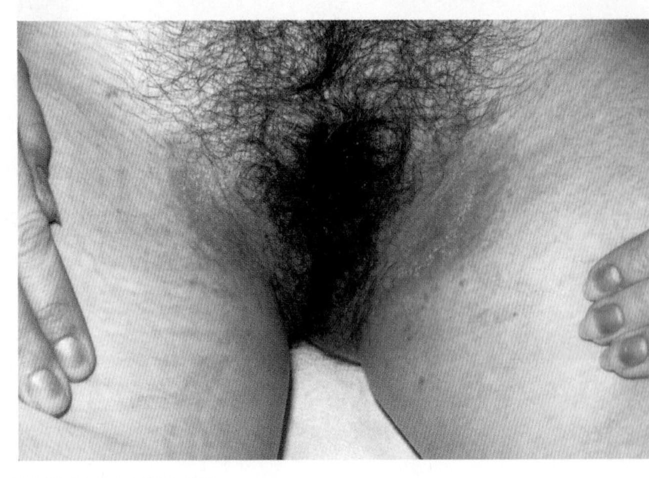

그림 15.35 칸디다증

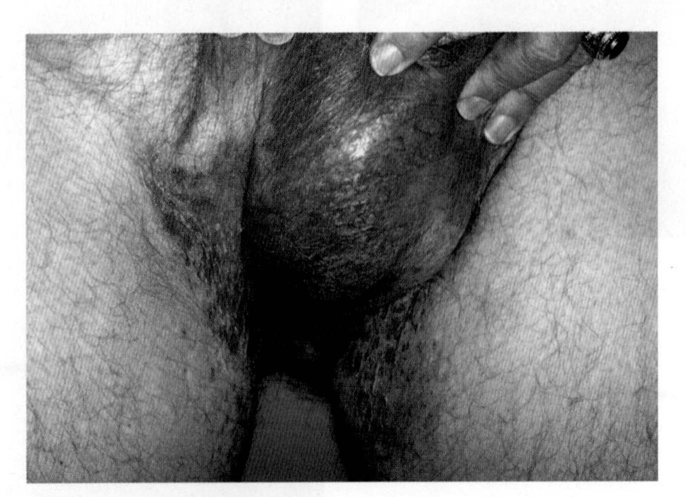

그림 15.36 칸디다증

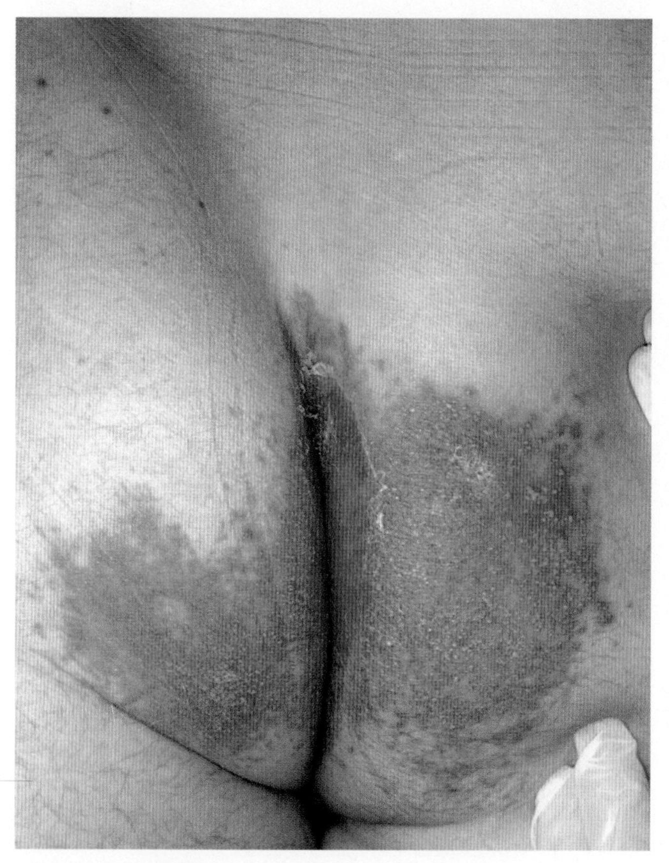

그림 15.37 칸디다증

그림 15.38 칸디다증

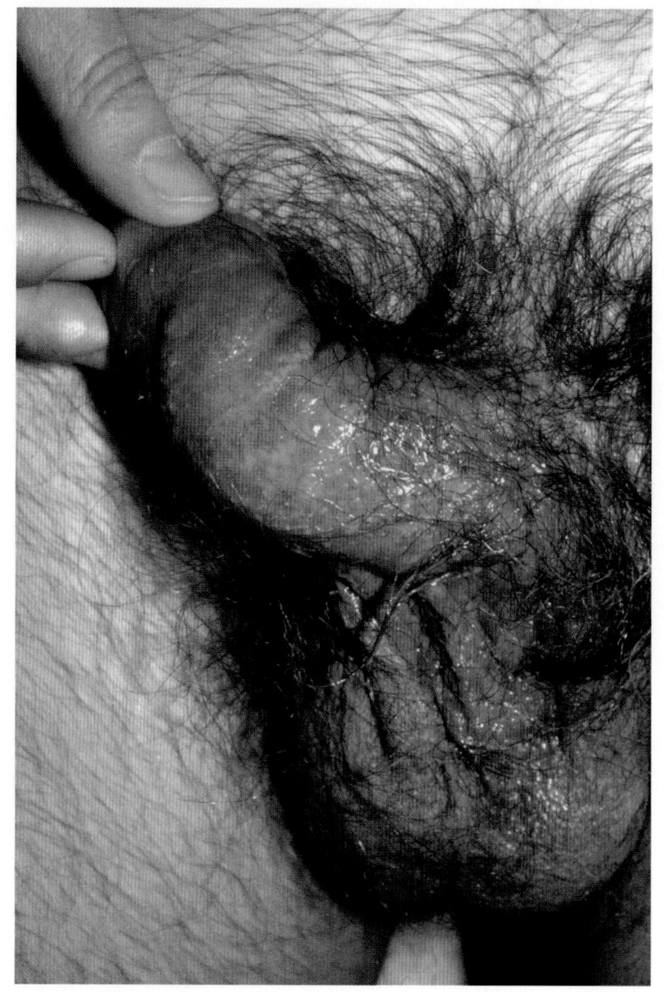

그림 15.39 칸디다증

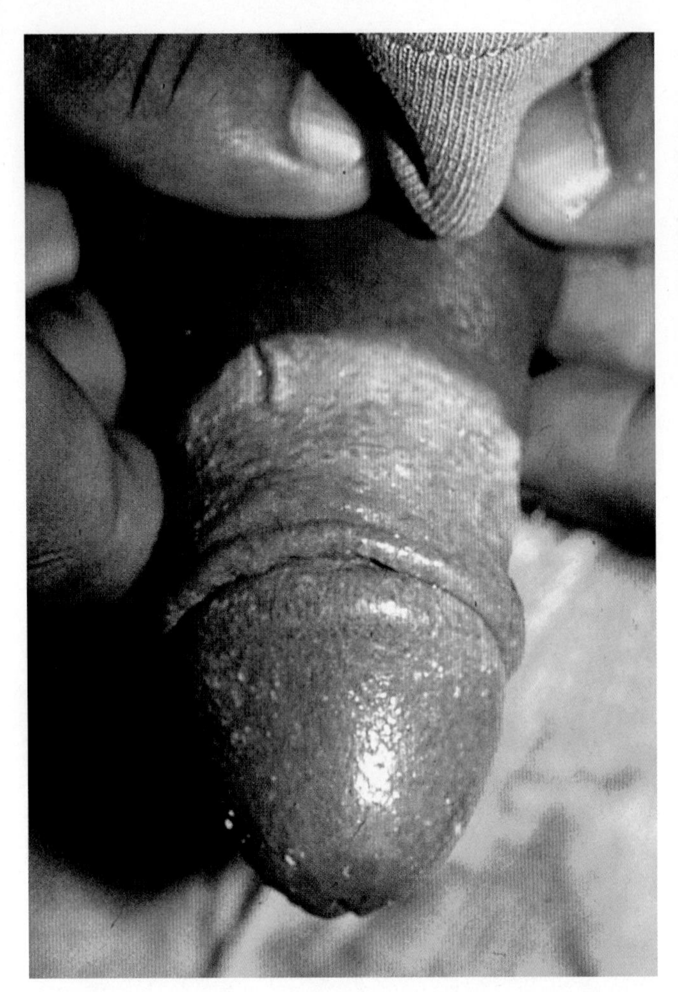

그림 15.40 칸디다증

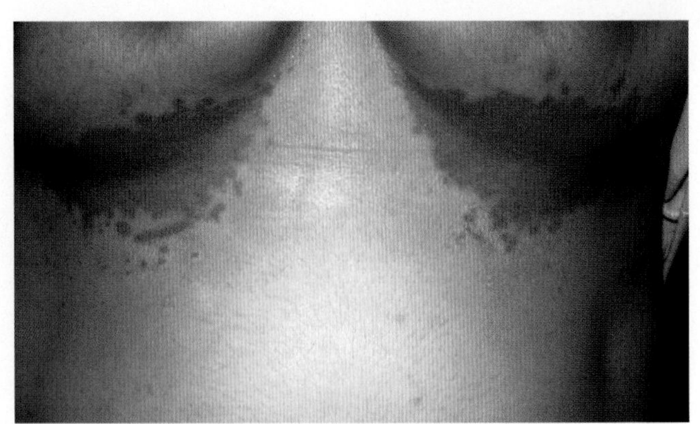

그림 15.41 칸디다증

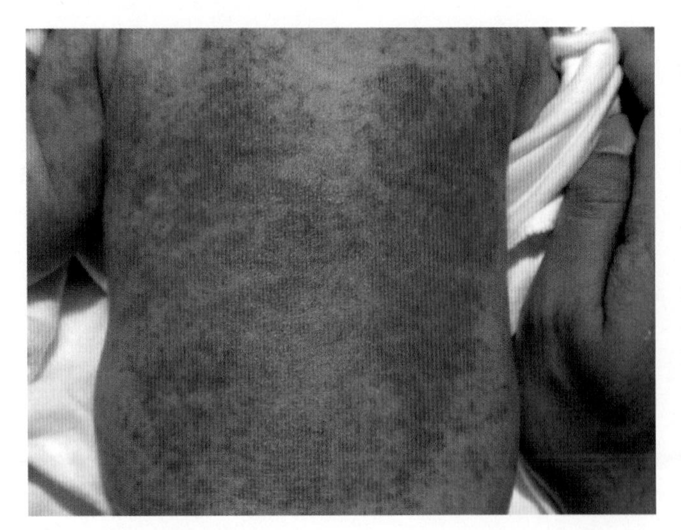

그림 15.42 선천칸디다증

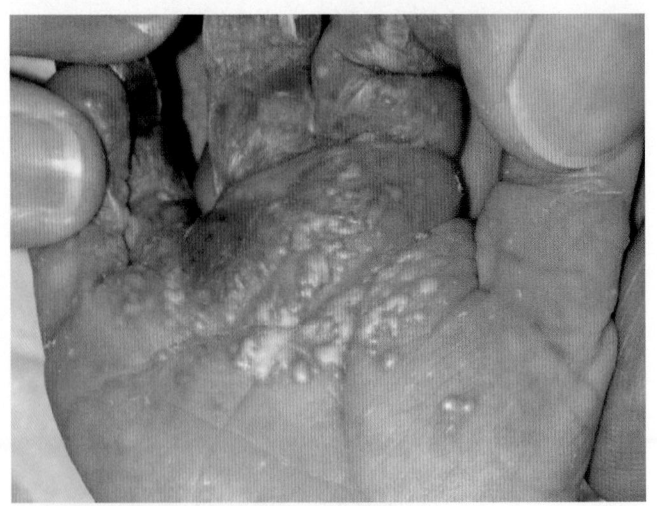

그림 15.43 선천칸디다증

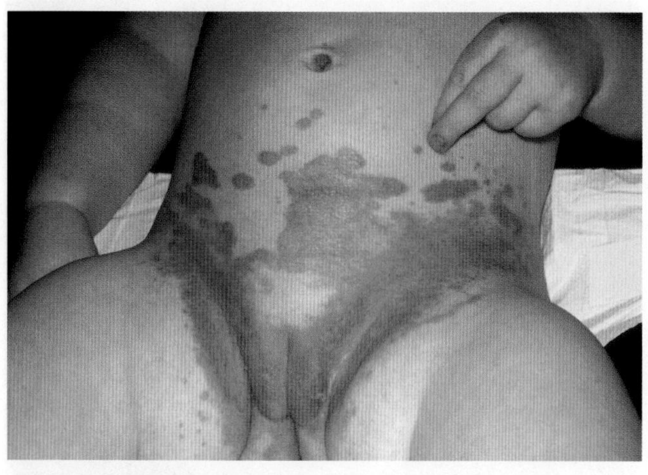

그림 15.44 칸디다증

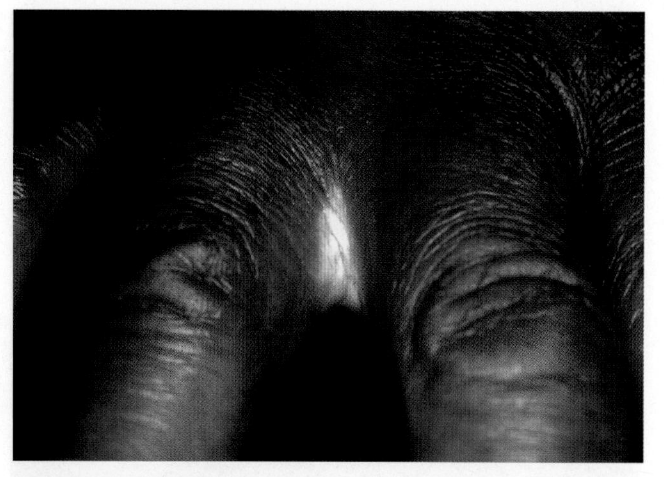

그림 15.45 효모균성지간미란증

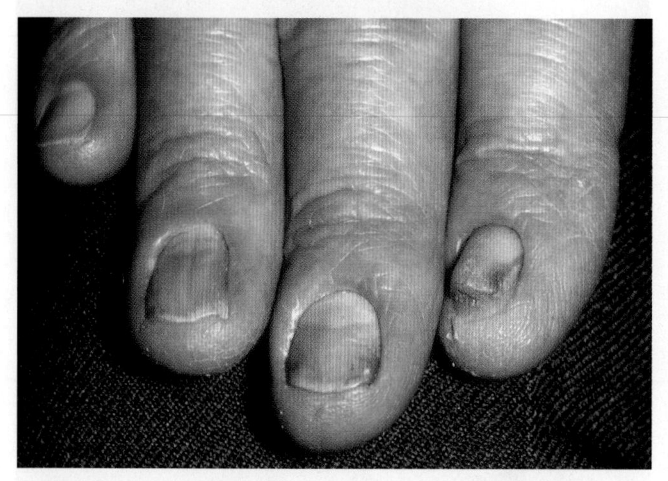

그림 15.46 만성 조갑주위염

그림 15.47 만성점막피부칸디다증

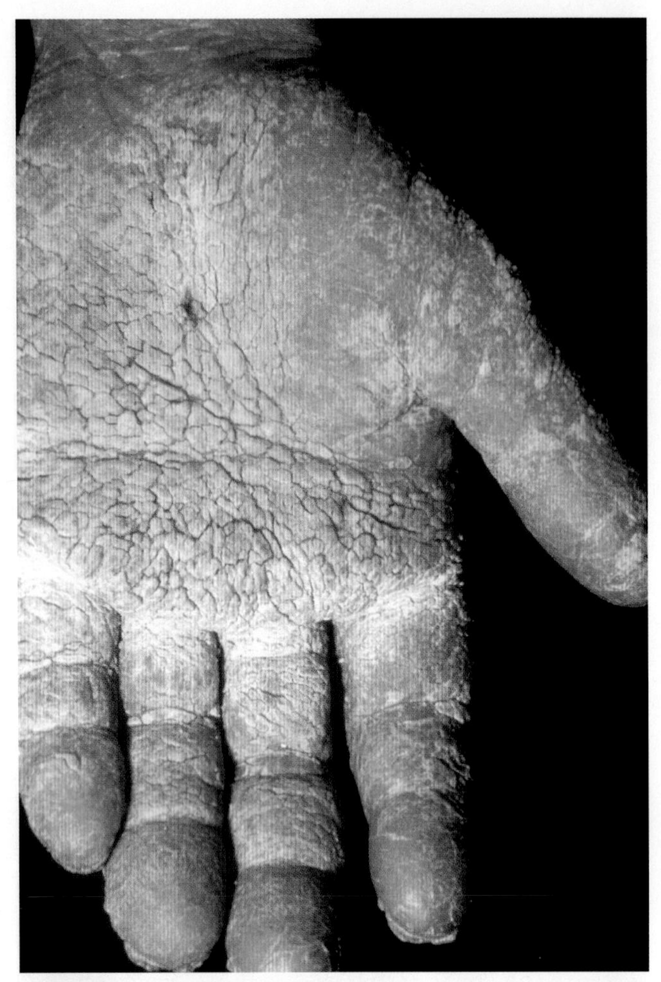

그림 15.48 만성점막피부칸디다증

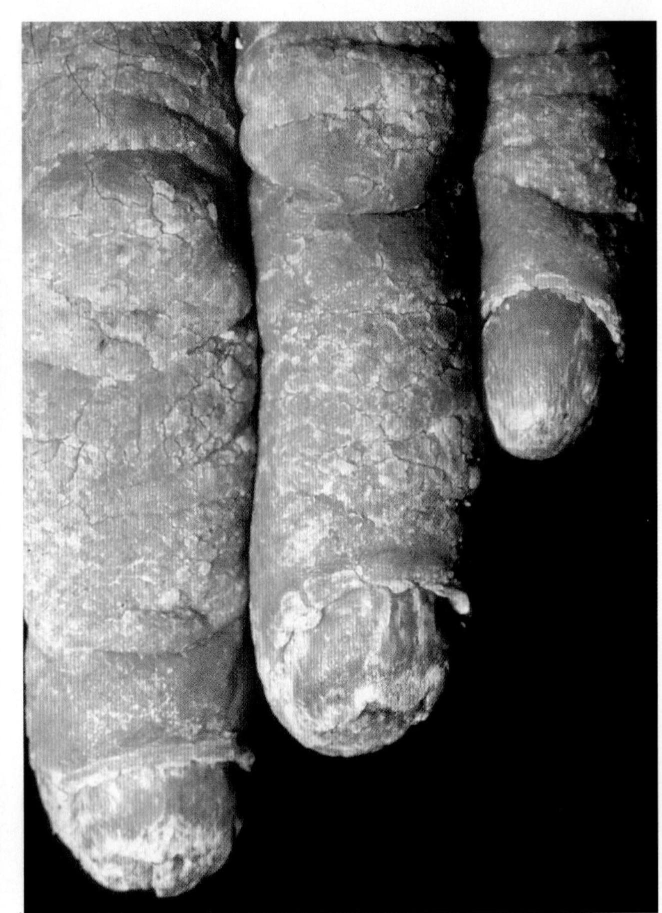

그림 15.49 만성점막피부칸디다증

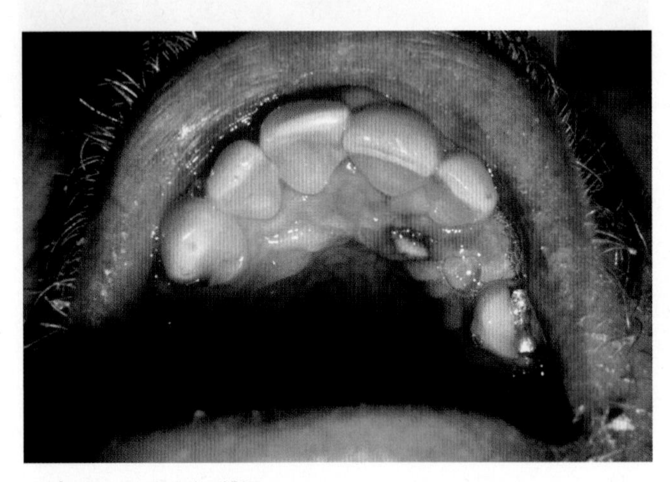

그림 15.50 칸디다 패혈증

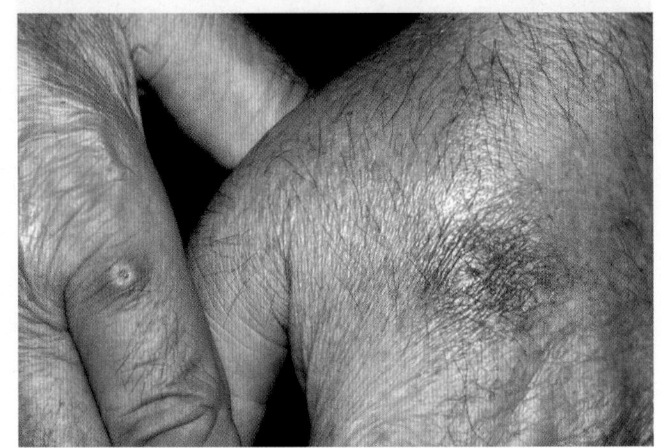

그림 15.51 칸디다 패혈증

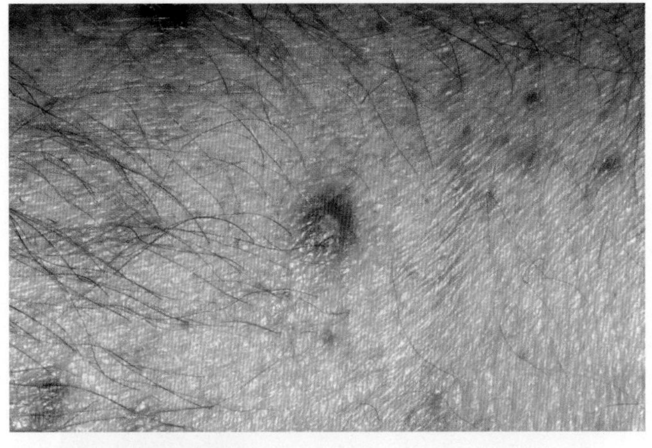

그림 15.52 칸디다 패혈증

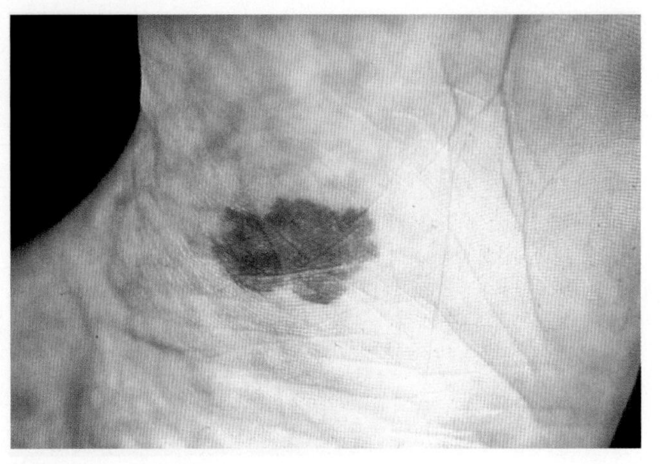

그림 15.53 흑색백선

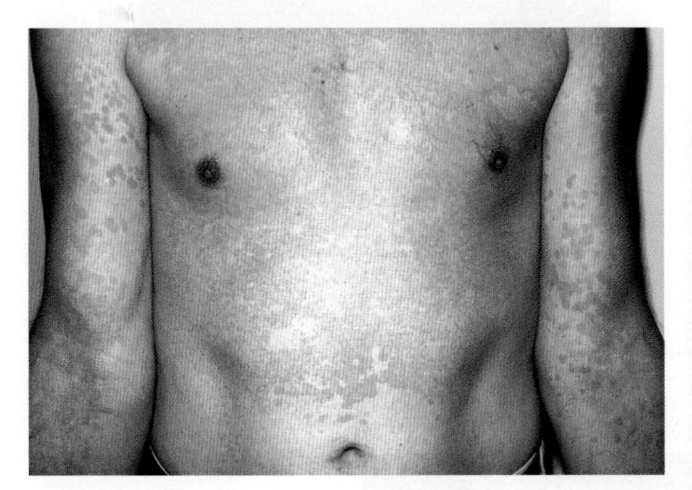

그림 15.54 어루러기

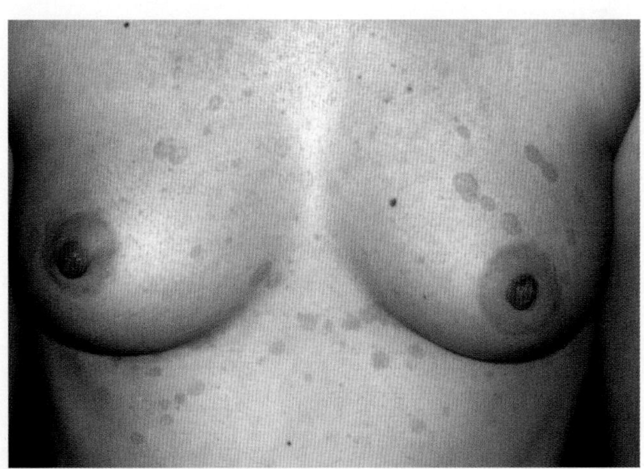

그림 15.55 어루러기

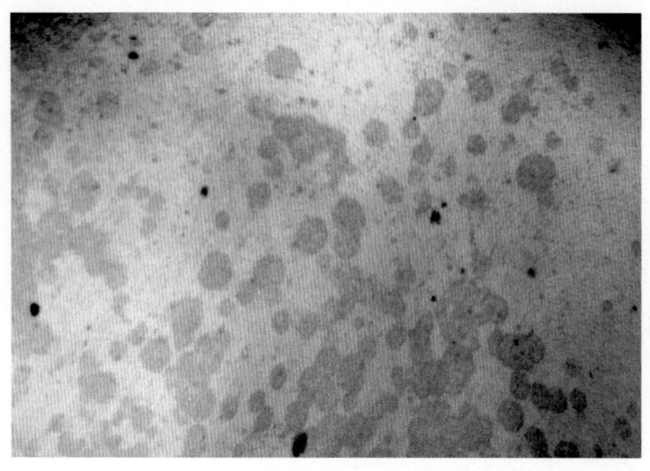
그림 15.56 어루러기

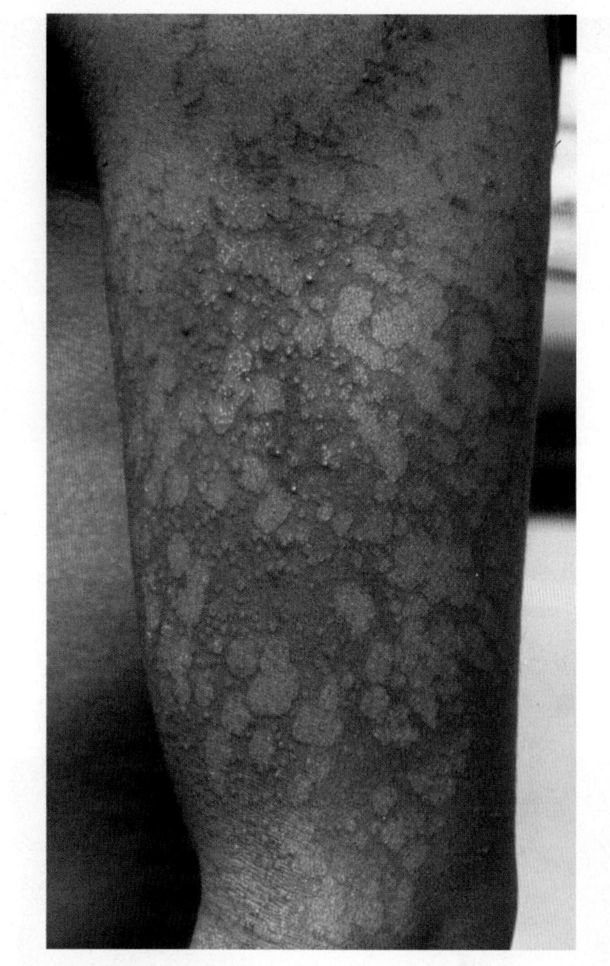
그림 15.57 어루러기

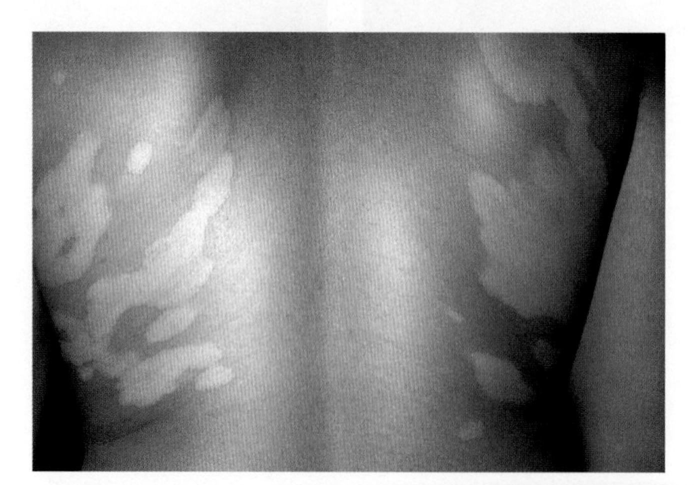
그림 15.58 어루러기

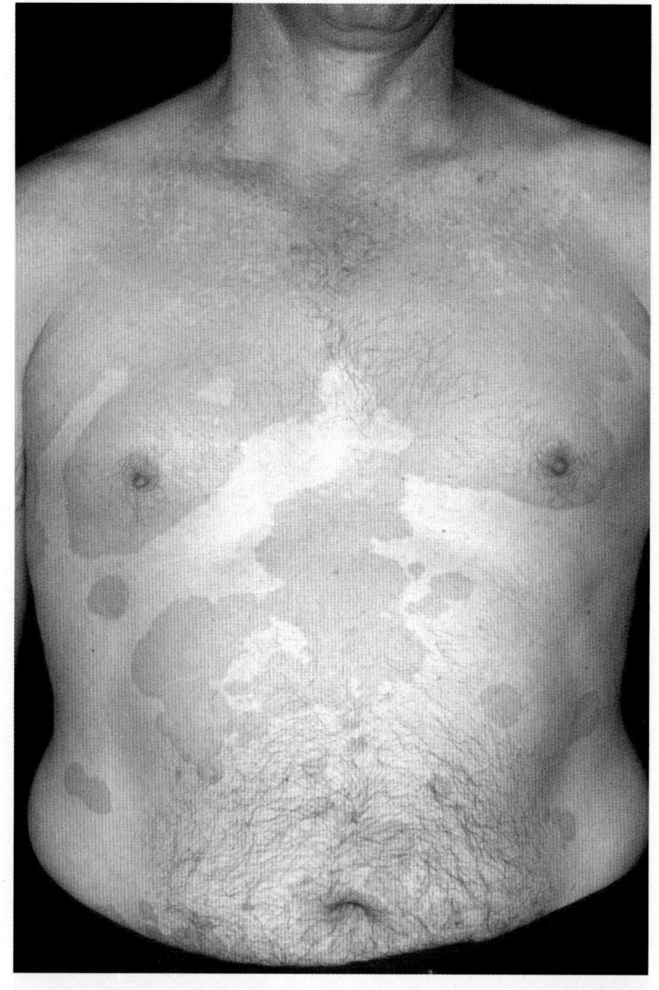

그림 15.59 어루러기

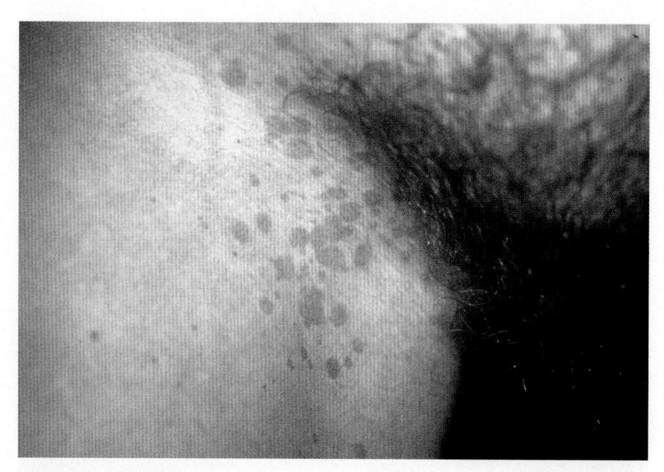

그림 15.60 어루러기

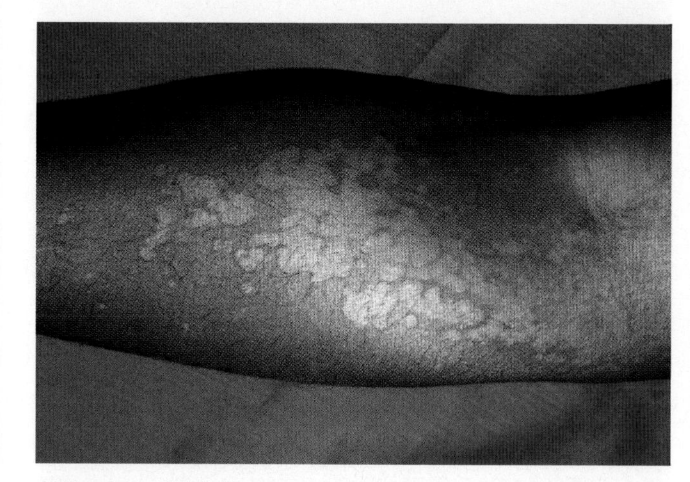

그림 15.61 어루러기

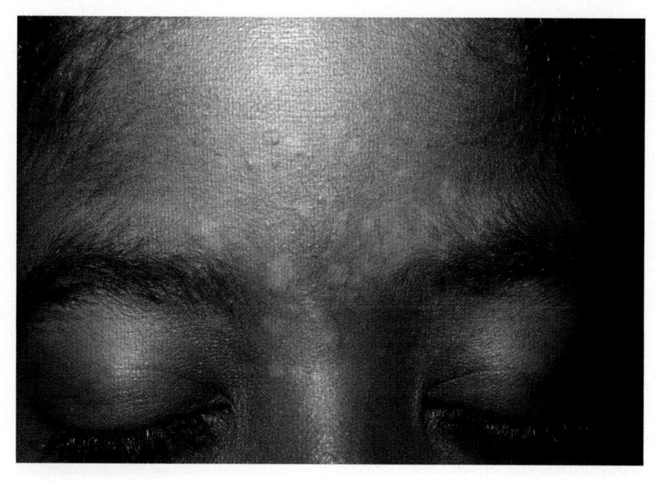

그림 15.62 어루러기

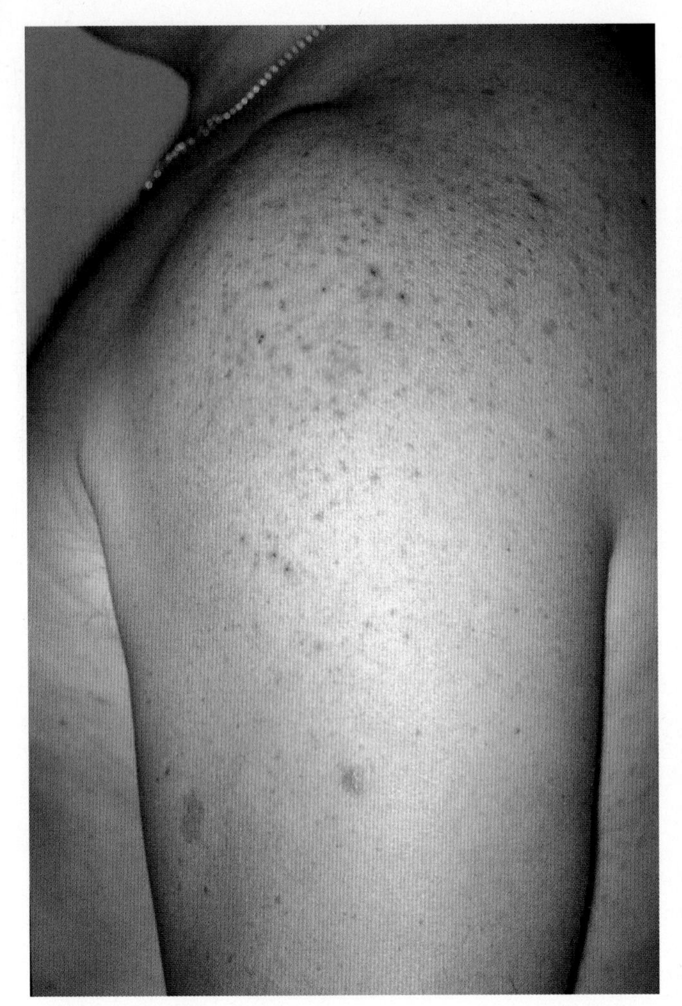

그림 15.63 피티로스포룸 모낭염

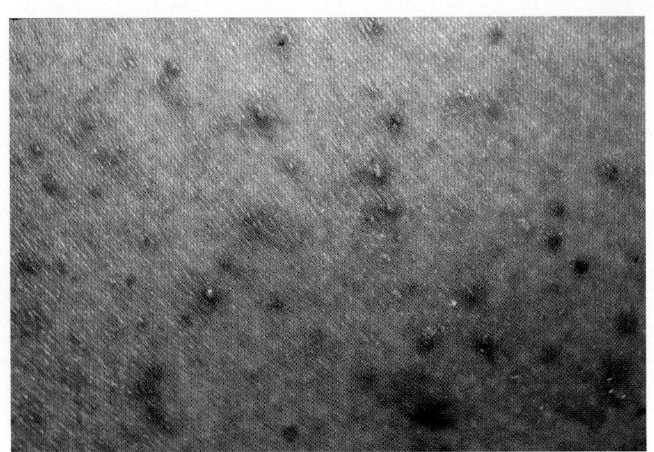

그림 15.64 피티로스포룸 모낭염

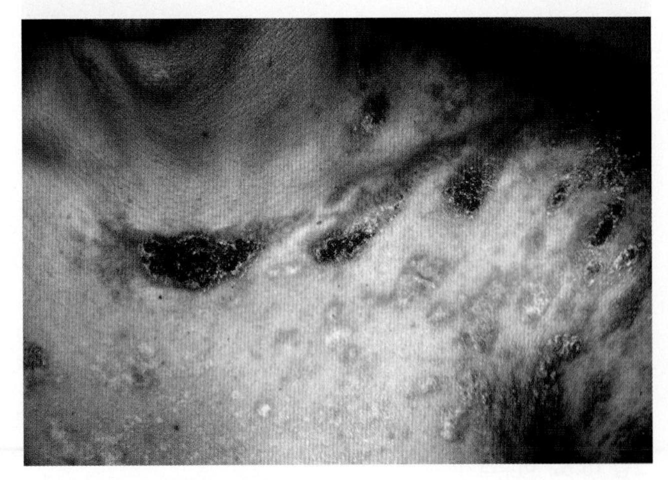

그림 15.65 콕시디오이데스진균증

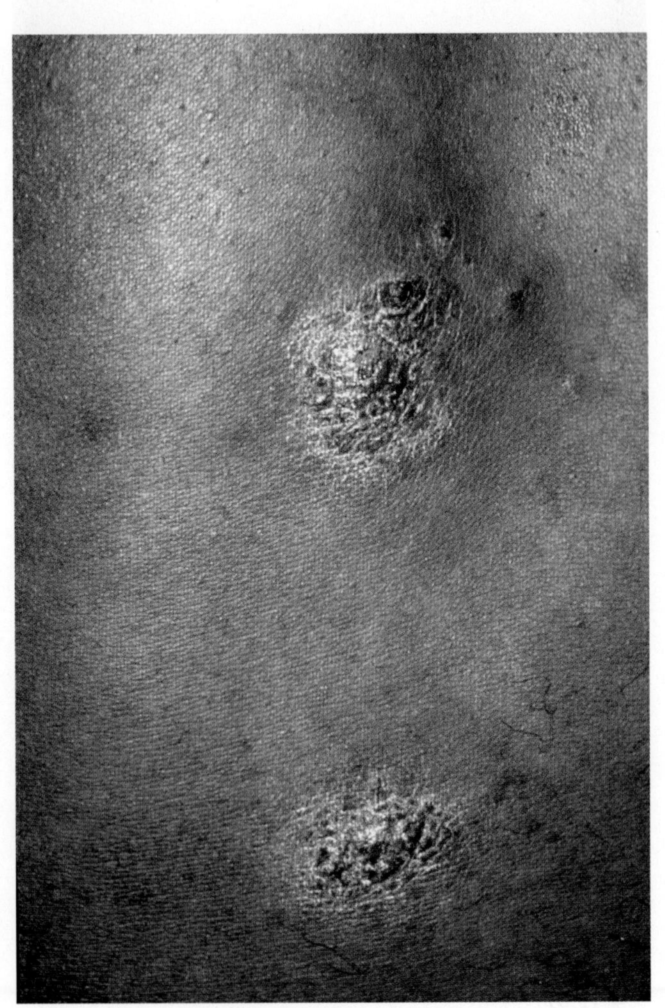

그림 15.66 콕시디오이데스진균증

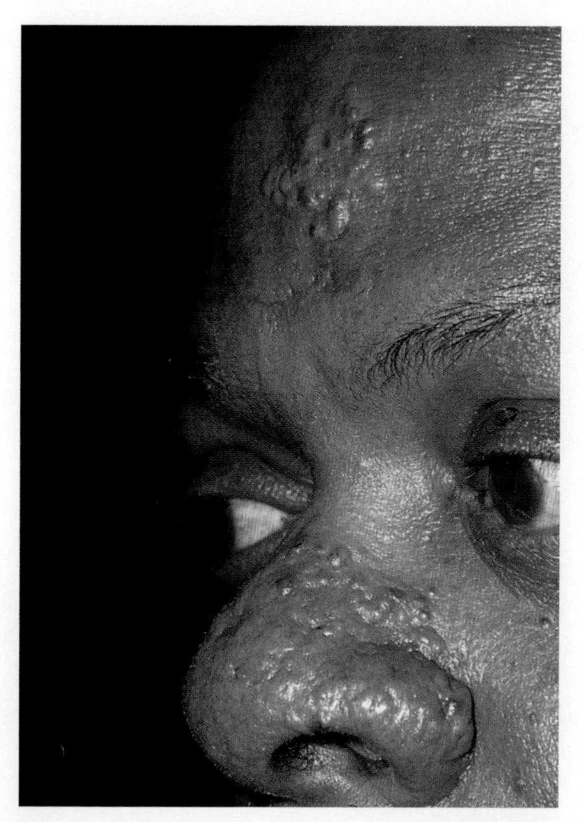

그림 15.67 콕시디오이데스진균증

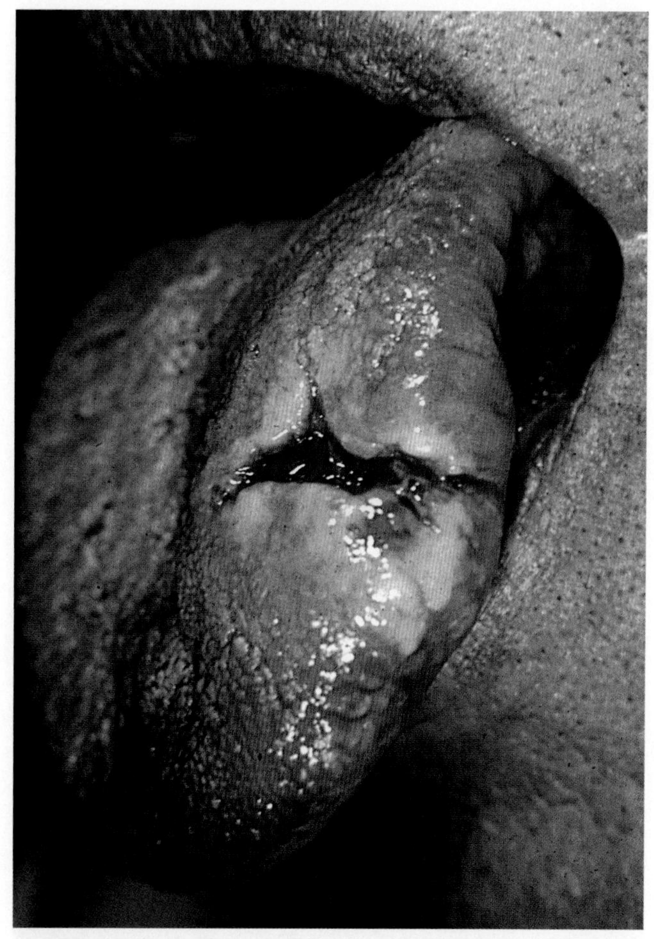

그림 15.68 히스토플라스마증

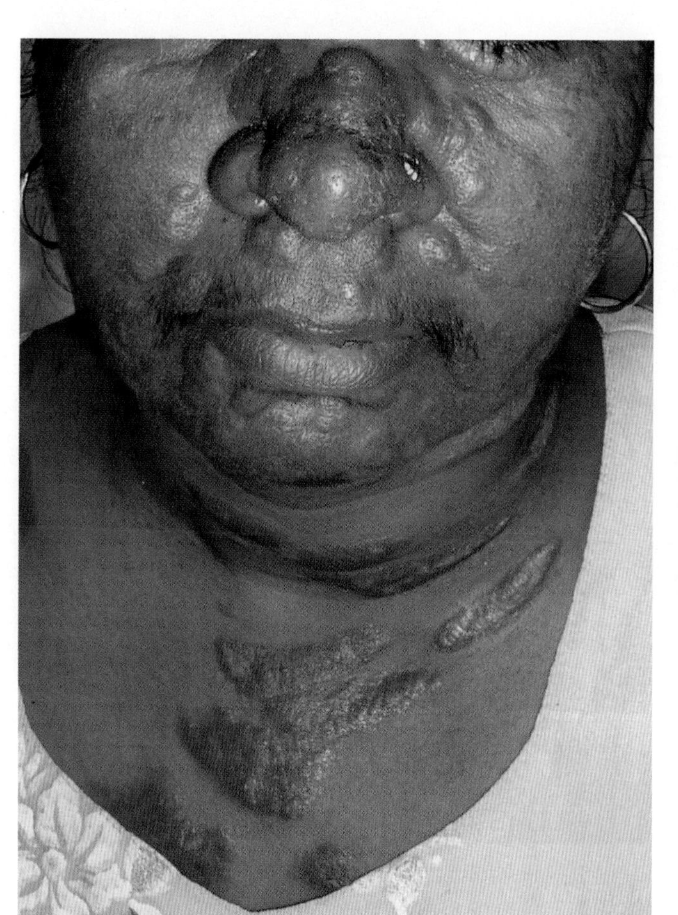

그림 15.69 히스토플라스마증

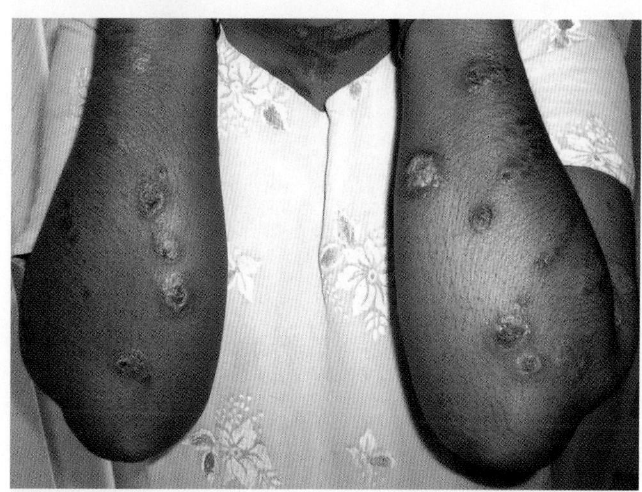

그림 15.70 히스토플라스마증

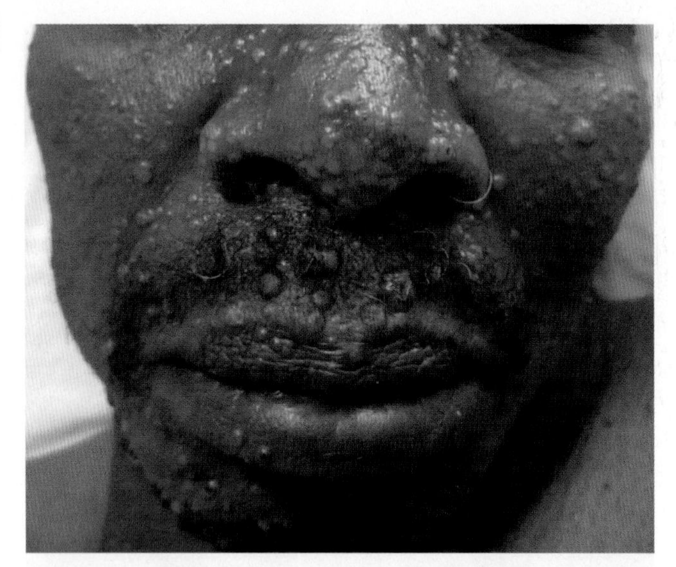

그림 15.71 HIV에 감염된 환자에서의 크립토콕쿠스 감염

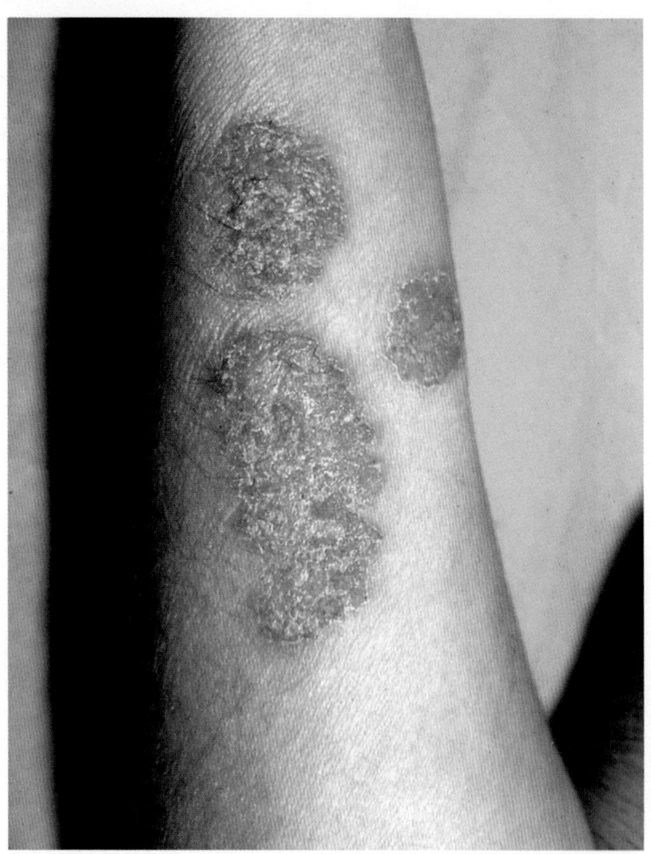

그림 15.72 크립토콕쿠스 감염

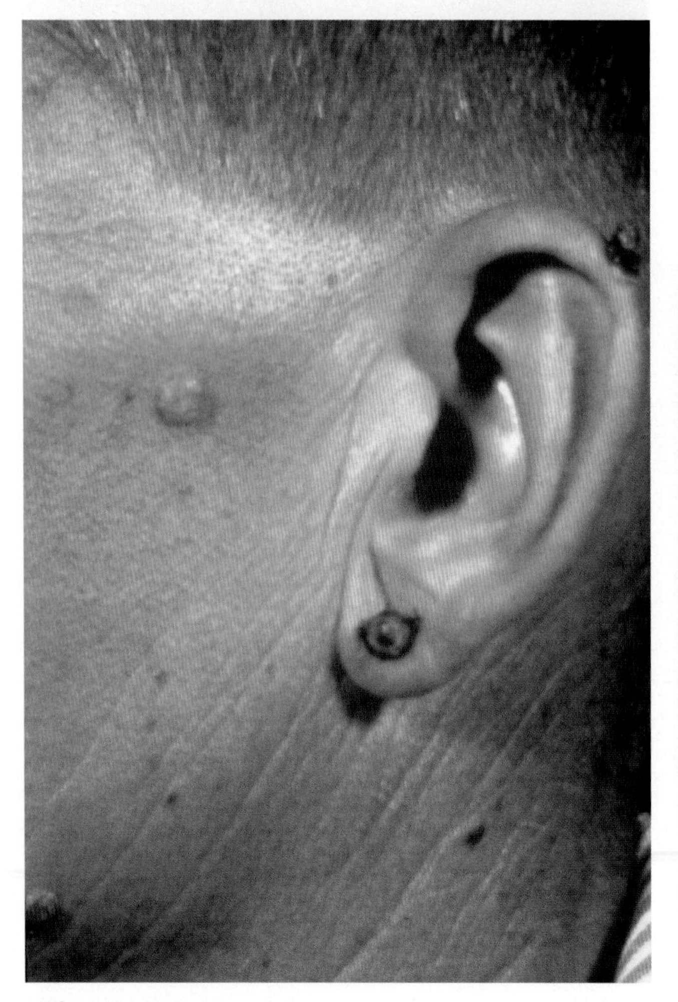

그림 15.73 크립토콕쿠스 감염

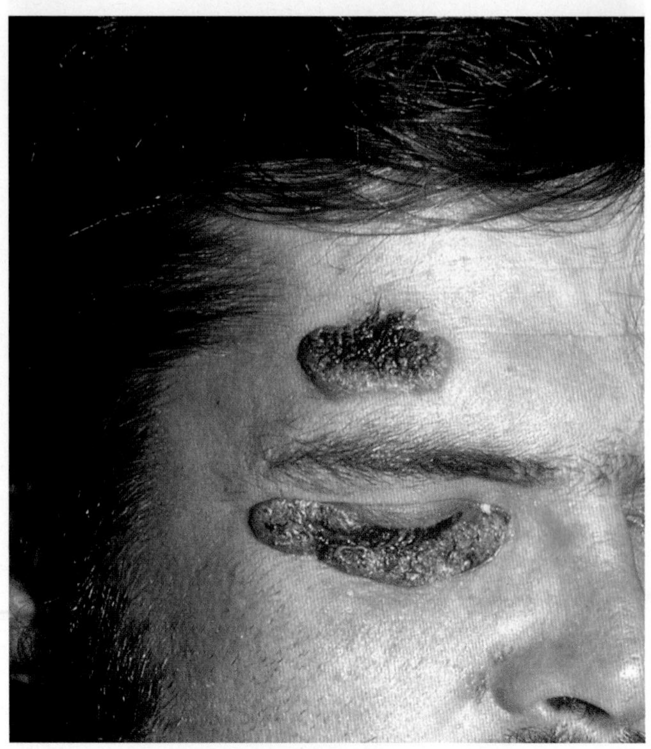

그림 15.74 북아메리카분아진균증

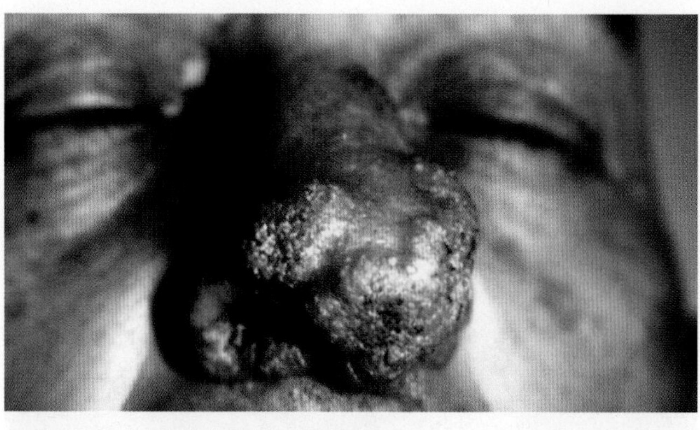

그림 15.75 북아메리카분아진균증

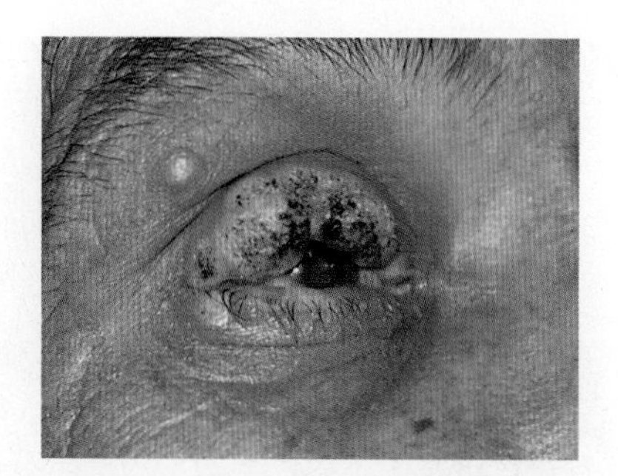

그림 15.76 파라콕시디오이데스진균증

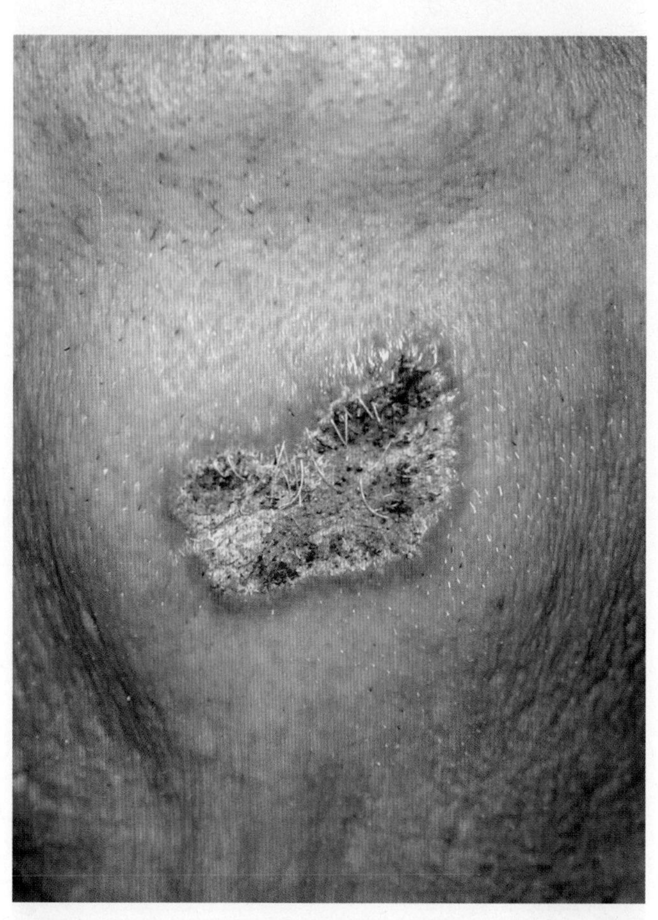

그림 15.77 파라콕시디오이데스진균증

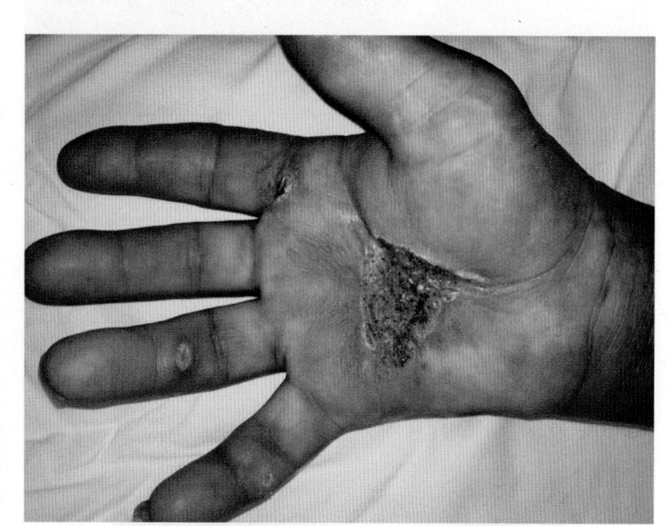

그림 15.78 파라콕시디오이데스진균증

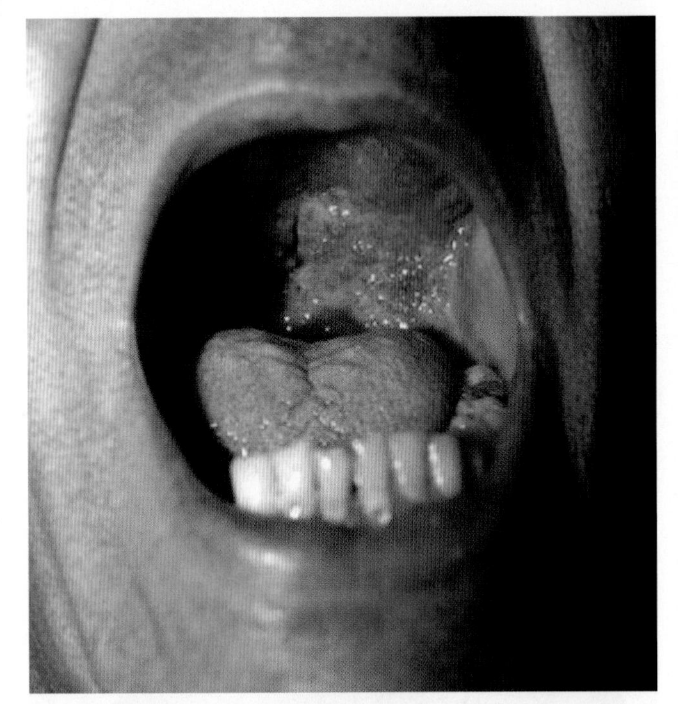

그림 15.79 파라콕시디오이데스진균증

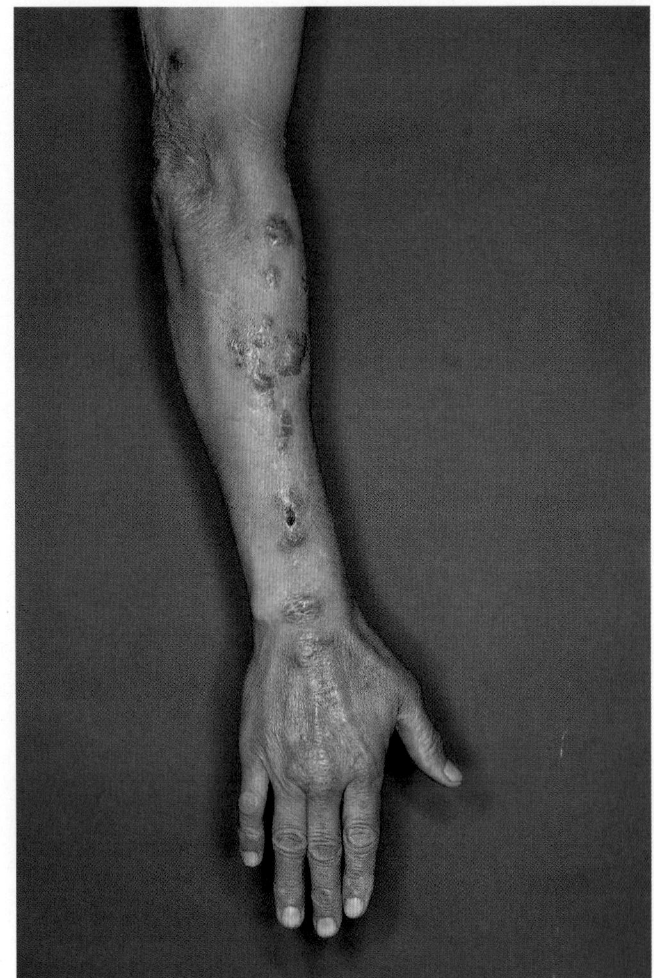

그림 15.80 스포로트릭스증

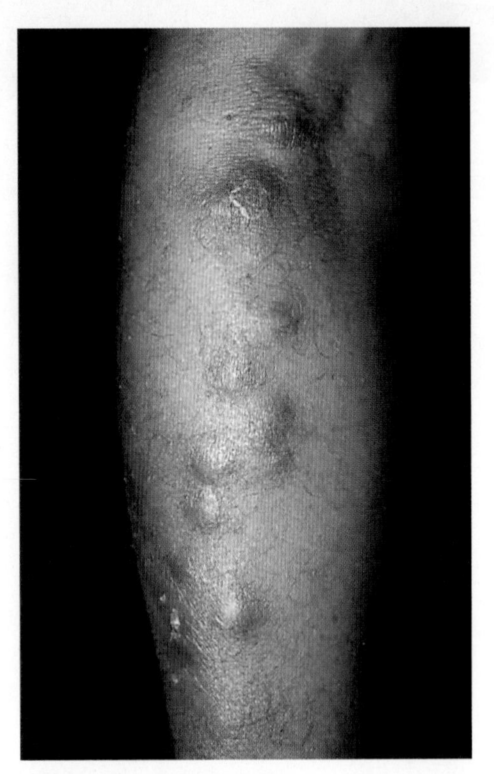

그림 15.81 스포로트릭스증

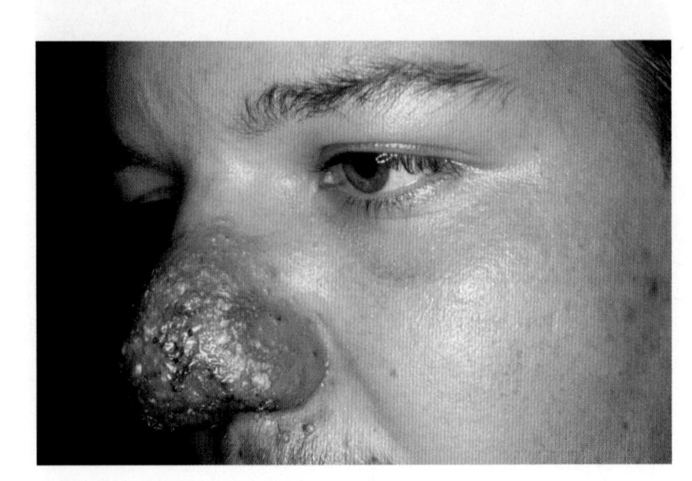

그림 15.82 고정 피부 스포로트릭스증

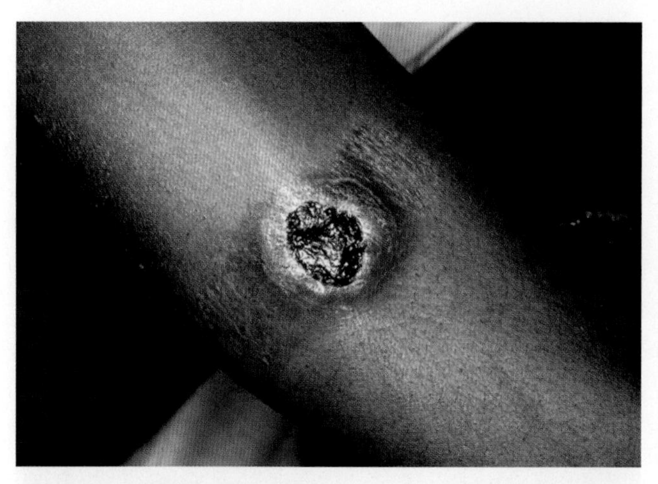

그림 15.83 파종 스포로트릭스증

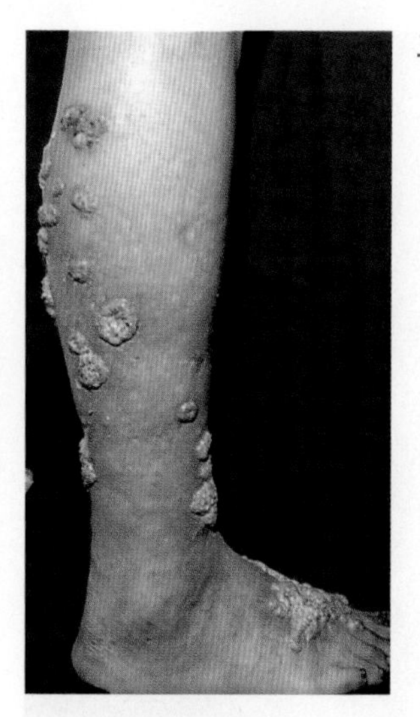

그림 15.84 색소진균증

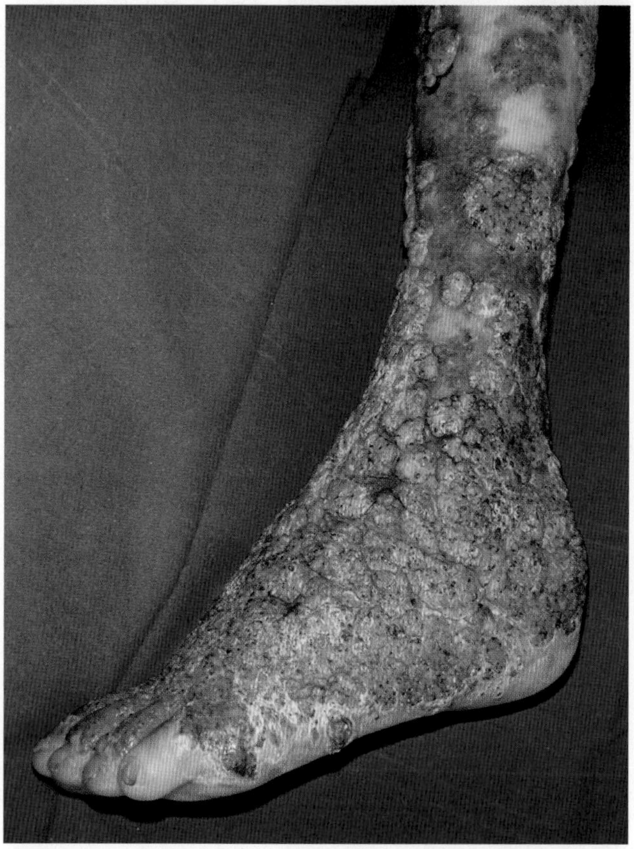

그림 15.85 색소진균증

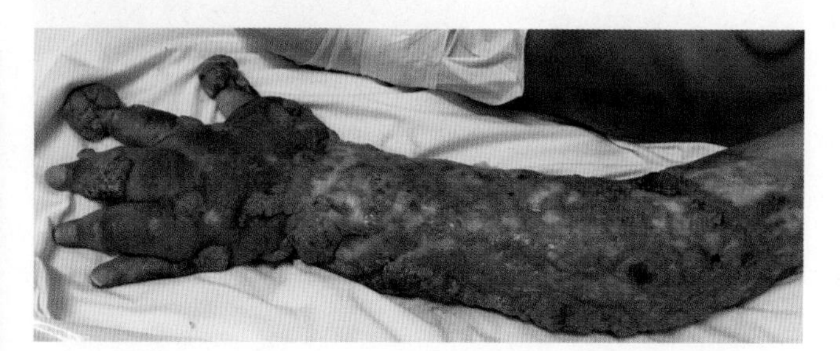

그림 15.86 색소진균증

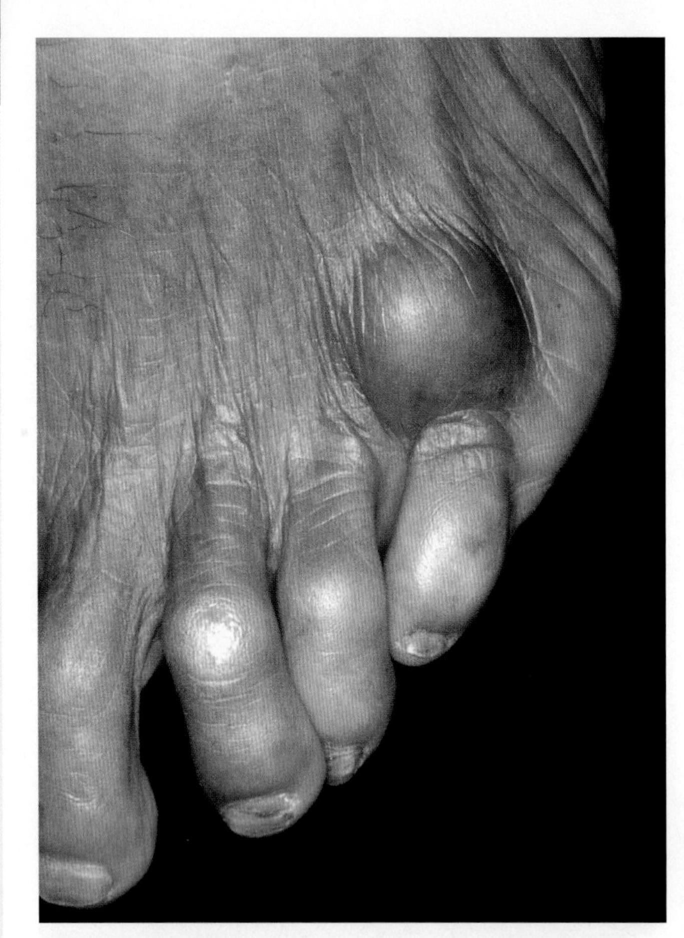

그림 15.87 흑색진균증

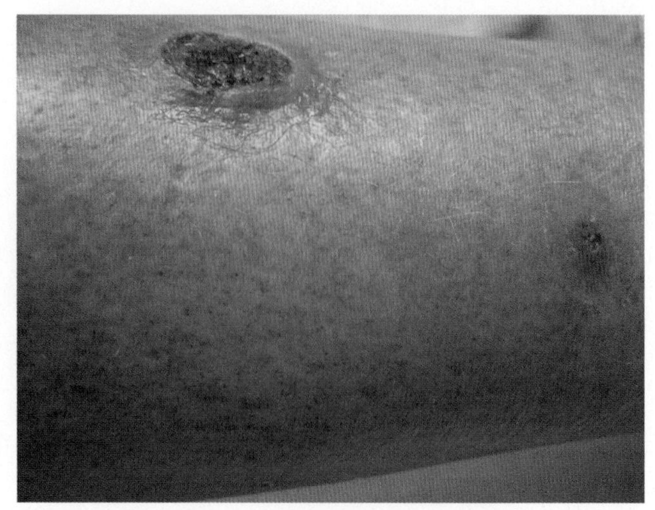

그림 15.88 흑색진균증

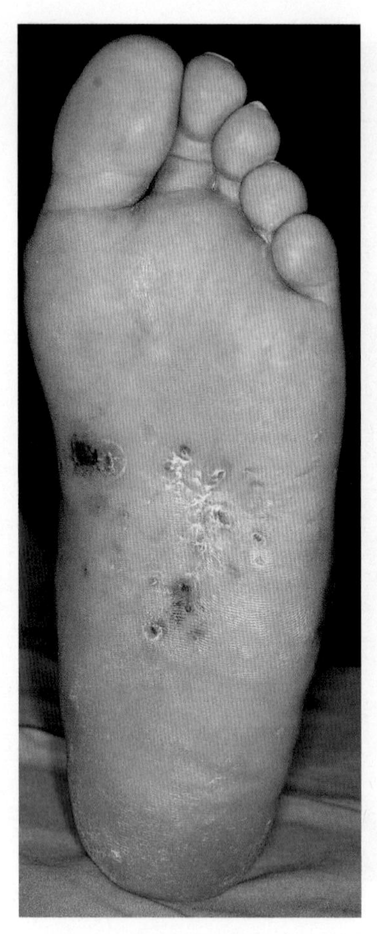

그림 15.90 진균증

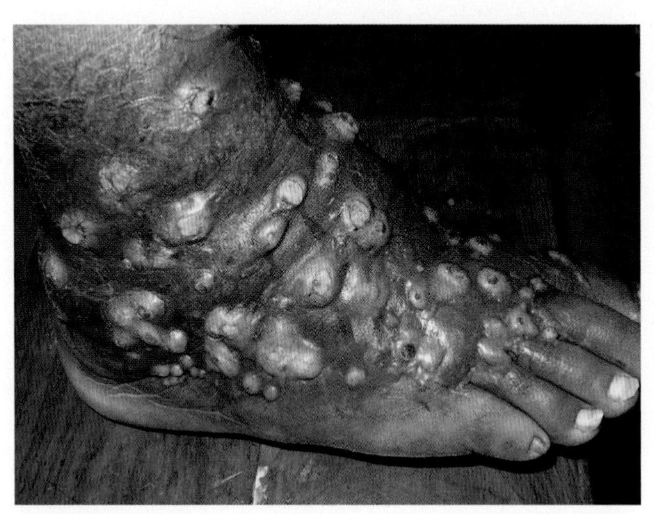

그림 15.89 진균증

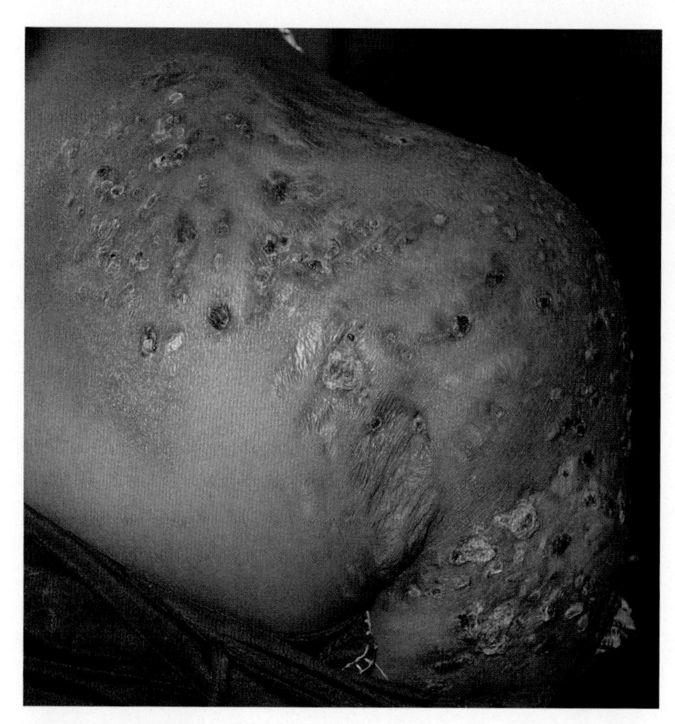
그림 15.91 진균증

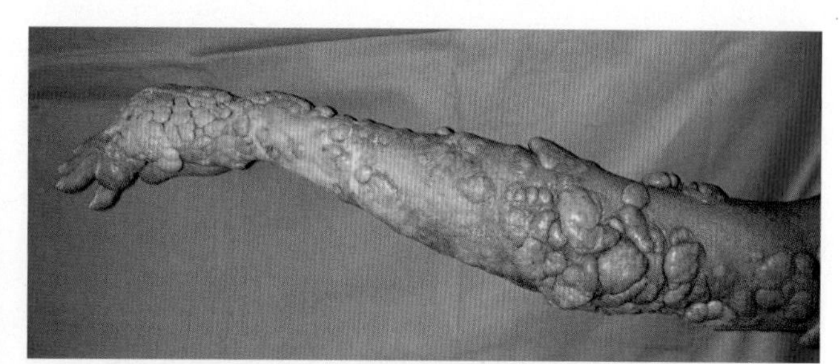
그림 15.92 로보진균증

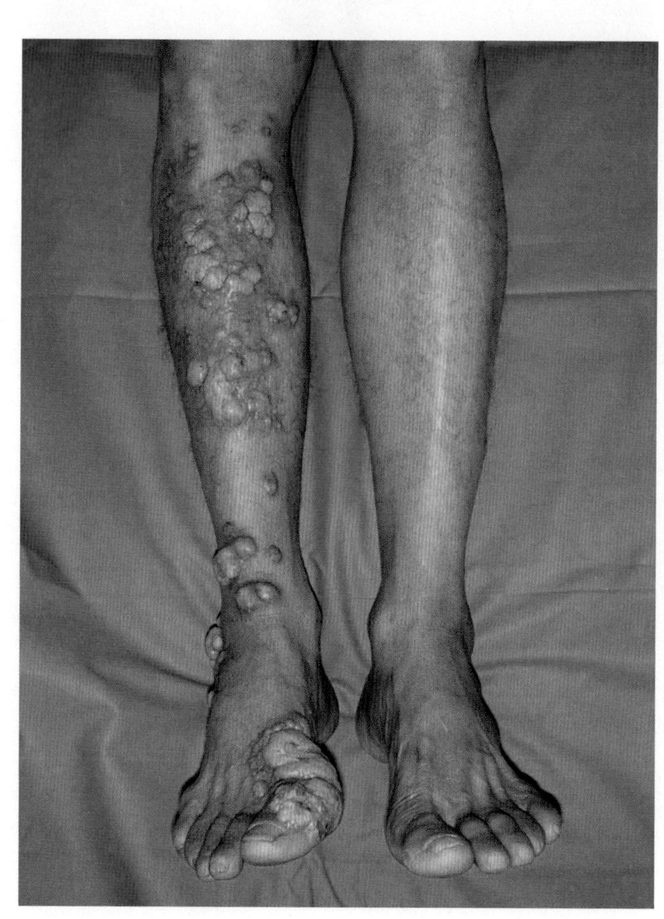
그림 15.93 로보진균증

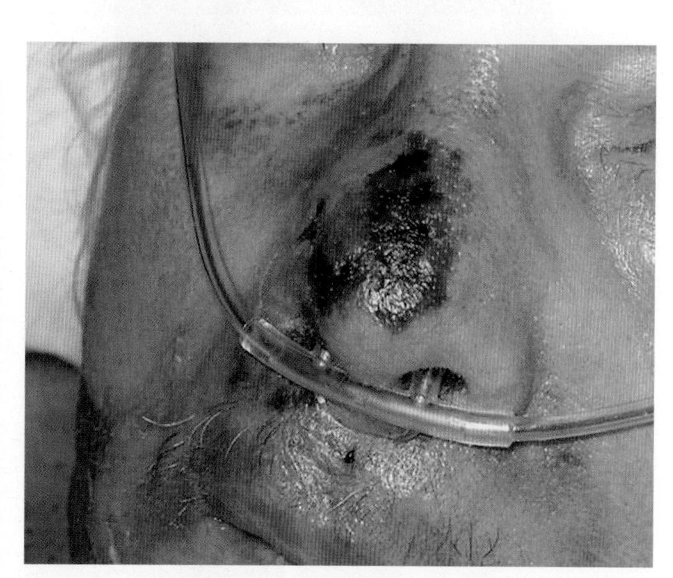
그림 15.94 털곰팡이증

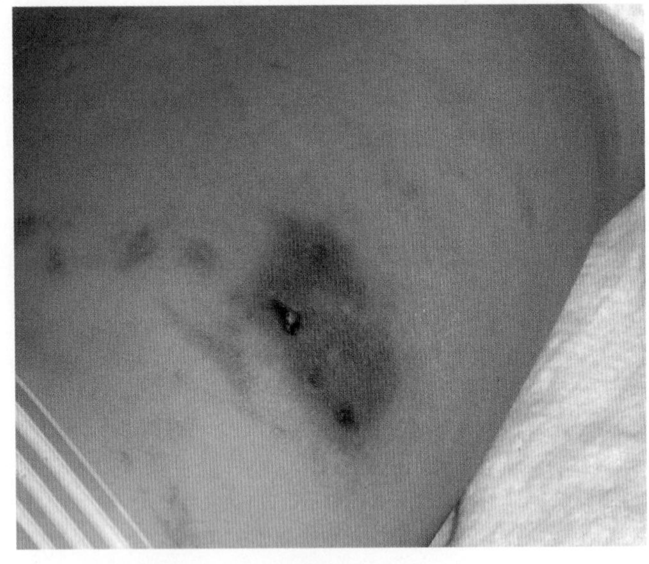

그림 15.95 접착밴드 부위에 발생한 접합균증

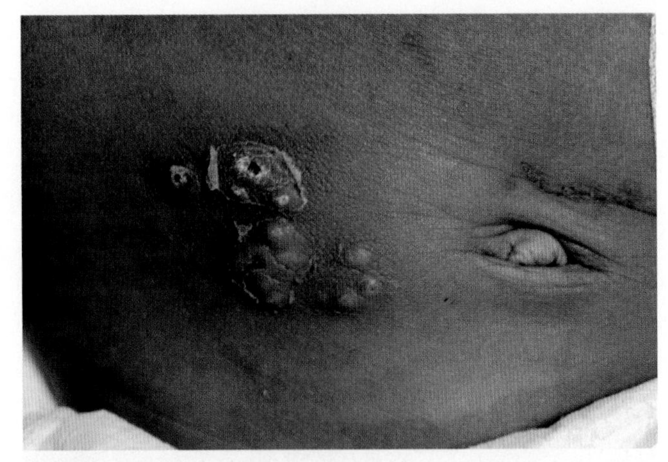

그림 15.96 리조퍼스 감염

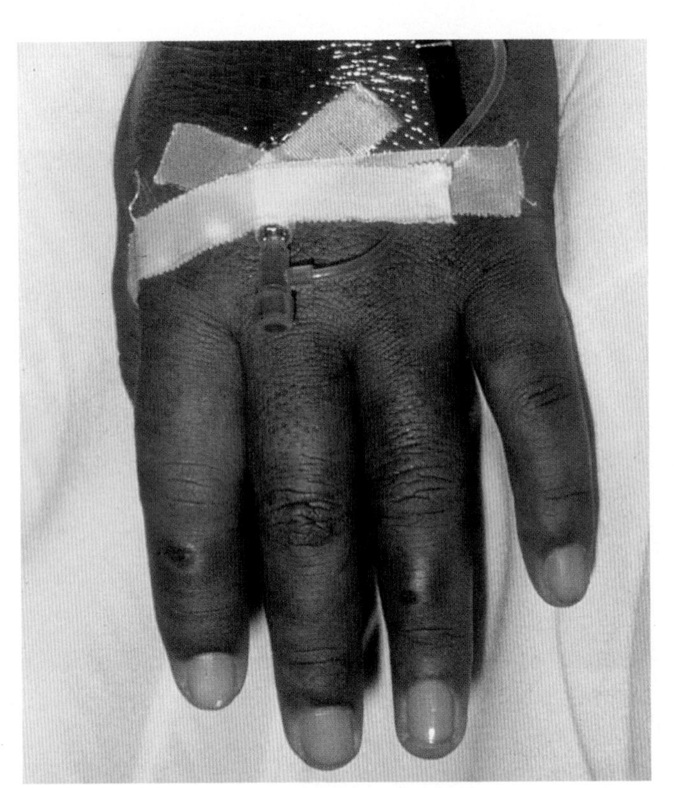

그림 15.97 백혈병 환자에서 발생한 푸사륨 감염

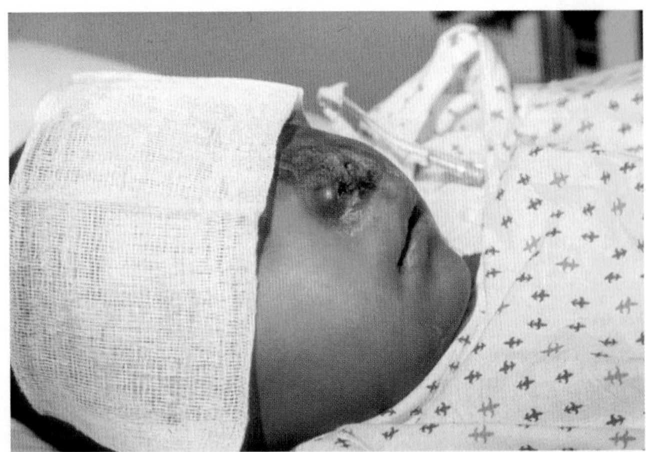

그림 15.98 백혈병 환자에서 발생한 아스페르길루스 감염

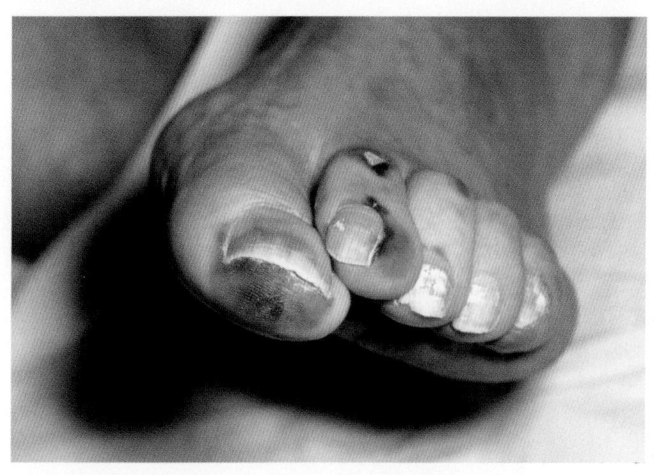

그림 15.99 백혈병 환자에서 발생한 아스페르길루스 감염

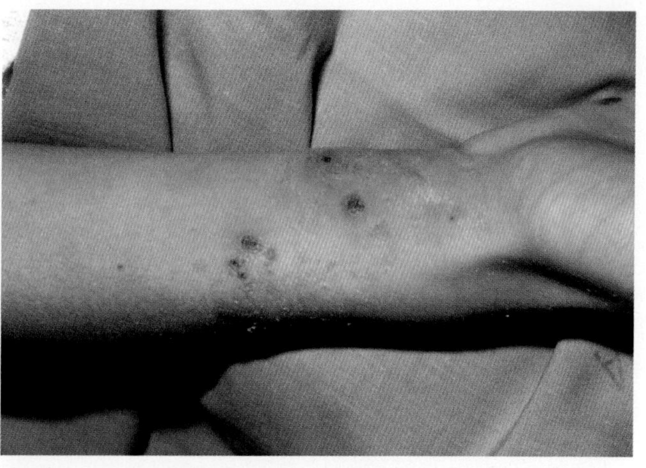

그림 15.100 만성 육아종병 환자에서 발생한 아스페르길루스 감염

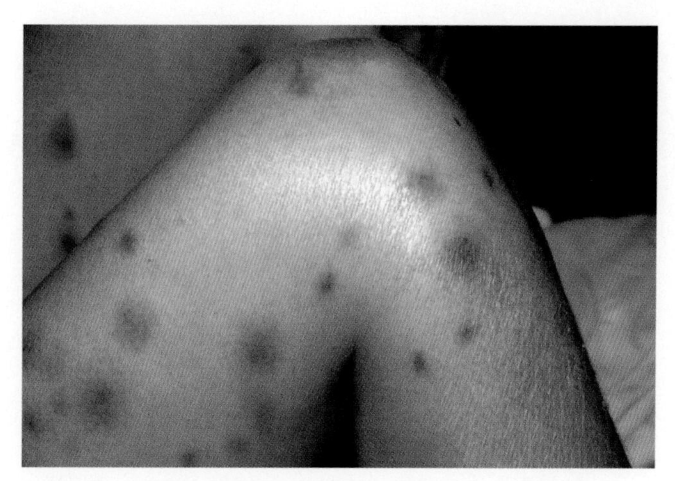

그림 15.101 백혈병 환자에서 발생한 아스페르길루스 감염

마이코박테리움 피부질환 16

결핵과 부정형마이코박테리움 감염은 임상적으로 진단이 어려울 수 있기 때문에 피부 병변의 임상양상을 잘 인지하고 있어야 실제 마주할 때 의심할 수가 있다. 결핵은 개발도상국에 유병률이 높고, 사람면역결핍바이러스에 감염된 환자에서는 특히 더 높다. 피부결핵은 감염의 경로에 따른 분류체계를 갖고 있고 여기의 4가지 분류에는 다양한 피부 병변들이 속해 있다. 이 4가지 분류의 예로는 1) 일차접종결핵의 사마귀모양 구진과 판(사마귀모양피부결핵), 2) 내인성으로 인접한 부위로 전파되어 감염된 림프절 위로 화농과 궤양을 동반하며 나타나는 결절, 3) 속립결핵에서 혈행성전파에 의해 발생하는 광범위한 반점, 구진, 농포, 결절 또는 자반, 그리고 4) 경화홍반으로 불리는 종아리 하방에 지속성의 결절을 보이는 소엽지방층염 등이 있다. 이러한 피부 결핵의 임상양상들을 보이는 경우 피부 조직검사, 조직 배양, 투베르쿨린검사, 가능하다면 Quantiferon 검사, 그리고 일부에서는 가슴 X선 검사 등의 검사들을 바로 시행할 수 있도록 해야 한다.

부정형마이코박테리움 감염은 면역적격자에게서도 외상과 수술 등의 상황 또는 어류탱크(*Mycobacterium marinum*)와 페디큐어(*Mycobacterium fortuitum*)과 같이 균에 노출되는 환경에서 발생할 수 있다. 면역저하자의 경우 *Mycobacterium avium-intracellulare*와 같은 부정형마이코박테리움의 감염에 취약하며 이는 HIV에 감염된 환자에서 볼 수 있다. 많은 종류의 부정형마이코박테리움이 있지만 이들은 구진, 농포, 결절과 궤양 등으로 나타나 임상양상이 대개 비슷하고 비특이적이며 원인균, 노출경로, 면역 상태에 따라 국소적으로 또는 광범위하게 발생할 수 있다. 항생제 내성 검사를 포함한 조직배양이 도움이 되겠지만 수주의 시간이 소요될 수 있다.

이 장에서는 결핵과 비결핵 마이코박테리움 감염에 의한 다양한 피부 병변의 양상들을 다루고 있다.

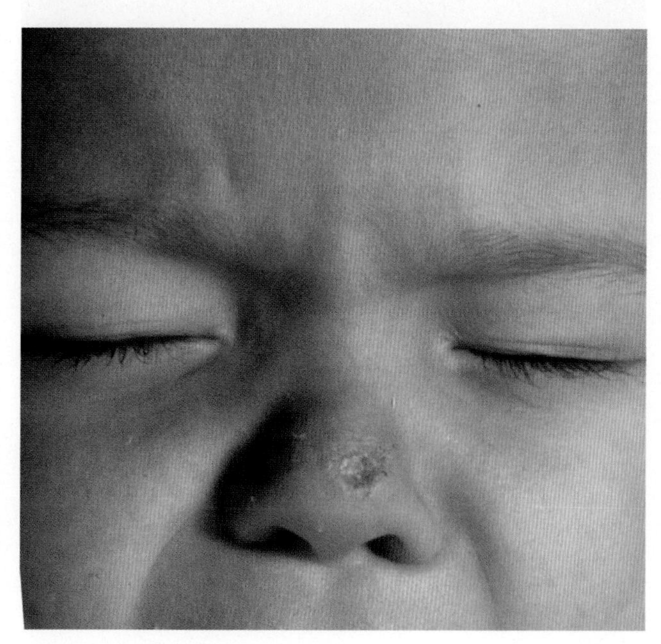

그림 16.1 일차접종결핵

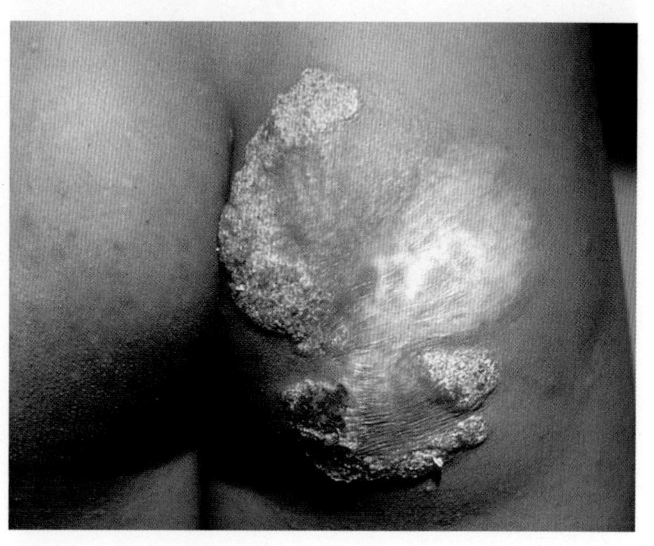

그림 16.2 사마귀양피부결핵

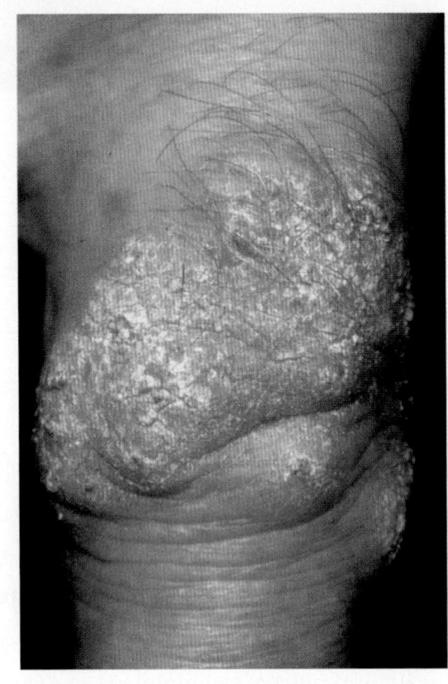
그림 16.3 사마귀양피부결핵

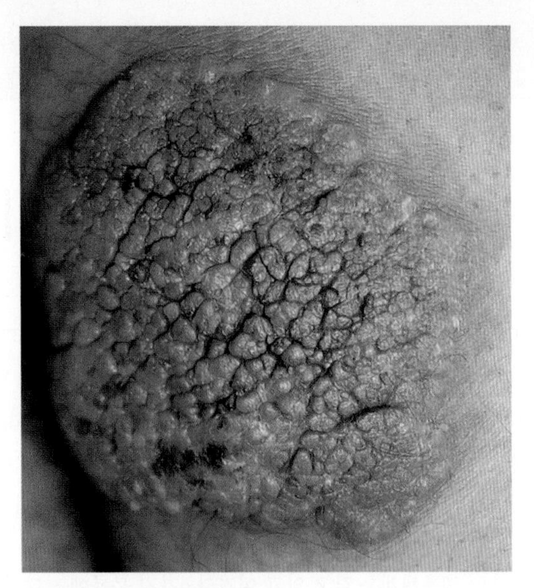
그림 16.4 사마귀양피부결핵

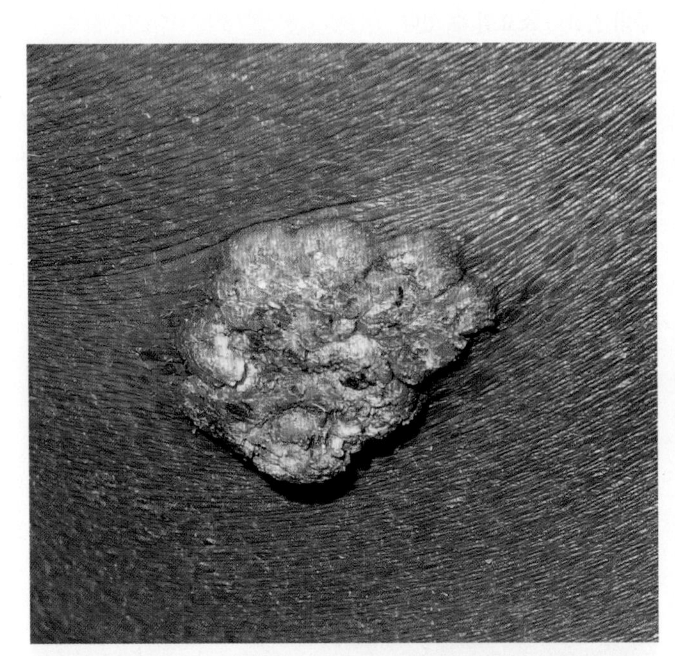
그림 16.5 사마귀양피부결핵

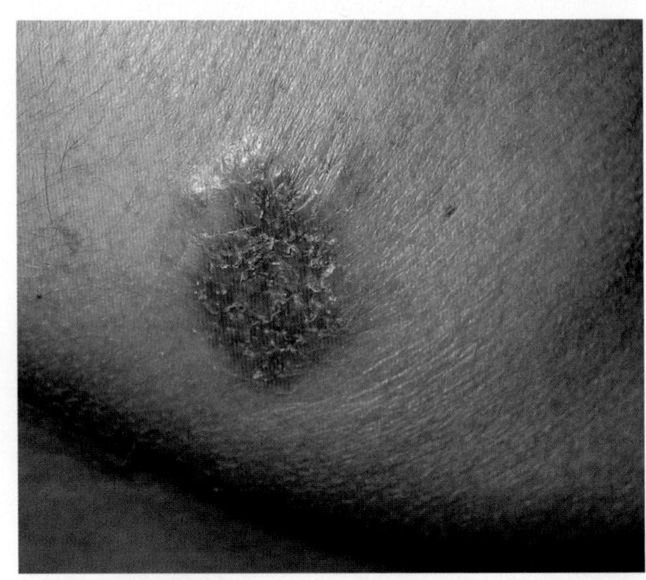
그림 16.6 심상루푸스

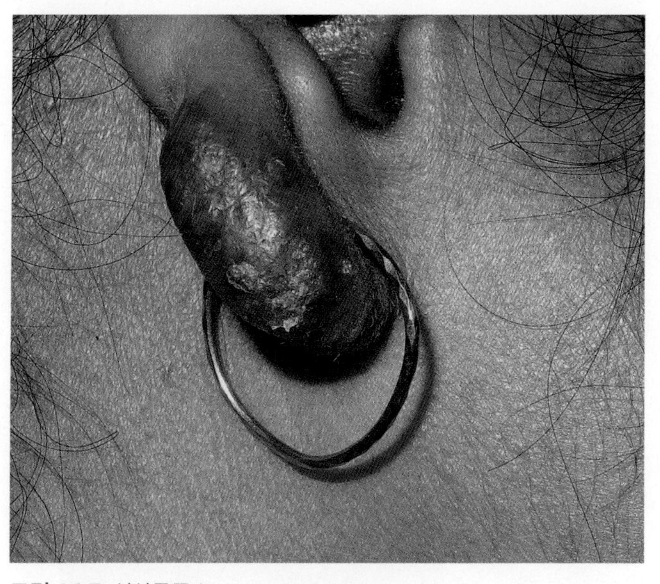

그림 16.7 심상루푸스

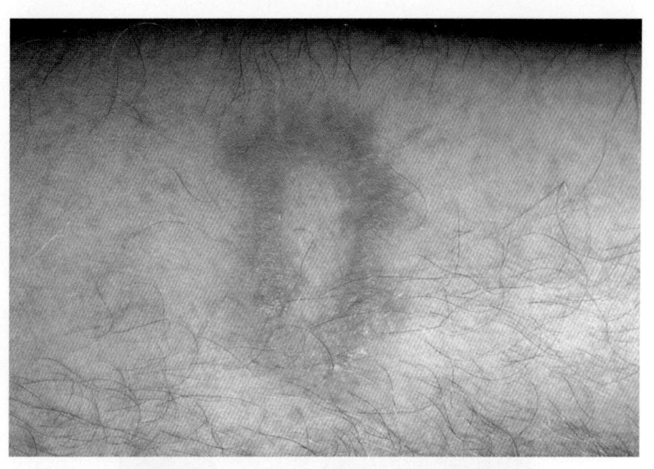

그림 16.8 심상루푸스

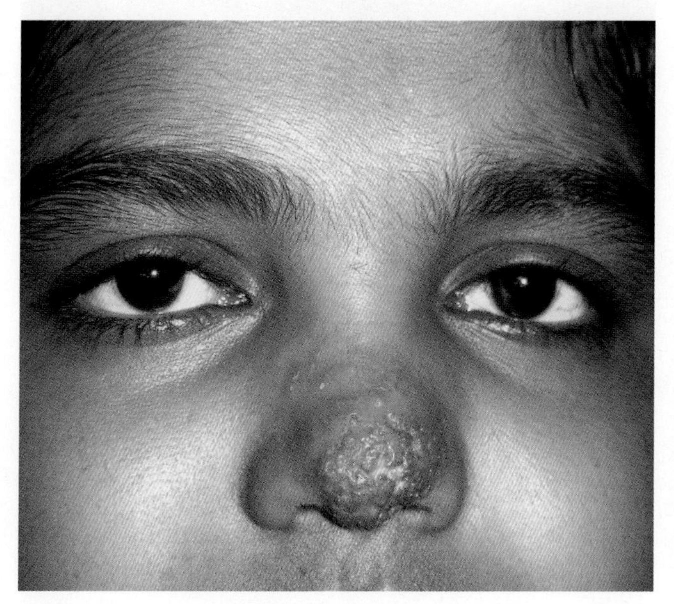

그림 16.9 심상루푸스

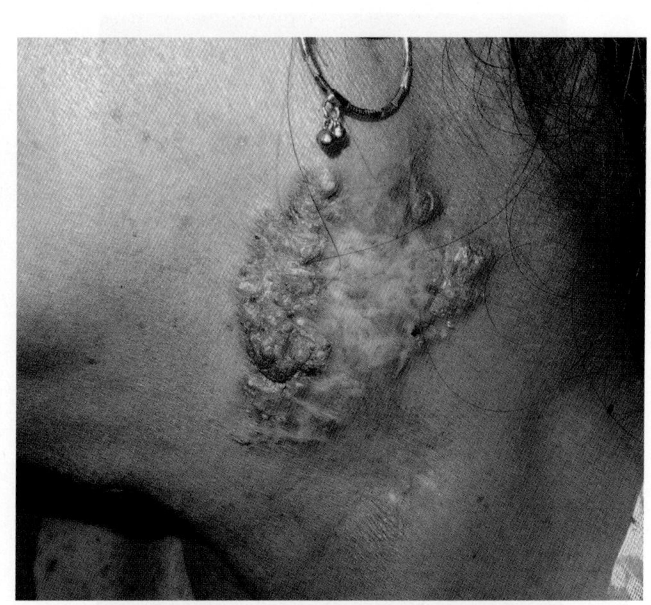

그림 16.10 심상루푸스

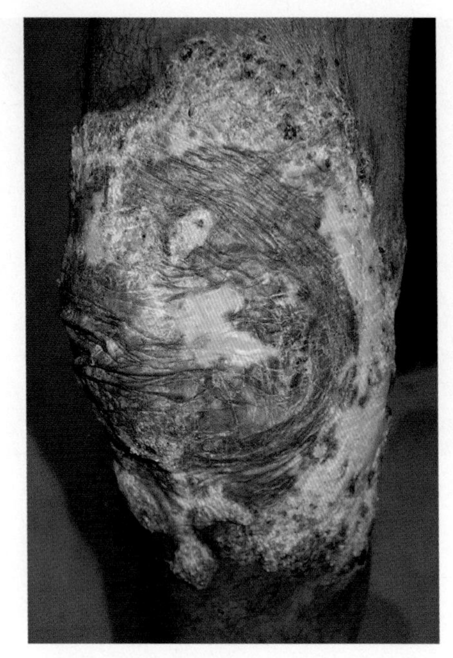

그림 16.11 심상루푸스

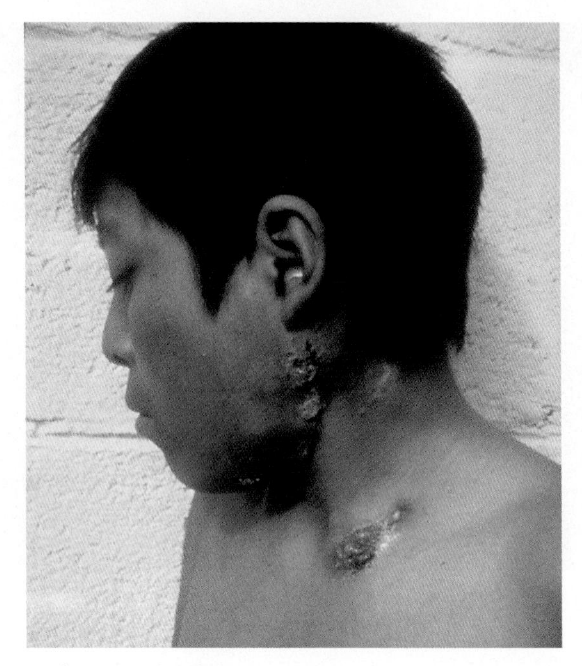

그림 16.12 피부선병

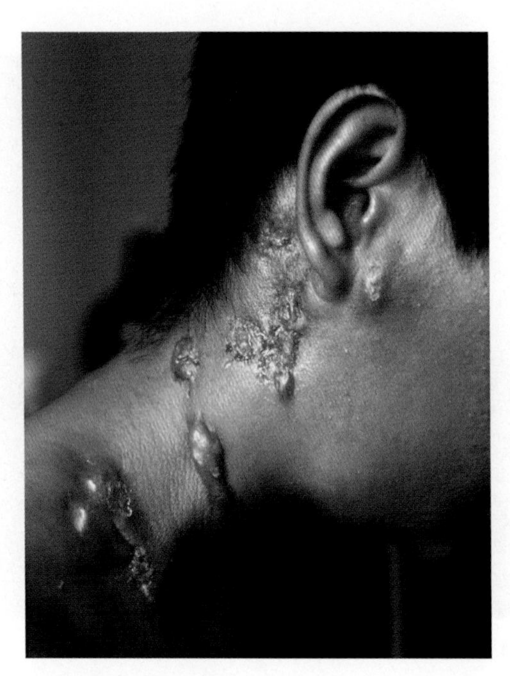

그림 16.13 피부선병

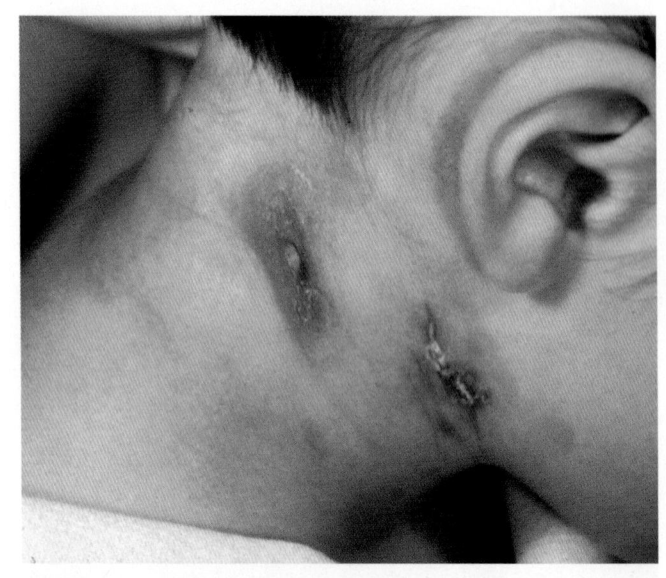

그림 16.14 피부선병

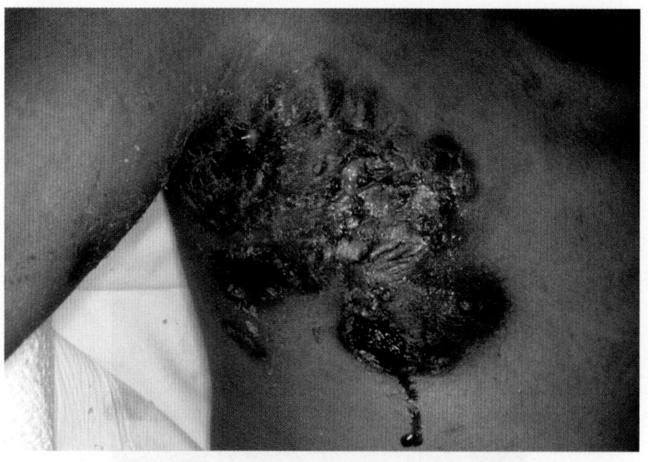
그림 16.15 피부선병

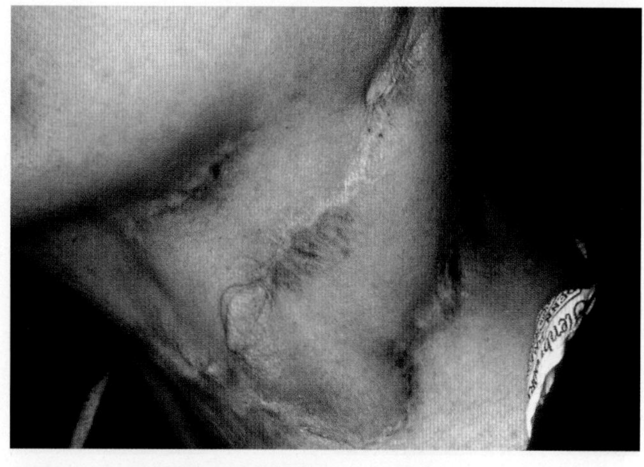
그림 16.16 피부선병에 의해 발생한 선상의 흉터

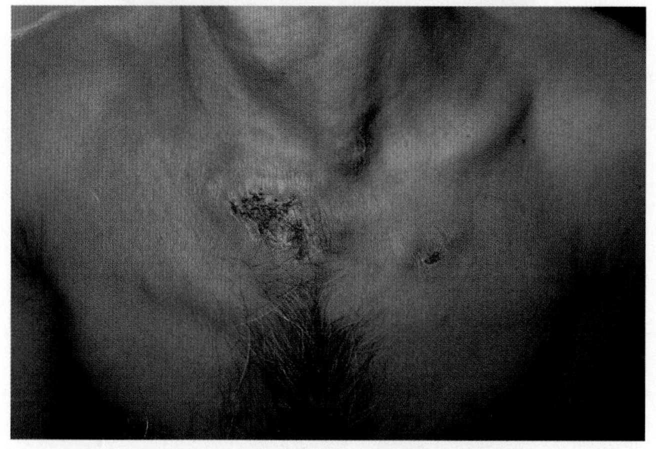
그림 16.17 전이결핵

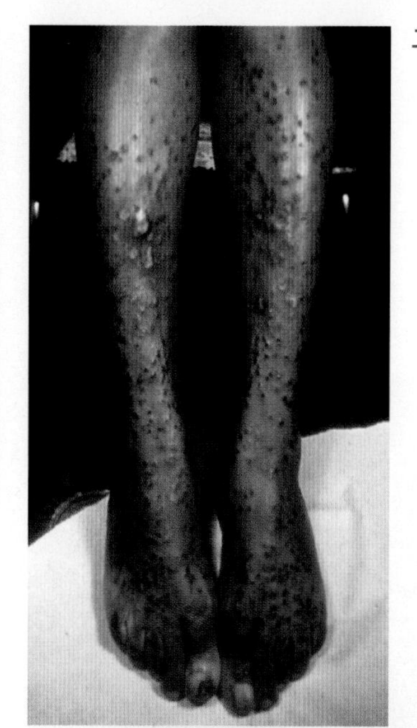
그림 16.18 구진괴사결핵발진

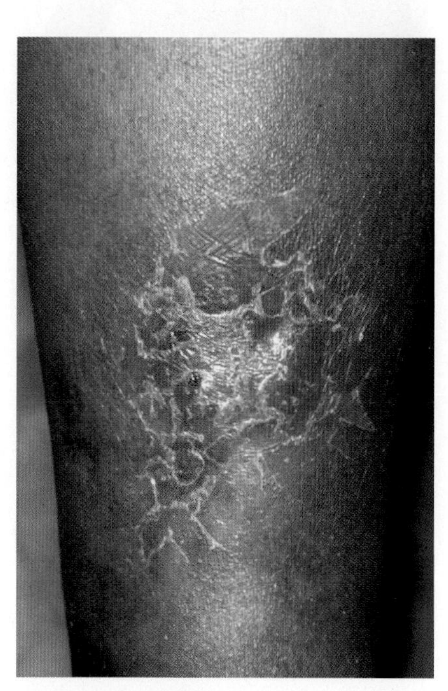
그림 16.19 경화홍반

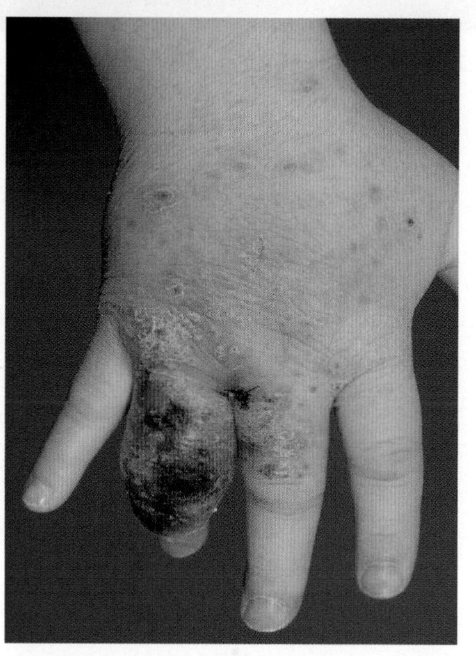
그림 16.20 면역약화 환자에서 발생한 *Mycobacterium marinum* 감염

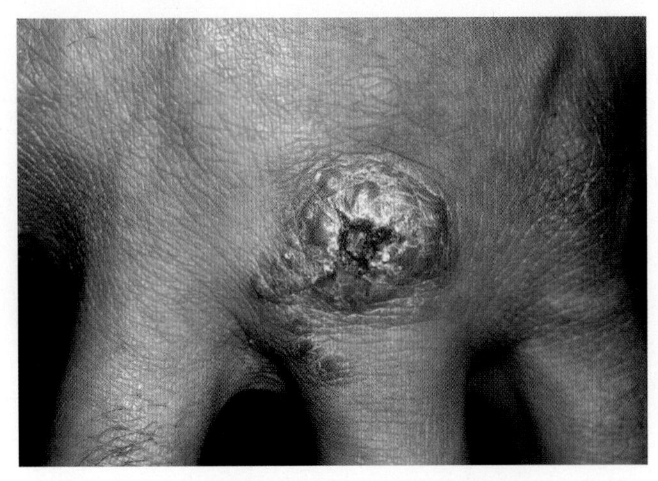

그림 16.21 *Mycobacterium marinum* 감염

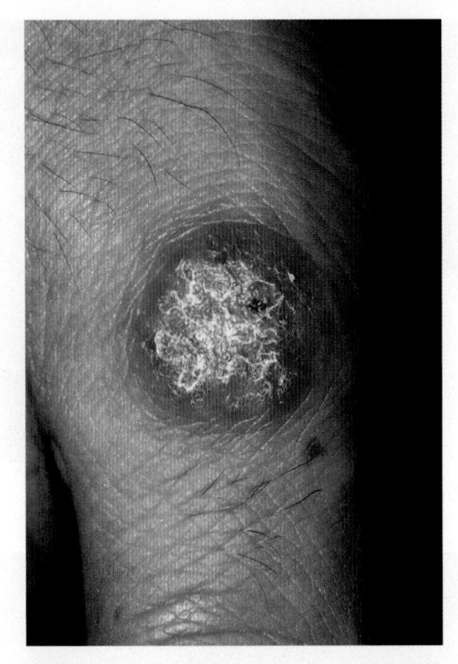

그림 16.22 *Mycobacterium marinum* 감염

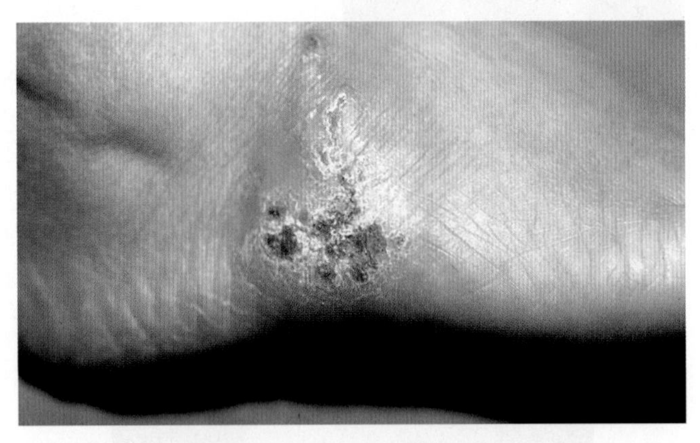

그림 16.23 *Mycobacterium marinum* 감염

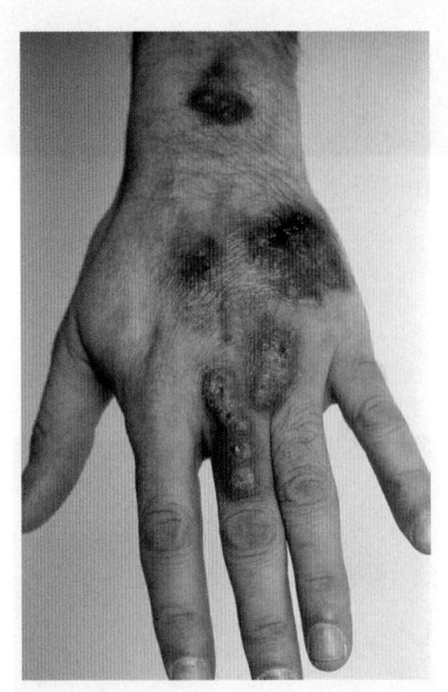

그림 16.24 스포로트리쿰양 *Mycobacterium marinum* 감염

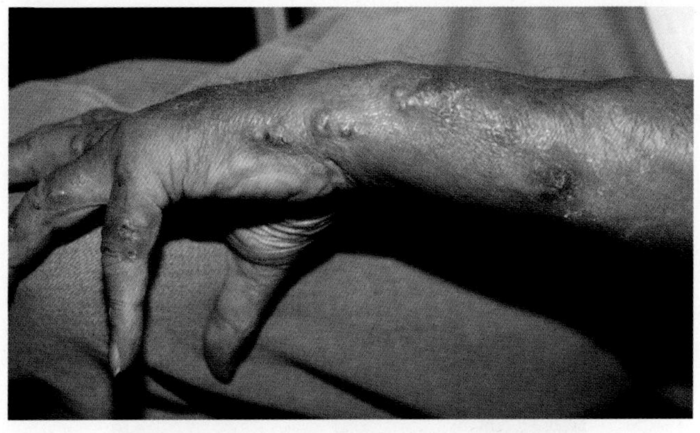

그림 16.25 스포로트리쿰양 *Mycobacterium marinum* 감염

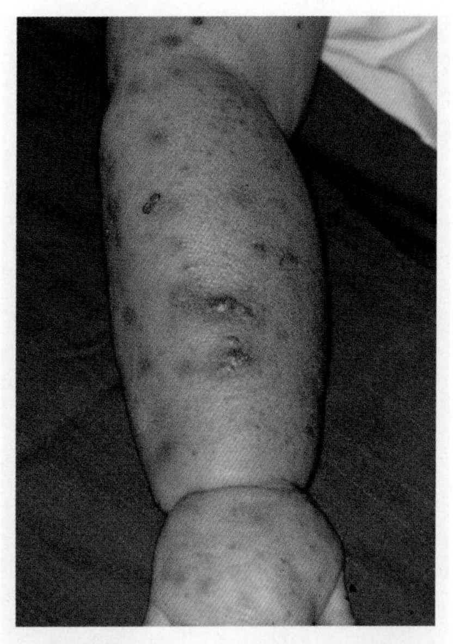

그림 16.26 스포로트리쿰양 *Mycobacterium marinum* 감염

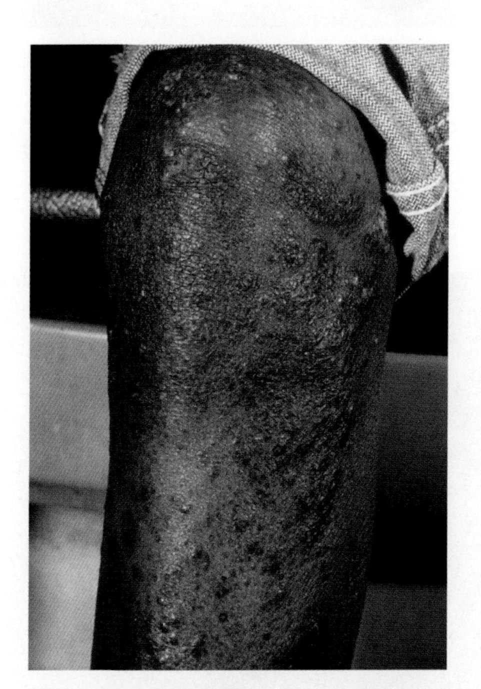

그림 16.27 루푸스 환자에서의 파종 *Mycobacterium marinum* 감염. 미노사이클린에 의한 색소침착도 관찰된다.

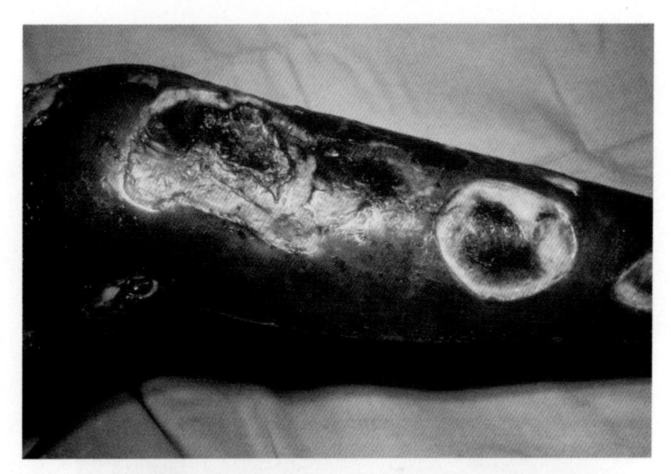

그림 16.28 부룰리 궤양

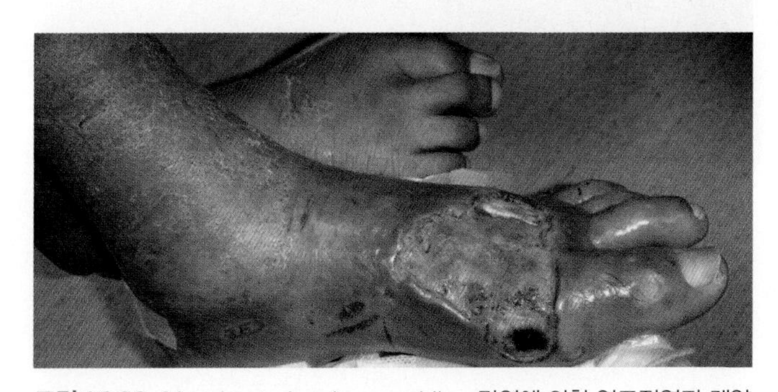

그림 16.29 *Mycobacterium haemophilum* 감염에 의한 연조직염과 궤양

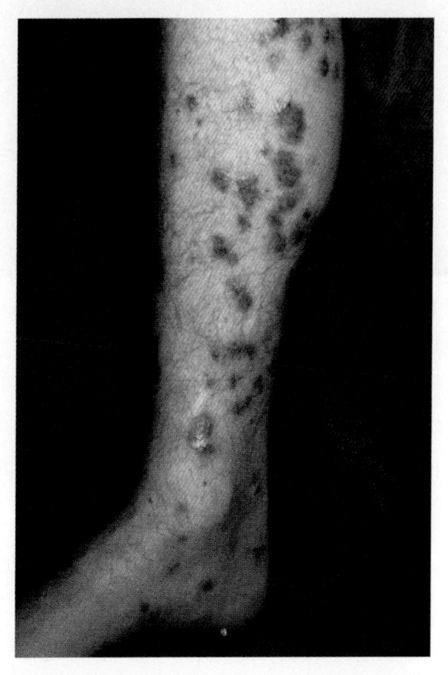

그림 16.30 *Mycobacterium fortuitum* 감염

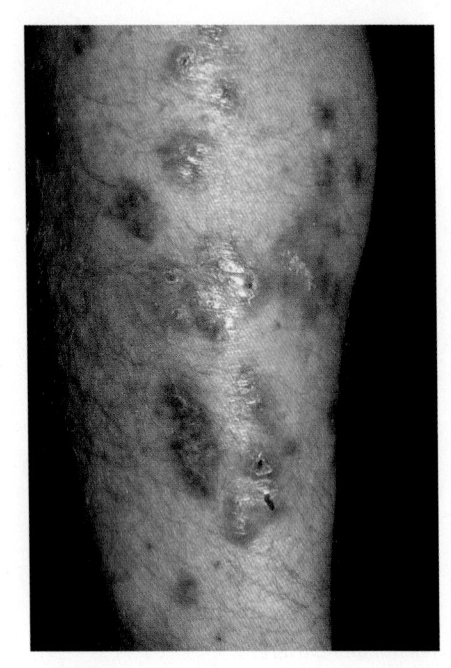
그림 16.31 *Mycobacterium fortuitum* 감염

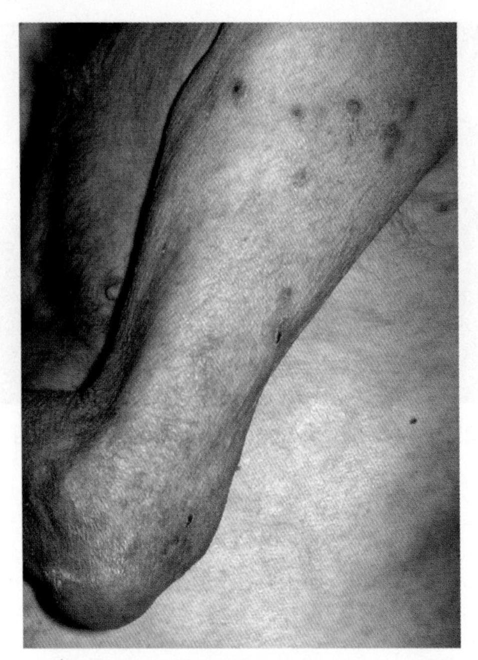
그림 16.32 프레드니솔론을 복용하는 만성 폐쇄성 폐질환 환자에서 발생한 *Mycobacterium chelonae* 감염

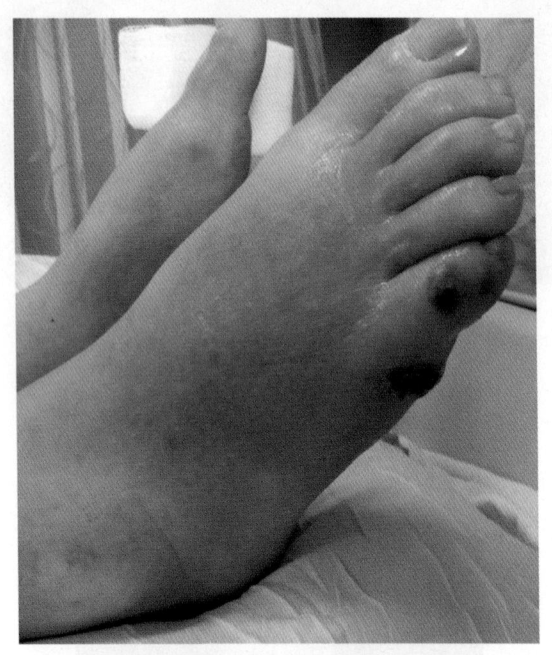
그림 16.33 폐이식을 받은 환자에서 발생한 *Mycobacterium chelonae* 감염

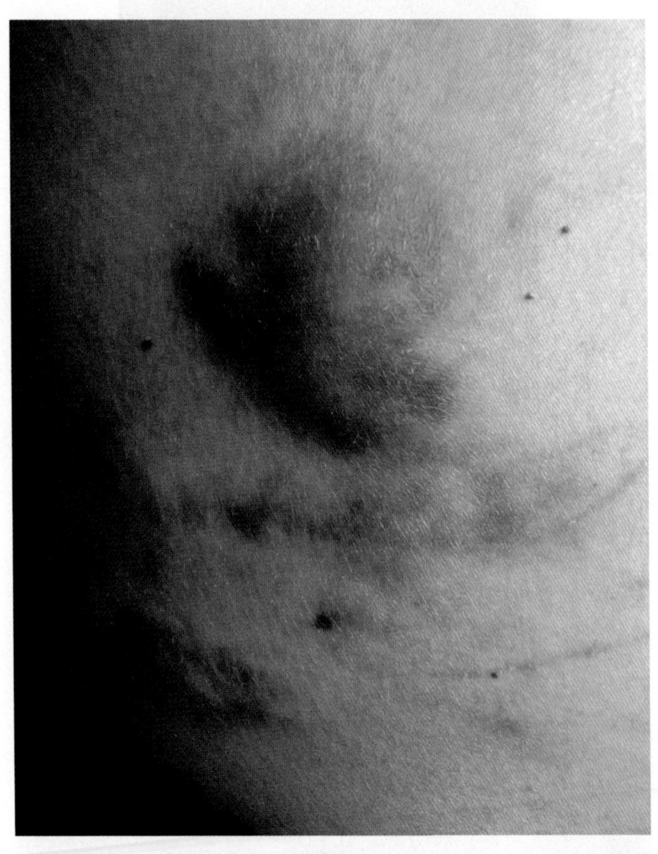
그림 16.34 건강한 성인에서 발생한 *Mycobacterium abscessus* 감염

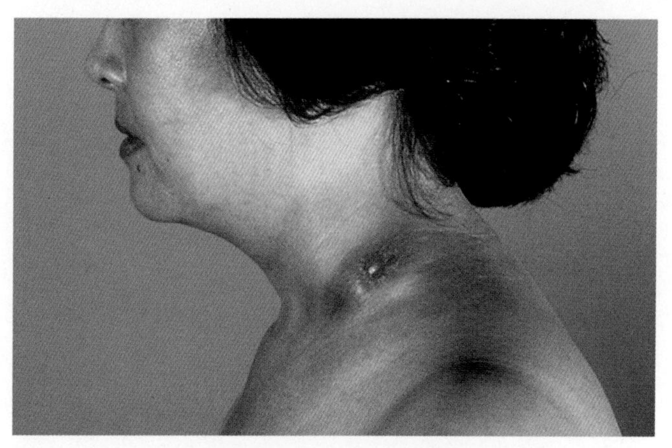

그림 16.35 *Mycobacterium chelonae* 감염

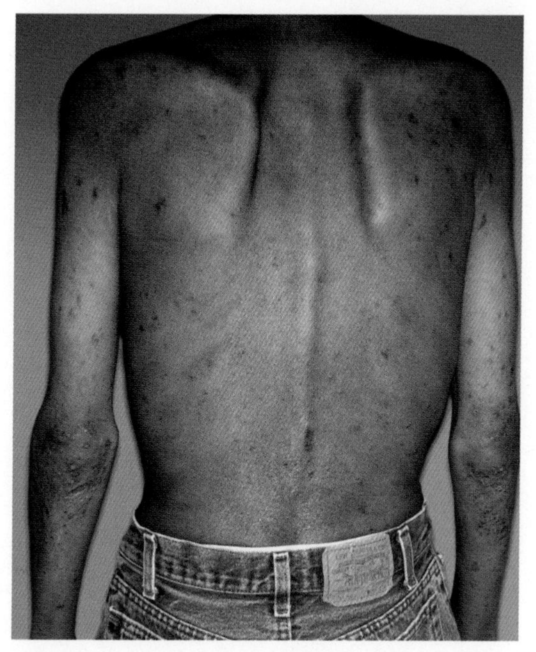

그림 16.36 HIV에 감염된 환자에서 발생한 전신 *Mycobacterium aviumintracellulare* 감염

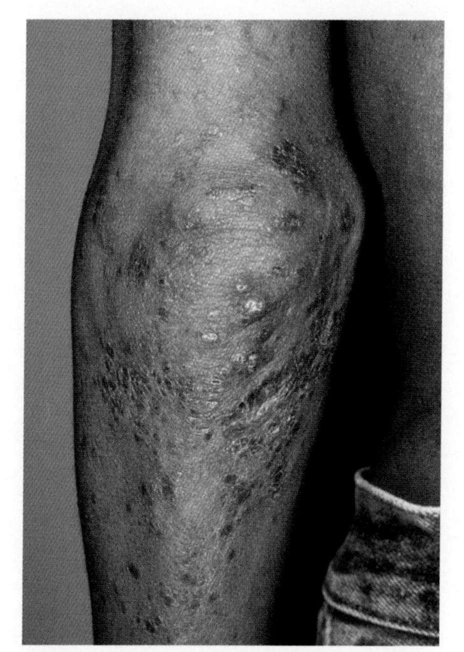

그림 16.37 HIV에 감염된 환자에서 발생한 전신 *Mycobacterium aviumintracellulare* 감염

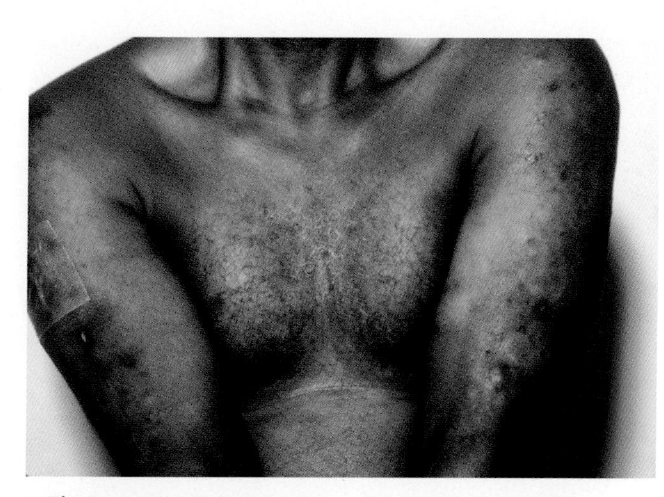

그림 16.38 피부 *Mycobacterium avium-intracellulare* 감염

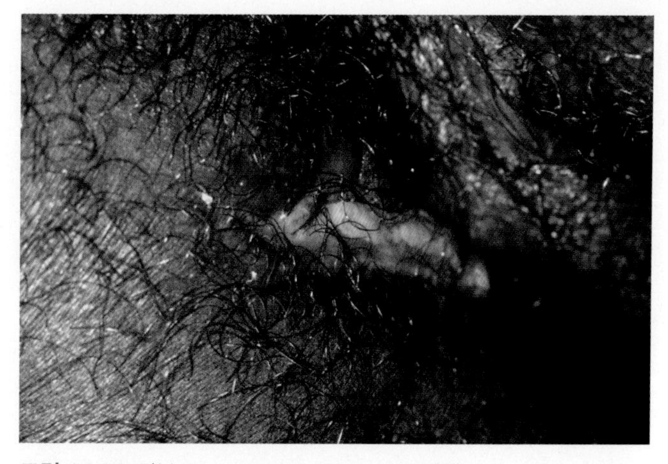

그림 16.39 피부 *Mycobacterium kansasii* 감염

한센병 17

나병의 임상양상은 부정형나병의 감지하기 힘든 저색소반부터 나종형 나병의 광범위한 얼굴 침범과 결절까지 다양하게 나타난다. 임상과 조직학적 양상은 면역반응과 균을 반영한다. 부정형나병은 소량의 혈관 주위의 염증세포 침윤과 만성화로 인한 피부섬유화를 보이며 임상적으로 매우 경미한 홍반과 경화를 보인다. 결핵형나병은 무감각의 홍반성 판으로 나타나고 경계나병은 고리모양의 홍반성 병변을 특징으로 하며 나종형나병에서는 구진, 결절과 광범위한 피부 경화, 그리고 외측 눈썹의 소실을 보이며 사자 안면으로 진행되기도 된다.

나반응에는 역전반응이 있고 이는 세포매개 면역반응의 증강으로 인한 신경학적 증상과 통증의 증가로 나타난다. 이와 반면에 나병결절홍반은 국소적으로 생성된 면역복합체에 의한 반응으로 조직학적으로 백혈구파괴혈관염을 보이는 것을 특징으로 한다. 로시오 현상은 다양한 크기 혈관들의 혈전증과 다양한 혈관염, 그리고 경화된 피부 표면에 별모양의 궤양과 그물모양의 자반이 나타나는 것을 의미한다. 여기서는 한센병의 다양한 임상양상에 대해 소개하고자 한다.

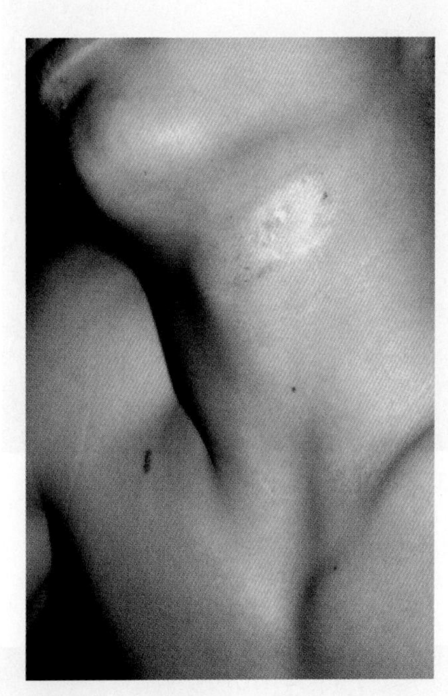

그림 17.2 부정형나병

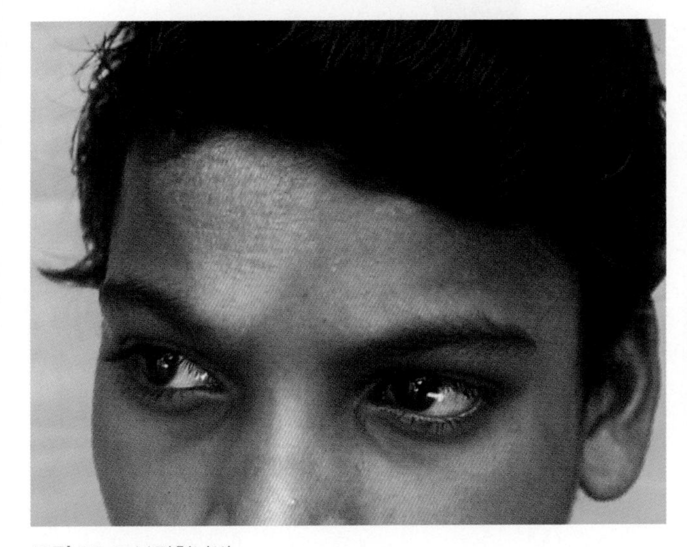

그림 17.1 부정형나병

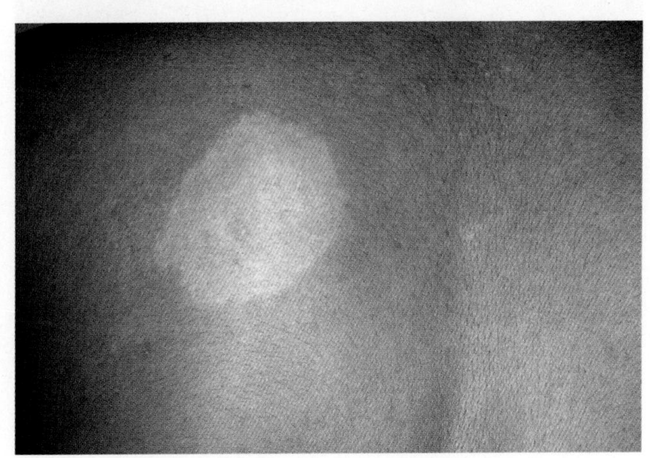

그림 17.3 초기 결핵형나병

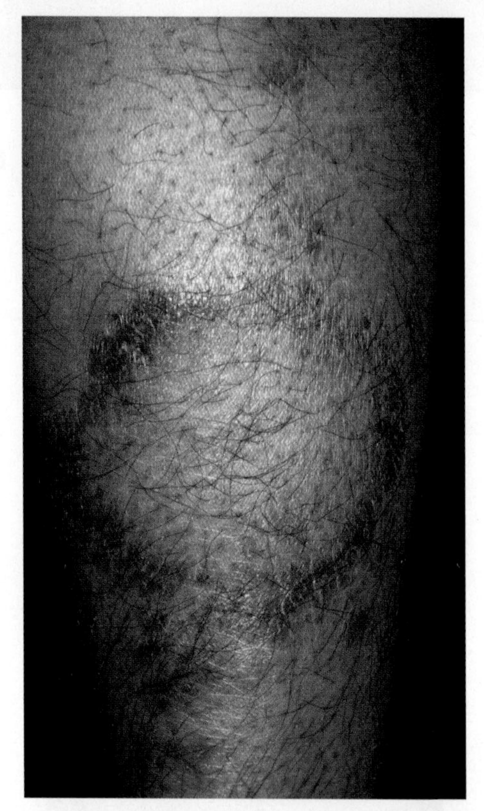

그림 17.4 결핵형나병

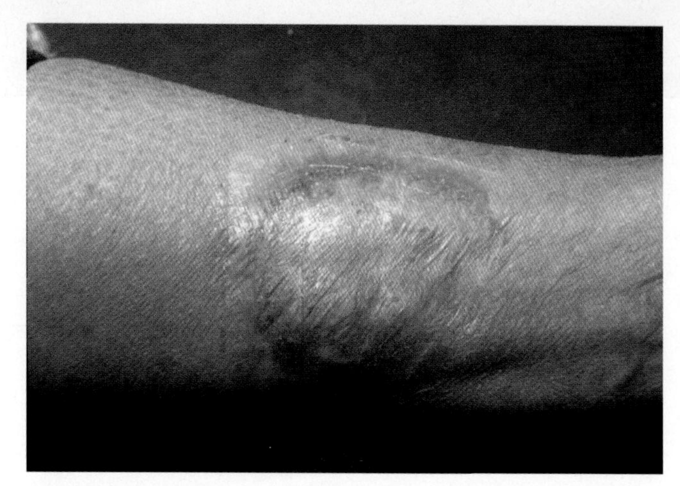

그림 17.5 결핵형나병

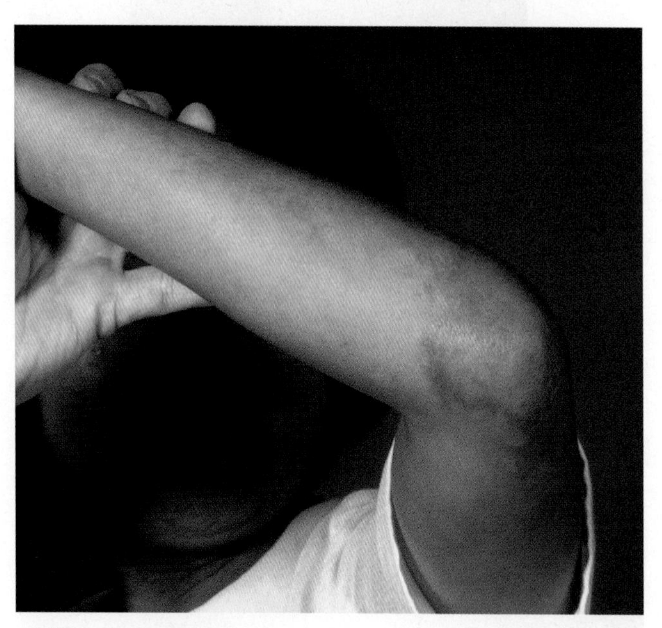

그림 17.6 결핵형나병

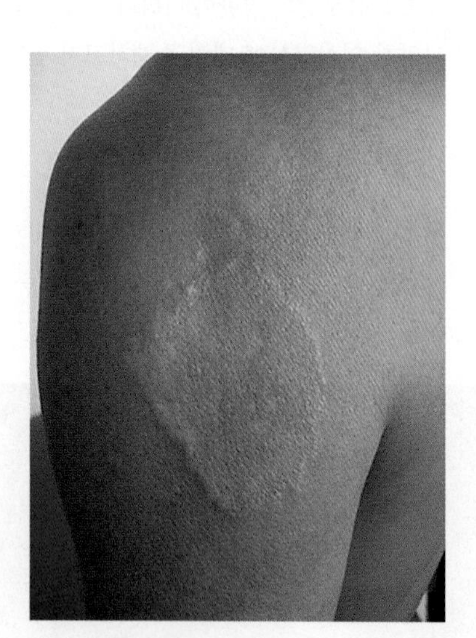

그림 17.7 결핵형나병

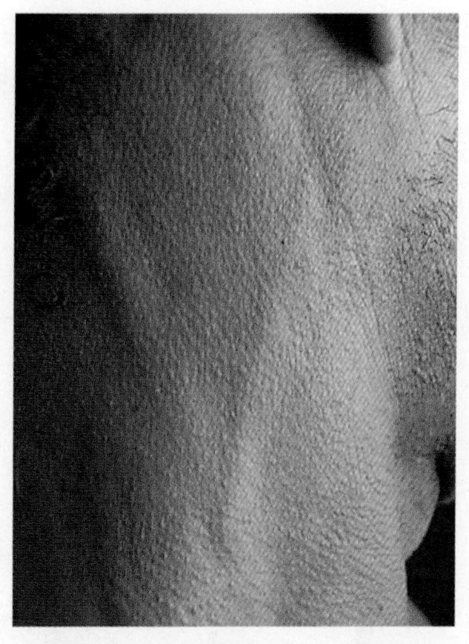

그림 17.8 나병 환자에서 큰귓바퀴신경이 커진 것을 볼 수 있다.

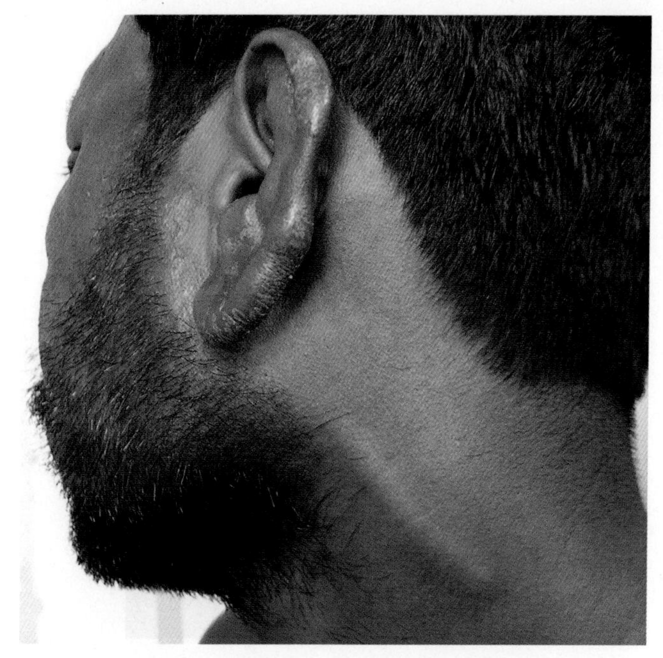

그림 17.9 나병 환자에서 신경이 커진 것을 볼 수 있다.

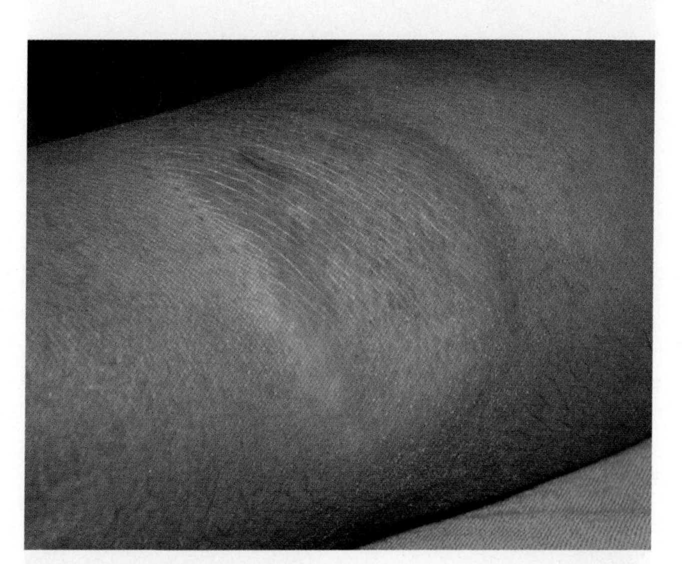

그림 17.10 경계결핵형나병

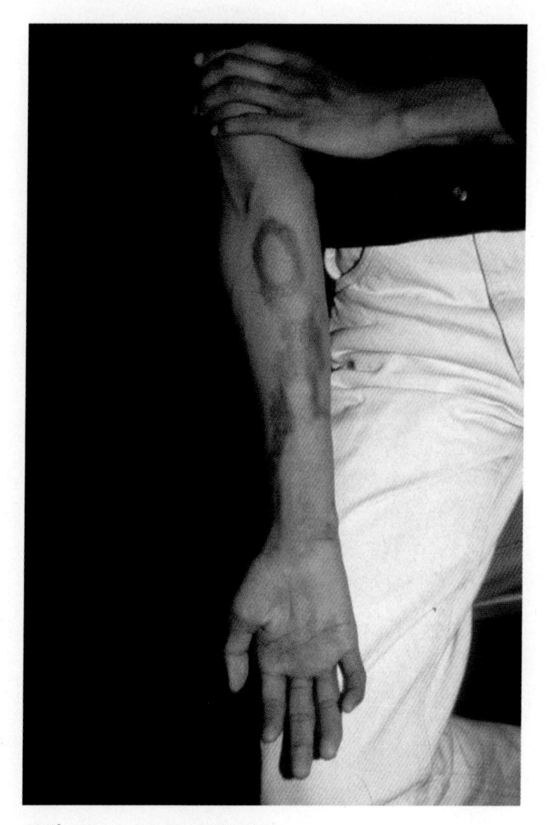

그림 17.11 경계결핵형나병

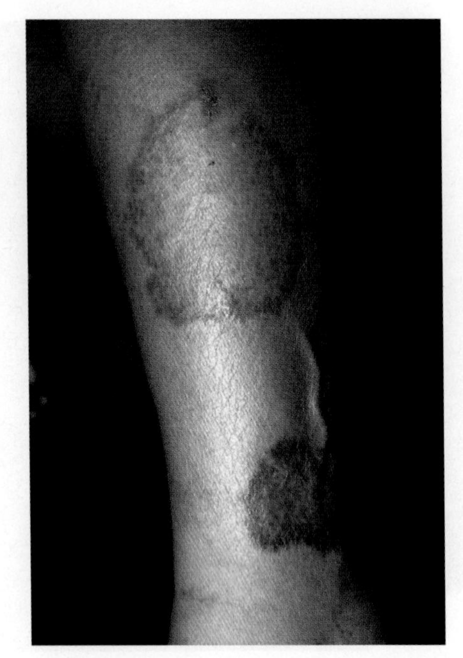
그림 17.12 경계결핵형나병

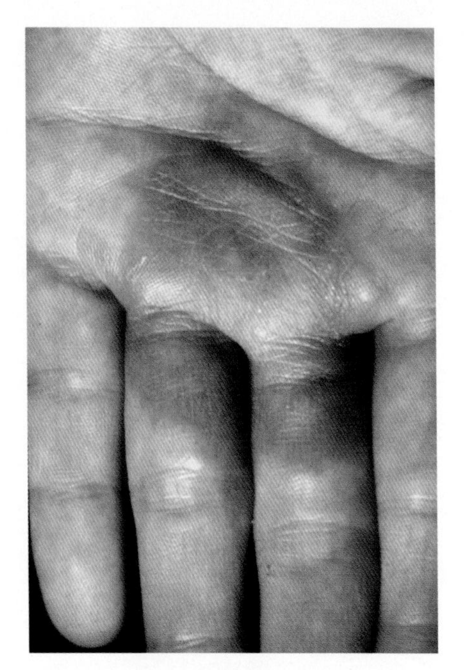
그림 17.13 경계결핵형나병

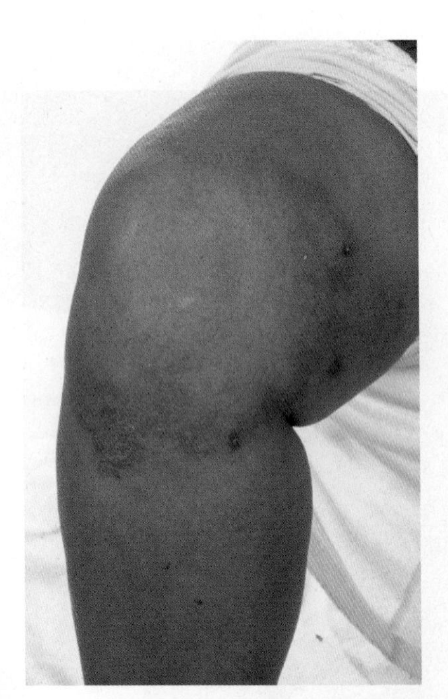
그림 17.14 경계결핵형나병

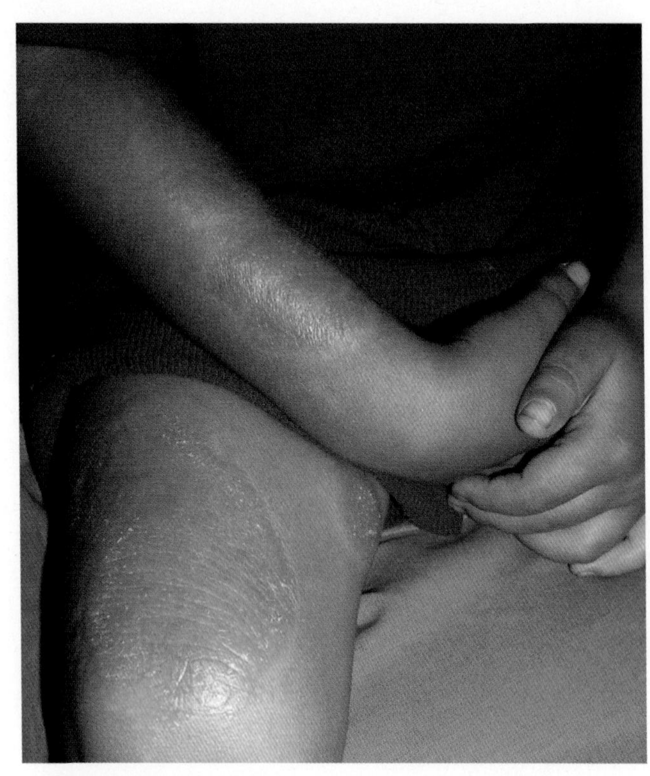
그림 17.15 경계결핵형나병

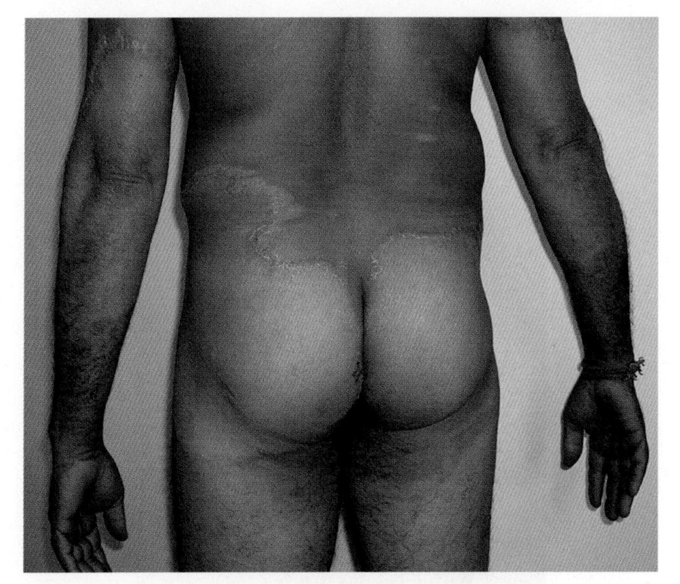

그림 17.16 경계형나병

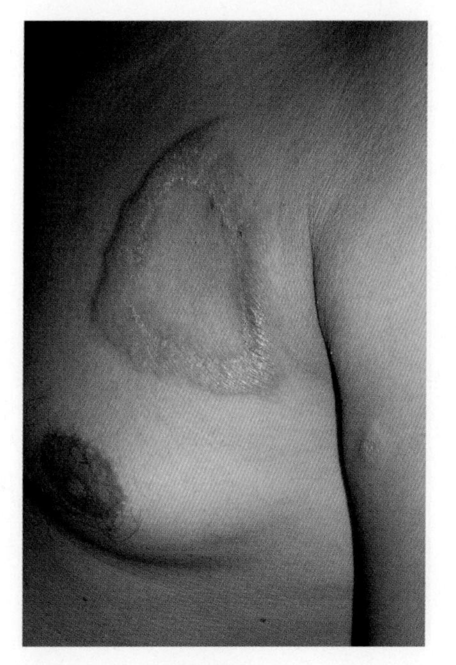

그림 17.17 경계형나병

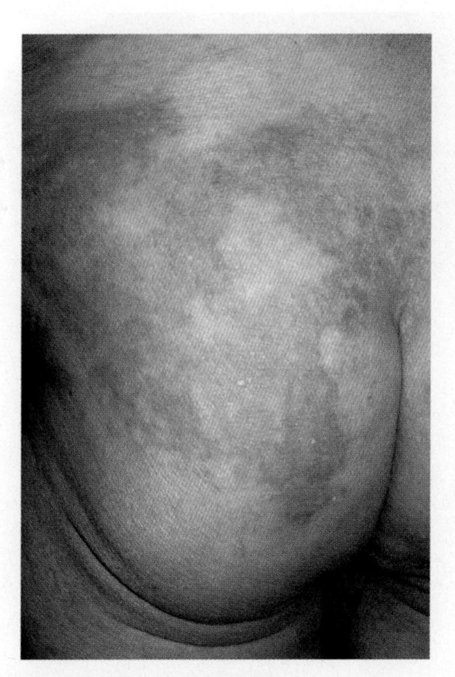

그림 17.18 경계나종형나병

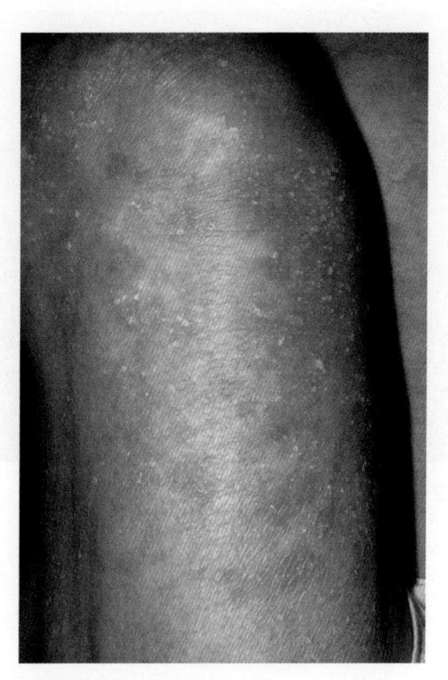

그림 17.19 경계나종형나병

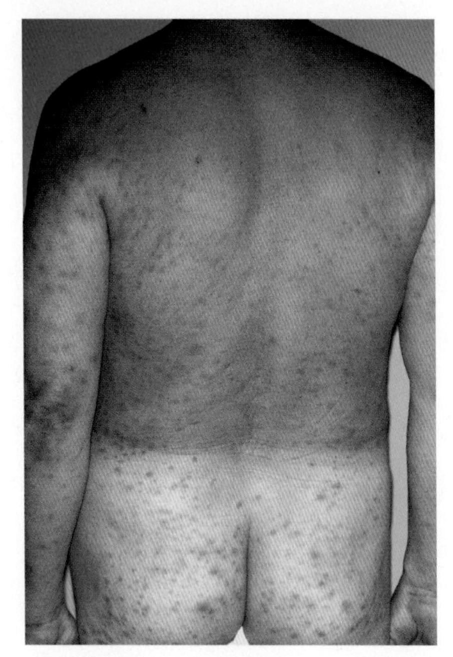

그림 17.20 경계나종형나병

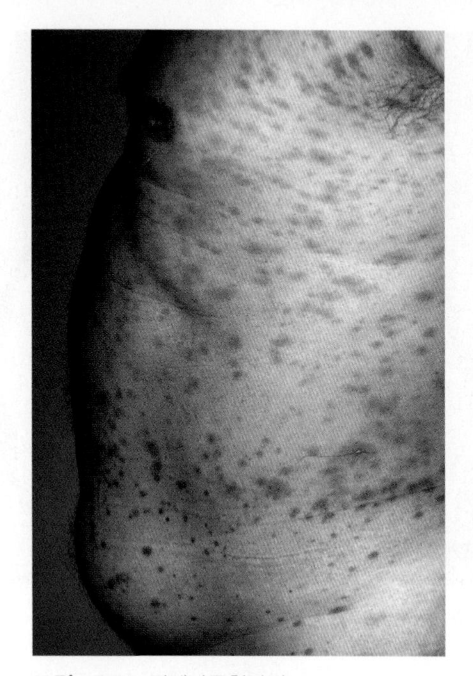

그림 17.21 경계나종형나병

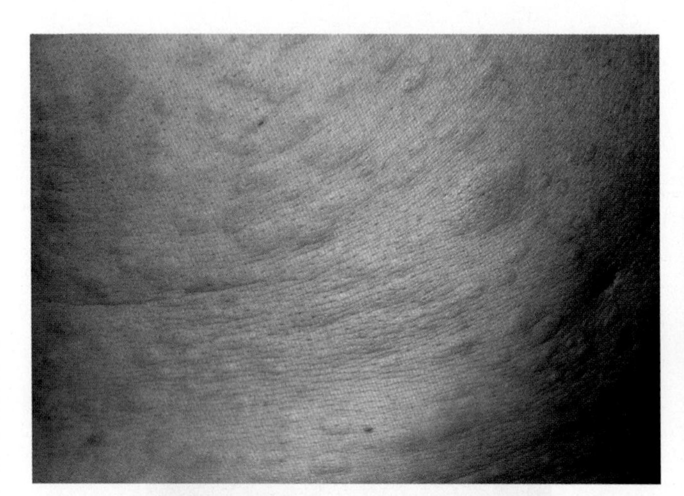

그림 17.22 경계나종형나병

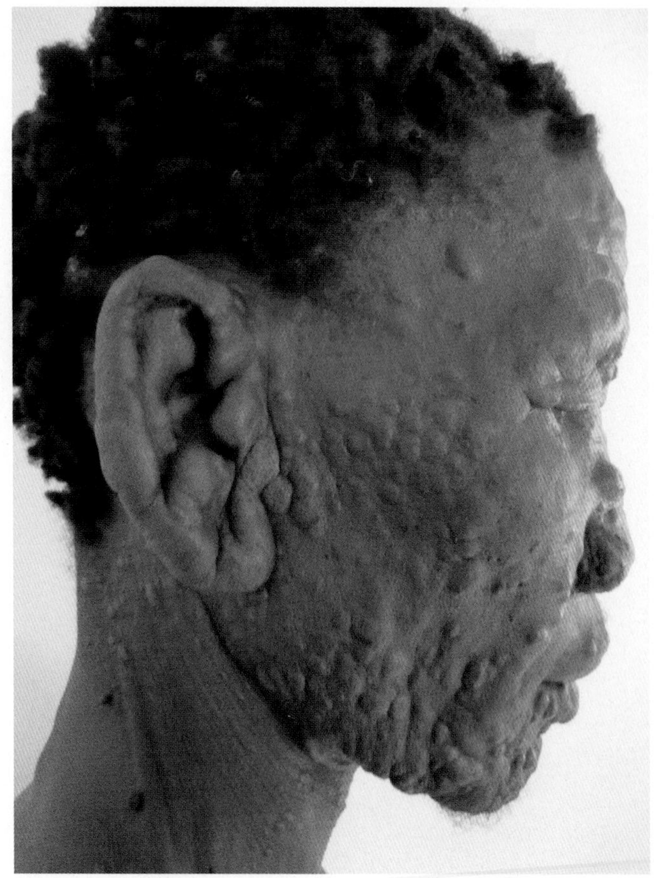

그림 17.23 나종형나병

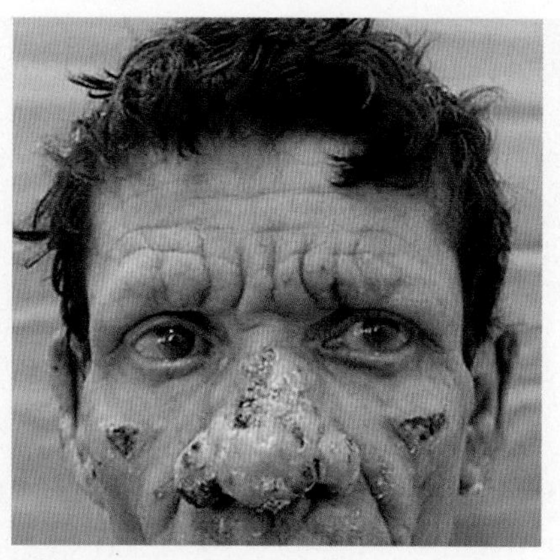
그림 17.24 나종형나병

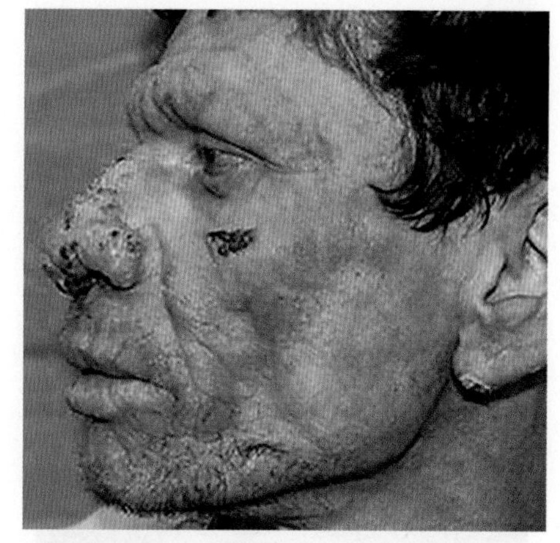
그림 17.25 나종형나병

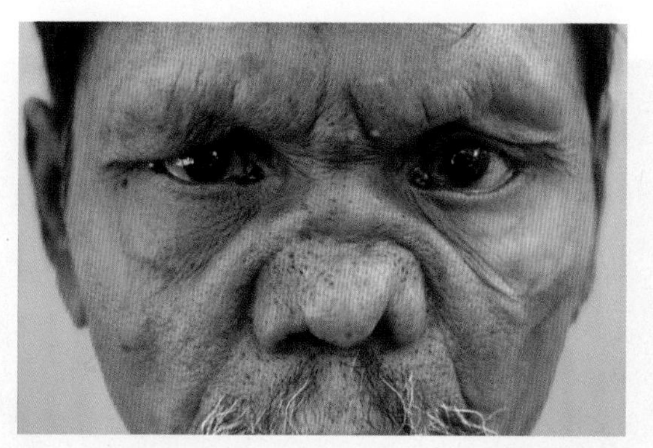
그림 17.26 나종형나병

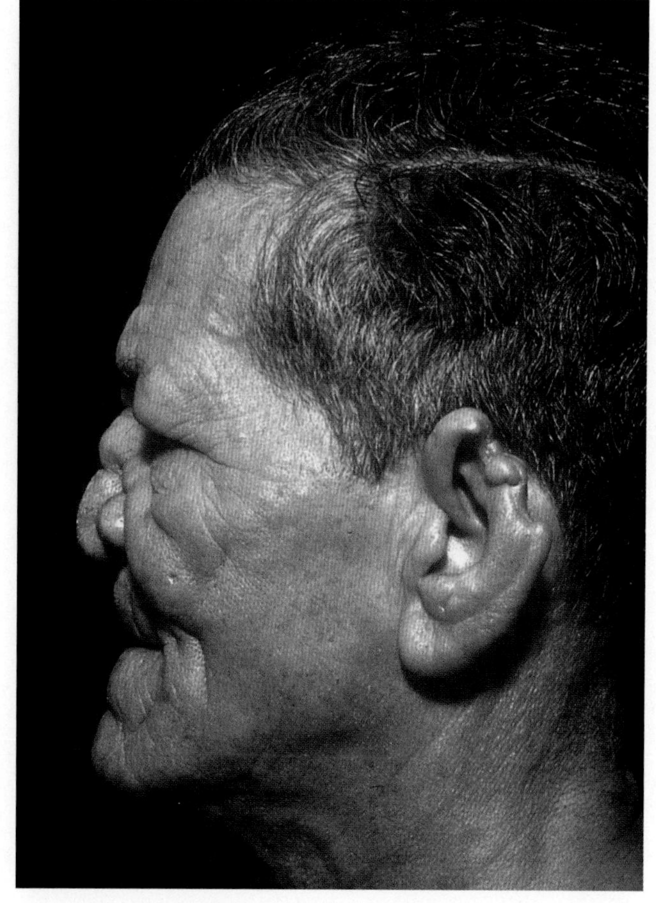
그림 17.27 나종형나병

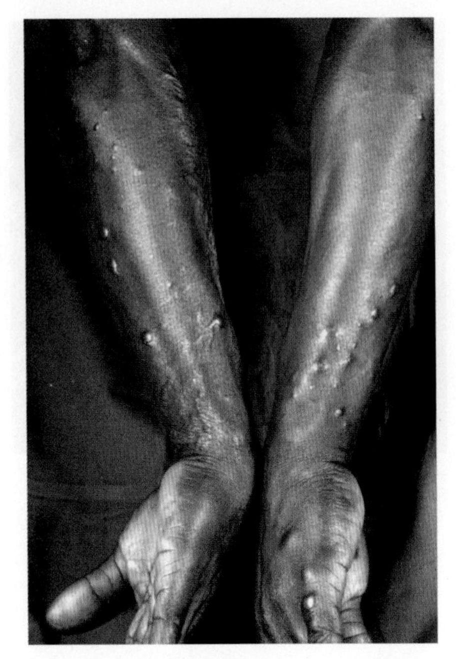

그림 17.28 나종형나병

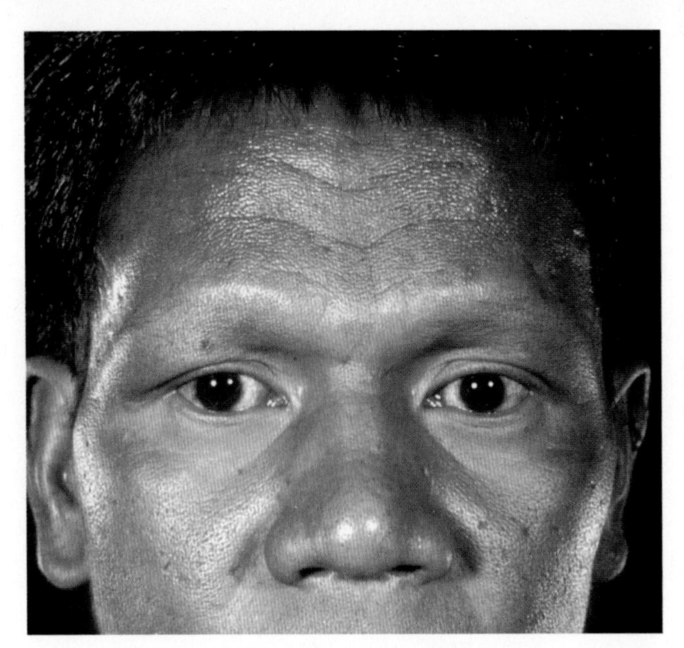

그림 17.29 Lucio의 광범위 나병. 눈썹이 소실된 것을 볼 수 있다.

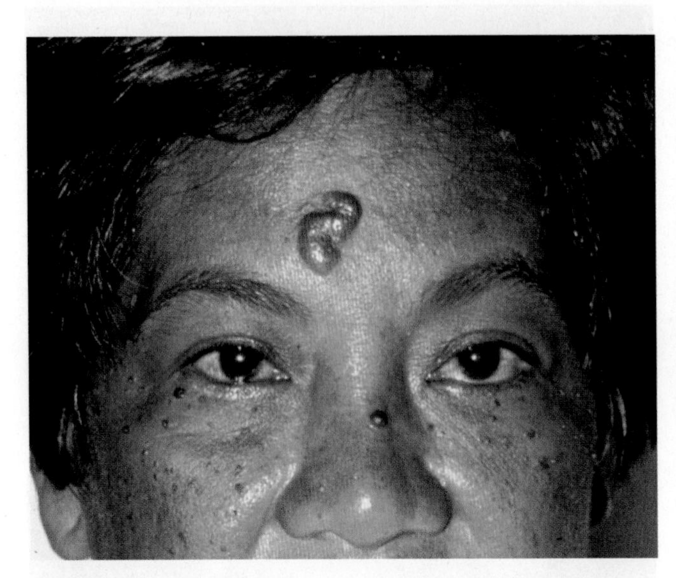

그림 17.30 조직구모양나병

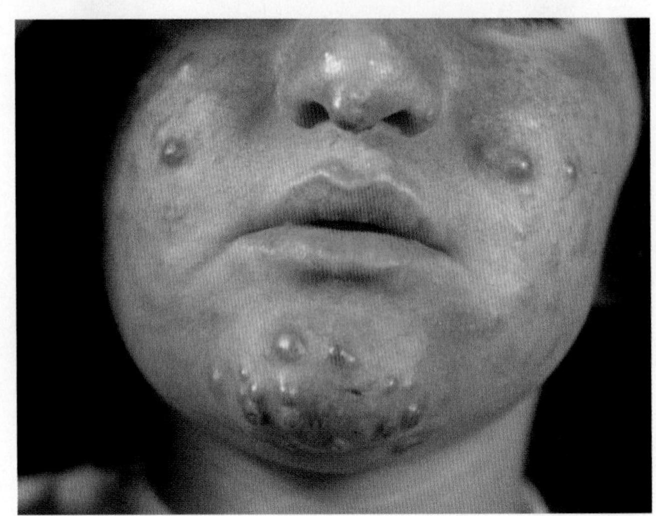

그림 17.31 조직구모양나병

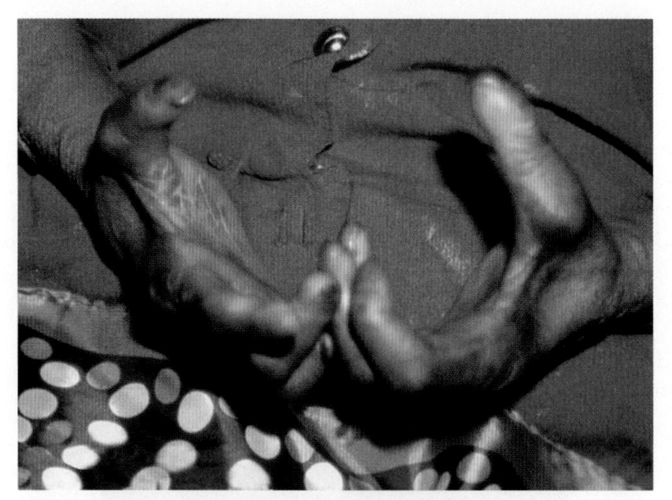

그림 17.32 나병에서의 신경병증에 의한 이차 변화

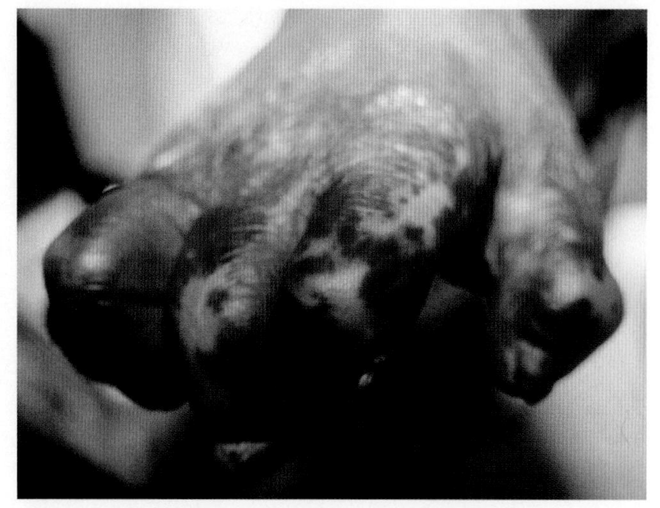

그림 17.33 나병에서의 신경병증에 의한 이차 변화

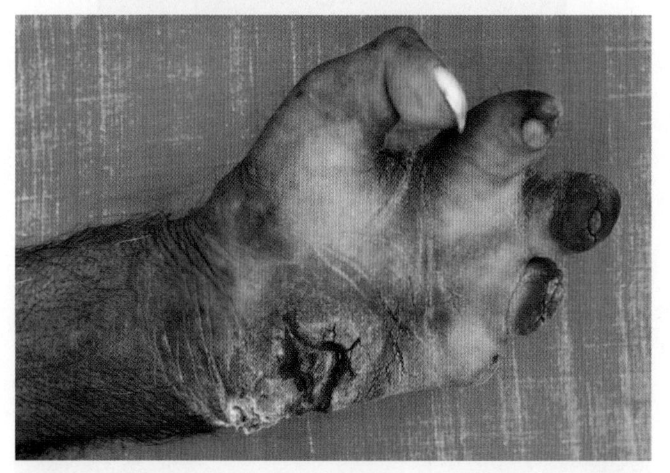

그림 17.34 나병에서의 신경병증 궤양

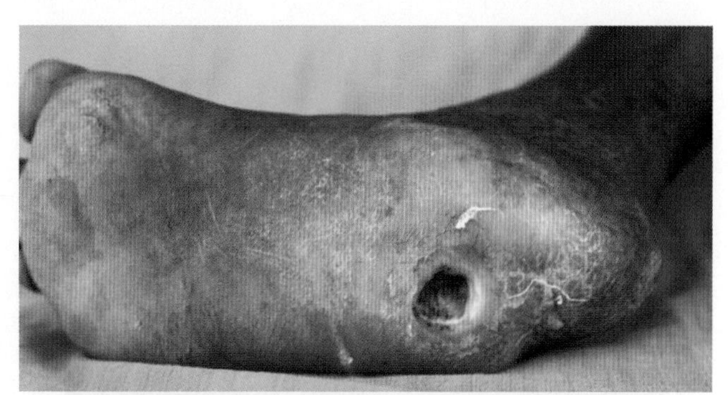

그림 17.35 나병에서의 신경병증 궤양

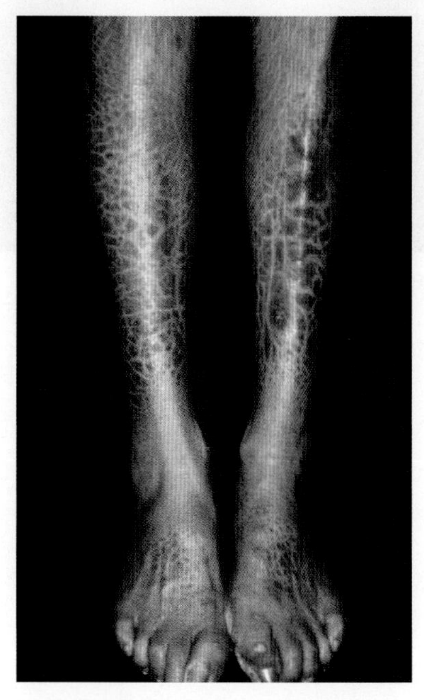

그림 17.36 나병에서의 후천어린선

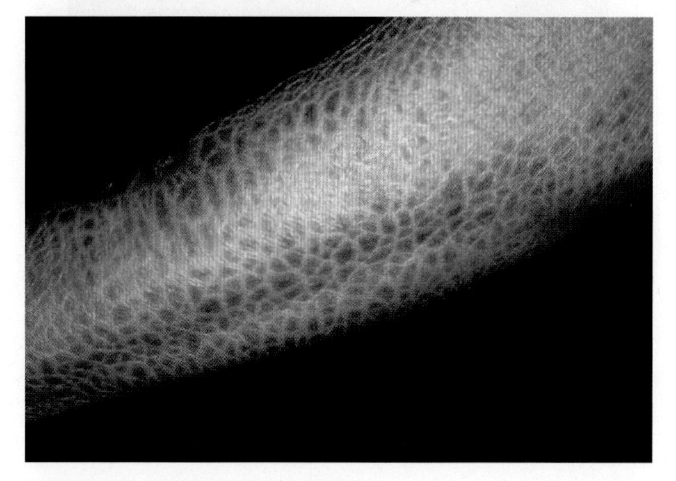

그림 17.37 나병에서의 후천어린선

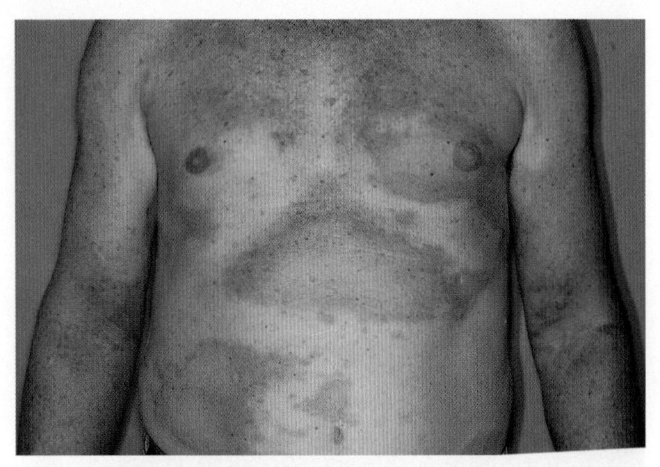

그림 17.38 제1형 나반응

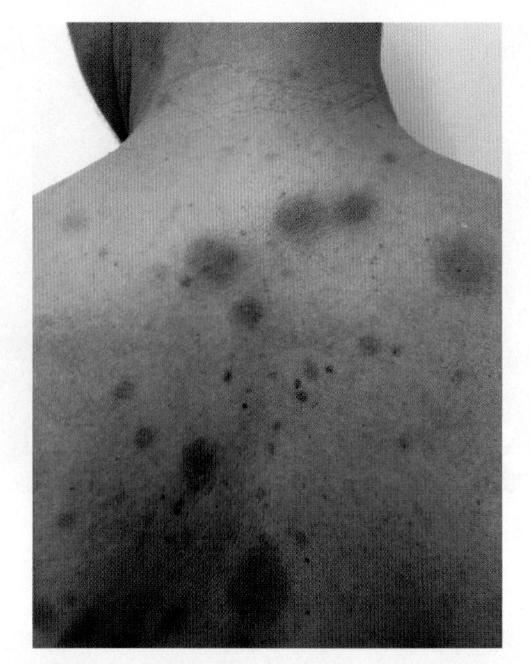

그림 17.39 제1형 나반응

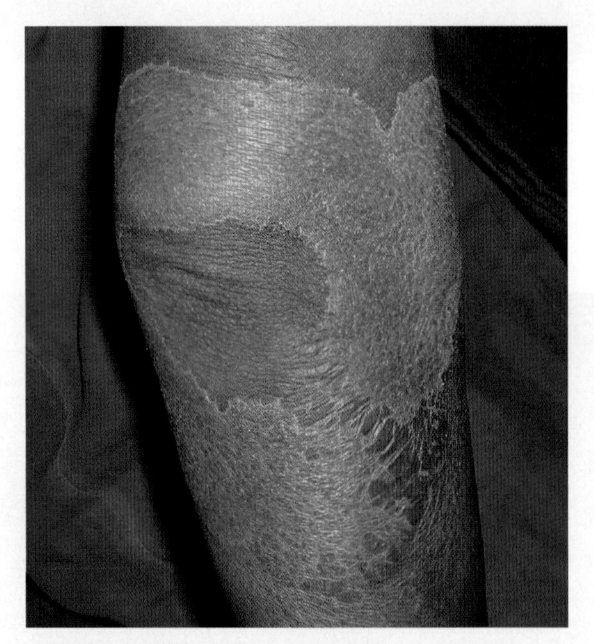

그림 17.40 제1형 나반응

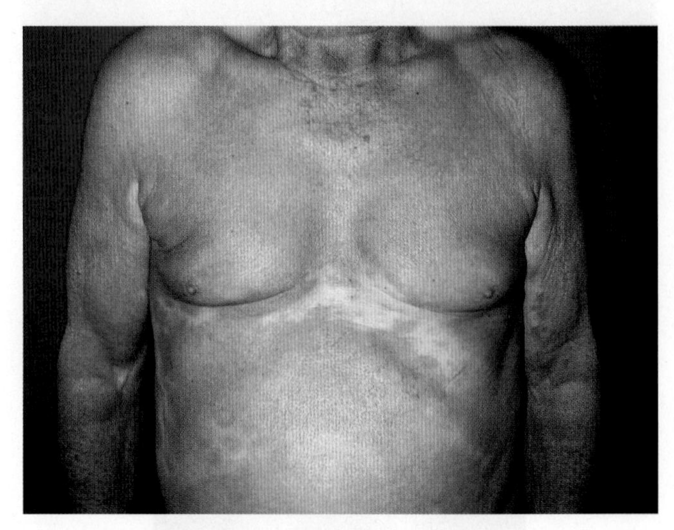

그림 17.41 제1형 나반응

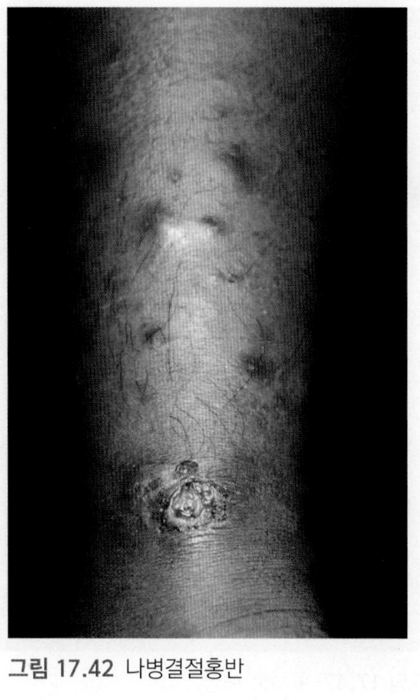

그림 17.42 나병결절홍반

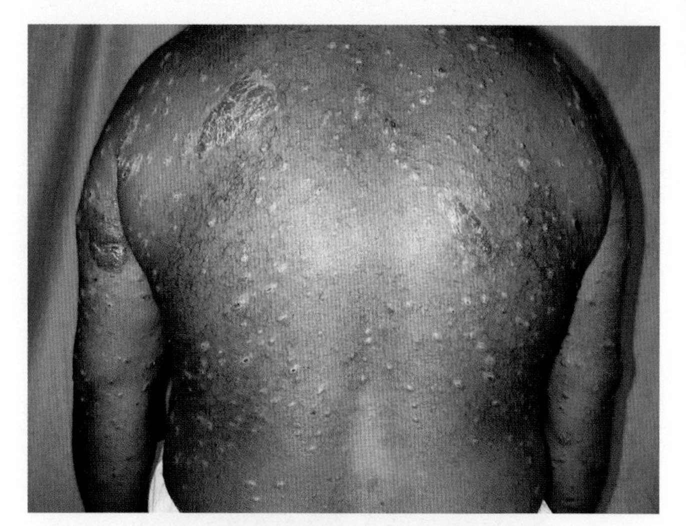

그림 17.43 제2형 나반응

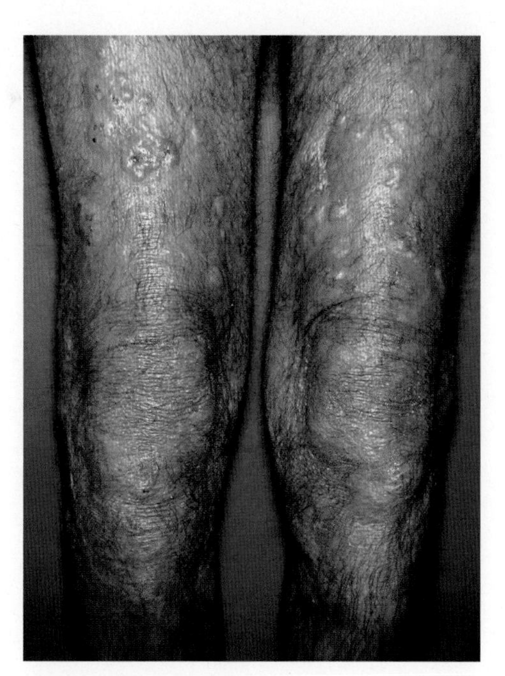

그림 17.44 제2형 나반응

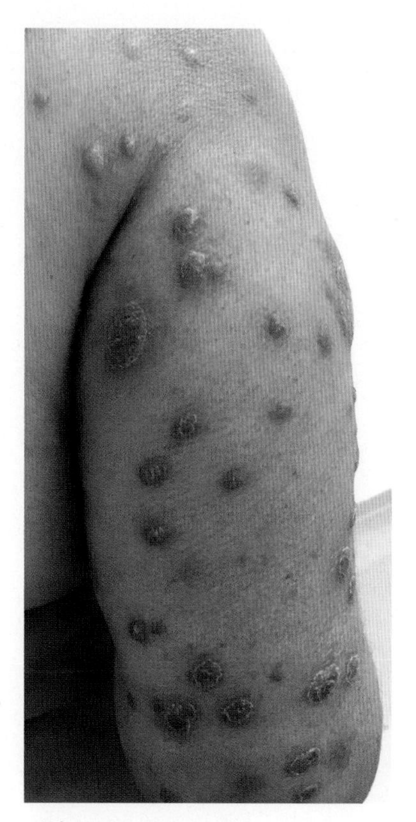

그림 17.45 제2형 나반응

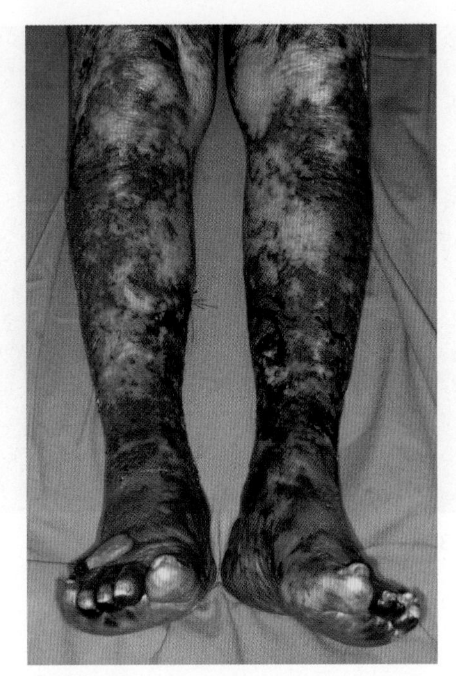

그림 17.46 루시오 현상

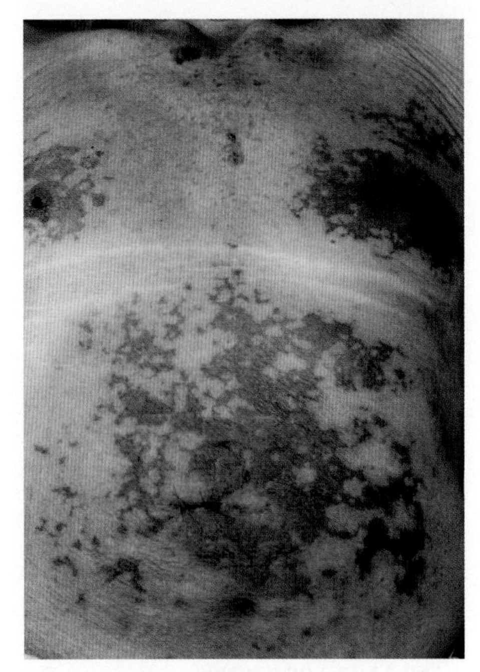

그림 17.47 루시오 현상

매독, 요스, 베젤과 열대백반피부염 18

매독은 그 증상이 매우 다양한 양상으로 나타나 '위대한 모방자'라고도 불린다. 일차매독은 경미한 압통을 동반하는 경화성 궤양을 보이는 경성하감을 특징적으로 하며 드물게는 귀두포피염이 나타나기도 한다. 이차매독은 경화성의 구릿빛을 띄는 구진비늘성 병변, 탈모, 그리고 회색의 경화성 점막반 등으로 나타나게 된다. 손발바닥도 침범할 수 있다. 삼차매독에서는 주변 조직을 파괴하는 육아종성 병변이 특징적으로 나타나며 주로 얼굴 중심부를 침범하여 콧등의 결손을 일으키게 된다. 선천매독은 골막염에 의해 검상경골이 발생하며 그 외 점막염과 구강 주위의 회색의 균열을 동반하는 점막반도 나타날 수 있다. 수포성 병변들 또한 선천매독에서 보일 수 있다.

매독의 진단을 위해서는 감별진단으로 강력한 가능성을 두어야 하며, 너무 높은 항체 역가로 인해 혈청학적 검사가 위음성으로 나올 수도 있다. 매독이 의심될만한 임상양상을 잘 인지하여 조직검사를 포함하여 적절한 검사를 바로 시행할 수 있도록 해야 한다.

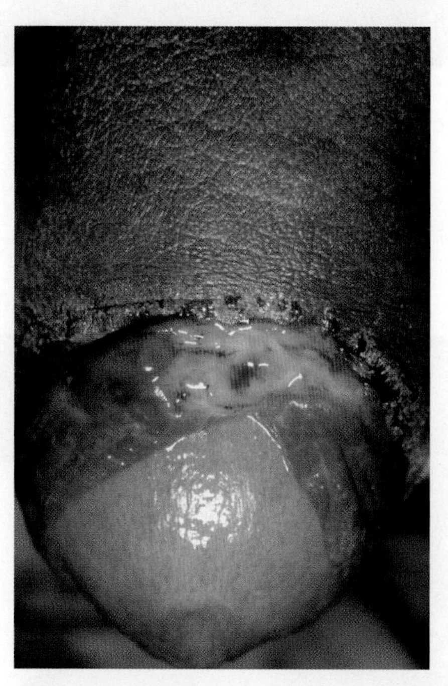

그림 18.2 일기매독

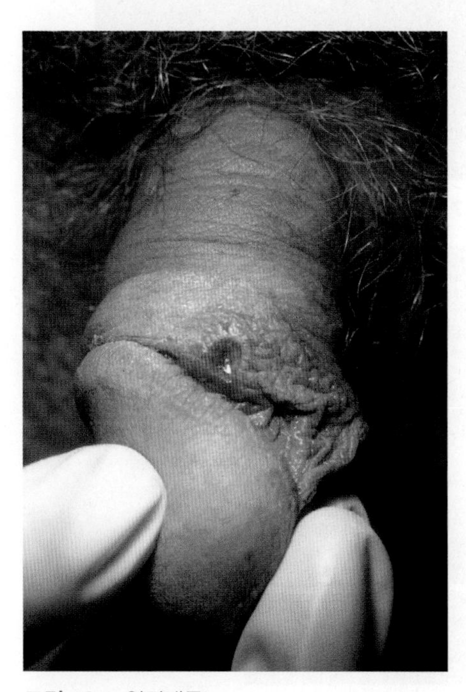

그림 18.1 일기매독

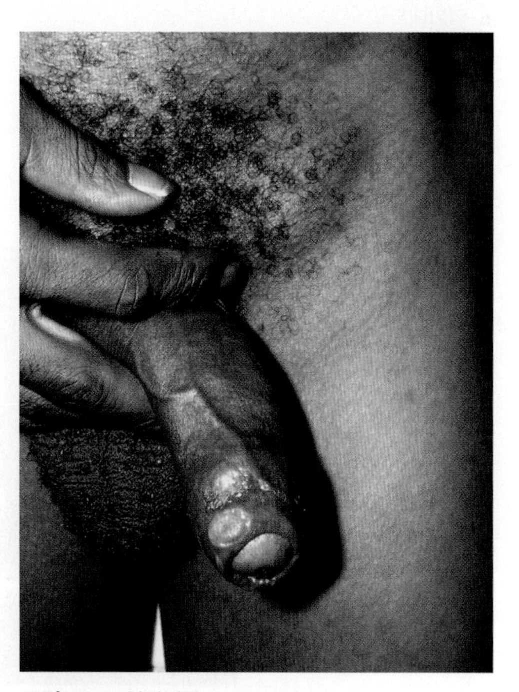

그림 18.3 일기매독

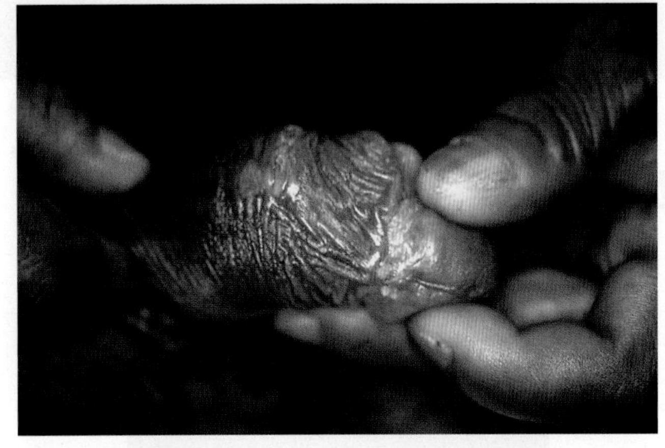
그림 18.4 일기매독

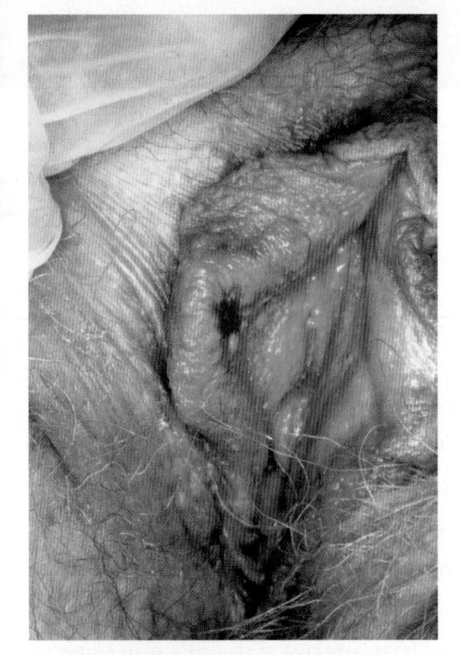
그림 18.5 일기매독

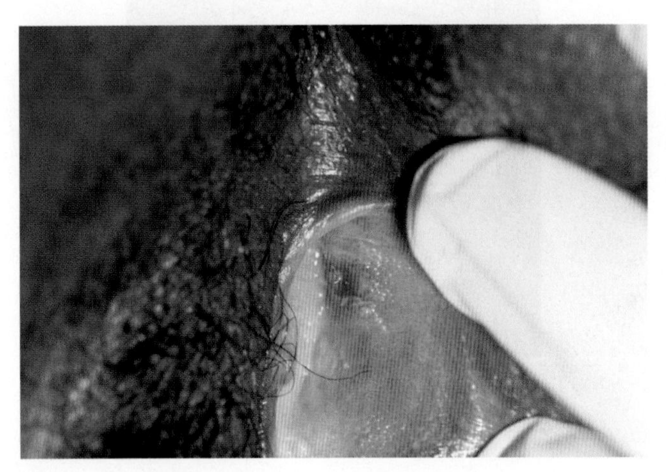
그림 18.6 일기매독

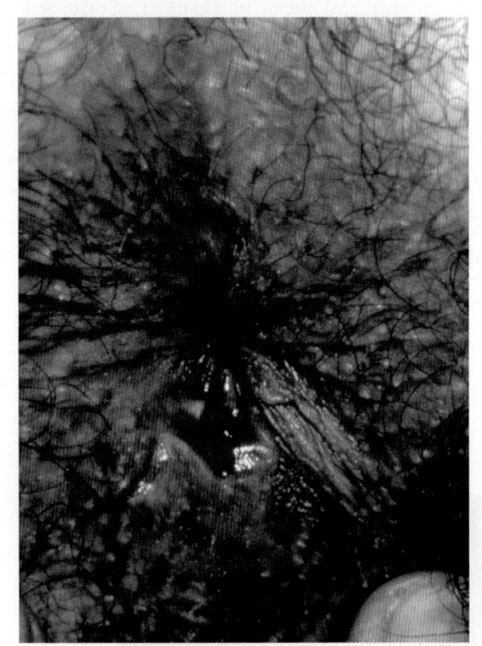
그림 18.7 일기매독

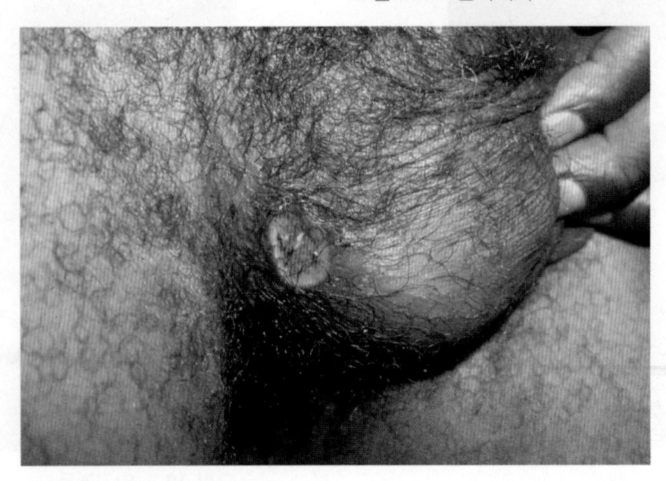
그림 18.8 일기매독

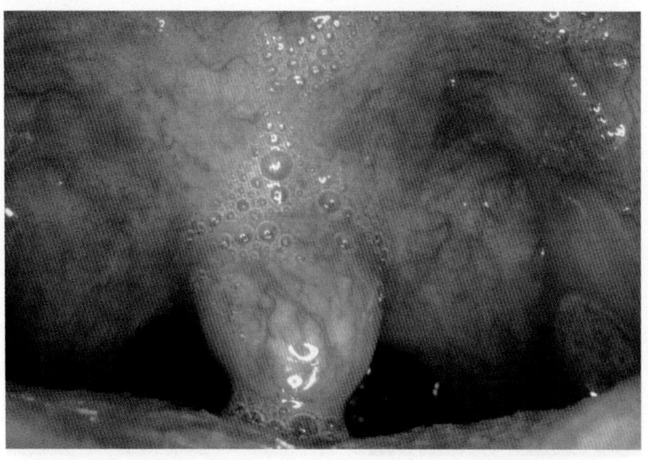

그림 18.9 일기매독. 환자의 왼쪽 구개에 경성하감이 관찰된다.

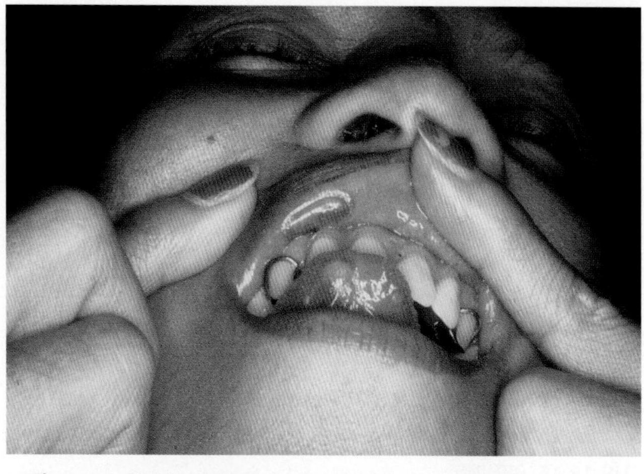

그림 18.10 윗입술의 호전되고 있는 일기매독. 혀에 발생한 이기매독의 점막반이 동시에 관찰된다.

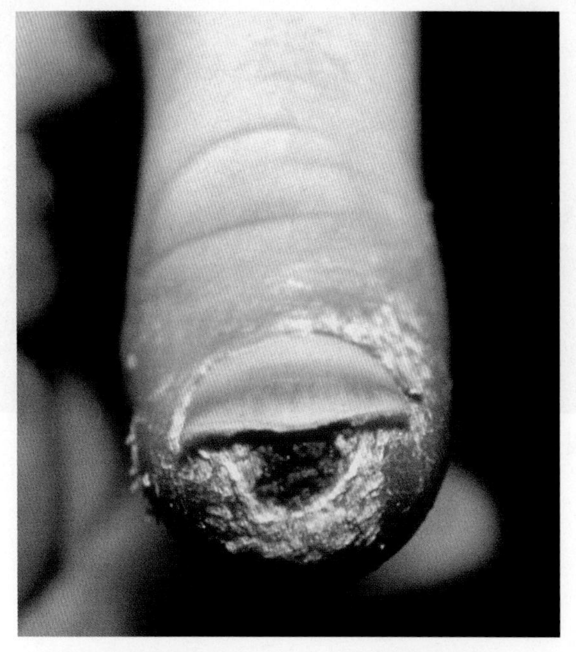

그림 18.11 일기매독

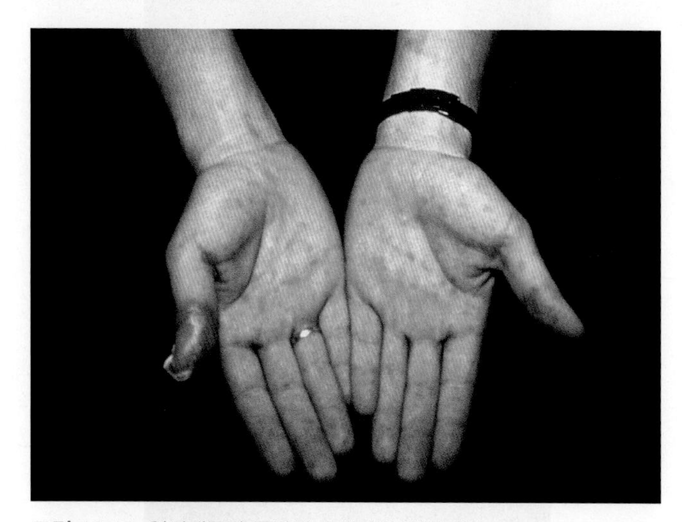

그림 18.12 일기매독과 동반된 손바닥의 이차병변

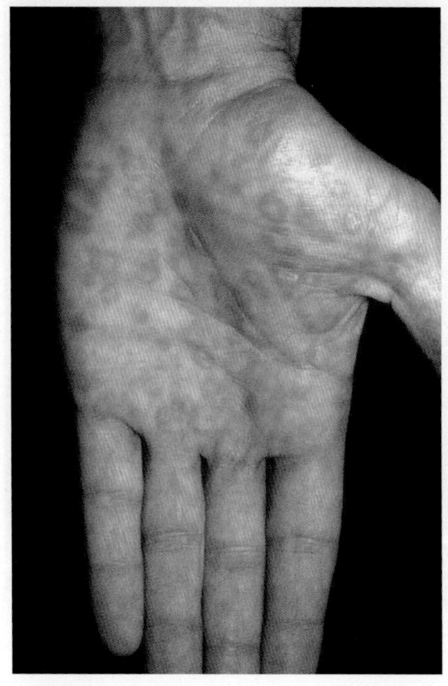

그림 18.13 이기매독

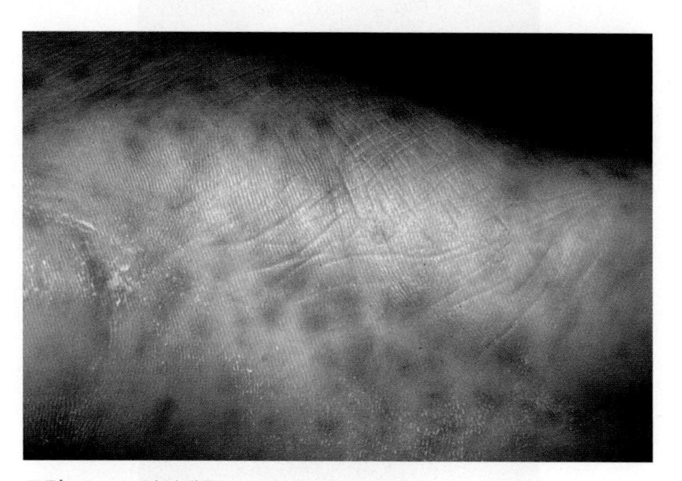

그림 18.14 이기매독

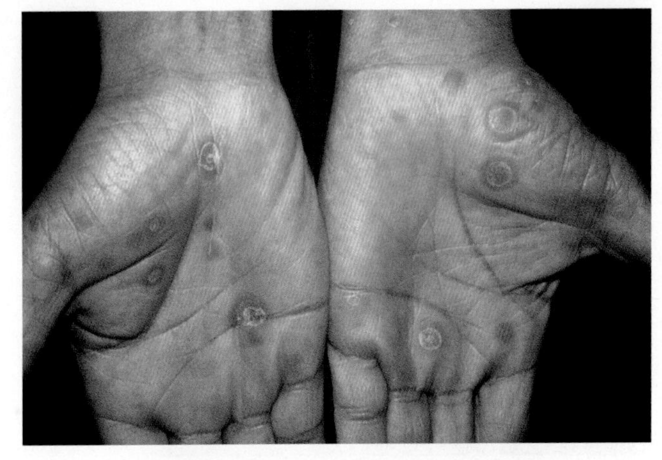
그림 18.15 이기매독

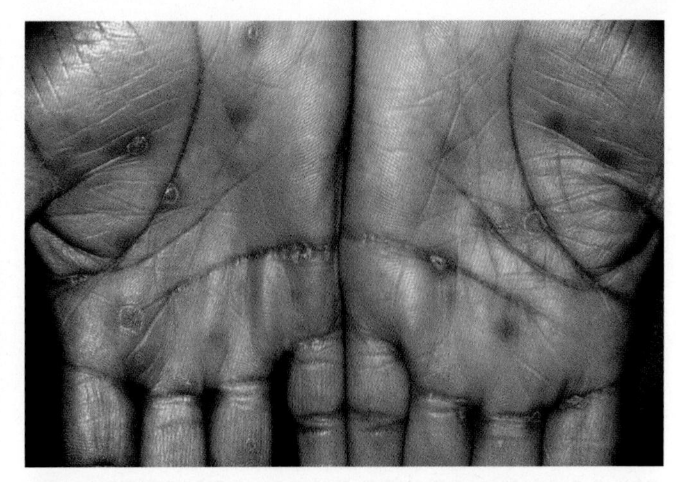
그림 18.16 이기매독

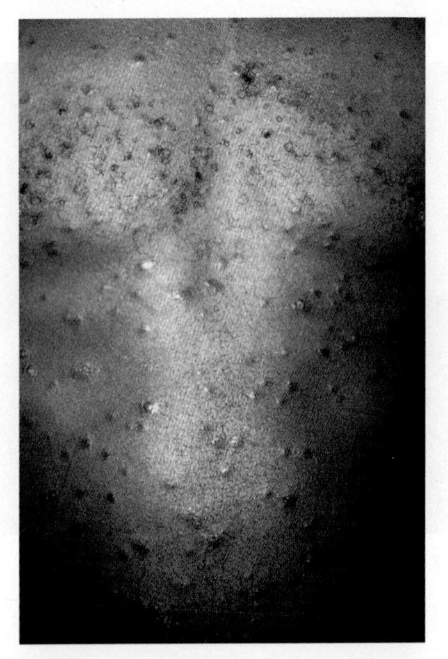
그림 18.17 이기매독

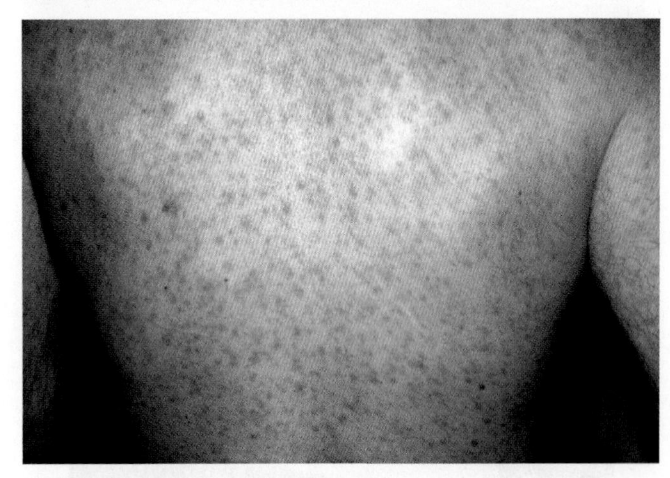
그림 18.18 이기매독

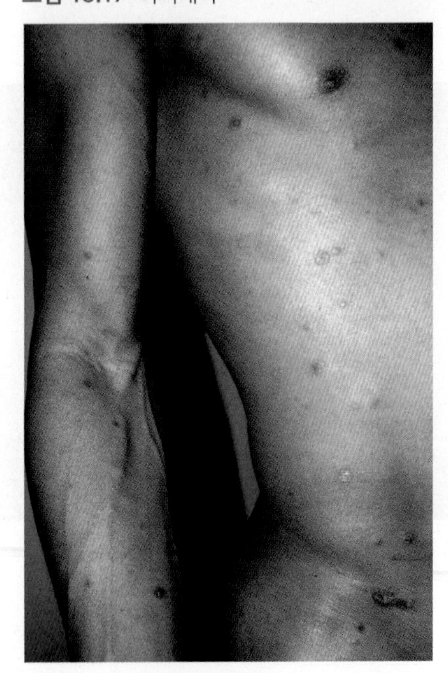
그림 18.19 이기매독

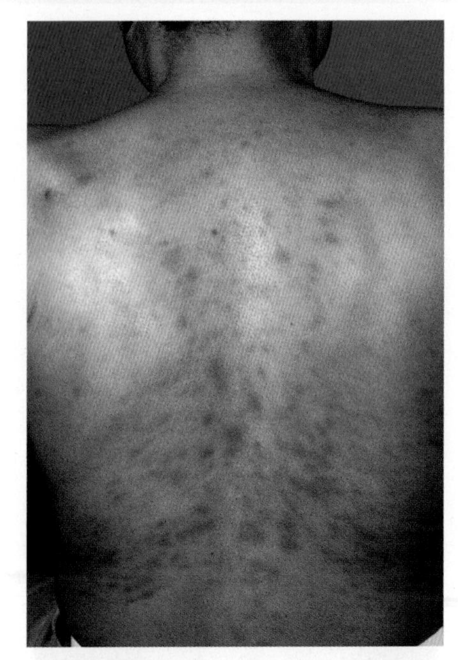
그림 18.20 이기매독

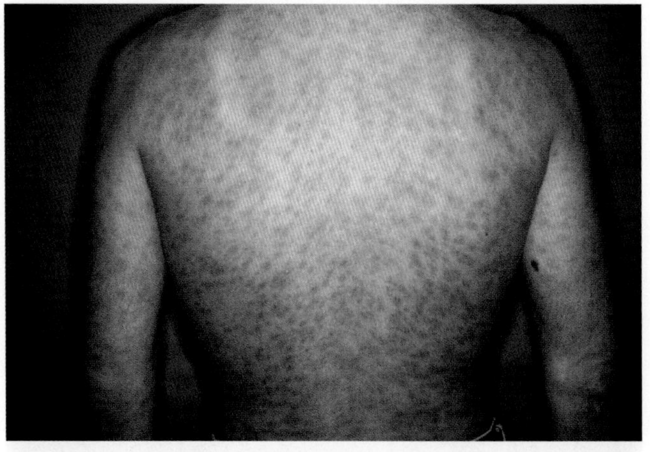

그림 18.21 HIV에 감염된 환자에서의 이기매독과 우측 팔에 발생한 카포시육종

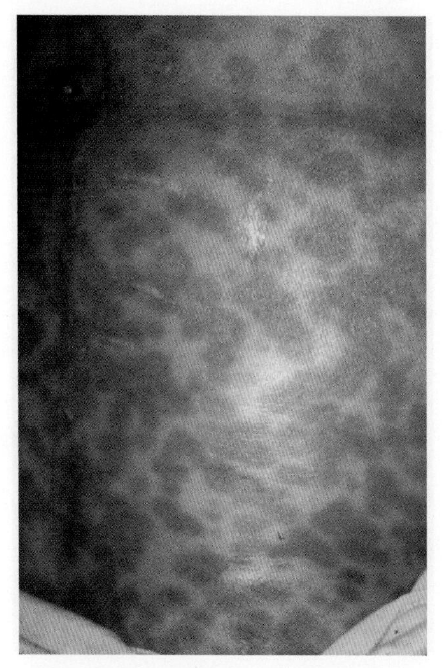

그림 18.22 HIV에 감염된 환자에서의 이기매독

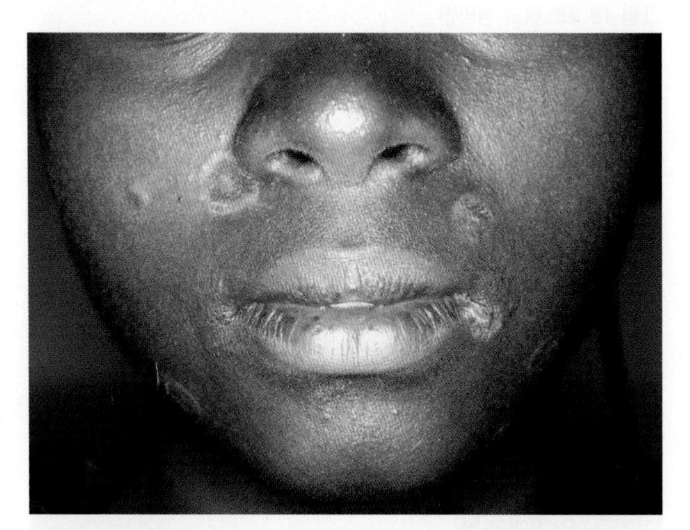

그림 18.23 이기매독

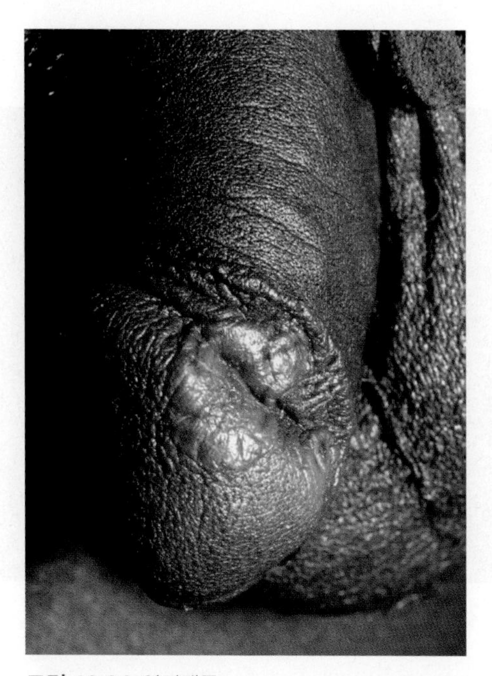

그림 18.24 이기매독

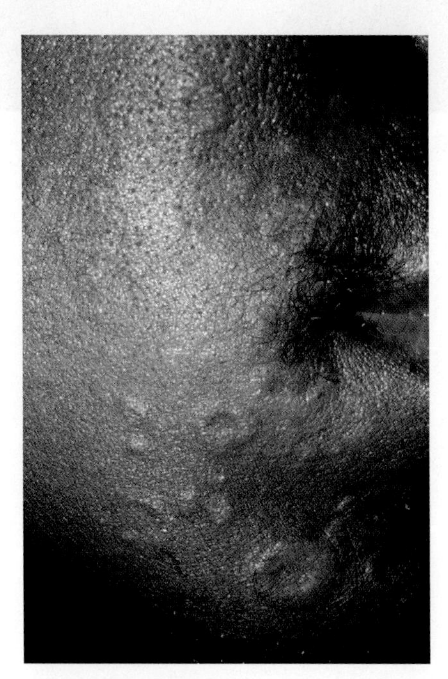

그림 18.25 이기매독

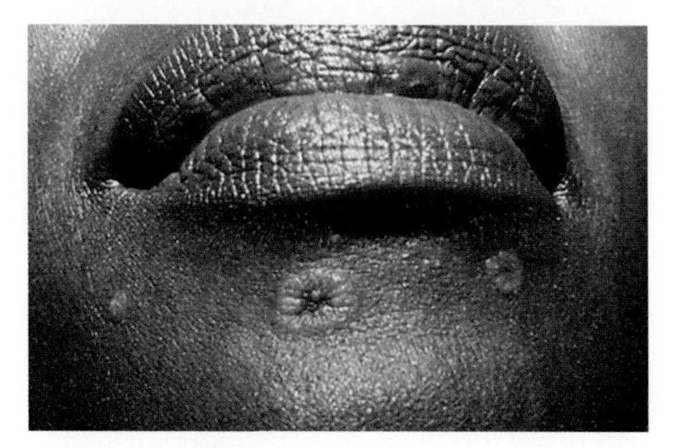

그림 18.26 이기매독

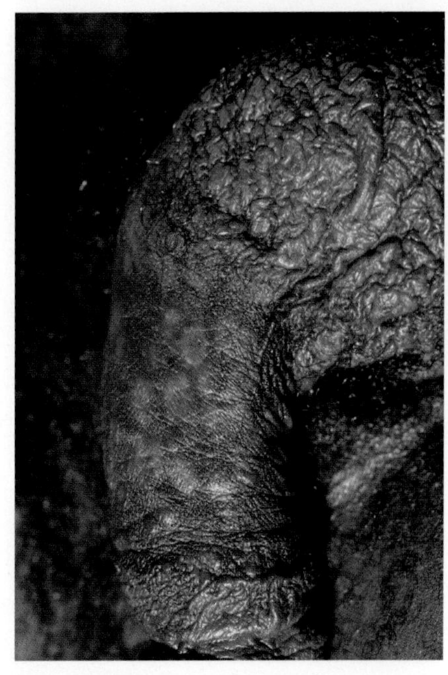

그림 18.27 이기매독

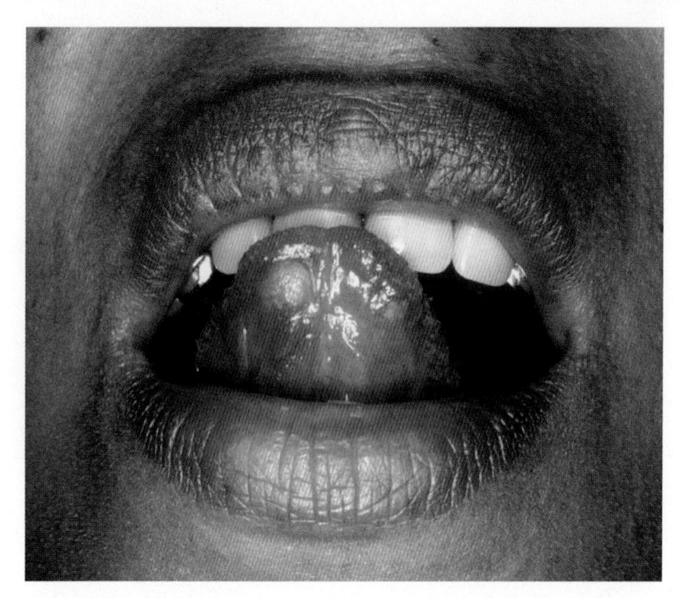

그림 18.28 혀의 점막반

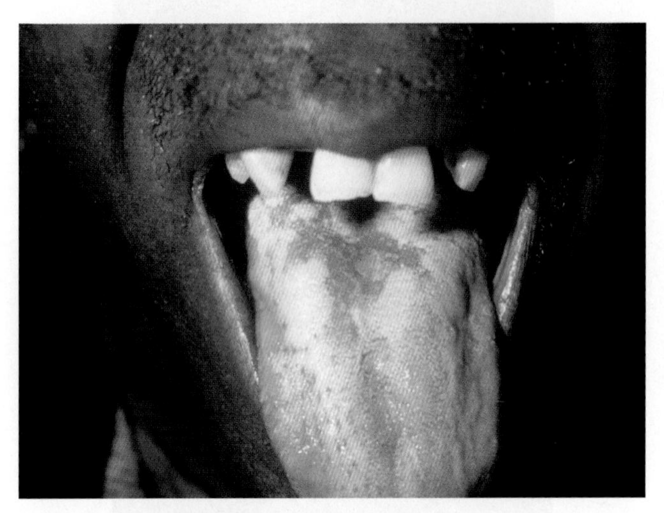

그림 18.29 이기매독, 점막반

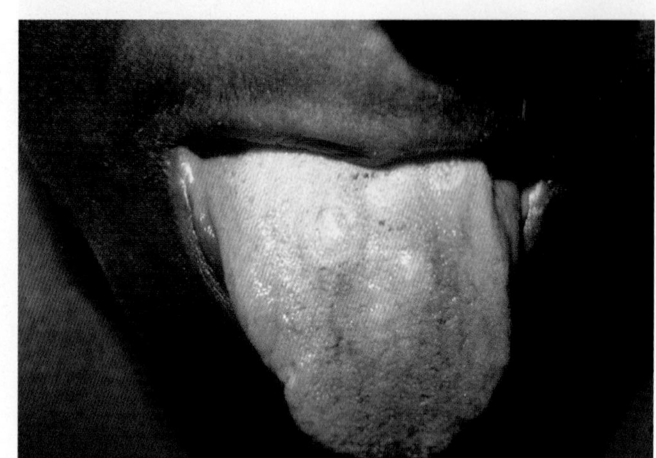

그림 18.30 이기매독, 점막반

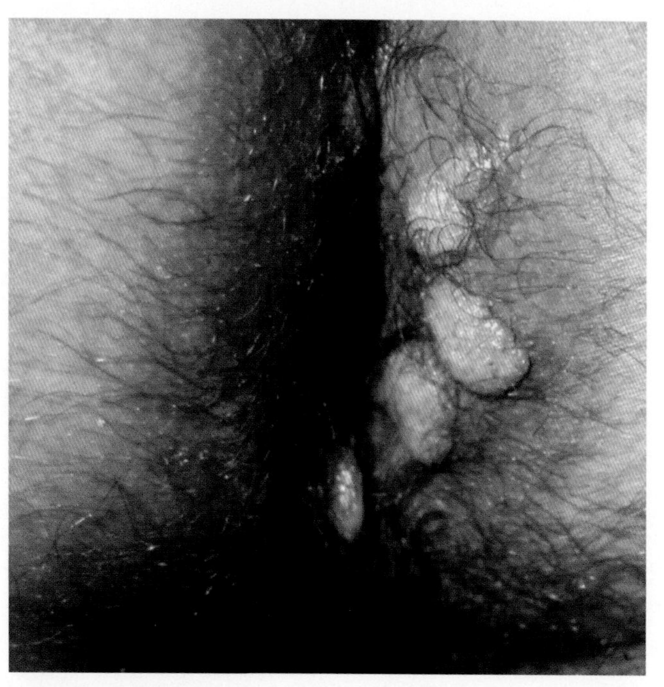
그림 18.31 편평콘딜로마

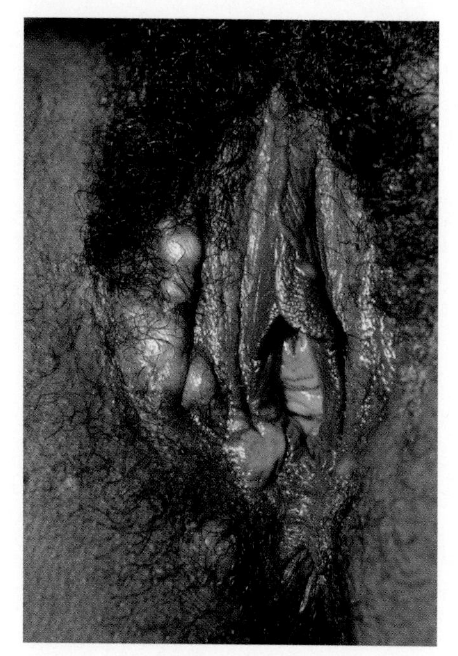
그림 18.32 편평콘딜로마

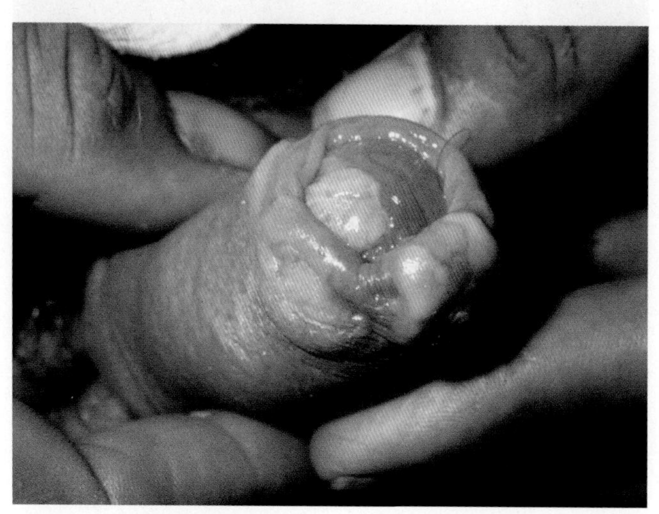
그림 18.33 편평콘딜로마

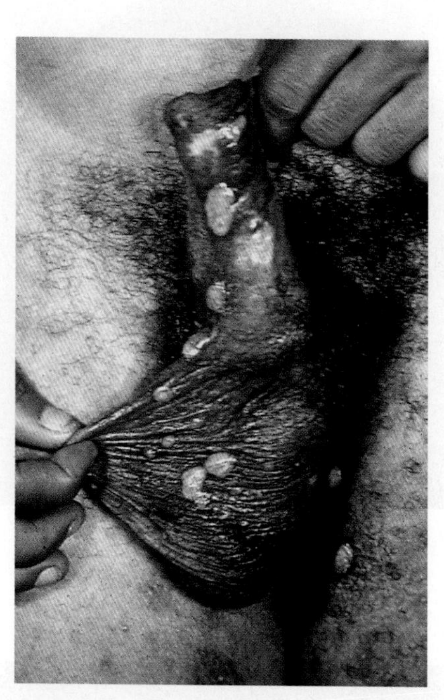
그림 18.34 편평콘딜로마

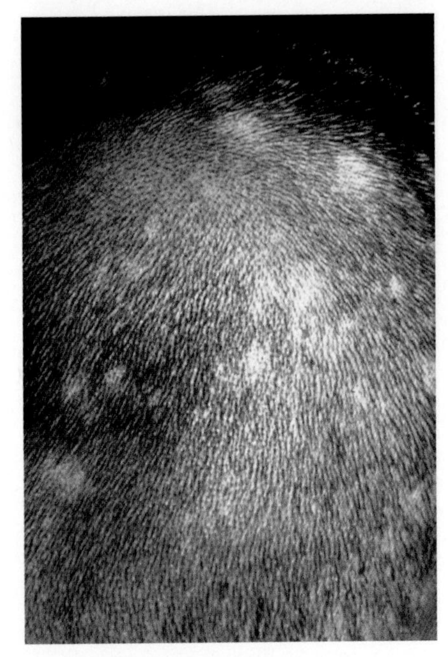

그림 18.35 이기매독 탈모

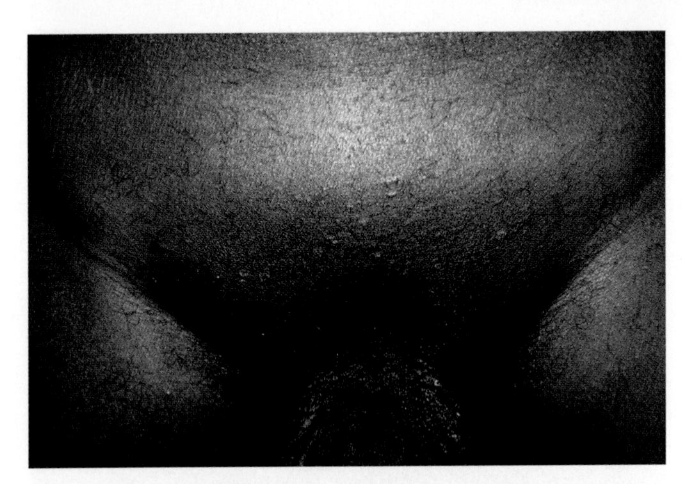

그림 18.36 이기매독 탈모

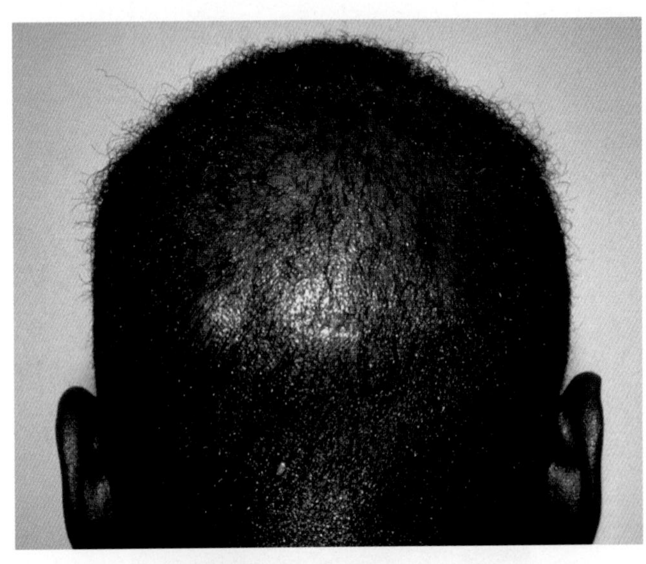

그림 18.37 이기매독 탈모

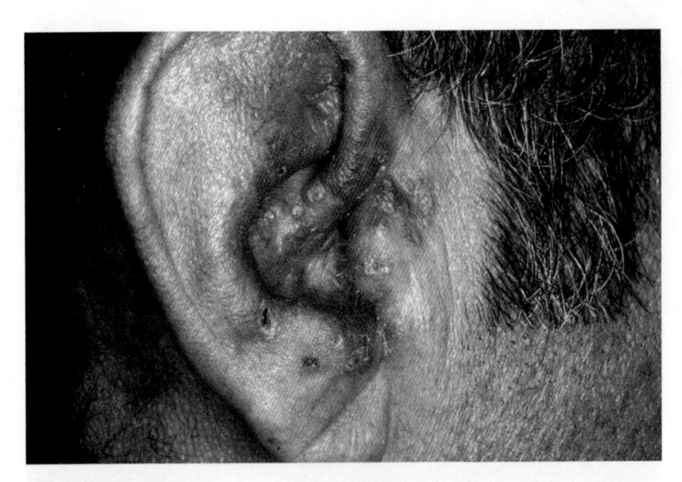

그림 18.38 삼기매독

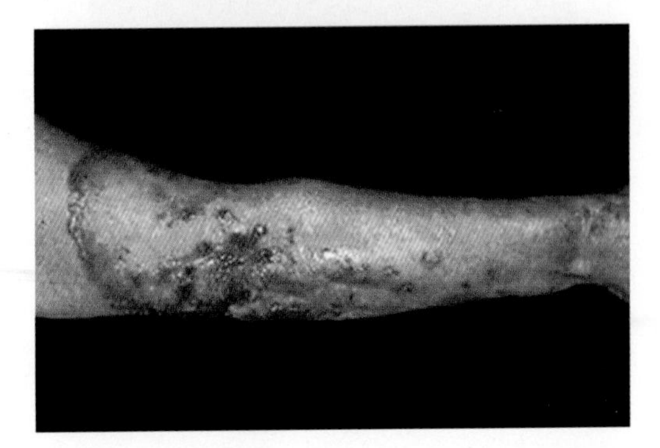

그림 18.39 삼기매독

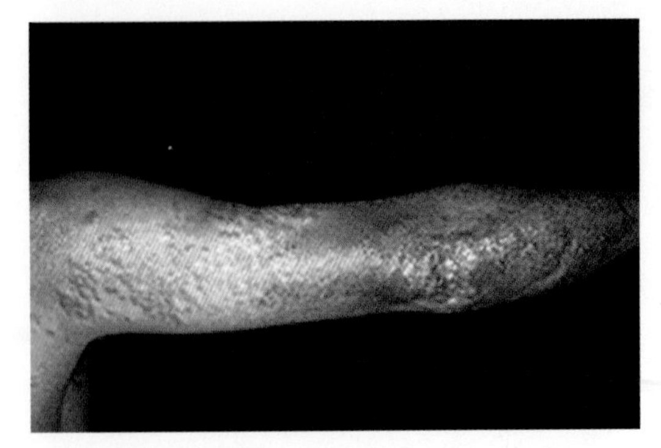

그림 18.40 삼기매독

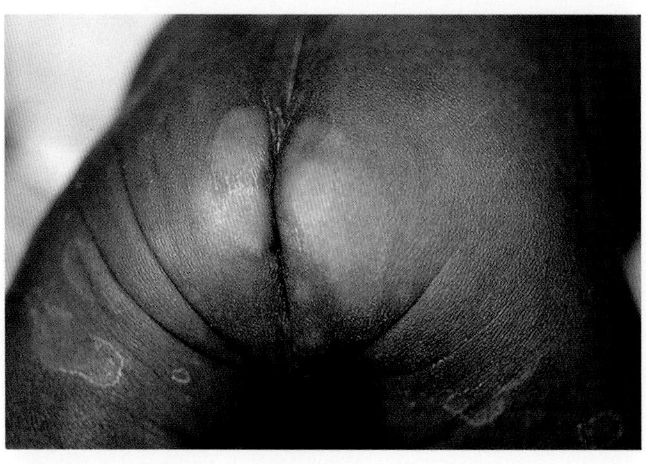

그림 18.41 선천매독

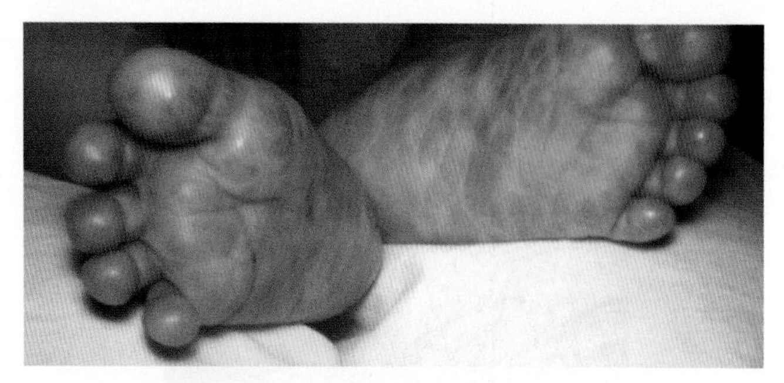

그림 18.42 선천매독

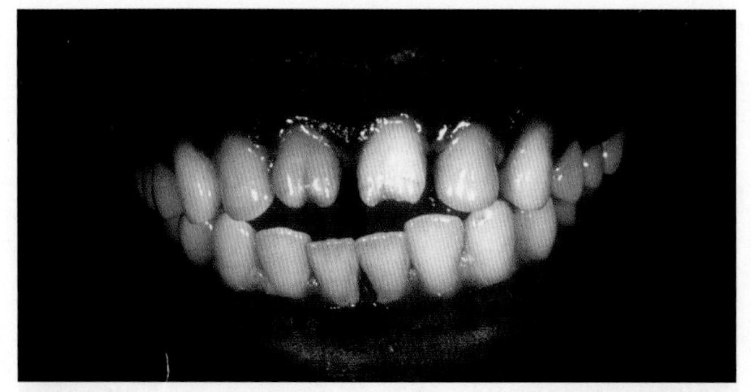

그림 18.43 선천매독에서 동반된 허친슨치아

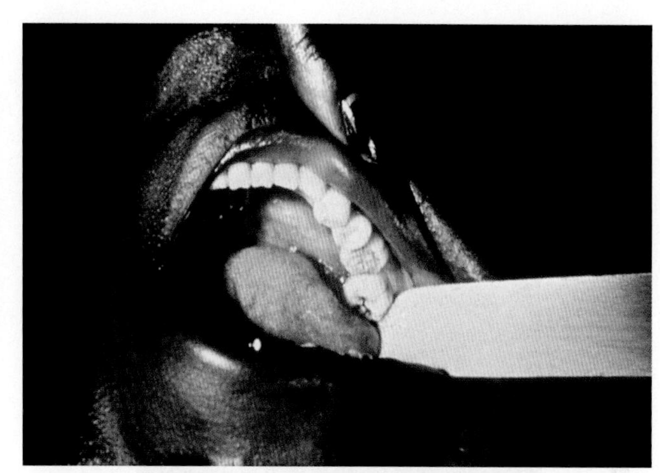

그림 18.44 선천매독에서 동반된 오디모양 어금니

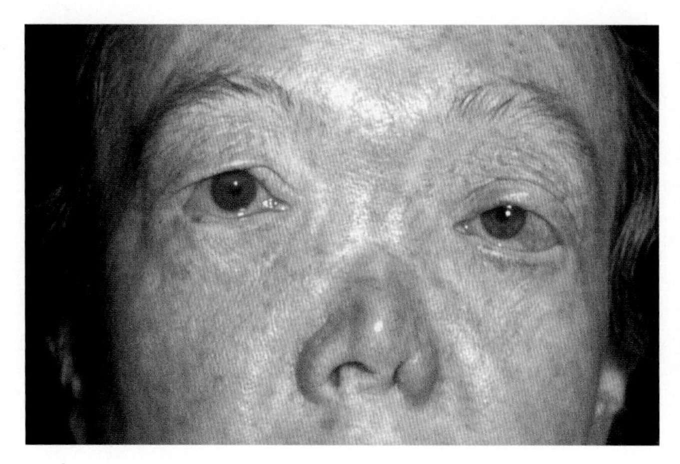

그림 18.45 선천매독

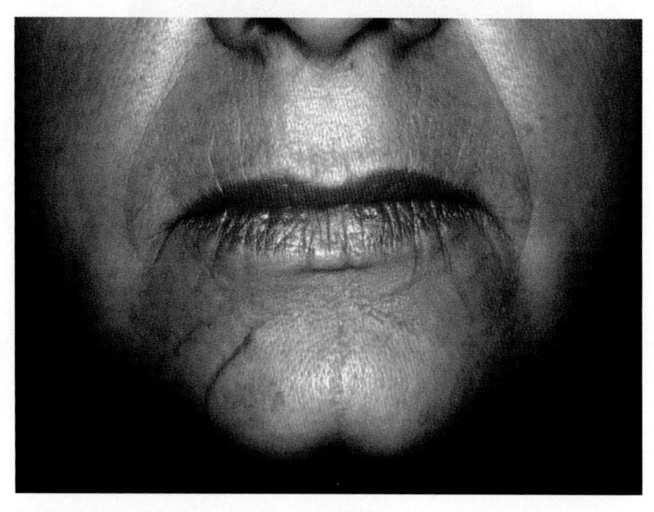

그림 18.46 선천매독, 균열에 의한 흉터

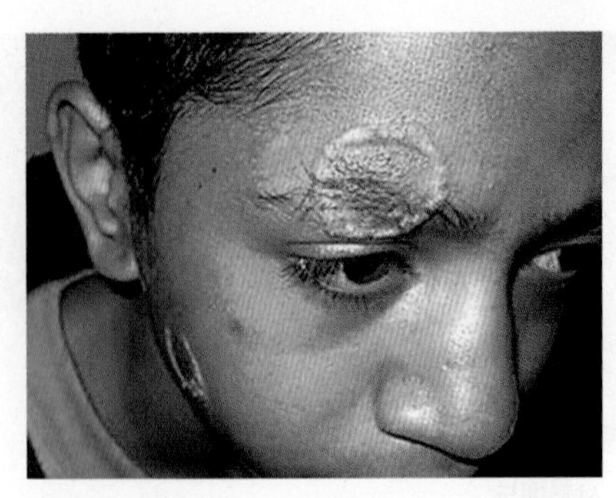

그림 18.47 요스

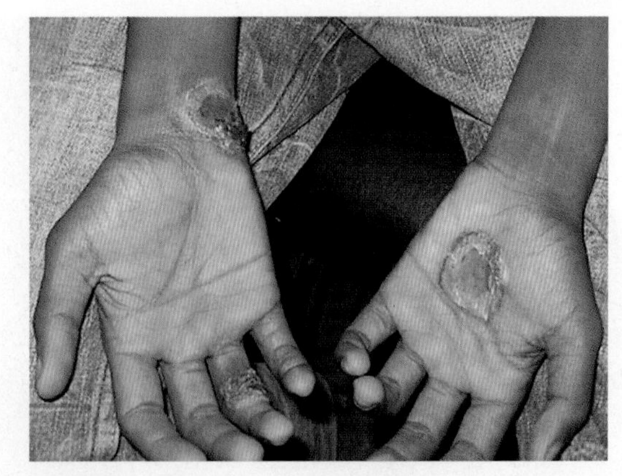

그림 18.48 요스

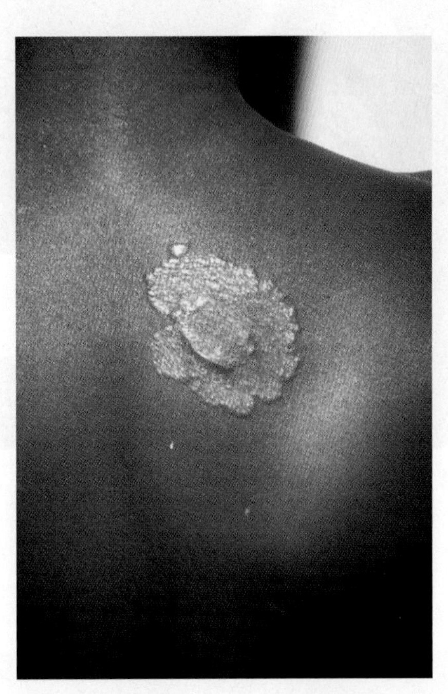

그림 18.49 요스

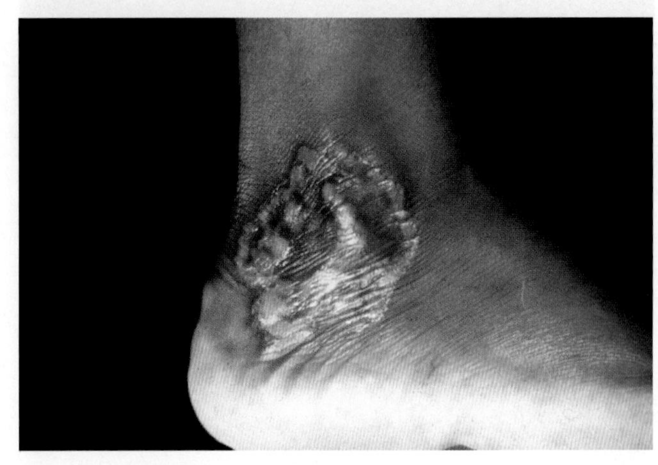

그림 18.50 요스

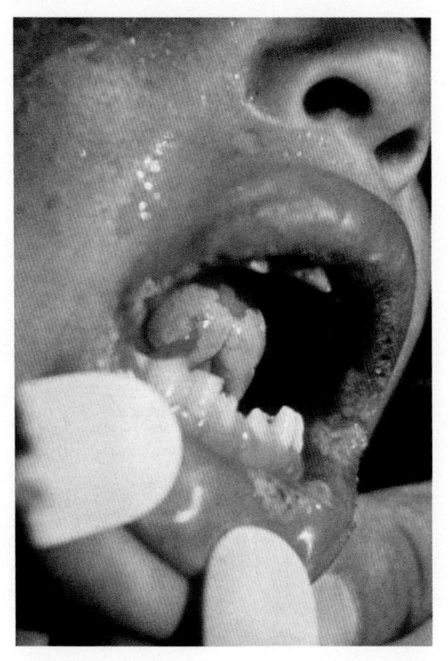

그림 18.51 베젤

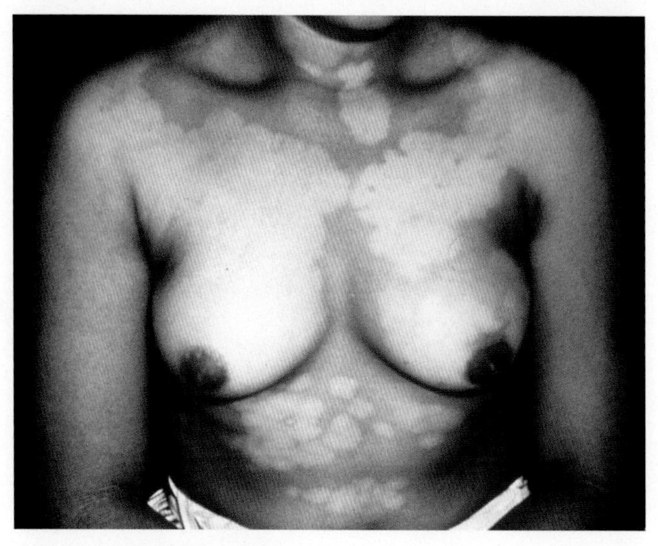

그림 18.52 열대백반피부염

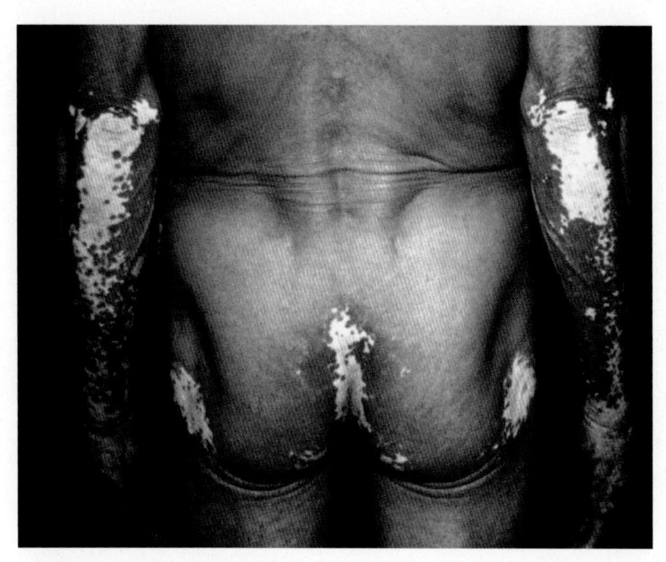

그림 18.53 열대백반피부염

바이러스 피부질환 19

바이러스 피부질환은 홍역이나 기타 홍역모양 발진과 같은 비특이적인 피진부터 볼, 팔꿈치, 무릎의 특정된 부위에 구진으로 나타나는 지아노티-크로스티증후군과 같은 특이적인 발진으로 나타날 수 있다. 바이러스 감염의 원발진은 헤르페스나 엔테로바이러스 감염에서 나타나는 소수포부터 파르보바이러스 B19 감염에 의한 자반성 장갑양말증후군에서 나타나는 출혈점으로 나타날 수도 있다.

피부병변의 분포가 감별에 많은 도움이 될 수 있는데, 단순헤르페스바이러스에 의해 국소적으로 나타나는 군집성 소수포와 대상포진에서 피부절을 따라 발생하는 소수포 발진 등이 그 예이다. 환자의 기저 면역 상태도 중요한 역할을 하는데 면역상태에 따라 사마귀모양의 헤르페스 병변으로 나타나기도 하지만 면역 저하환자에서는 중증 파종상 대상포진으로도 나타날 수 있다. 또한 습진과 같은 질환이 동반되는 경우에서는 포진상습진과 콕사키바이러스 A6에 의한 콕사키습진과 같은 다른 양상도 볼 수 있다. 이러한 병변에서 정확한 원인 바이러스를 동정하기 위해서는 배양검사와 중합효소연쇄반응(PCR) 검사를 사용하게 된다.

환자의 나이에 따라 바이러스 감염에 의한 피부 발진의 양상도 달라지게 되는데, 선천거대세포바이러스감염증에서 보라색 결절로 나타나는 골수외조혈증(blueberry muffin baby)과 학동기 소아에서 볼 수 있는 감염홍반(파르보바이러스 B19)의 '뺨 맞은 얼굴(slapped cheek)' 모양이 대표적인 예이다.

희귀한 바이러스 감염의 임상양상도 포함하였으며 양아구창과 같은 자연 소실되는 구진결절을 일으키는 폭스바이러스와 절지동물에 의해 매개되는 뎅기열바이러스와 치쿤구니야바이러스와 같은 더 이국적인 바이러스 감염도 포함하였다. 또한 반짝이는 배꼽모양함몰 양상의 구진들을 보이는 전염연속종과 보통사마귀를 비롯해 다양한 양상으로 나타나는 사람유두종바이러스 감염 등의 흔한 바이러스 감염도 다루었다.

마지막으로 여기서 다뤄지는 여러 바이러스 감염들 중에서 더 주목할 필요가 있는 바이러스가 사람면역결핍바이러스인데, 그 이유는 다양한 형태의 일차 피부 발진과 더불어 사람헤르페스바이러스8과 같은 기타 바이러스 감염과 동시에 감염되었을 때는 카포시육종의 형태로 나타날 수 있기 때문이다.

이 장에서는 바이러스 감염에 의한 다양한 피부 소견을 정리하였다.

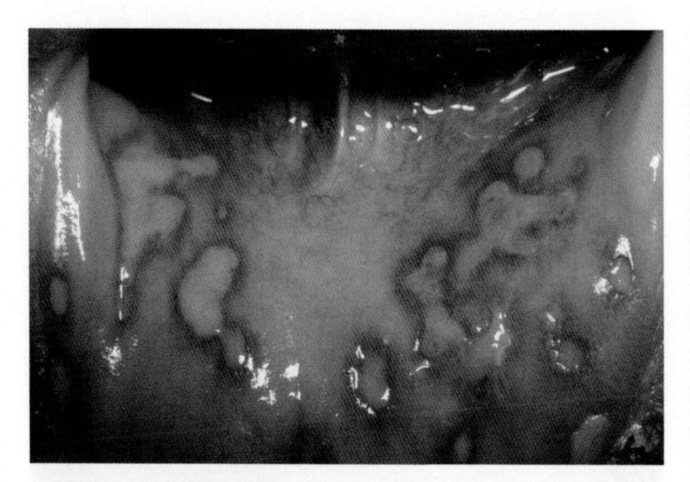

그림 19.1 일차 단순헤르페스바이러스 감염

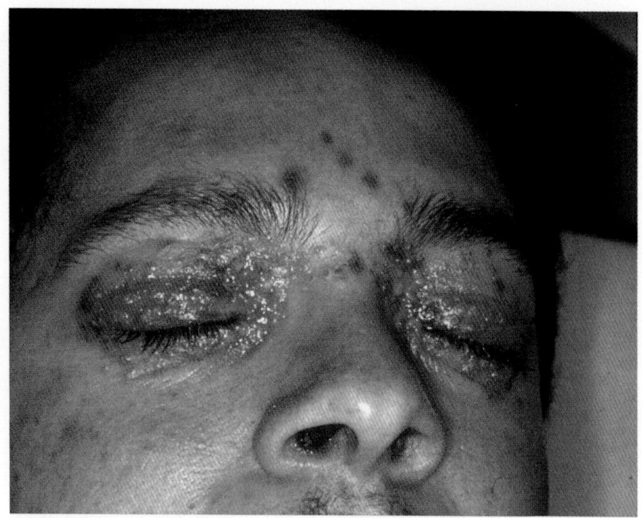

그림 19.2 일차 단순헤르페스바이러스 감염

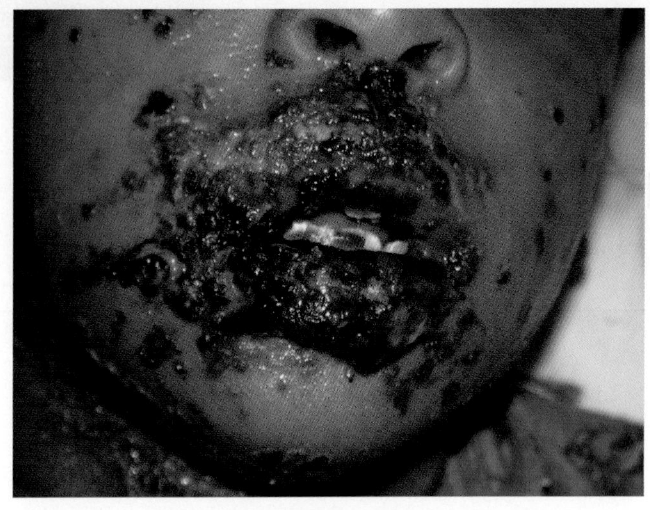

그림 19.3 일차 단순헤르페스바이러스 감염

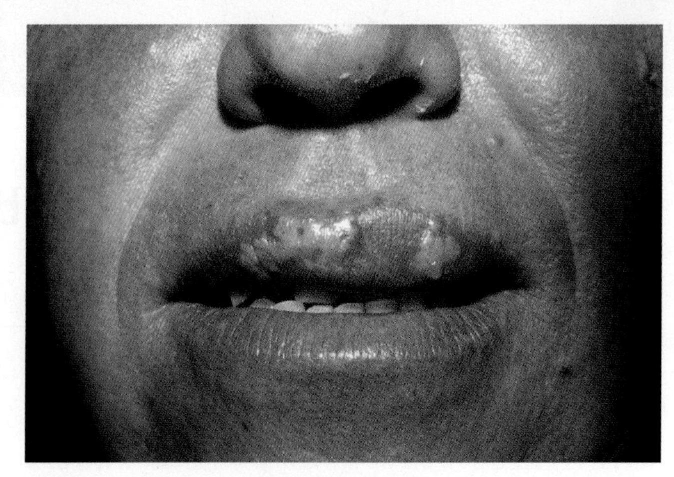

그림 19.4 재발 단순헤르페스바이러스 감염

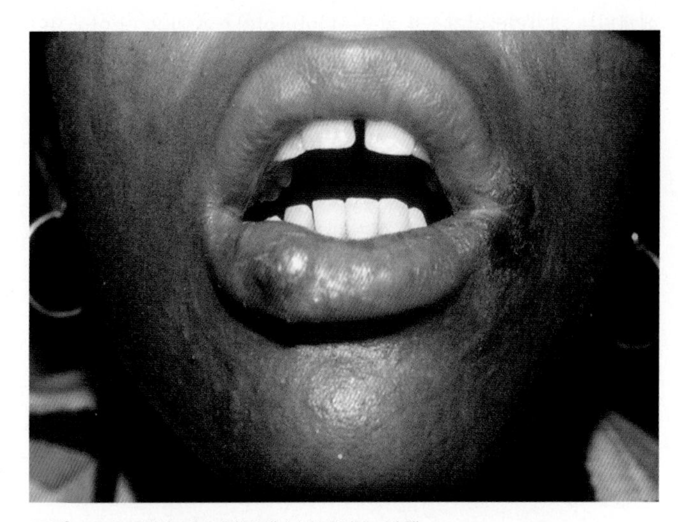

그림 19.5 재발 단순헤르페스바이러스 감염

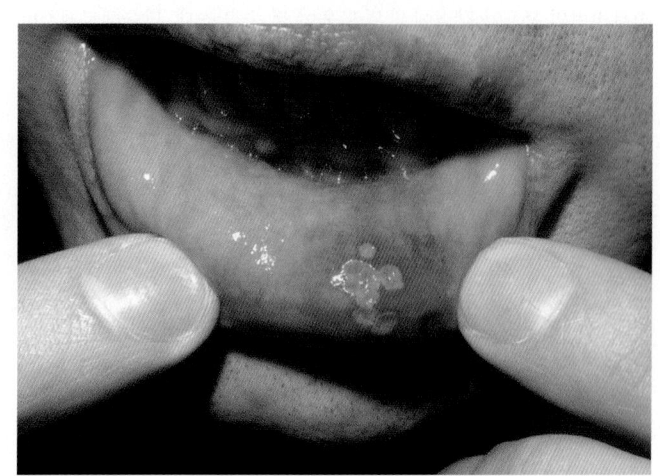

그림 19.6 재발 단순헤르페스바이러스 감염

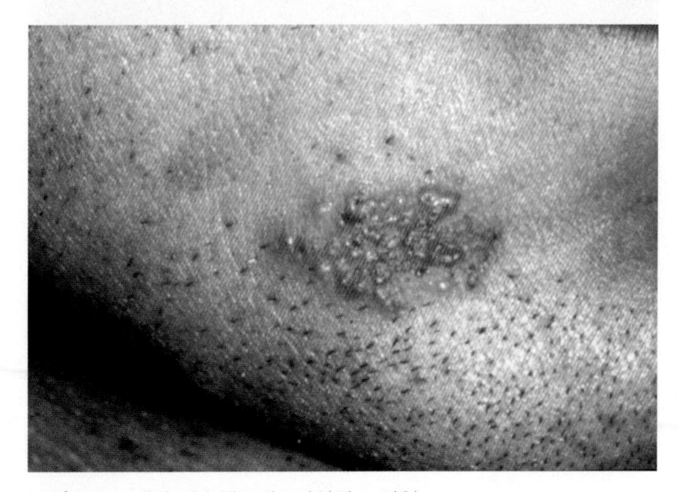

그림 19.7 재발 단순헤르페스바이러스 감염

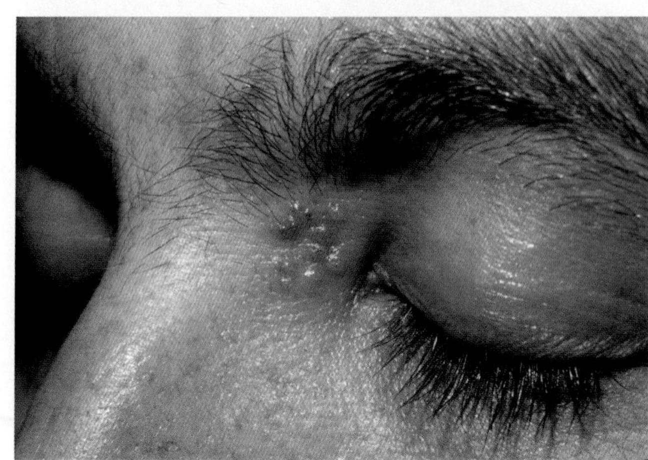

그림 19.8 재발 단순헤르페스바이러스 감염

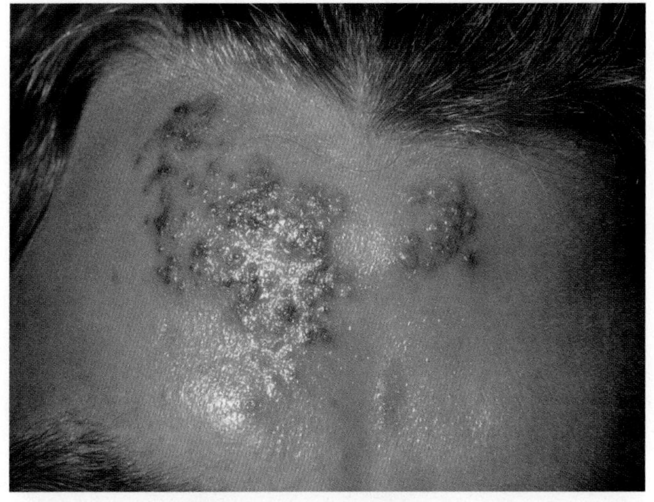

그림 19.9 재발 단순헤르페스바이러스 감염

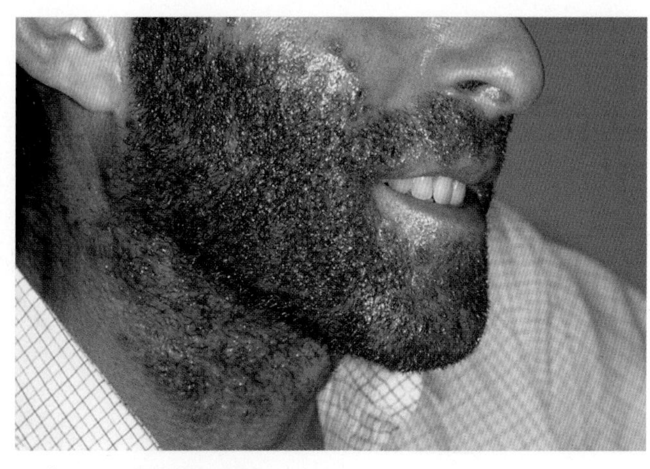

그림 19.10 헤르페스 모창

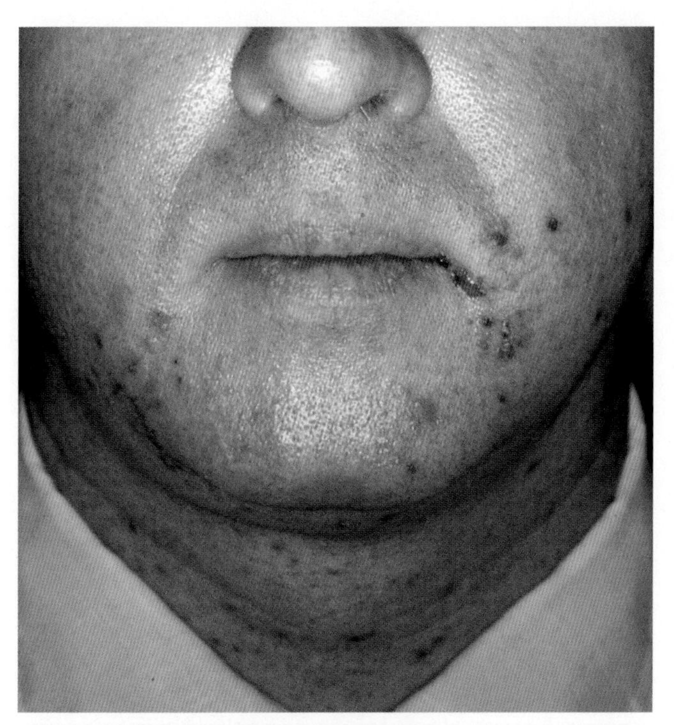

그림 19.11 헤르페스 모창

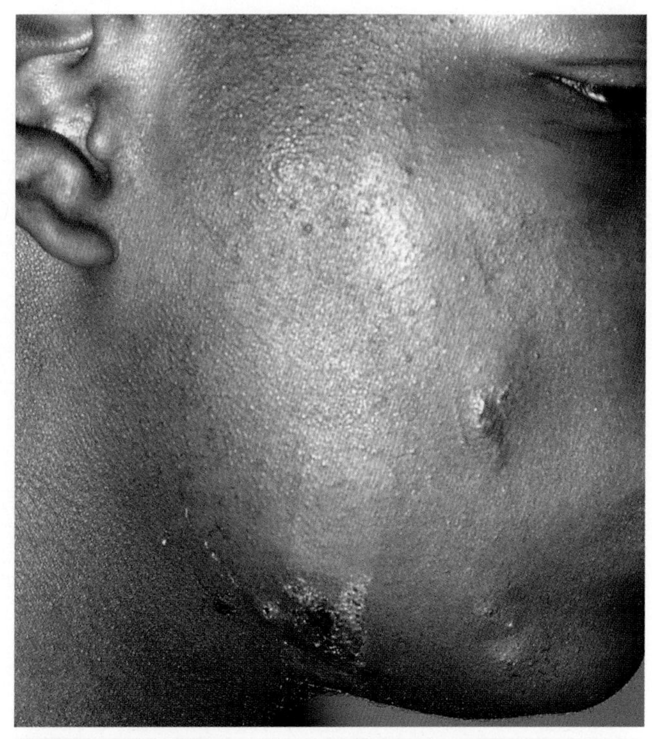

그림 19.12 검투사포진

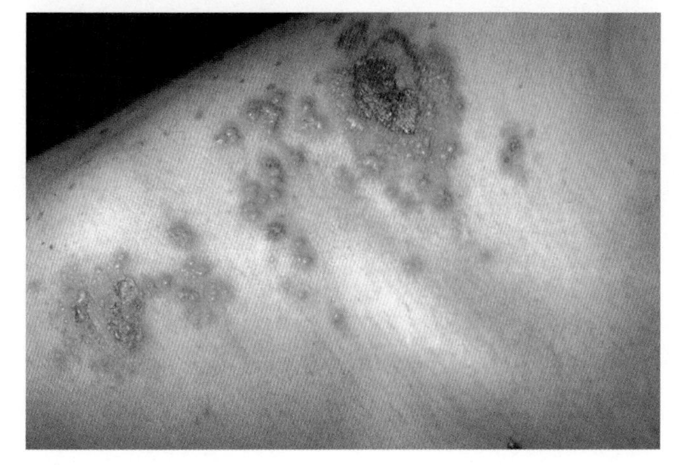

그림 19.13 검투사포진

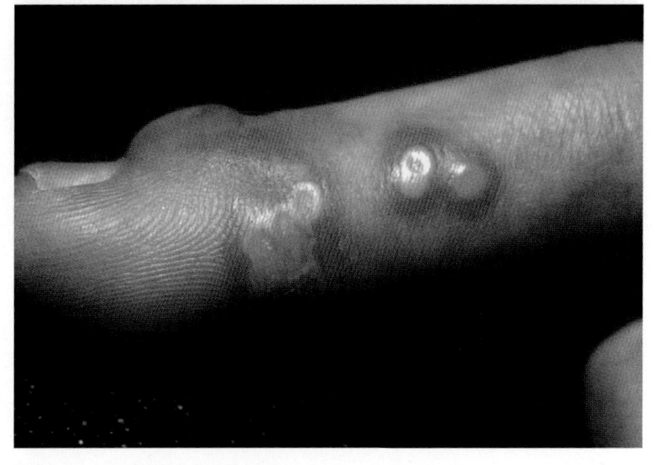

그림 19.14 헤르페스손끝염

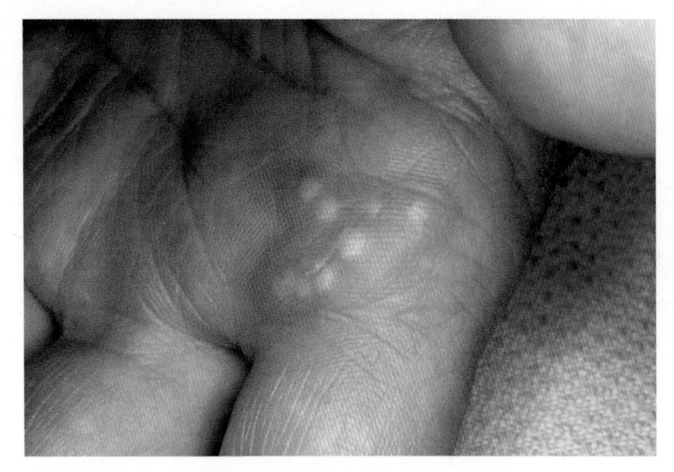

그림 19.15 손바닥에 발생한 헤르페스 감염

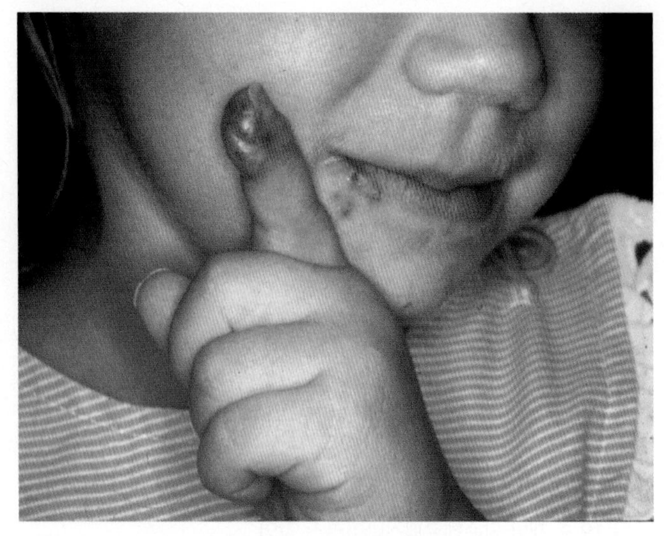

그림 19.16 손가락의 자가접종 재발구순포진

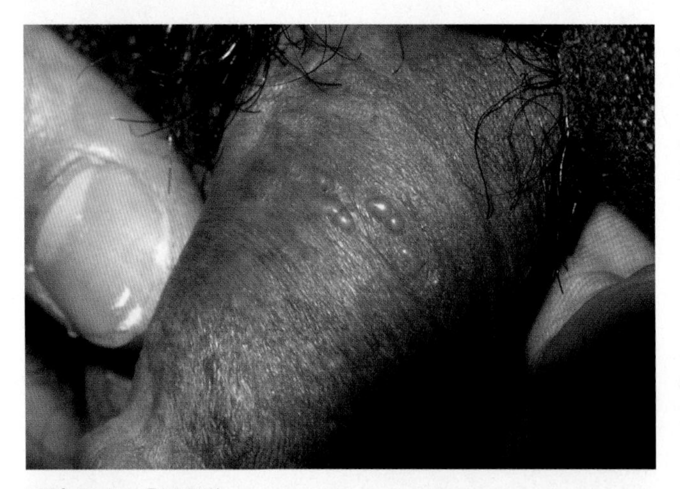

그림 19.17 음부포진

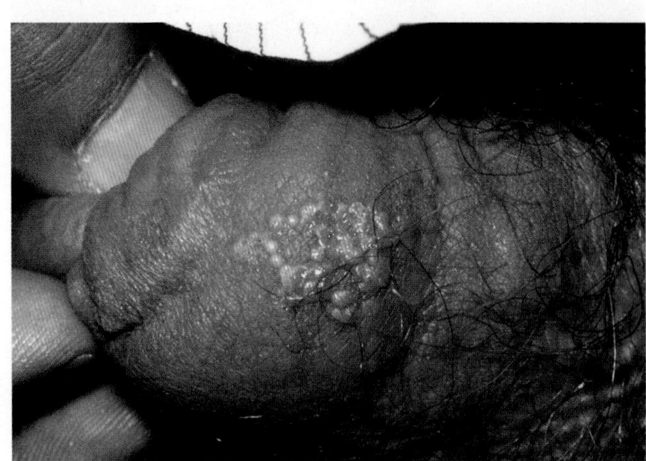

그림 19.18 음부포진

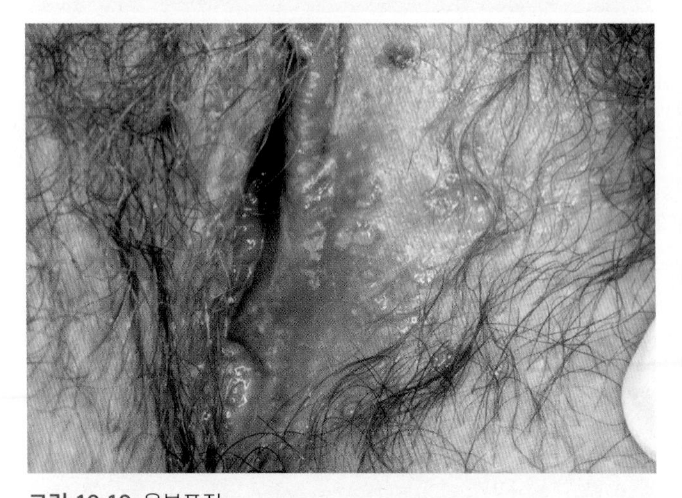

그림 19.19 음부포진

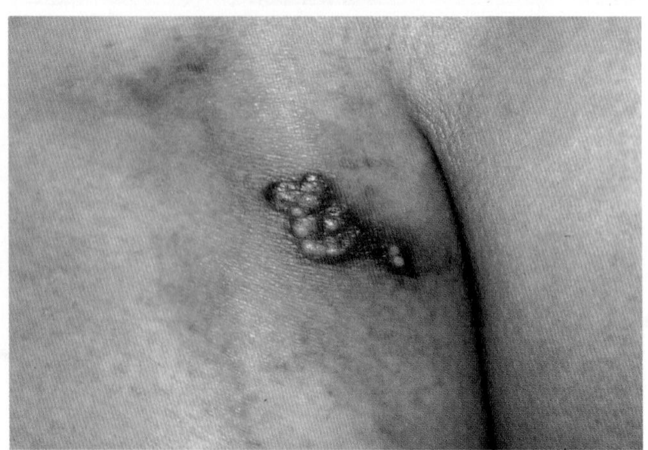

그림 19.20 엉덩이의 재발단순포진

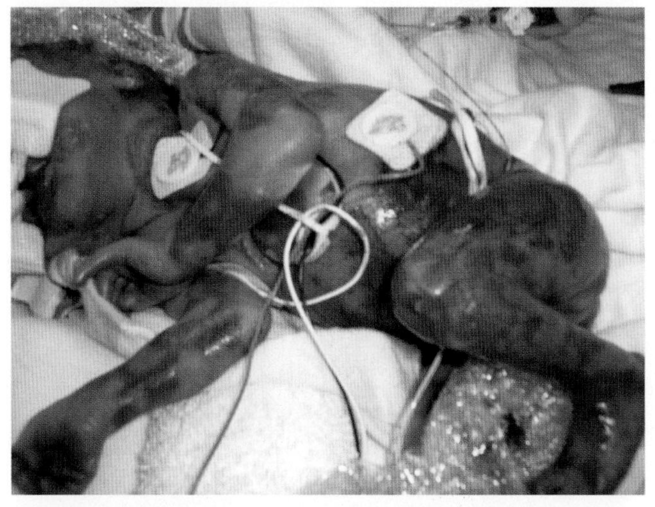

그림 19.21 자궁 내 단순헤르페스바이러스 감염

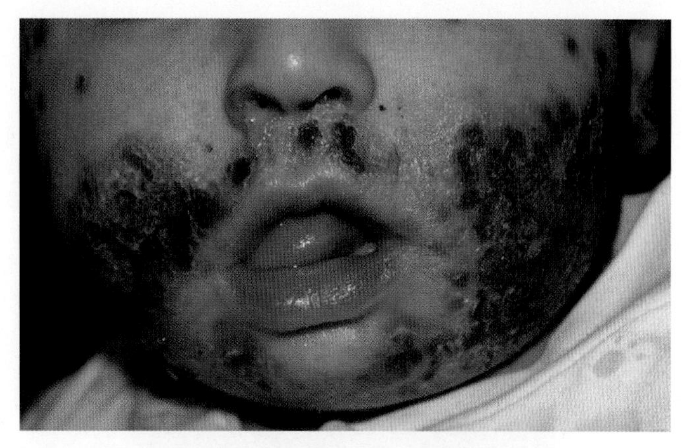

그림 19.22 포진상습진

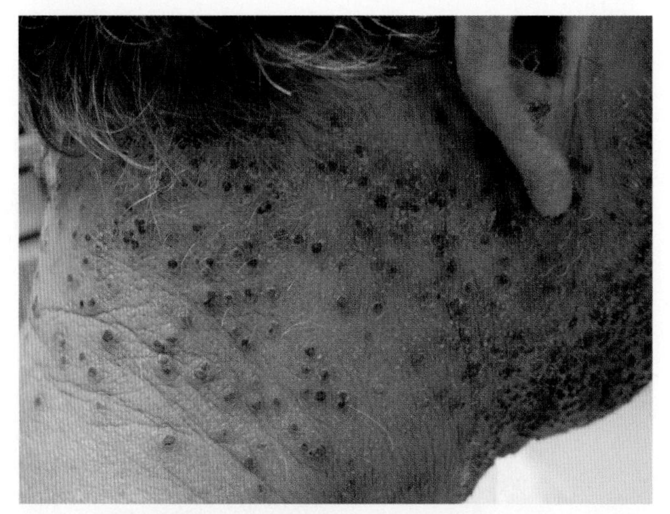

그림 19.23 포진상습진

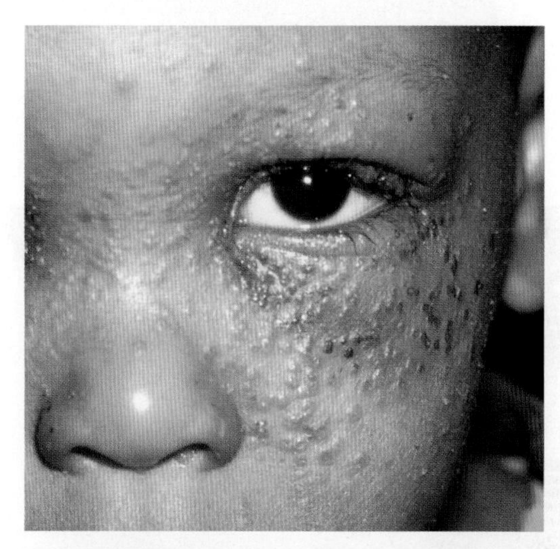

그림 19.24 포진상습진

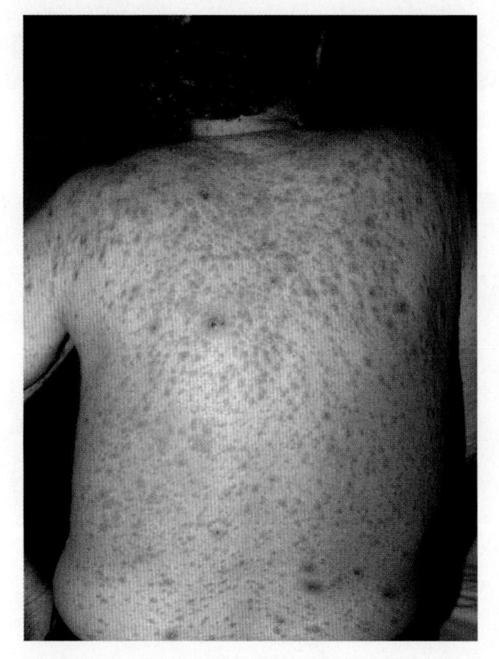

그림 19.25 파종 단순헤르페스바이러스 감염

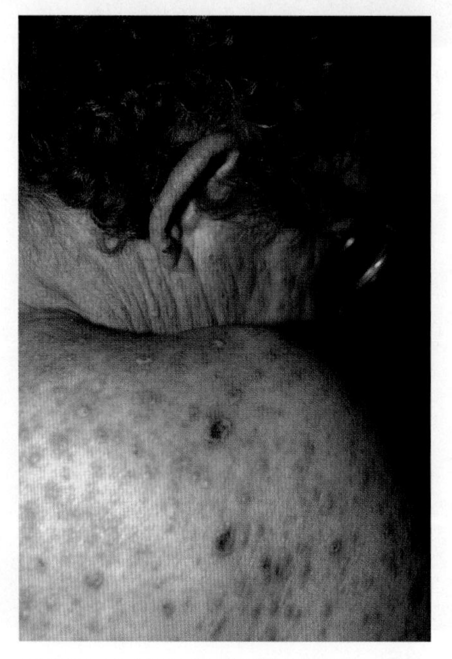

그림 19.26 파종 단순헤르페스바이러스 감염

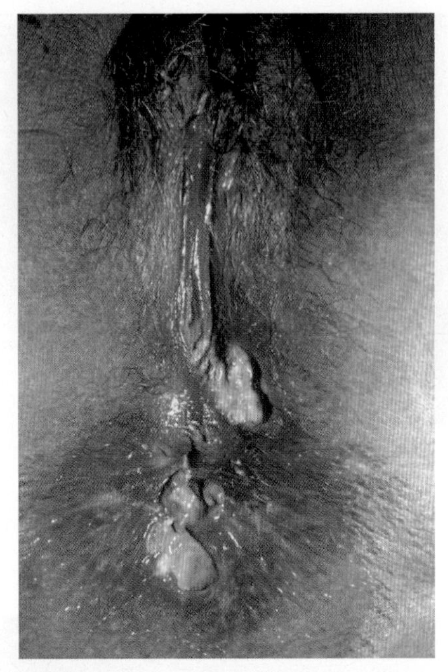

그림 19.27 HIV에 감염된 환자에서 발생한 궤양성 단순헤르페스바이러스 감염

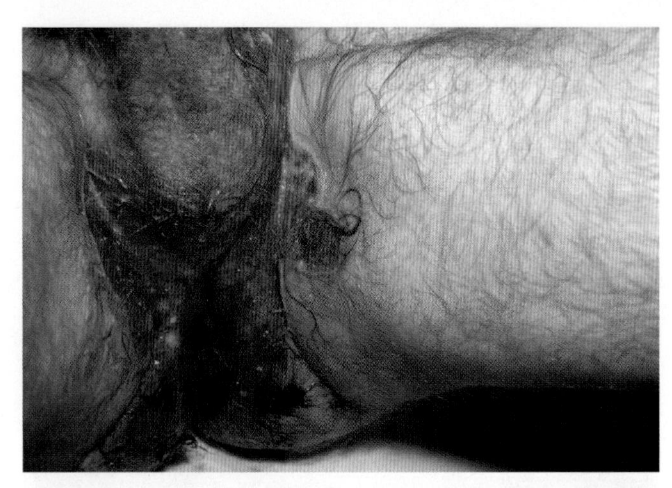

그림 19.28 HIV에 감염된 환자에서 발생한 궤양성 단순헤르페스바이러스 감염

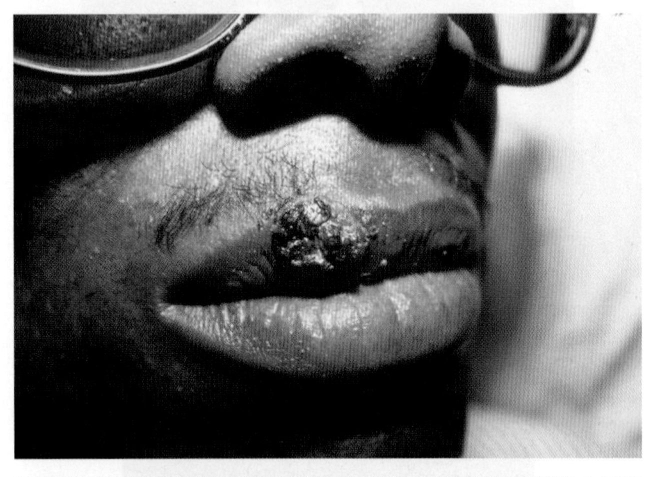

그림 19.29 HIV에 감염된 환자에서 발생한 단순헤르페스바이러스 감염에 의한 딱지

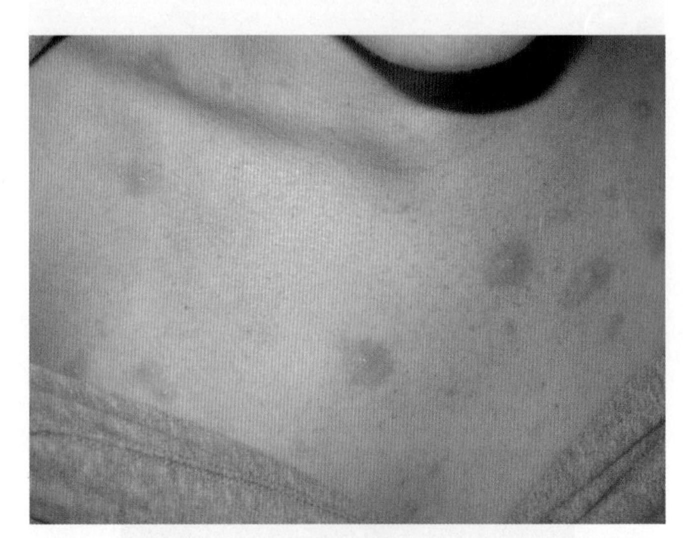

그림 19.30 수두

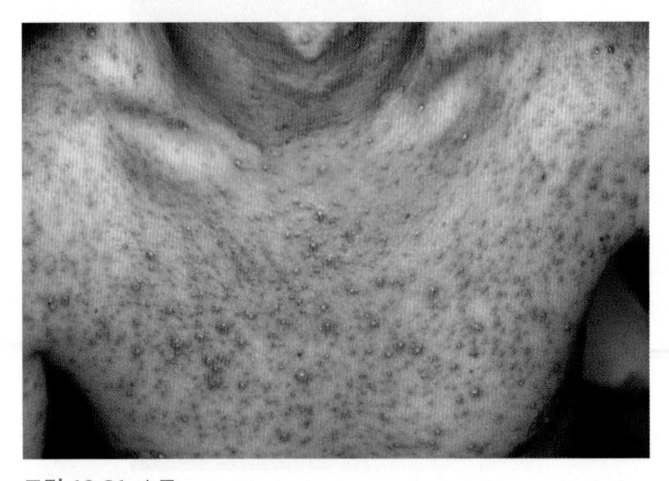

그림 19.31 수두

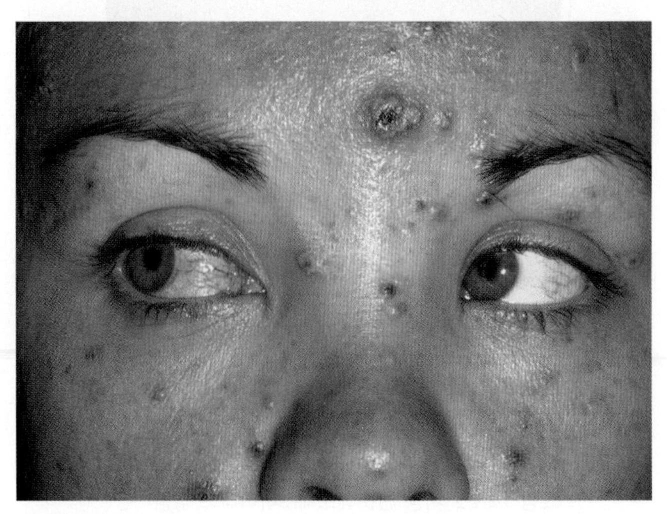

그림 19.32 수두

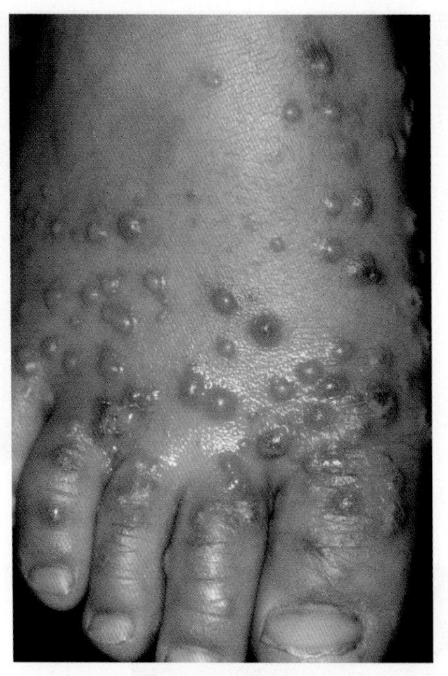

그림 19.33 수두

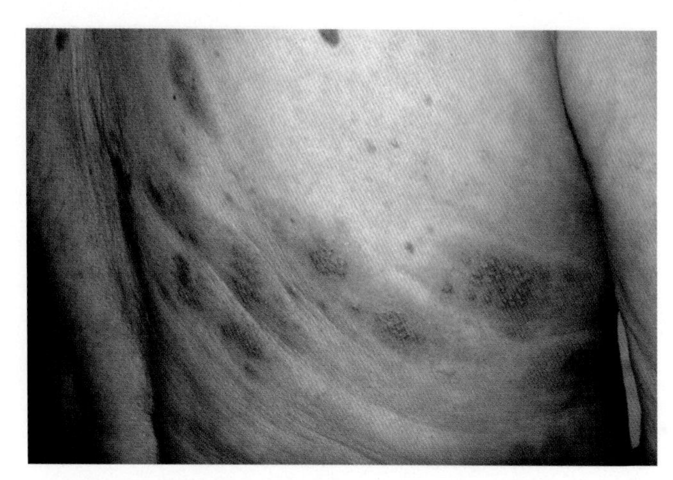

그림 19.34 대상포진

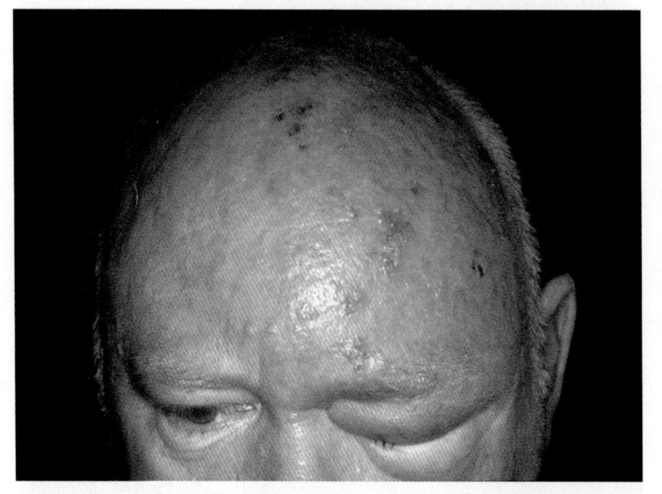

그림 19.35 대상포진

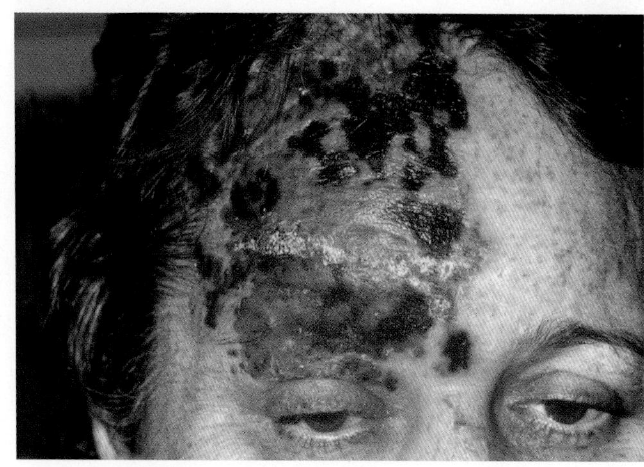

그림 19.36 대상포진

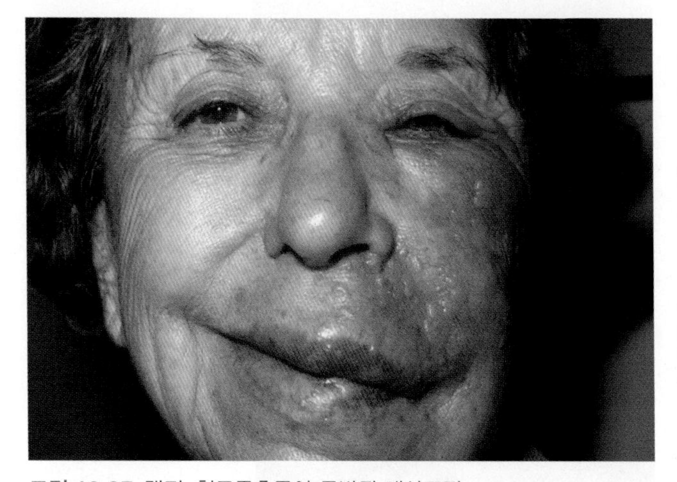

그림 19.37 램지-헌트증후군이 동반된 대상포진

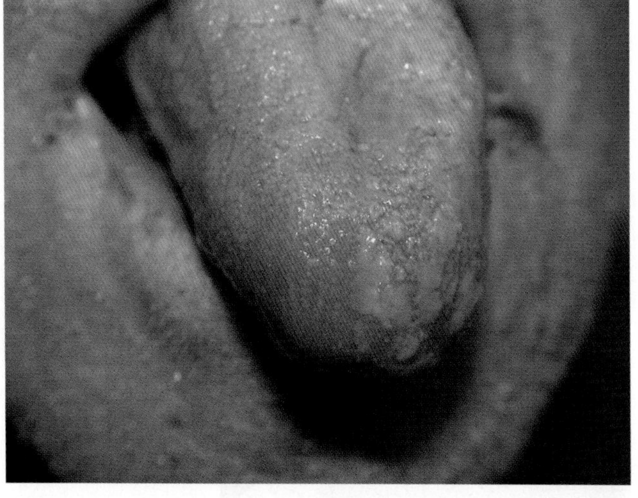

그림 19.38 대상포진

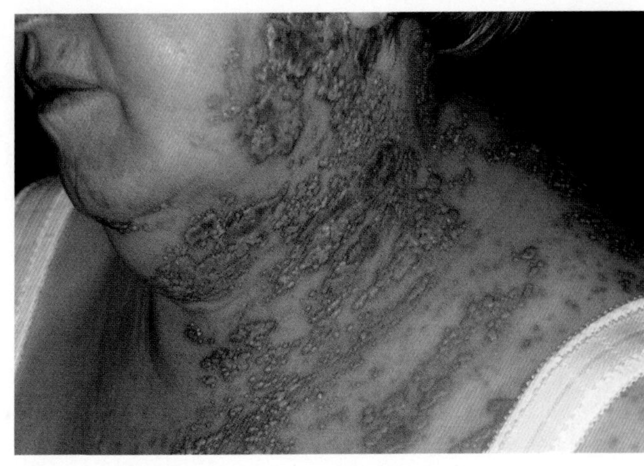

그림 19.39 대상포진

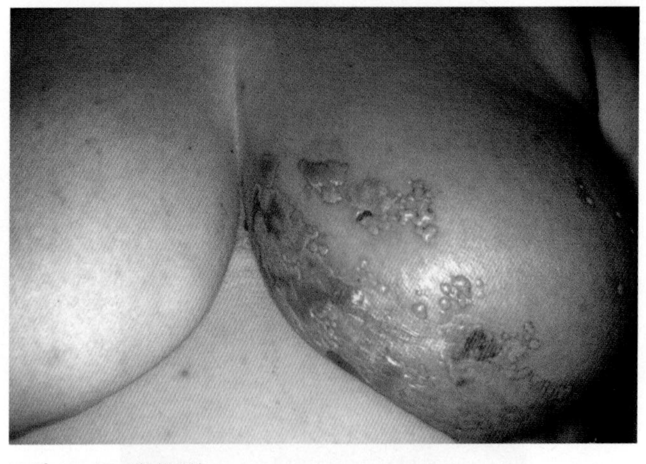

그림 19.40 대상포진

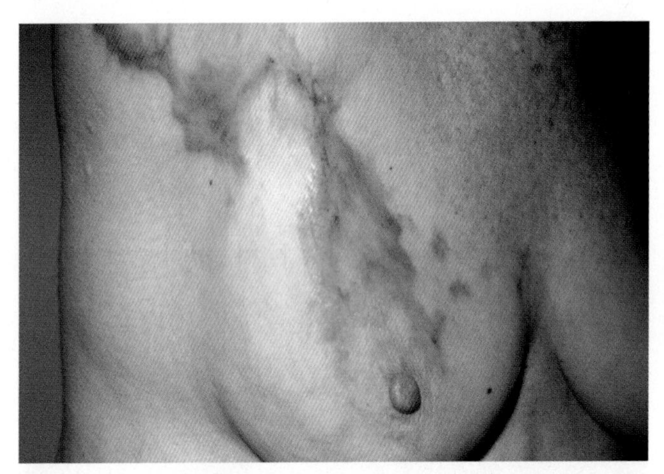

그림 19.41 대상포진 흉터

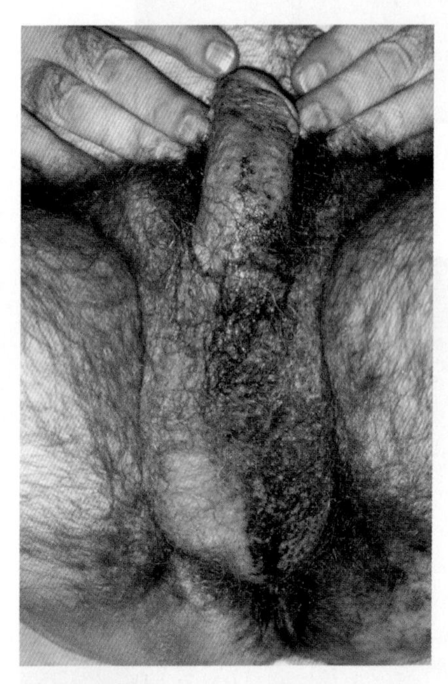

그림 19.42 대상포진

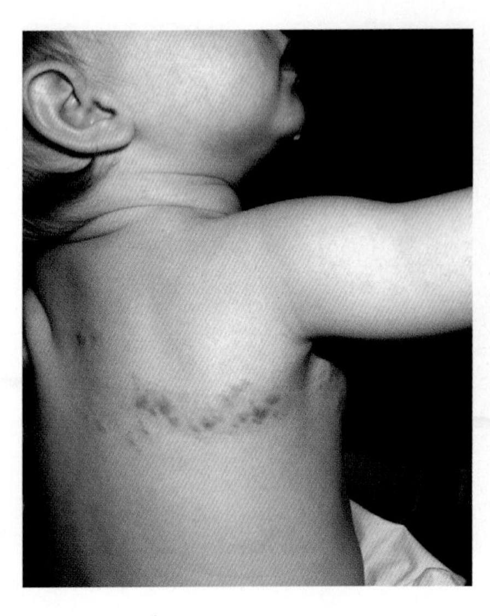

그림 19.43 11개월된 아이에서 발생한 대상포진

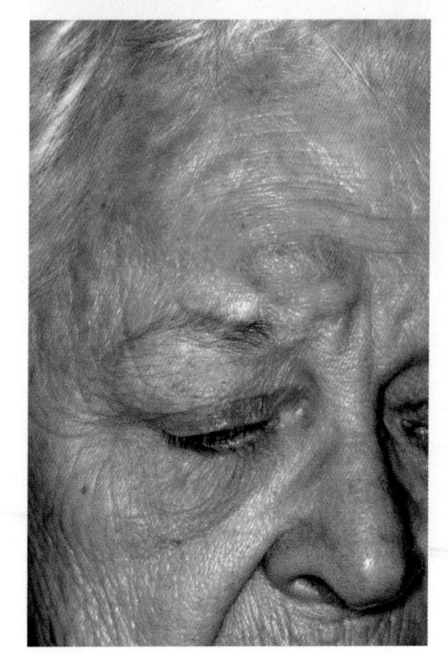

그림 19.44 대상포진

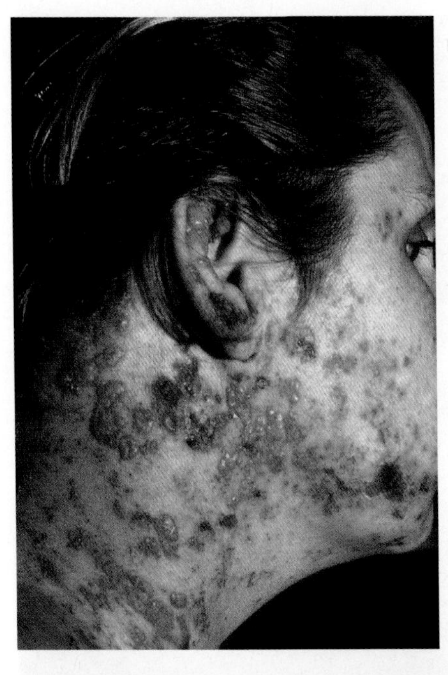

그림 19.45 호지킨병 환자에서 발생한 대상포진

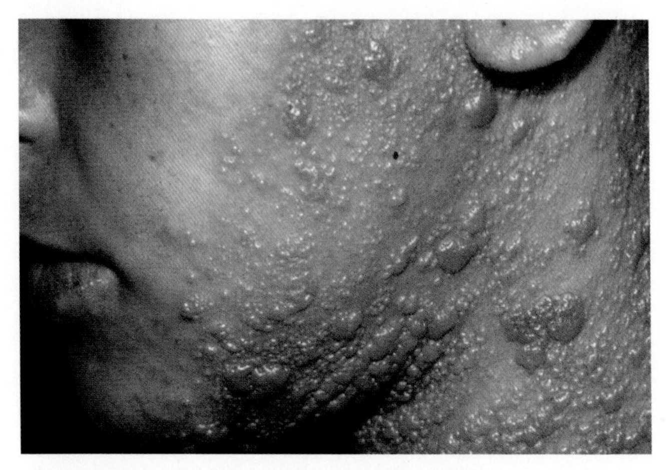

그림 19.46 HIV에 감염된 환자에서 발생한 대상포진

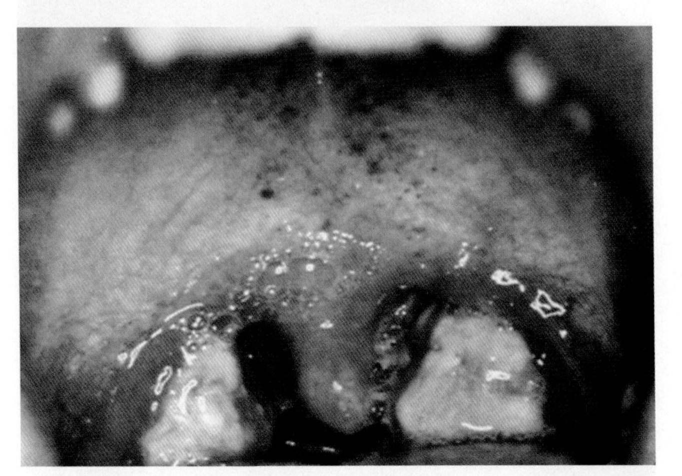

그림 19.47 단핵구증가증

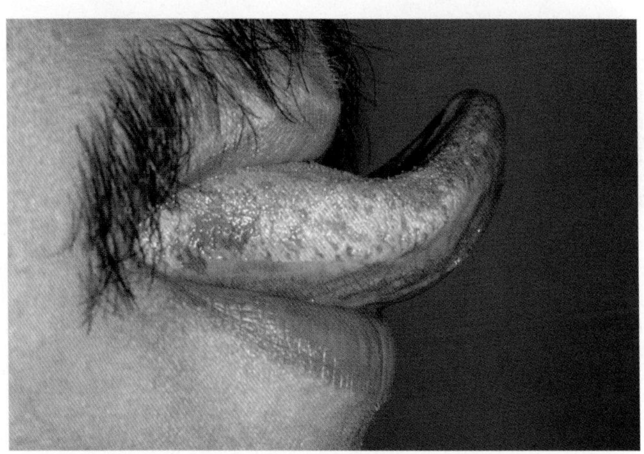

그림 19.48 구강모백색판증

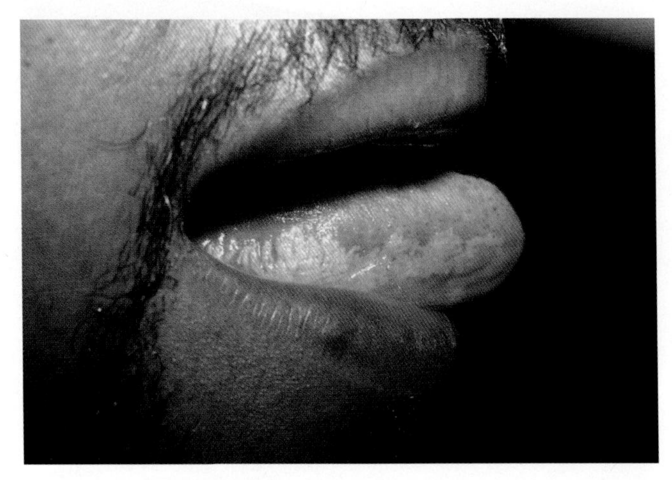

그림 19.49 구강모백색판증

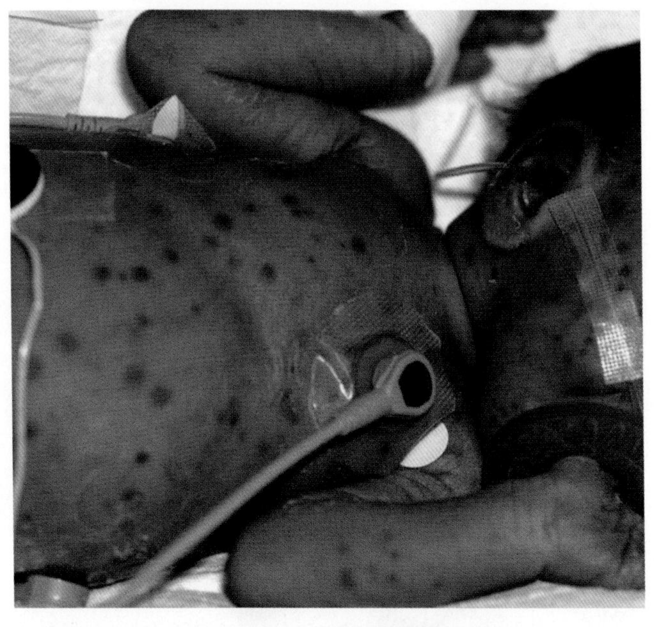

그림 19.50 신생아에서 발생한 거대세포바이러스 감염

그림 19.51 HIV에 감염된 환자에서의 거대세포바이러스에 의한 궤양

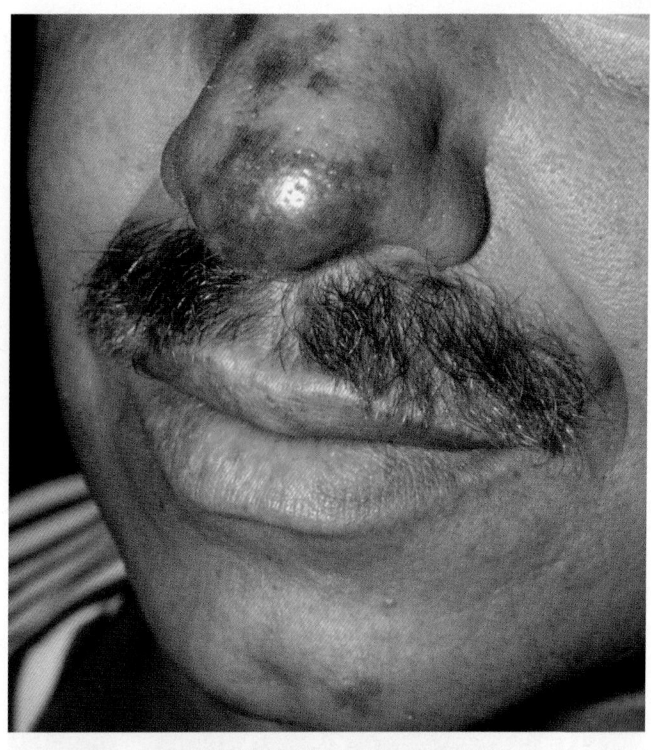

그림 19.52 HIV에 감염된 환자에서 발생항 카포시육종

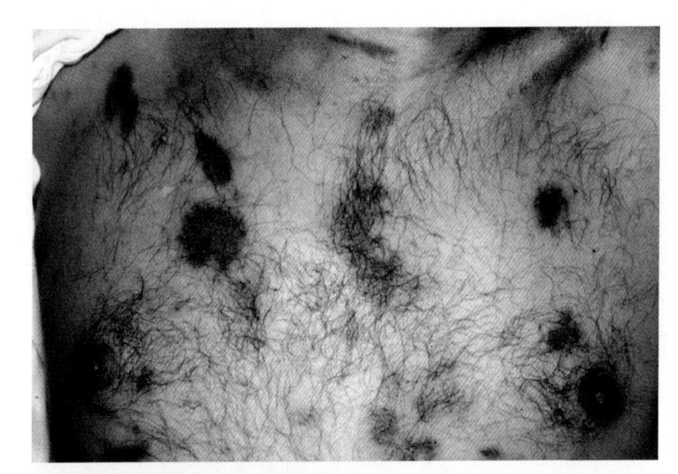

그림 19.53 HIV에 감염된 환자에서 발생항 카포시육종

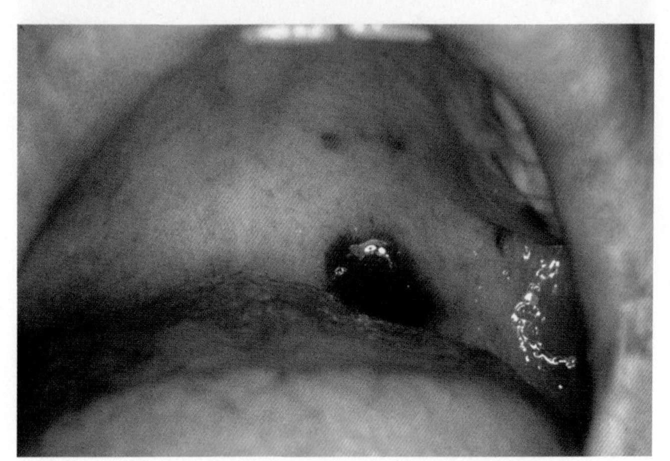

그림 19.54 HIV에 감염된 환자에서 발생항 카포시육종

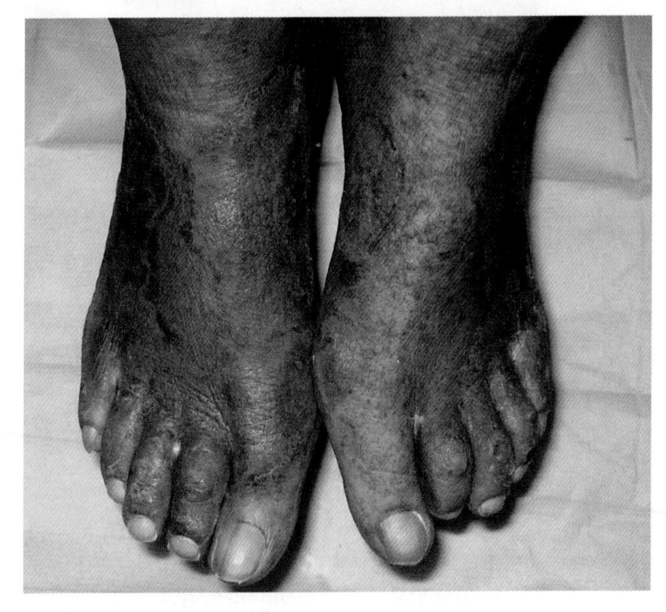

그림 19.55 괴사용해말단홍반

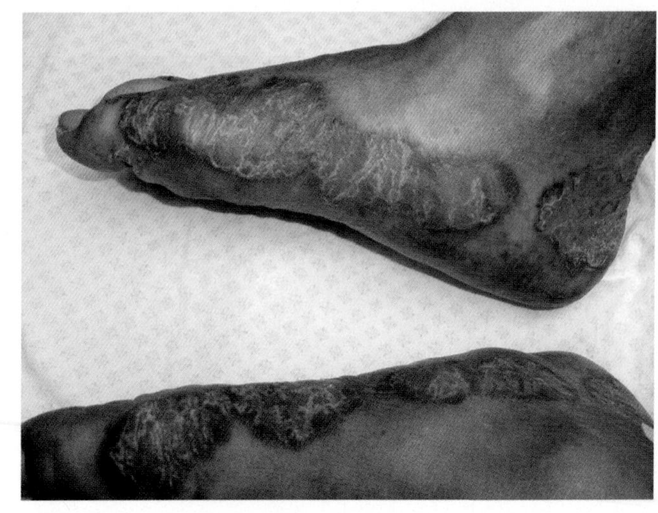

그림 19.56 괴사용해말단홍반

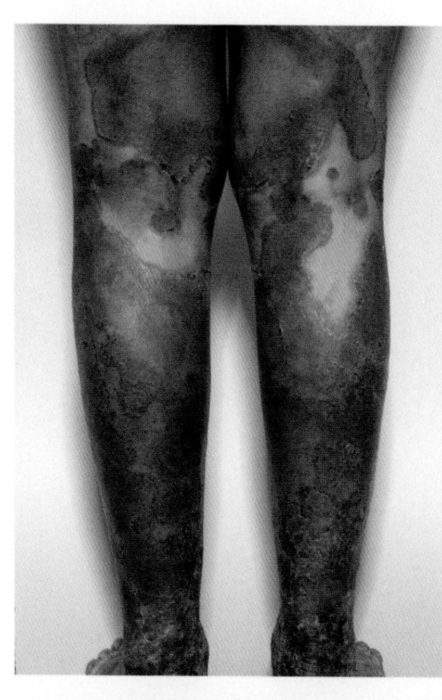

그림 19.57 괴사용해말단홍반. Hivnor CM, Yan AC, Junkins-Hopkins JM, Honig PJ: Nercrolytic acral erythema. J Am Acad Dermatol 2004: 50: S121-124에서 처음 보고되었다.

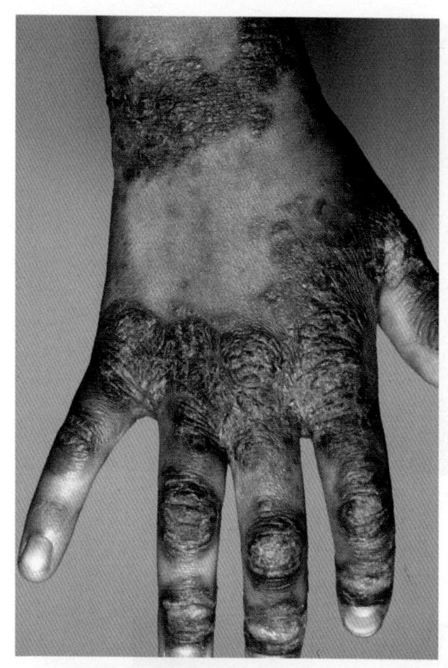

그림 19.58 괴사용해말단홍반. Hivnor CM, Yan AC, Junkins-Hopkins JM, Honig PJ: Nercrolytic acral erythema. J Am Acad Dermatol 2004: 50: S121-124에서 처음 보고되었다.

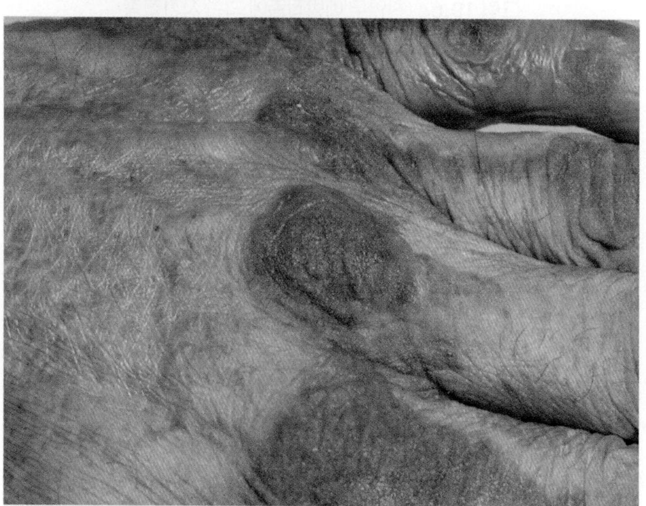

그림 19.59 괴사용해말단홍반

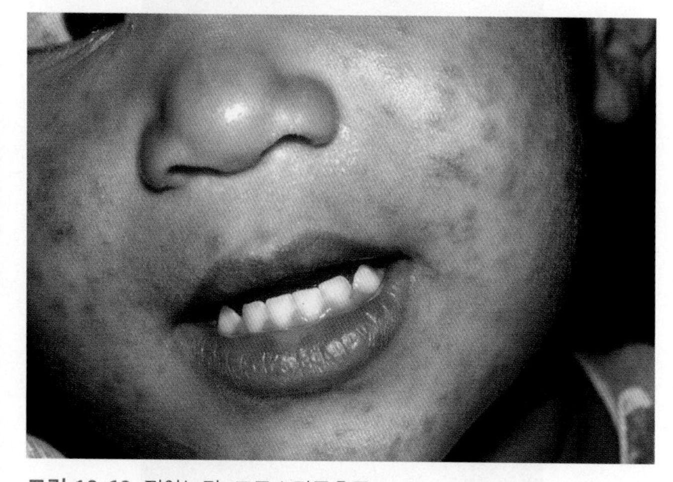

그림 19.60 지아노티-크로스티증후군

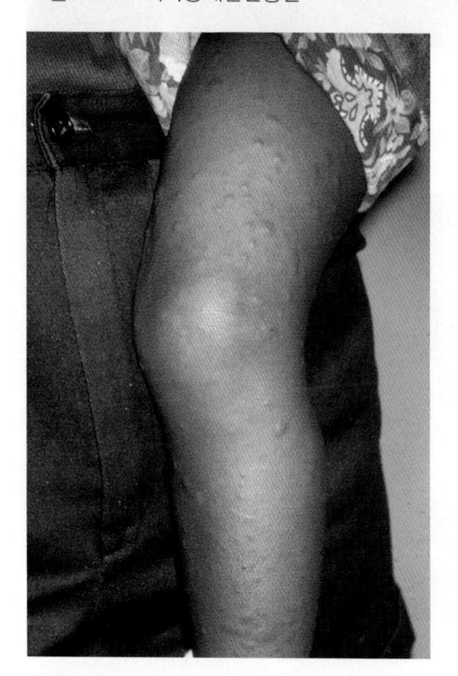

그림 19.61 지아노티-크로스티증후군

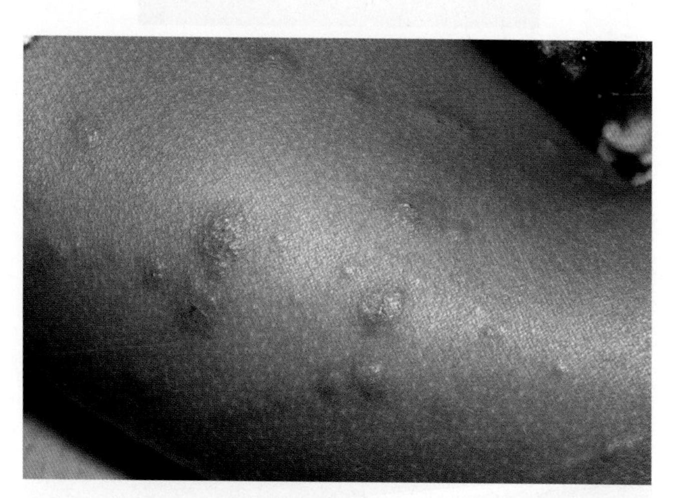

그림 19.62 지아노티-크로스티증후군

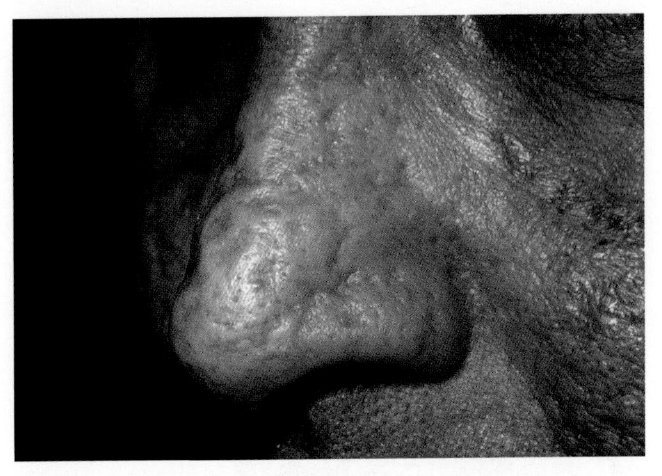

그림 19.63 천연두 흉터

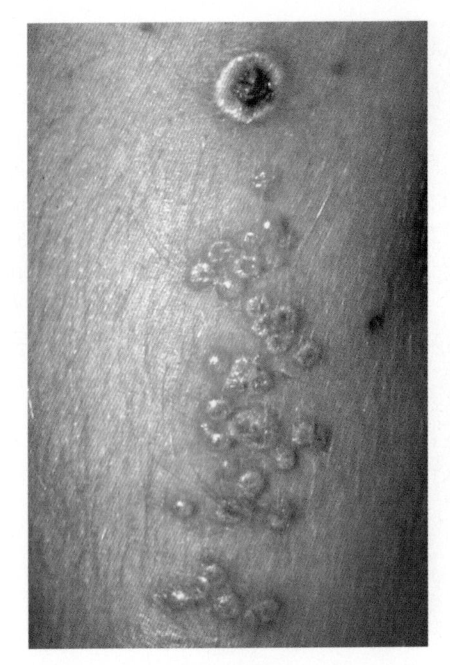

그림 19.64 천연두 예방접종에 의한 자가접종

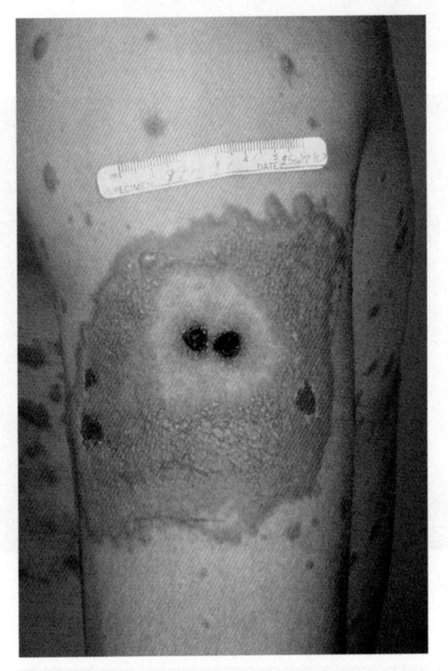

그림 19.65 천연두 예방접종 부위에 발생한 반응성 홍반

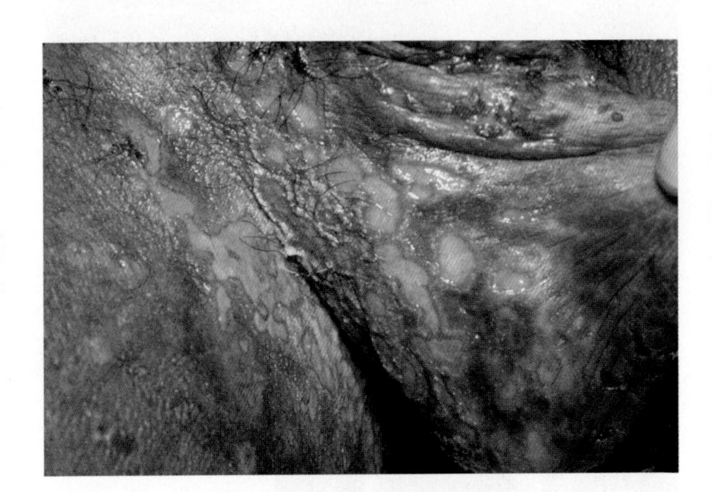

그림 19.66 파종 천연두

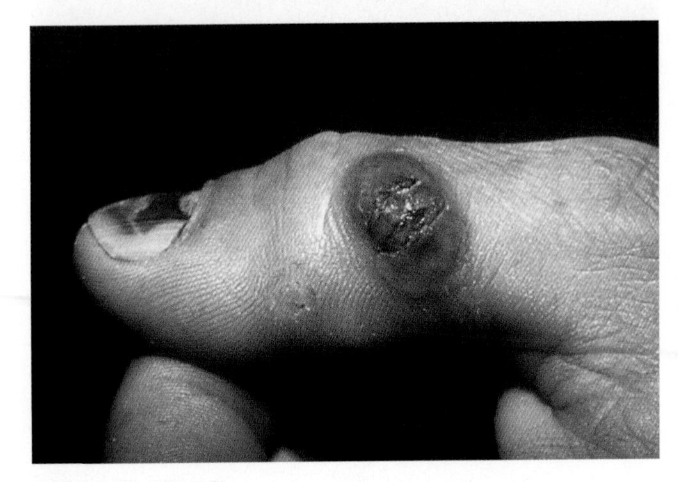

그림 19.67 양아구창

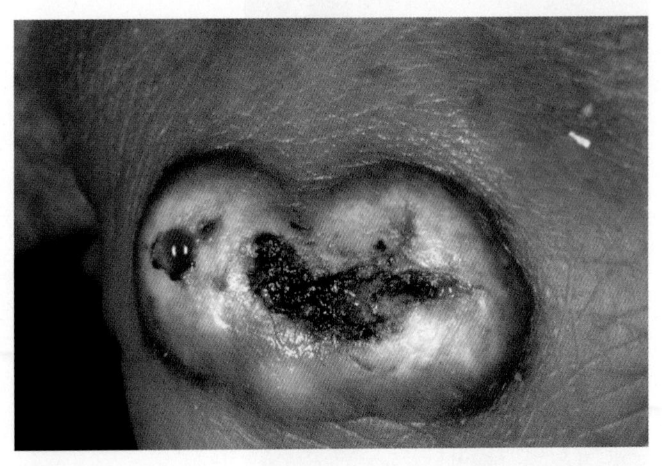

그림 19.68 밀커결절

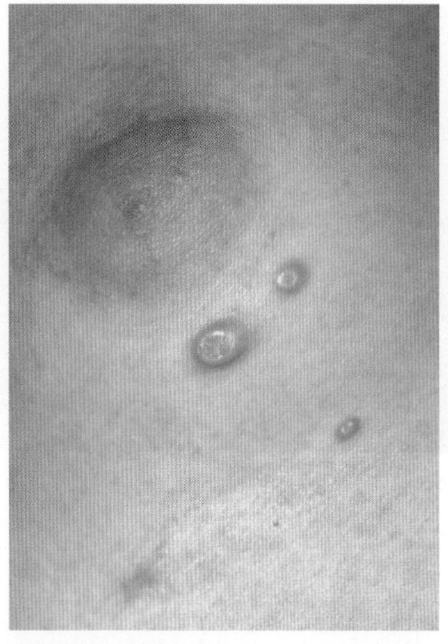

그림 19.69 전염연속종

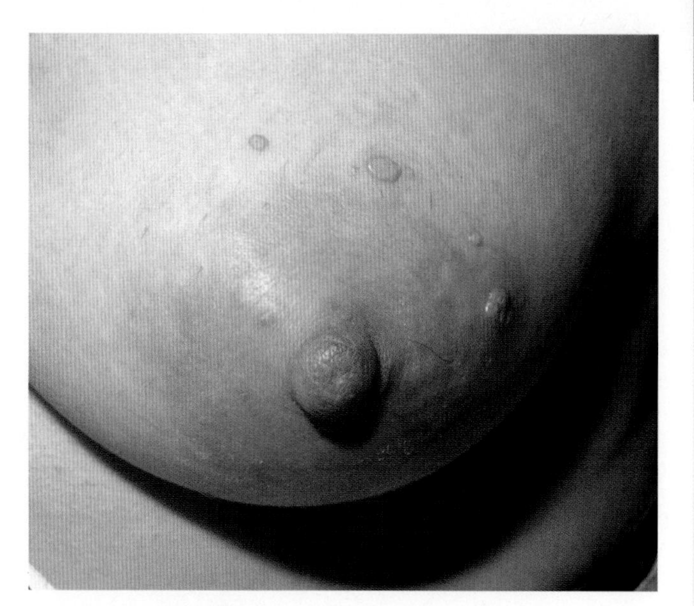

그림 19.70 전염연속종

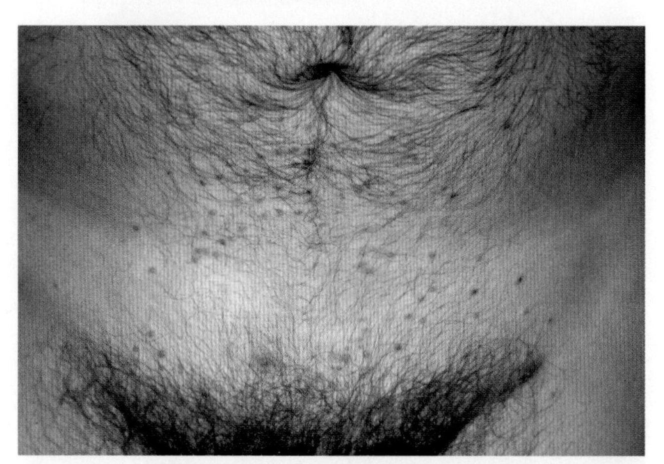

그림 19.71 전염연속종

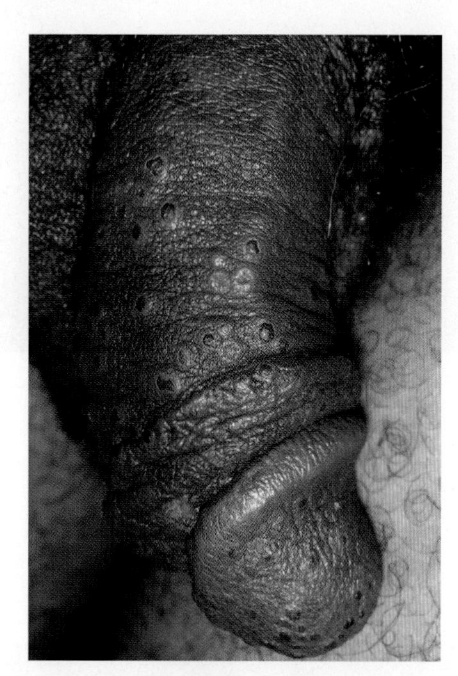

그림 19.72 전염연속종

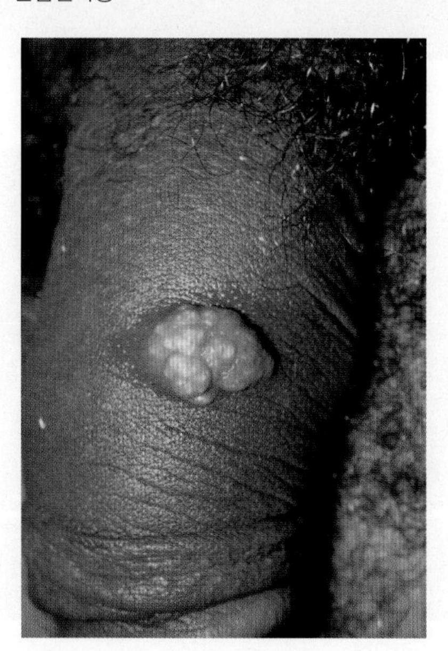

그림 19.73 거대한 전염연속종

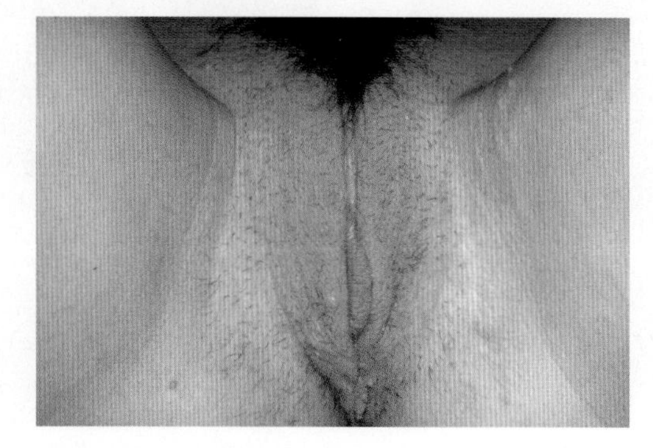

그림 19.74 전염연속종

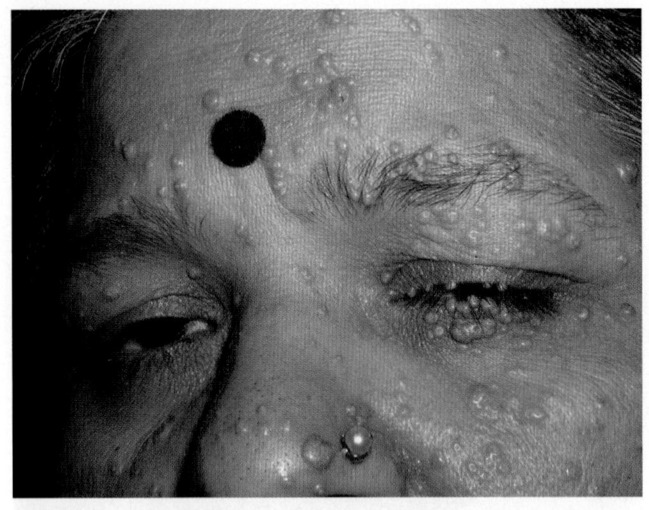
그림 19.75 거대한 전염연속종

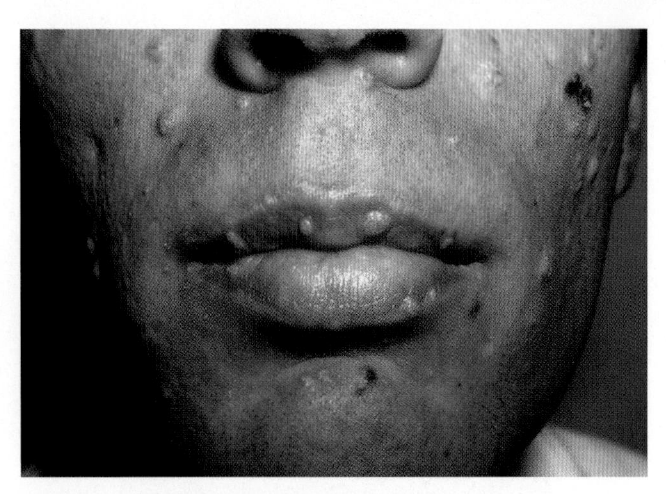
그림 19.76 HIV에 감염된 환자에서의 전염연속종

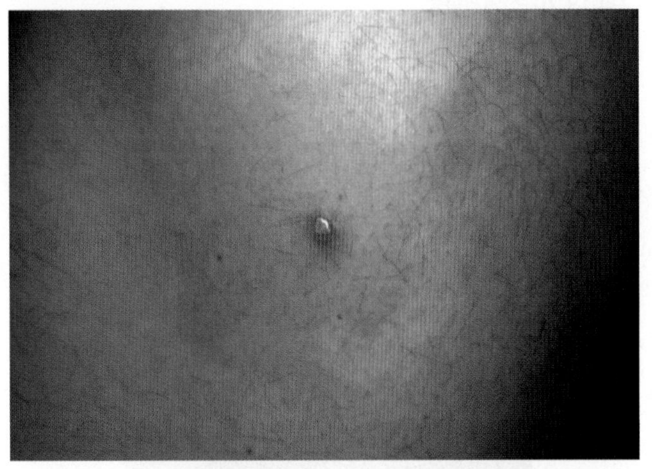
그림 19.77 전염연속종 피부염

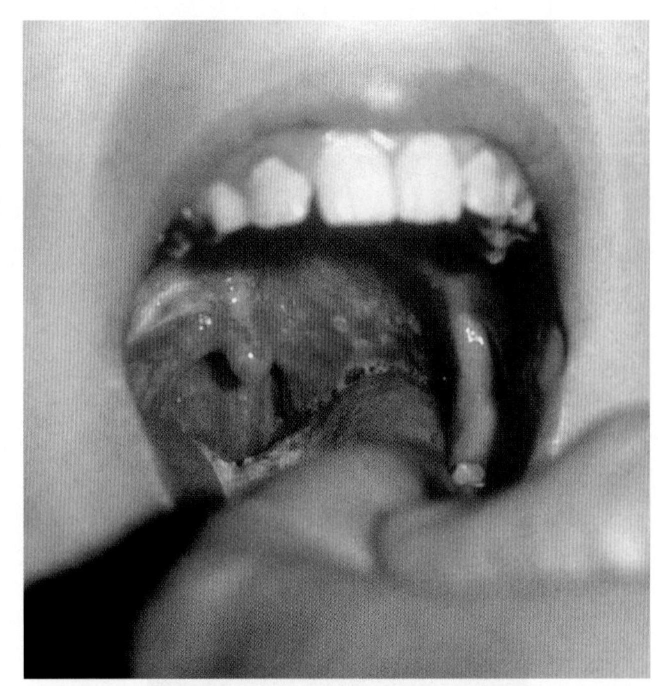
그림 19.78 포진성구협염

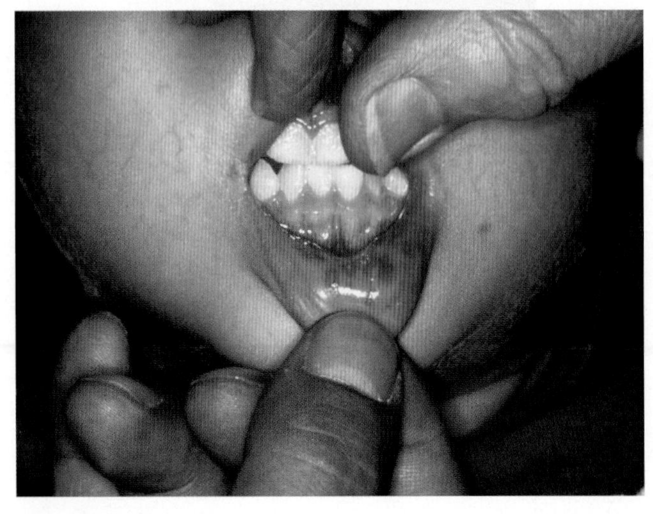
그림 19.79 수족구병

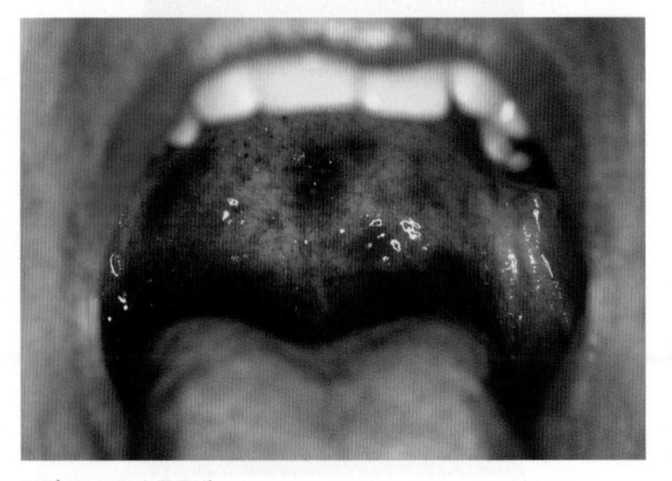
그림 19.80 수족구병

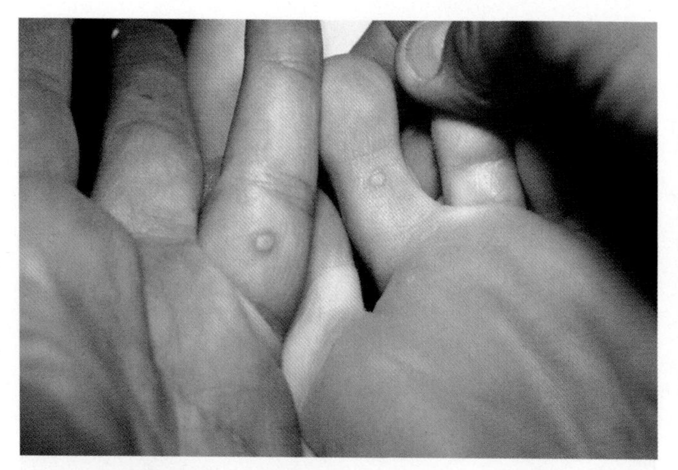

그림 19.81 수족구병

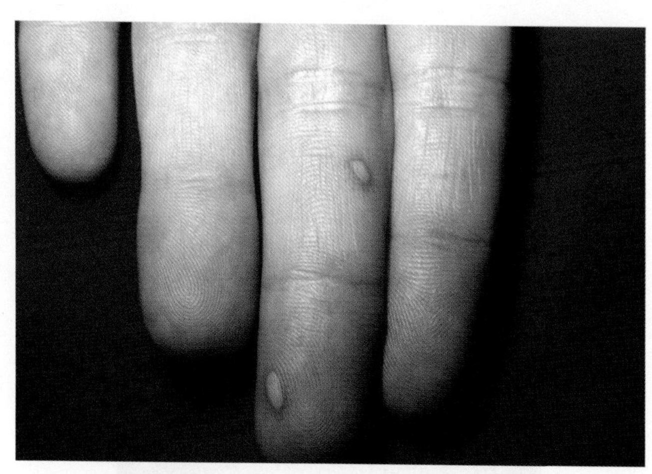

그림 19.82 수족구병

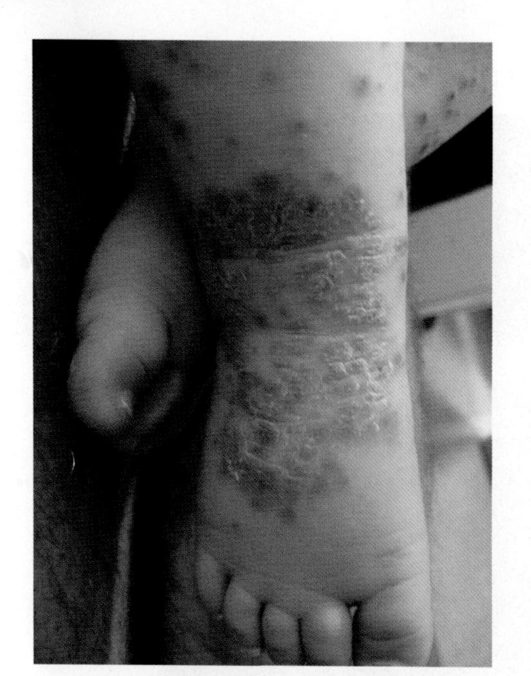

그림 19.83 콕사키바이러스 A6에 의한 수족구병

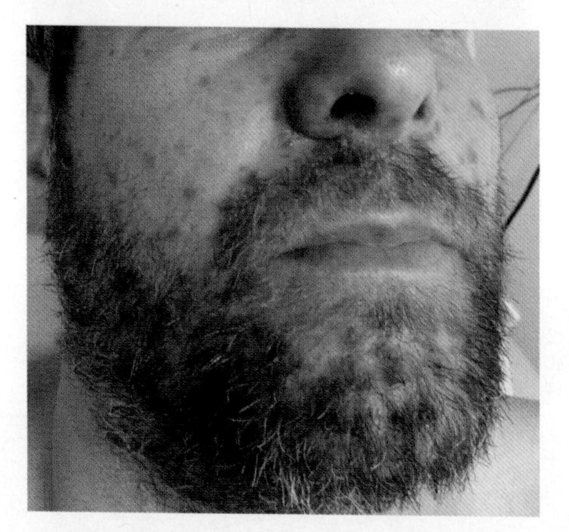

그림 19.84 콕사키바이러스 A6에 의한 수족구병

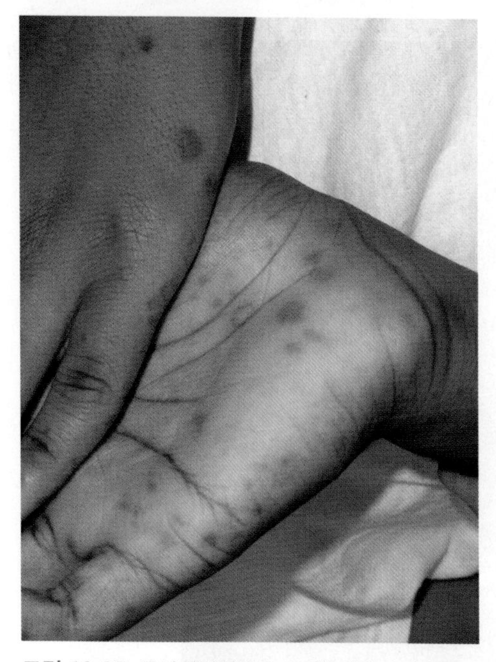

그림 19.85 콕사키바이러스 A6에 의한 수족구병

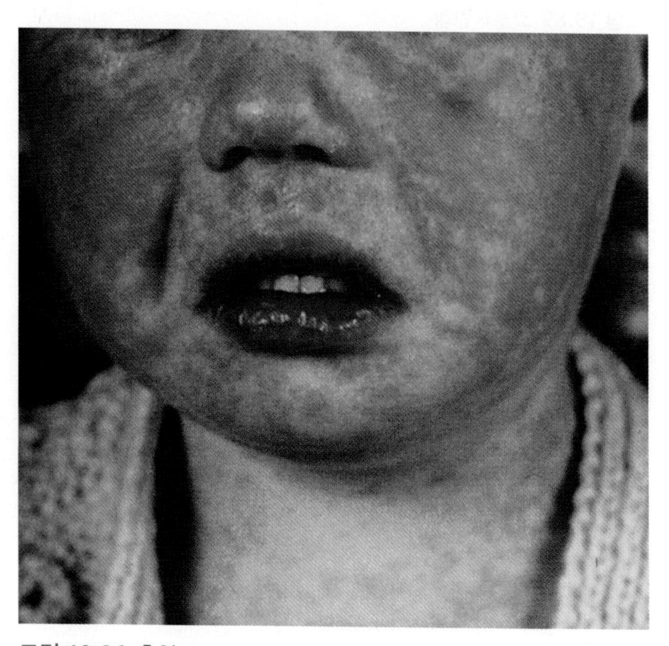

그림 19.86 홍역

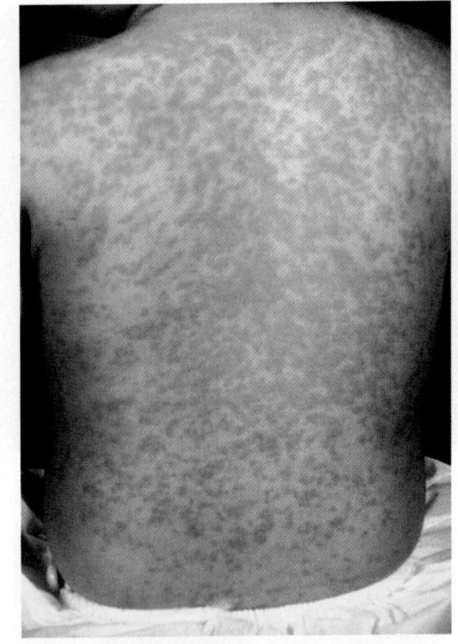
그림 19.87 홍역

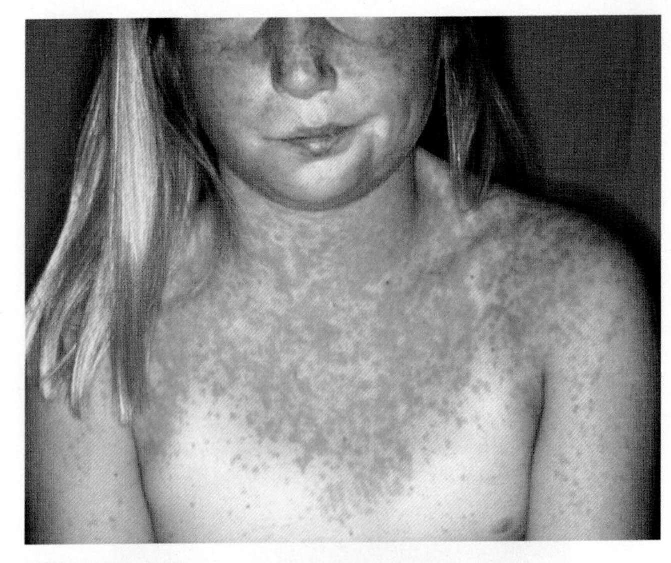
그림 19.88 홍역

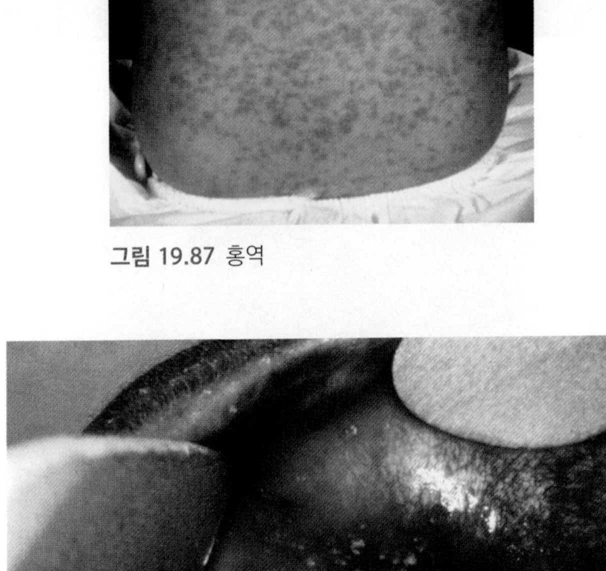
그림 19.89 코플릭반점

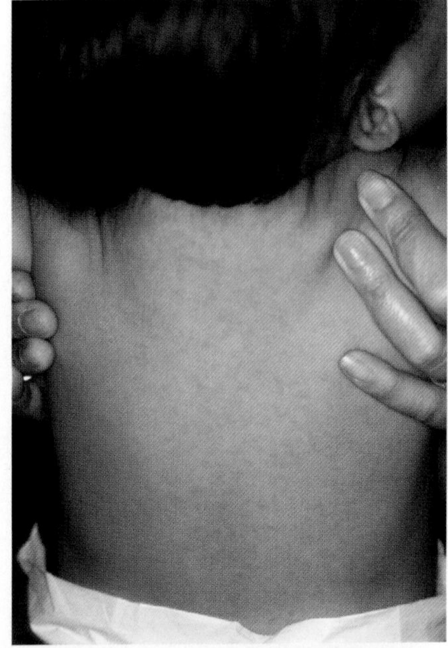
그림 19.90 풍진

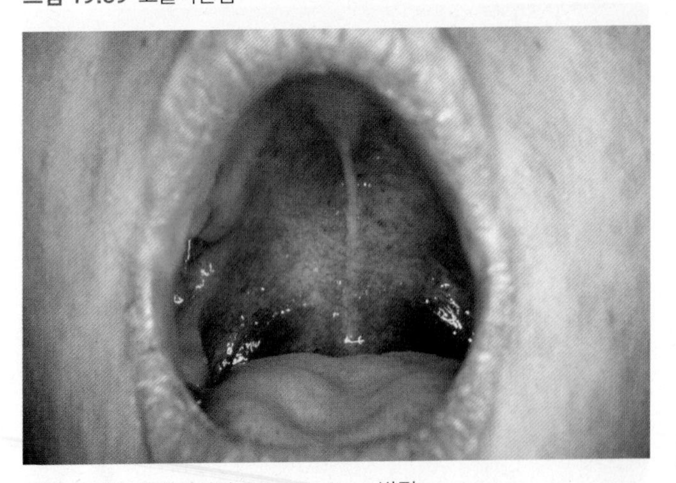
그림 19.91 풍진에서의 Forschheimer 반점

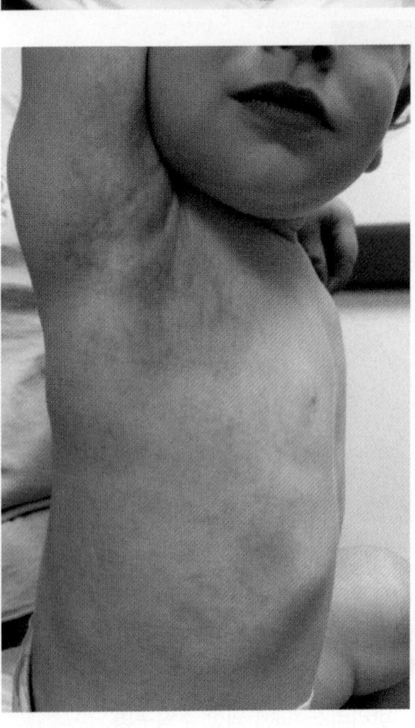
그림 19.92 소아의 비대칭성 굴측부 주위 피진

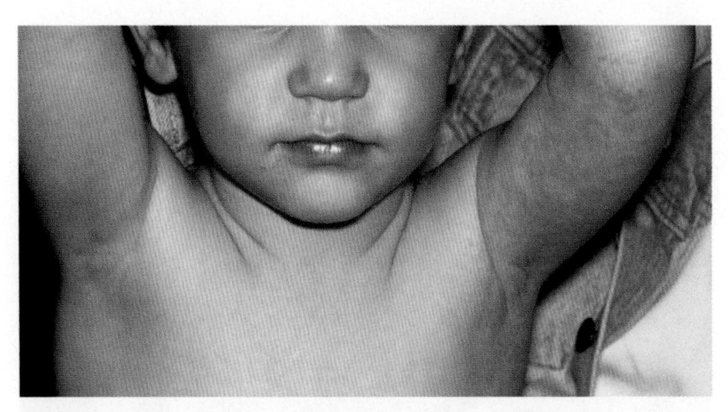
그림 19.93 소아의 비대칭성 굴측주위 피진

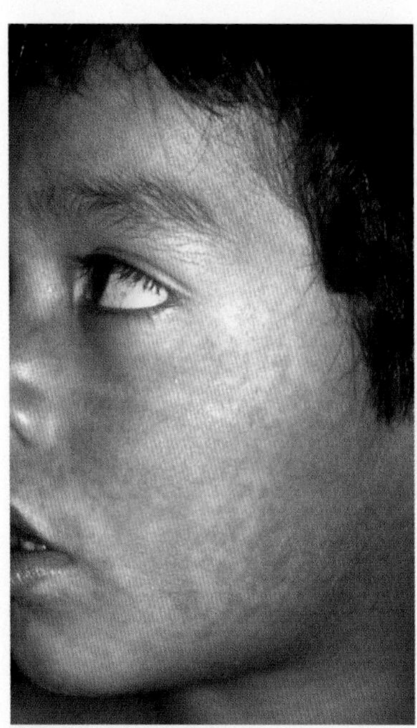
그림 19.94 감염홍반

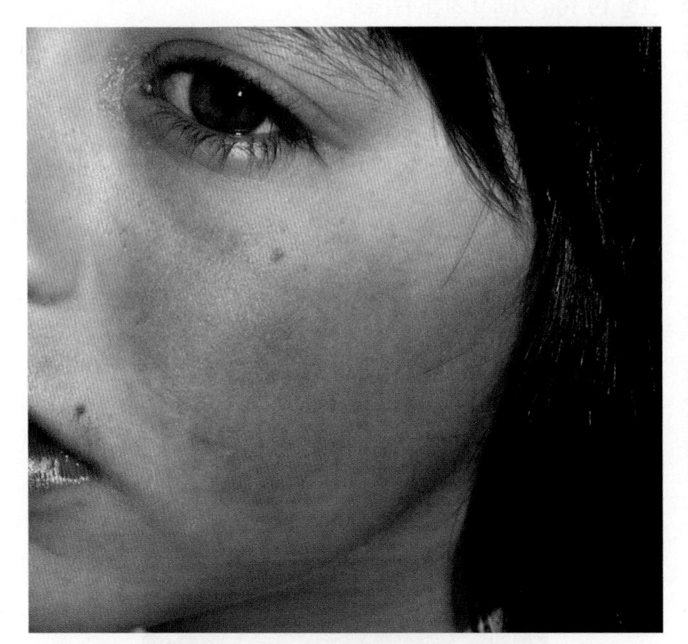
그림 19.95 감염홍반

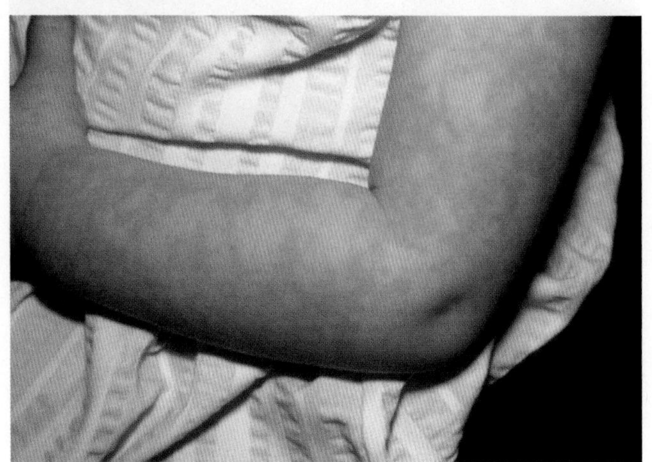
그림 19.96 감염홍반

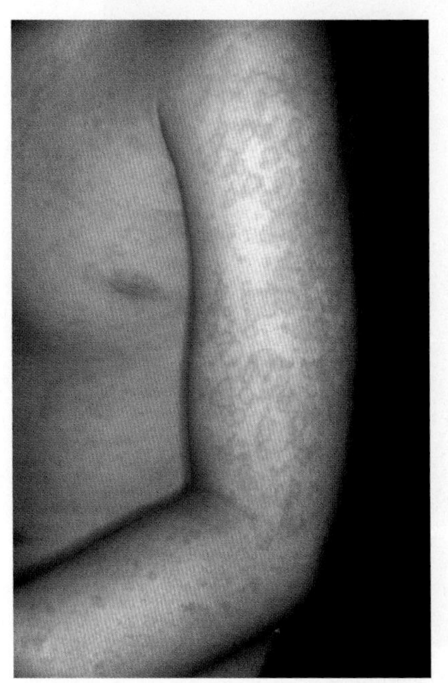
그림 19.97 감염홍반

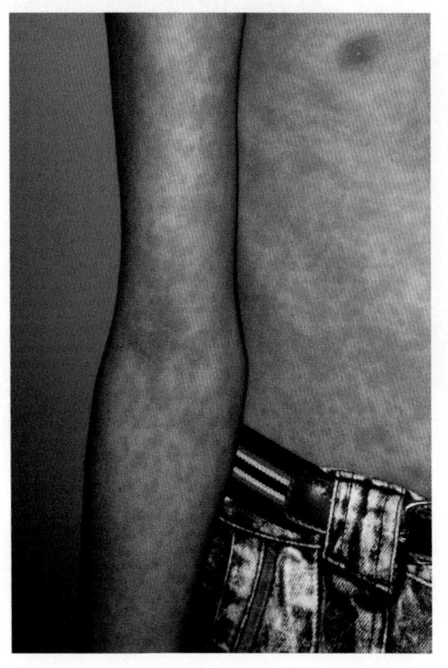
그림 19.98 감염홍반

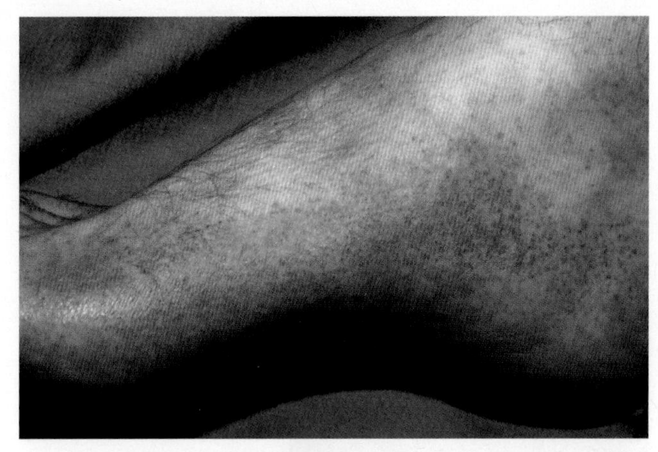

그림 19.99 자반성 장갑양말증후군

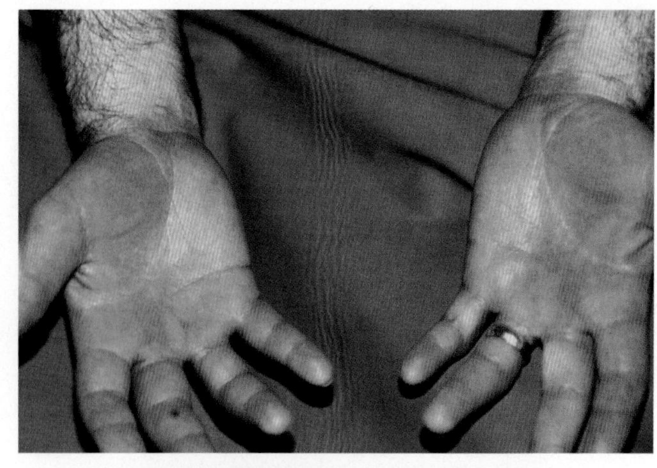

그림 19.100 자반성 장갑양말증후군

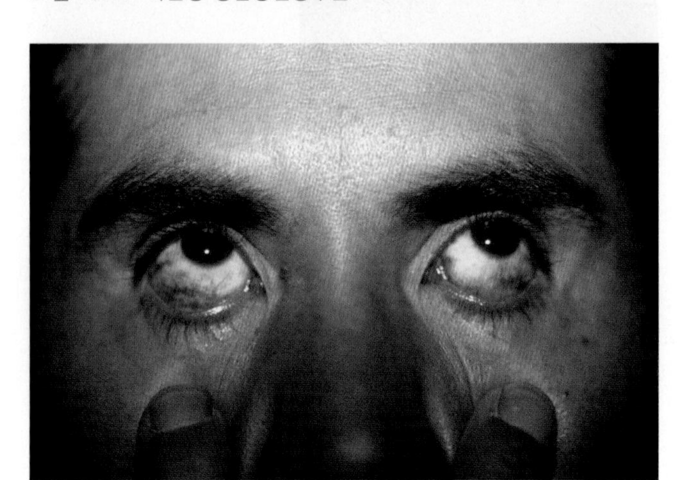

그림 19.101 뎅기열

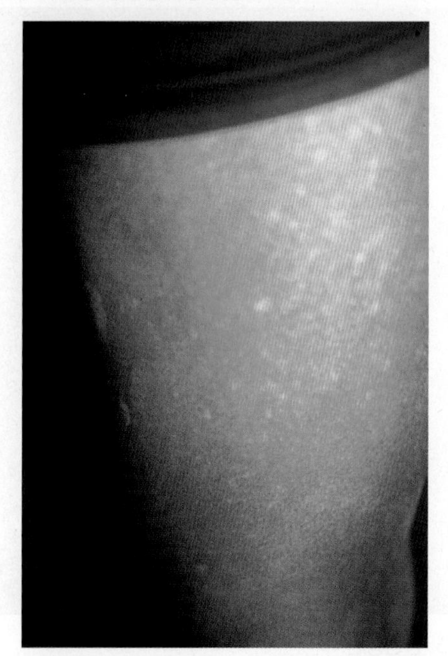

그림 19.102 뎅기열

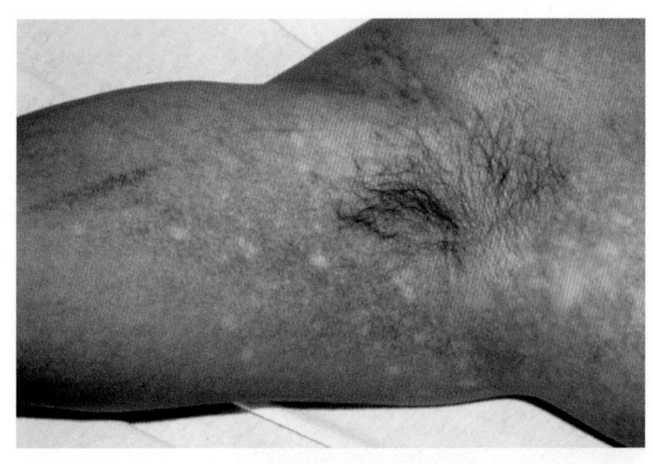

그림 19.103 뎅기열

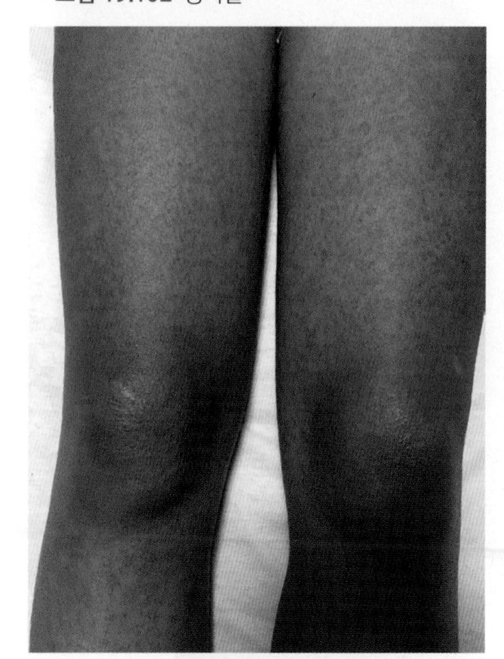

그림 19.104 치쿤구니야열

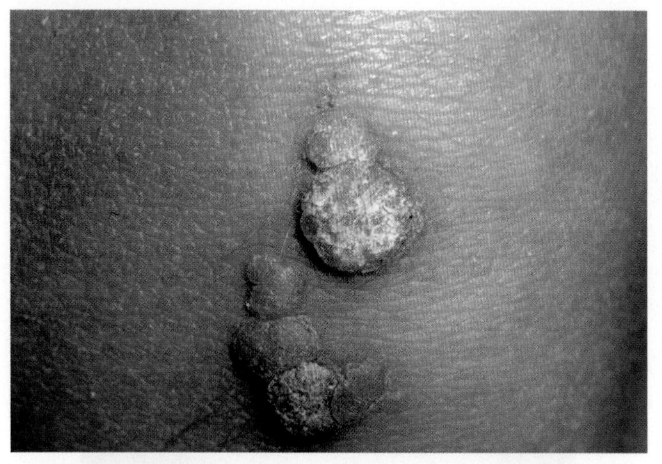

그림 19.105 사마귀

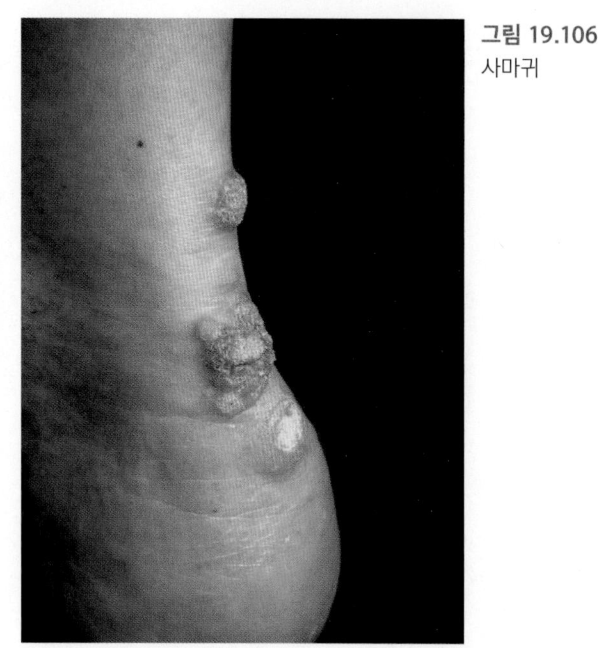

그림 19.106 사마귀

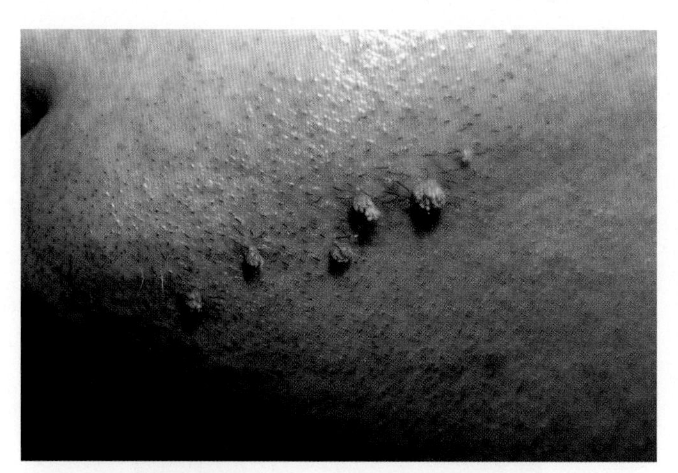

그림 19.107 사마귀

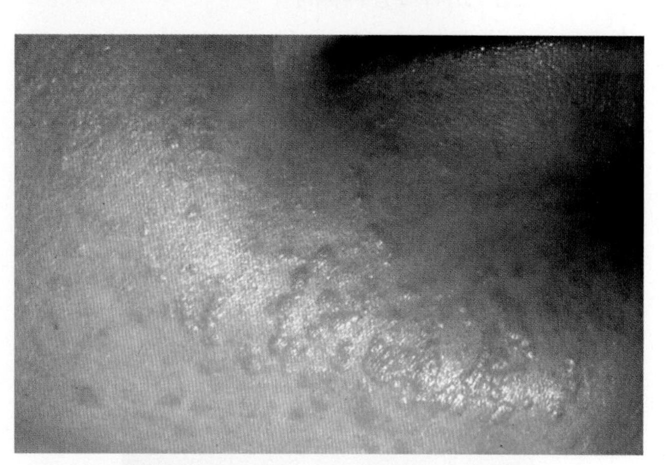

그림 19.108 편평사마귀

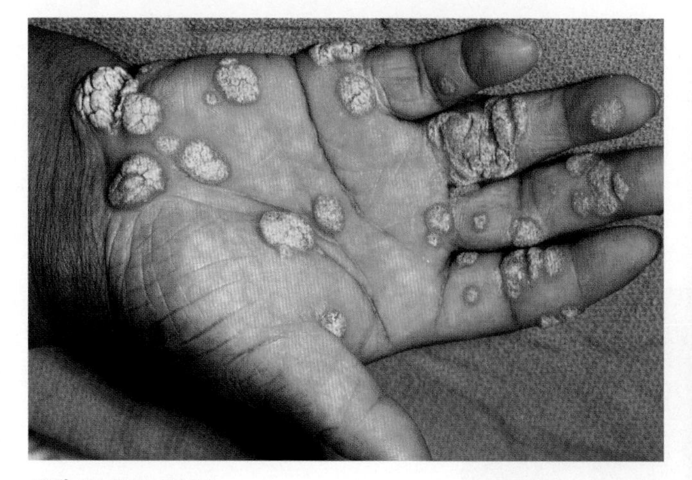

그림 19.109 사마귀

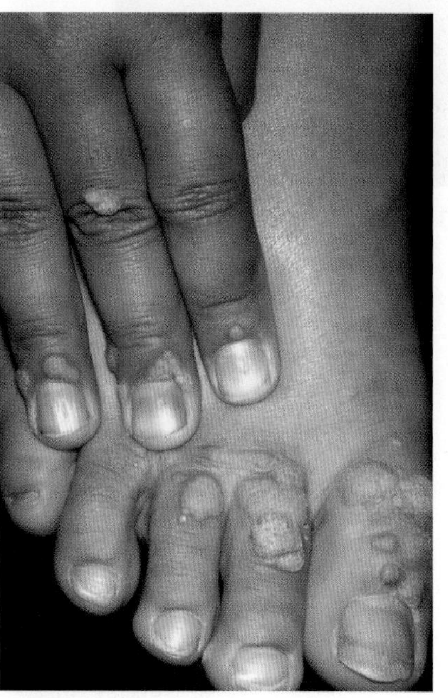

그림 19.110 사마귀

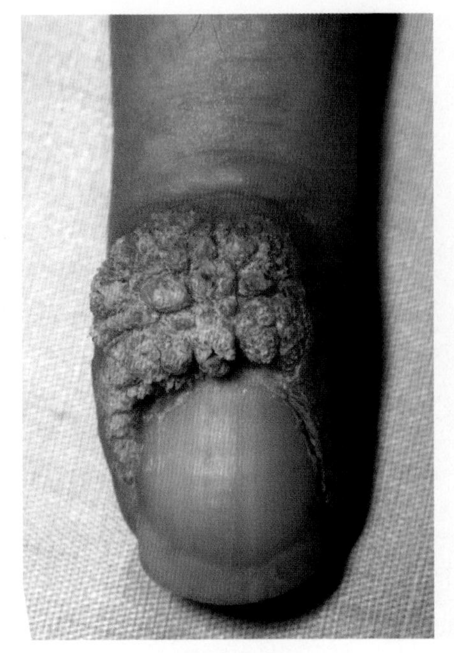
그림 19.111 조갑주위사마귀

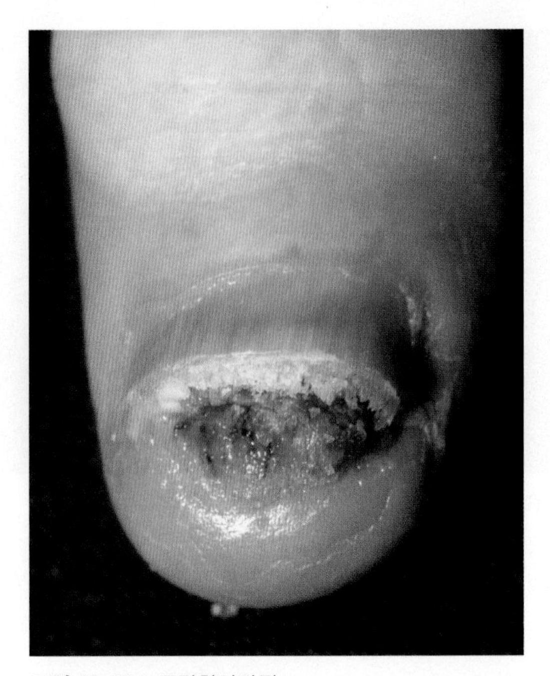
그림 19.112 조갑하사마귀

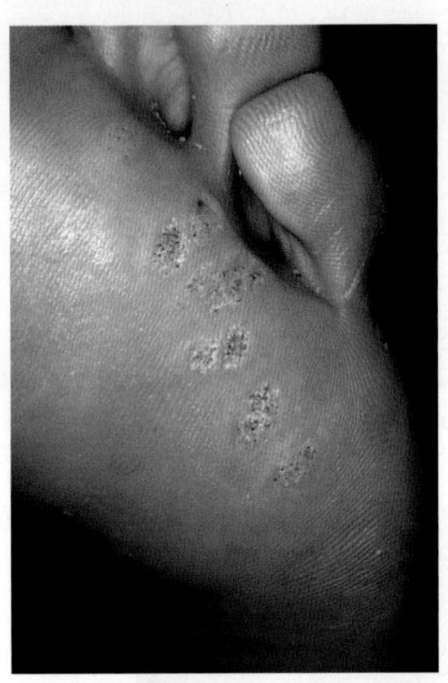
그림 19.113 발바닥사마귀

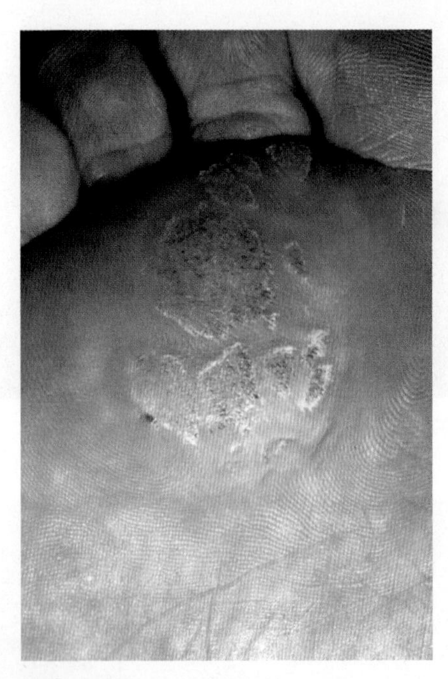
그림 19.114 발바닥사마귀

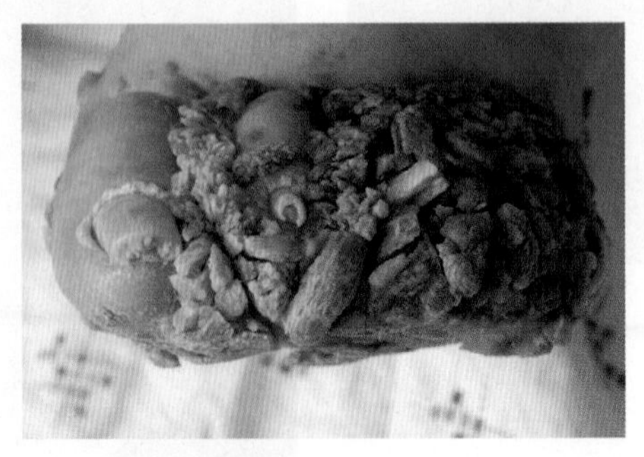
그림 19.115 위장관 림프관종증 환자에서 발생한 광범위한 사마귀

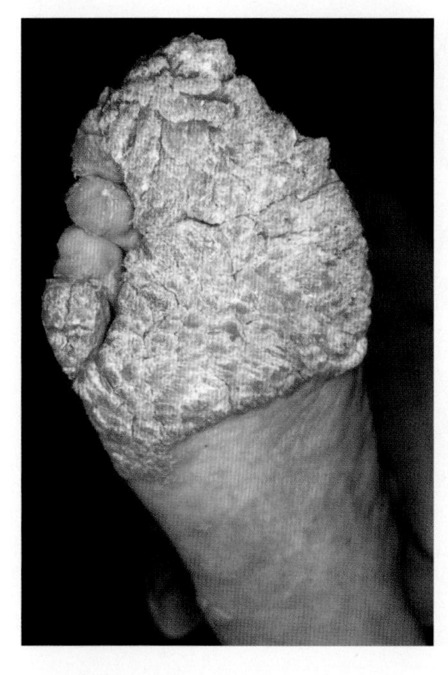

그림 19.116 WHIM 또는 DOCK8과 같은 면역결핍증에서 보일 수 있는 광범위한 사마귀

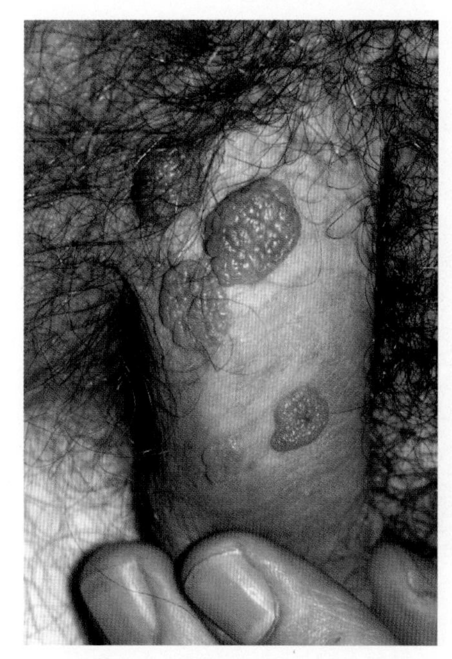

그림 19.117 첨규콘딜로마

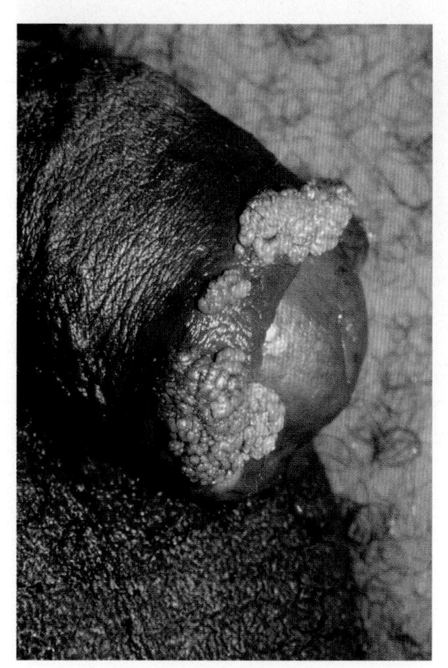

그림 19.118 첨규콘딜로마

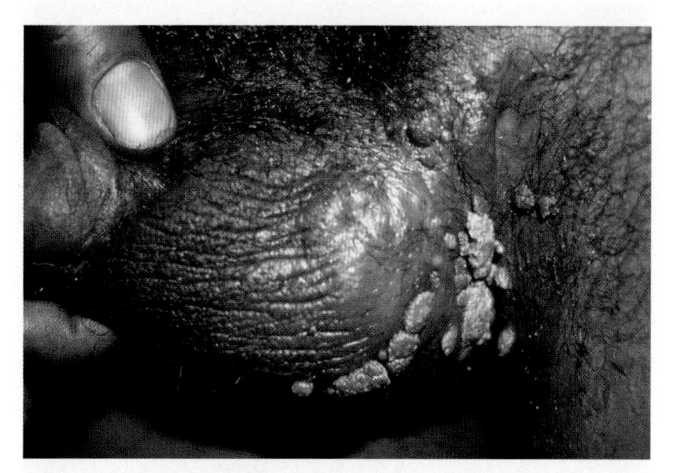

그림 19.119 첨규콘딜로마

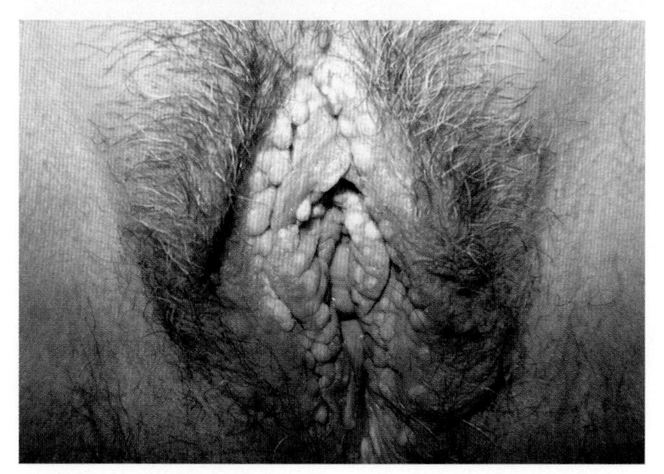

그림 19.120 첨규콘딜로마

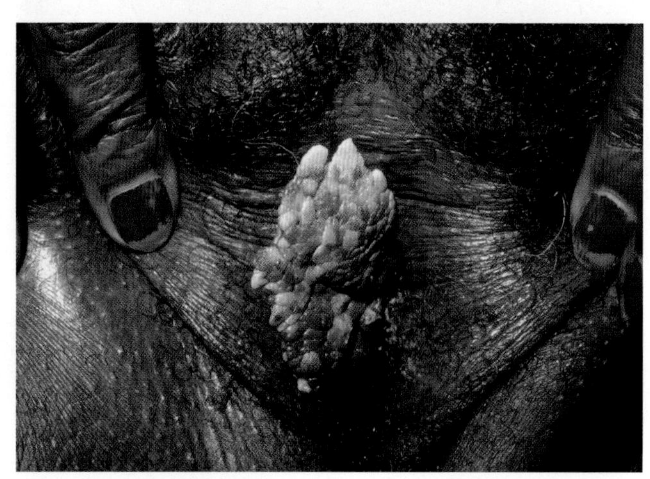

그림 19.121 첨규콘딜로마

그림 19.122 보웬양구진증

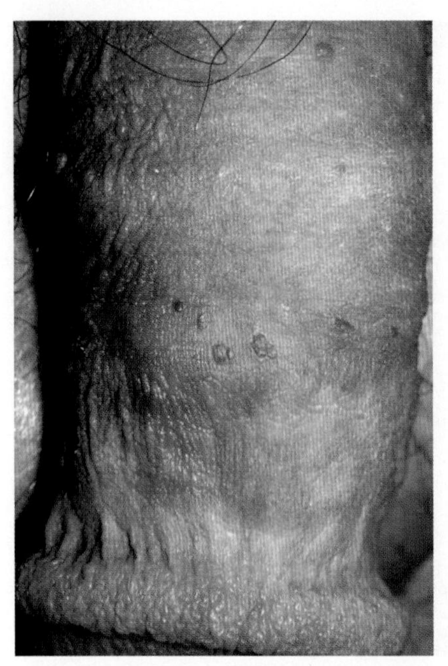

그림 19.123 보웬양구진증

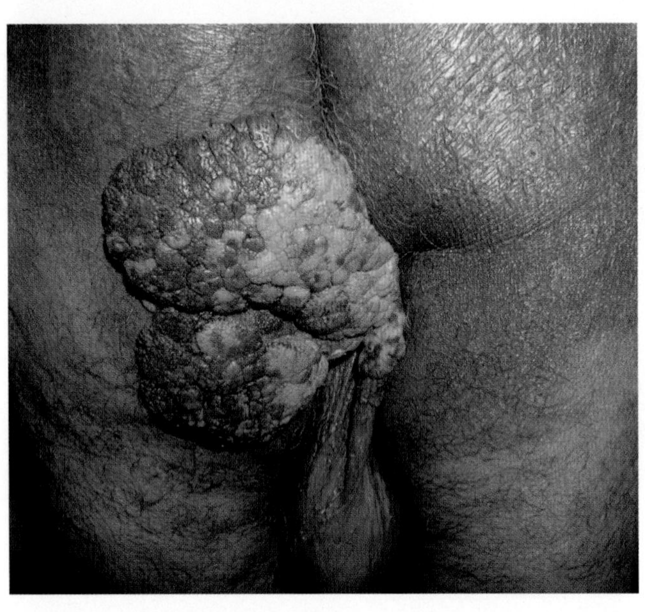

그림 19.124 부쉬케-뢰벤스타인종양

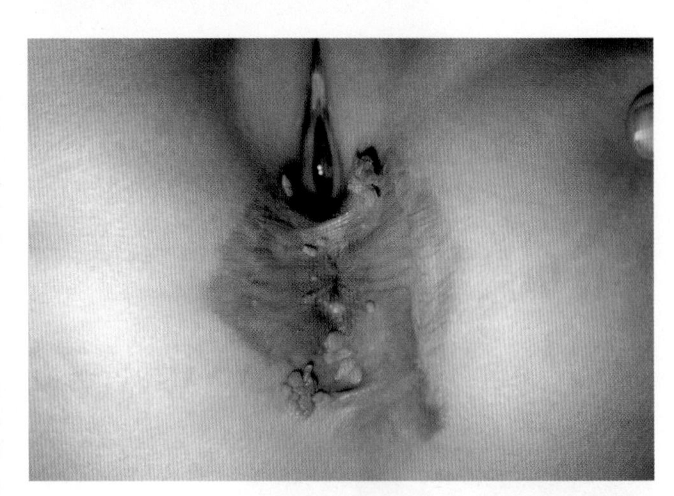

그림 19.125 소아에서 발생한 성기사마귀

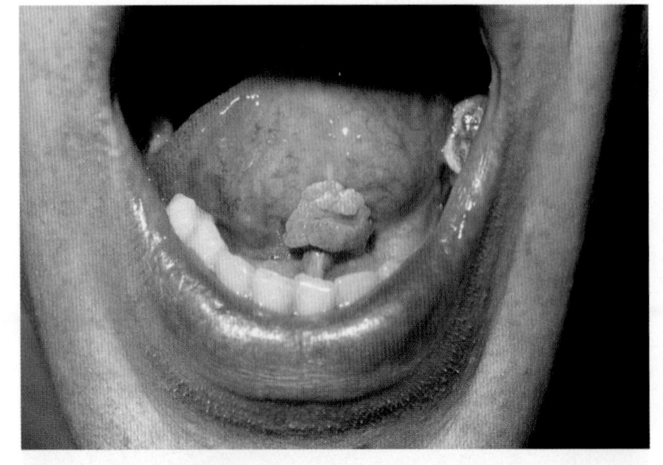

그림 19.126 구강사마귀

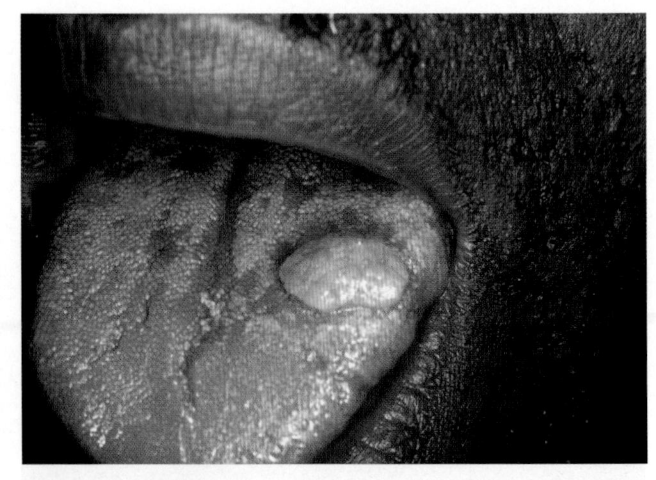

그림 19.127 구강사마귀

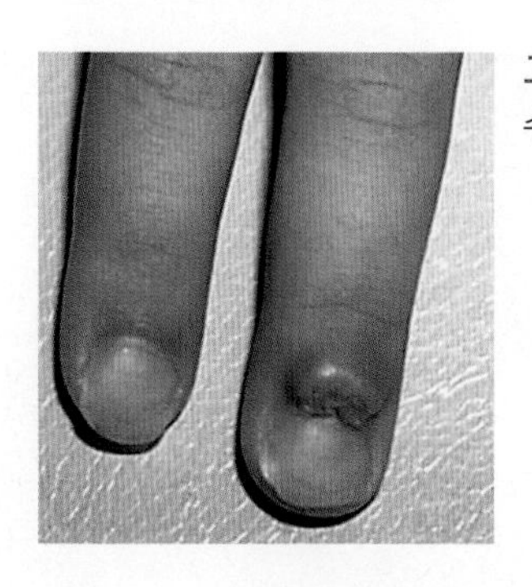

그림 19.128 심재성 수장족저 사마귀

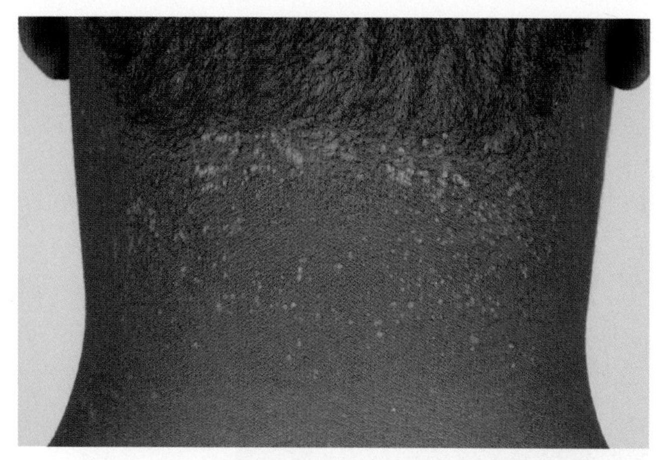

그림 19.129 HIV에 감염된 환자에서의 사마귀표피형성이상

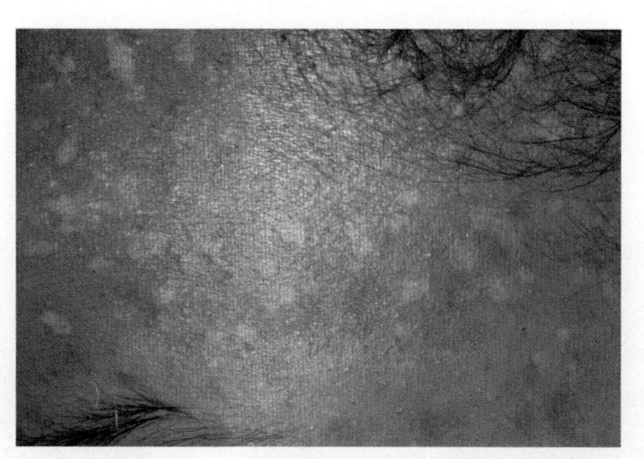

그림 19.130 HIV에 감염된 환자에서의 사마귀표피형성이상

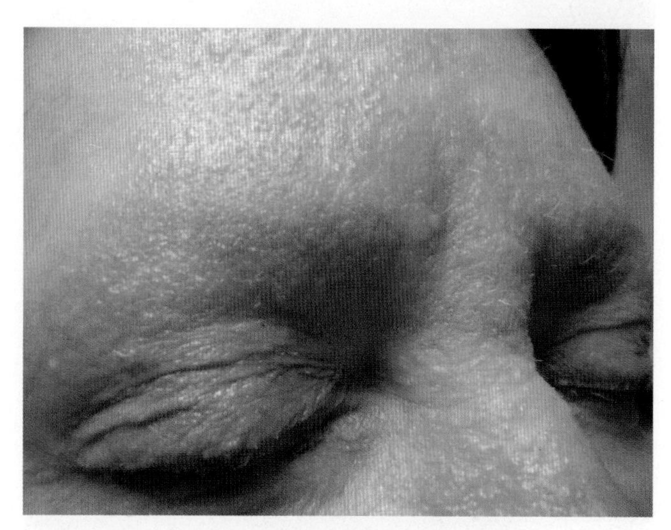

그림 19.131 가시 모형성이상증(Trichodysplasia spinulosa)

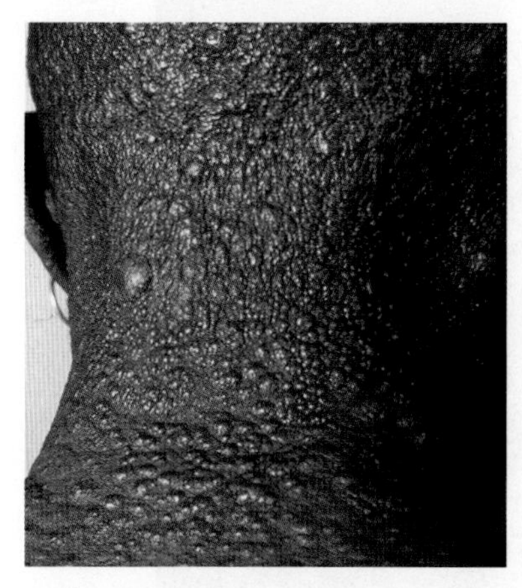

그림 19.132 HTLV-1 피부증

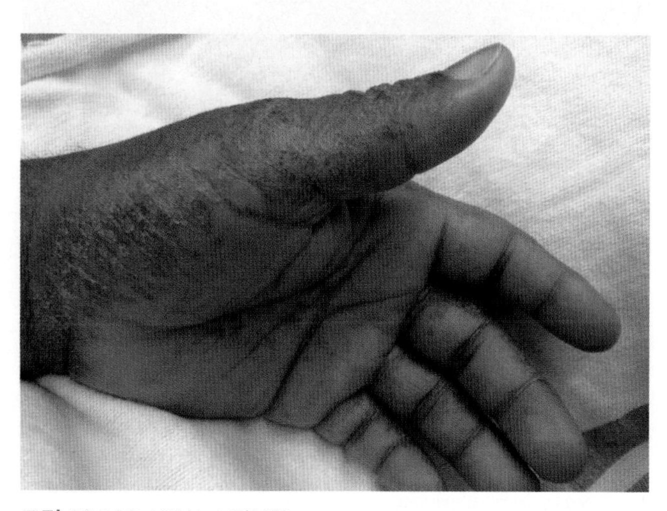

그림 19.133 HTLV-1 피부증

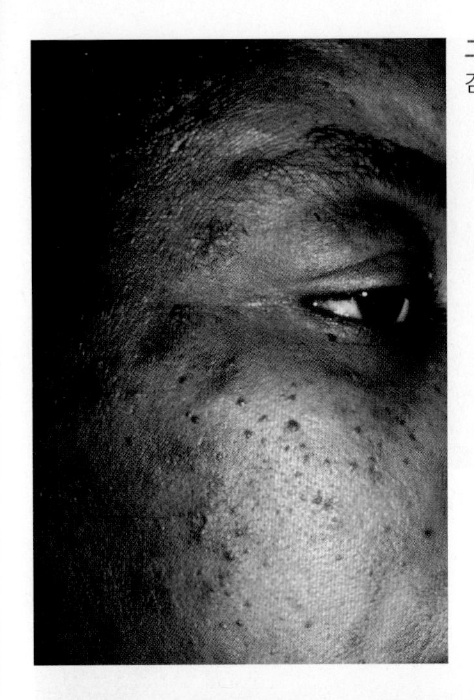

그림 19.134 1차 HIV 감염

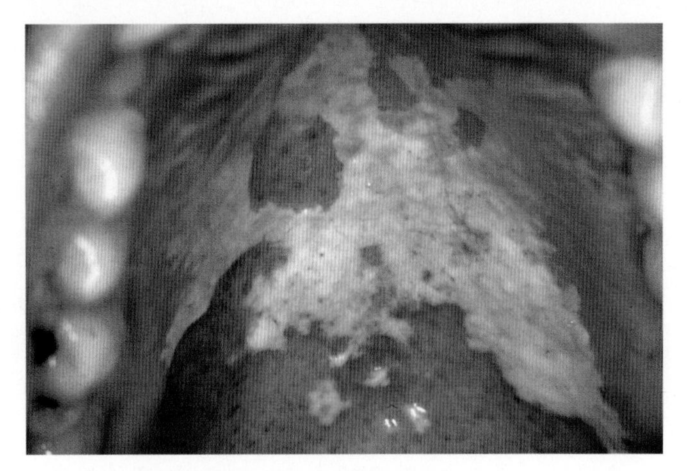

그림 19.135 HIV에 감염된 환자에서의 아구창

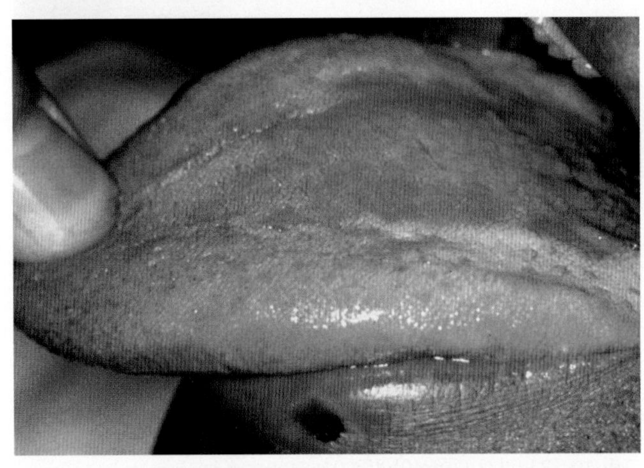

그림 19.136 HIV에 감염된 환자에서의 아구창과 치유되고 있는 경성하감

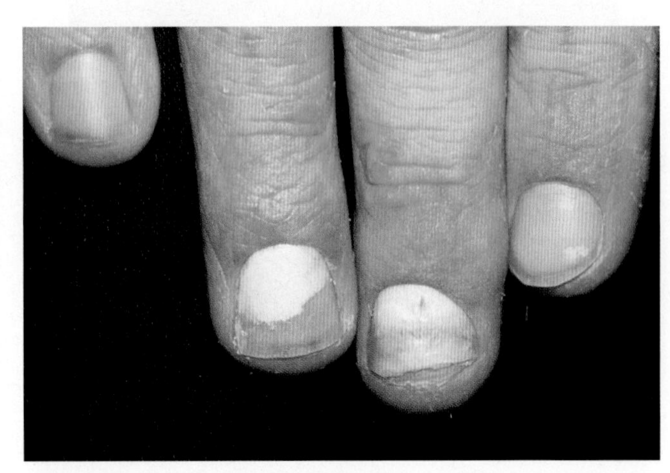

그림 19.137 HIV에 감염된 환자에서 발생한 근위부 조갑백선

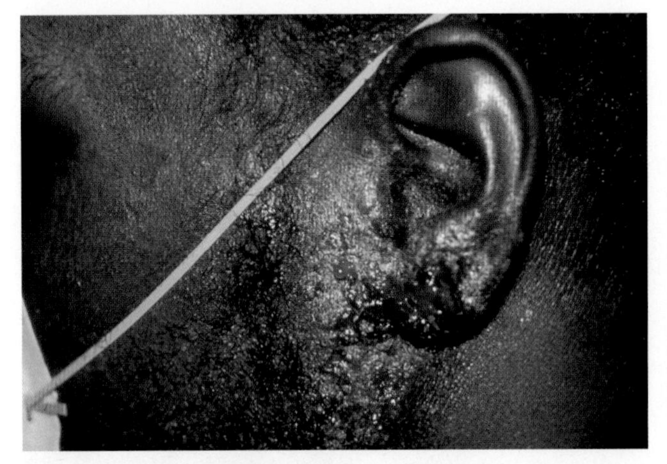

그림 19.138 HIV에 감염된 환자에서의 단순포진과 지루피부염

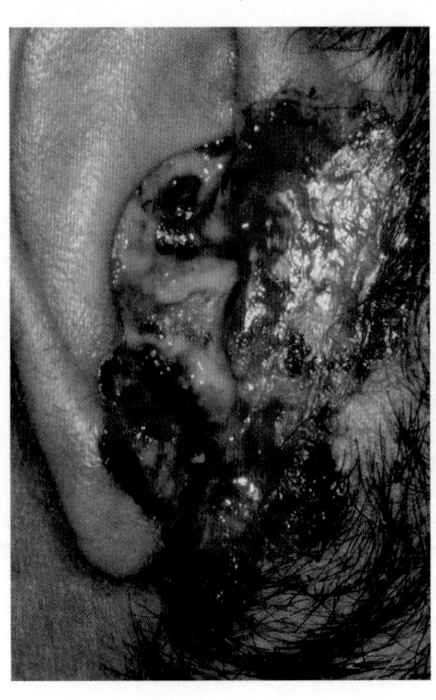

그림 19.139 HIV에 감염된 환자에서의 만성 단순포진

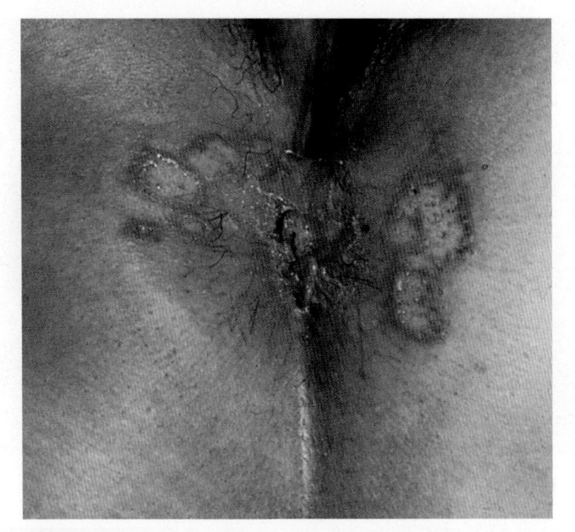

그림 19.140 HIV에 감염된 환자에서의 만성 궤양성 단순포진

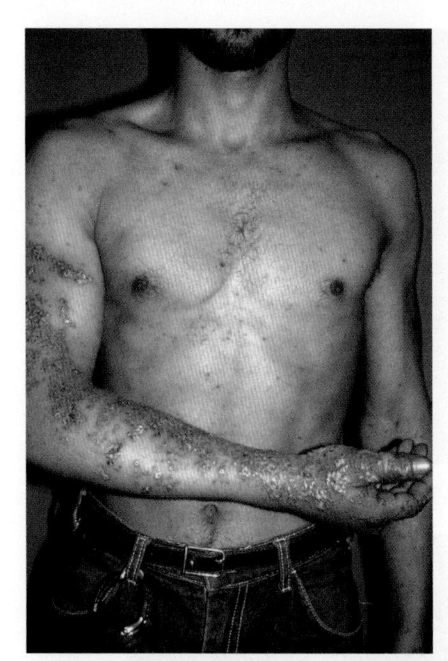

그림 19.141 HIV에 감염된 환자에서 발생한 대상포진

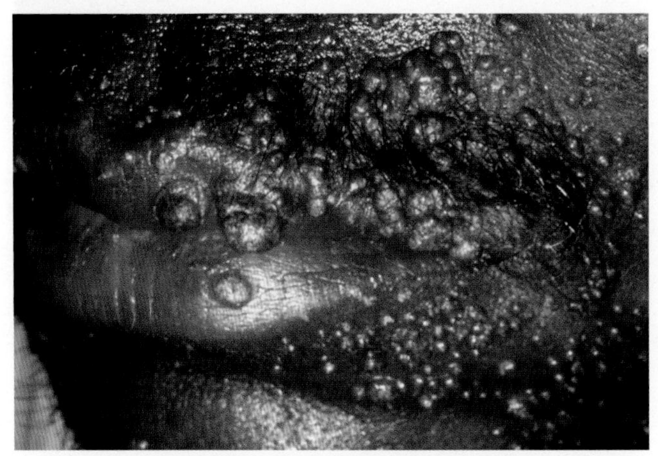

그림 19.142 HIV에 감염된 환자에서 발생한 전염연속종

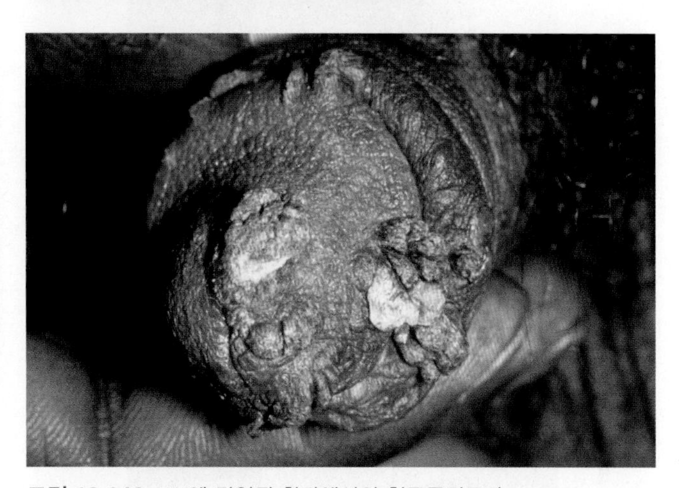

그림 19.143 HIV에 감염된 환자에서의 첨규콘딜로마

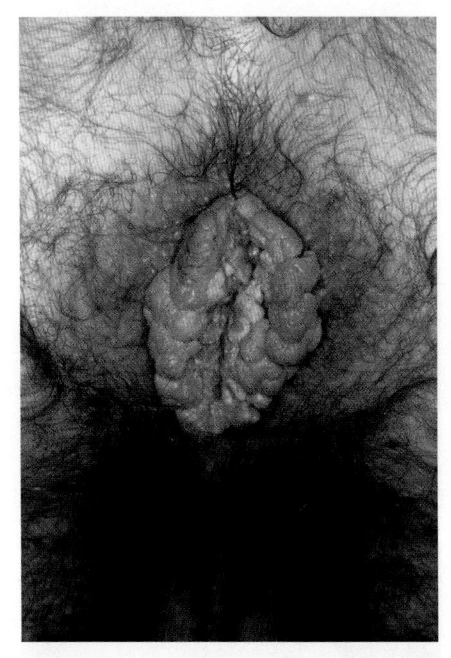

그림 19.144 HIV에 감염된 환자에서의 첨규콘딜로마

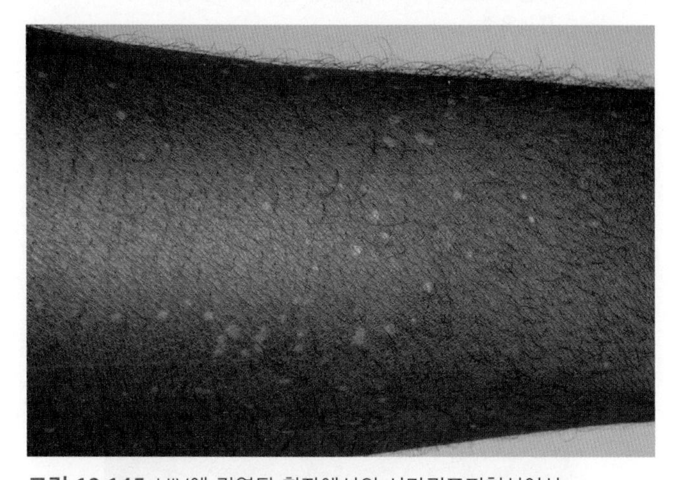

그림 19.145 HIV에 감염된 환자에서의 사마귀표피형성이상

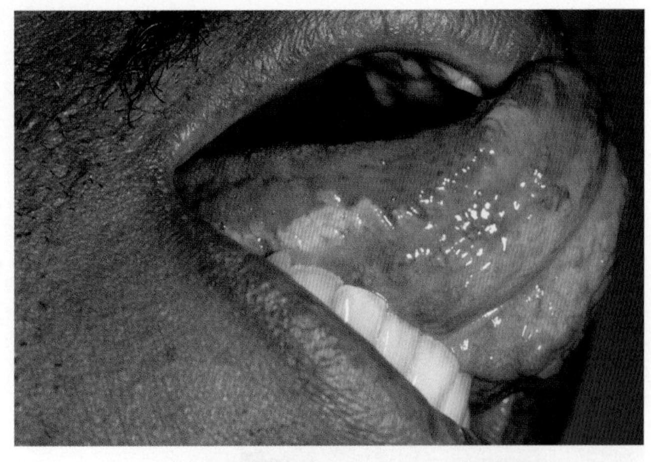

그림 19.146 HIV에 감염된 환자에서 발생한 구강모백색판증

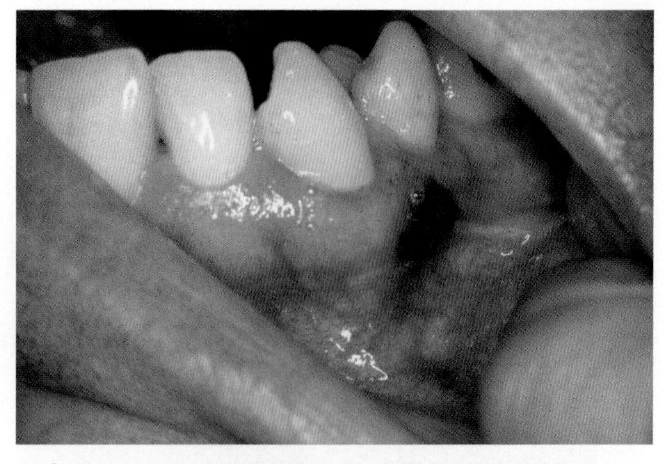

그림 19.147 HIV에 감염된 환자에서 발생한 구강 카포시육종

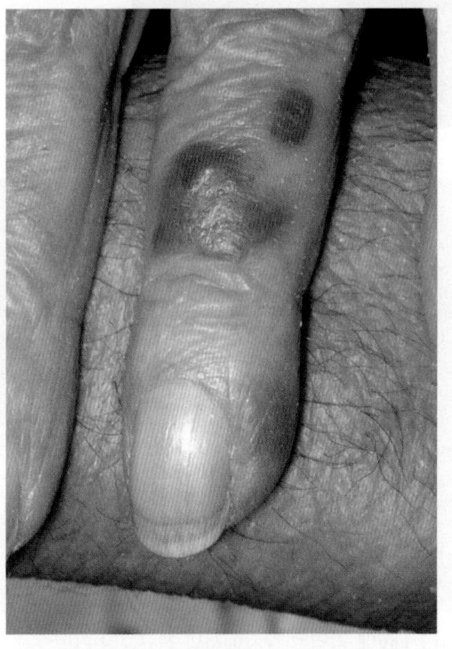

그림 19.148 HIV에 감염된 환자에서 발생한 카포시육종

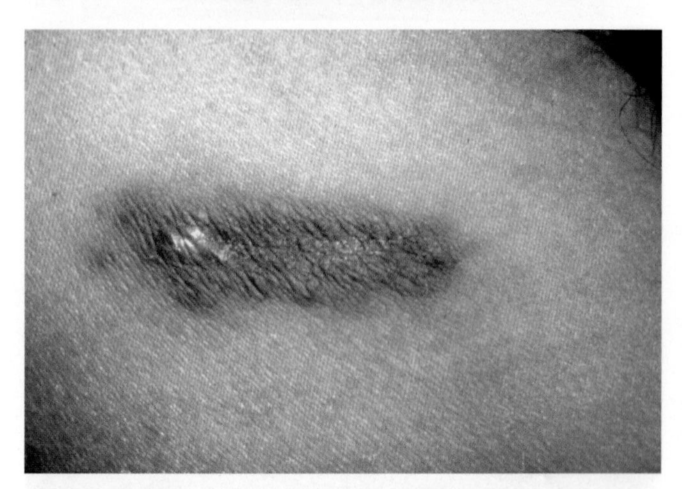

그림 19.149 HIV에 감염된 환자에서 발생한 카포시육종

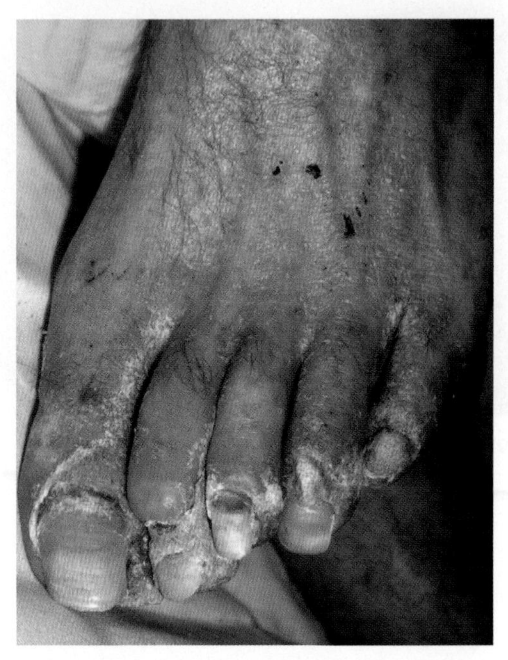

그림 19.150 HIV에 감염된 환자에서 발생한 노르웨이옴

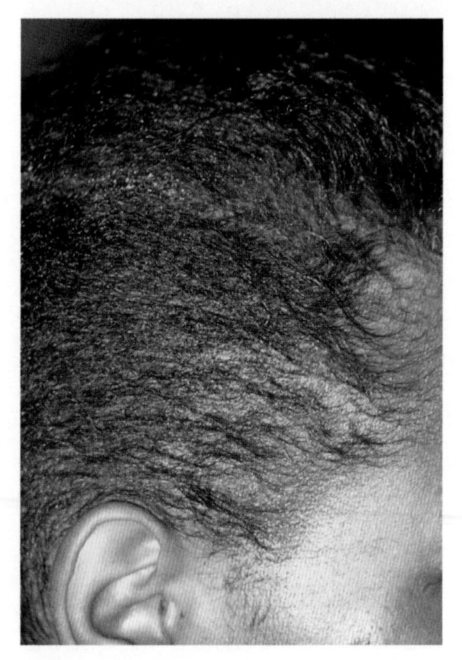

그림 19.151 직모가 된 HIV에 감염된 환자

그림 19.152 HIV에 감염된 환자에서의 긴 속눈썹

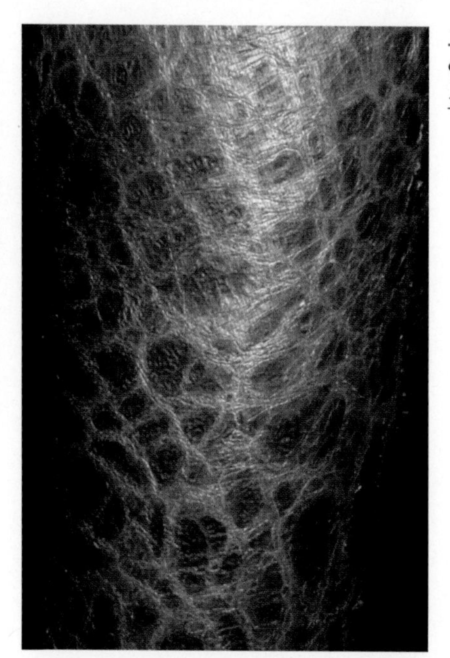

그림 19.153 HIV에 감염된 환자에서 발생한 후천어린선

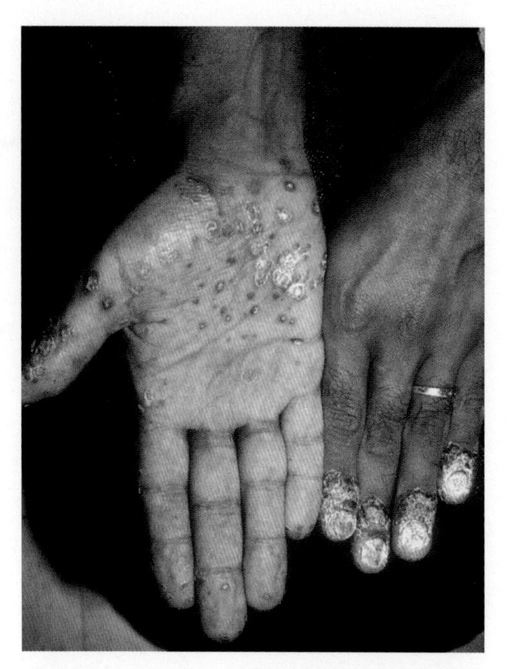

그림 19.154 HIV에 감염된 환자에서 발생한 반응관절염

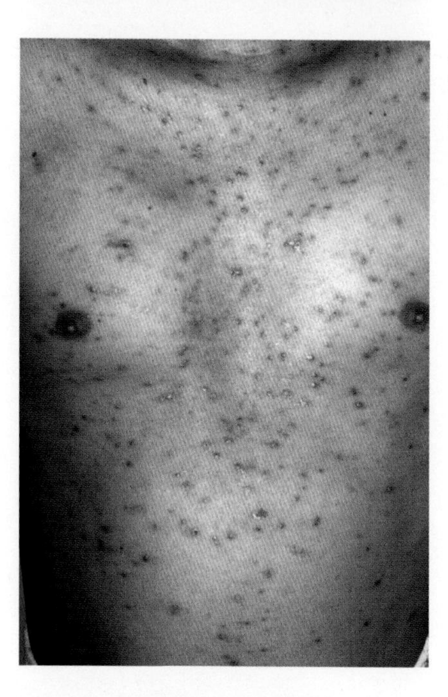

그림 19.155 HIV에 감염된 환자에서 발생한 호산구모낭염

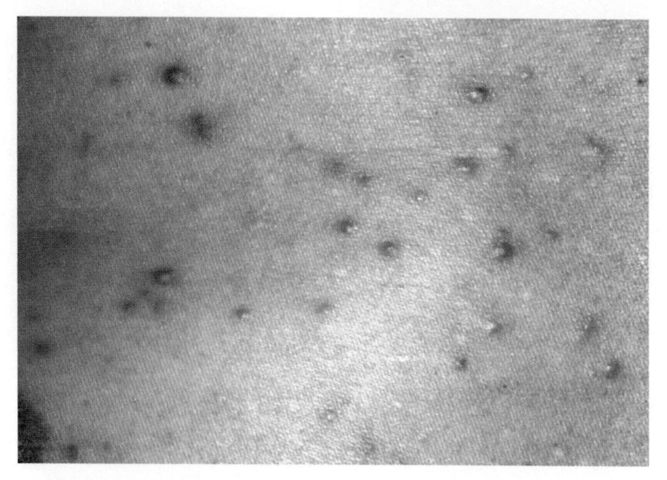

그림 19.156 HIV에 감염된 환자에서 발생한 호산구모낭염

기생충감염증, 쏘임, 교상 20

교상과 감염증은 광범위한 증상을 나타내는데, 구진, 소수포, 긁은 상처, 두드러기병변 등이다. 빈대교상은 흔히 팔에 결절양진의 임상양상으로 나타난다. 피부생검에서 쐐기모양의 혈관주위 림프구모양침윤과 혈관내피세포부종 그리고 호산구침윤은 정확한 진단을 제시한다.

피부유충이행증은 적색의 사행성병변을 나타낸다. 피부반응은 기생충에 대한 지연형면역반응이므로, 기생충은 병변진행부의 전방에 위치한다.

의학적으로 중요한 절족동물의 파악은 매개체에 의한 질환의 위험 및 관리지침의 평가를 가능하게 하여 매우 중요하다. 피부는 자주 내기생충 및 외기생충으로 침범되는데, 이번 장에서는 가장 중요한 원인생물을 확인하는 지침을 제공할 것이다

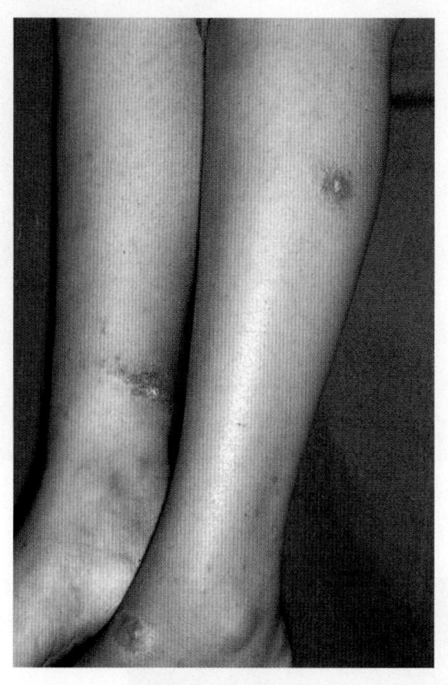

그림 20.1 구세계 리슈마니아증

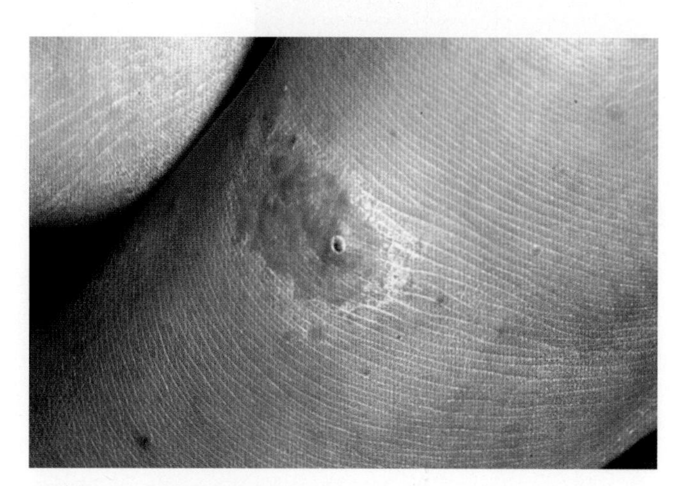

그림 20.2 구세계 리슈마니아증

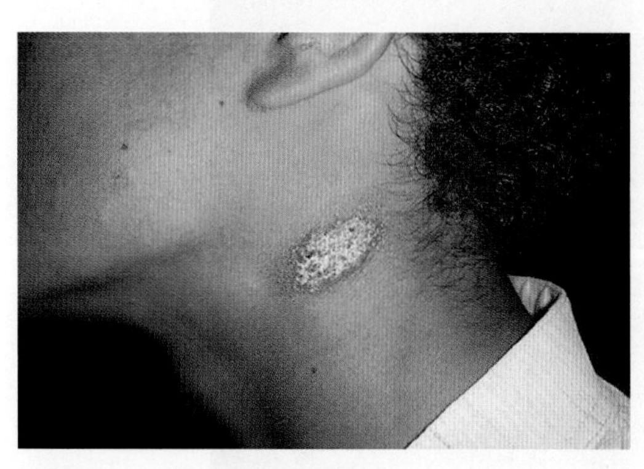

그림 20.3 구세계 리슈마니아증

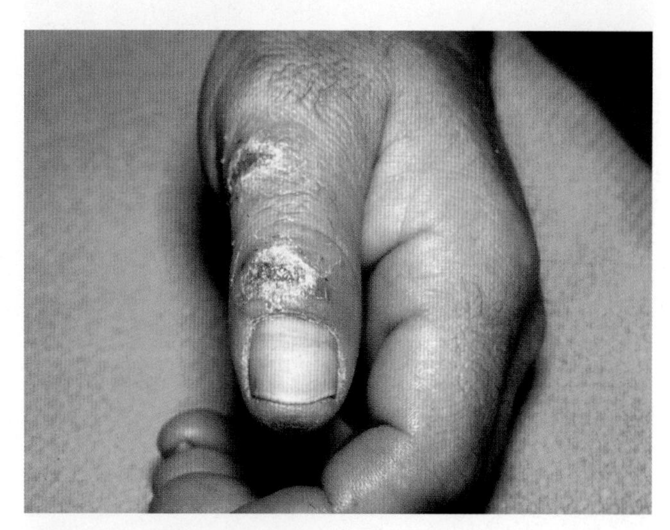

그림 20.4 신세계 리슈마니아증

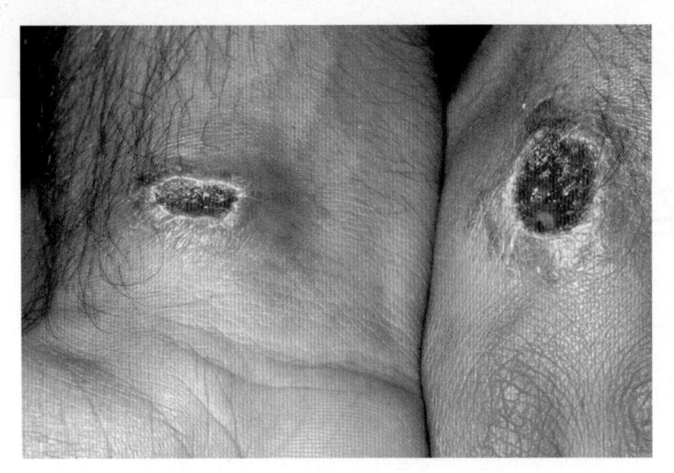

그림 20.5 신세계 리슈마니아증

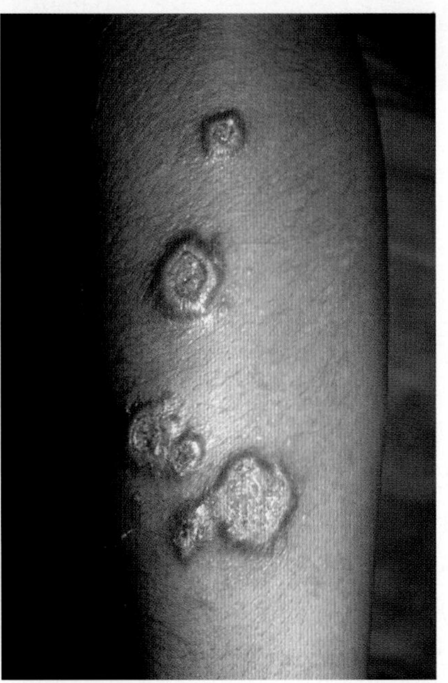

그림 20.6 신세계 리슈마니아증

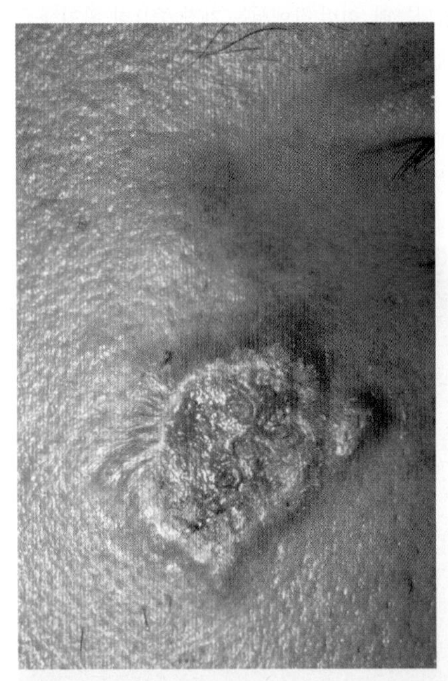

그림 20.7 신세계 리슈마니아증

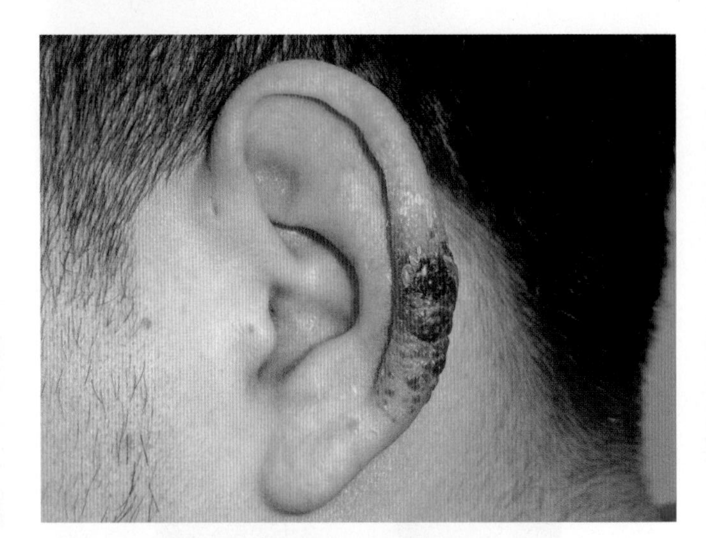

그림 20.8 신세계 리슈마니아증

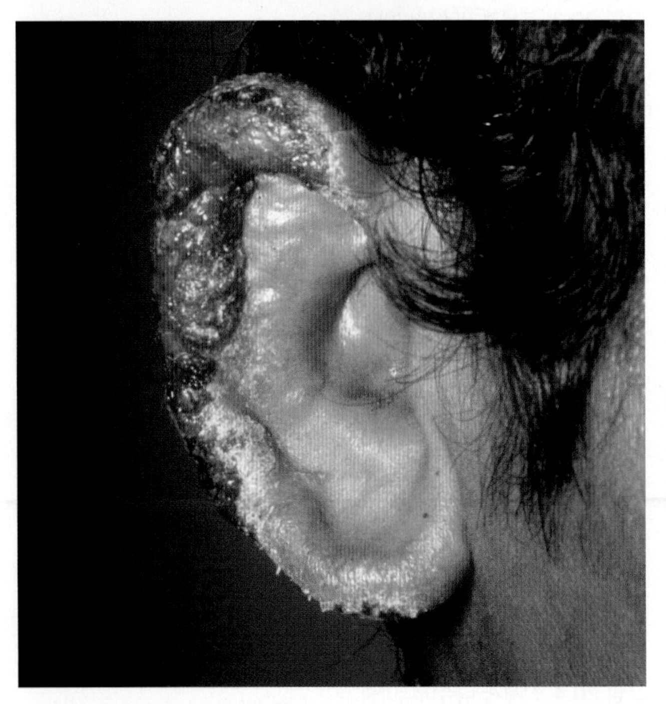

그림 20.9 신세계 리슈마니아증

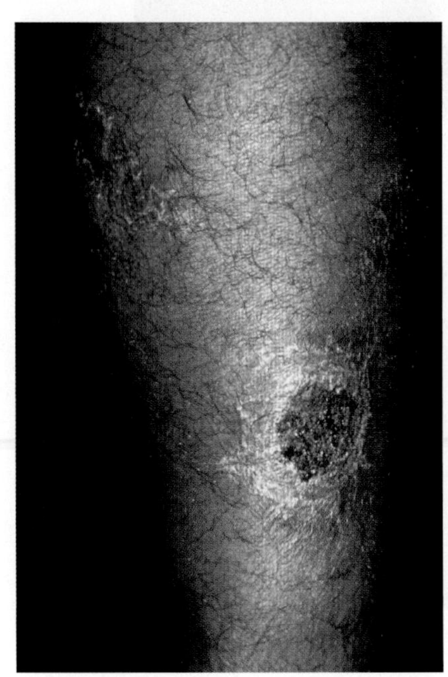

그림 20.10 신세계 리슈마니아증

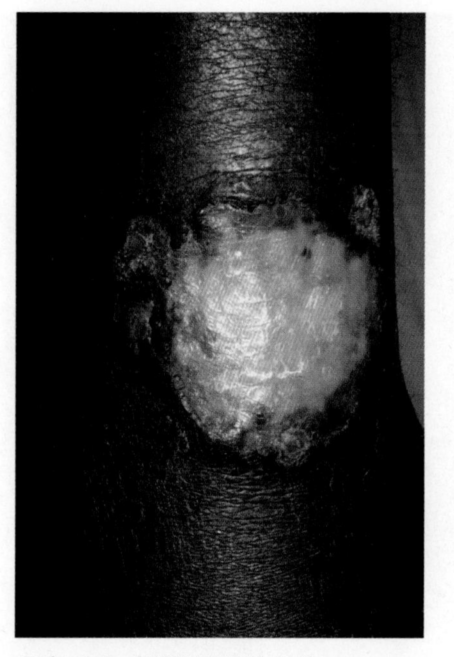

그림 20.11 신세계 리슈마니아증

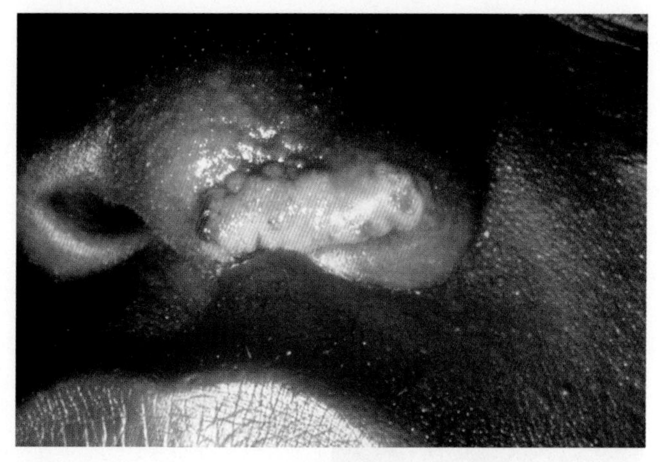

그림 20.12 피부점막리슈마니아증, 그림 20.11과 동일 환자

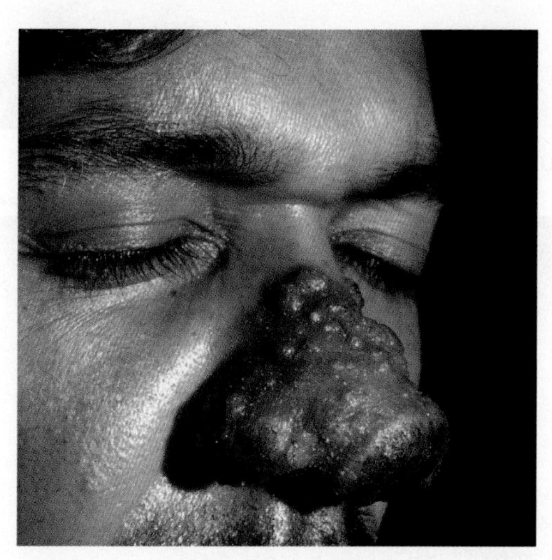

그림 20.13 피부점막리슈마니아증

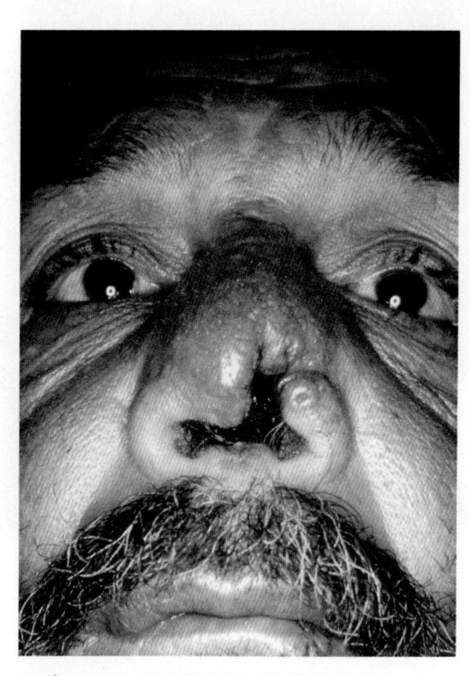

그림 20.14 피부점막리슈마니아증

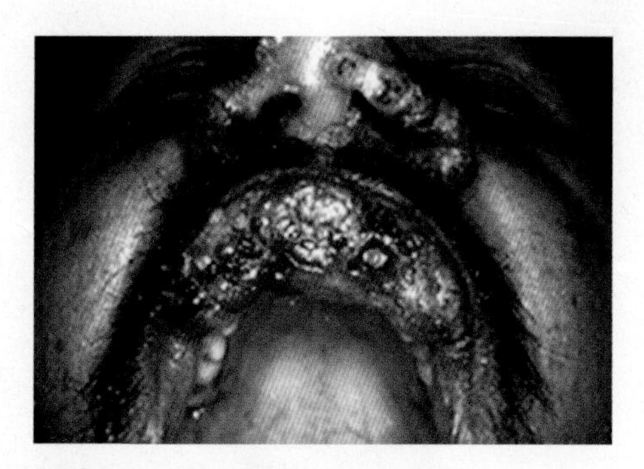

그림 20.15 피부점막리슈마니아증

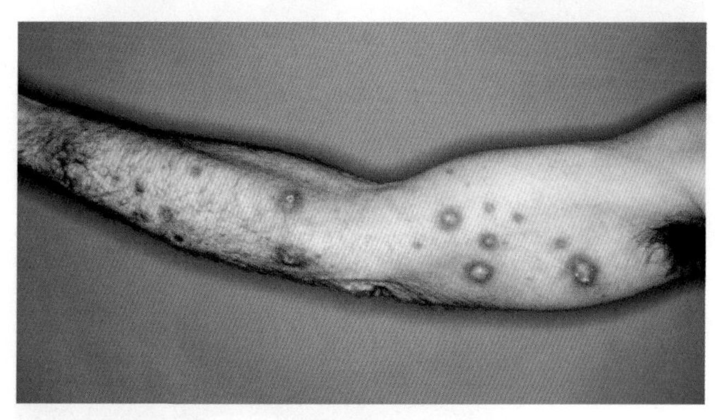

그림 20.16 무반응리슈마니아증

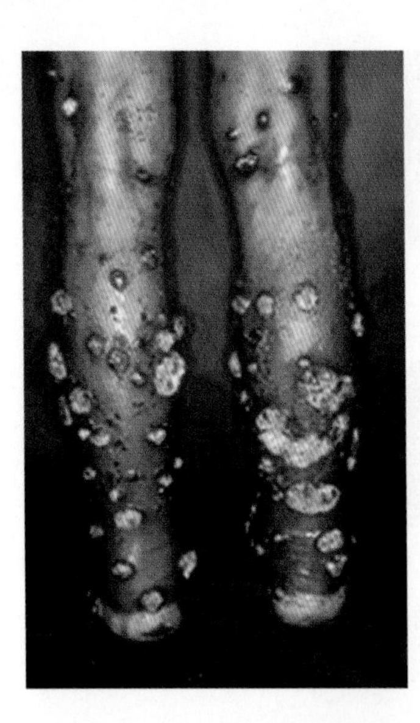

그림 20.17 무반응리슈마니아증

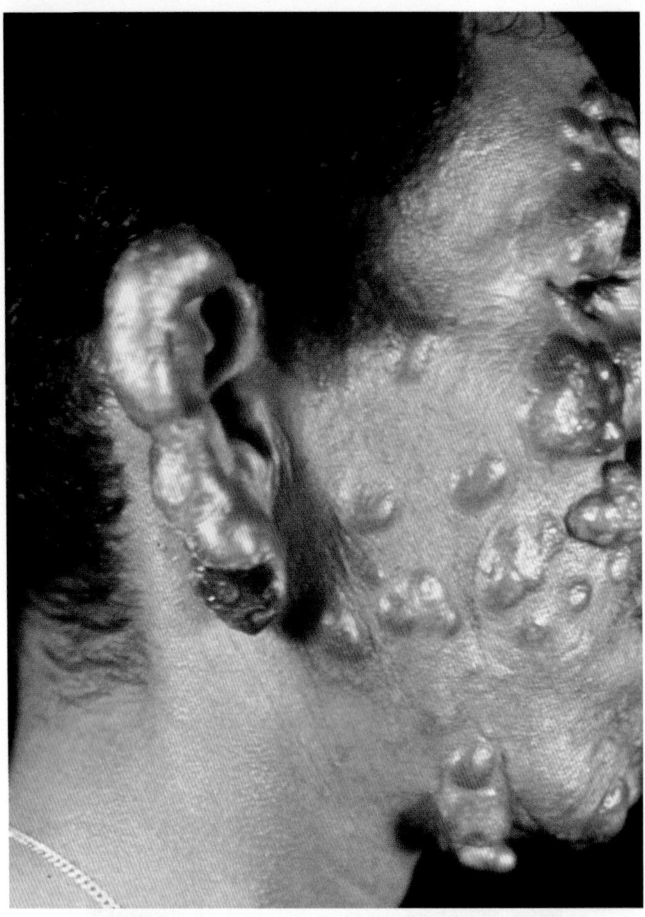

그림 20.18 무반응리슈마니아증

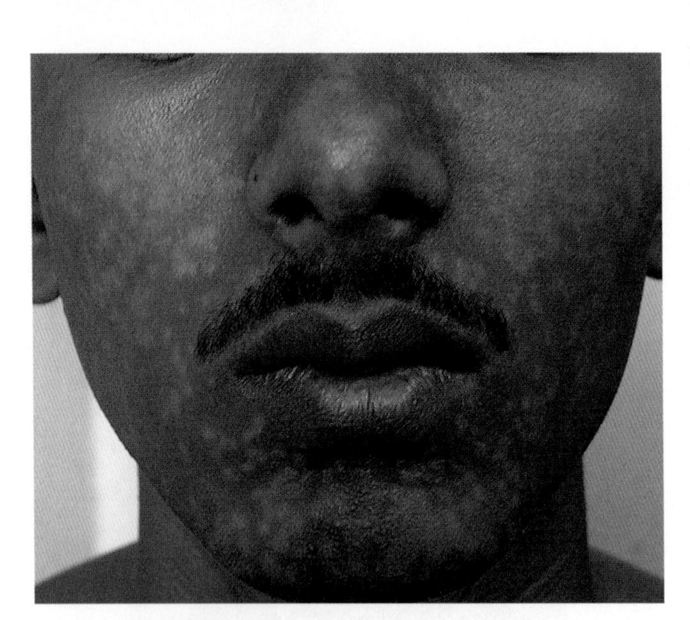

그림 20.19 후내장리슈마니아증(Post-kala-azar)

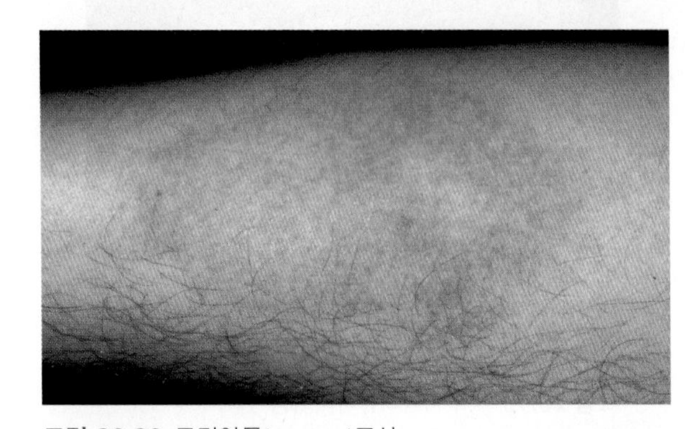

그림 20.20 트리아톰(Triatome)교상

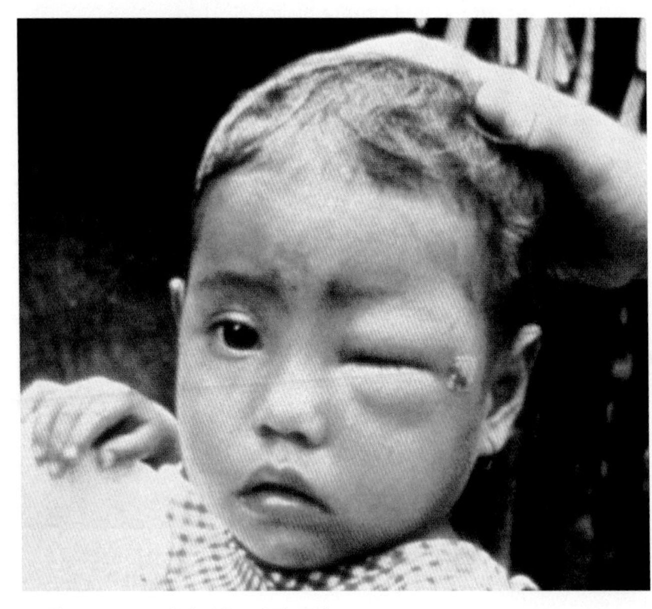

그림 20.21 로마나징후, 샤가스병

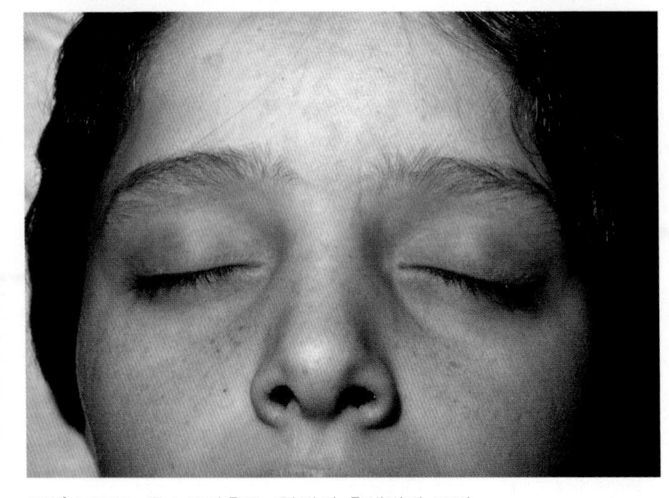

그림 20.22 톡소포자충증. 안검의 홍색병변 표지

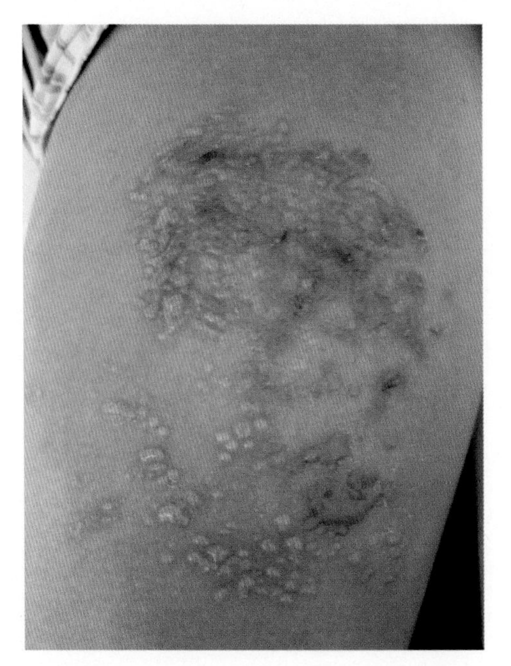

그림 20.23 Portuguese man of war피부염

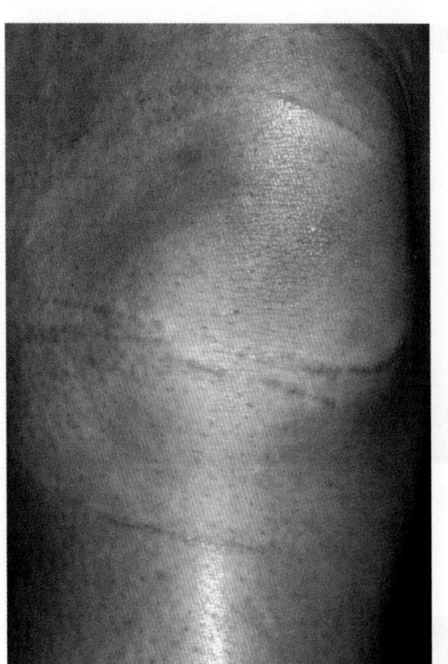

그림 20.24 해파리피부염

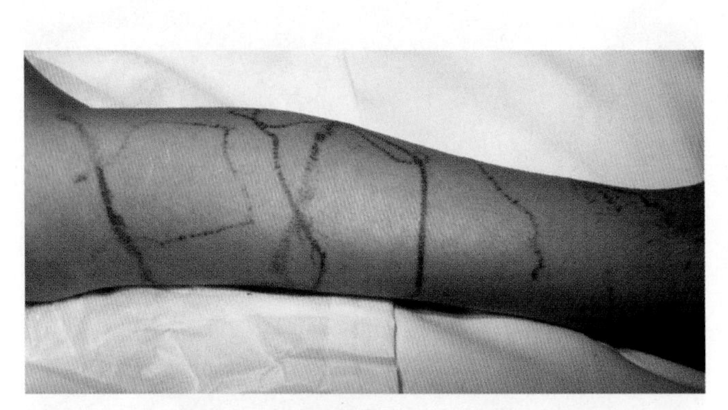

그림 20.25 해파리(Sea wasp)피부염

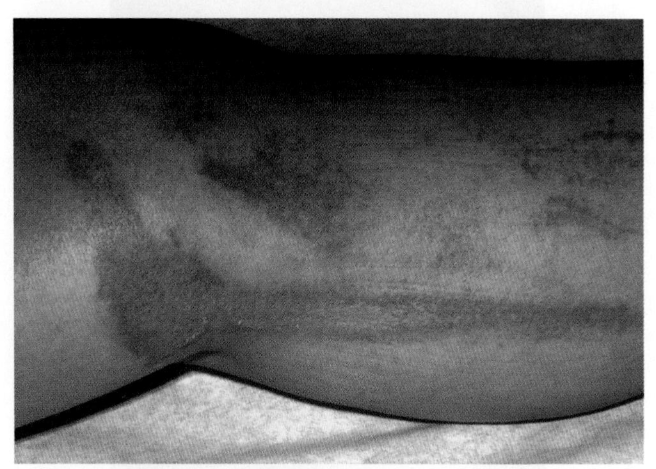

그림 20.26 치유 후 해파리피부염

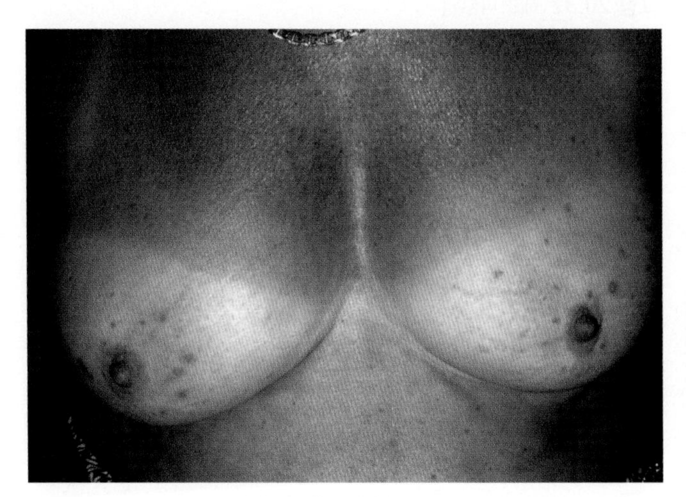

그림 20.27 해수욕발진(Seabather eruption)

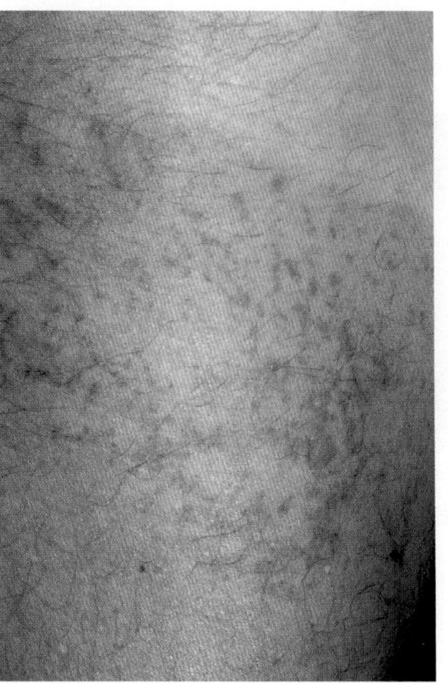

그림 20.28 산호(Fire coral)피부염

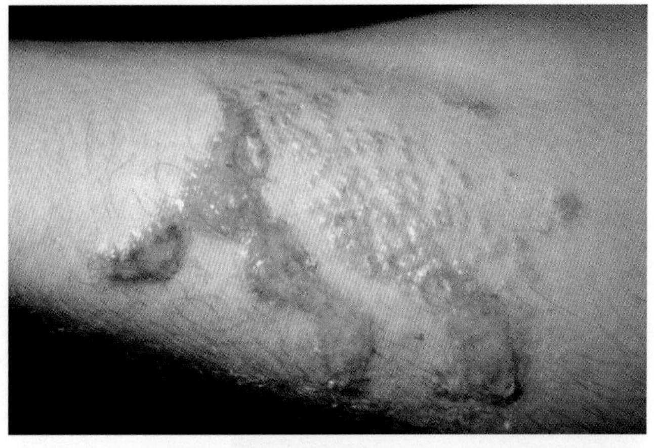
그림 20.29 산호육아종

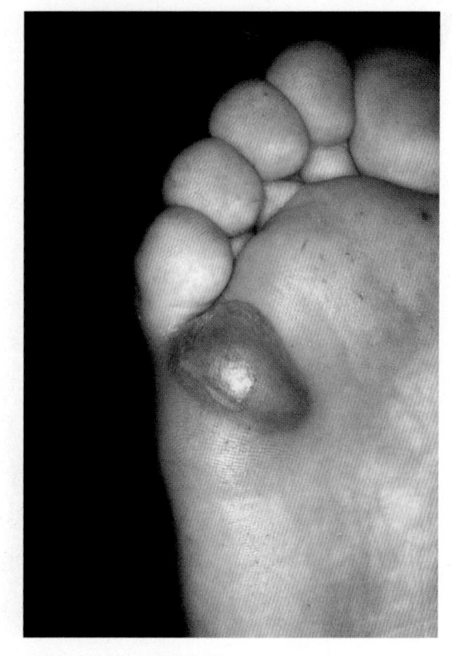
그림 20.30 성게손상

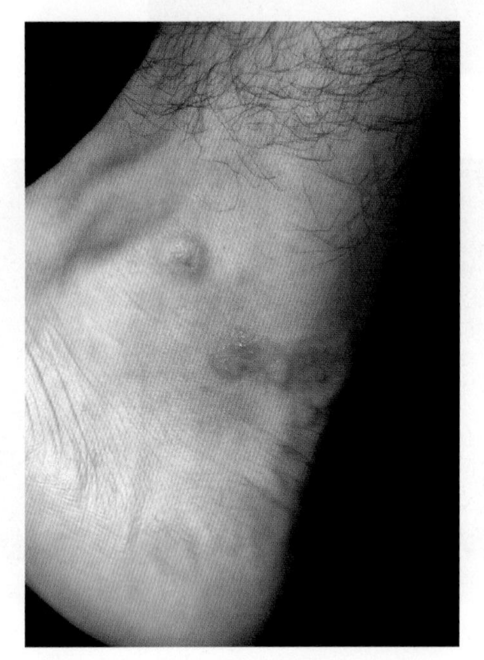
그림 20.31 성게육아종

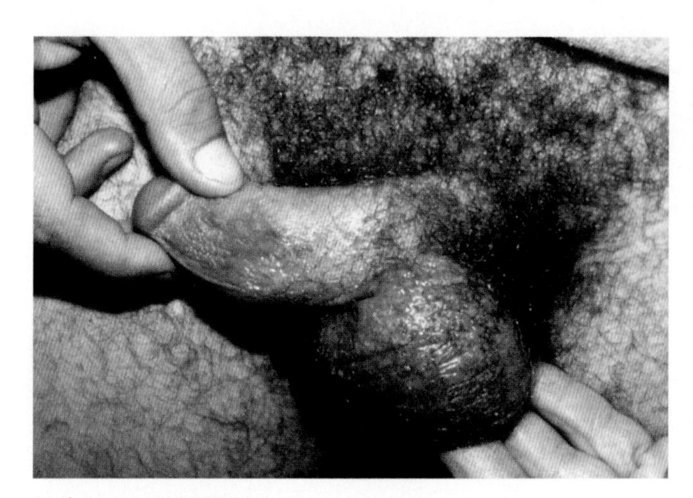
그림 20.32 해초피부염

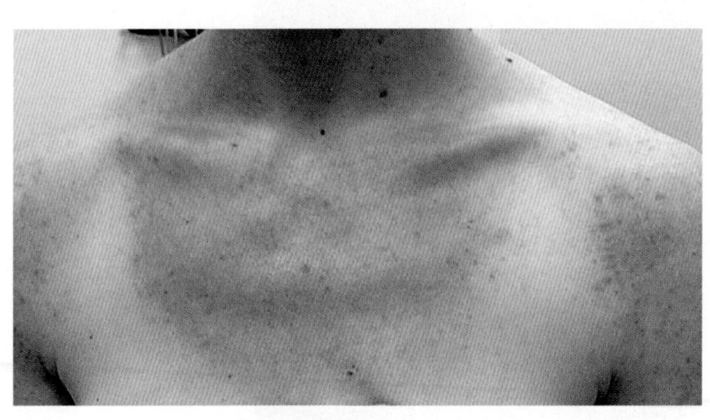
그림 20.33 수영소양증(Swimmer itch)

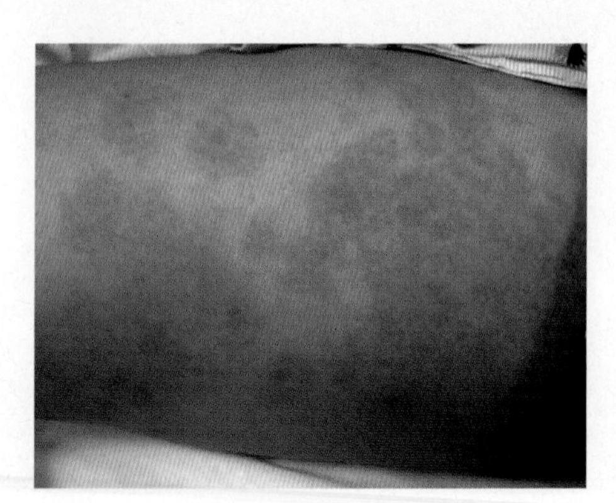
그림 20.34 카타야마열연관피부염

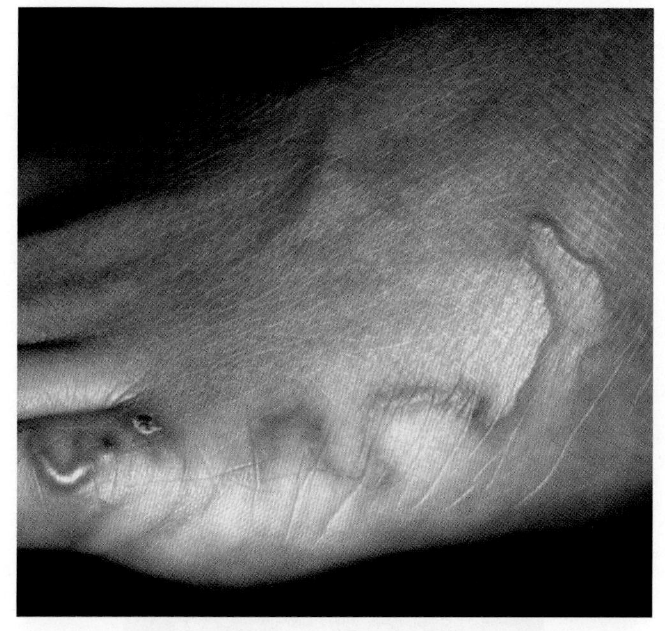

그림 20.35 피부유충이동증

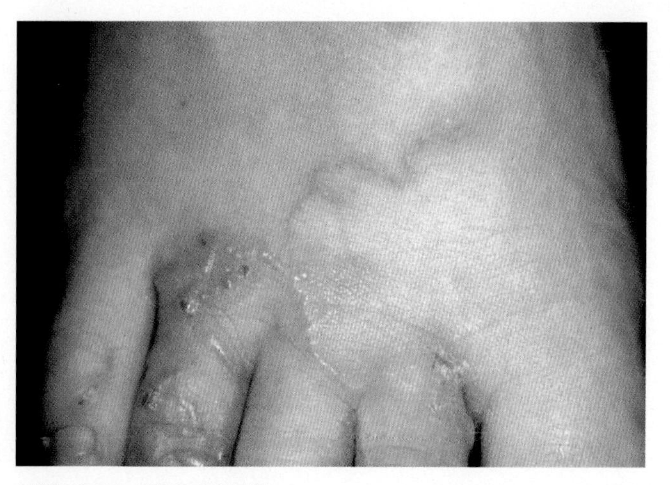

그림 20.36 피부유충이동증

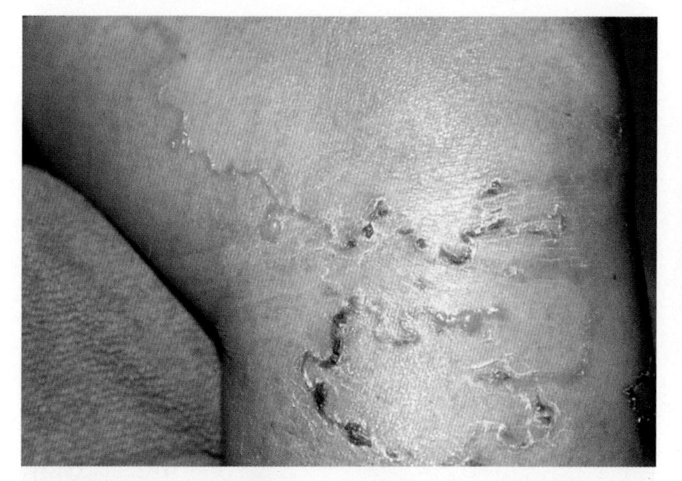

그림 20.37 피부유충이동증

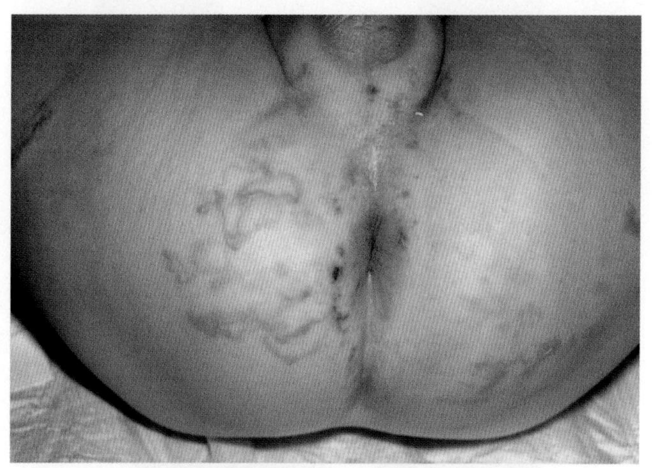

그림 20.38 피부유충이동증

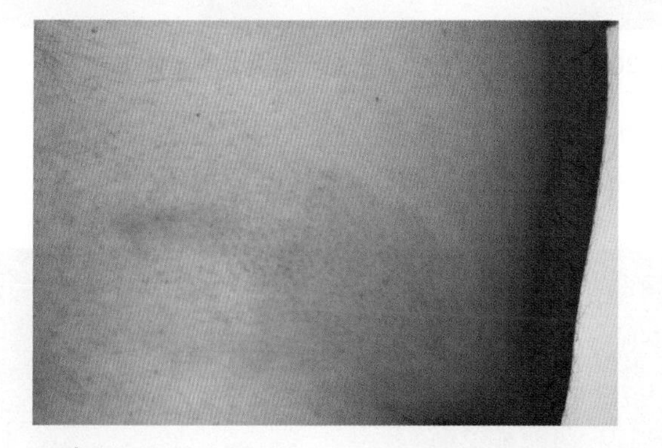

그림 20.39 악구충증

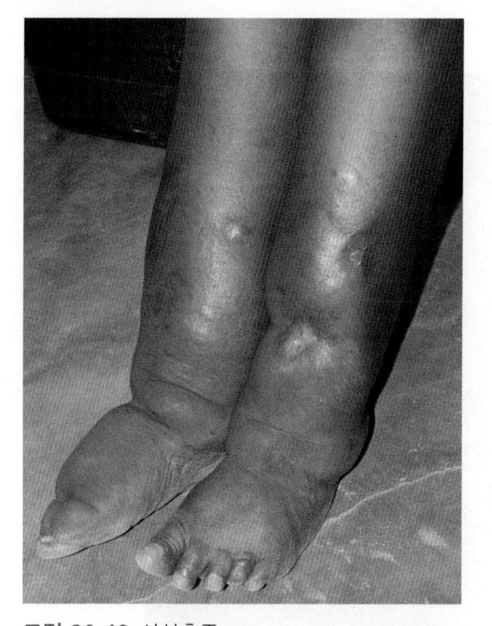

그림 20.40 사상충증

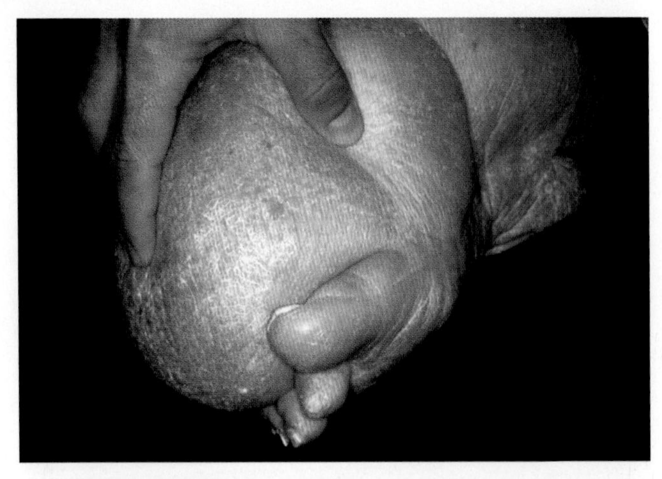

그림 20.41 사상충증

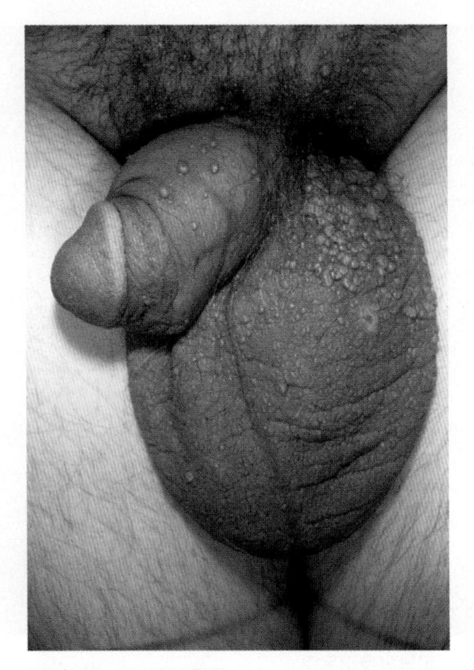

그림 20.42 사상충증

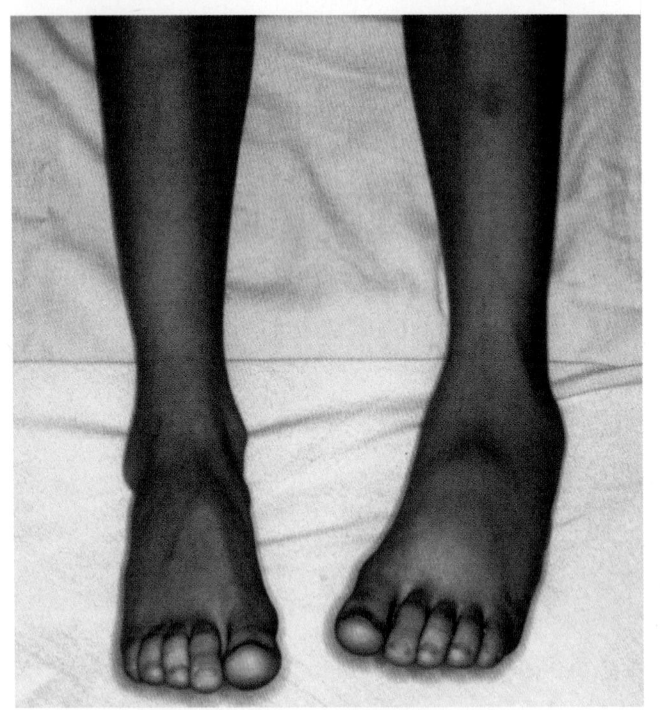

그림 20.43 Calabar부종

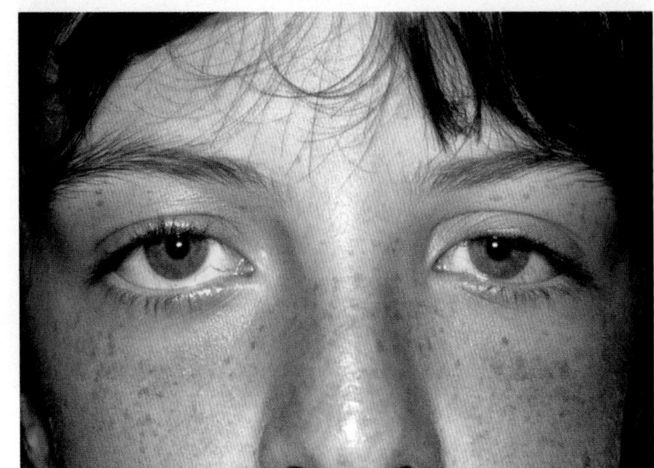

그림 20.44 로아사상충. 벌레는 환자의 좌상안검에 있다.

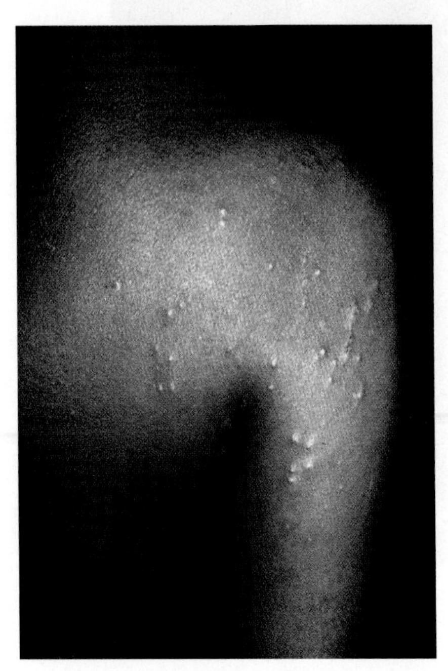

그림 20.45 급성구진발진을 보이는 회선사상충증

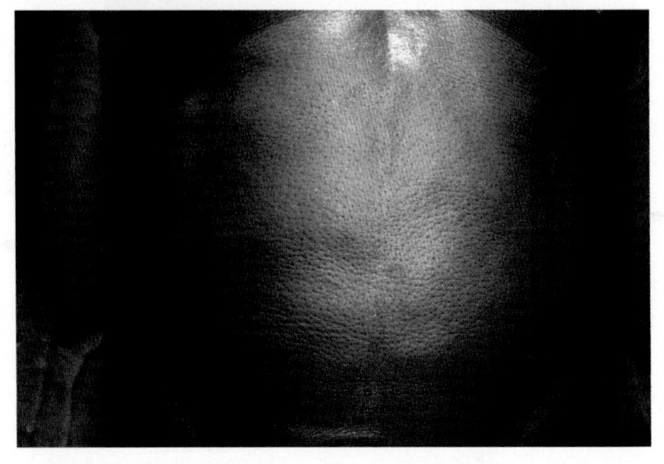

그림 20.46 오렌지피부부종을 보이는 회선사상충증

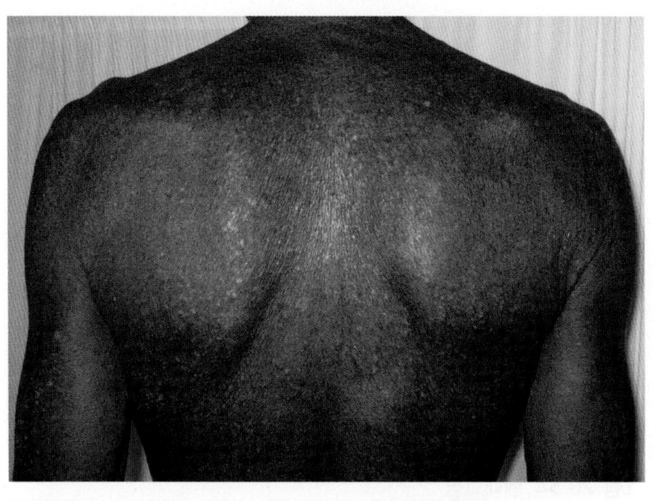

그림 20.47 구진과 색소이상을 보이는 회선사상충증

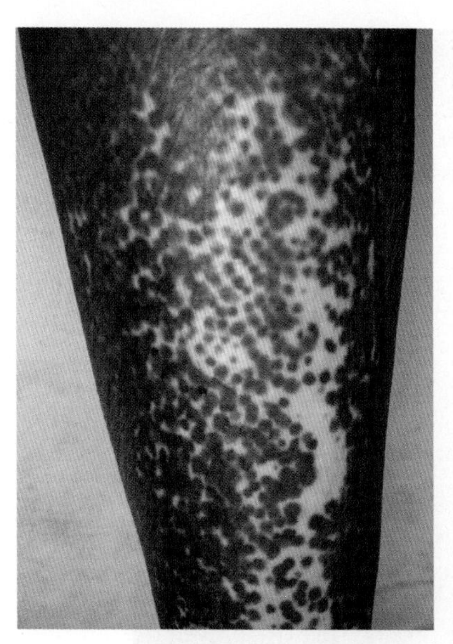

그림 20.48 색소이상을 보이는 회선사상충증

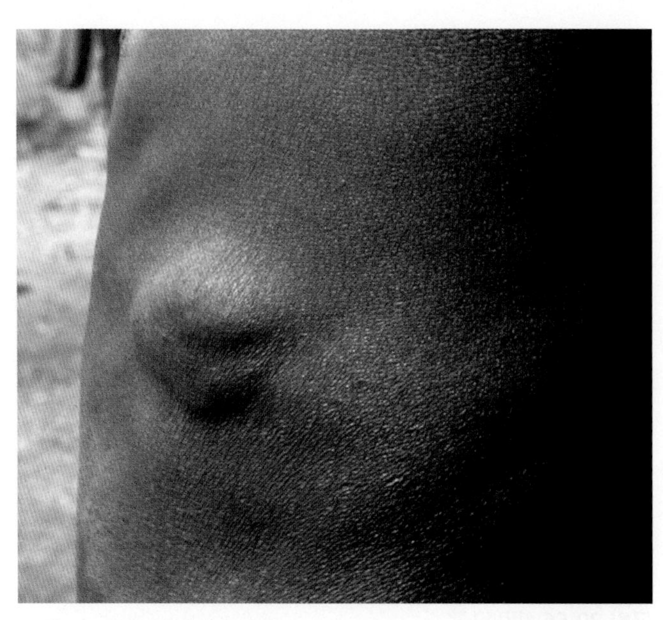

그림 20.49 회선사상충결절

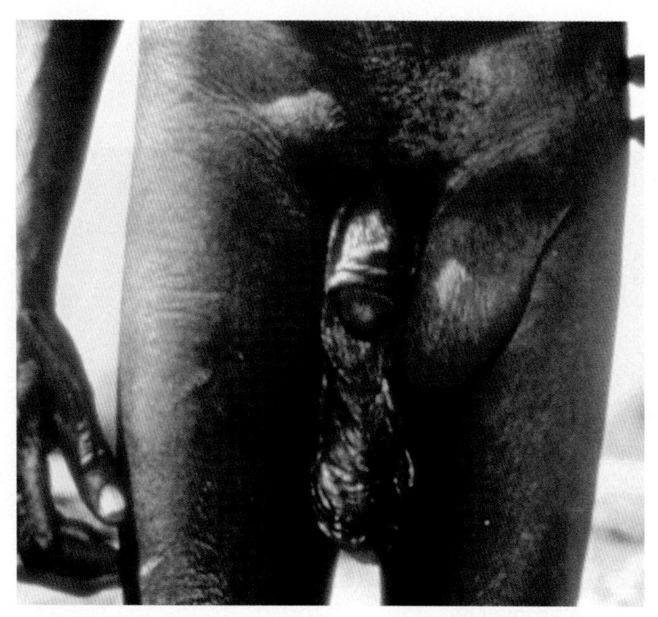

그림 20.50 회선사상충증에서 보이는 늘어뜨린 서혜부

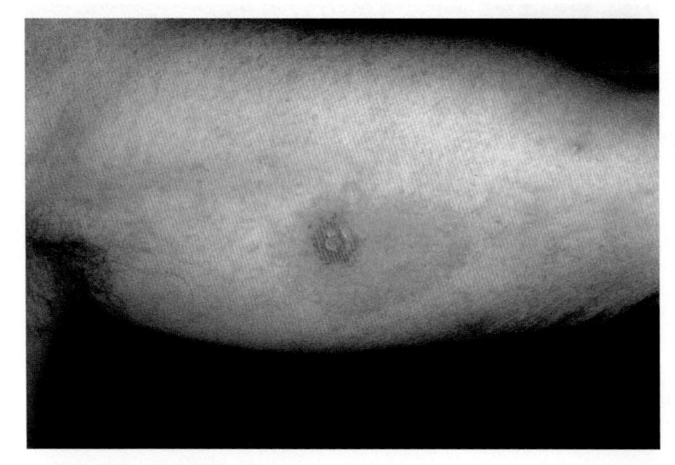

그림 20.51 곤충교상

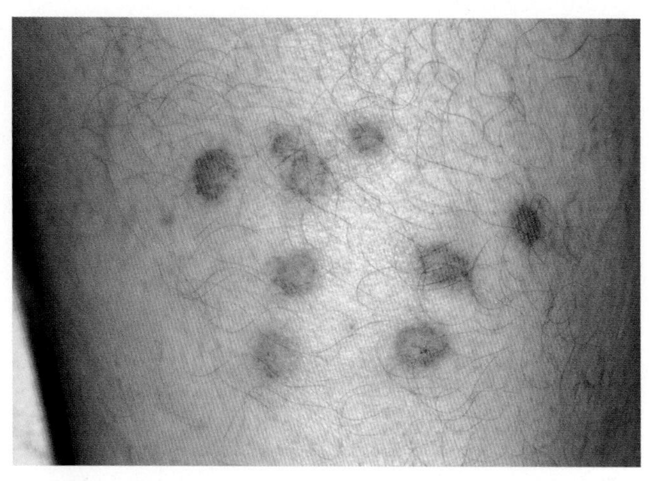

그림 20.52 곤충교상

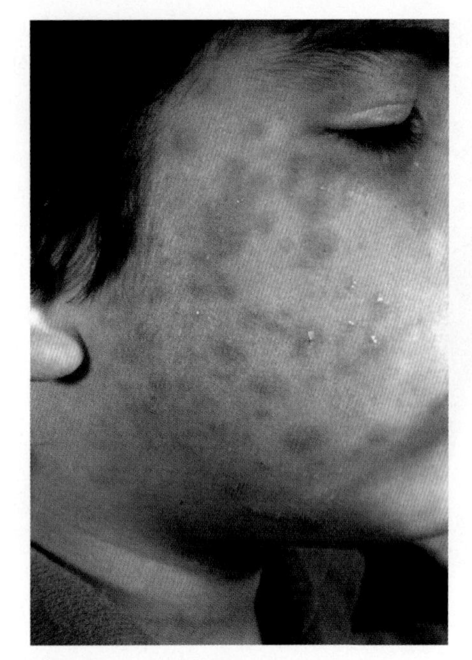

그림 20.53 빈대교상

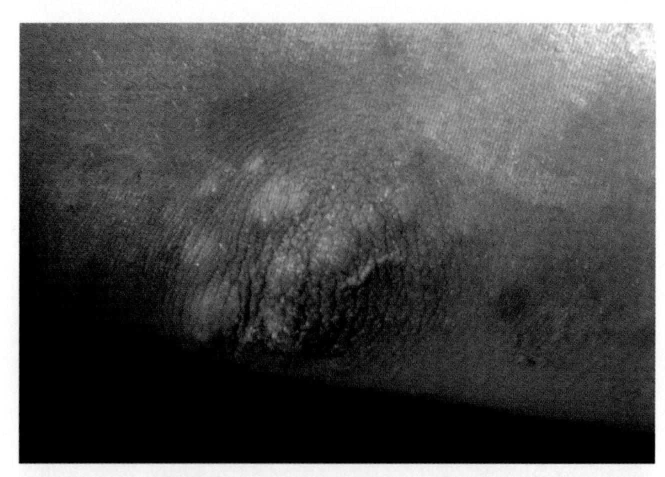

그림 20.54 빈대교상

그림 20.55 머릿니증

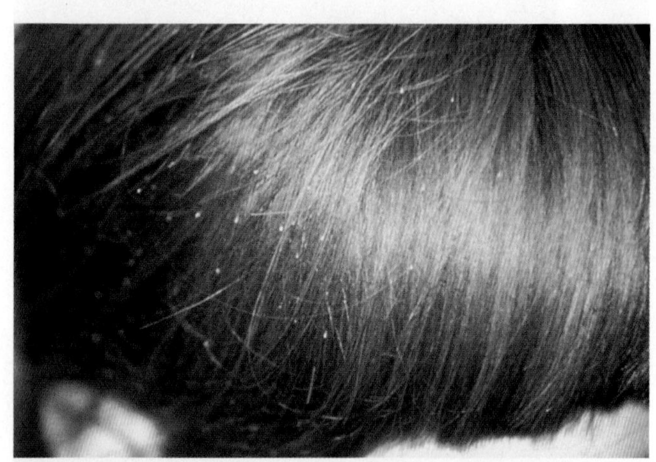

그림 20.56 머릿니증

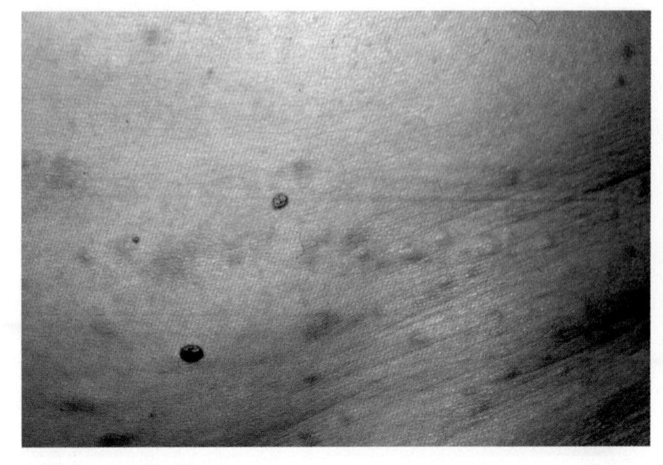

그림 20.57 몸니증

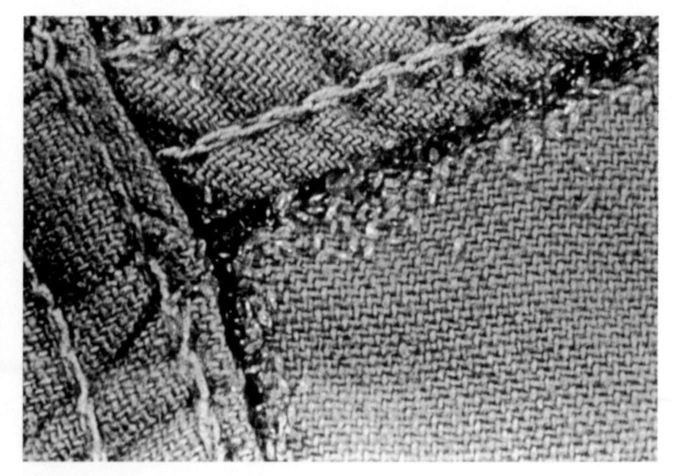

그림 20.58 이증. 의복의 서캐

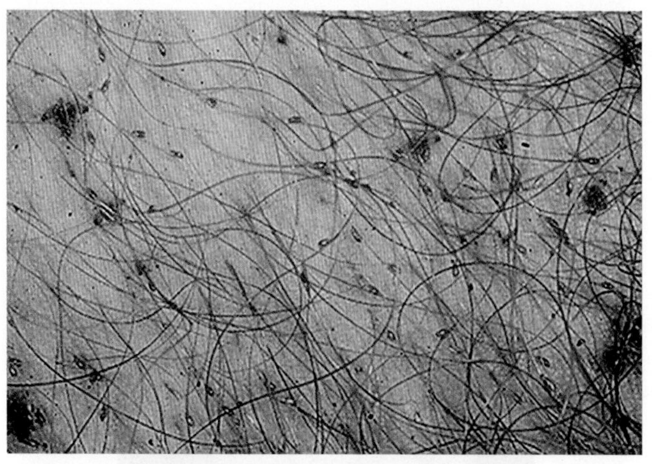

그림 20.59 사면발이증

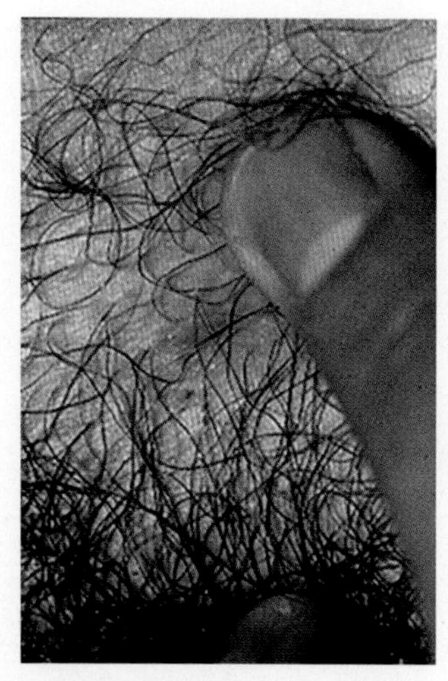

그림 20.60 청색반

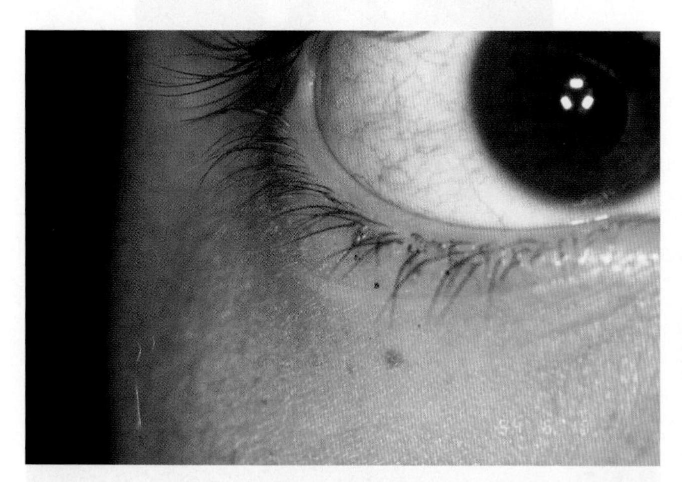

그림 20.61 속눈썹의 사면발이

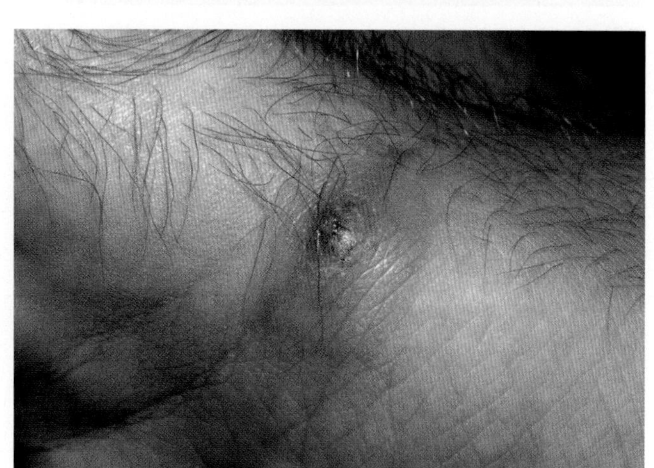

그림 20.62 구더기증

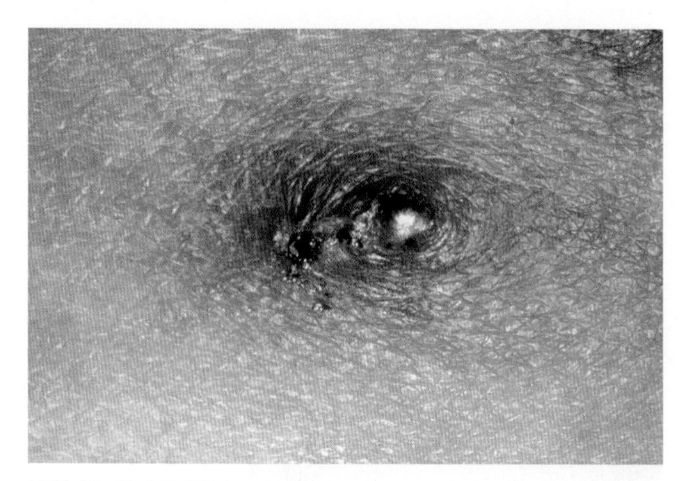

그림 20.63 구더기증

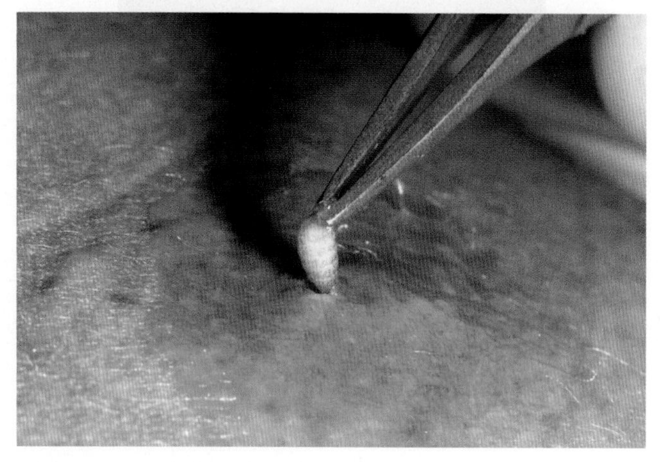

그림 20.64 바셀린치료 후 유충의 제거

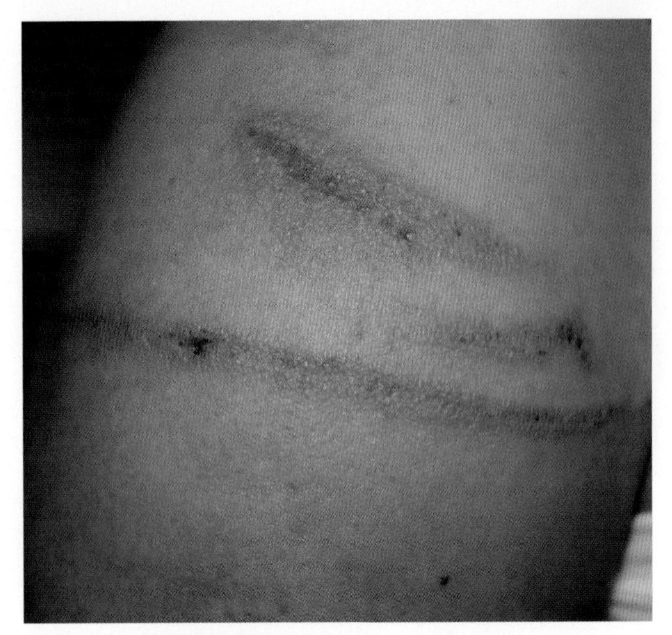

그림 20.65 딱정벌레피부염

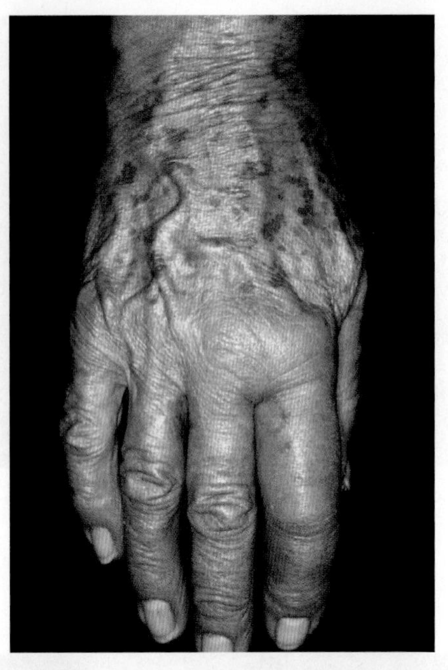

그림 20.66 말벌쏘임

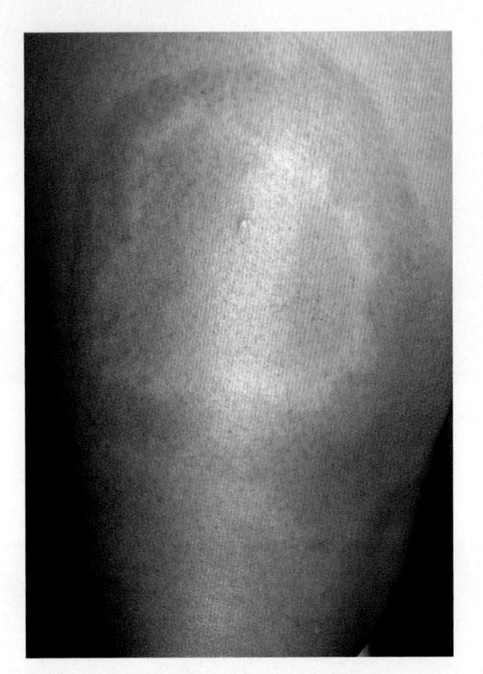

그림 20.67 벌쏘임

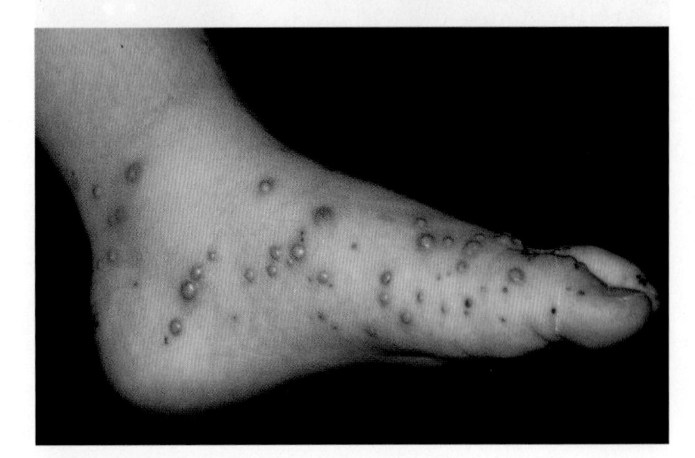

그림 20.68 불개미쏘임

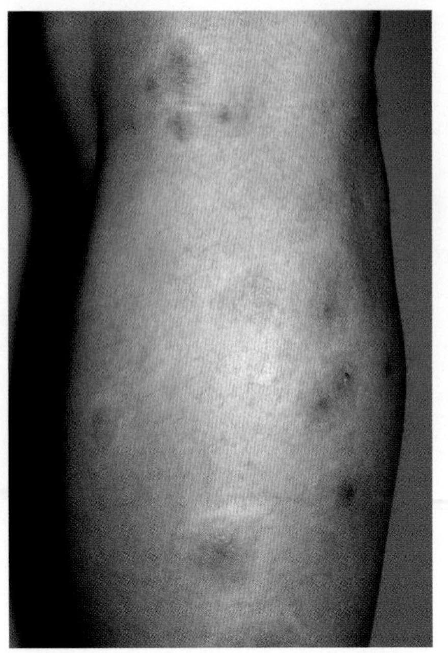

그림 20.69 벼룩교상

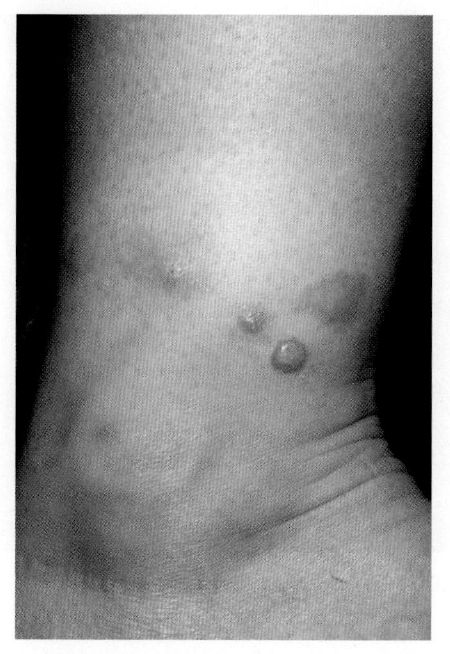

그림 20.70 벼룩교상

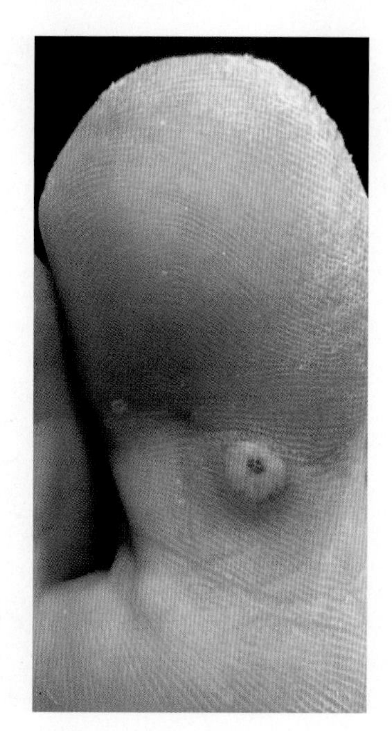

그림 20.71 퉁기아시스

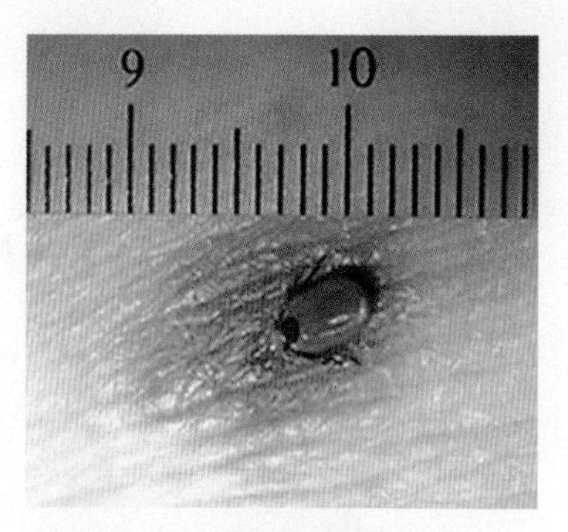

그림 20.72 진드기교상

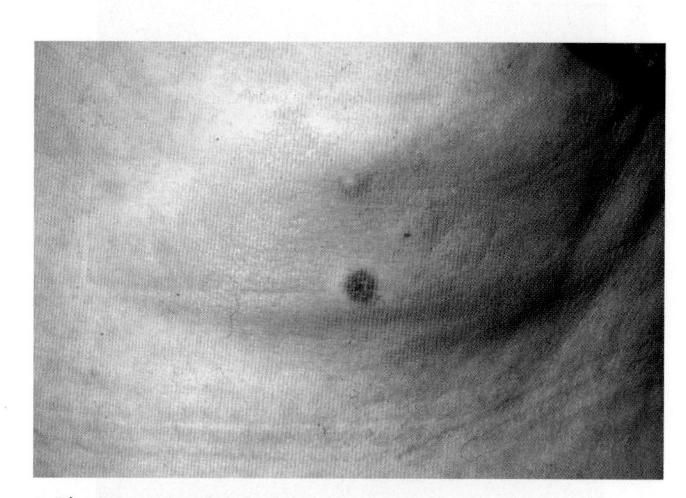

그림 20.73 진드기교상 부위

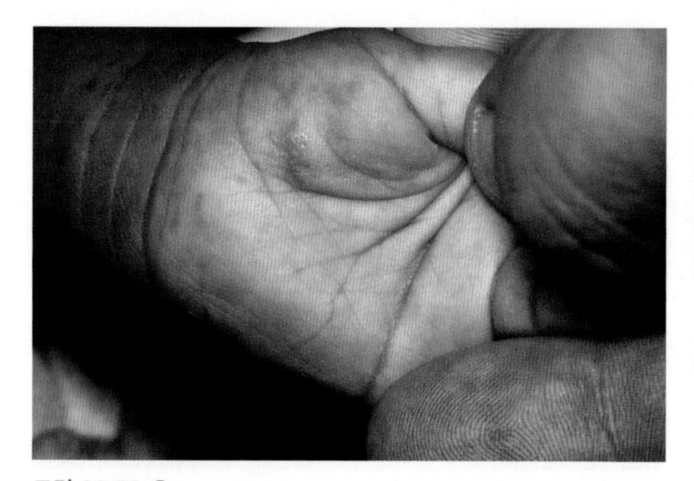

그림 20.74 옴

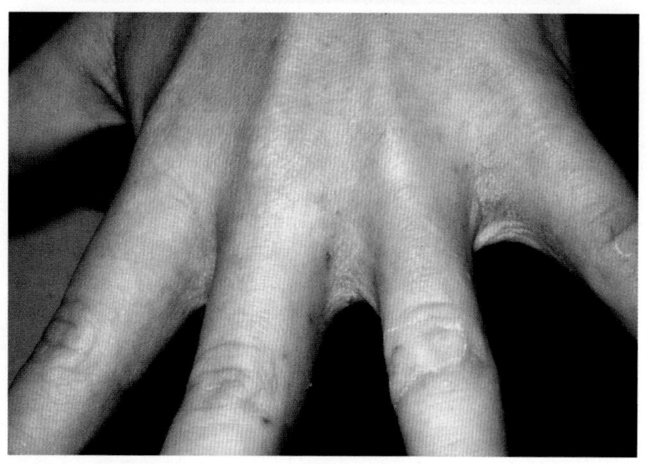

그림 20.75 옴

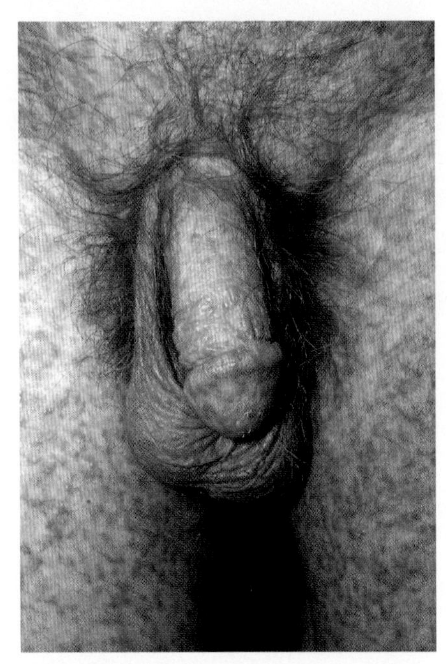

그림 20.76 옴

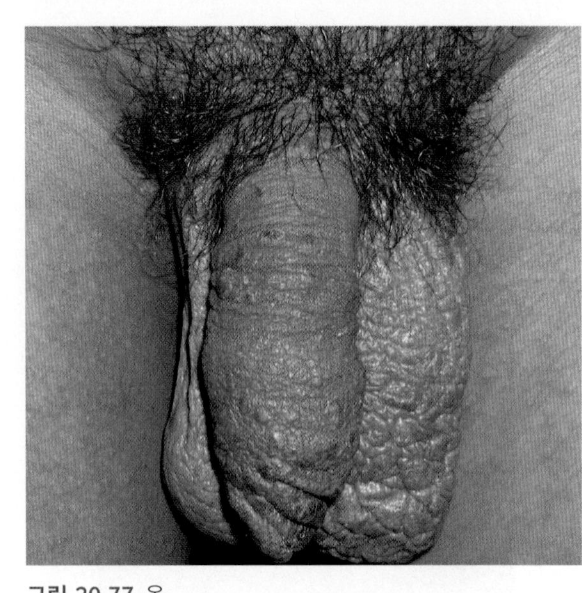

그림 20.77 옴

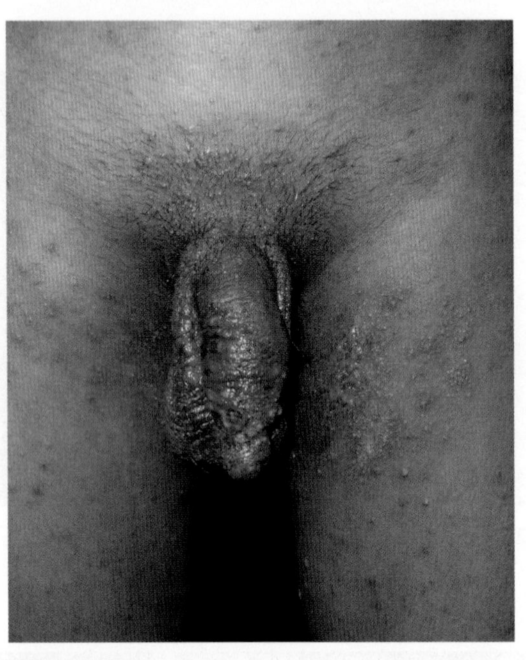

그림 20.78 옴

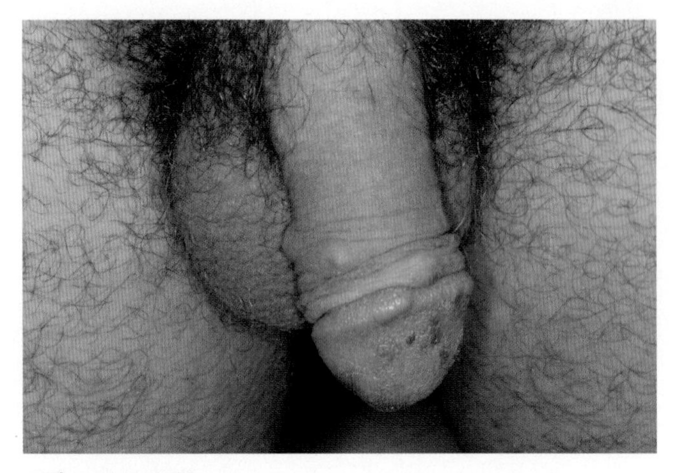

그림 20.79 결절옴

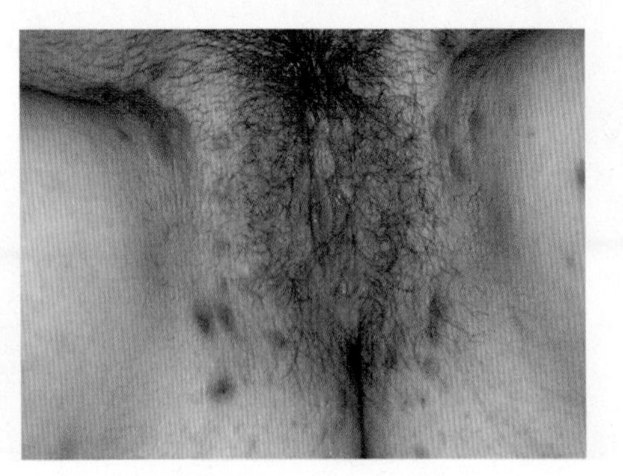

그림 20.80 결절옴

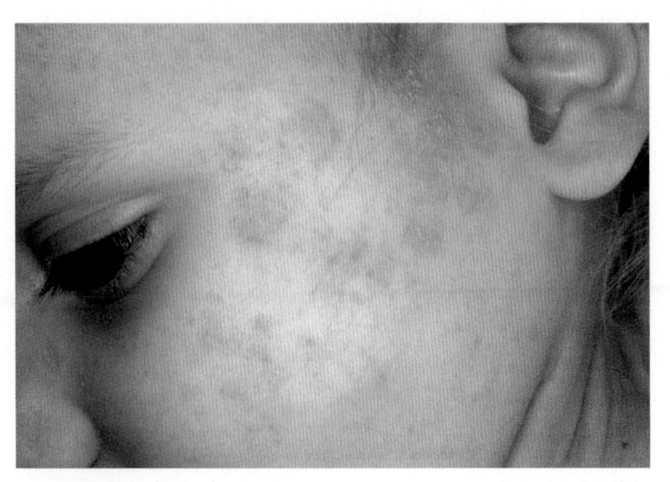

그림 20.81 옴

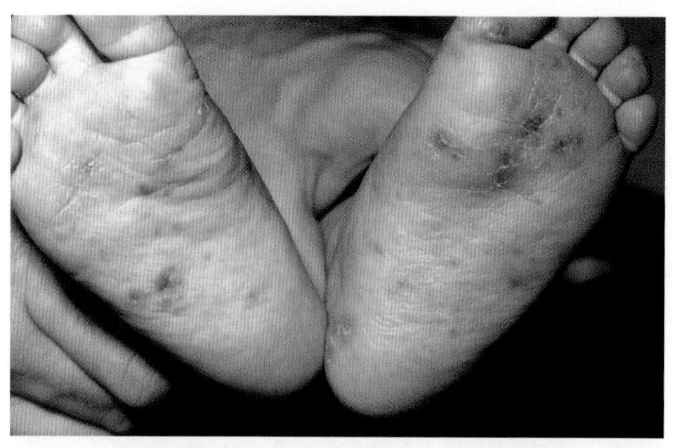

그림 20.82 옴

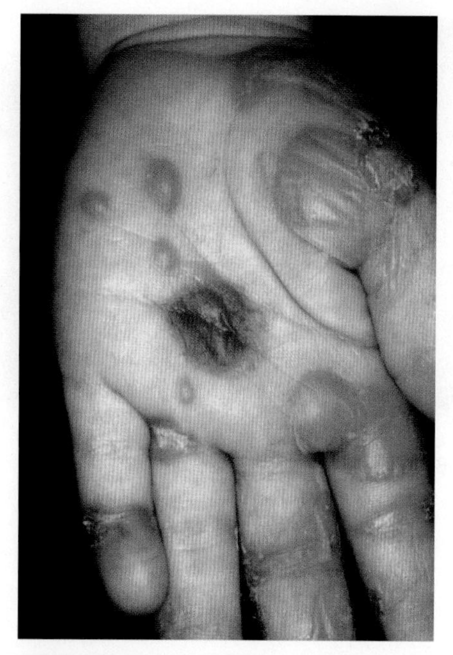

그림 20.83 옴

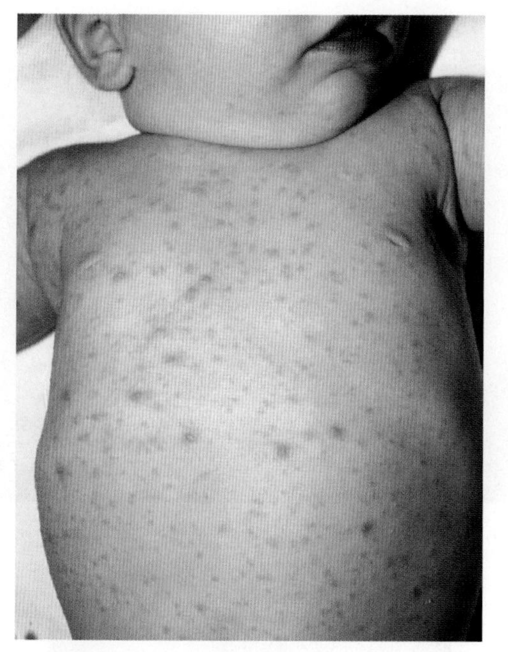

그림 20.84 옴

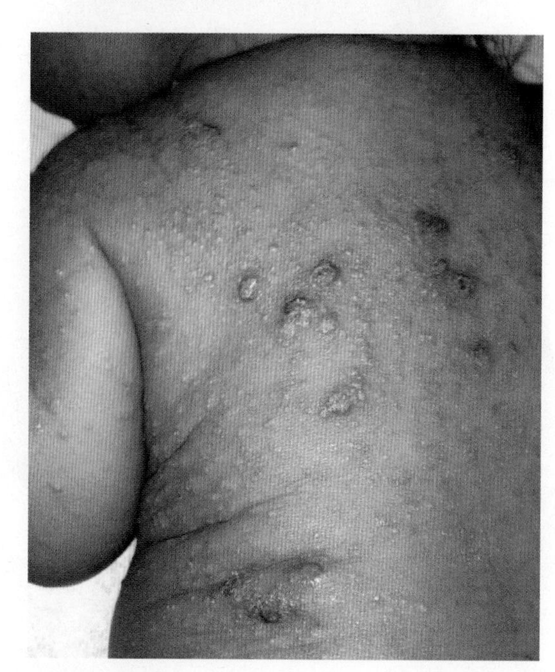

그림 20.85 옴

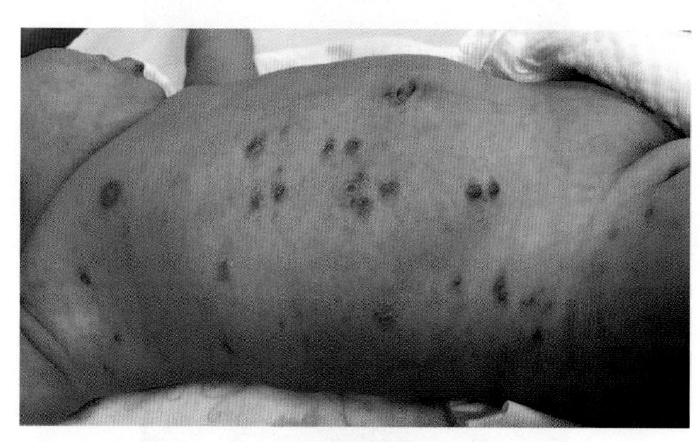

그림 20.86 옴

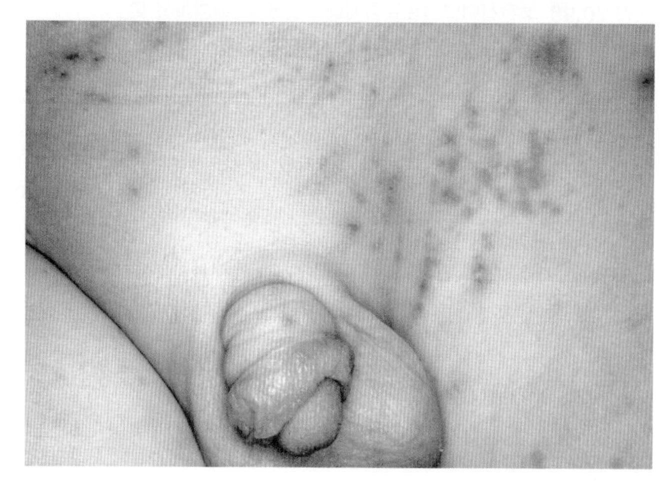

그림 20.87 옴

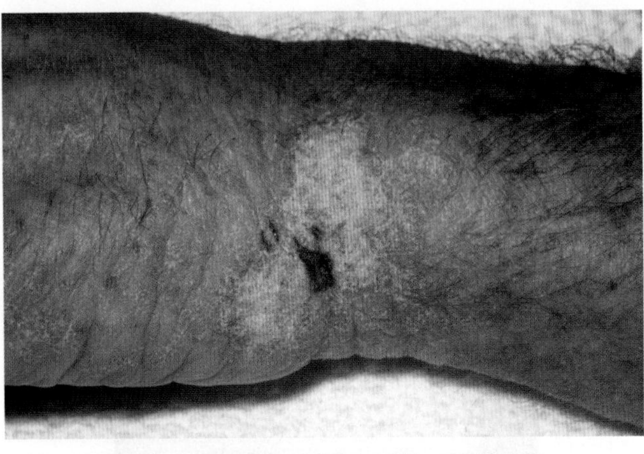

그림 20.88 후천성면역결핍증환자에서 보이는 딱지형성 옴

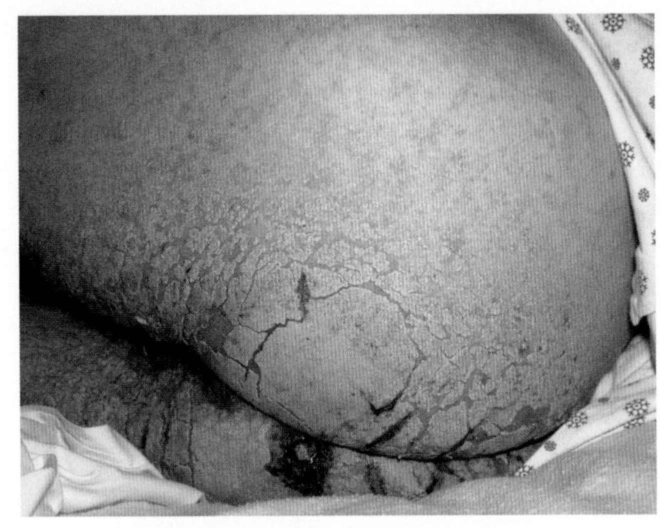

그림 20.89 후천성면역결핍증환자에서 보이는 딱지형성 옴

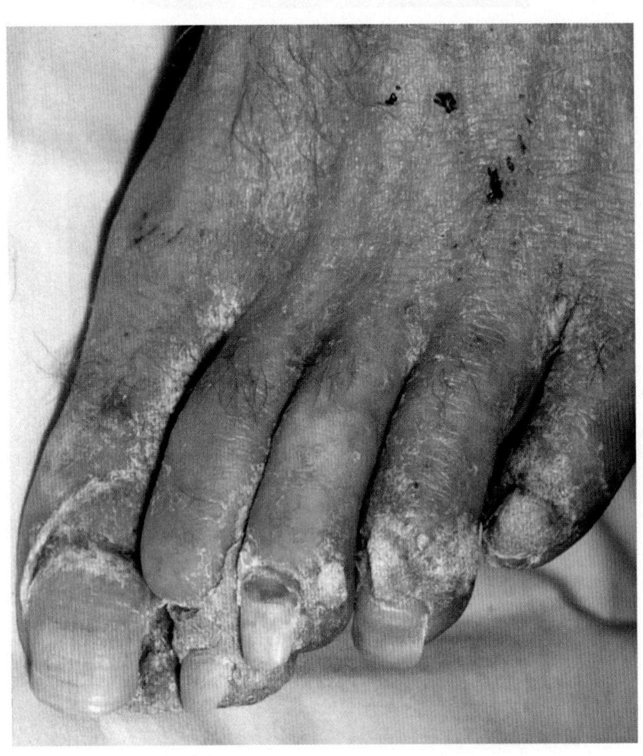

그림 20.90 후천성면역결핍증환자에서 보이는 딱지형성 옴

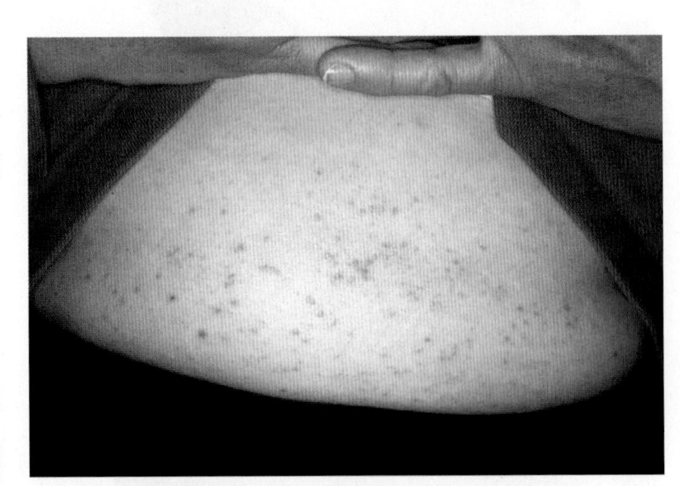

그림 20.91 Cheyletiella 진드기교상

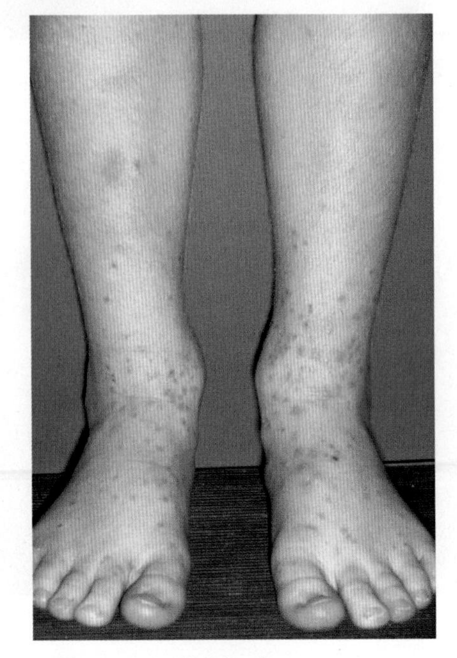

그림 20.92 모진드기교상

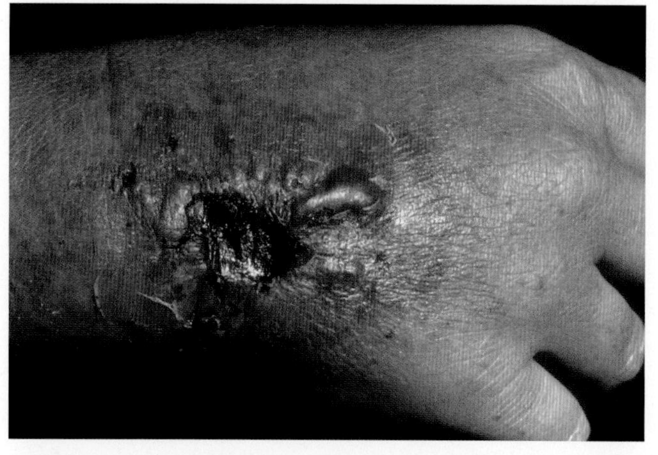
그림 20.93 갈색은둔거미(Brown recluse spider)교상

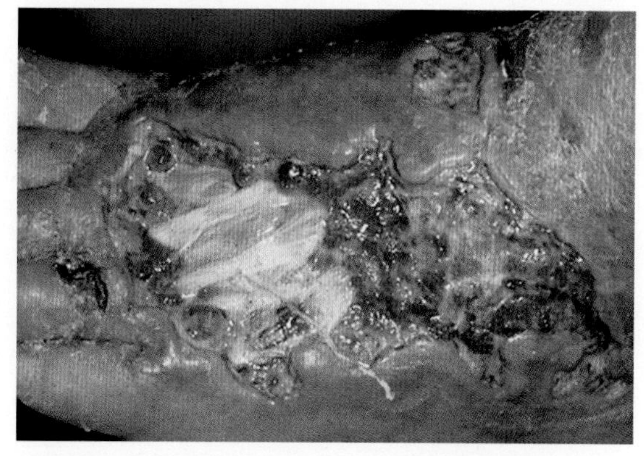
그림 20.94 갈색은둔거미(Brown recluse spider)교상

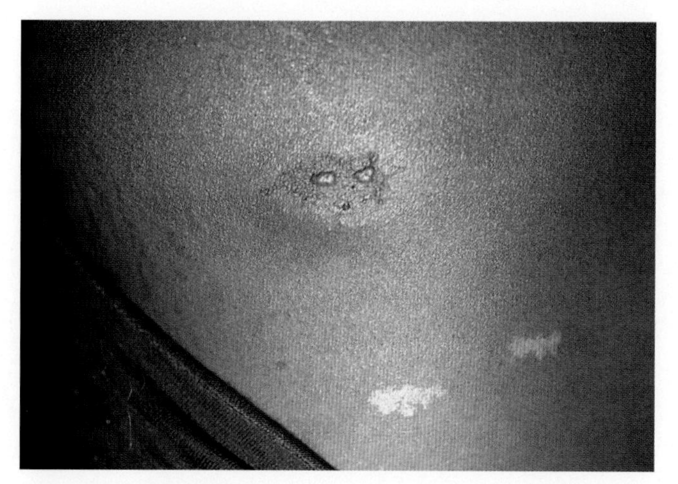
그림 20.95 거미교상

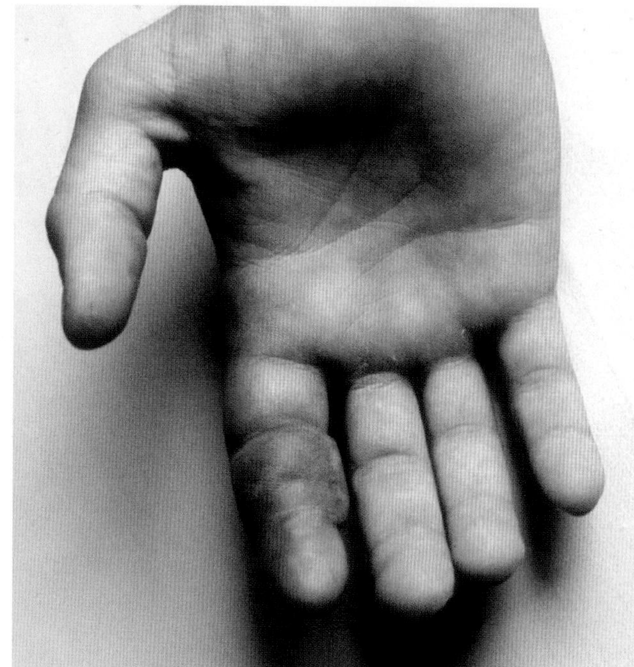
그림 20.96 뱀교상

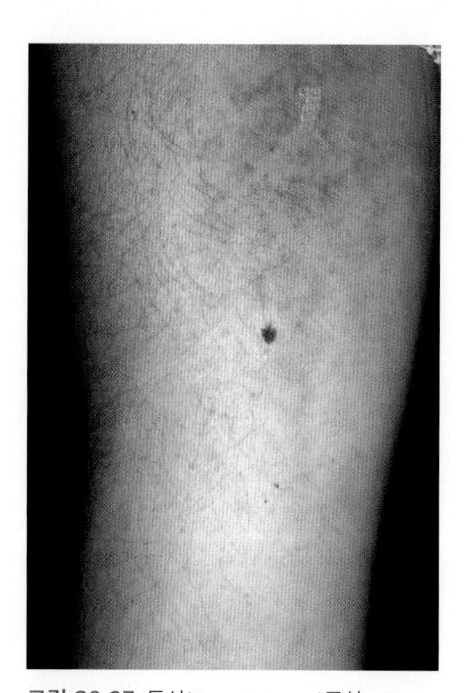
그림 20.97 독사(Russell pit viper)교상

만성수포질환 21

면역수포피부병은 두드러기, 수포, 미란, 혹은 농포병변으로 나타날 수 있다. 면역글로불린A매개질환은 선IgA물집피부병에서 나타나는 수포병변과 면역글로불린A천포창의 농포 및 미란병변과 같이, 진주고리 모양의 특징적인 환상병변으로 나타난다. 유사천포창은 홍반 혹은 두드러기판 위의 긴장성수포 형성을 특징적으로 한다. 보통천포창은 시초에는 자주 구강 내 미란으로 나타나지만, 광범위한 피부의 벗겨짐으로 진행할 수 있다. 반면, 낙엽천포창은 표재성의 미란과 사발에 말라붙은 콘플레이크스를 닮은 부착딱지를 나타낸다. 증식천포창은 병변 위에 간혹 농포가 박힌 국소성의 습한 겹겹의 딱지로 특징지어진다. 포진피부염은 심한 소양증과 긁은 상처 및 미란 병변이 후두피, 신측면, 그리고 둔부에 모여서 나타난다. 소양감은 극심하므로 온전한 수포를 확인하기 어렵다. 이번 장은 피부에 나타나는 수포질환의 다양한 임상적 표현이다.

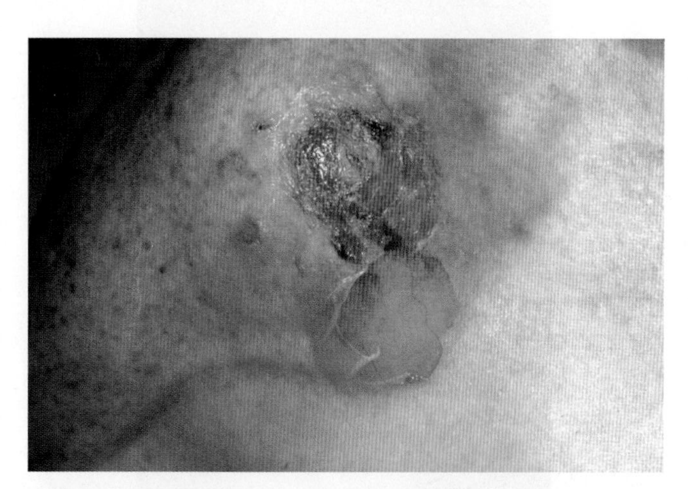

그림 21.1 보통천포창

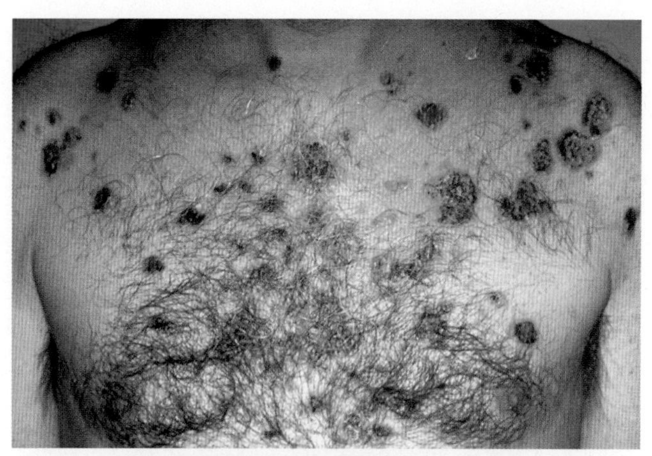

그림 21.2 보통천포창

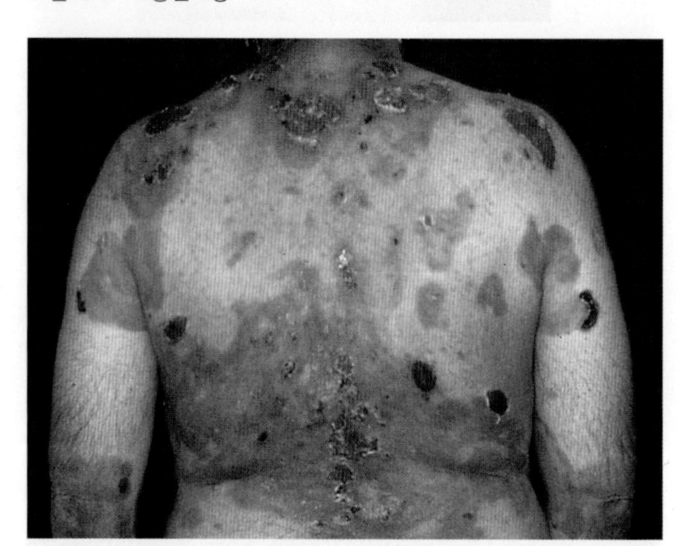

그림 21.3 과색소침착을 보이는 보통천포창

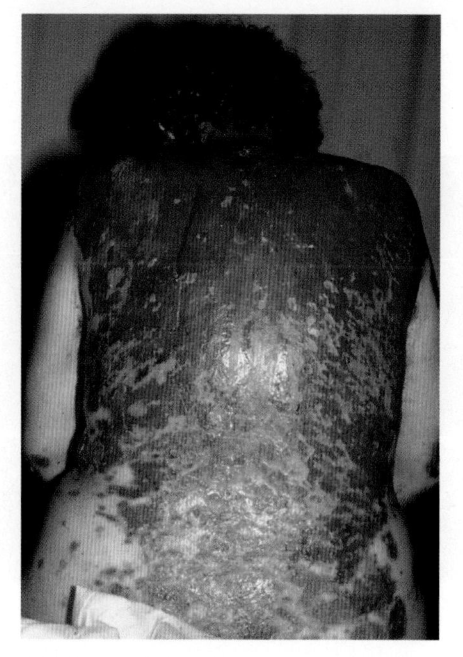

그림 21.4 보통천포창

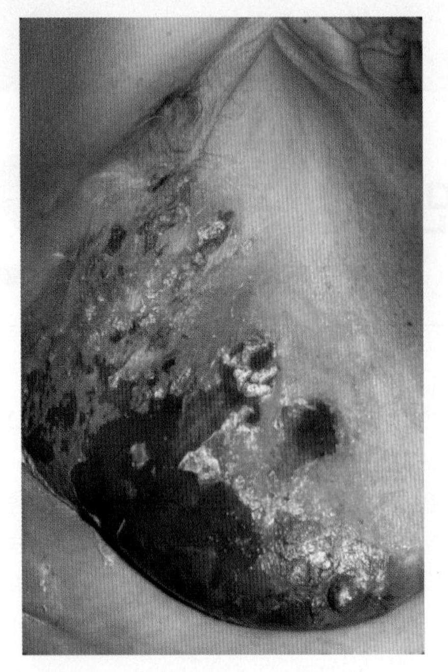

그림 21.5 방사선치료 후 보통천포창

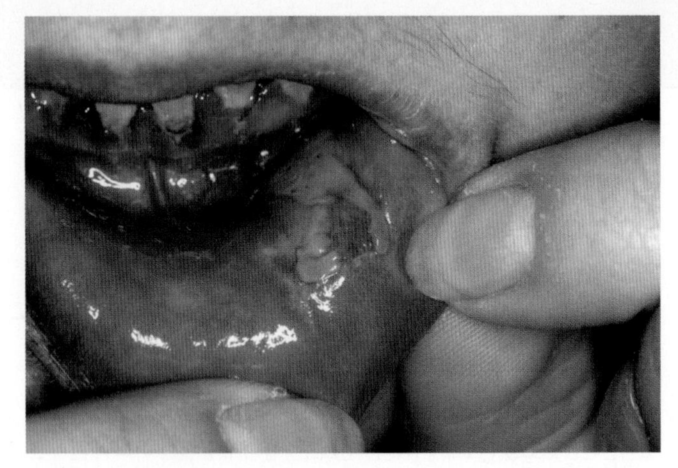

그림 21.6 구강보통천포창

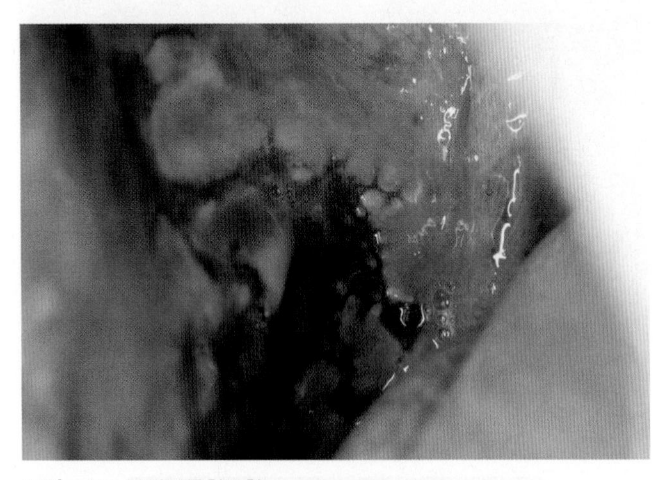

그림 21.7 구강보통천포창

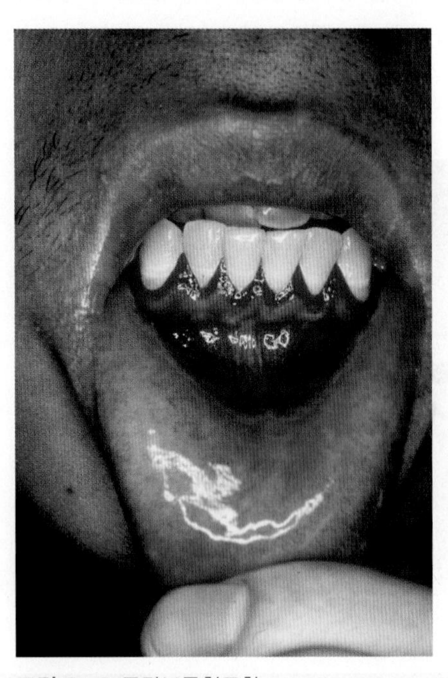

그림 21.8 구강보통천포창

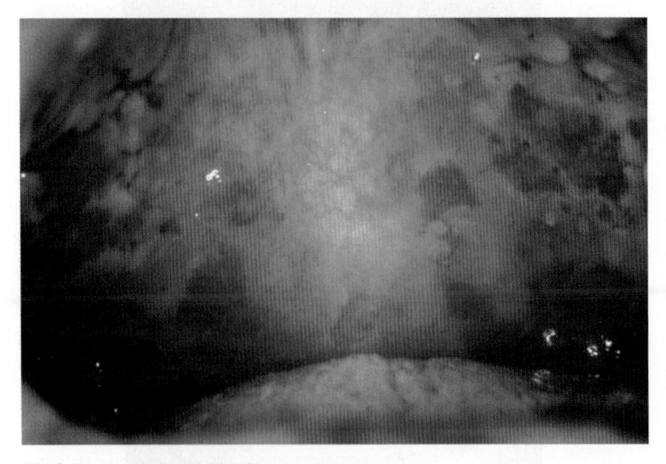

그림 21.9 구강보통천포창

그림 21.10 두피의 보통천포창

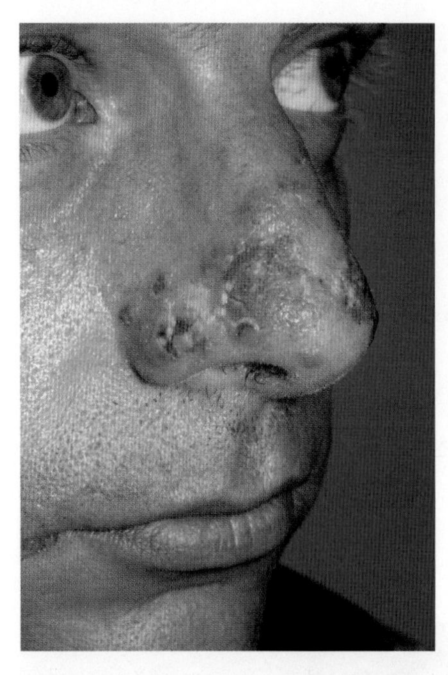

그림 21.11 보통천포창

그림 21.12 보통천포창

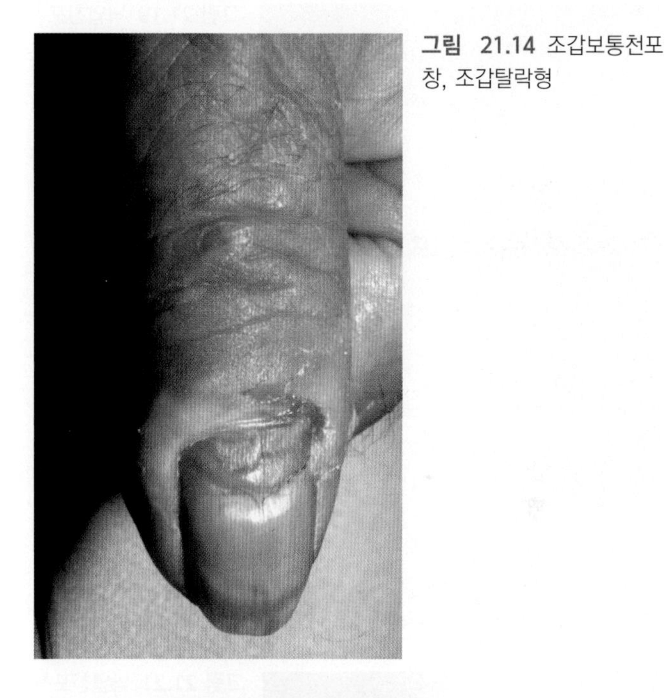

그림 21.14 조갑보통천포창, 조갑탈락형

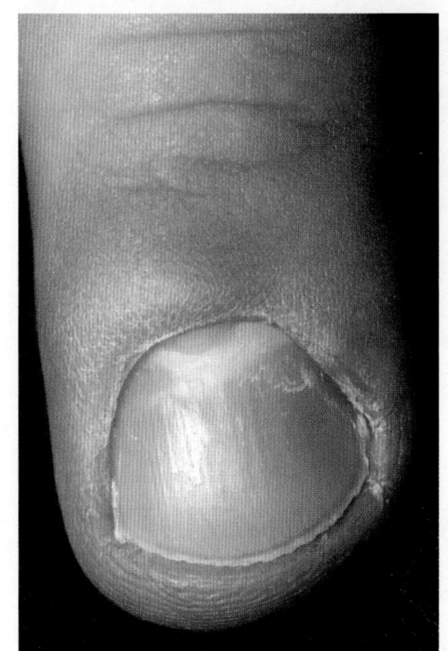

그림 21.13 조갑보통천포창, 조갑주위염형

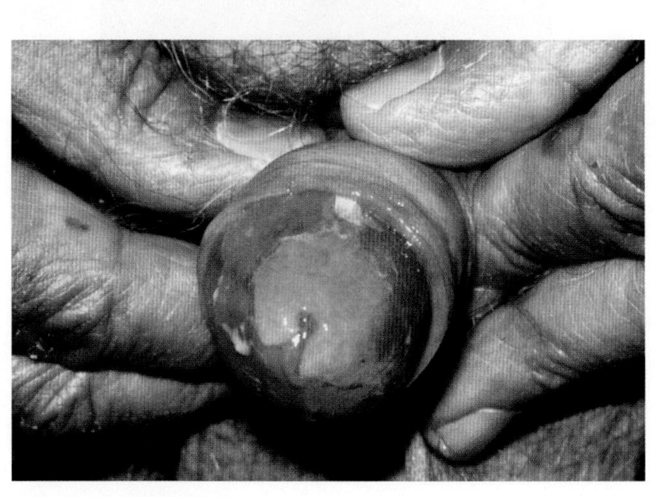

그림 21.15 보통천포창

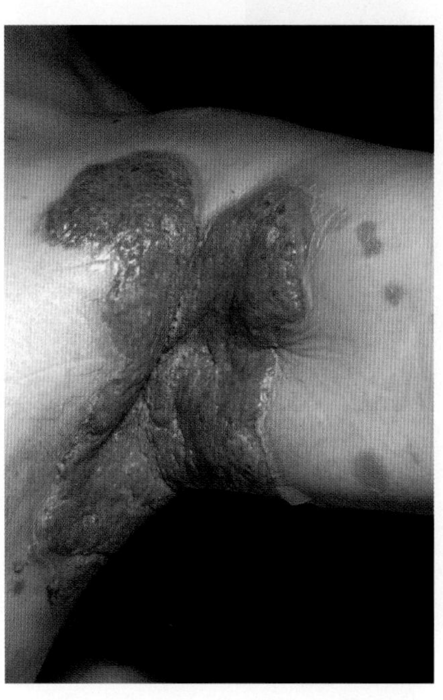

그림 21.16 증식천포창

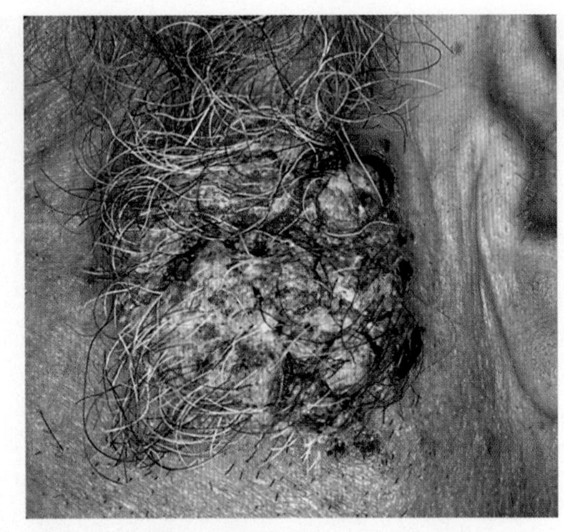

그림 21.17 증식천포창

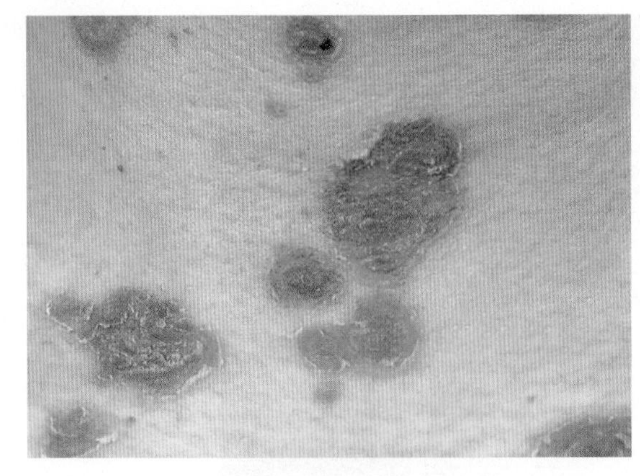

그림 21.18 낙엽천포창

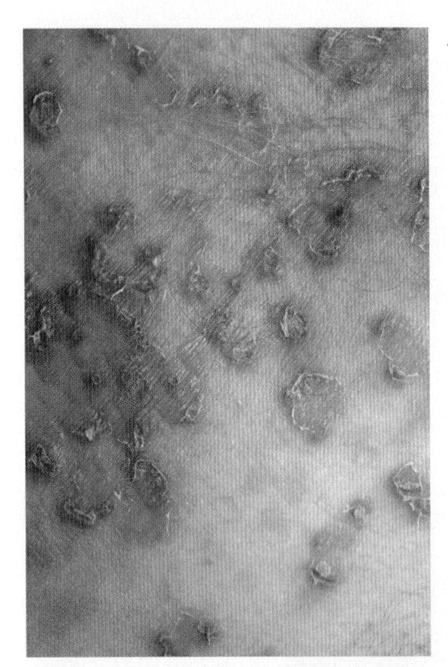

그림 21.19 낙엽천포창

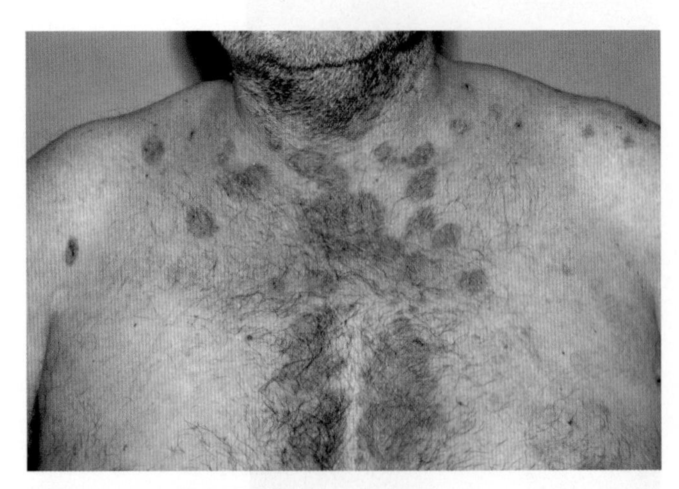

그림 21.20 낙엽천포창

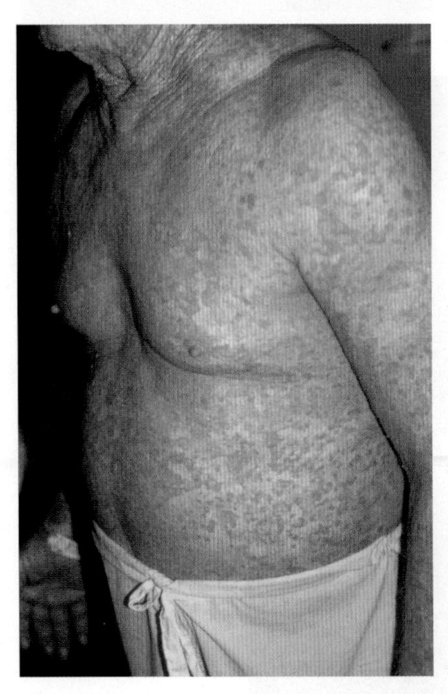

그림 21.21 낙엽천포창

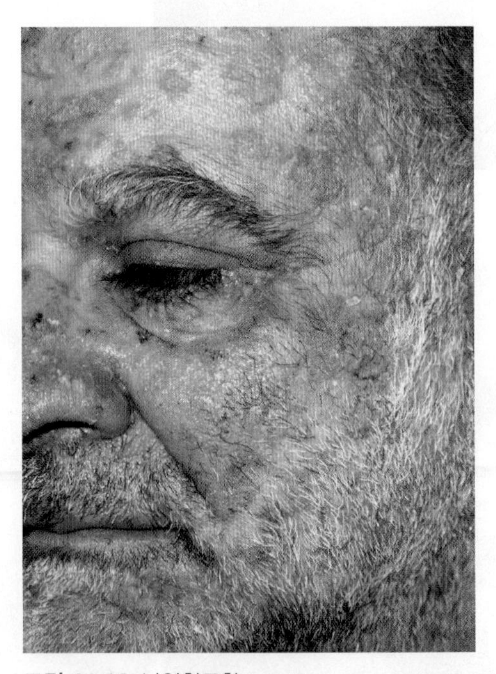

그림 21.22 낙엽천포창

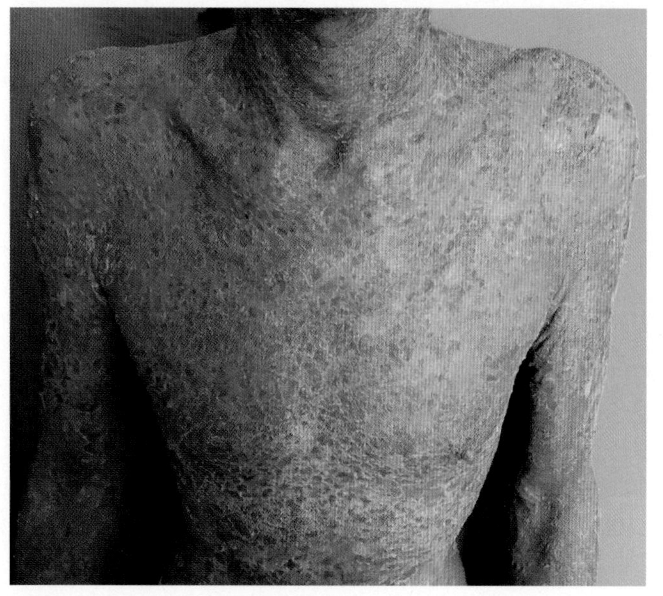

그림 21.23 낙엽천포창

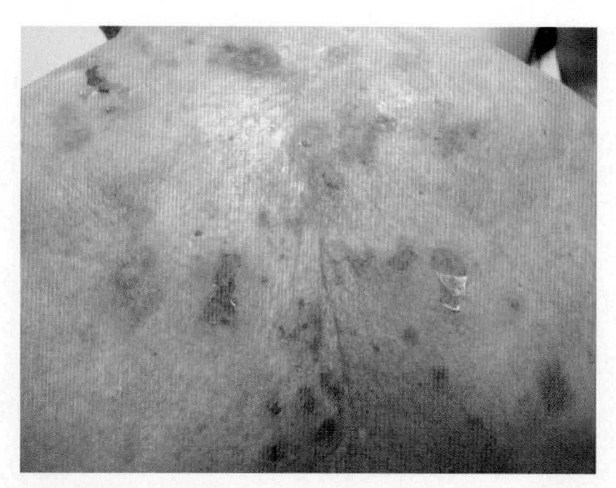

그림 21.24 낙엽천포창

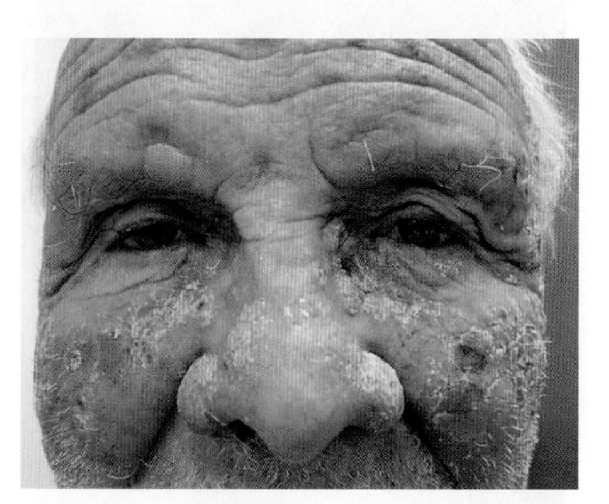

그림 21.25 브라질낙엽천포창

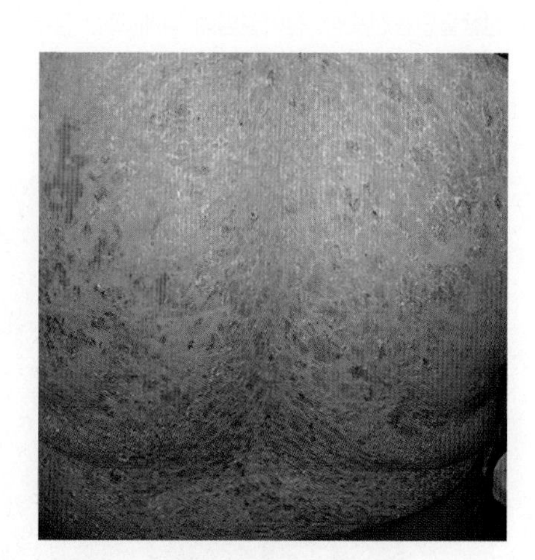

그림 21.26 브라질낙엽천포창

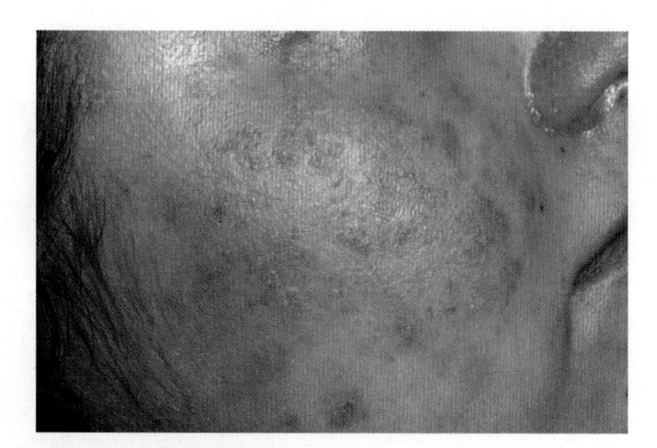

그림 21.27 홍반천포창양낙엽천포창

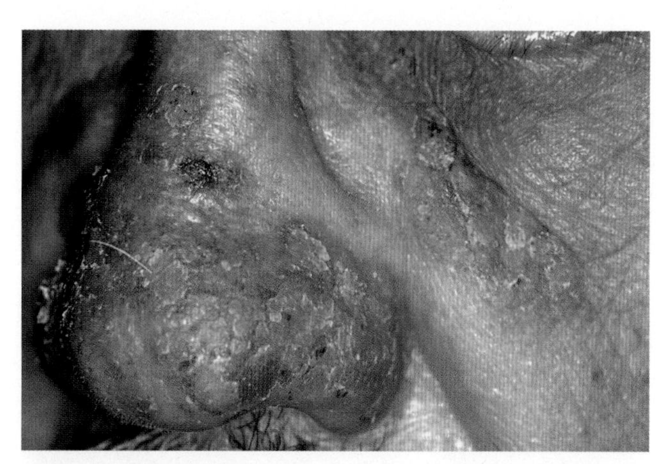

그림 21.28 홍반천포창

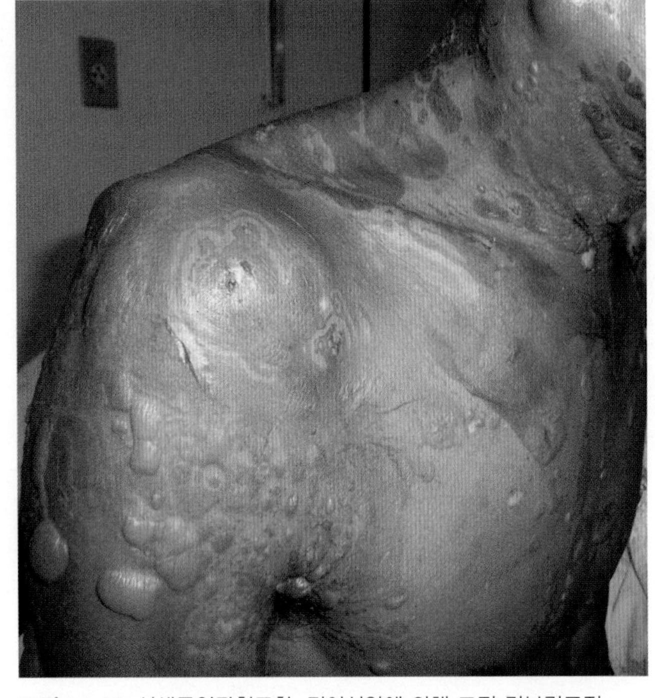

그림 21.29 신생물연관천포창. 전이설암에 의해 크진 경부림프절

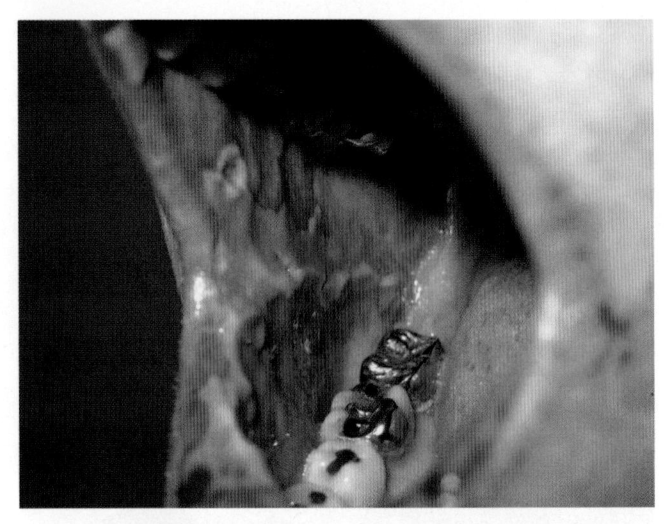

그림 21.30 신생물연관천포창

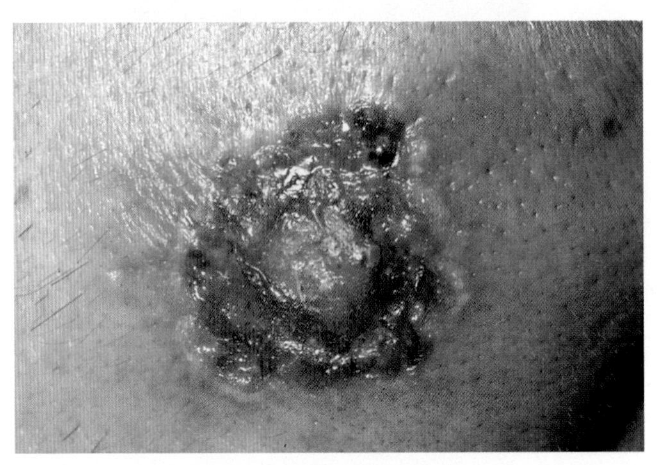

그림 21.31 표피내호중구성면역글로불린A피부염

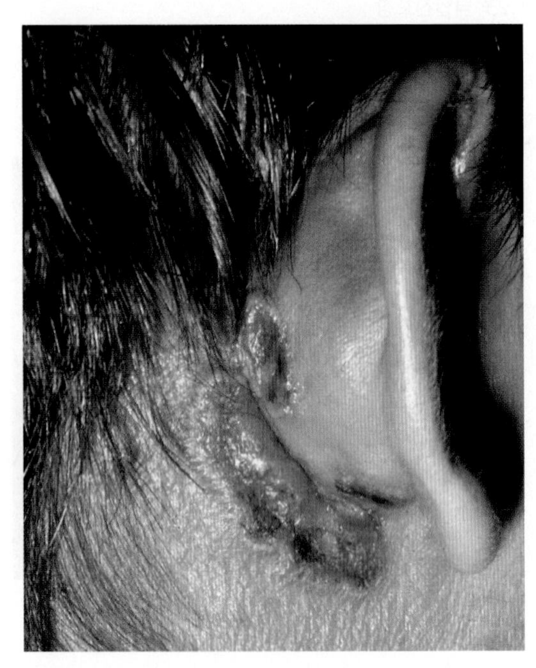

그림 21.32 표피내호중구성면역글로불린A피부염

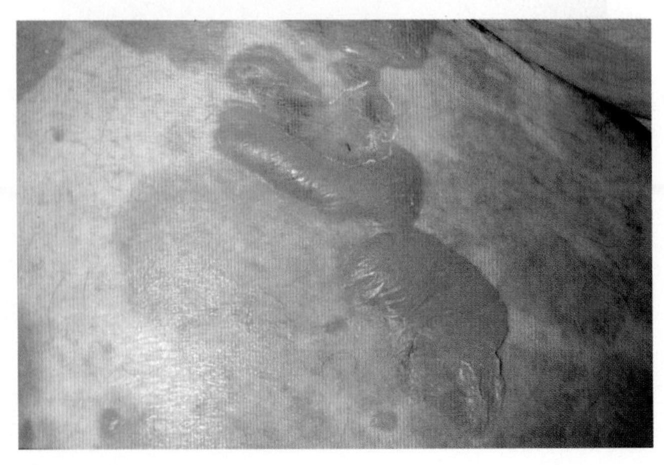

그림 21.34 수포유사천포창

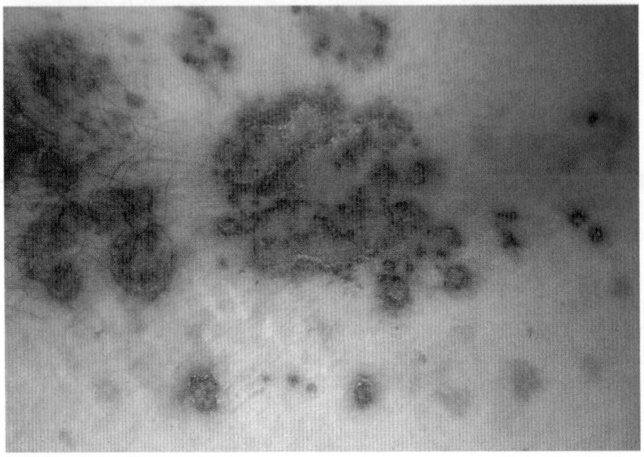

그림 21.33 표피내호중구성면역글로불린A피부염

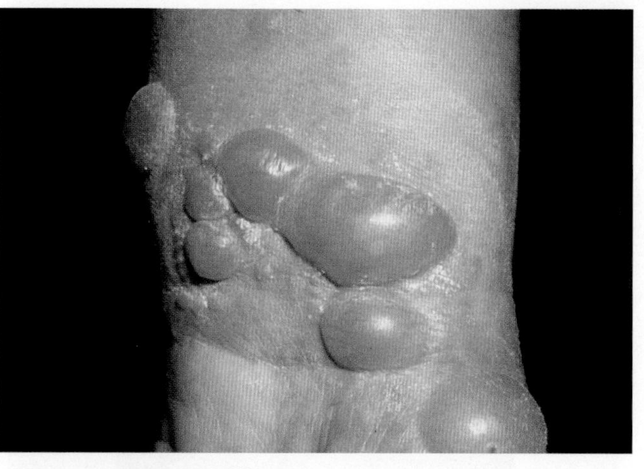

그림 21.35 수포유사천포창

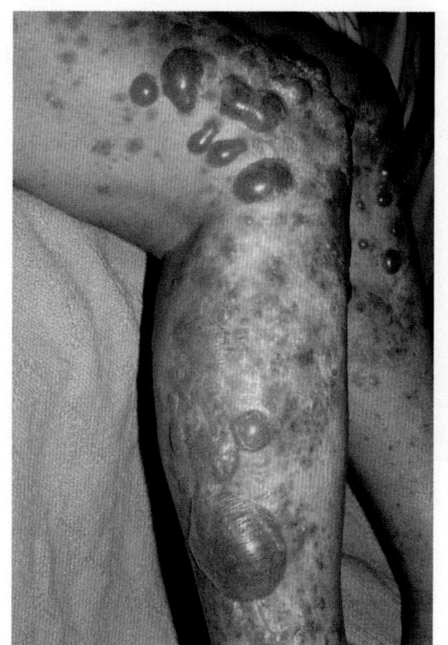

그림 21.36 수포유사천포창

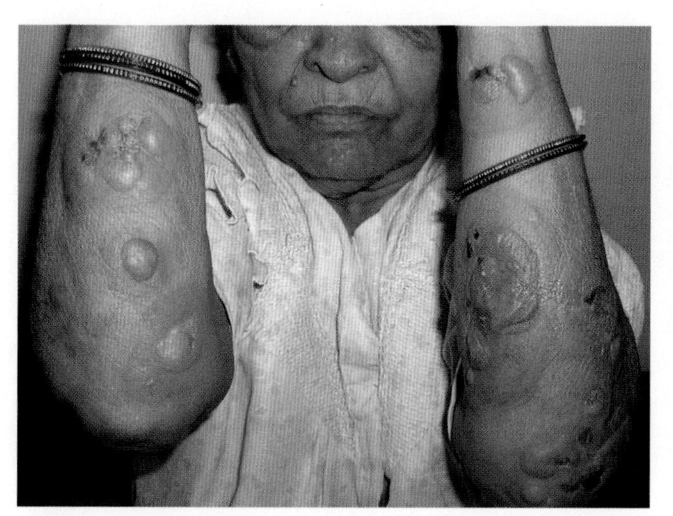

그림 21.37 수포유사천포창

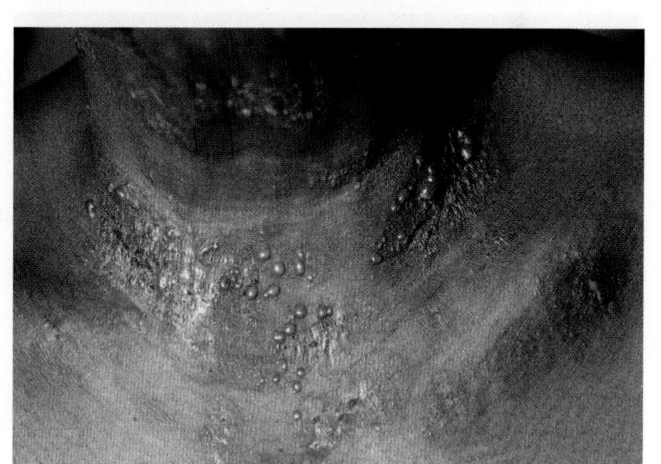

그림 21.38 수포유사천포창

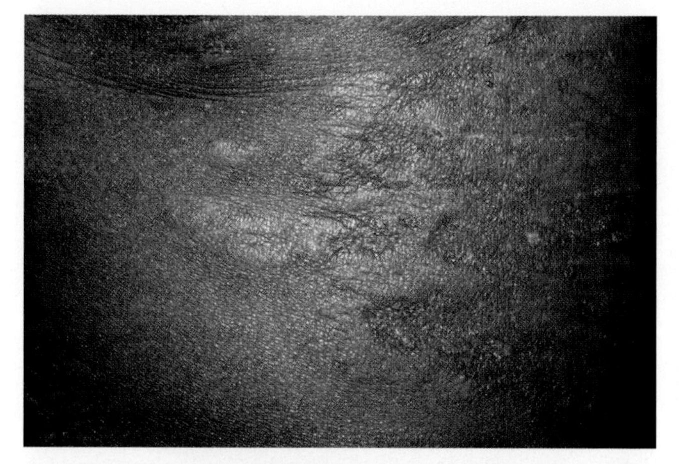

그림 21.39 두드러기수포유사천포창

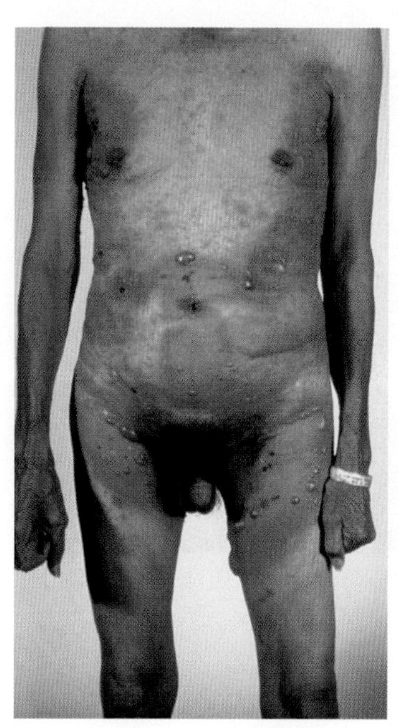

그림 21.40 수포를 보이는 두드러기수포유사천포창

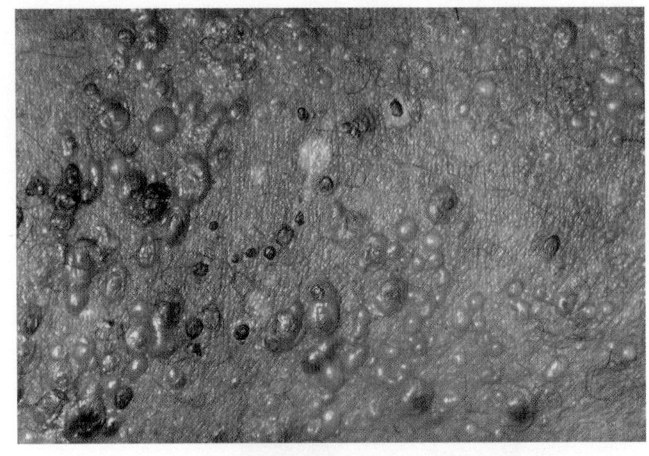

그림 21.41 소수포수포유사천포창

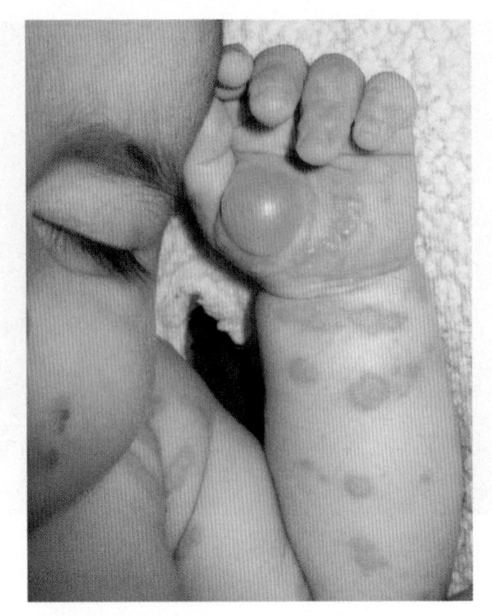

그림 21.42 유아수포유사천포창

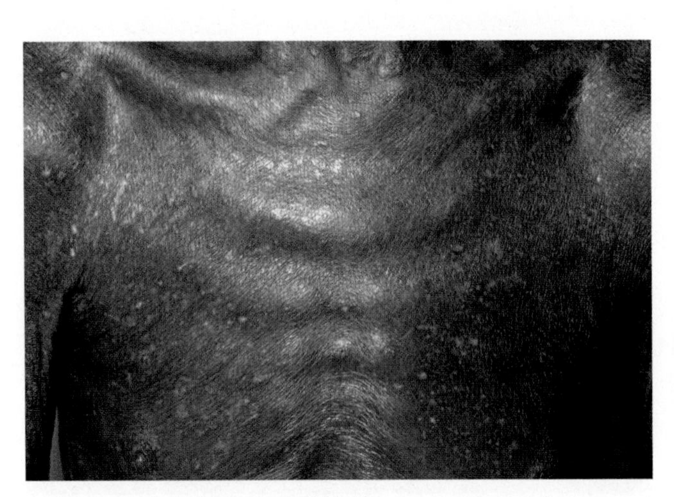

그림 21.43 홍색피부증수포유사천포창

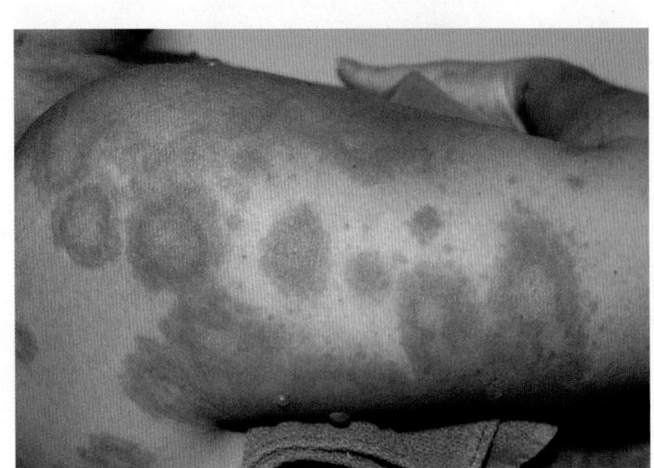

그림 21.44 임신유사천포창

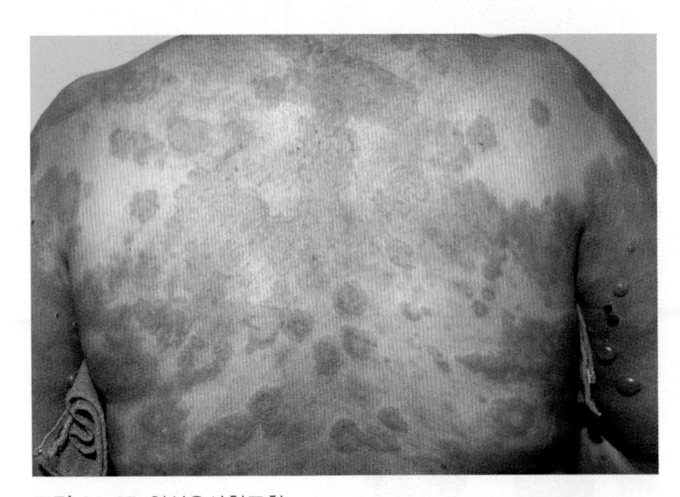

그림 21.45 임신유사천포창

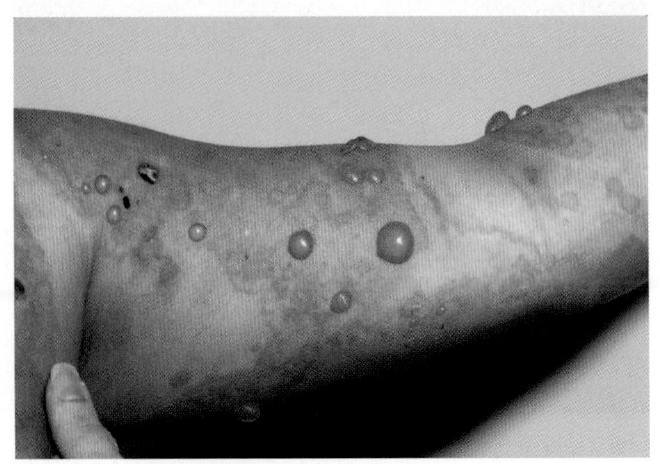

그림 21.46 임신유사천포창

그림 21.47 임신유사천포창

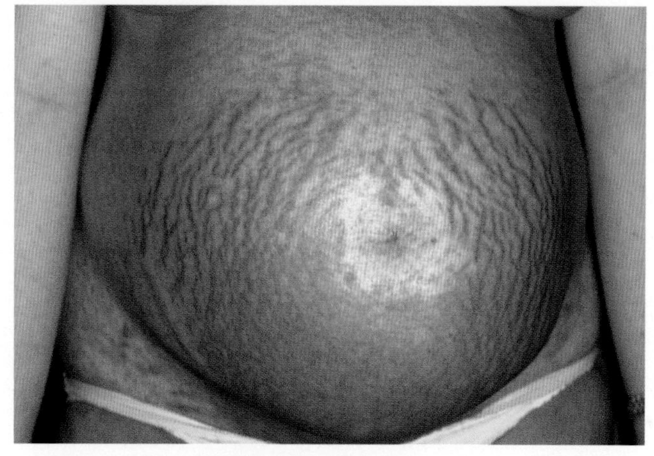

그림 21.48 임신가려움증팽진구진및판

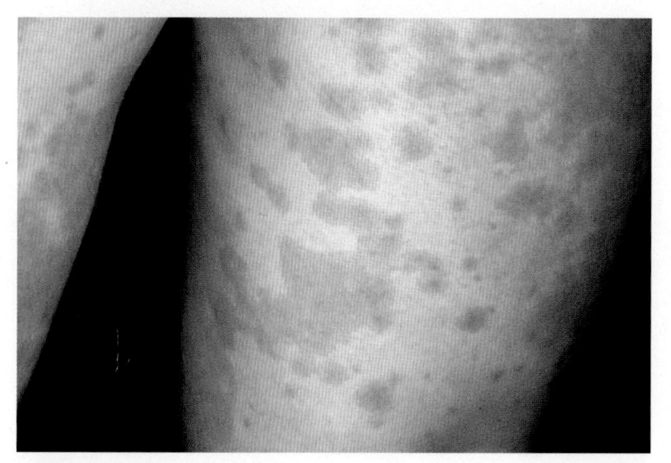

그림 21.49 임신가려움증팽진구진및판

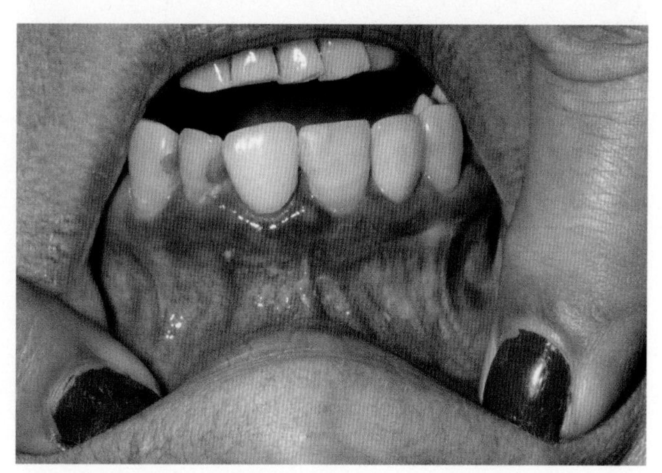

그림 21.50 흉터유사천포창

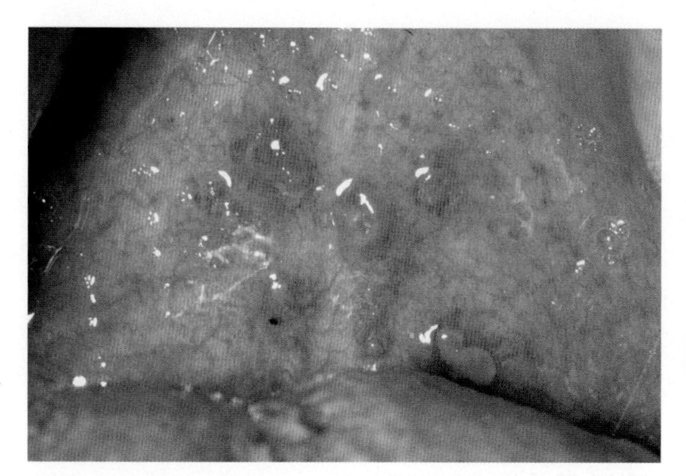

그림 21.51 흉터유사천포창

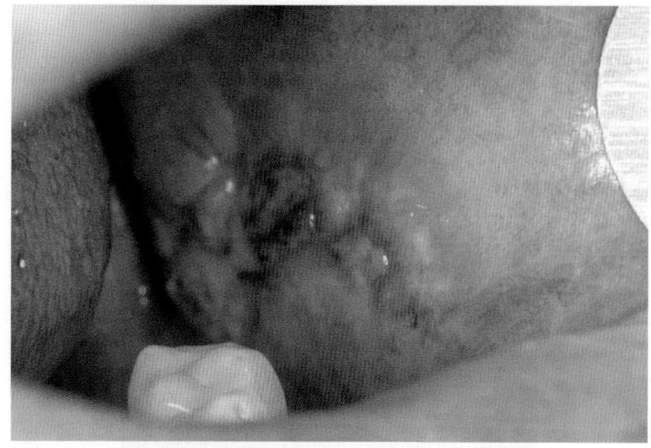

그림 21.52 흉터유사천포창

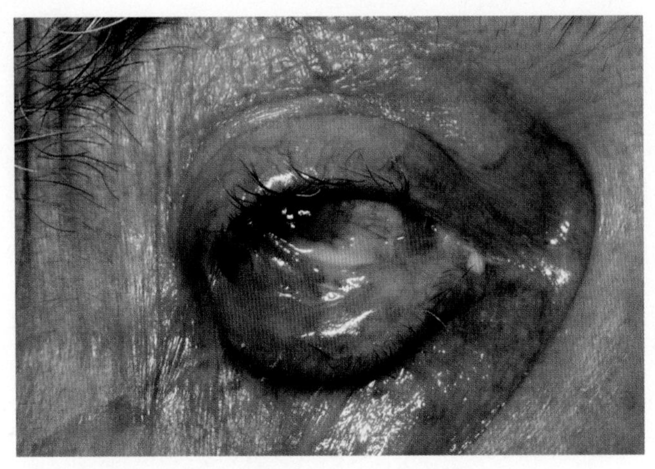

그림 21.53 흉터유사천포창

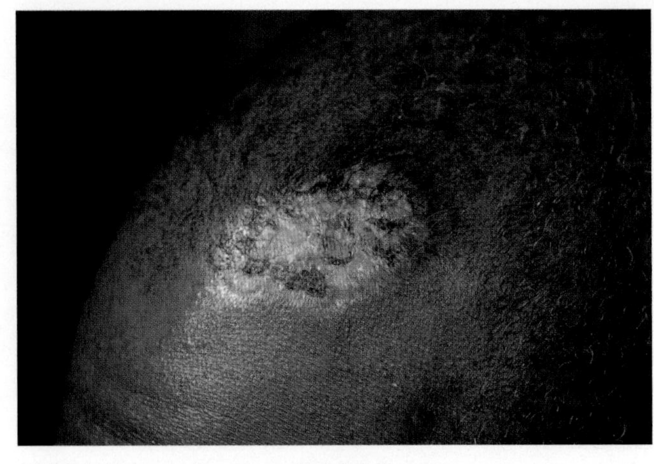

그림 21.54 Brunsting-Perry 유사천포창

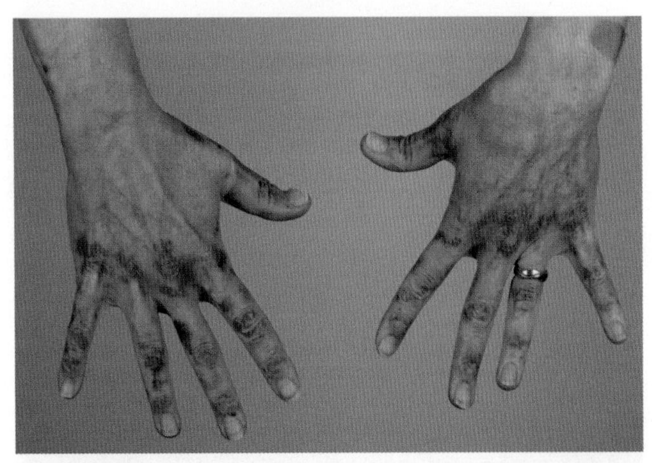

그림 21.55 후천수포표피박리증

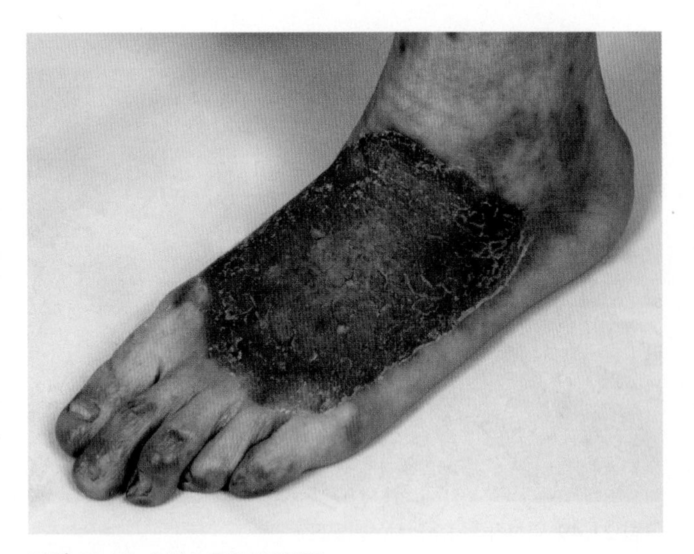

그림 21.56 후천수포표피박리증

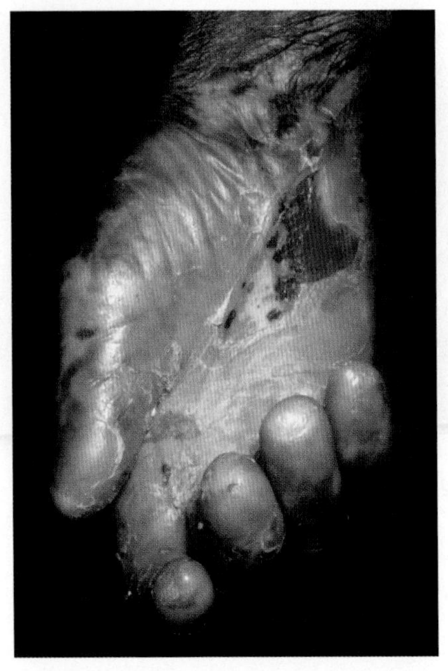

그림 21.57 후천수포표피박리증

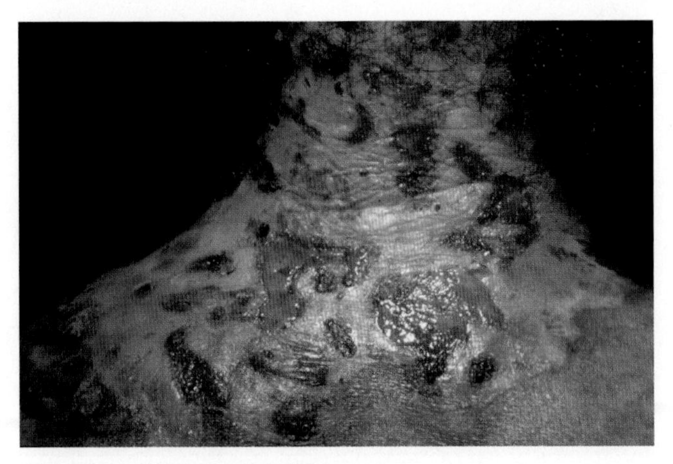

그림 21.58 후천수포표피박리증

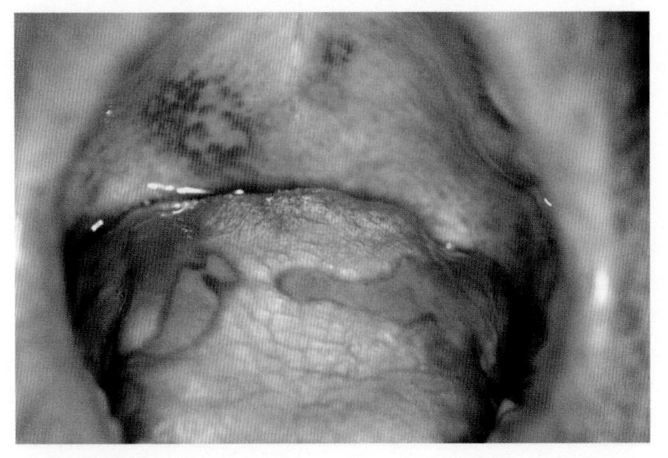

그림 21.59 후천수포표피박리증

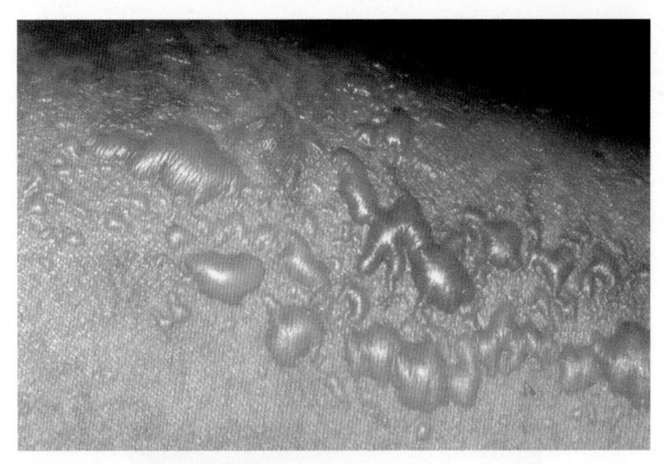

그림 21.60 염증후천수포표피박리증

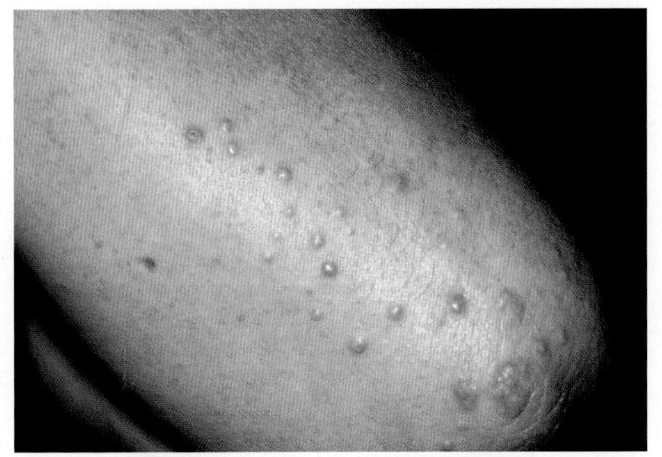

그림 21.61 포진피부염

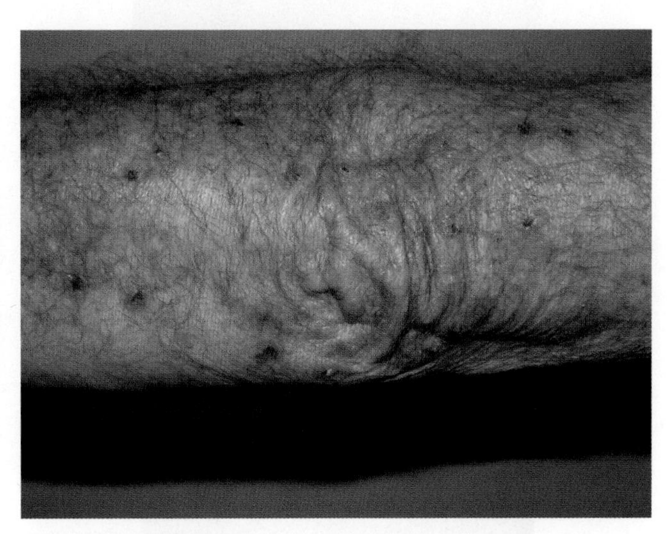

그림 21.62 포진피부염

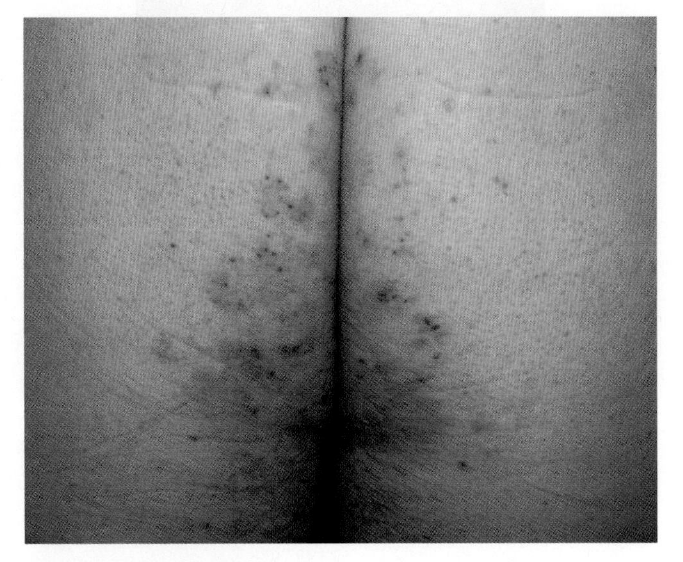

그림 21.63 포진피부염

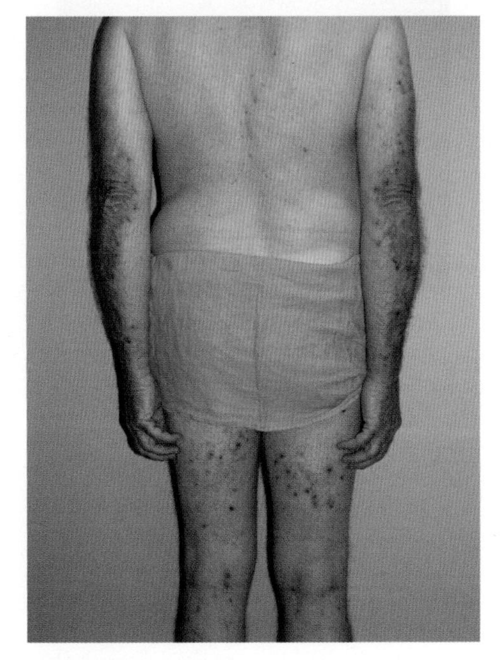

그림 21.64 포진피부염

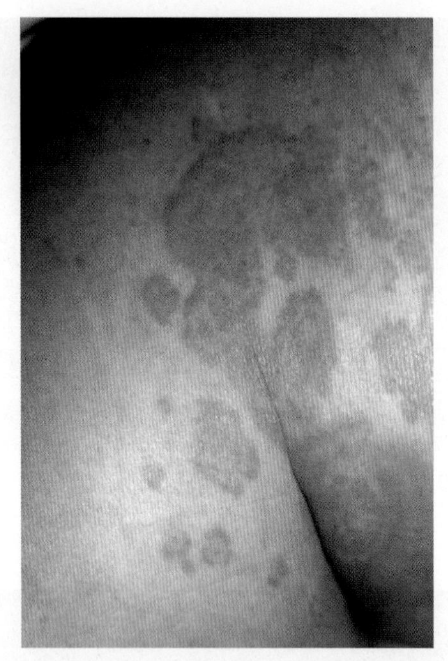

그림 21.65 포진피부염의 두드러기병변

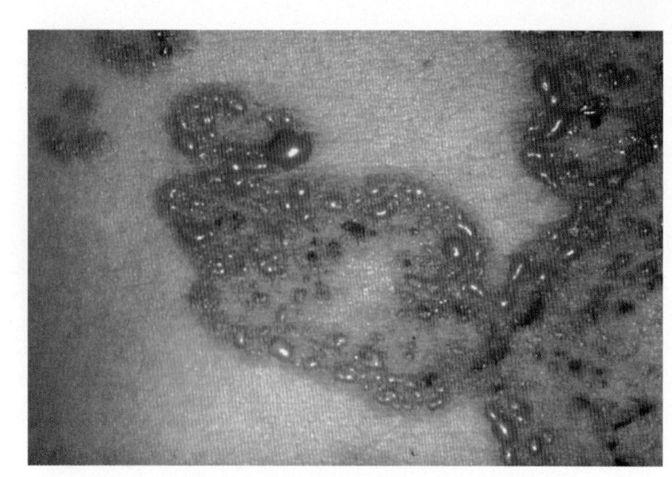

그림 21.66 포진피부염의 비통상적 윤곽

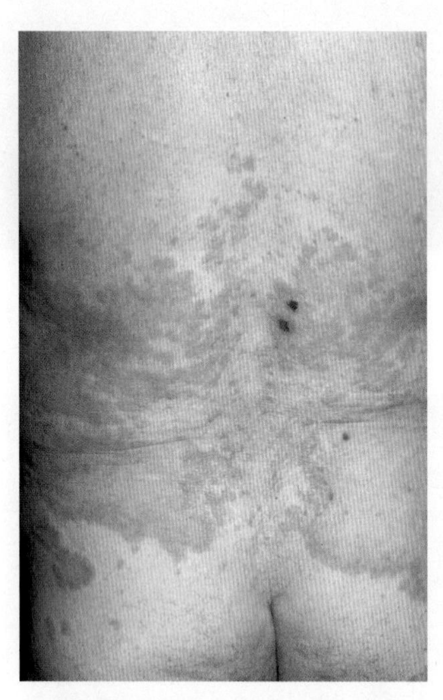

그림 21.67 성인선IgA질환, 두드러기 형

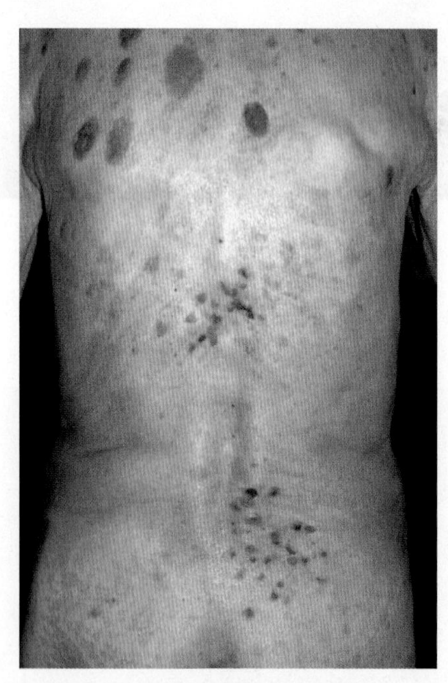

그림 21.68 포진피부염과 감별이 어려운 성인 선IgA질환

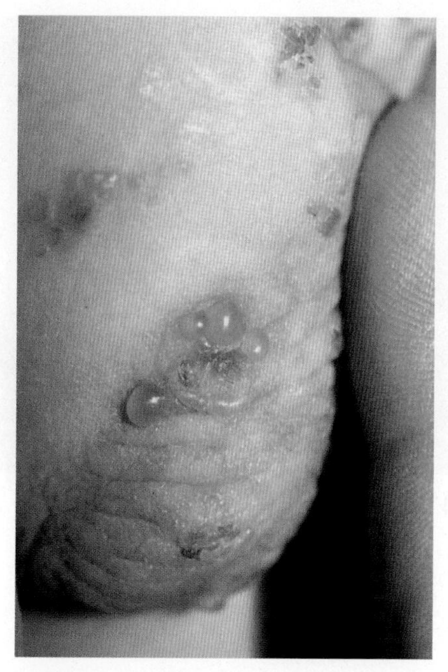

그림 21.69 소아선IgA질환

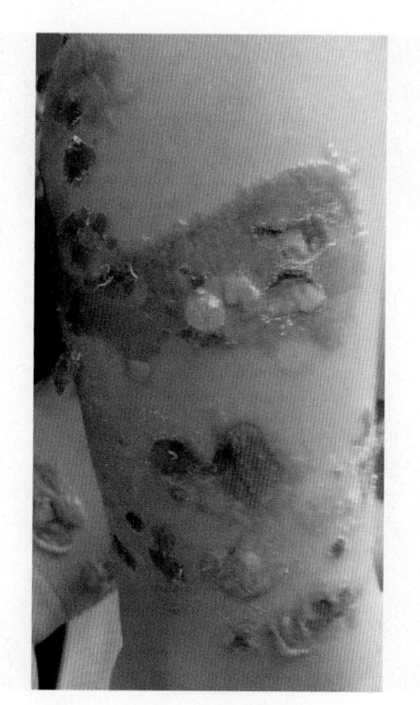

그림 21.70 소아선IgA질환

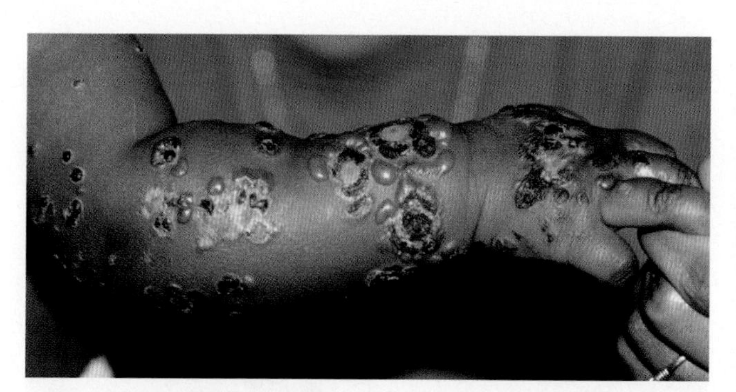

그림 21.71 소아선IgA질환

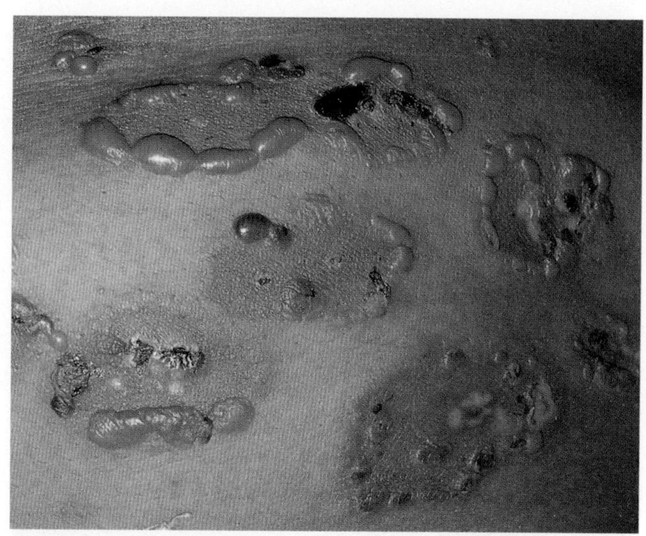

그림 21.72 소아선IgA질환

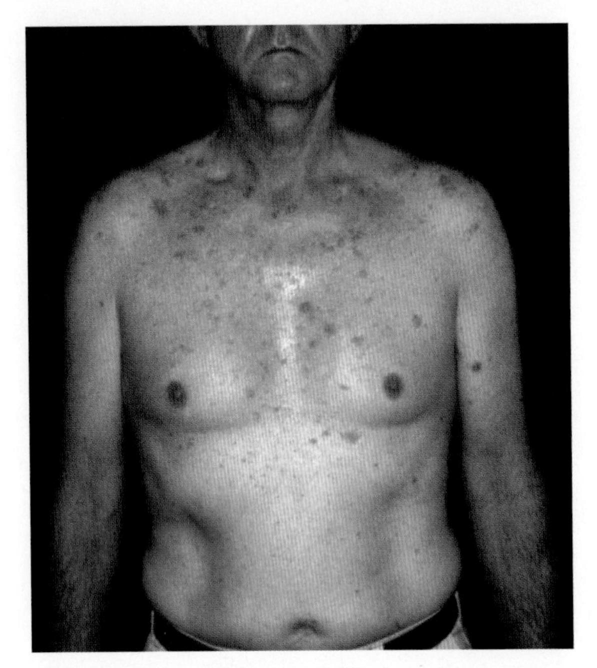

그림 21.73 일과가시세포분리피부병

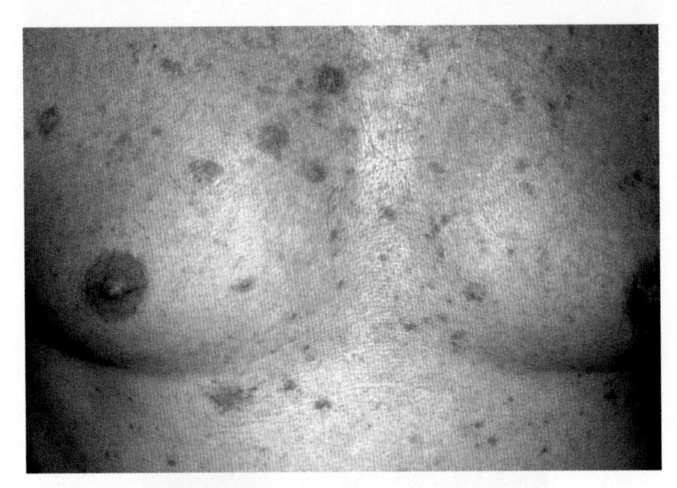

그림 21.74 일과가시세포분리피부병

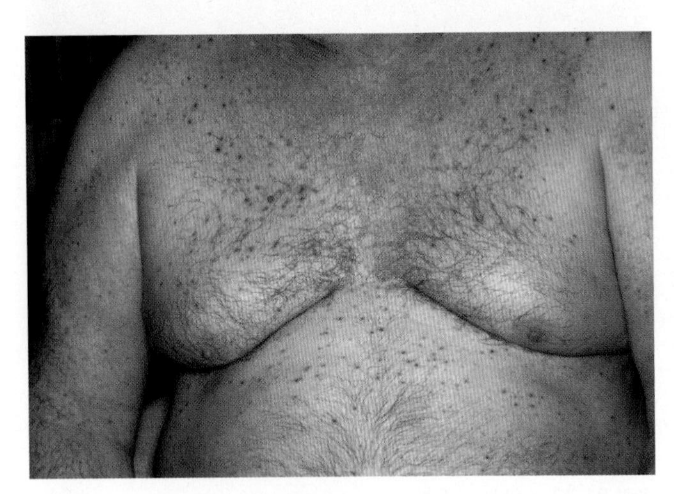

그림 21.75 일과가시세포분리피부병

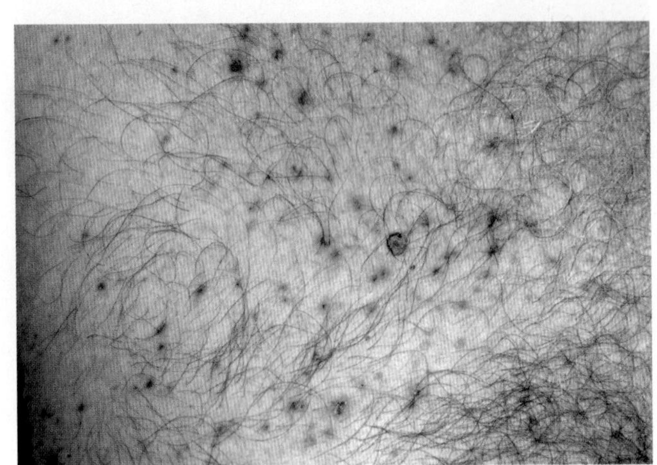

그림 21.76 일과가시세포분리피부병

영양질환 22

우리 몸에 필요한 비타민과 무기질의 결핍 또는 과잉은 피부, 모발, 조갑, 및 점막에 특이소견을 나타낸다. 이번 장에서는 이런 질환들에 대한 피부소견을 보여 주고자 한다.

일부 필수영양소의 결핍은 독특한 점막피부 및 전신징후와 특유의 증상을 일으킨다. 비타민C결핍 혹은 괴혈병에서는 잇몸출혈, 코르크마개뽑이 모발, 쉽게 드는 멍, 그리고 모낭주위출혈을 볼 수 있고, 펠라그라 혹은 비타민B3(나이아신)결핍에서는 일광노출부위의 일광화상양 비늘, 과색소침착, 혹은 위축병변과 잘 낫지 않는 설사, 허약, 치매, 감각이상 및 우울증이 함께 나타날 수 있다. 카시오코르 또는 단백열량부족증은 피부와 모발의 전반적인 가벼워짐, 마치 벗겨지는 페인트칠과 같은 표재성박피의 비늘병변, 금이 간 포장도로와 같은 피부염이, 부종 및 발육부전과 함께 나타날 수 있다. 이들 영양결핍은 음식이 귀한 지역에서의 일반적인 영양부족에서 나타나지만, 제한된 식사 또는 신경성식욕부진증에서도 나타날 수 있다. 마지막으로 염증창자질환에서 나타나는 흡수장애는 영양결핍을 초래할 수 있다.

비교적 흔한 결핍증은 영아기에 가장 흔한 아연결핍으로 발생하는 장병선단피부염이다. 이 질환은 비늘 혹은 미란반이 쌓아 올려진 상태 혹은 딱지로 경계가 지워지며, 입주위, 원위부사지 및 서혜부를 지속적으로 침범한다. 환아는 대단히 예민하게 반응한다. 장병선단피부염양 병변은 비오틴결핍을 일으키는 유전대사질환에서도 나타날 수 있다.

이번 장은 피부, 모발, 조갑과 점막표면을 침범하는 영양관련 질환들이다.

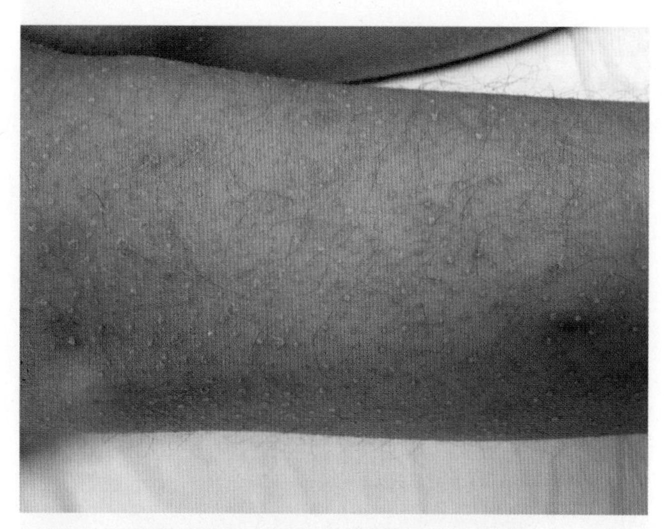

그림 22.2 염증창자질환 환자에서 나타난 비타민A과다증

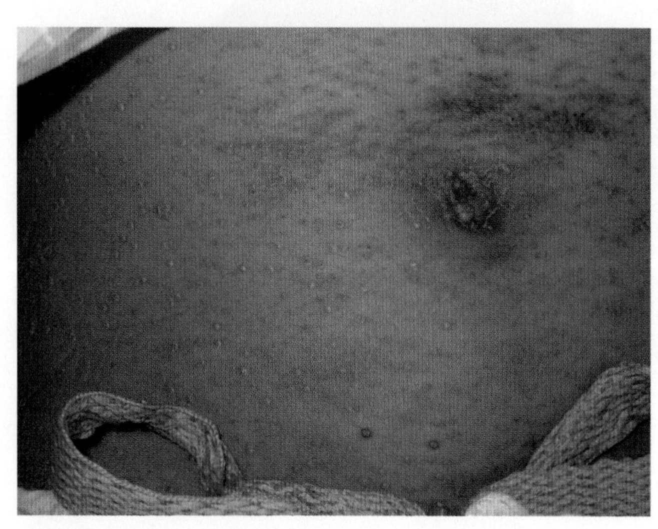

그림 22.1 염증창자질환 환자에서 나타난 비타민A과다증

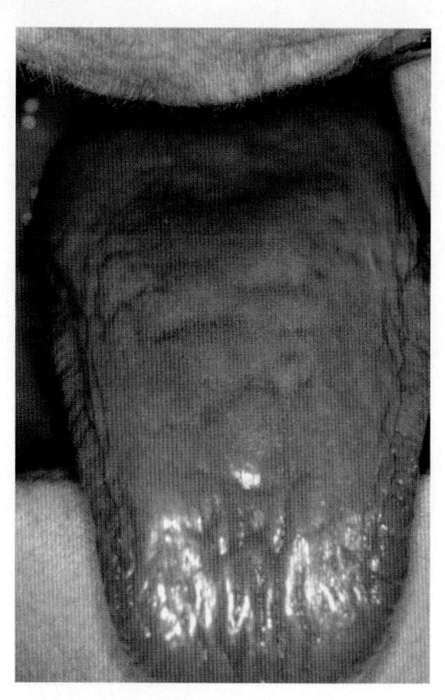

그림 22.3 비타민B결핍증에 나타난 위축설

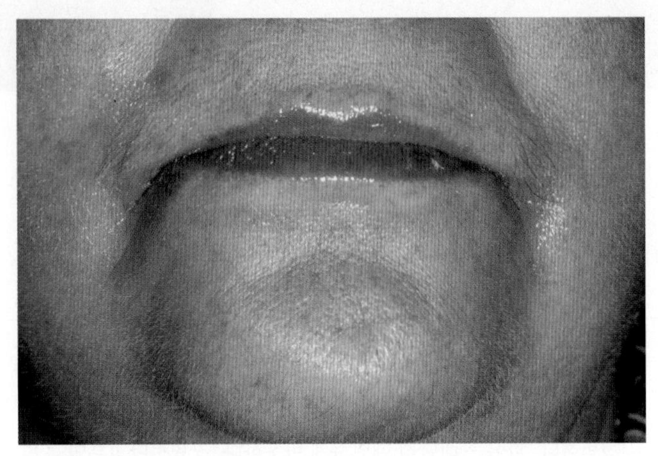
그림 22.4 비타민B결핍증의 구각염

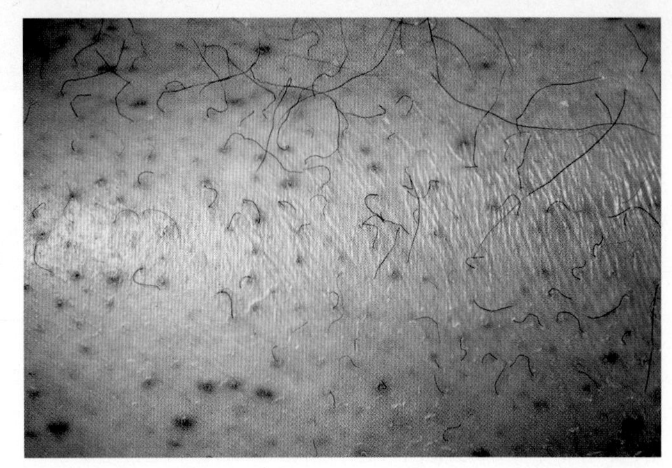
그림 22.5 괴혈병

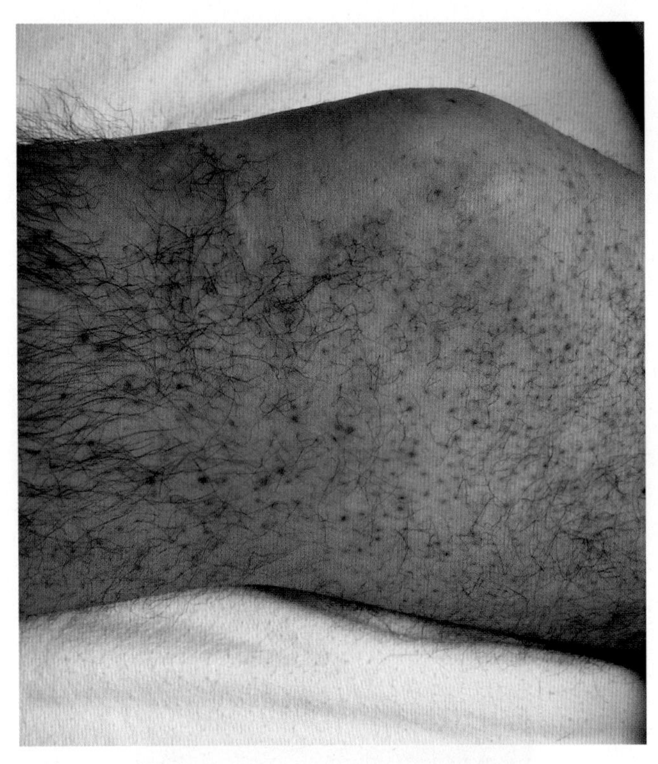
그림 22.6 괴혈병

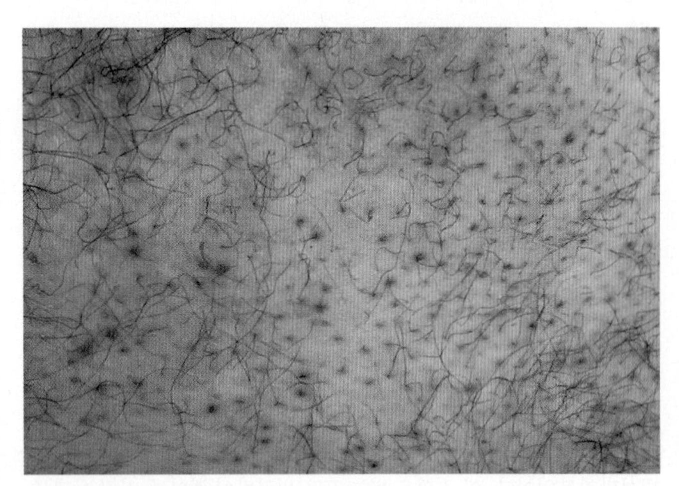
그림 22.7 괴혈병

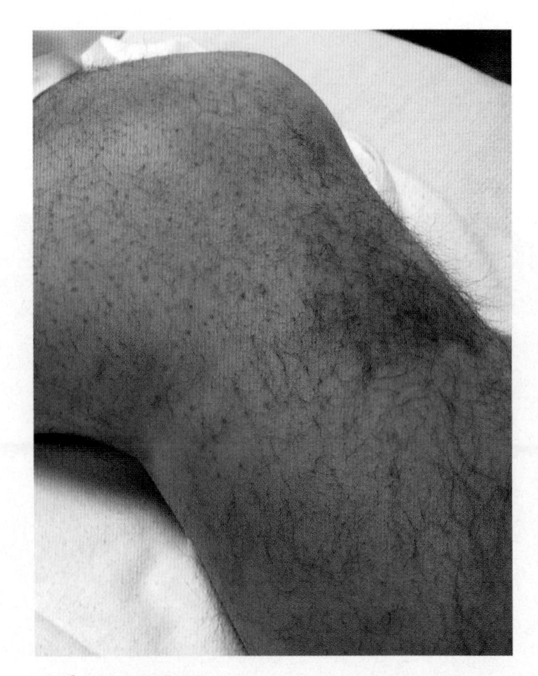
그림 22.8 괴혈병

22 영양질환

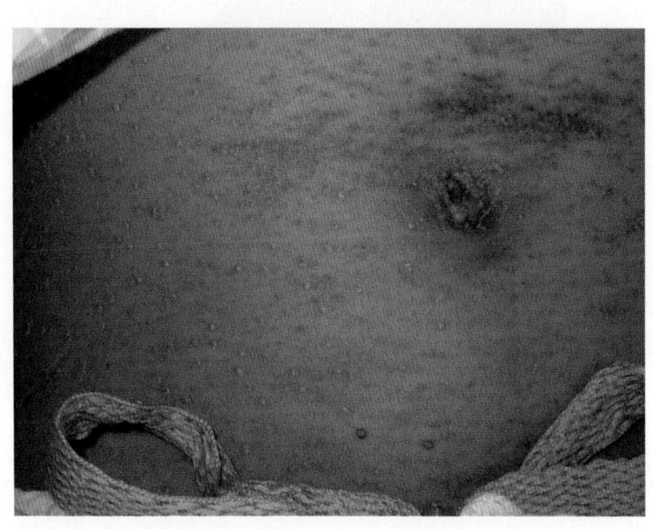

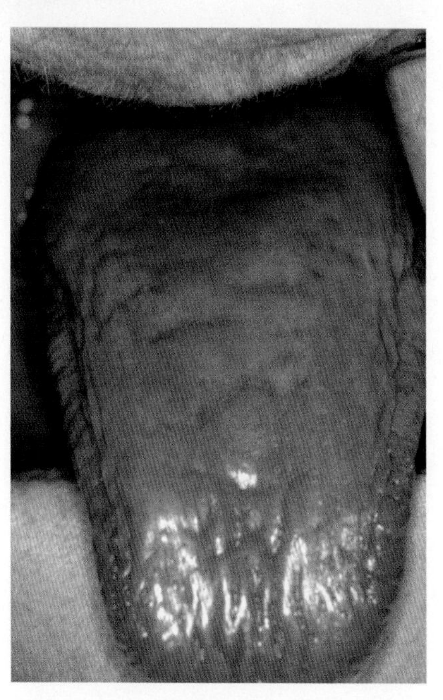

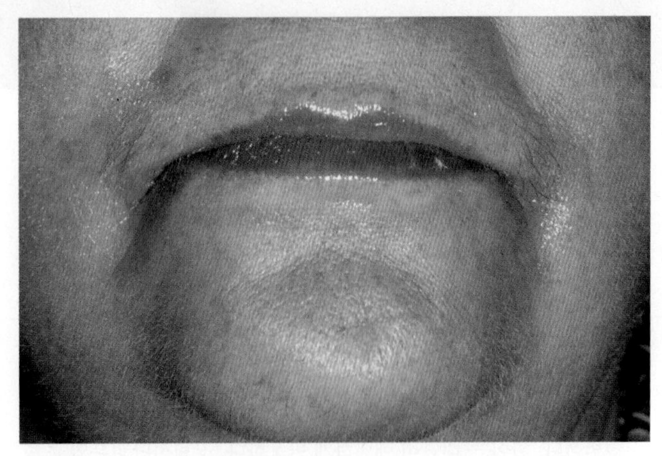

그림 22.4 비타민B결핍증의 구각염

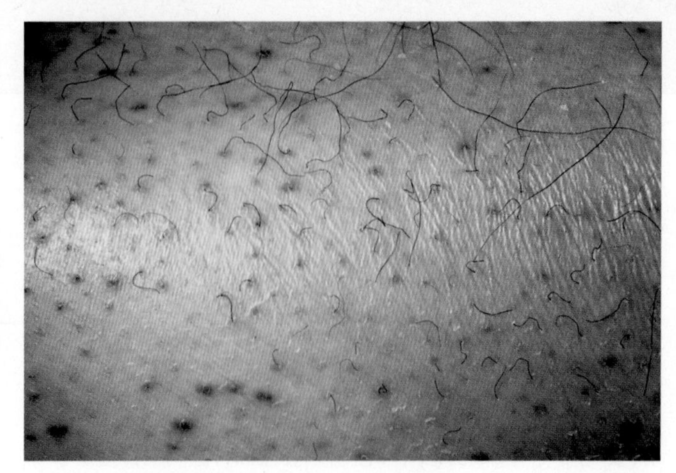

그림 22.5 괴혈병

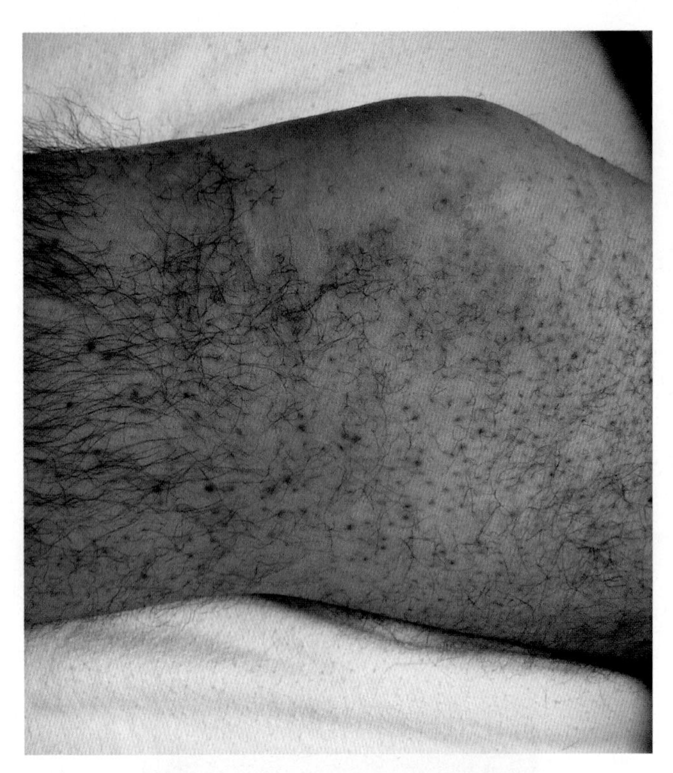

그림 22.6 괴혈병

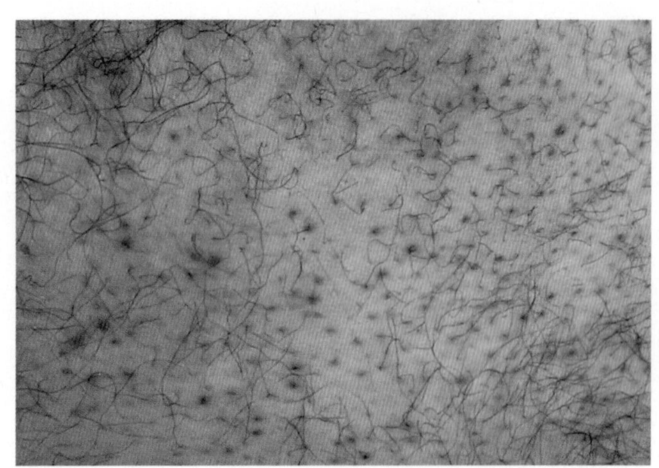

그림 22.7 괴혈병

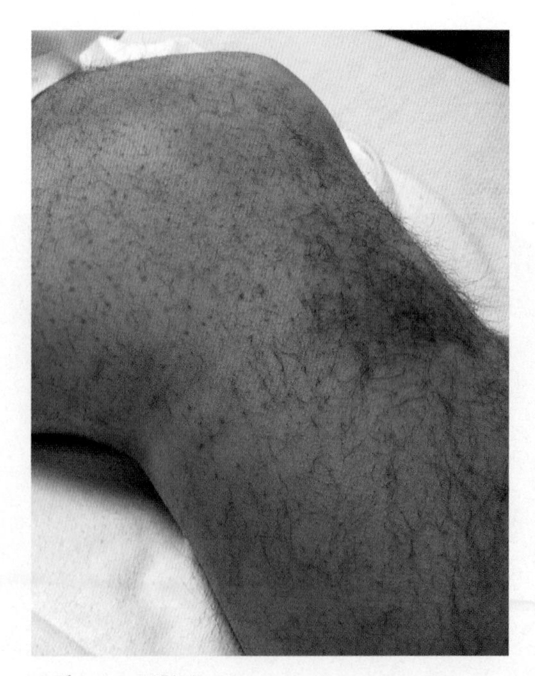

그림 22.8 괴혈병

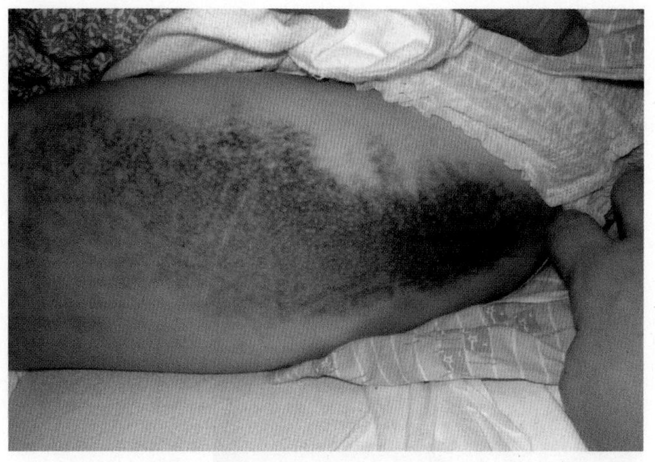
그림 22.9 괴혈병

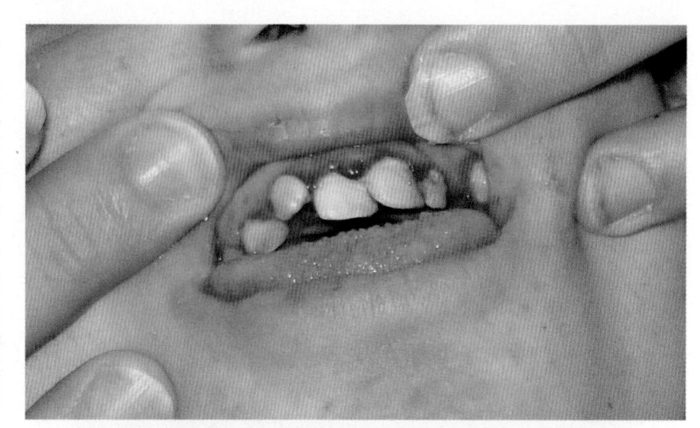
그림 22.10 괴혈병

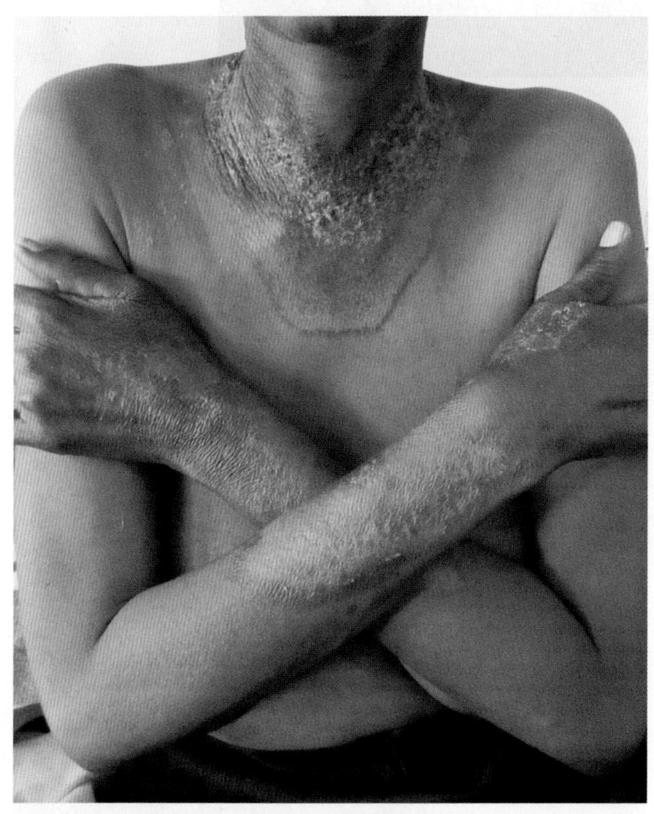
그림 22.11 펠라그라

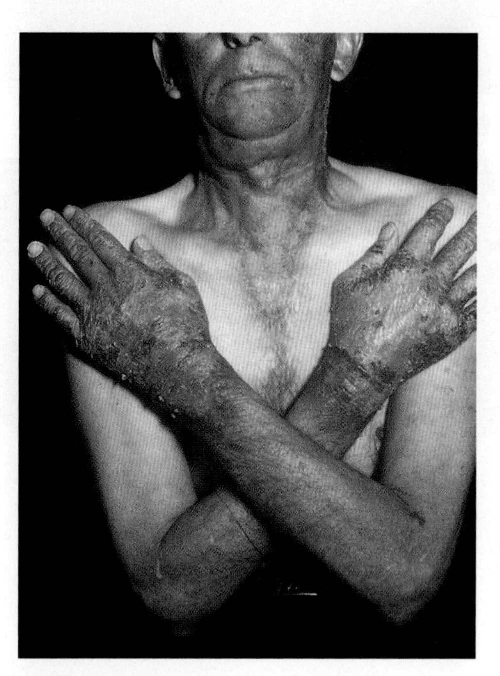
그림 22.12 펠라그라

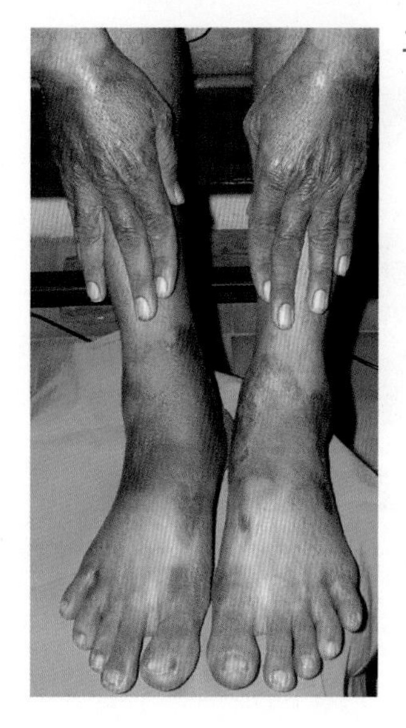
그림 22.13 펠라그라

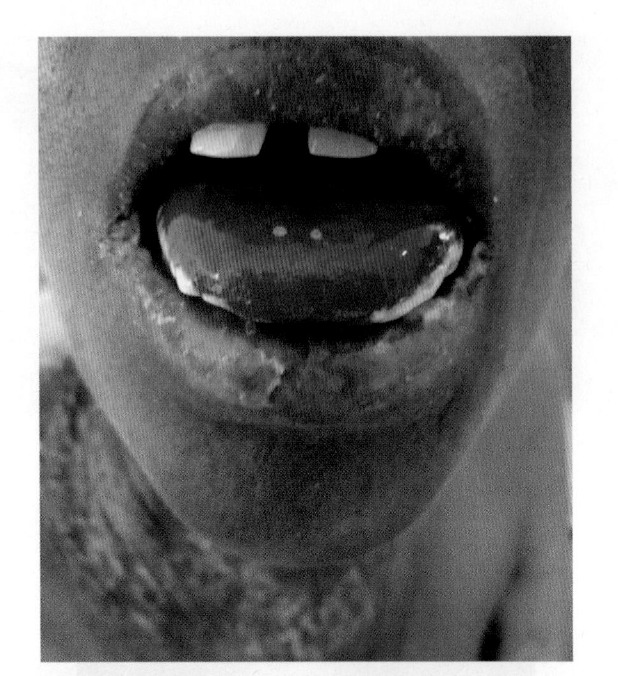

그림 22.14 펠라그라

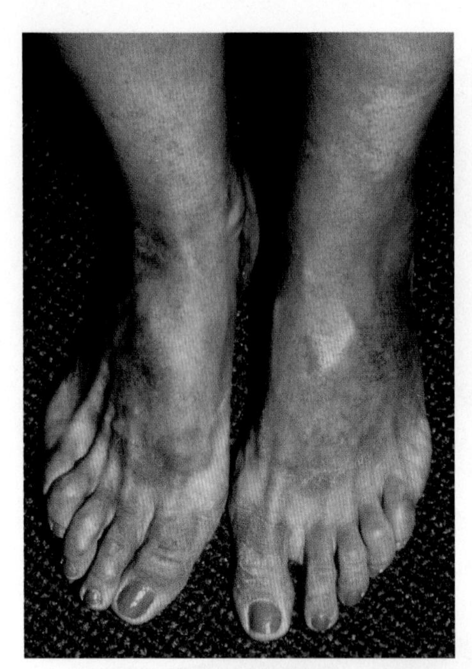

그림 22.15 이소나이아지드유발 펠라그라양 반응

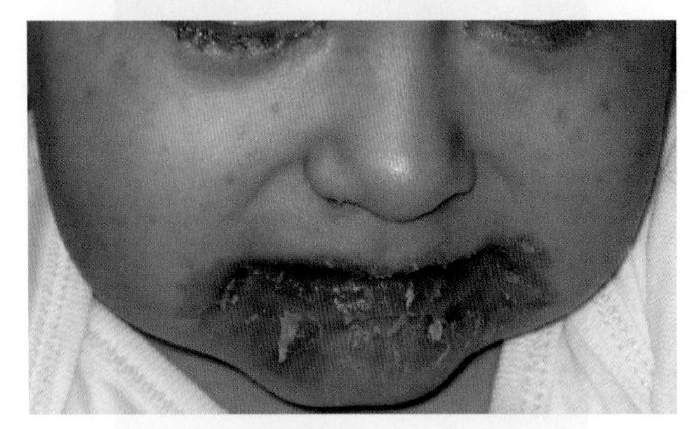

그림 22.16 복합카르복시효소결핍증

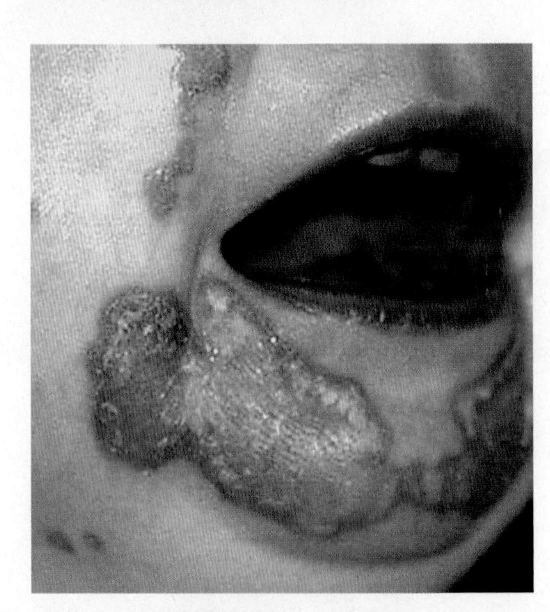

그림 22.17 장병선단피부염

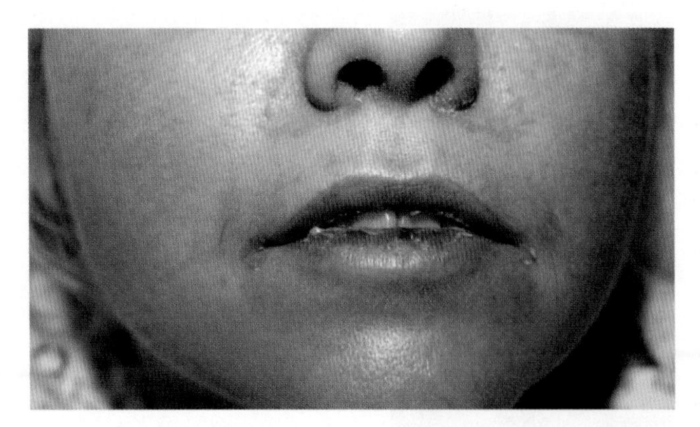

그림 22.18 장병선단피부염

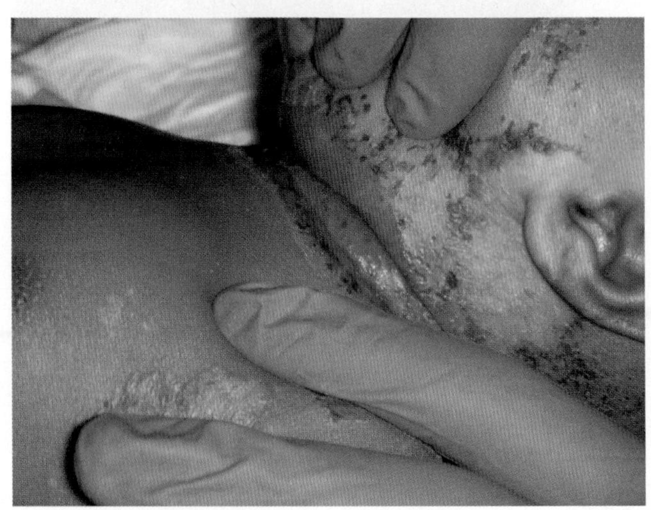

그림 22.19 장병선단피부염

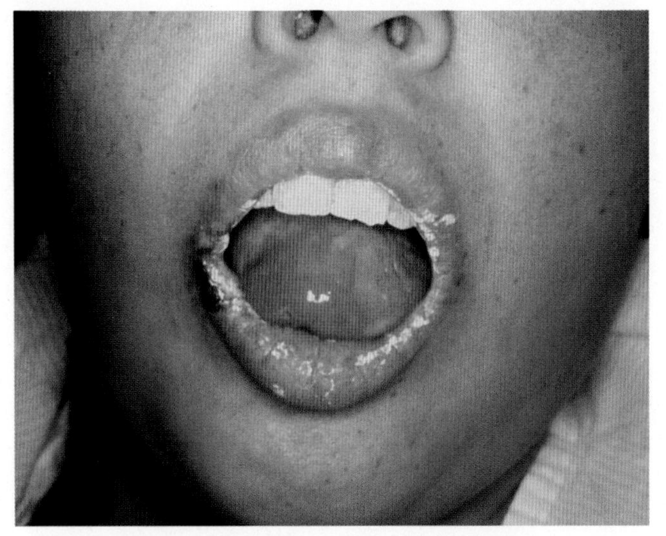
그림 22.20 장병선단피부염

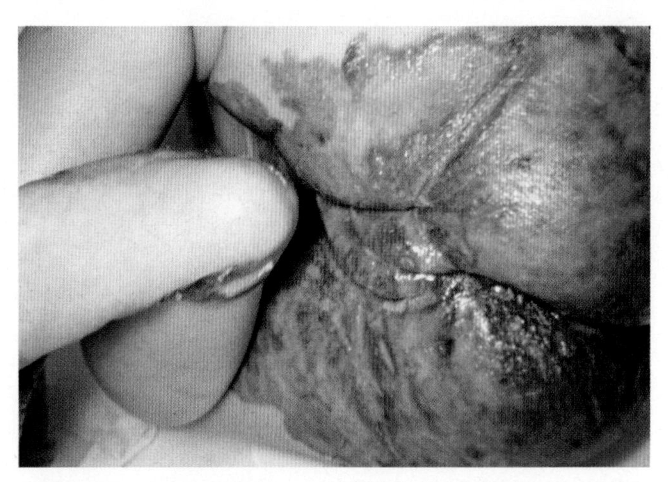
그림 22.21 장병선단피부염

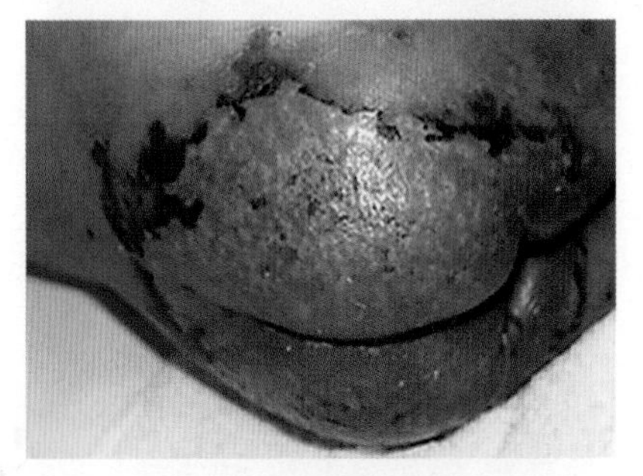
그림 22.22 장병선단피부염

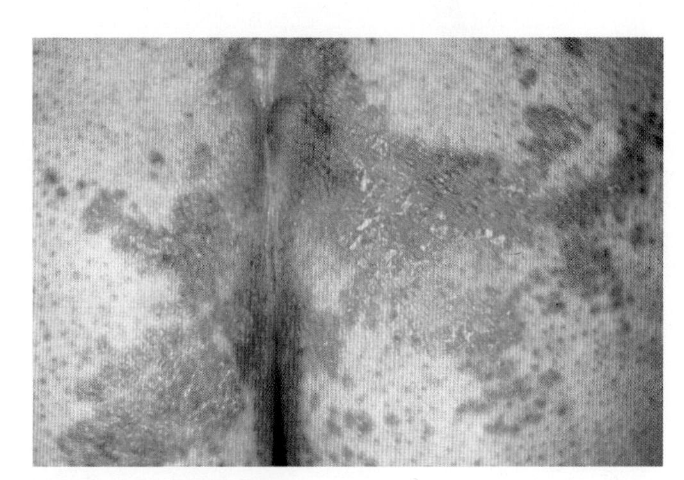
그림 22.23 장병선단피부염

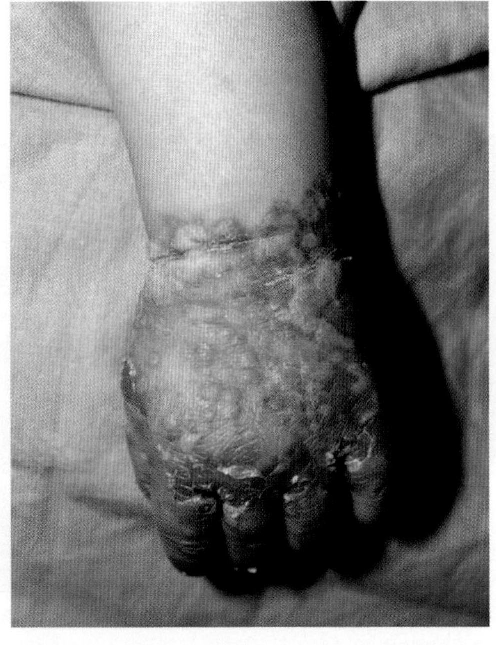
그림 22.24 장병선단피부염

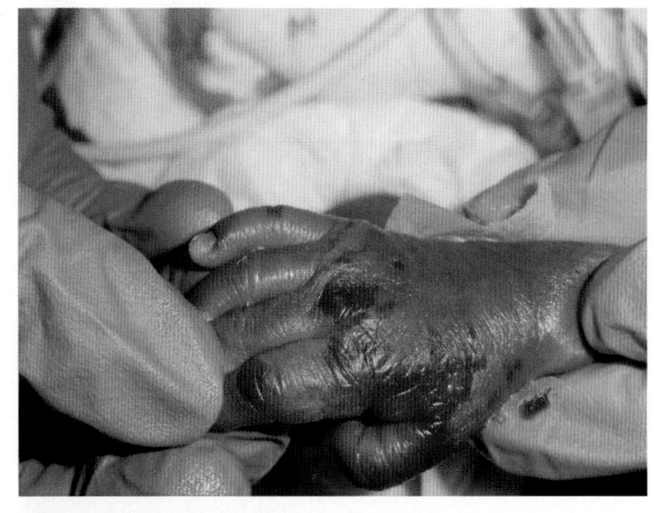
그림 22.25 장병선단피부염

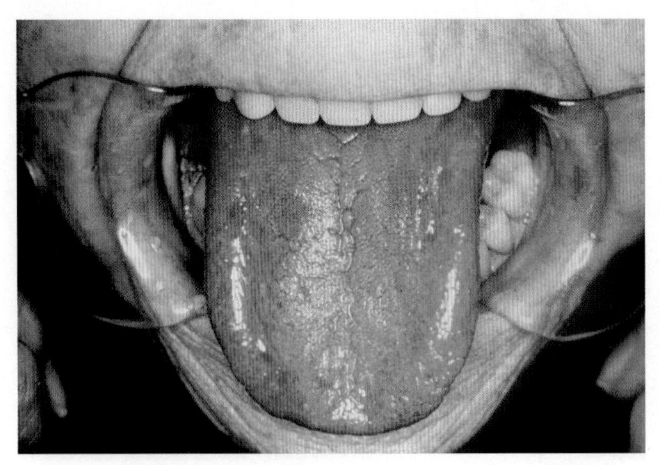
그림 22.26 빈혈환자의 부드러운 혀

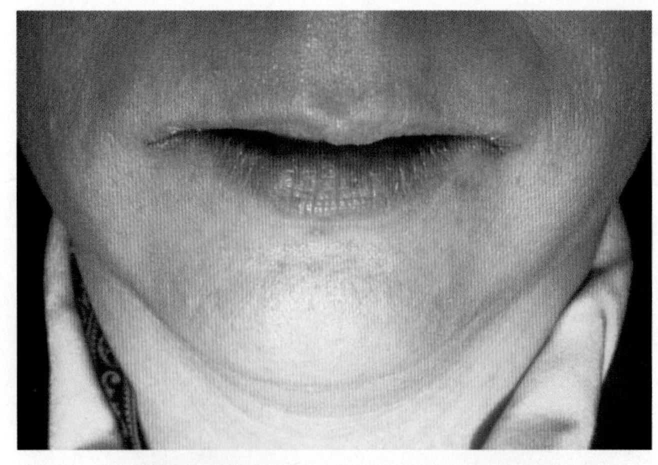
그림 22.27 철결핍증에 나타난 구각염

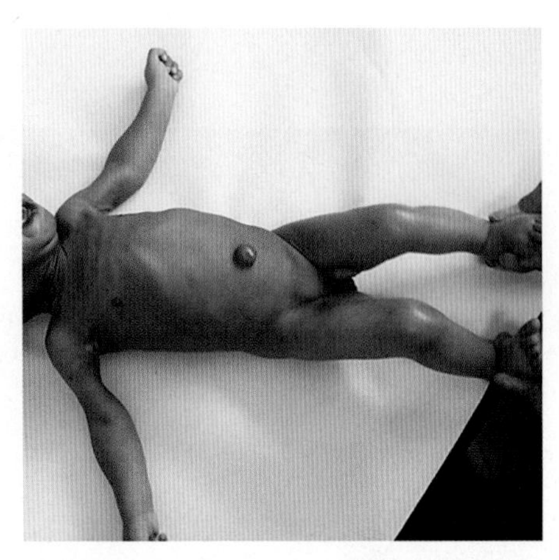
그림 22.28 소모증

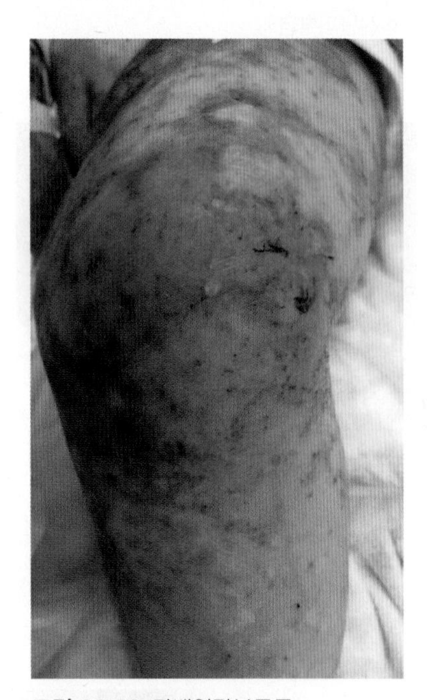
그림 22.29 단백열량부족증

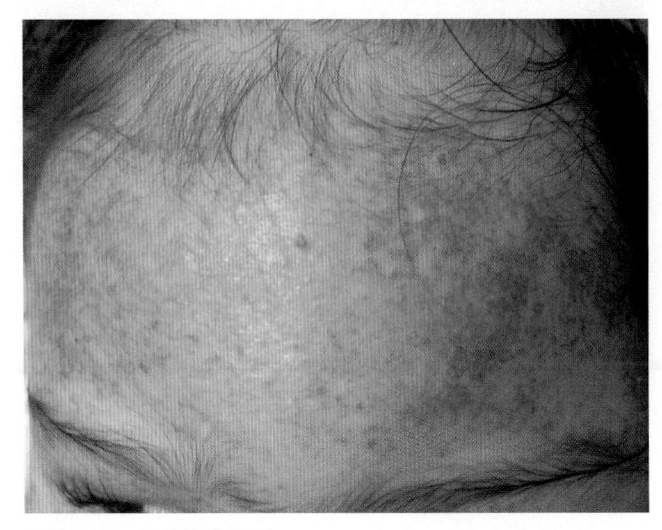
그림 22.30 단백열량부족증

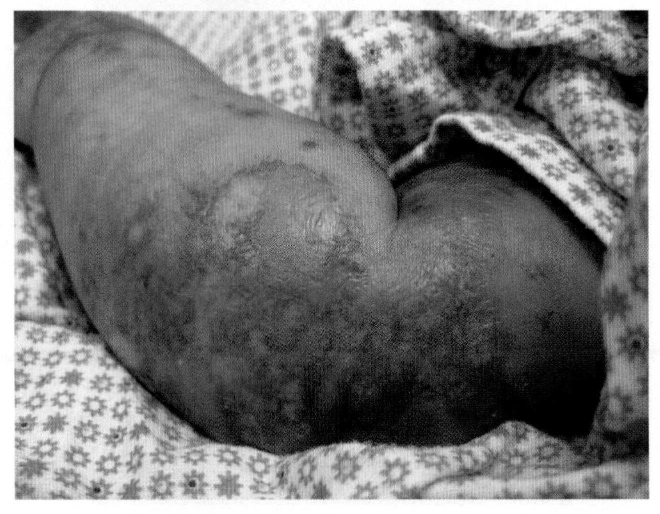
그림 22.31 단백열량부족증

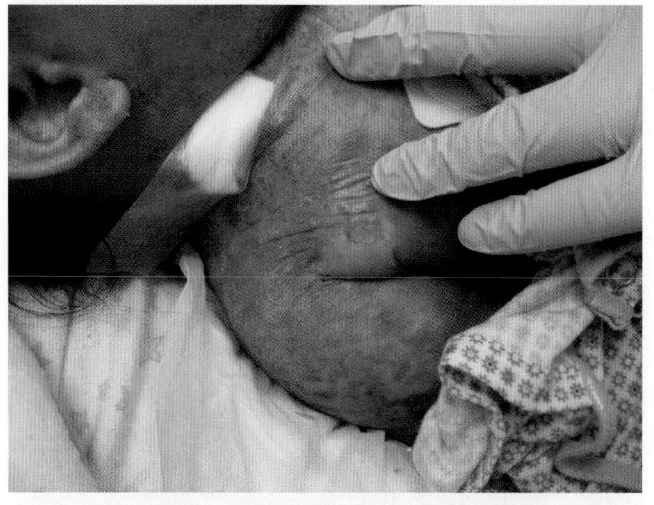

그림 22.32 단백열량부족증

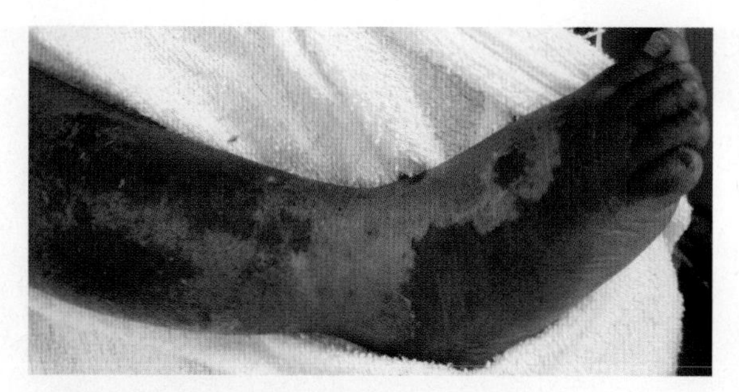

그림 22.33 단백열량부족증

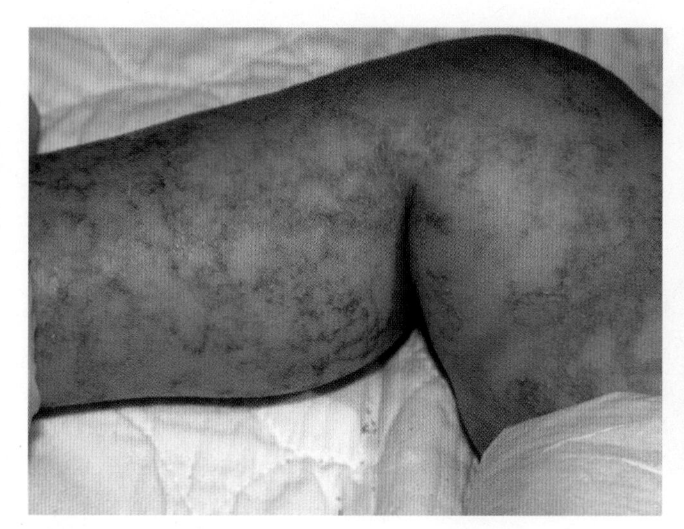

그림 22.34 단백열량부족증

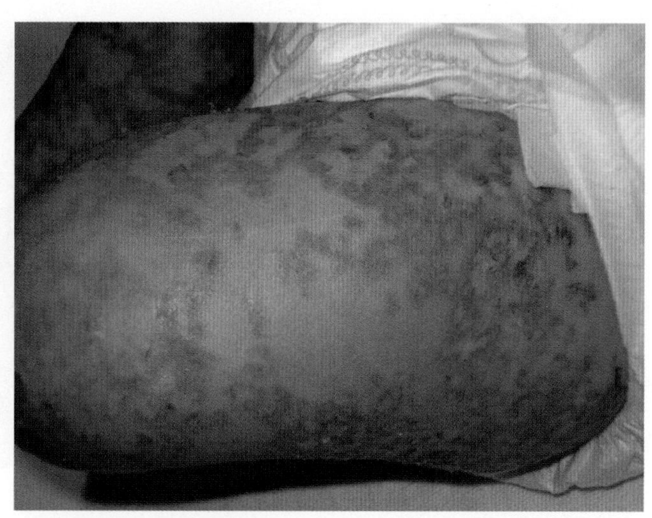

그림 22.35 단백열량부족증

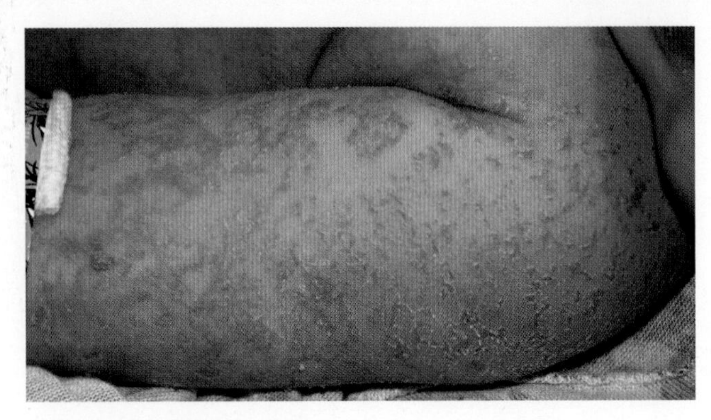

그림 22.36 단백열량부족증

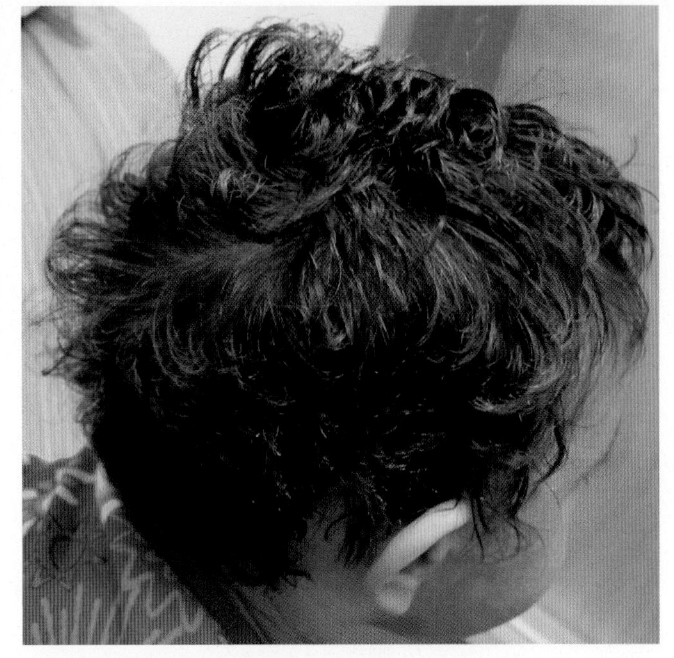

그림 22.37 단백열량부족증의 깃발징후(Flag sign)

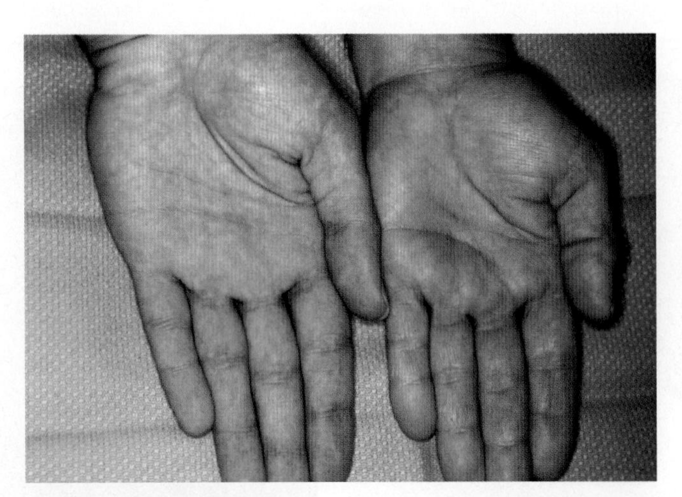

그림 22.38 카로틴혈증

피하지방질환 23

지방층염은 심부홍색결절, 경화, 그리고 압통으로 나타난다. 임상적으로 결절홍반은 심부, 홍색, 압통성 결절, 혹은 타박상을 닮아 타박성홍반으로 불린다. 병변은 양측성으로 나타나는데, 이동결절홍반의 경우 일반적으로 일측성이고 서서히 환상의 판으로 확장된다.

경화홍반은 흔히 종아리에 나타나는데 궤양을 잘 형성한다. 궤양병변에서 유액이 배출된다. 췌장지방층염은 가장 흔히 하지에 경화판으로 나타난다. 다른 부위도 침범될 수 있으며 병변은 다발성으로 나타날 수 있다. 흔히 발목의 압통을 호소한다. 신생아피하지방괴사는 단단한 경화병변을 나타내는데, 조직소견상 특징적인 세포내결정성로제트를 보인다.

지방피부경화증은 정맥울혈과 관련된 허혈성지방괴사이다. 초기병변은 하지의 압통성 결절로 나타난다. 시간이 경과하면서 피부는 홍색의 경화병변으로 되고, 하지의 수축은 거꾸로 세워진 샴페인병의 모습을 보인다. 인공 및 감염성 지방층염은 홍색결절에서부터 배출성 경화판까지를 나타내는 반면, 지방이상증은 피하지방의 소실로 여위고 근육성 모습을 보인다. 이 장은 지방질환에 따르는 피부소견들이다.

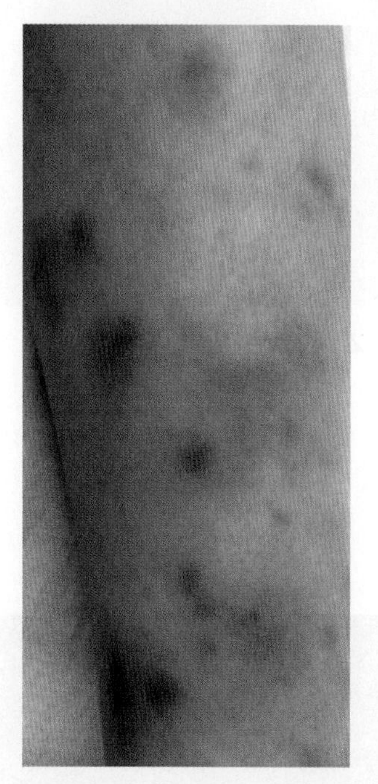
그림 23.2 결절홍반

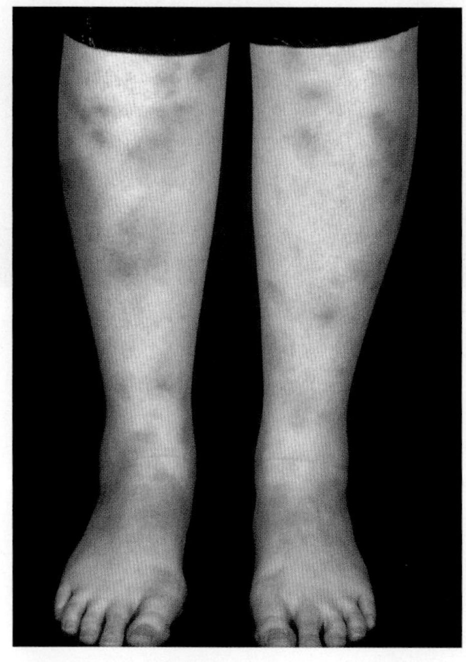
그림 23.1 결절홍반

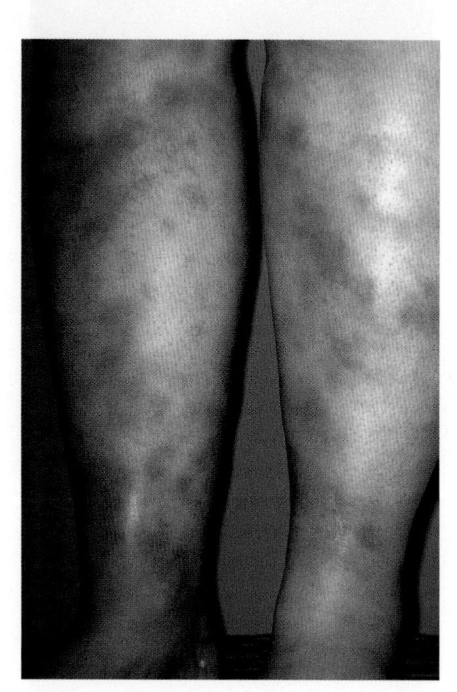
그림 23.3 결절홍반

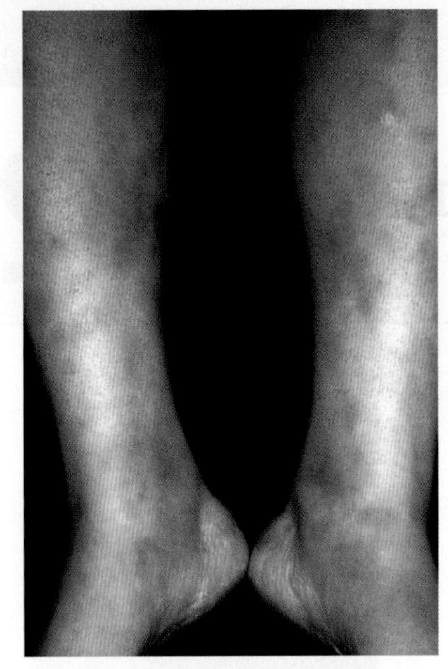

그림 23.4 결절홍반

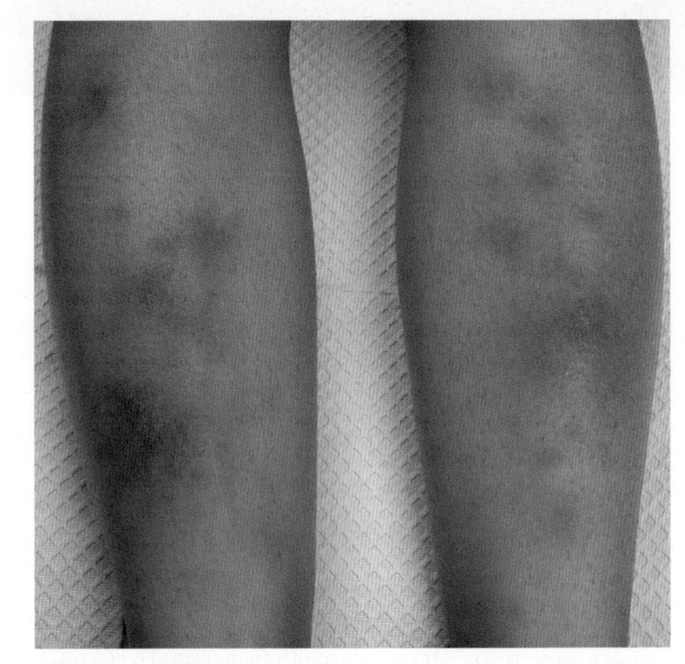

그림 23.5 결절홍반

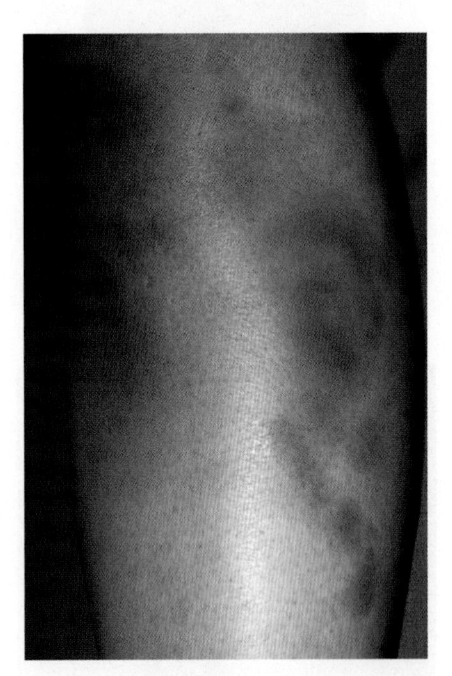

그림 23.6 결절홍반

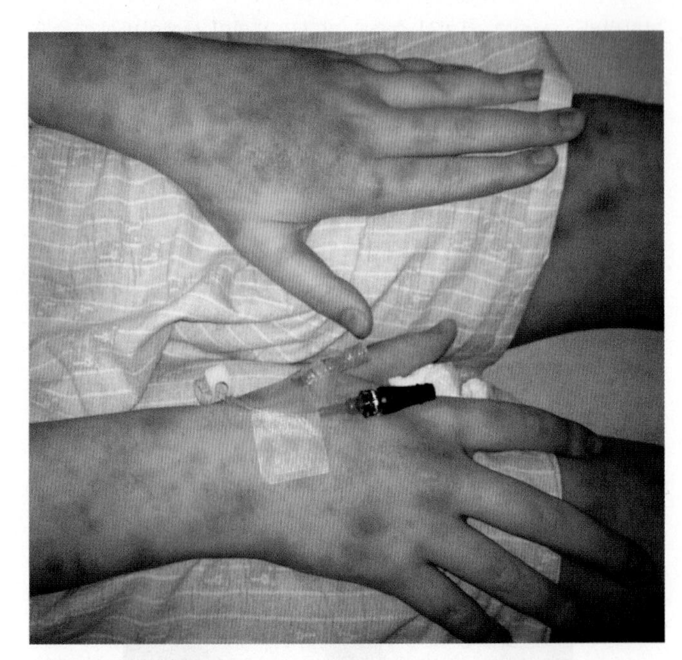

그림 23.7 결절홍반

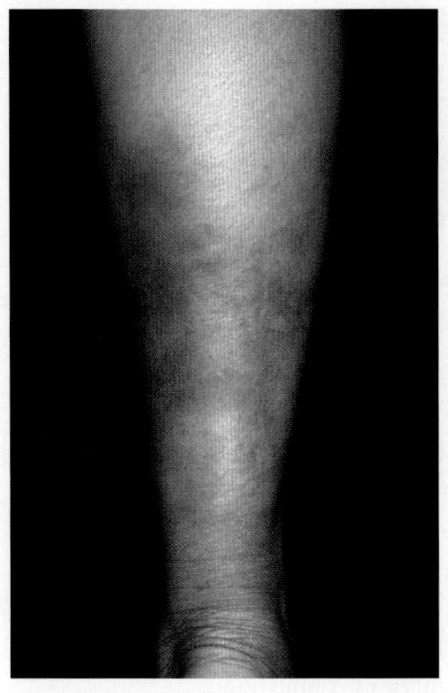

그림 23.8 만성결절홍반

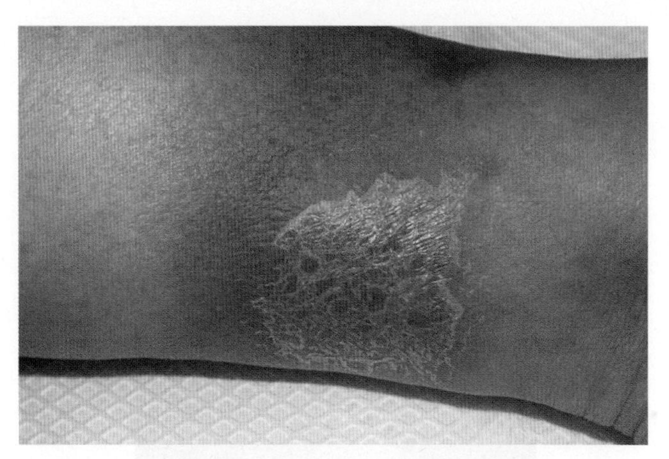

그림 23.9 경화홍반

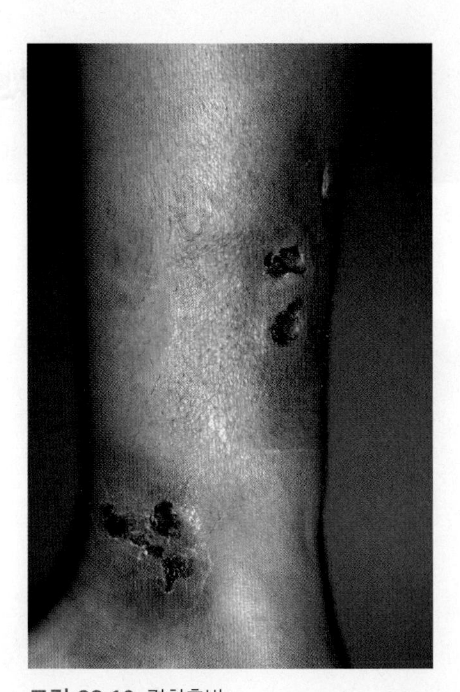

그림 23.10 경화홍반

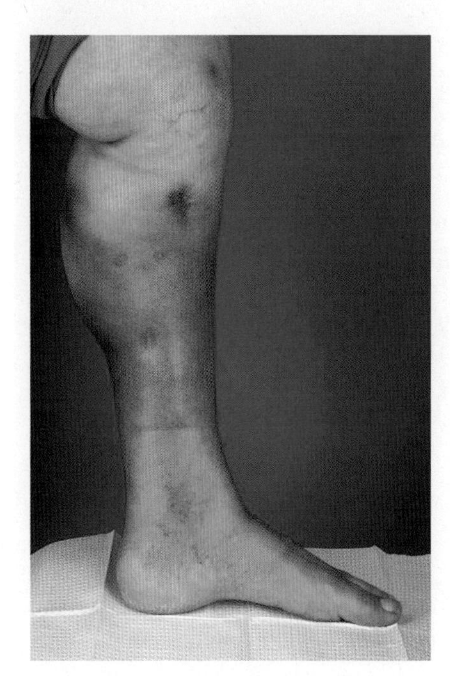

그림 23.11 지방피부경화증

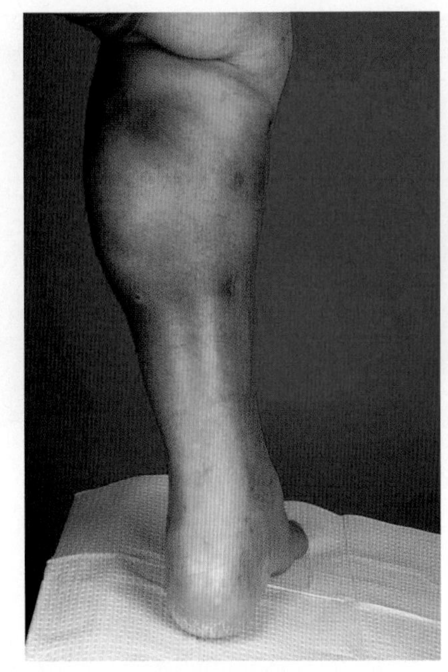
그림 23.12 지방피부경화증

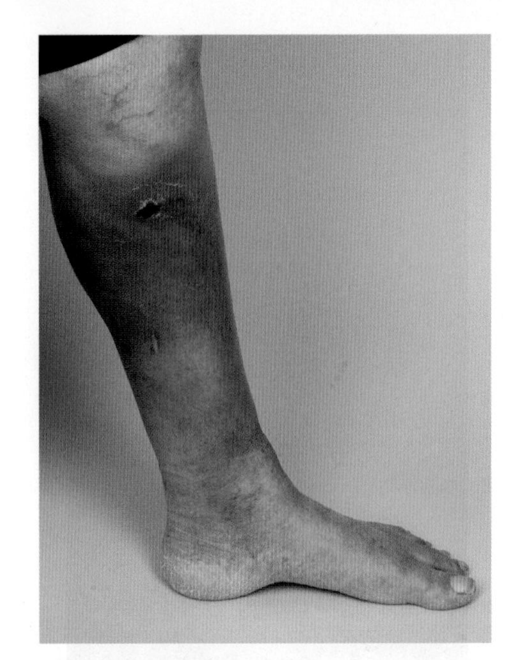
그림 23.13 지방피부경화증

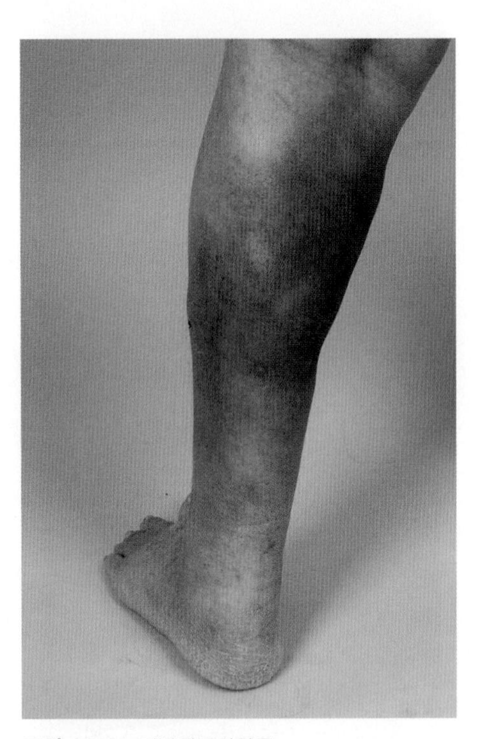
그림 23.14 지방피부경화증

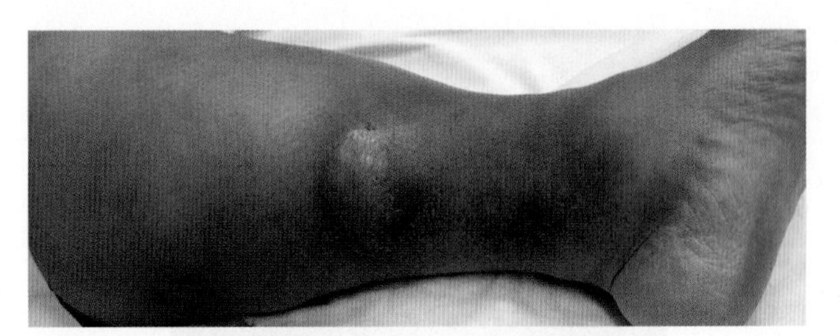
그림 23.15 지방피부경화증

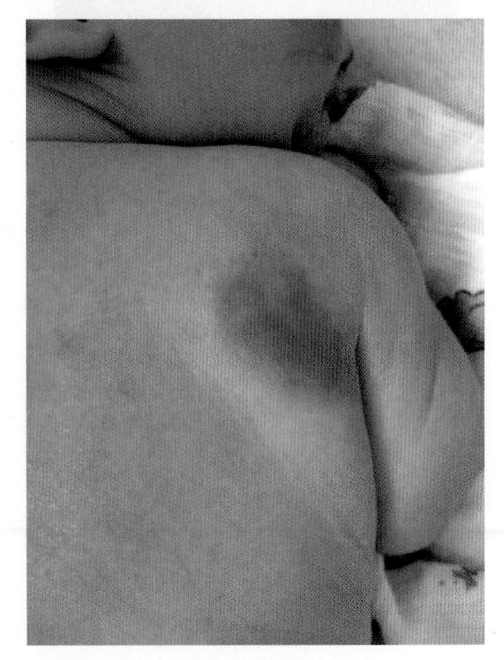
그림 23.16 신생아피하지방괴사

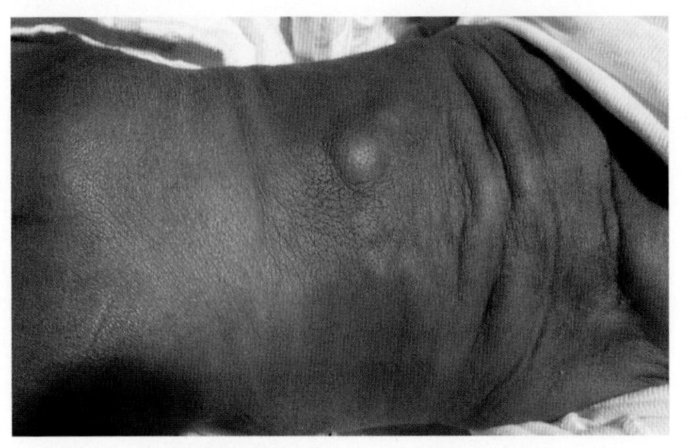

그림 23.17 신생아피하지방괴사

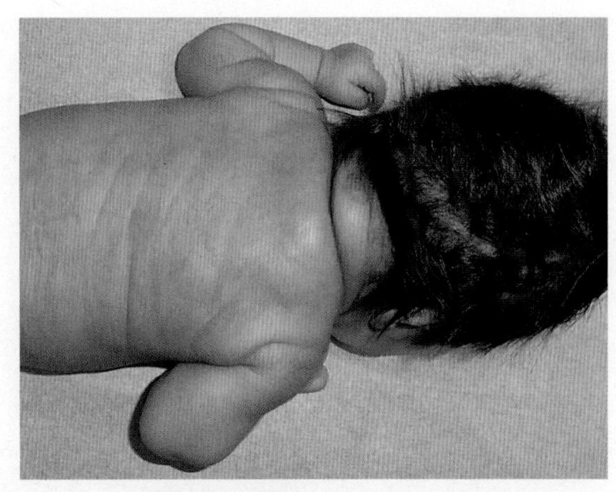

그림 23.18 신생아피하지방괴사

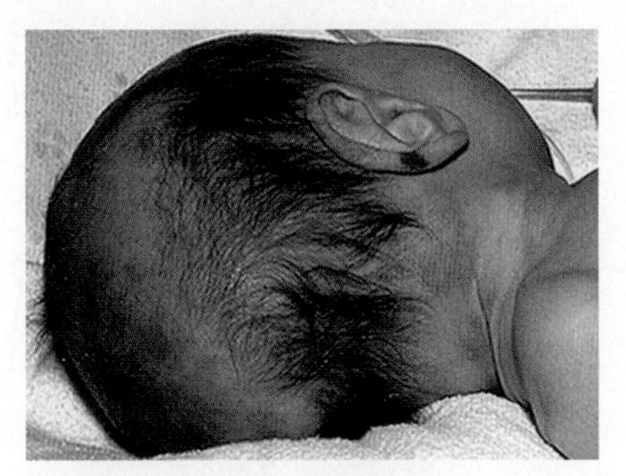

그림 23.19 신생아피하지방괴사

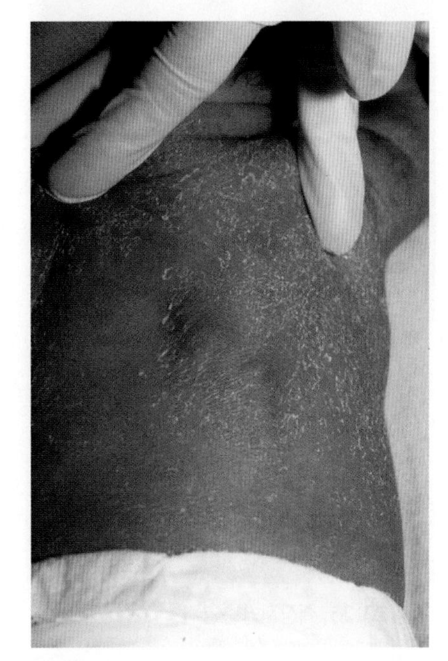

그림 23.20 신생아피하지방괴사

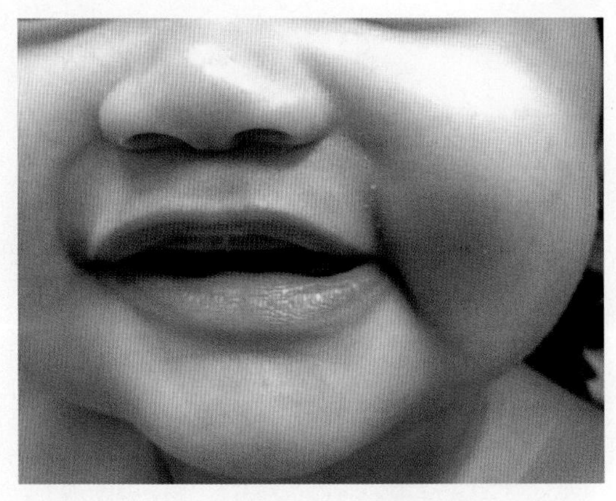

그림 23.21 한랭지방층염

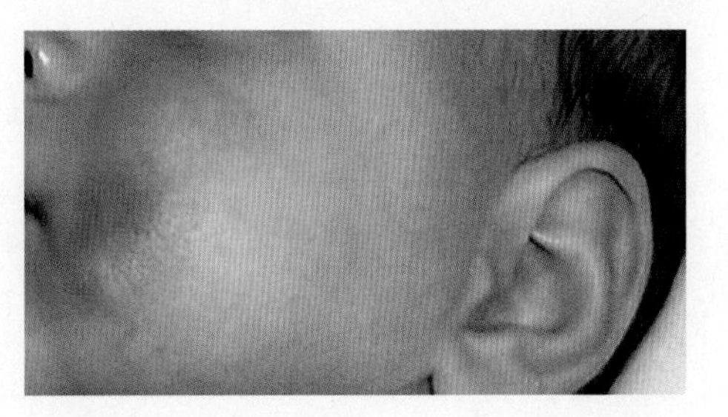

그림 23.22 한랭지방층염

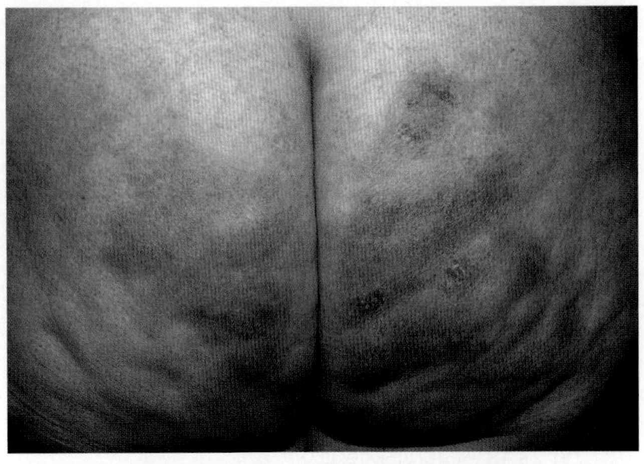

그림 23.23 찬 트렉터의자에 앉은 후 발생한 한랭지방층염

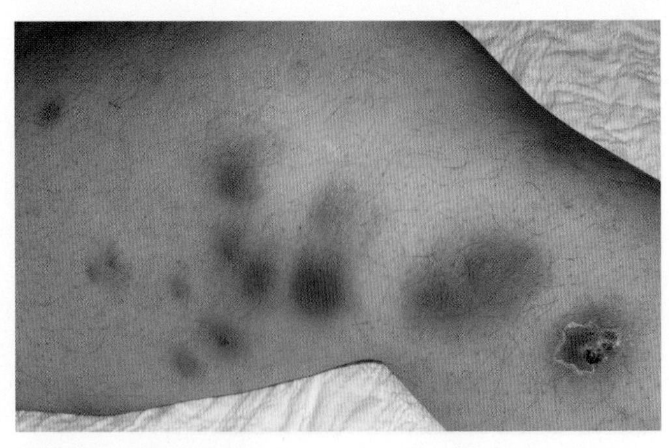

그림 23.24 췌장지방층염

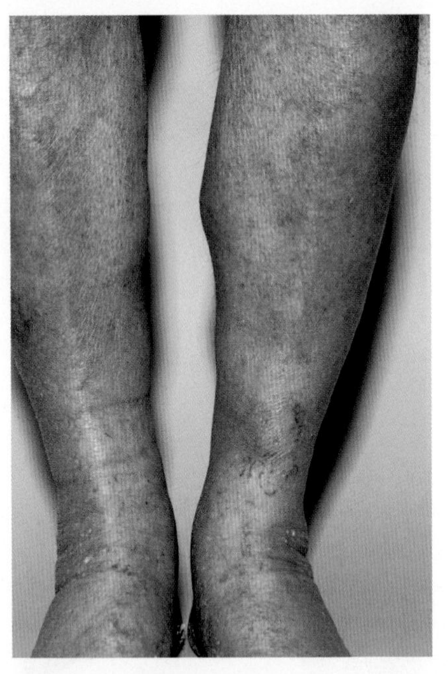

그림 23.25 췌장지방층염

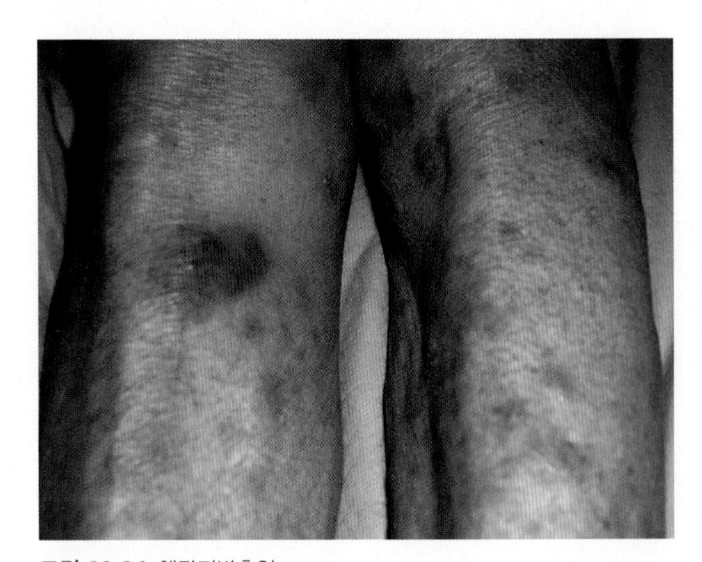

그림 23.26 췌장지방층염

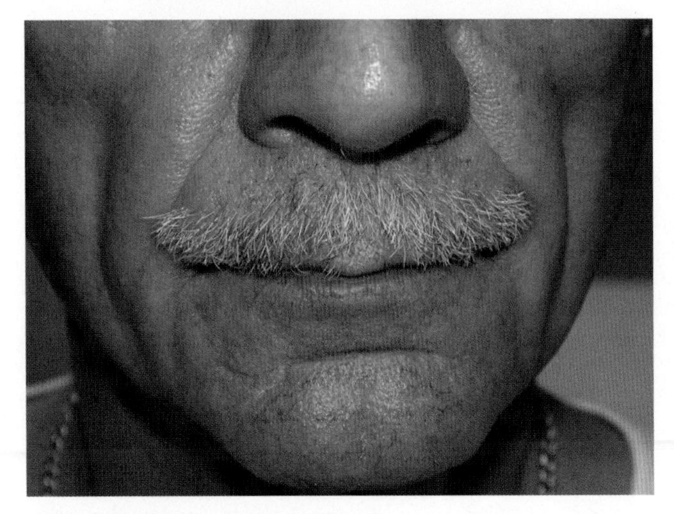

그림 23.27 후천성부분지방이상증

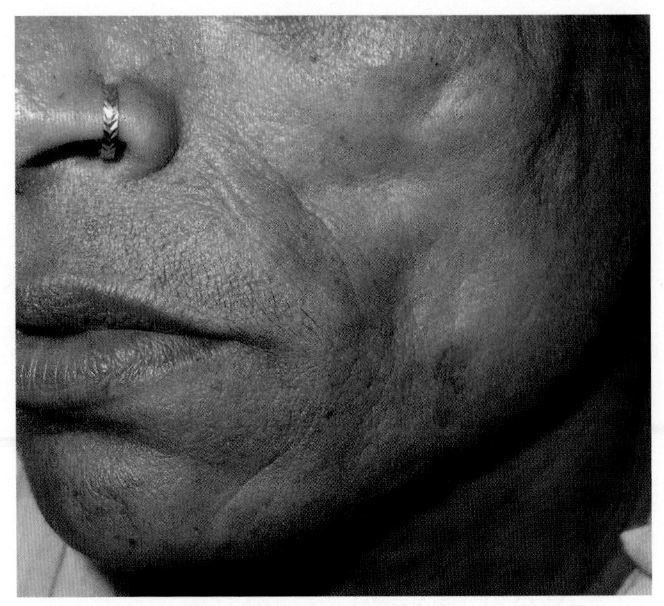

그림 23.28 후천성부분지방이상증

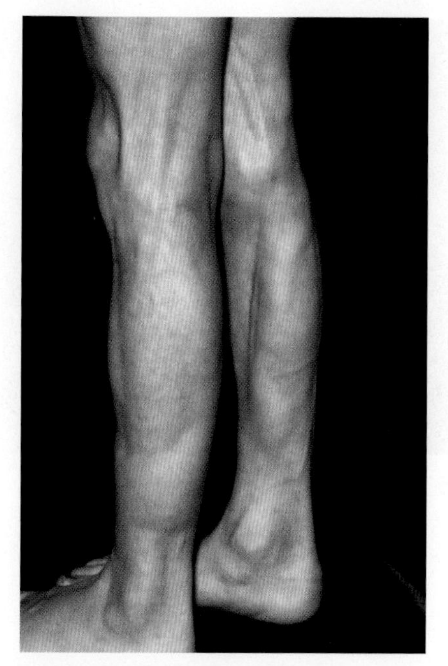

그림 23.29 후천성부분지방이상증

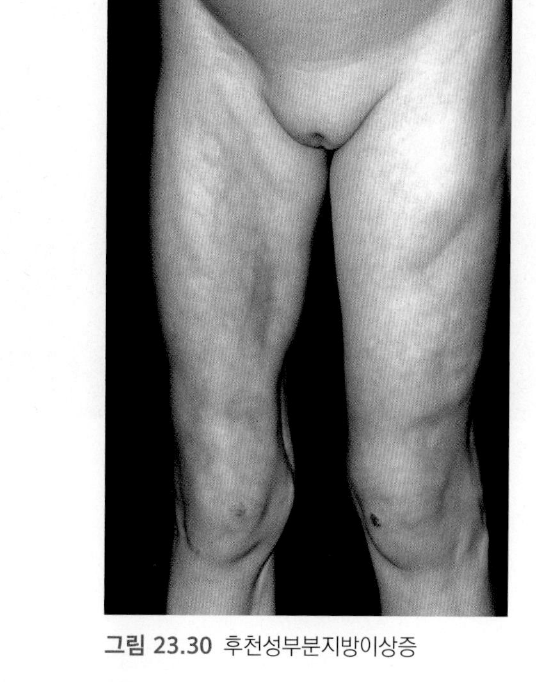

그림 23.30 후천성부분지방이상증

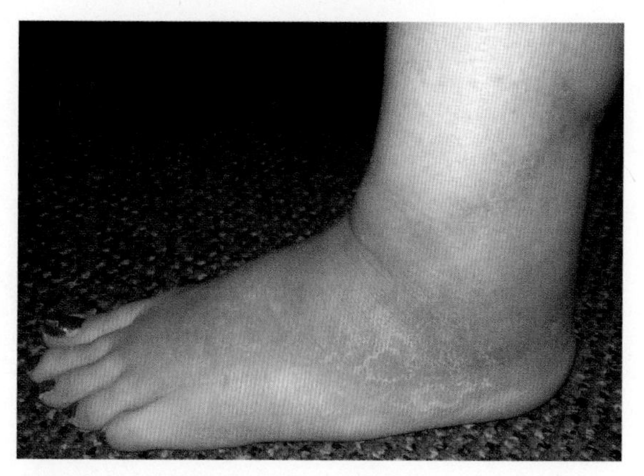

그림 23.31 환상위축지방층염, 염증기

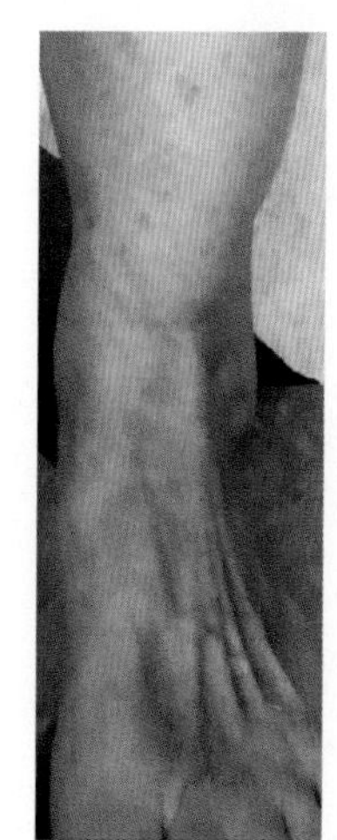

그림 23.32 환상위축지방층염, 지방위축기

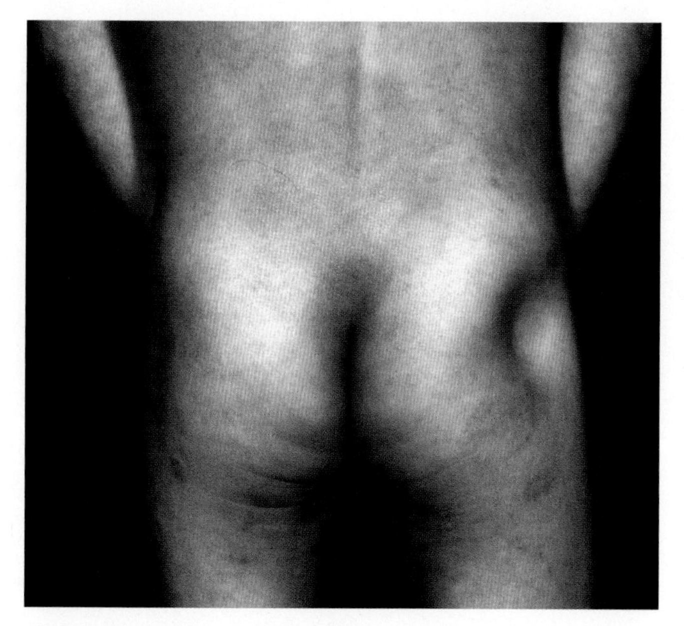

그림 23.33 스테로이드주사후 위축

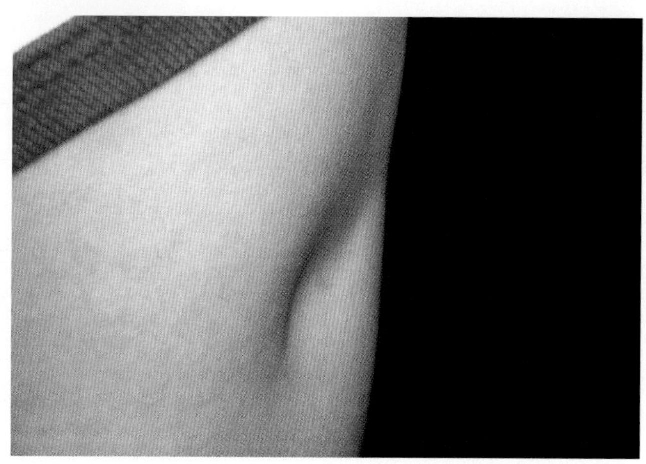

그림 23.34 스테로이드주사후 위축

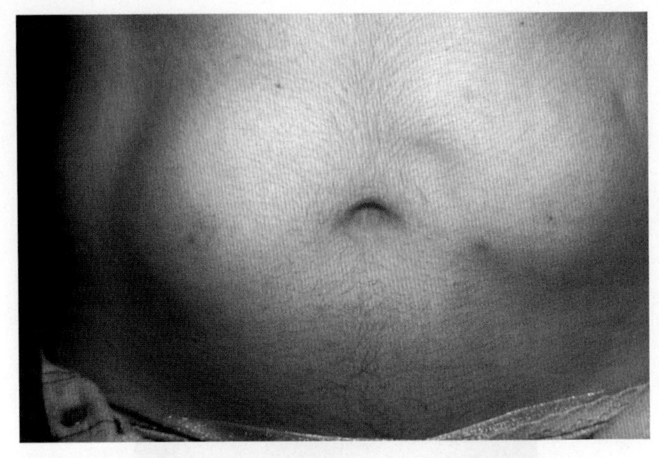

그림 23.35 인슐린지방비대

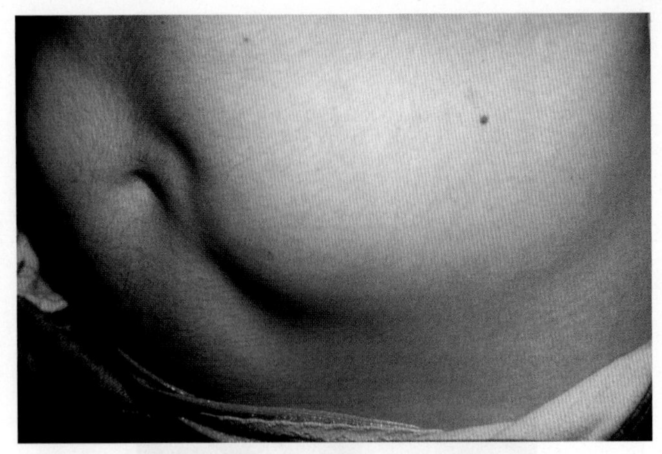

그림 23.36 인슐린지방비대

24 내분비질환

내분비질환은 피부전층의 침범소견을 나타낸다. 예리한 의사는 연관된 피부변화에 의해 원인 질환을 의심하고 적절한 확진시험을 시행한다. 골단의 닫힘 이전의 과도한 성장호르몬은 거인증을 초래하는데, 성인에서 턱, 코, 상안와능선의 비대와 때로 뇌이랑피부를 동반하는 이마의 비후와 주름 등으로 나타나는 말단비대증을 보인다. 원위부 손가락은 팽창된다. 에디슨병은 전신과색소침착, 구강 및 입술의 색소반과 조갑의 줄 등을 나타내고, 쿠싱병은 달덩이얼굴, 지방재배치로 인한 들소혹과, 남성형다모증을 나타낸다. 이들 질환에서 임상소견의 평가는 전신질환의 조기진단을 가능하게 한다.
갑상선질환에서 갑상선저하점액부종은 흔히 눈주위의 미묘한 부종으로 나타나고, 그레이브스병관련전경골점액부종은 정강이와 발등에서 자갈모양의 비후된 피부소견을 보인다. 지방생괴사는 뚜렷한 혈관분포상태와 간혹 궤양을 보이는 위축성의 오렌지에서 노란색 판으로 나타난다. 이들 판상병변은 흔히 정강이를 침범한다. 당뇨는 흔히 굴측부 피부에서 벨벳 같은 검은색의 비후된 흑색극세포증을 일으킨다.

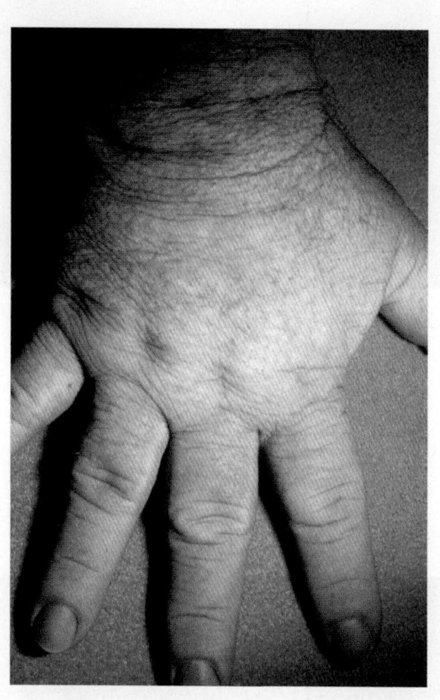
그림 24.2 말단비대증

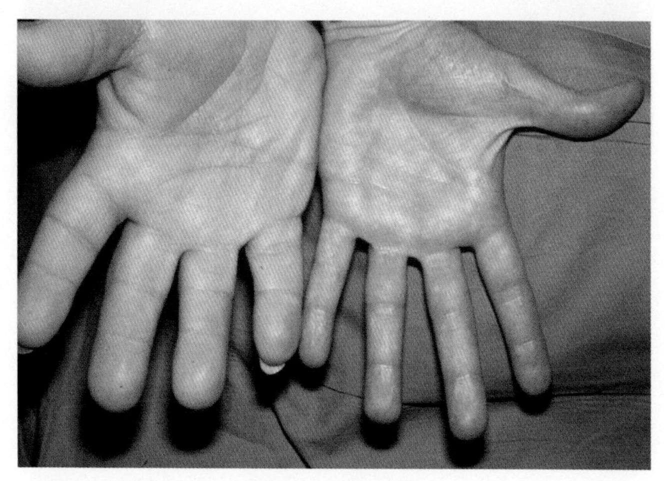
그림 24.1 정상과 말단비대증의 손

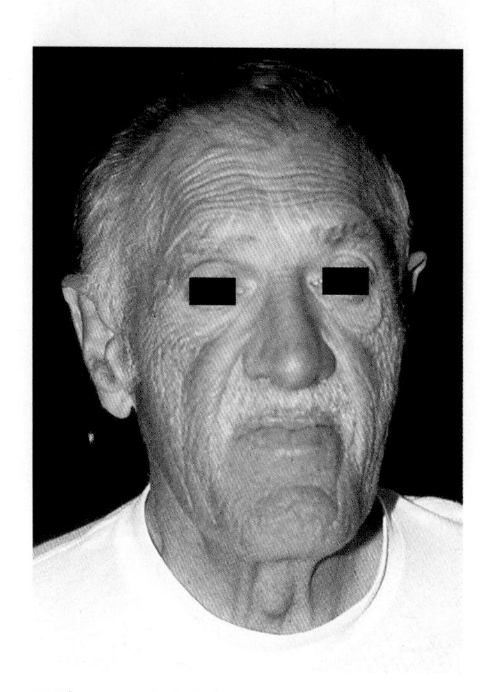
그림 24.3 말단비대증

그림 24.4 말단비대증환자에서 나타난 백반증

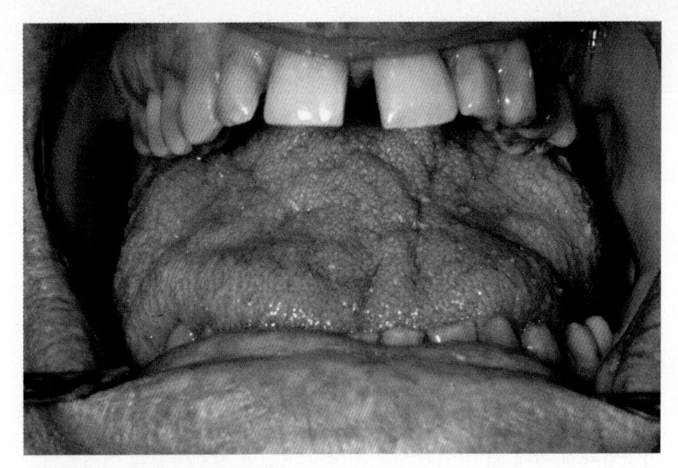
그림 24.5 말단비대증환자의 커진 혀

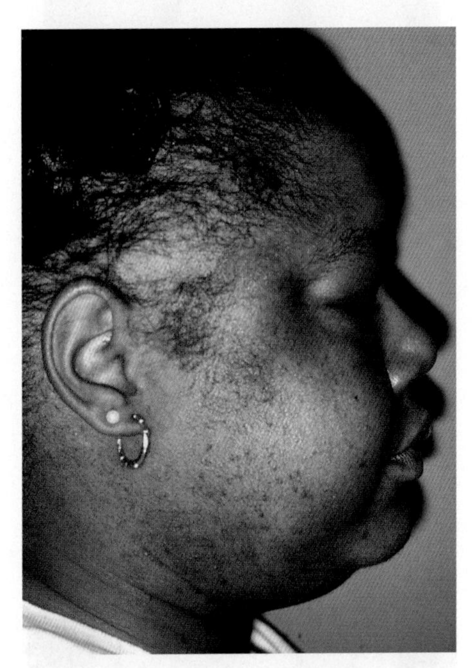
그림 24.6 쿠싱환자의 달덩이얼굴, 가는 모발, 다모증과 여드름

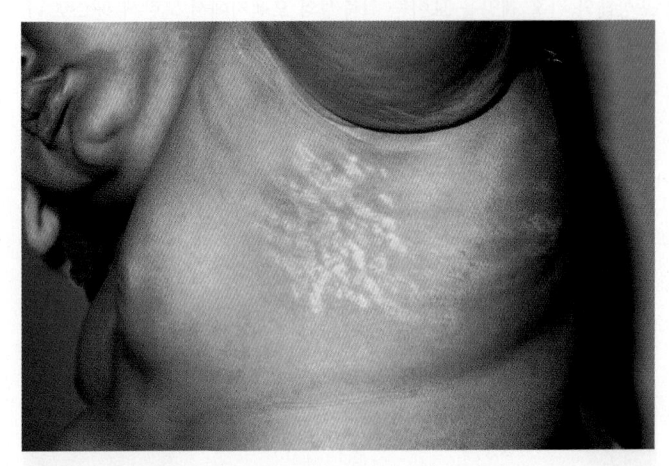
그림 24.7 선조를 보이는 쿠싱병

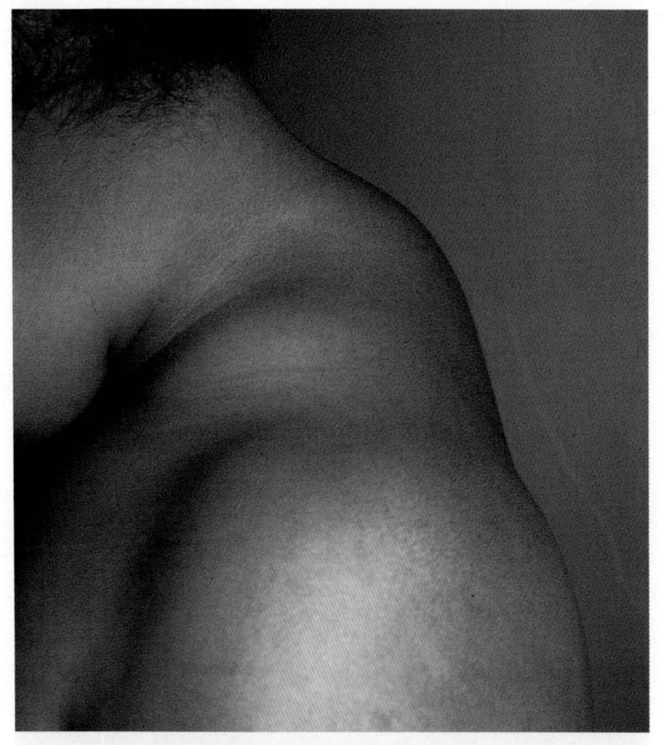

그림 24.8 증가된 글루코코르티코이드에 의한 들소혹

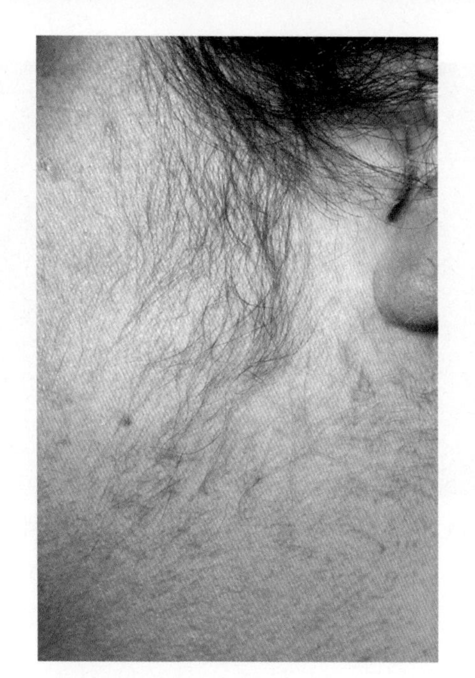

그림 24.9 쿠싱병의 다모증

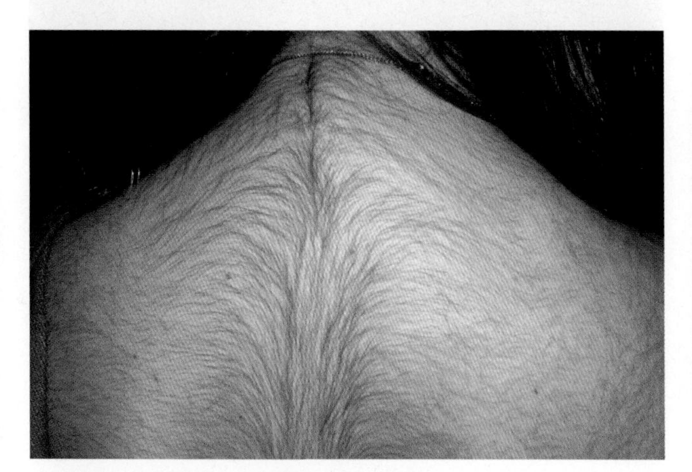

그림 24.10 쿠싱병의 다모증

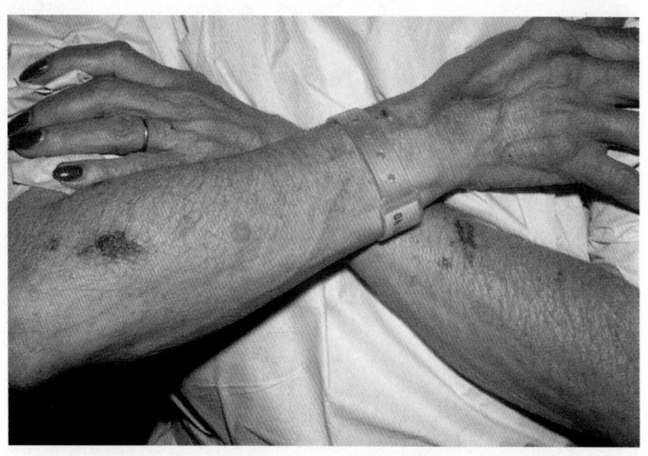

그림 24.11 쿠싱병에 나타난 얇은 피부와 반출혈

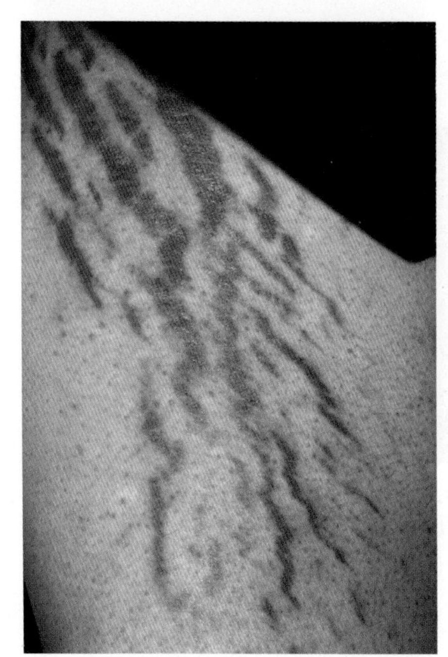

그림 24.12 글루코코르티코이드과다에 의한 선조

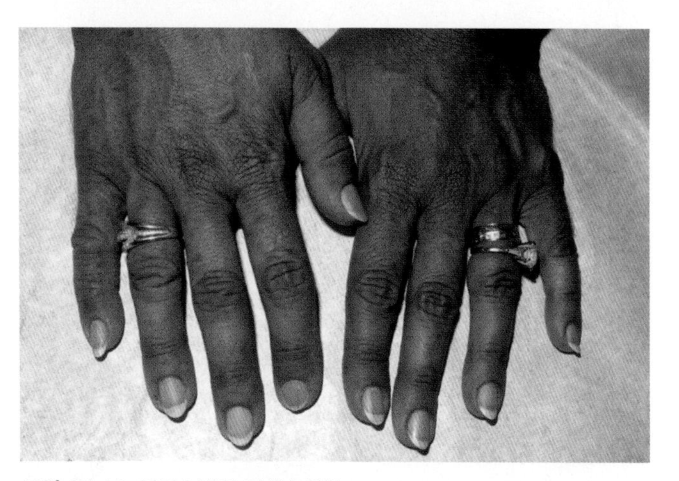

그림 24.13 에디슨병의 과색소침착

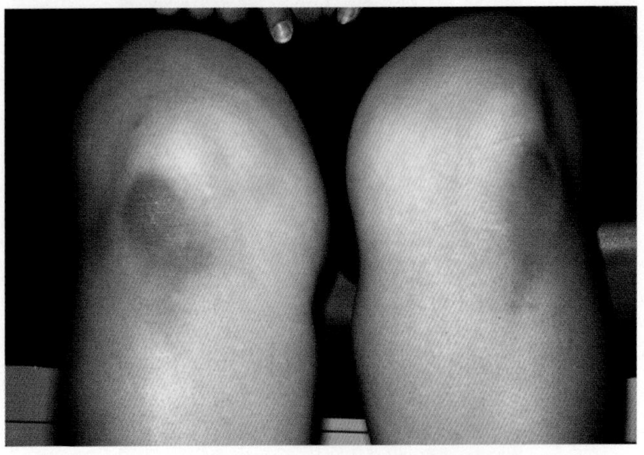

그림 24.14 에디슨병환자에서 나타난 만성외상부위의 과색소침착

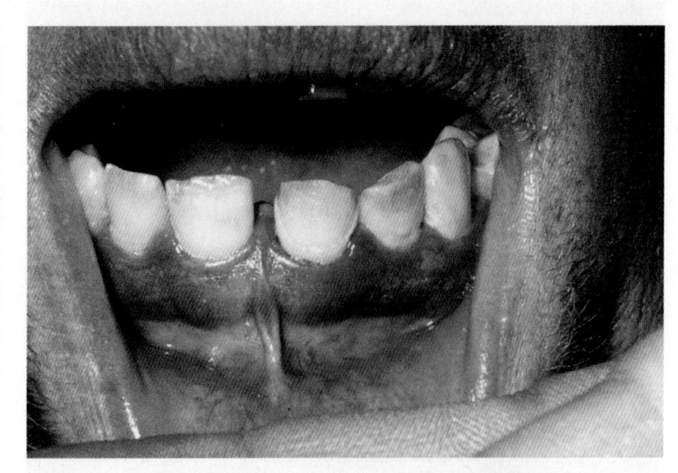

그림 24.15 에디슨병환자에서 나타난 잇몸의 과색소침착

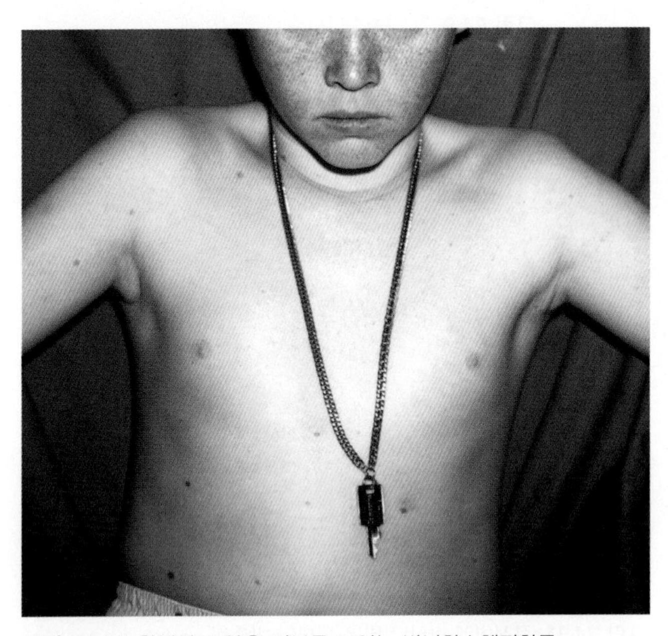

그림 24.16 창백하고 얇은 피부를 보이는 범뇌하수체저하증

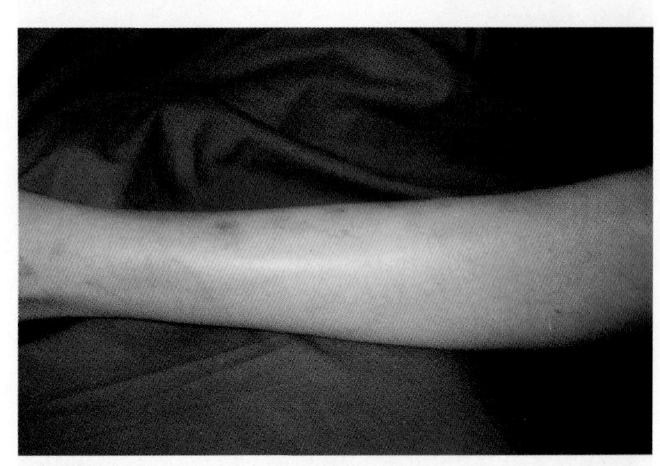

그림 24.17 창백하고 얇은 피부를 보이는 범뇌하수체저하증

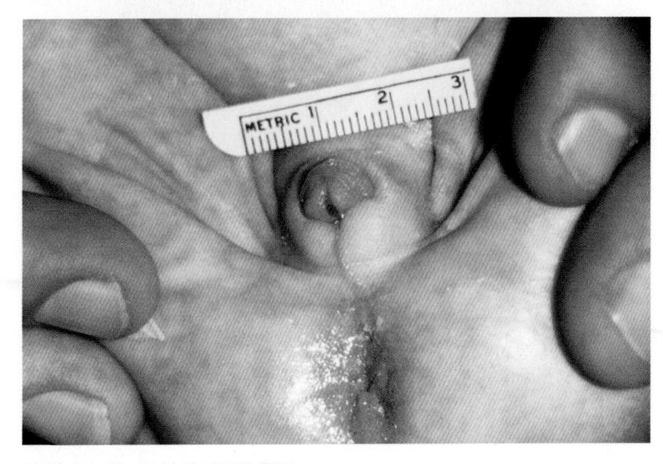

그림 24.18 부신생식기증후군

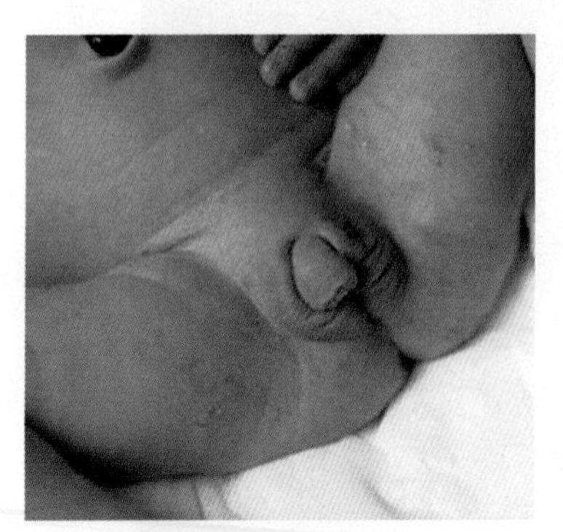

그림 24.19 모호한 생식기를 보이는 부신생식기증후군

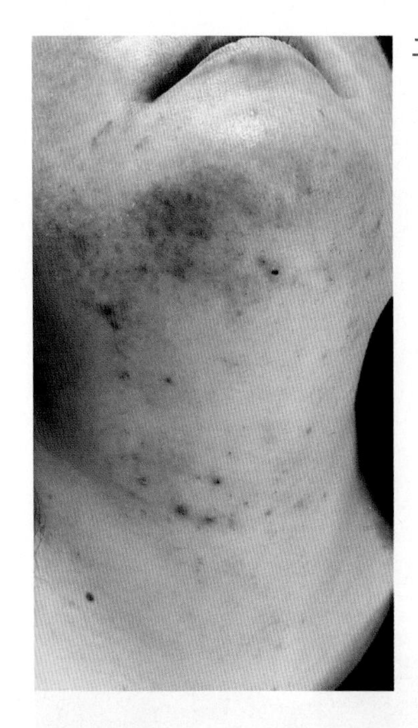

그림 24.20 부신생식기증후군

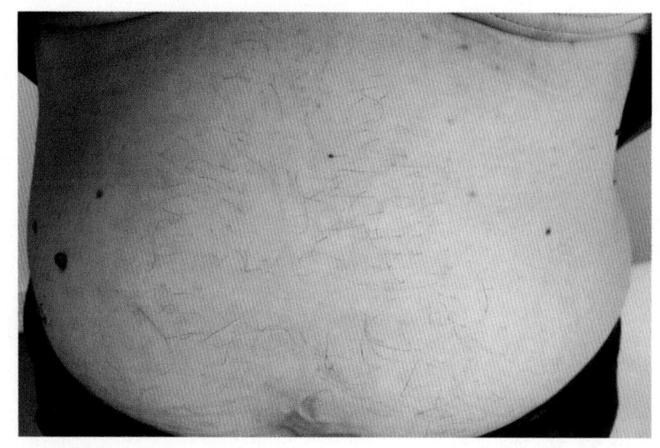

그림 24.21 부신생식기증후군

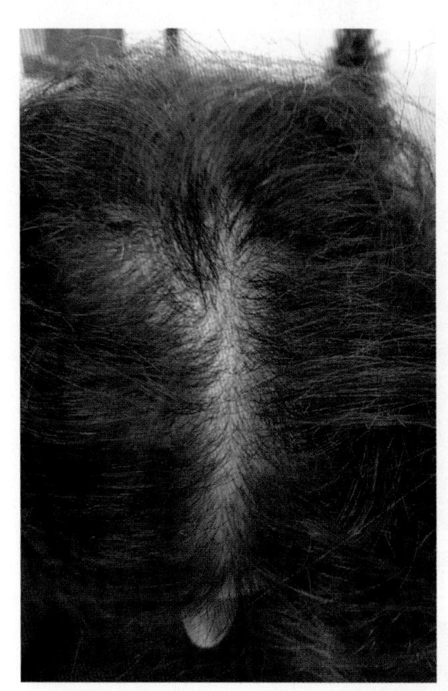

그림 24.22 부신생식기증후군

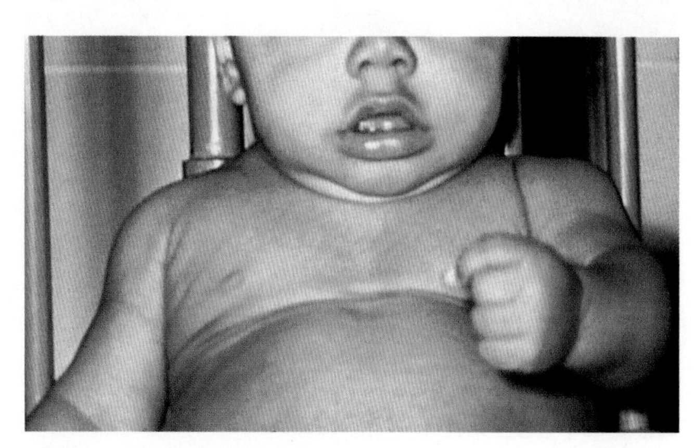

그림 24.23 선천갑상선저하증

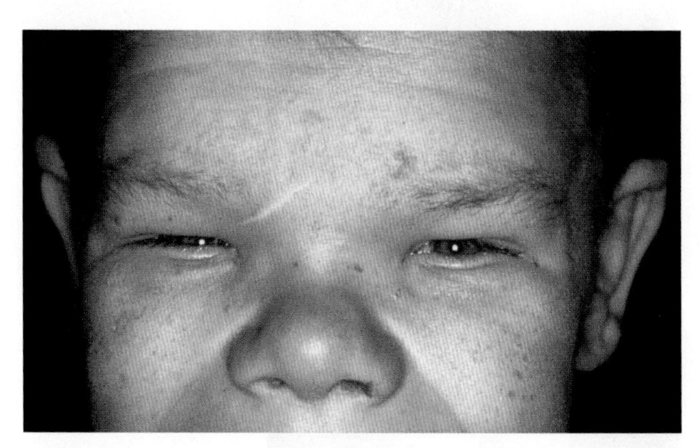

그림 24.24 선천갑상선저하증

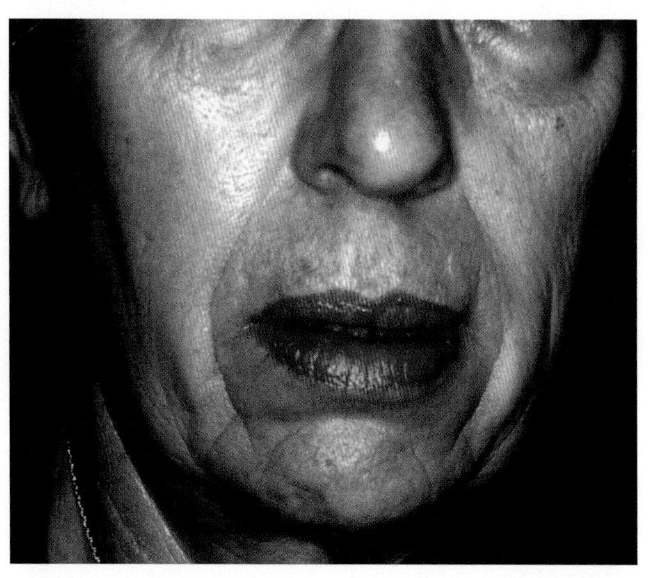

그림 24.25 점액부종

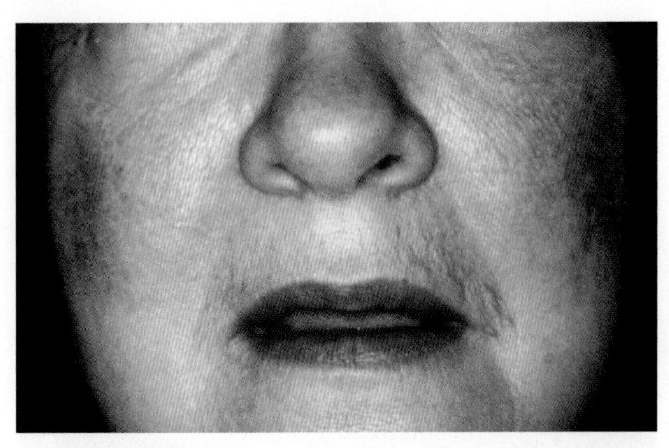

그림 24.26 점액부종

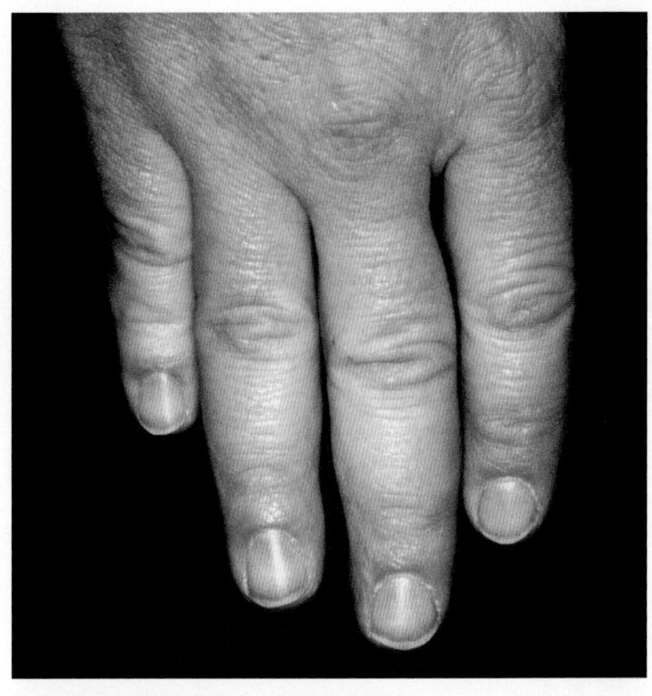

그림 24.27 점액부종환자의 부푼 황색의 손

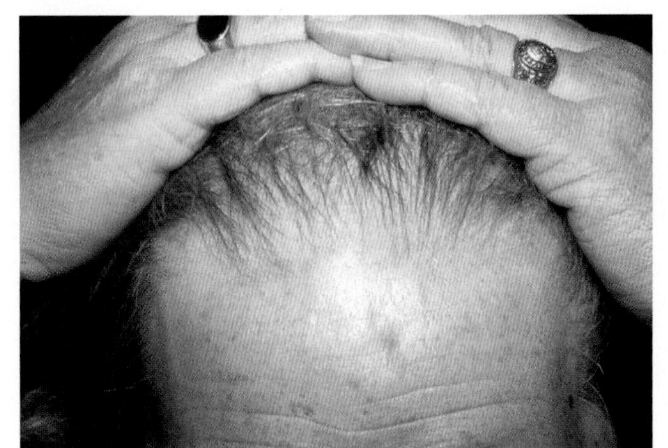

그림 24.28 갑상선저하환자의 가는 모발

그림 24.29 갑상선저하환자의 건조피부

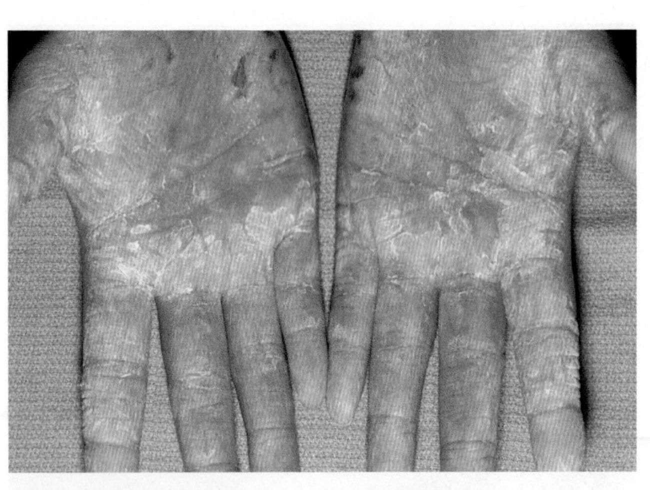

그림 24.30 갑상선저하환자의 손바닥각질피부증

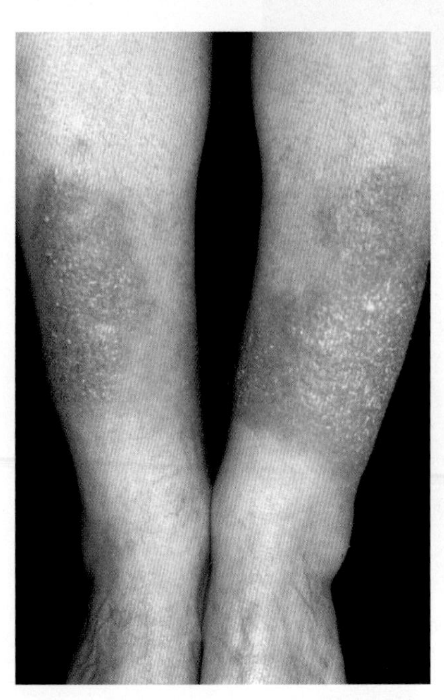

그림 24.31 전경골점액부종

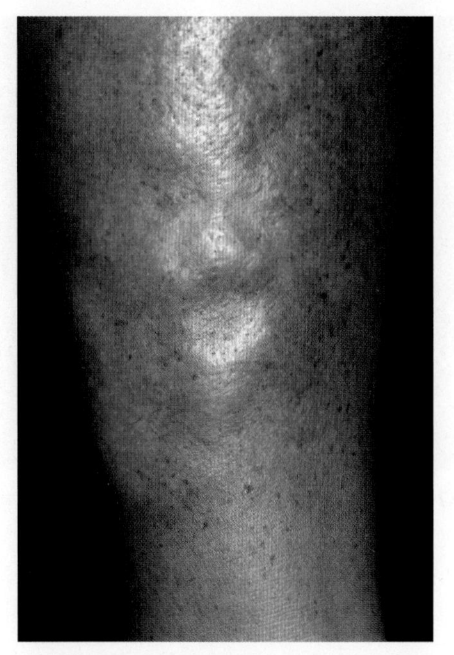

그림 24.32 전경골점액부종

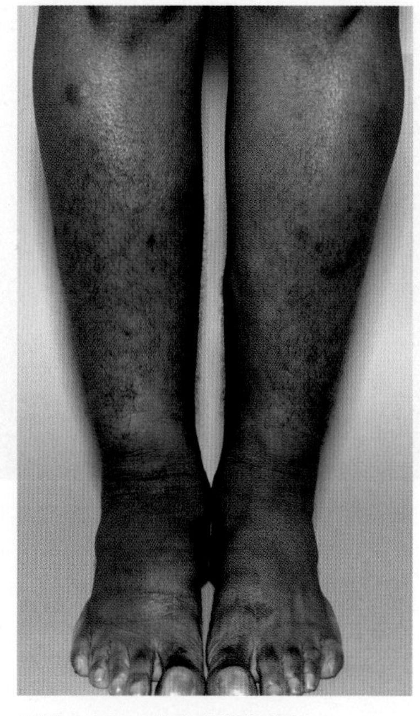

그림 24.33 전경골점액부종

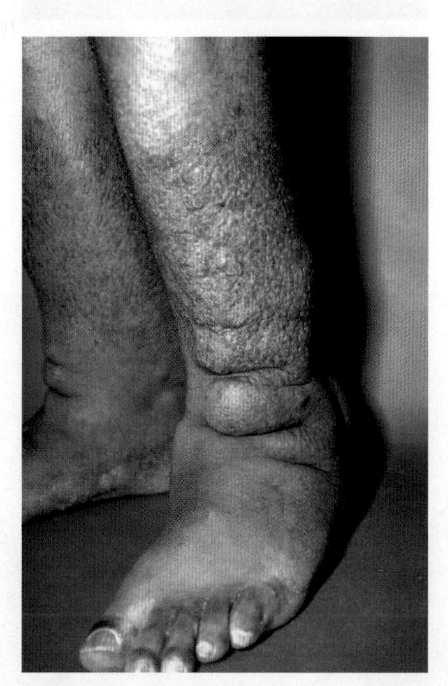

그림 24.34 전경골점액부종

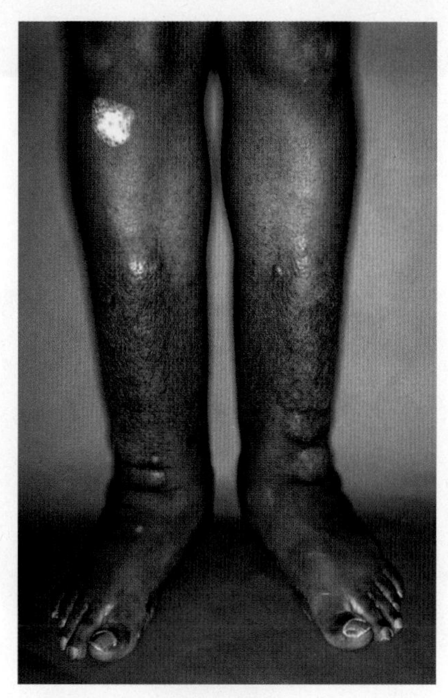

그림 24.35 전경골점액부종

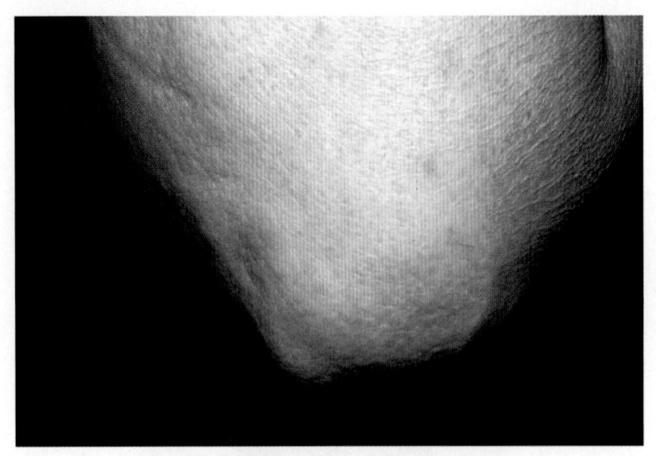

그림 24.36 전요골점액부종

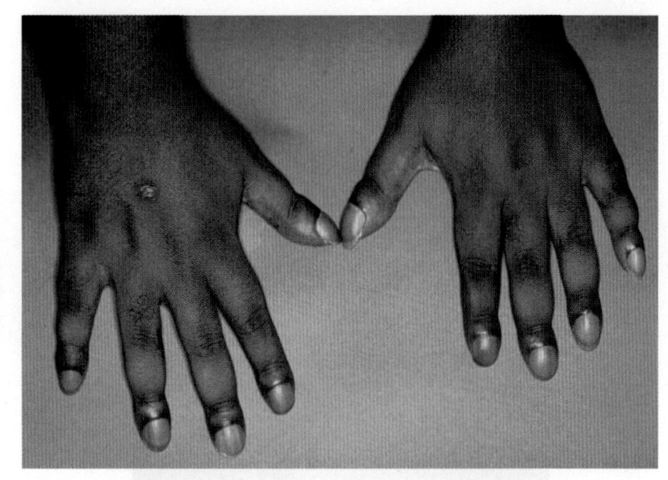

그림 24.37 갑상선지단비대증

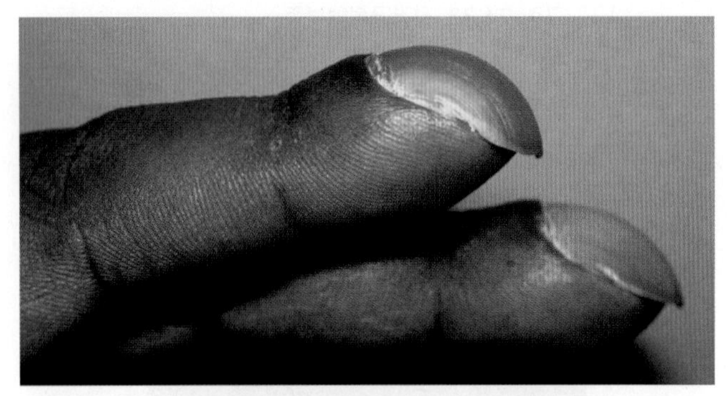

그림 24.38 갑상선지단비대증

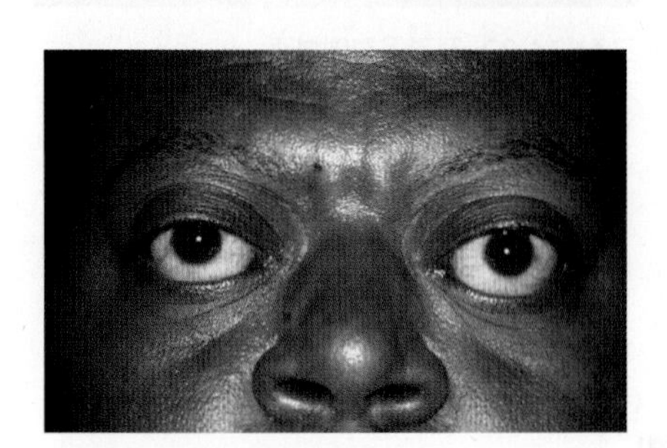

그림 24.39 안구돌출증

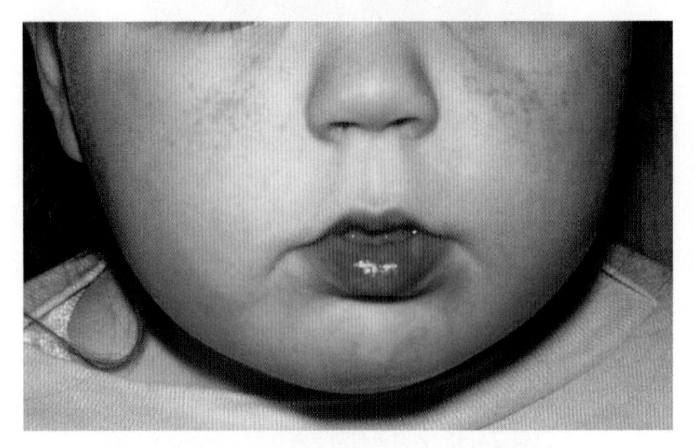

그림 24.40 전형적인 얼굴의 가성부갑상선기능저하증

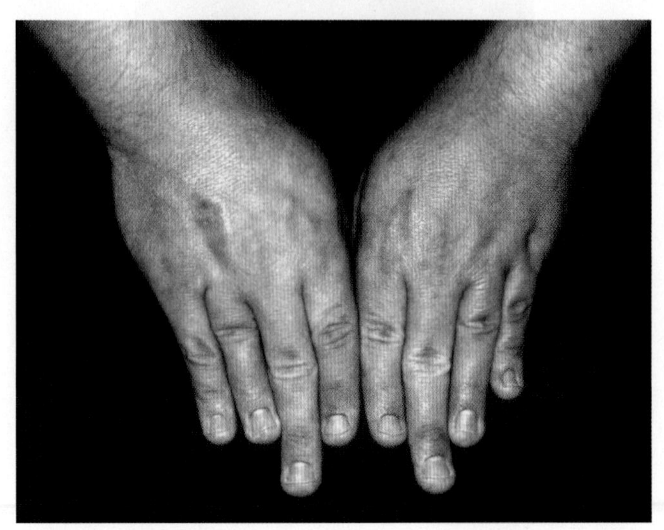

그림 24.41 가성부갑상선기능저하증

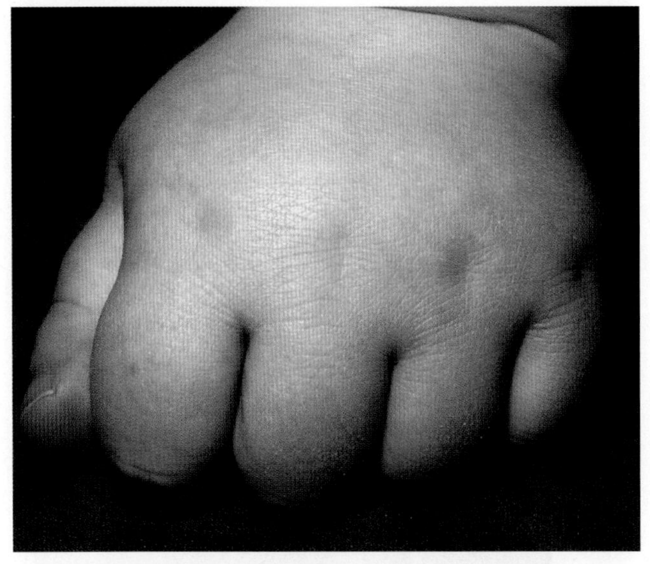

그림 24.42 가성부갑상선기능저하증

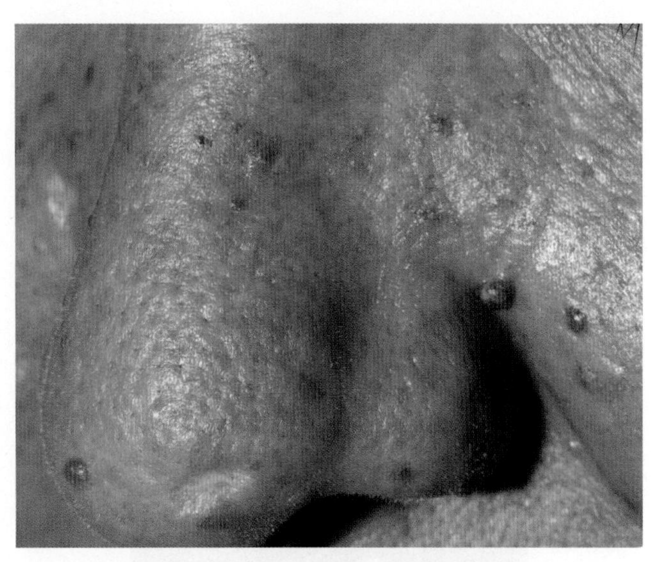

그림 24.43 제1형다발내분비샘종양의 혈관섬유종

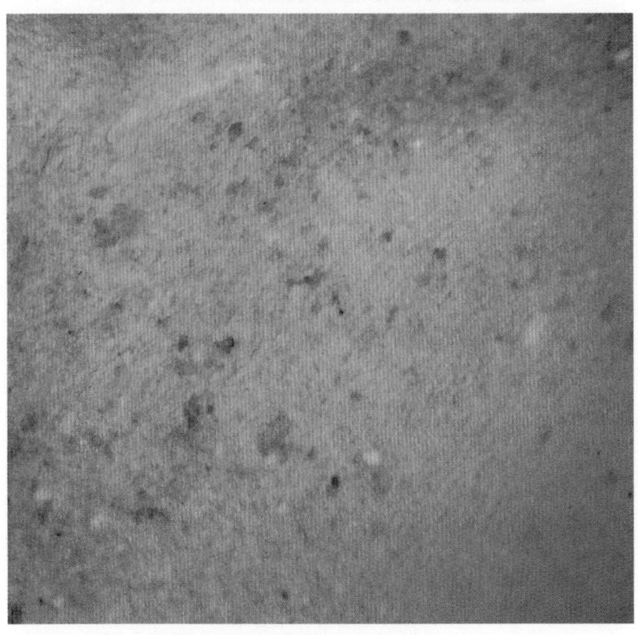

그림 24.44 제1형다발내분비샘종양의 교원섬유종

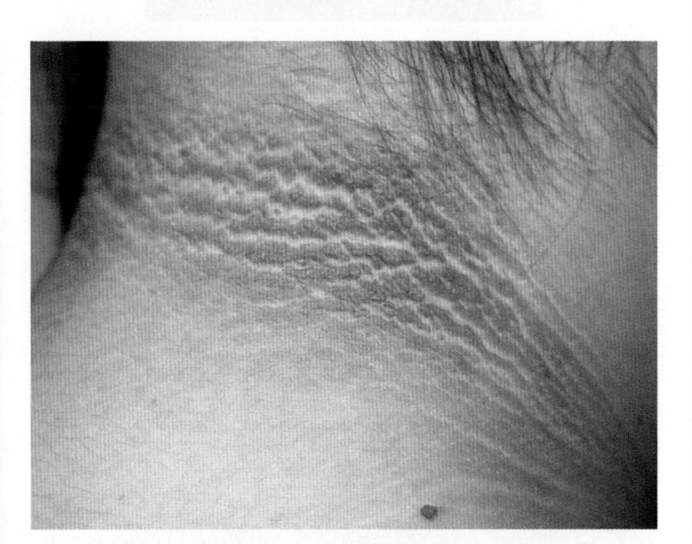

그림 24.45 흑색극세포증

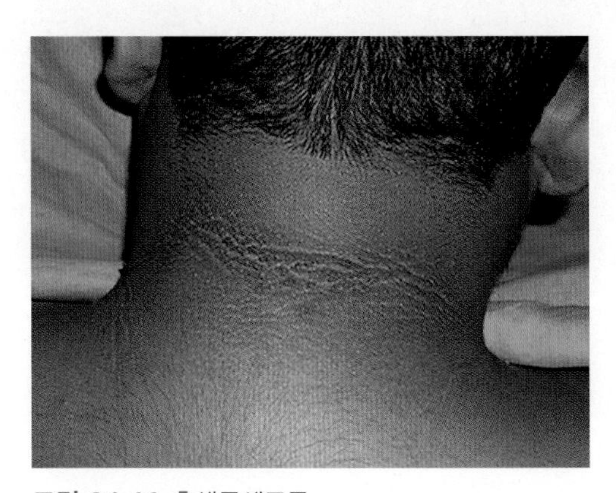

그림 24.46 흑색극세포증

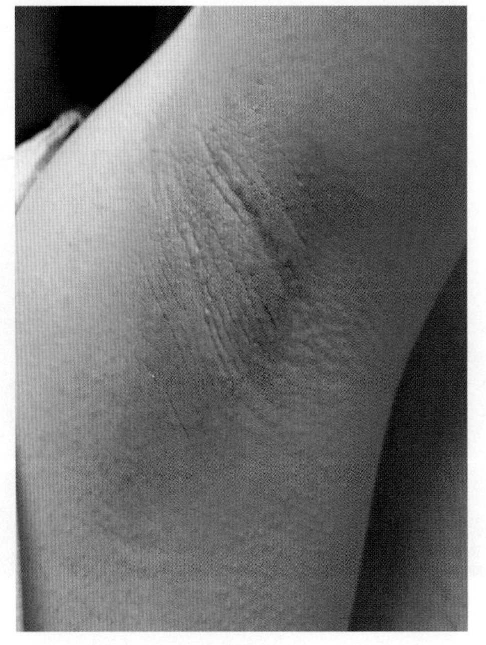

그림 24.47 흑색극세포증

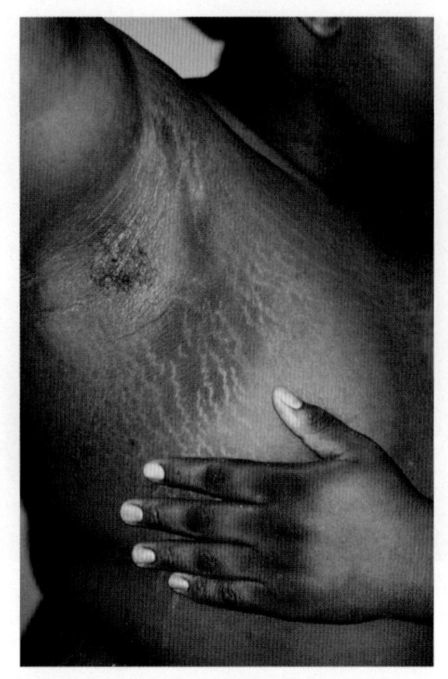
그림 24.48 흑색극세포증

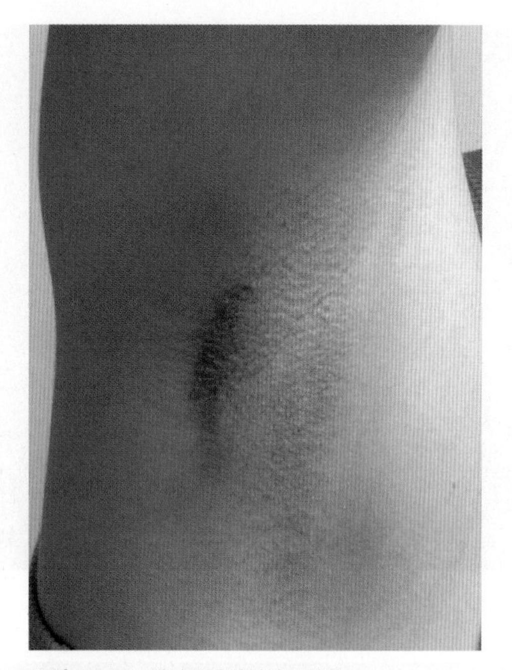
그림 24.49 액와부과립이상각화증

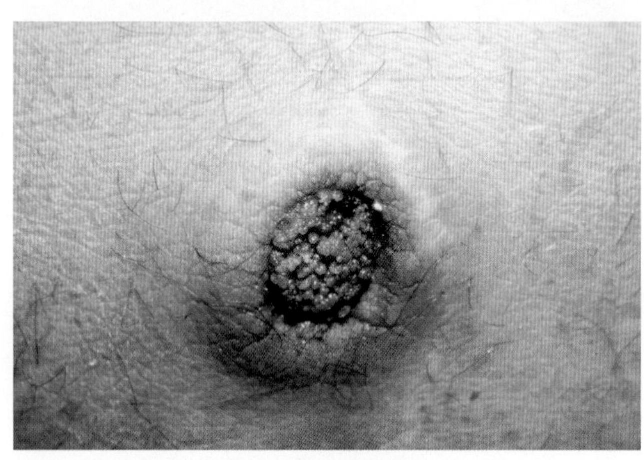
그림 24.50 흑색극세포증에 동반된 악성종양

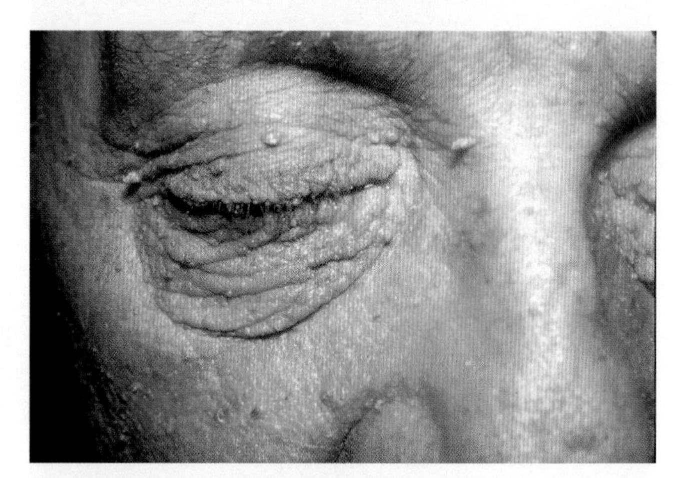
그림 24.51 흑색극세포증에 동반된 악성종양

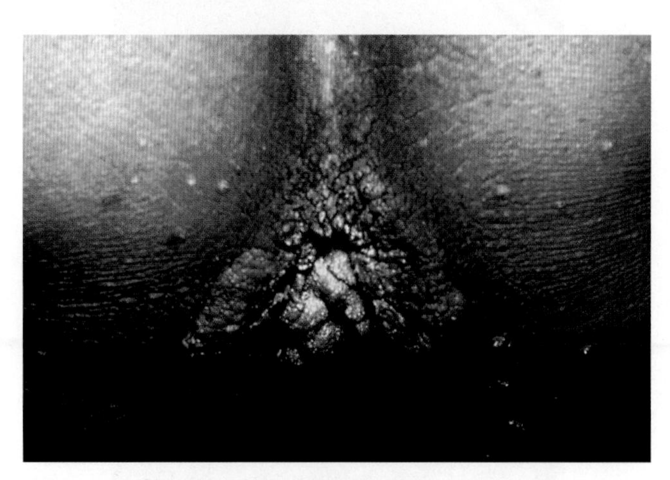
그림 24.52 흑색극세포증에 동반된 악성종양

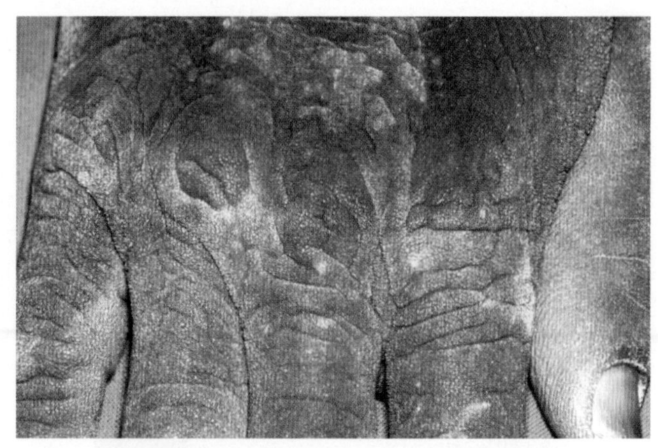
그림 24.53 B형증후군

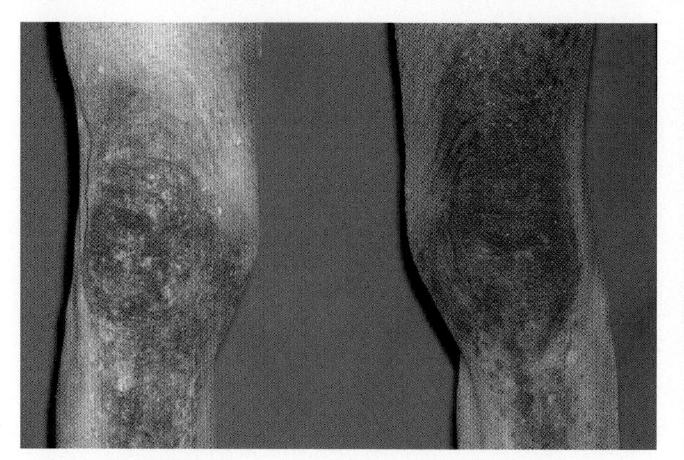

그림 24.54 B형증후군

그림 24.55 B형증후군(등의 흑색극세포증의 확대)

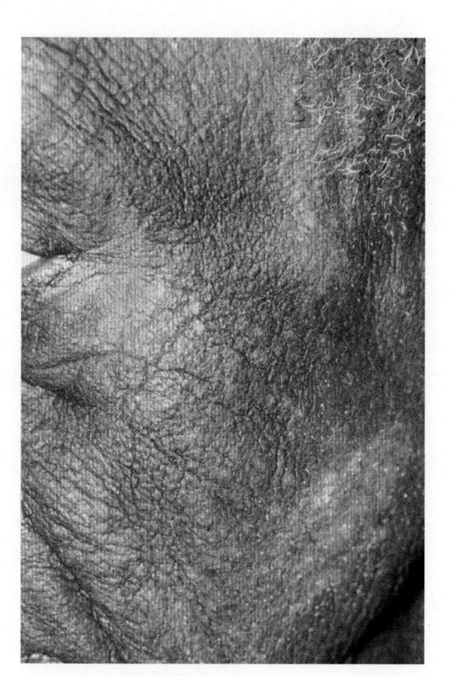

그림 24.56 B형증후군

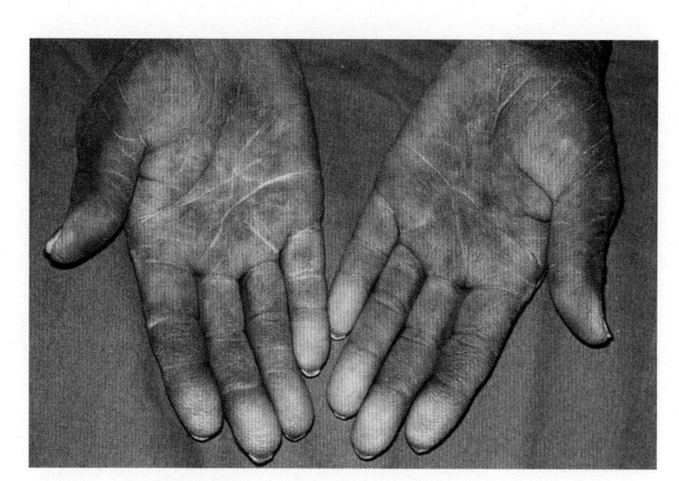

그림 24.57 B형증후군의 위주름손바닥(Tripe palms)

진피섬유 및 탄력조직의 이상 25

이번 장은 피부의 콜라겐 혹은 탄력조직의 유전성 혹은 후천성으로 나타나는 다양한 상태를 포함한다.

엘러스-단로스증후군 같은 유전증후군은 특이한 피부소견을 나타낸다. 환자는 밀가루반죽 같이 과도히 늘어나는 피부를 가진다. 피부는 상처가 고기 입처럼 벌어지고, 연체동물양 가성종양, 위축반흔 등을 잘 일으킨다. 반면에 유전성의 피부이완증 환자는 광범위한 피부처짐과 흔들리는 피부접힘을 가진 여유가 많은 피부를 형성한다. 탄력섬유가성황색종은 털 뽑힌 닭피부를 닮은 주로 목측면의 황색구진과, 피부이완증과 닮은 이완된 피부를 나타낸다. 결체조직의 피브릴린-1유전자 돌연변이로 나타나는 마르팡증후군은 큰 키, 높은 구개, 거미손가락증의 신체적 특성을 나타낸다. 이러한 유전질환의 피부소견에 대한 지식과 조기진단은 이들 질환이 심혈관계 및 폐 등의 내부장기를 침범할 수 있는 가능성으로 중요하다.

국소성의 뱀모양각화구진이 뱀모양천공탄력섬유증에서 나타난다. 이 희귀한 질환은 삼염색체21(다운증후군)에서 더 흔하지만, 앞서 이야기한 엘러스-단로스증후군과 마르팡증후군에서도 볼 수 있다.

탄력섬유가성황색종과 같은 질환의 진단을 위해서는 피부생검 및 결체조직섬유의 염색이 필요하다. 그러나 알려진 유전자 돌연변이가 의심되는 유전질환은 혈액에서 확인을 위한 유전검사가 요구된다.

이번 장은 특히 진피섬유 및 탄력조직을 침범하는 결체조직질환들이다.

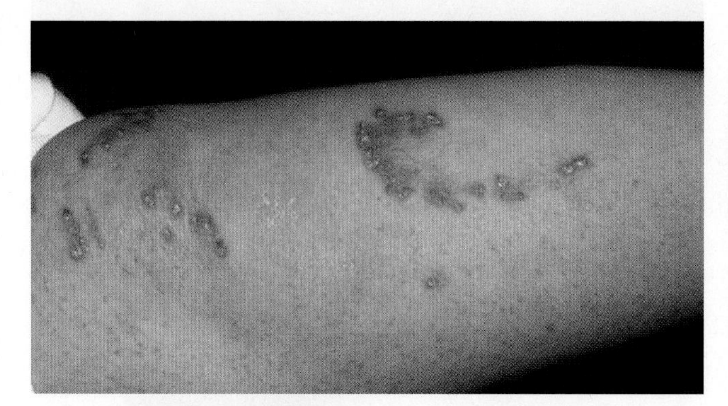

그림 25.1 뱀모양천공탄력섬유증

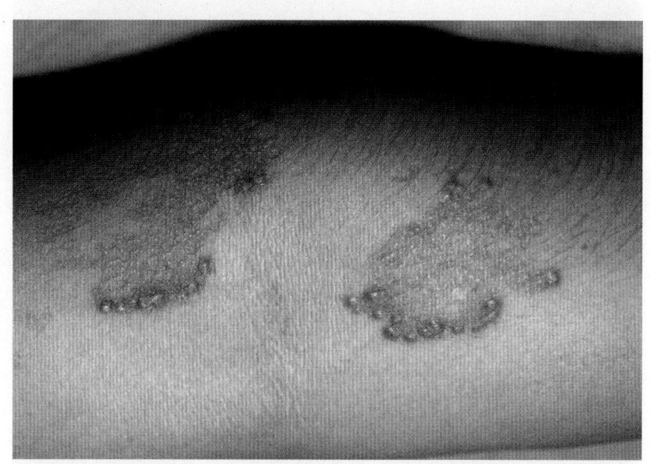

그림 25.2 뱀모양천공탄력섬유증

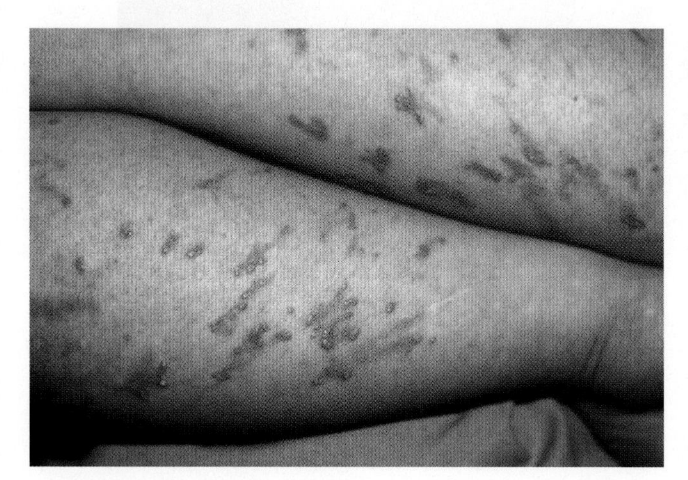

그림 25.3 뱀모양천공탄력섬유증

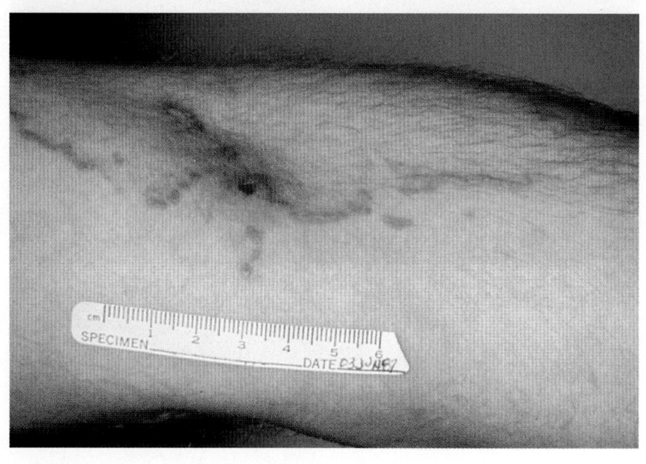

그림 25.4 뱀모양천공탄력섬유증

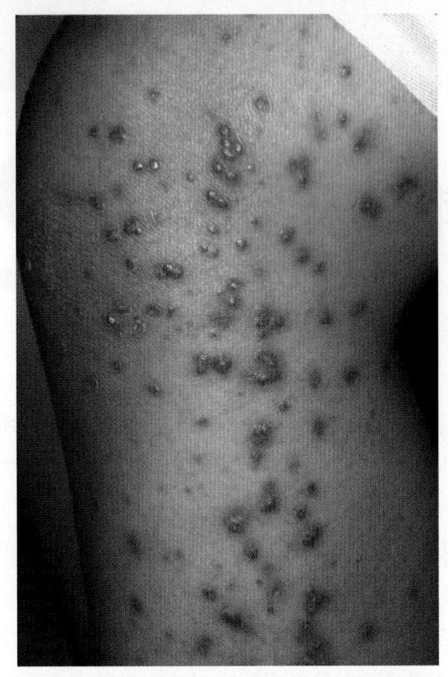

그림 25.5 반응천공교원섬유증

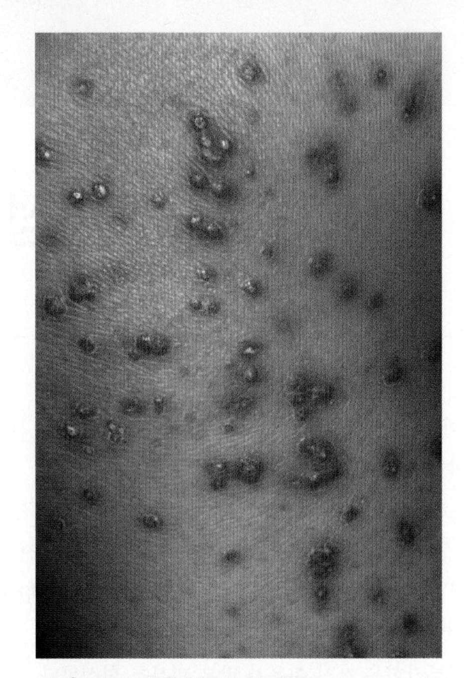

그림 25.6 반응천공교원섬유증

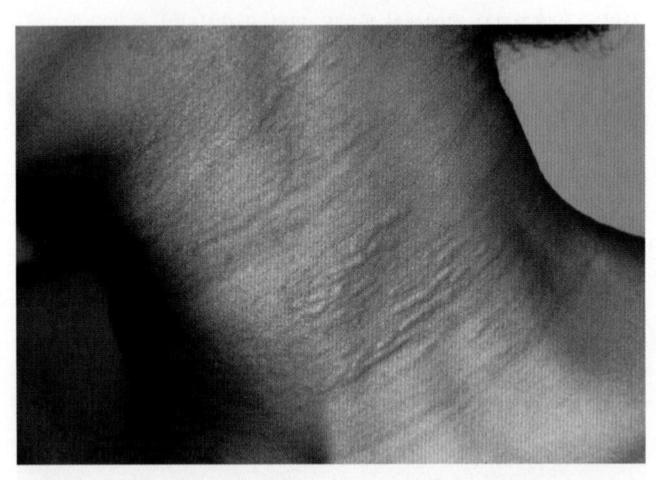

그림 25.7 탄력섬유가성황색종

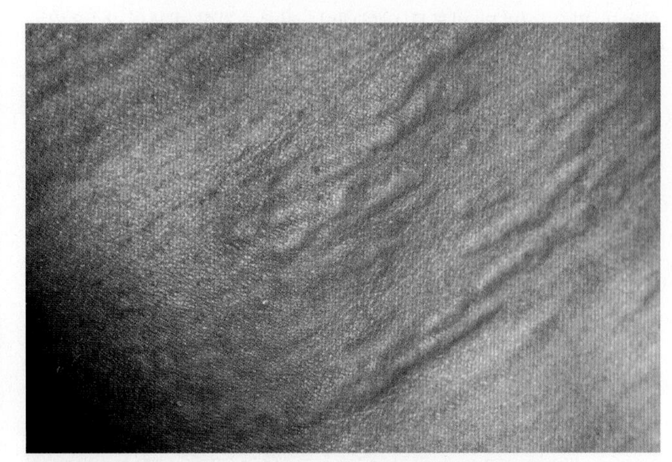

그림 25.8 탄력섬유가성황색

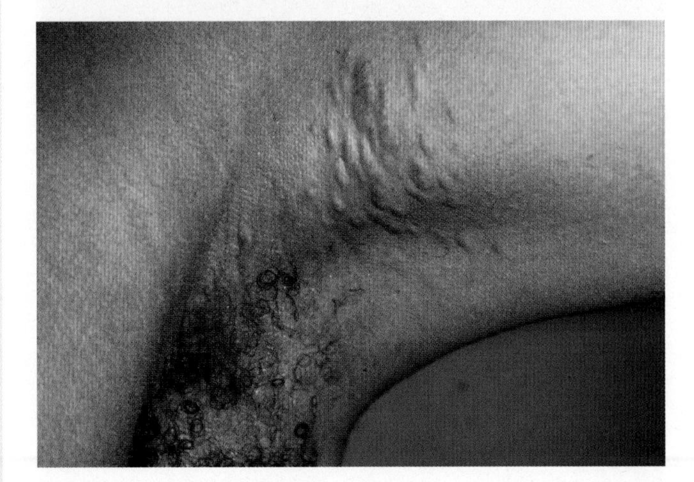

그림 25.9 탄력섬유가성황색종

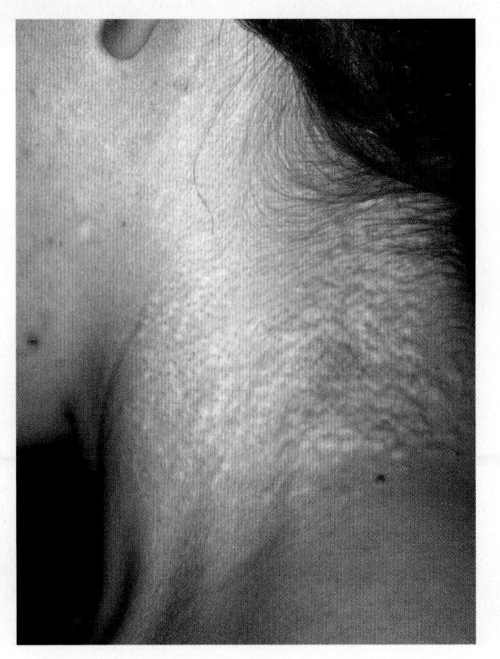

그림 25.10 탄력섬유가성황색종

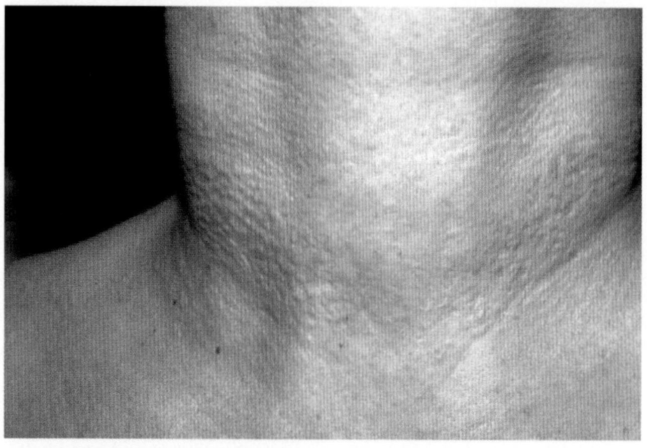

그림 25.11 탄력섬유가성황색종

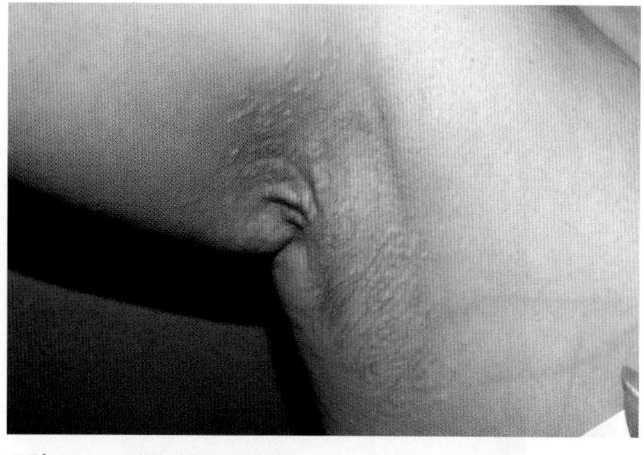

그림 25.12 탄력섬유가성황색종

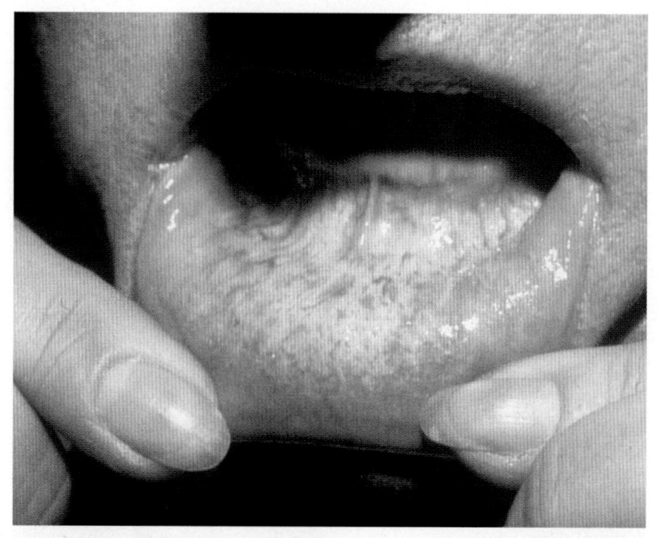

그림 25.13 탄력섬유가성황색종

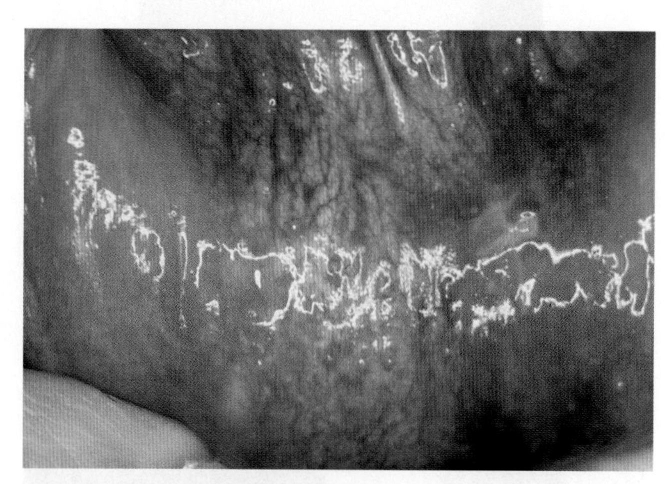

그림 25.14 탄력섬유가성황색종

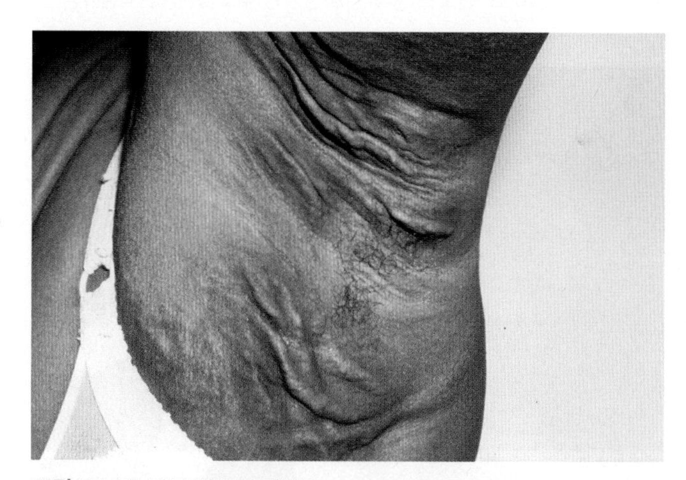

그림 25.15 탄력섬유가성황색종

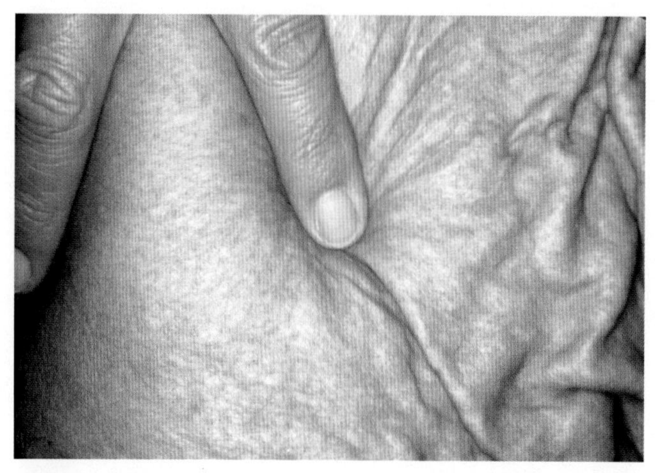

그림 25.16 탄력섬유가성황색종

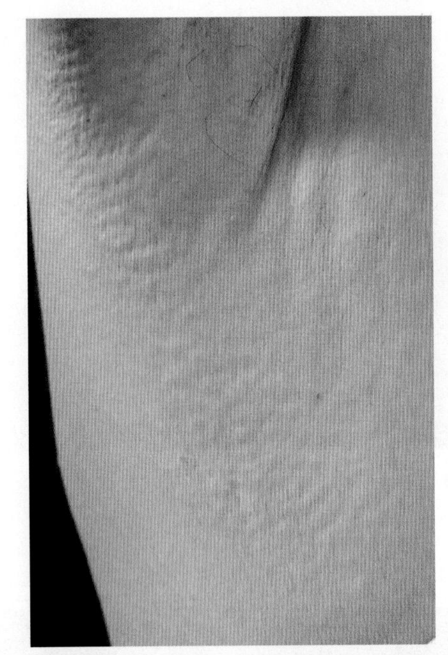

그림 25.17 탄력섬유가성황색종모양진피유두탄력섬유용해

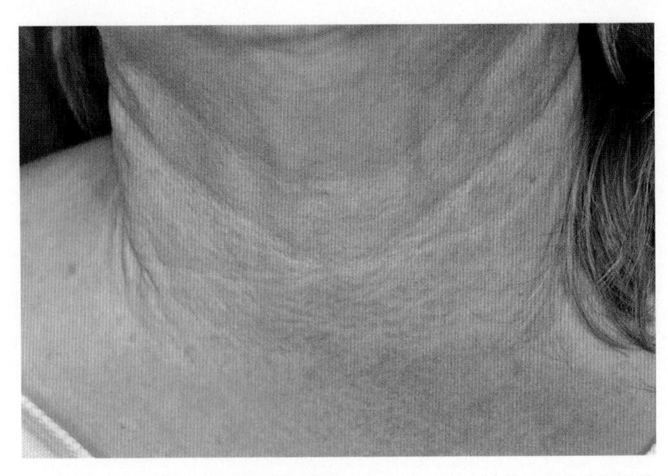

그림 25.18 페니실라민탄력조직병

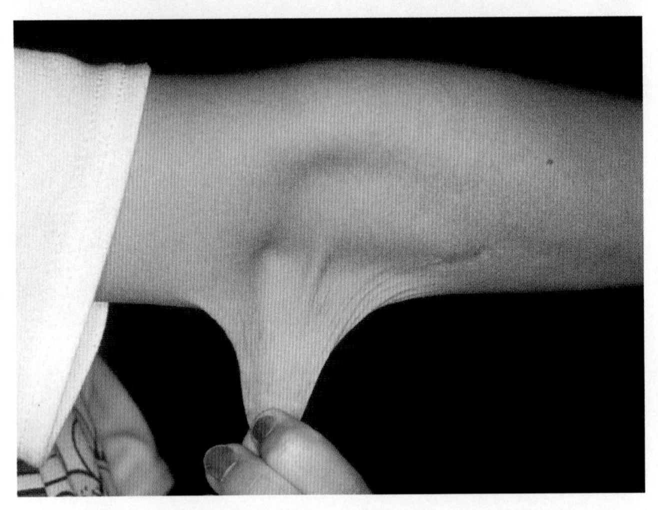

그림 25.19 엘러스-단로스 증후군

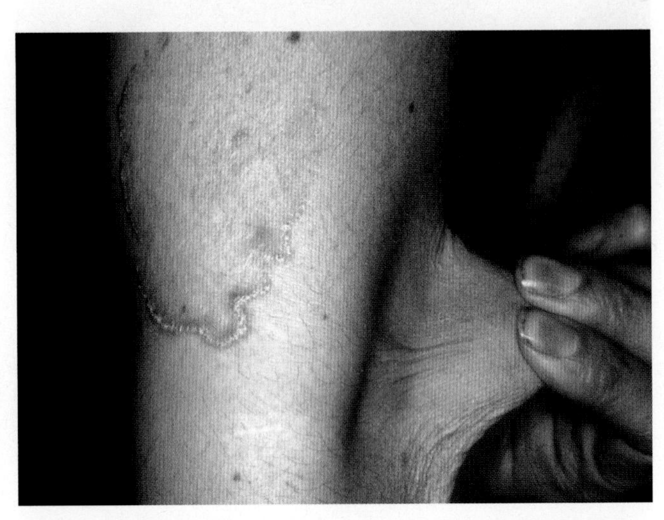

그림 25.20 엘러스-단로스 증후군에 동반된 뱀모양천공탄력섬유증

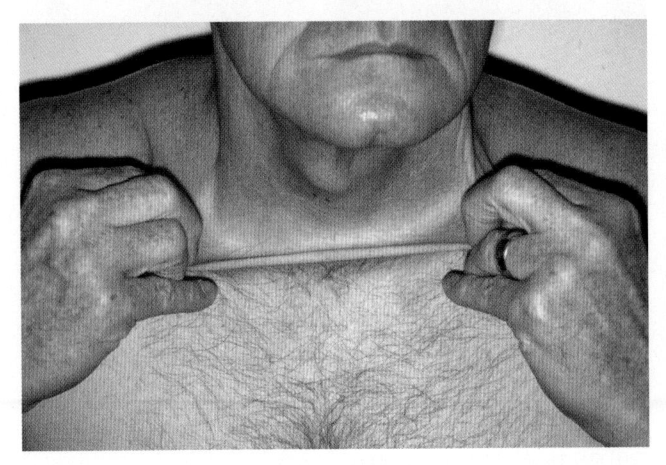

그림 25.21 엘러스-단로스 증후군

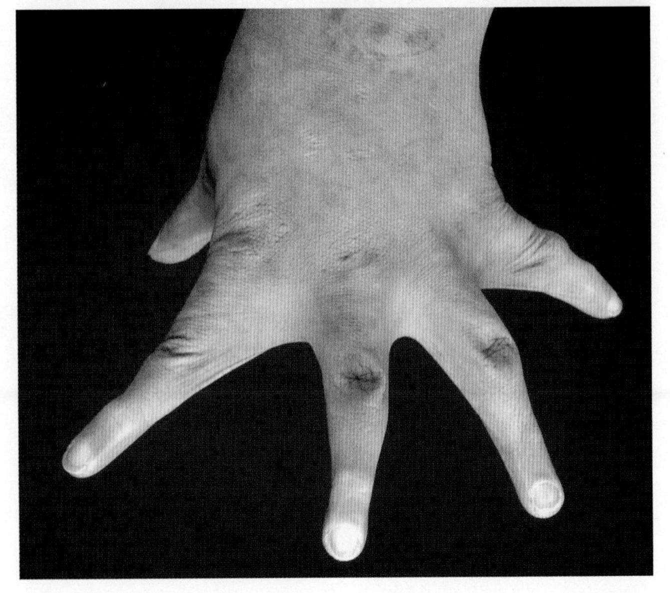

그림 25.22 엘러스-단로스 증후군

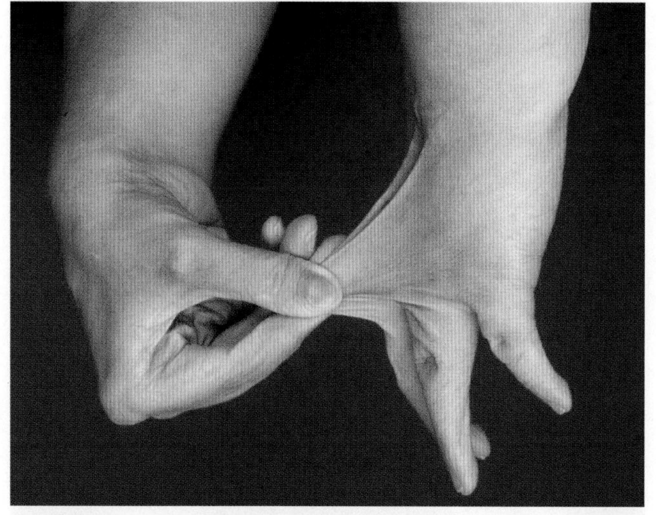

그림 25.23 엘러스-단로스 증후군

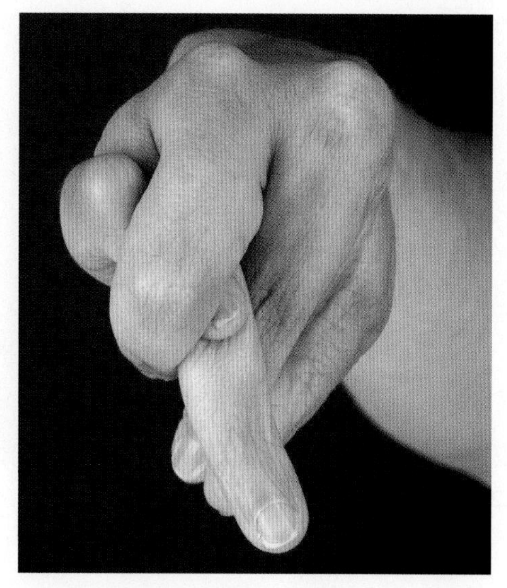

그림 25.24 엘러스-단로스 증후군

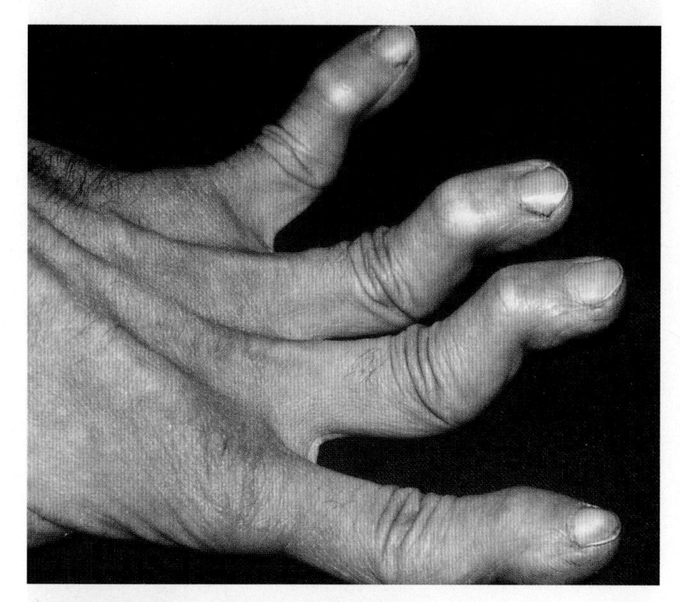

그림 25.25 엘러스-단로스 증후군

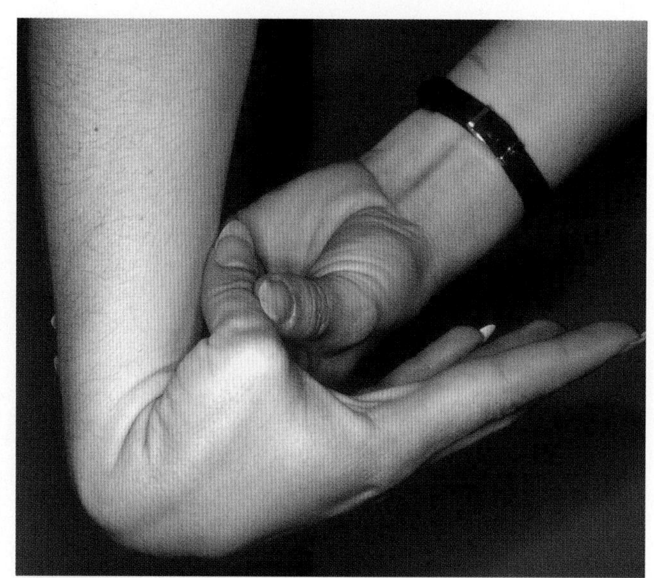

그림 25.26 엘러스-단로스 증후군

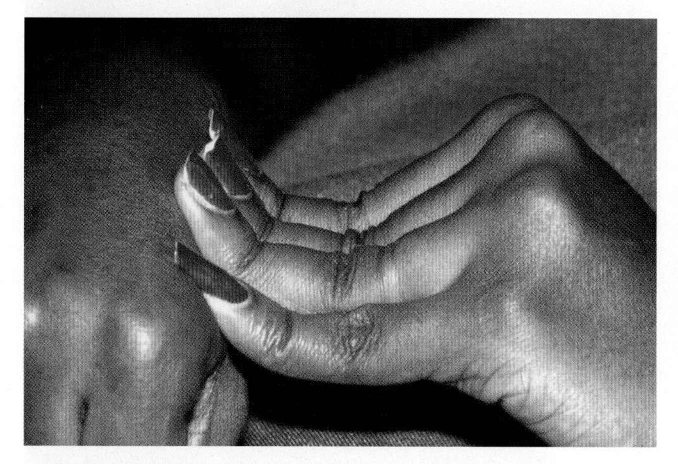

그림 25.27 엘러스-단로스 증후군

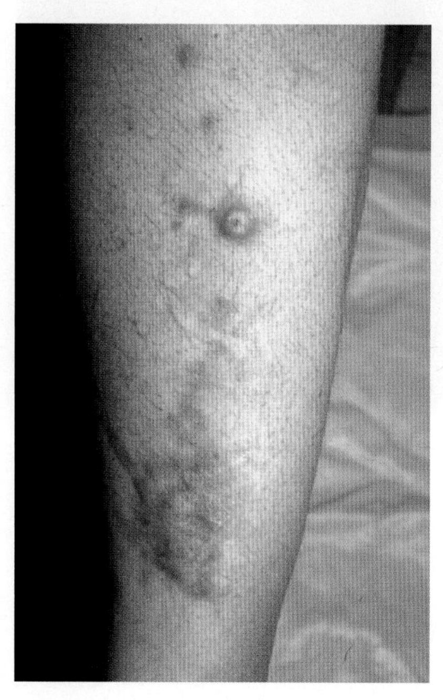

그림 25.28 반흔과 연체동물양가성종양을 보이는 엘러스-단로스 증후군

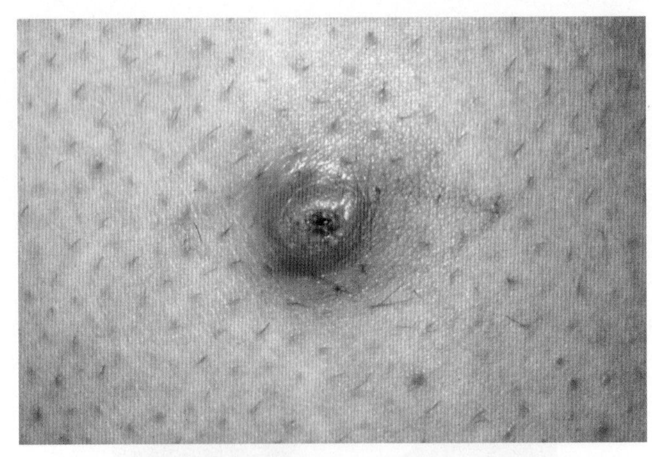

그림 25.29 연체동물양가성종양

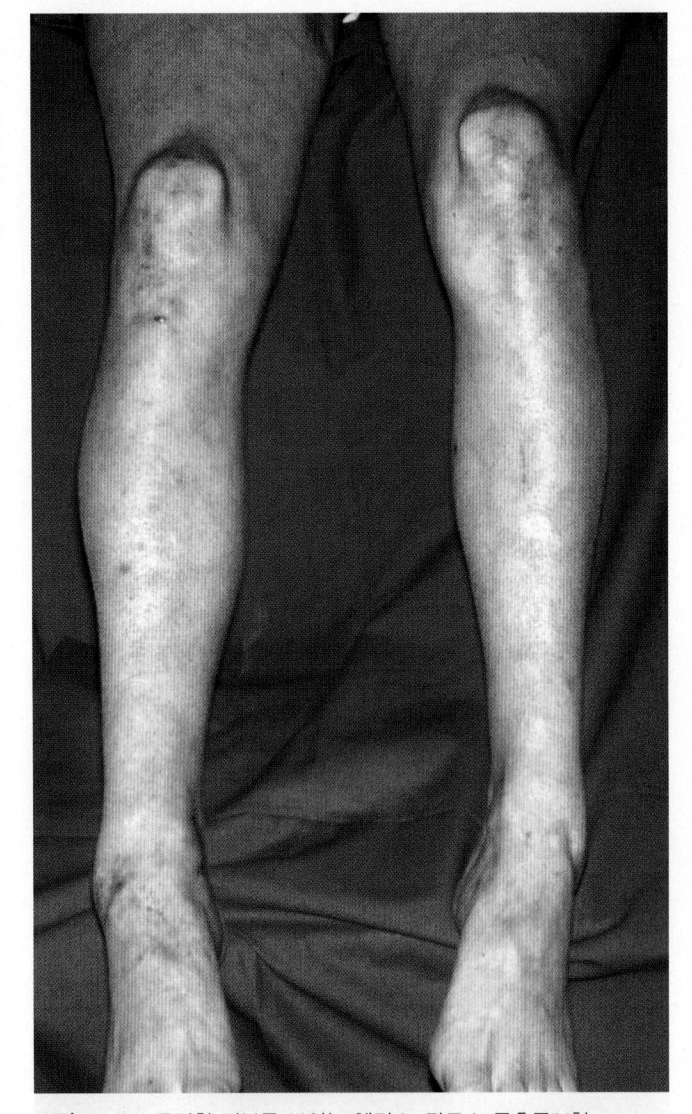

그림 25.30 투명한 피부를 보이는 엘러스-단로스 증후군IV형

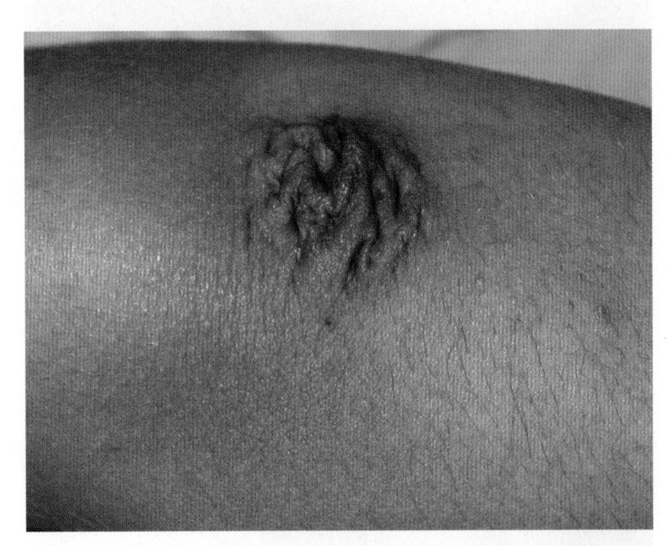

그림 25.31 위축반흔을 보이는 엘러스-단로스 증후군

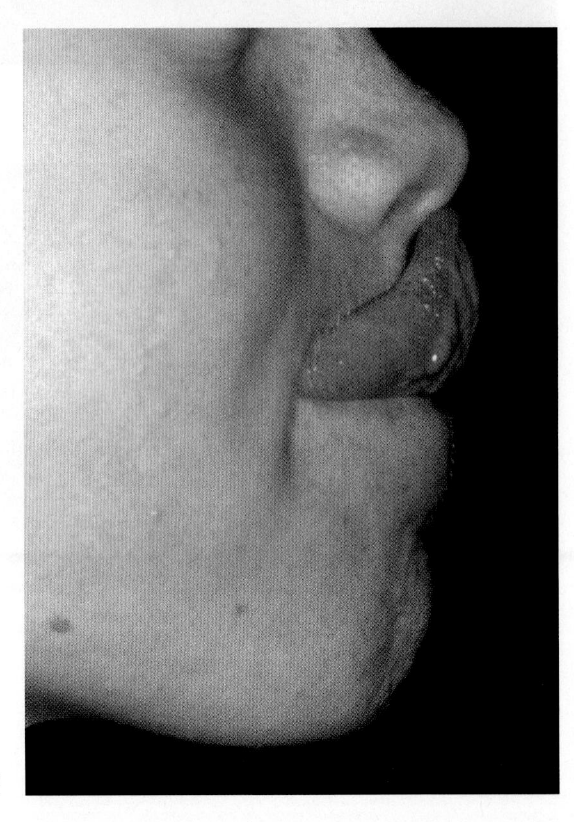

그림 25.32 엘러스-단로스 증후군

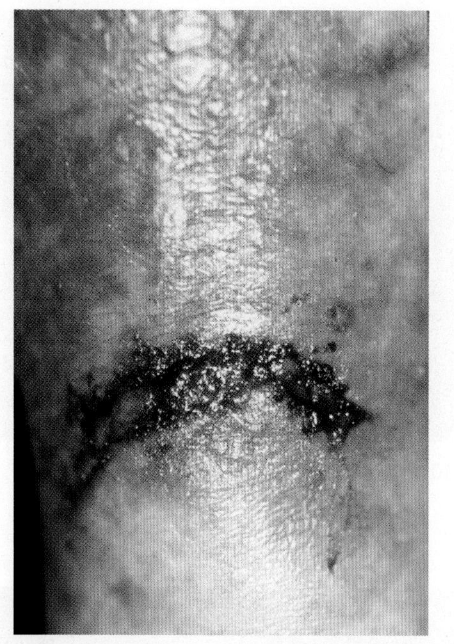

그림 25.33 엘러스-단로스 증후군VIII형 환자의 정강이

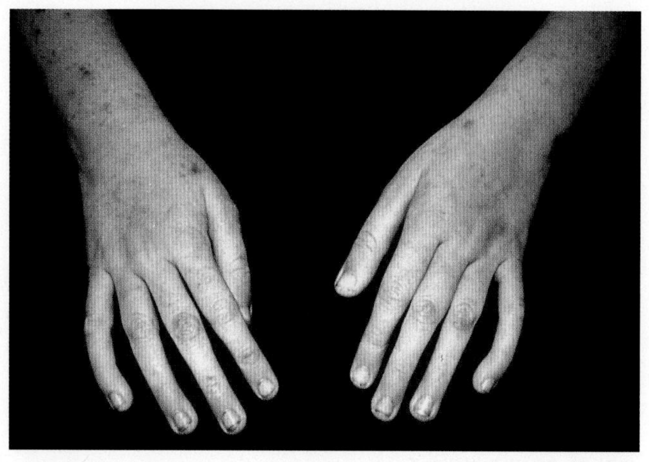

그림 25.34 마르팡 증후군

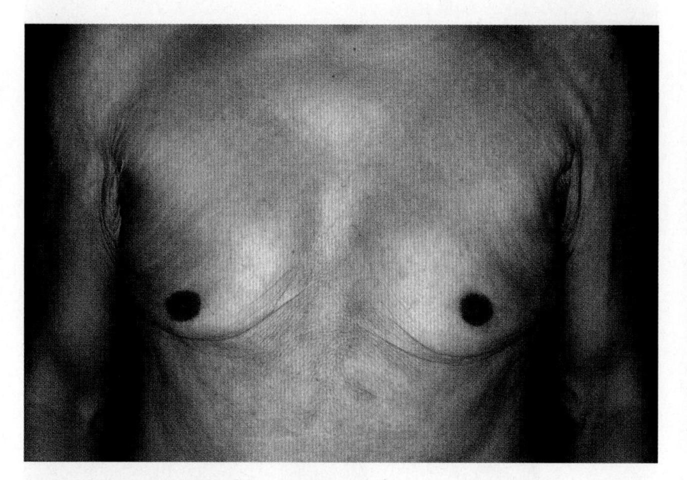

그림 25.35 피부이완증

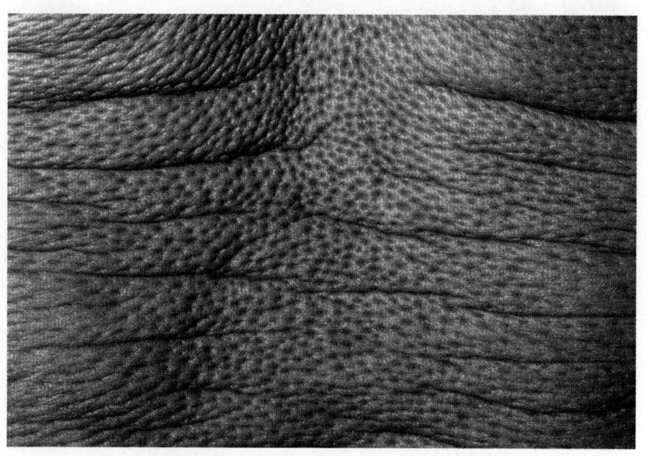

그림 25.36 피부이완증

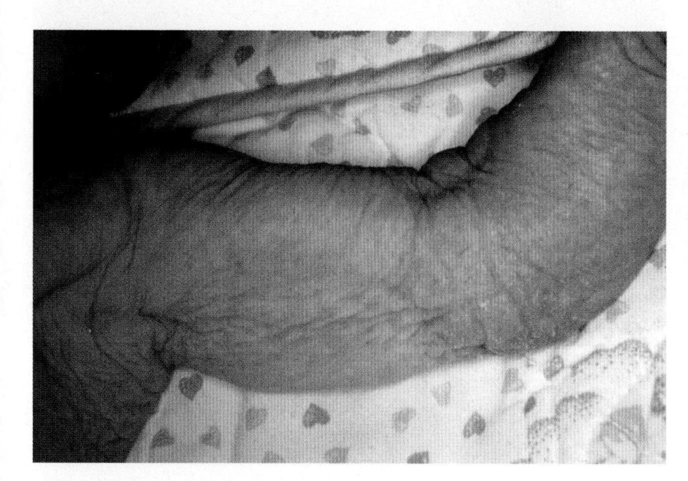

그림 25.37 신생아피부이완증

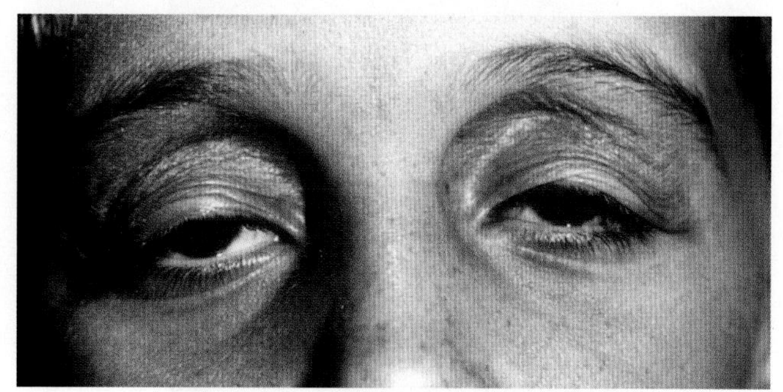

그림 25.38 Ascher 증후군에 나타난 안검하수증

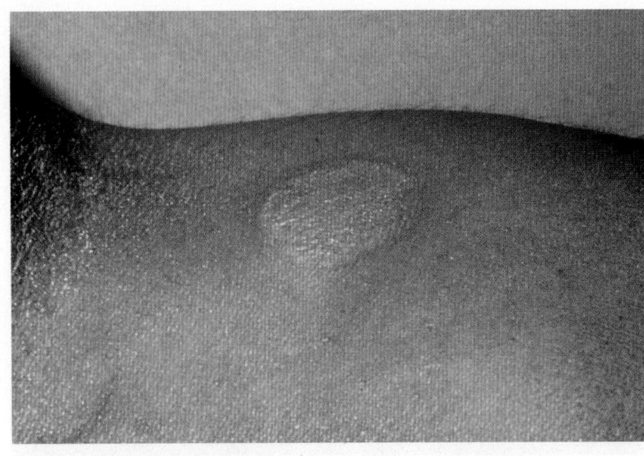

그림 25.39 반피부위축증

그림 25.40 반피부위축증

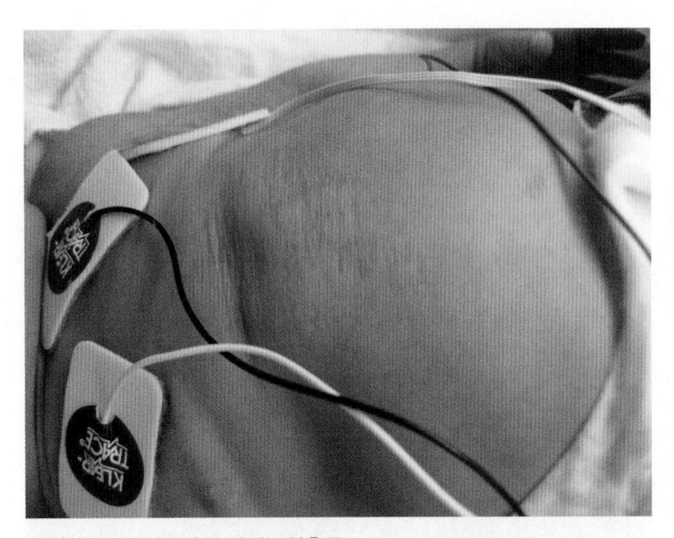

그림 25.41 미숙아의 반피부위축증

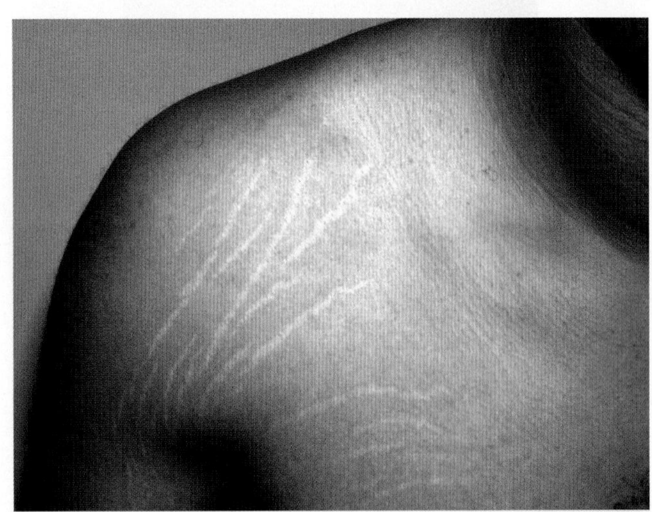

그림 25.42 팽창선조

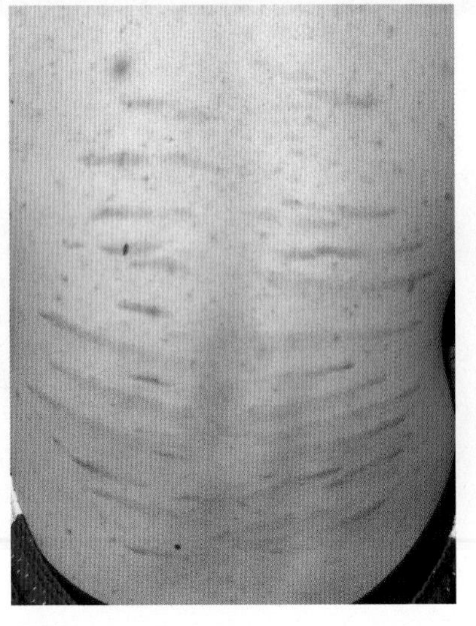

그림 25.43 팽창선조

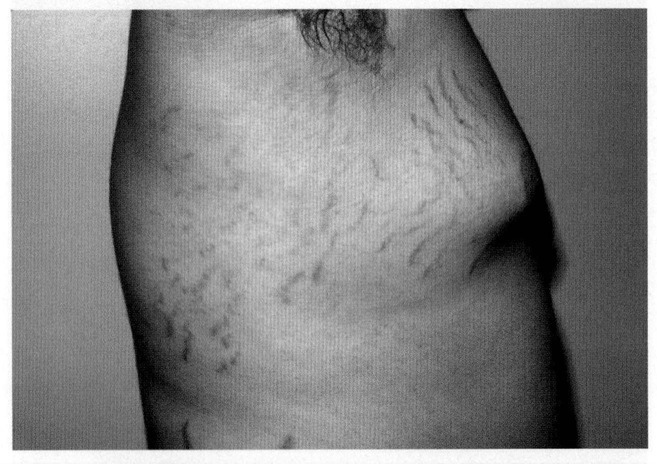

그림 25.44 팽창선조

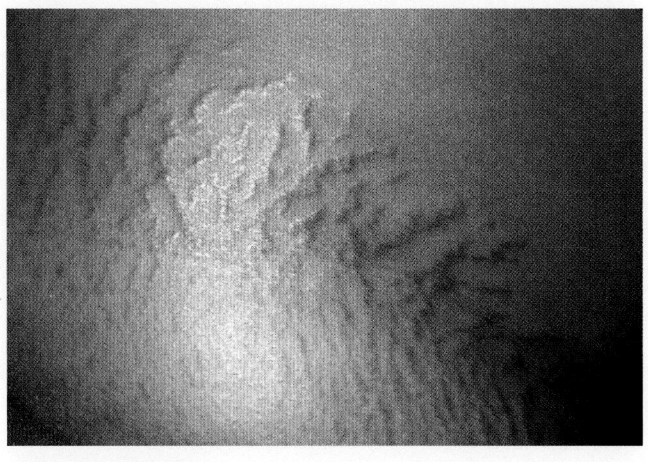

그림 25.45 팽창선조

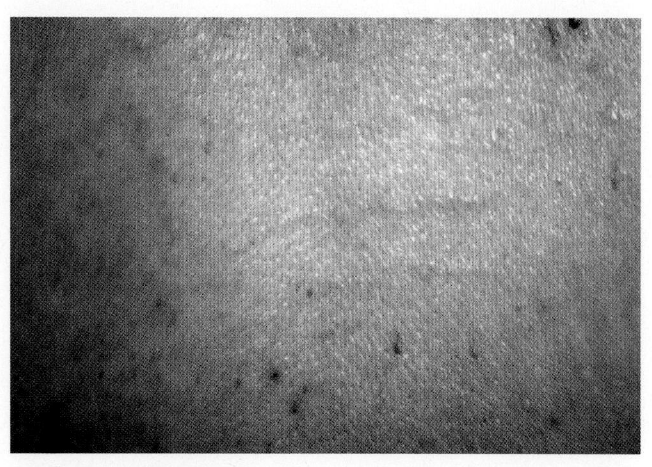

그림 25.46 탄력섬유선조

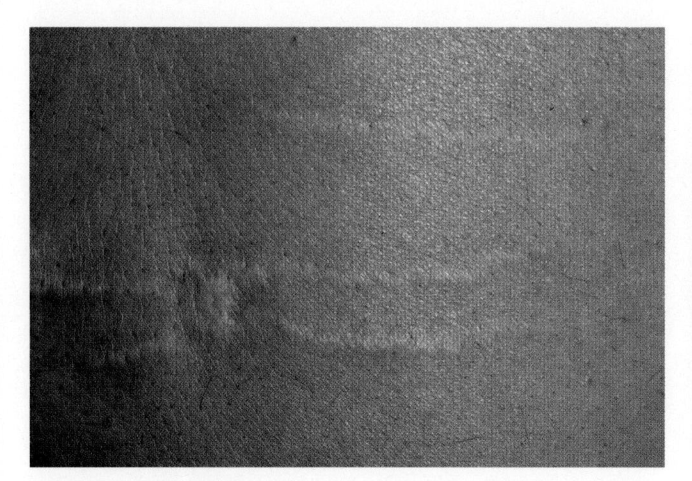

그림 25.47 탄력섬유선조

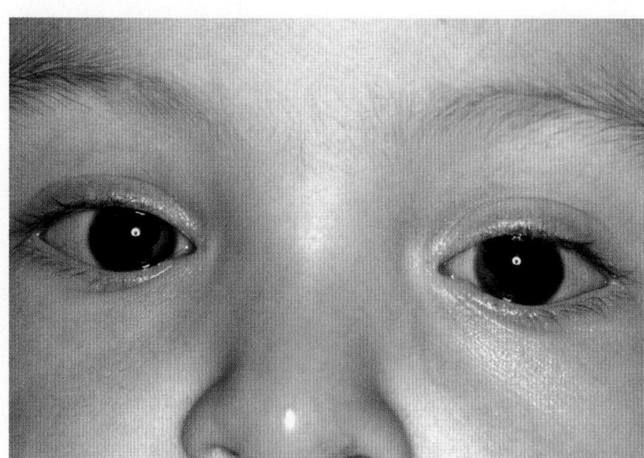

그림 25.48 불완전골형성증에 나타난 청색공막

대사장애 26

이번 장은 대사장애질환이다. 많은 수의 이들 질환은 피부에 이차적으로 침착된 아밀로이드, 포르피린, 칼슘, 지질, 그리고 요산염결정에 의한다.

아밀로이드증은 전신 및 국소피부형이 있다. 전신아밀로이드증은 임상적으로 산재된 광택성의 단단한 구진, 판과 결절, 대설증, 그리고 가장 흔히 꼬집힌 자반모양의 멍이 잘 든다. 피부아밀로이드증은 각질형성세포에서 유래한 아밀로이드의 망상 혹은 태선양 침착과, 결절성의 형질세포유래형으로 나타난다.

포르피린은 헴합성에 필요하지만 특이효소의 결함으로 축적되면, 가시광선(400~410nm)에 의해 활성화되어 조직손상을 일으킨다. 즉 포르피린증은 광민감반응을 유발하여 광선노출부위인 얼굴, 상흉부, 손등과 전박피부에 수포, 소수포 및 미란병변을 일으킨다. 그외에 과색소침착, 여린 피부, 그리고 다모증을 나타낸다.

피부석회증은 원인에 따라 퇴행위축, 전이, 그리고 의원성으로 분류한다. 모든 형은 바위처럼 단단한 구진, 결절, 혹은 판으로 나타나고, 흰 분필물질을 배출할 수 있다. 환자병력, 신체검사, 검사실검사는 다른 형태의 피부석회증을 감별하는 데 도움이 된다. 특발성 피부석회증은 흔히 특별한 임상검사가 불필요한 음낭에 발생한다.

피부의 지질침착은 황색에서 오렌지색의 구진, 판, 혹은 덩어리로 나타나는데, 임상적으로 그들의 해부학적 위치 및 형태로 분류된다. 이들은 통풍과 감별을 요하는 결절성 및 건성황색종으로 흔히 관절위에 발생한다. 발진황색종은 광범위한 구진을 보이고, 편평황색종은 큰 황색반으로 나타난다. 다른 국소황색종으로 손의 손바닥황색종, 안검의 안검황색종이 있다. 안검황색종은 정상 지질수치를 보일 수 있으나, 모든 황색종은 진단을 확정하고 동반된 고지혈증의 유무를 알기 위한 광범위한 검사가 요구된다.

이 장은 피부침착물질 관련 질환, 당뇨, 유사지질단백증과 패브리병(광범위몸통혈관각화종)과 같은 흔치 않은 증후군을 포함한다.

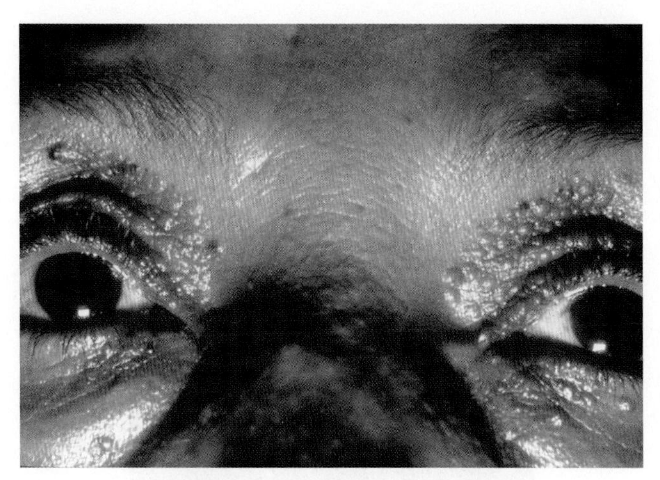

그림 26.1 아밀로이드증

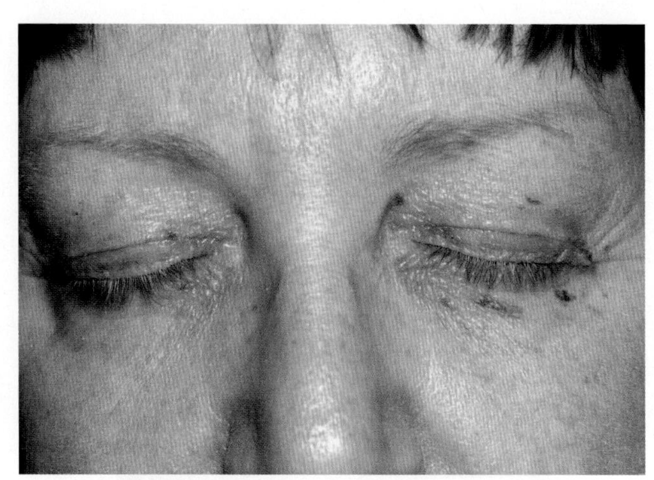

그림 26.2 아밀로이드증

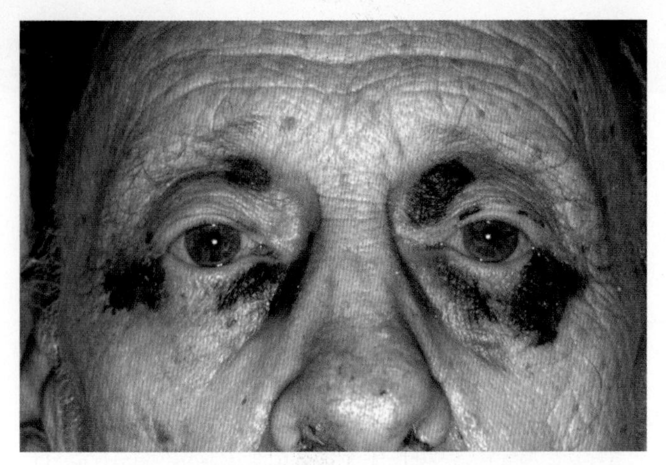

그림 26.3 아밀로이드증

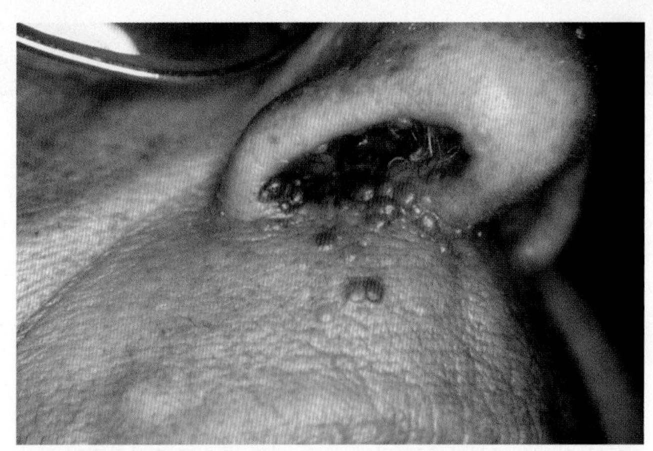

그림 26.4 아밀로이드증

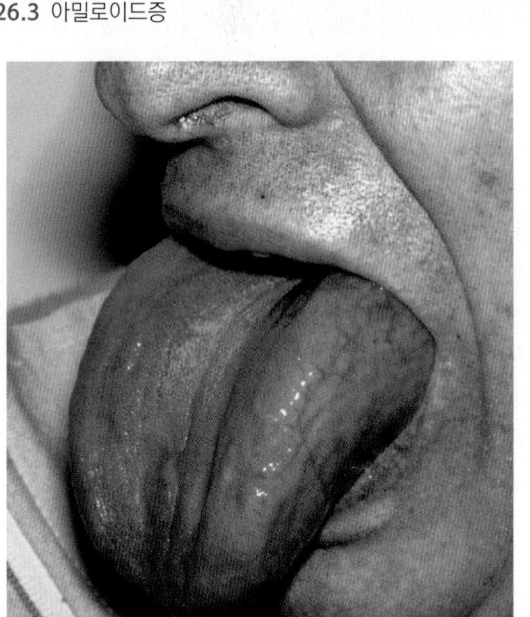

그림 26.5 아밀로이드증의 대설증

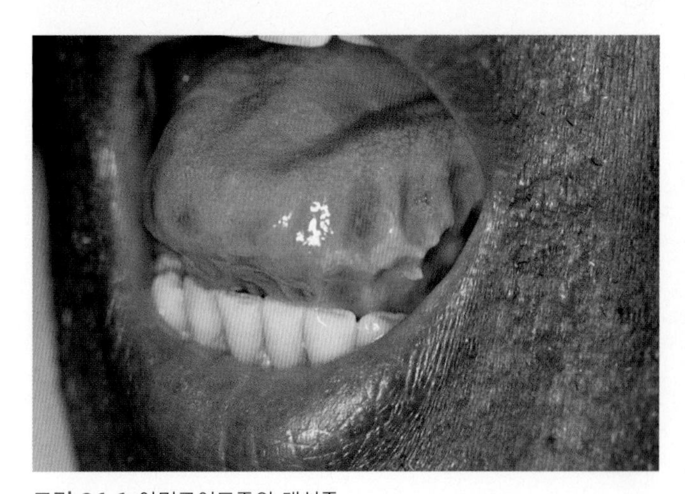

그림 26.6 아밀로이드증의 대설증

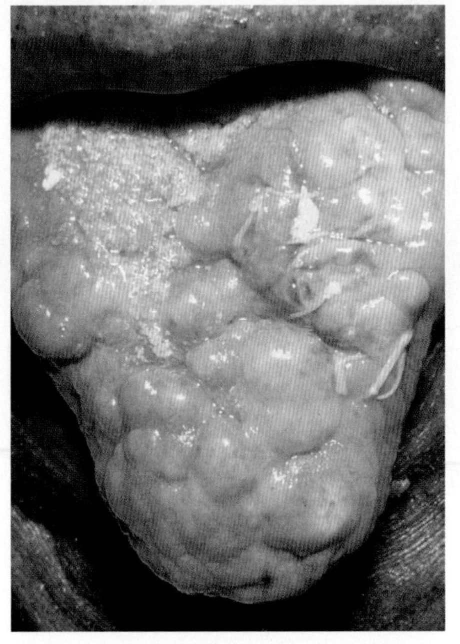

그림 26.7 혀의 아밀로이드증

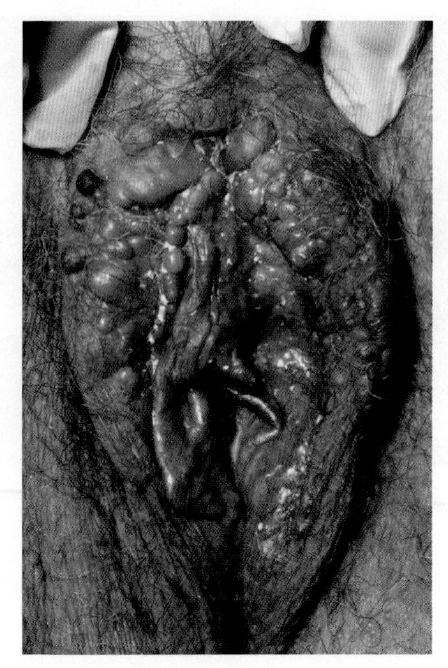

그림 26.8 아밀로이드증

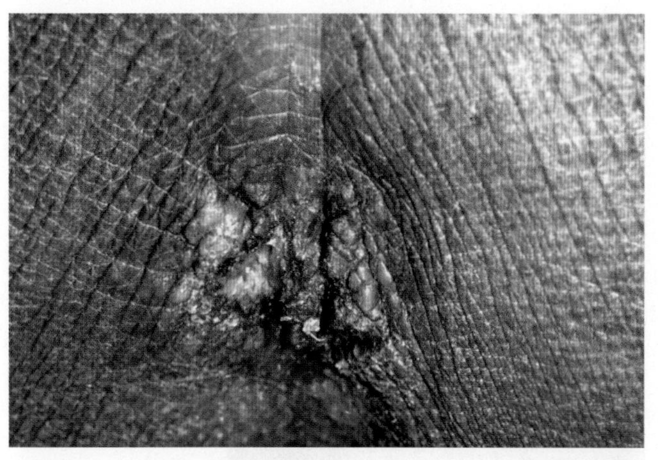

그림 26.9 아밀로이드증

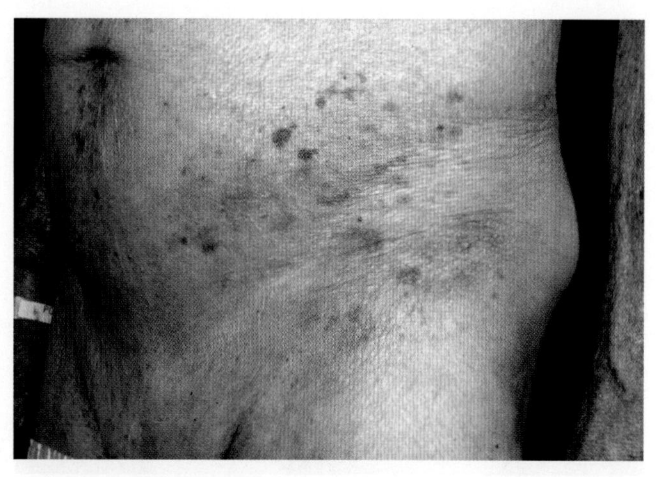

그림 26.10 아밀로이드증

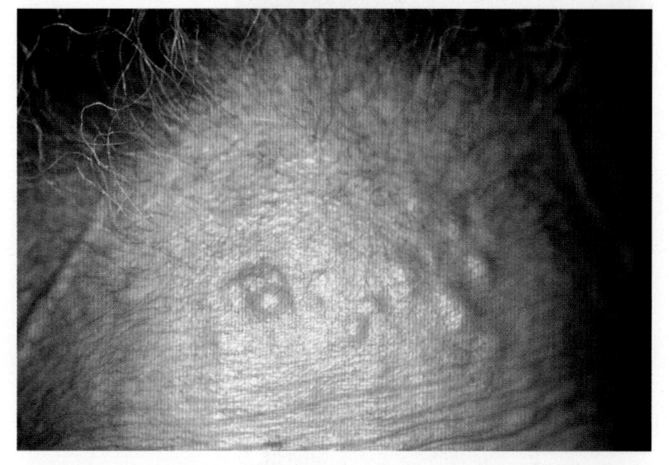

그림 26.11 아밀로이드증

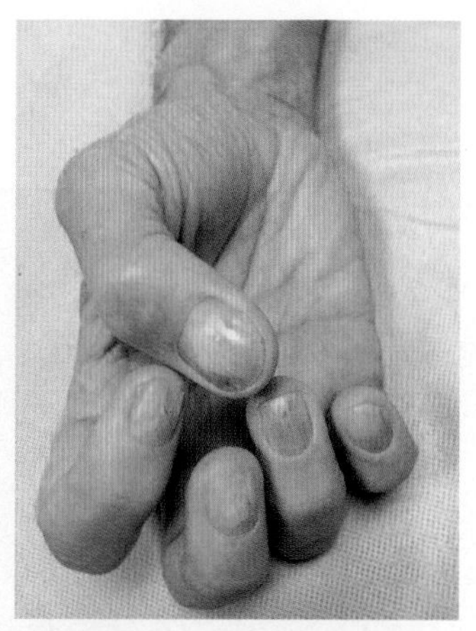

그림 26.12 아밀로이드증에 나타난 조갑기질의 이영양증

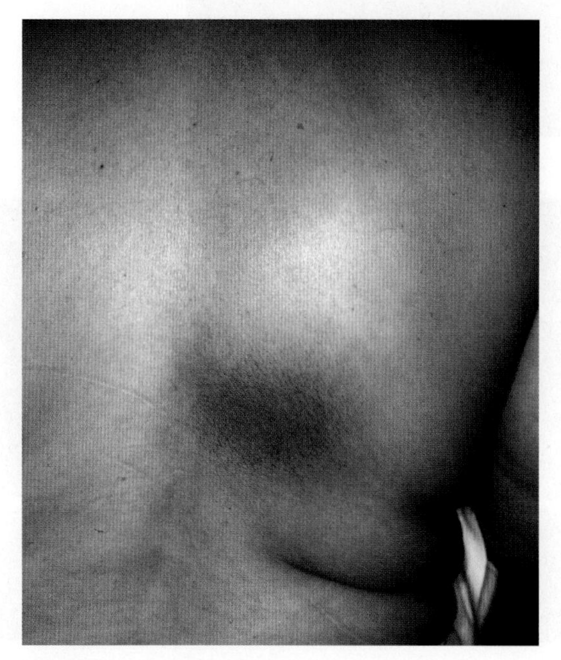

그림 26.13 반상아밀로이드증

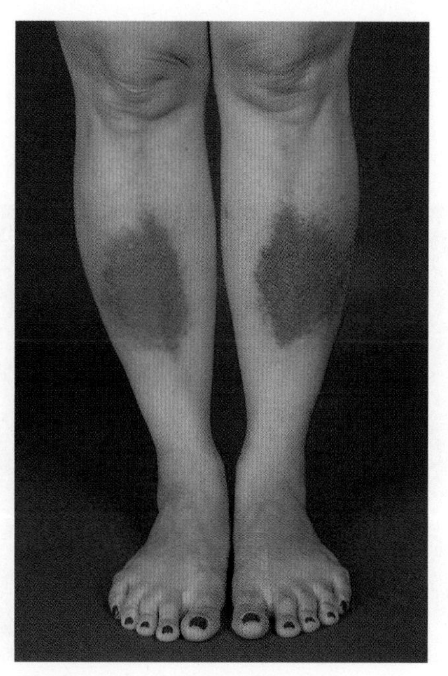

그림 26.14 태선아밀로이드증

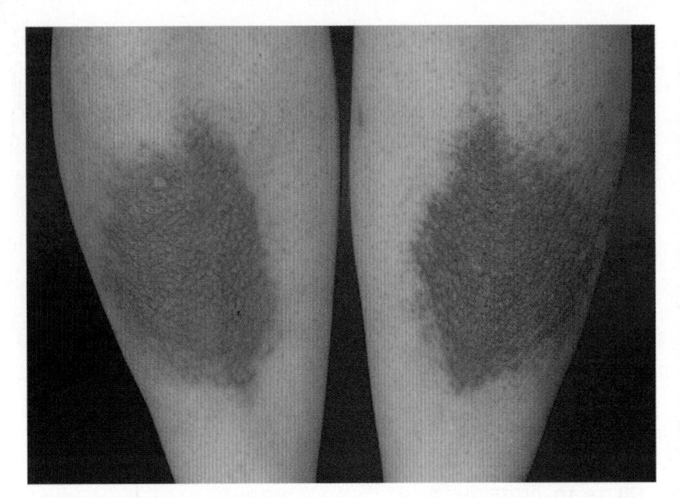

그림 26.15 태선아밀로이드증

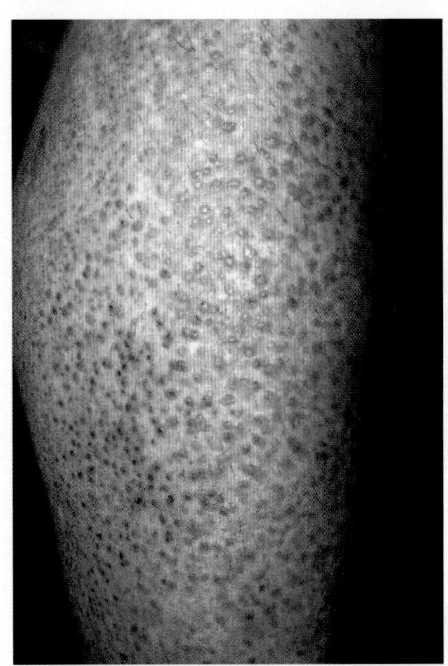

그림 26.16 태선아밀로이드증

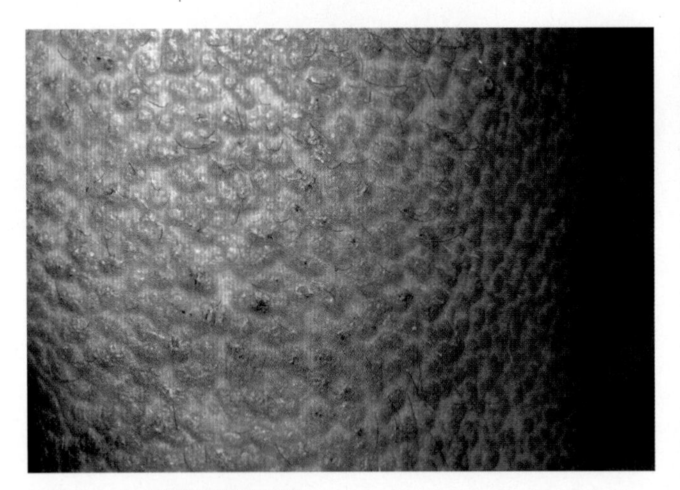

그림 26.17 태선아밀로이드증

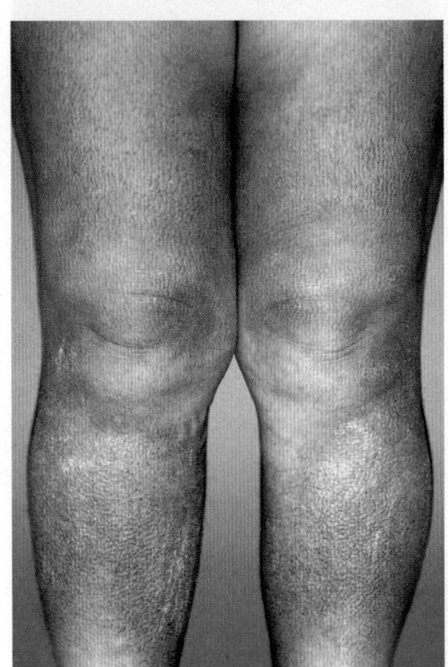

그림 26.18 태선아밀로이드증

그림 26.19 태선아밀로이드증

그림 26.20 결절아밀로이드증

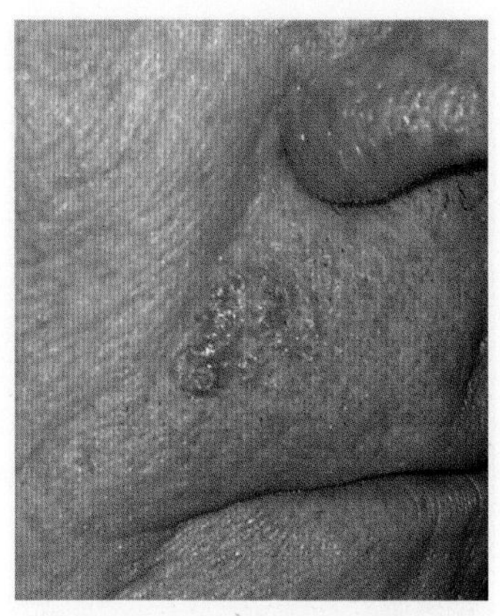

그림 26.21 결절아밀로이드증

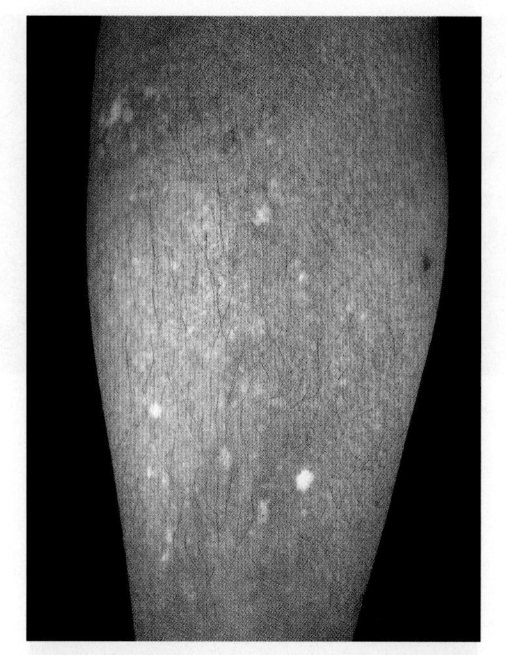

그림 26.22 피부이상변색아밀로이드증

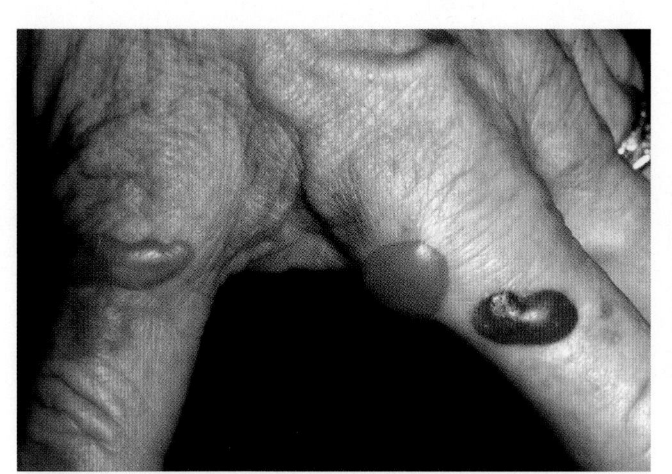

그림 26.23 지연피부포르피린증

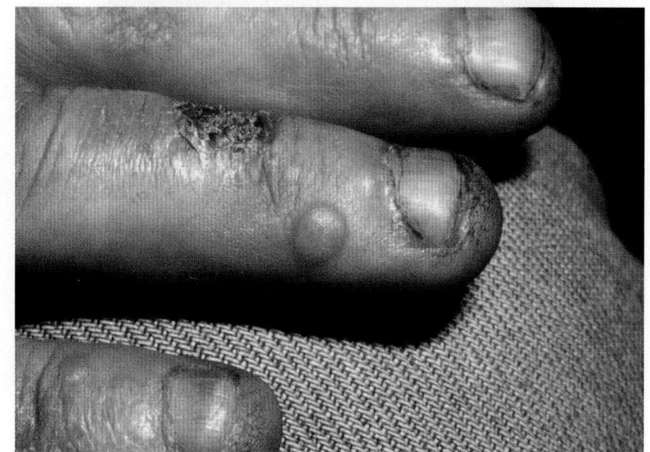

그림 26.24 지연피부포르피린증

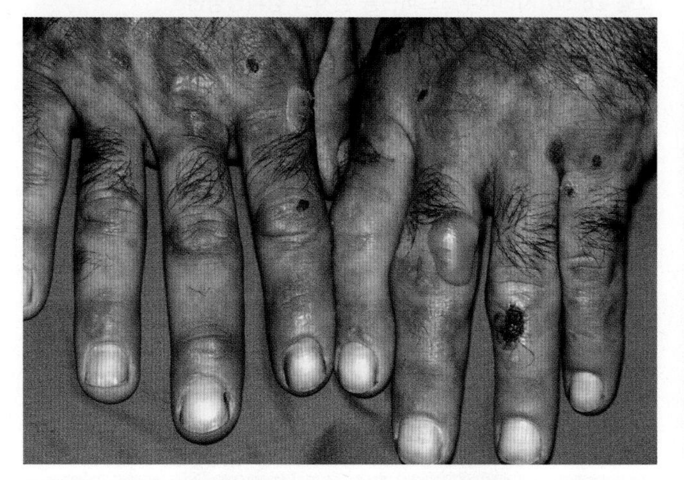

그림 26.25 지연피부포르피린증

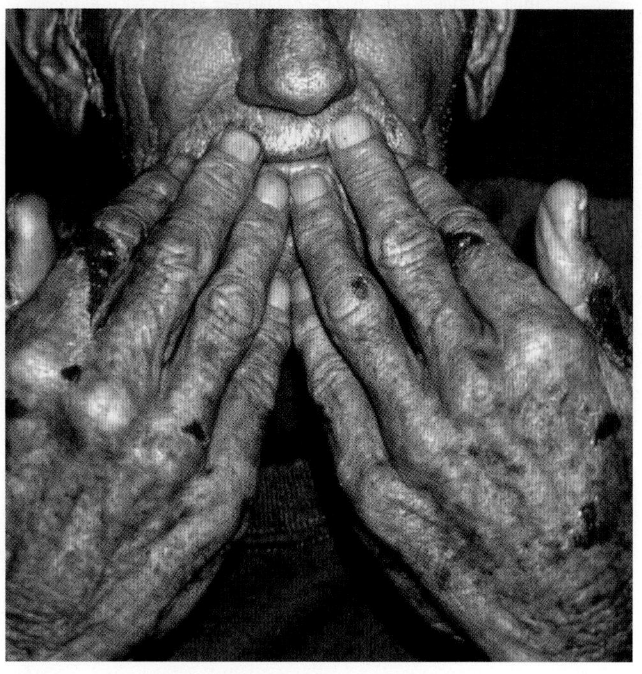

그림 26.26 간암환자의 지연피부포르피린증

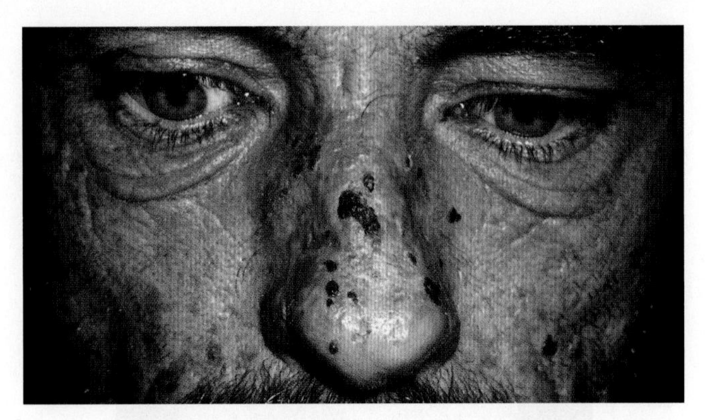

그림 26.27 간암환자의 지연피부포르피린증

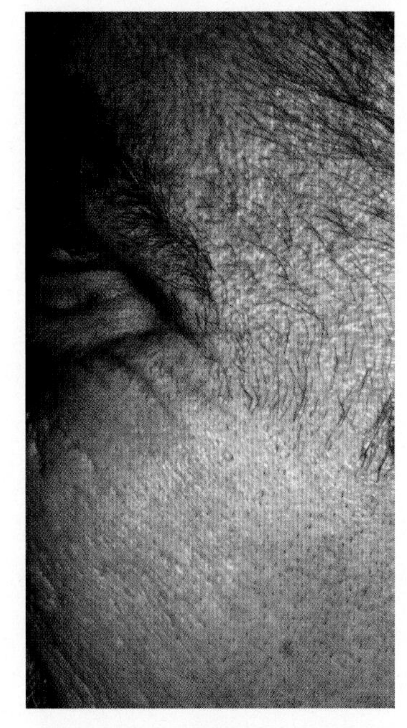

그림 26.28 지연피부포르피린증의 다모증

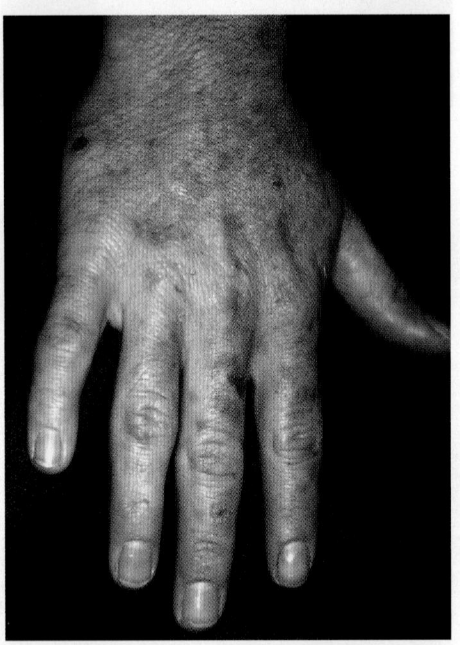

그림 26.29 여드름으로 테트라사이클린을 복용한 16세 소녀에서 나타난 가성지연피부포르피린증

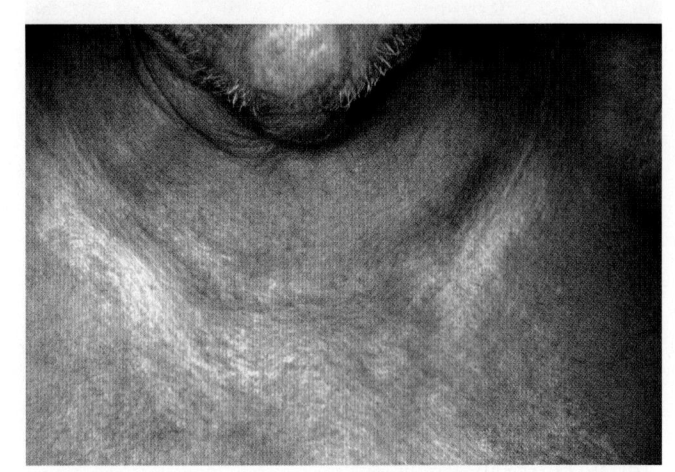

그림 26.30 지연피부포르피린증 환자의 경피양병변

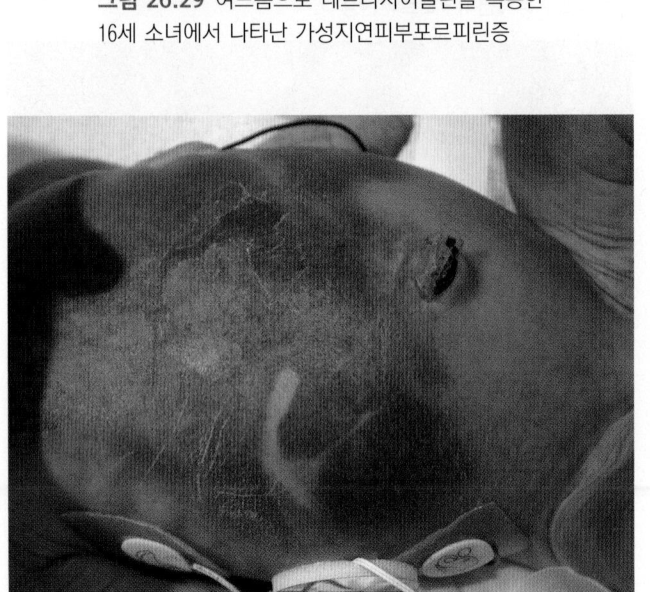

그림 26.31 신생아황달 자외선조사 후 발생한 적혈구생성프로토포르피린증

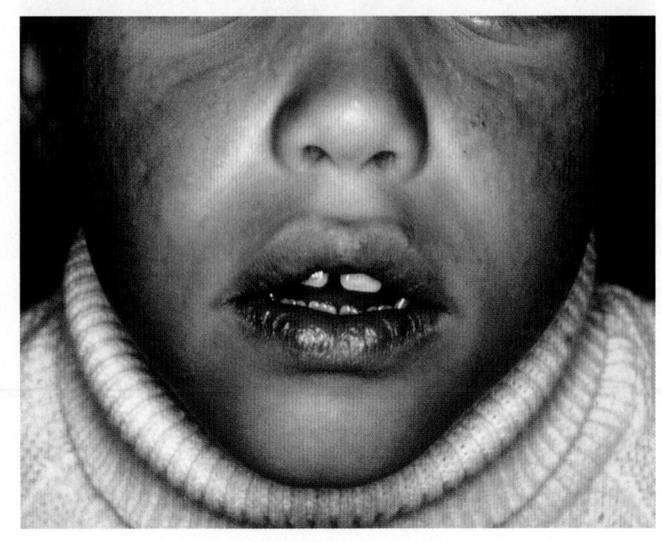

그림 26.32 적혈구생성프로토포르피린증 환자에서 발생한 반흔

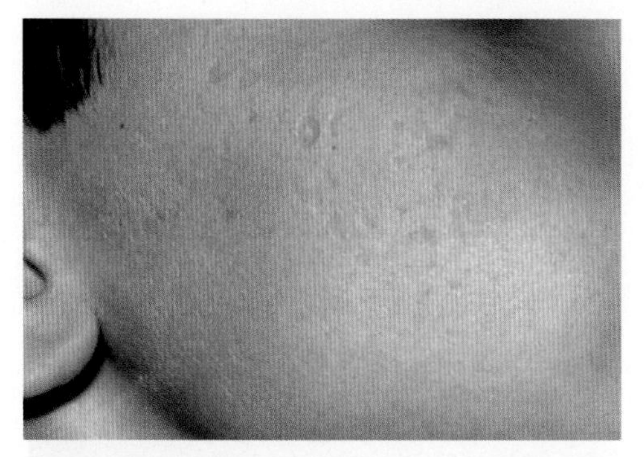

그림 26.33 적혈구생성프로토포르피린증 환자에서 발생한 반흔

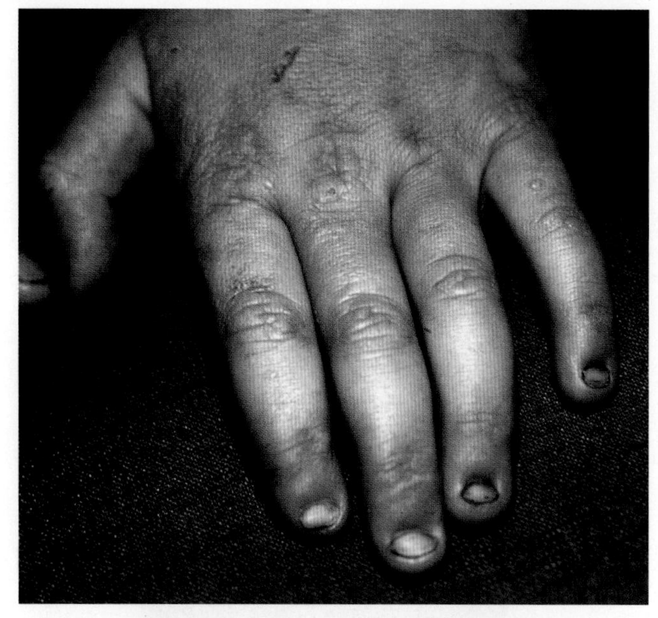

그림 26.34 적혈구생성프로토포르피린증 환자에서 발생한 반흔

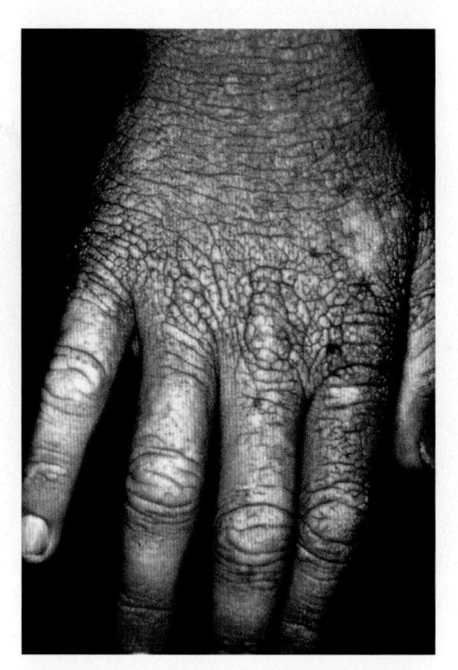

그림 26.35 적혈구생성프로토포르피린증 환자에서 발생한 반흔, 비후, 자갈양피부

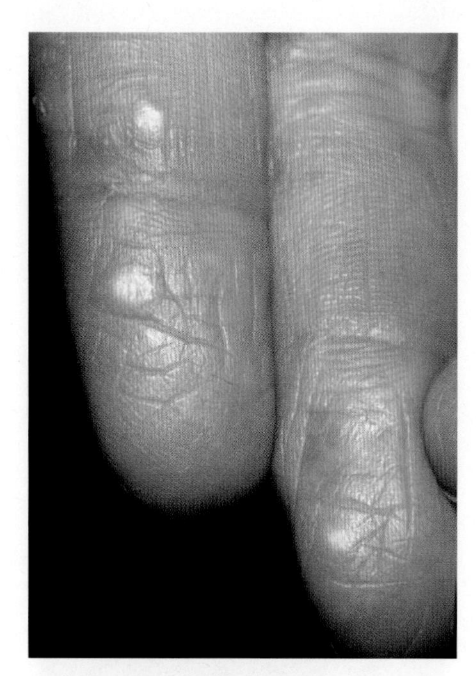

그림 26.36 퇴행위축피부석회증

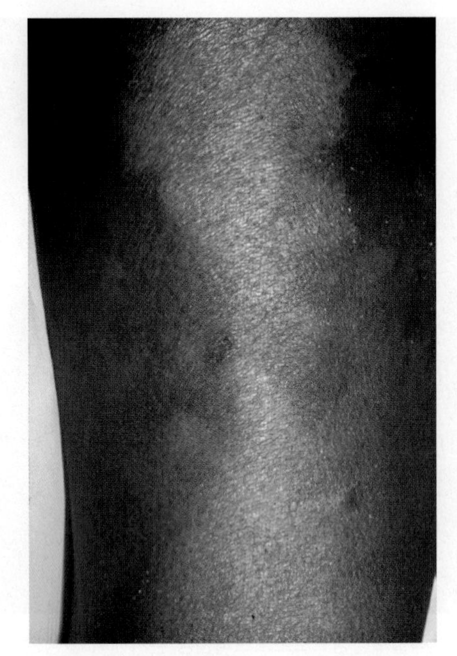

그림 26.37 칼시필락시스

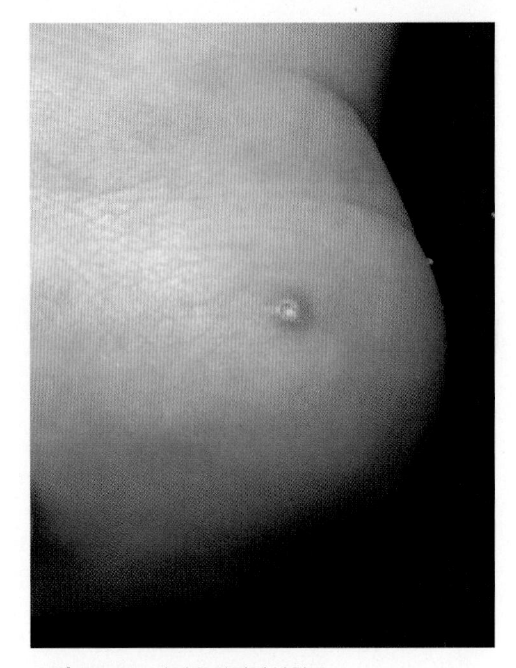

그림 26.38 발뒤꿈치찔림석회증

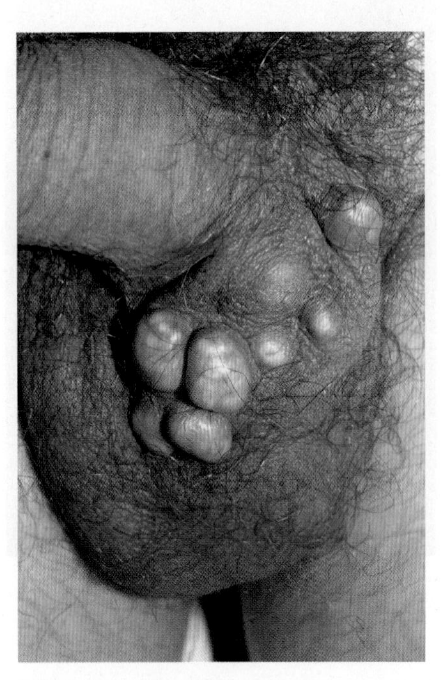

그림 26.39 음낭석회증

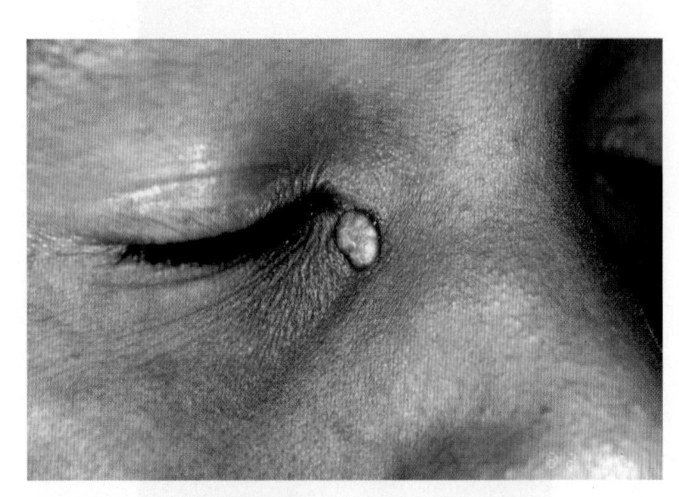

그림 26.40 표피하석회화결절

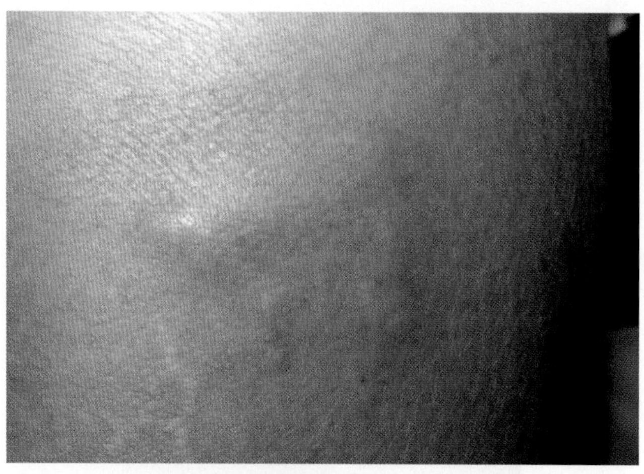

그림 26.41 피부석회증

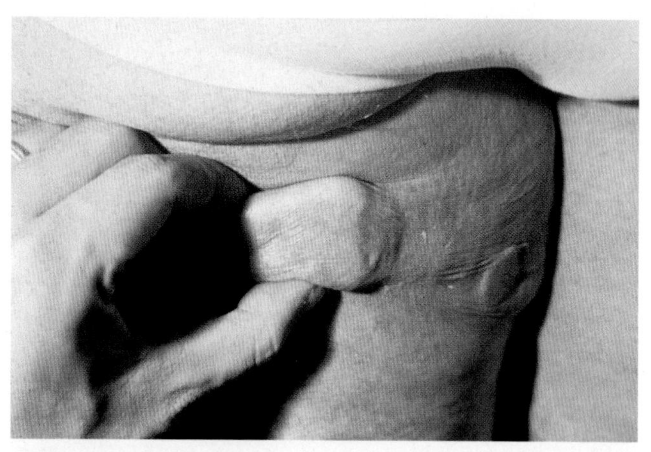

그림 26.42 종양피부석회증

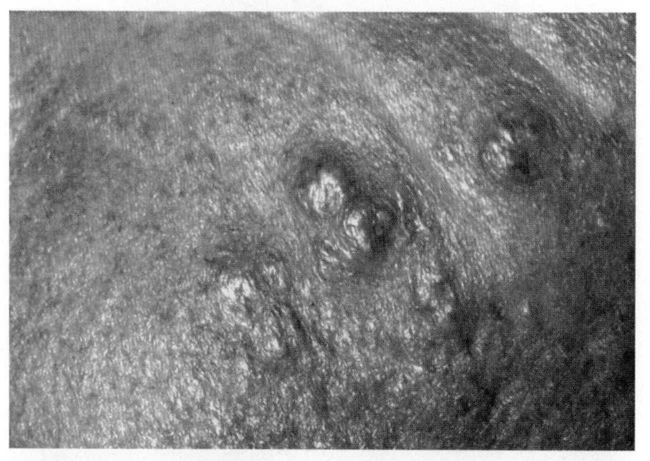

그림 26.43 여드름반흔에 발생한 피부골종

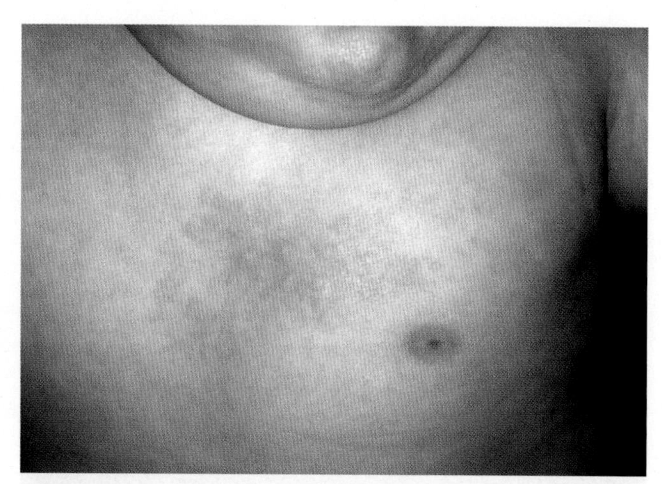

그림 26.44 피부골종

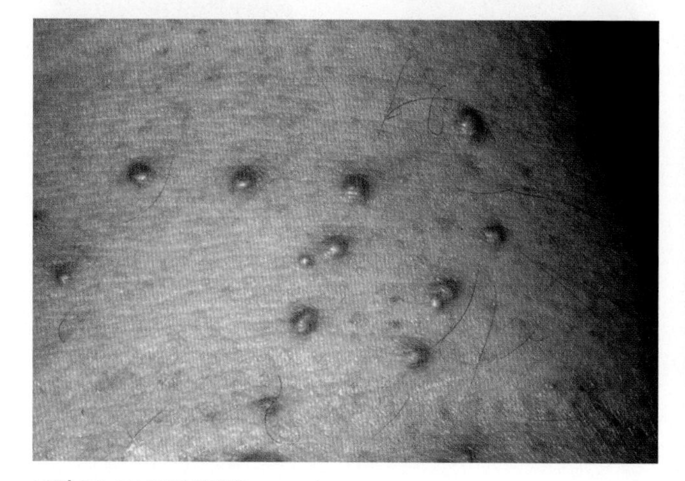

그림 26.45 발진황색종

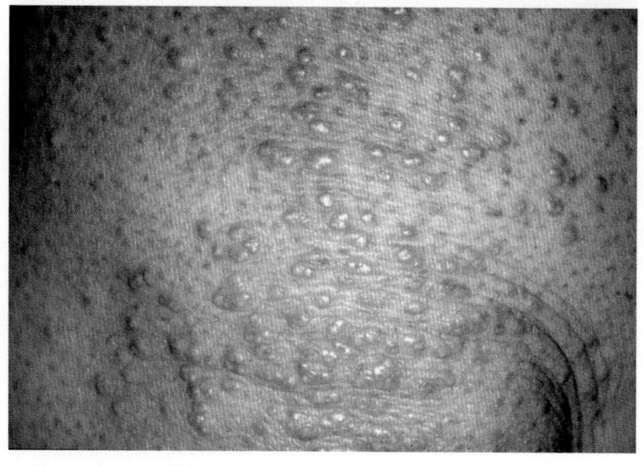

그림 26.46 발진황색종

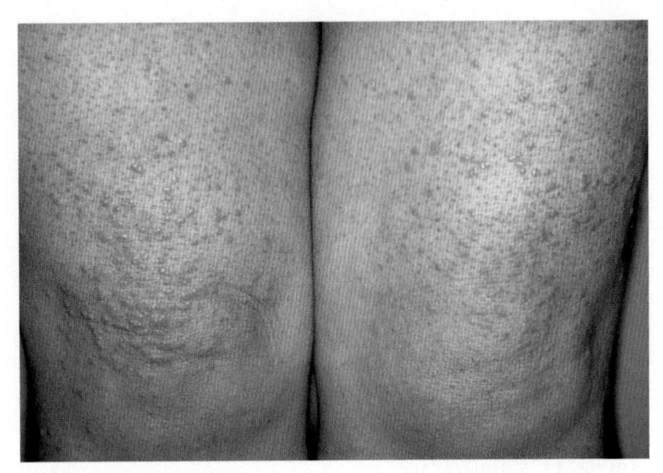

그림 26.47 발진황색종

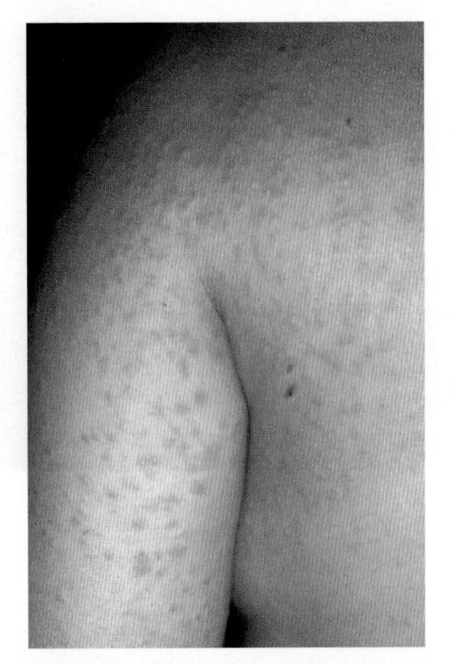

그림 26.48 제1형 고지혈증발진황색종

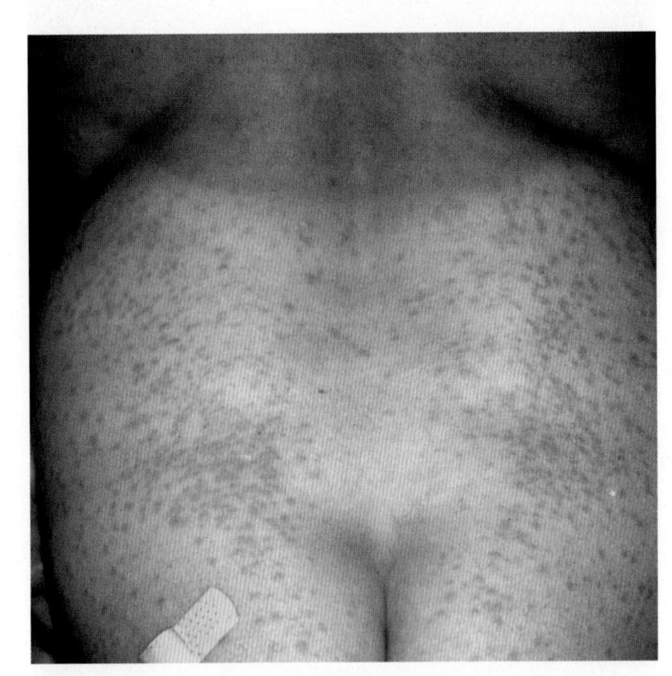

그림 26.49 제1형 고지혈증발진황색종

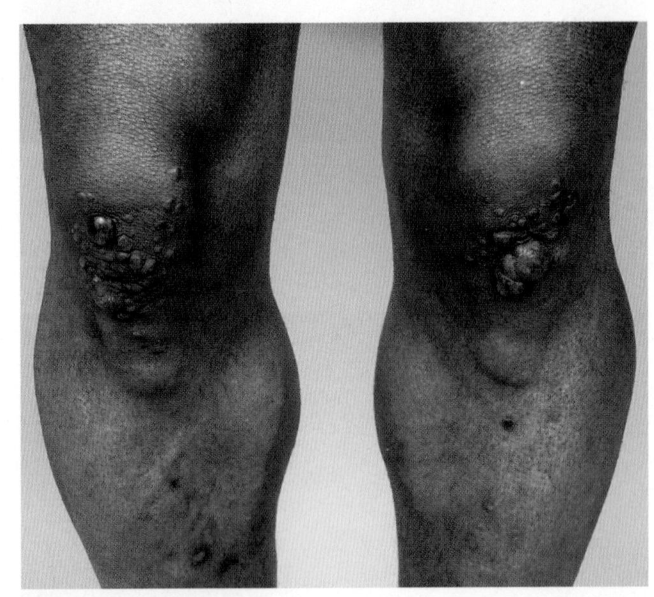

그림 26.50 결절황색종

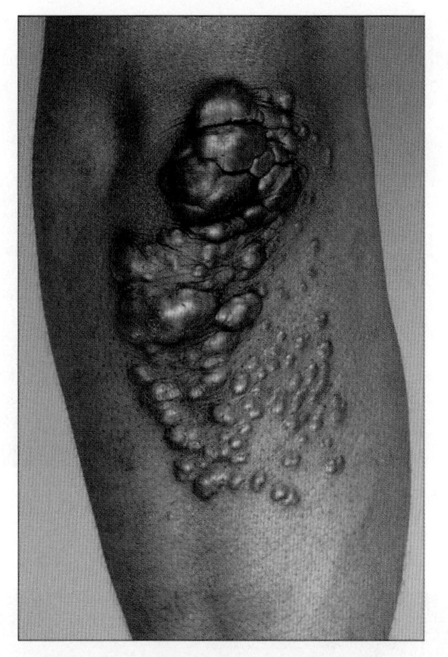
그림 26.51 결절황색종

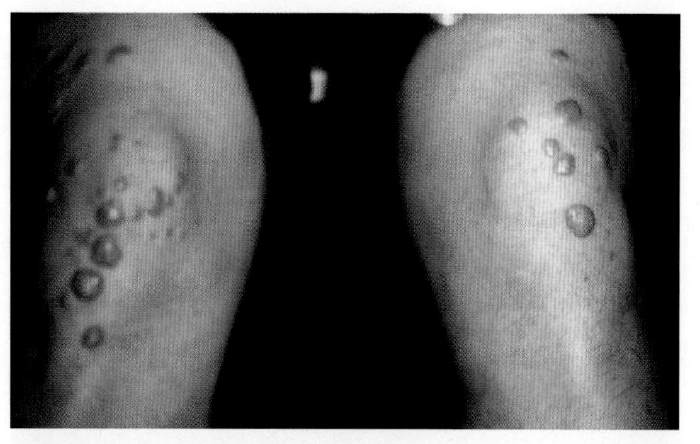
그림 26.52 결절황색종

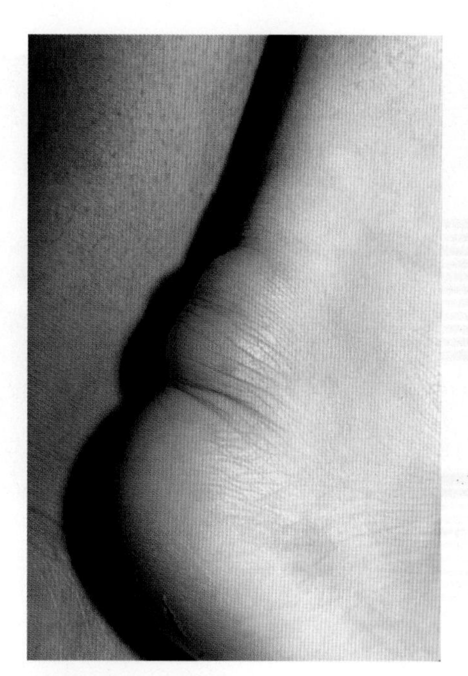
그림 26.54 건황색종

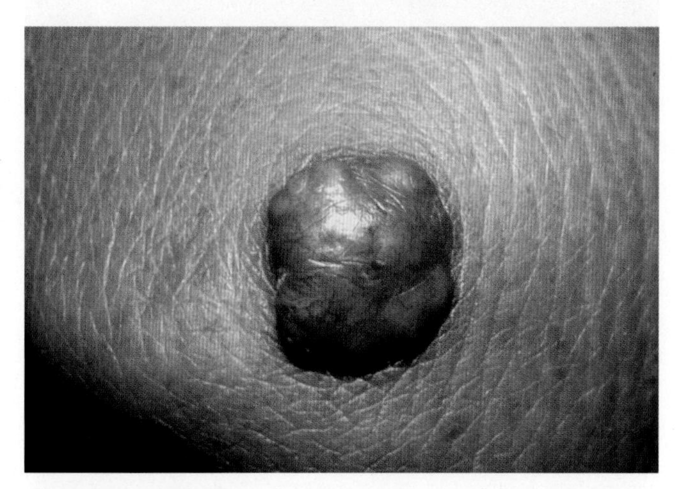
그림 26.53 결절황색종

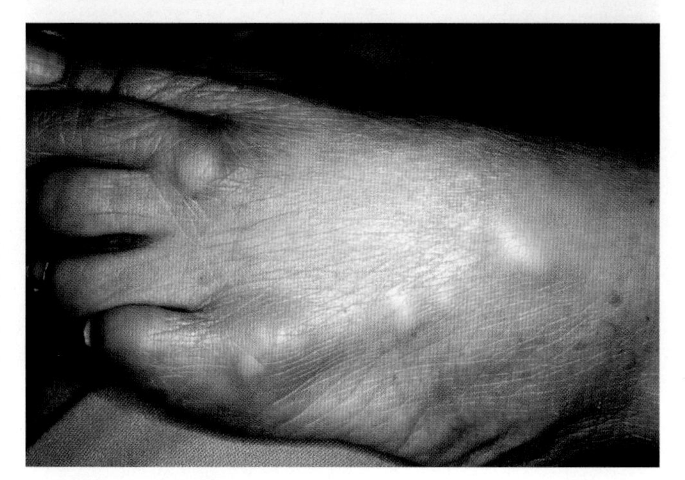
그림 26.55 건황색종

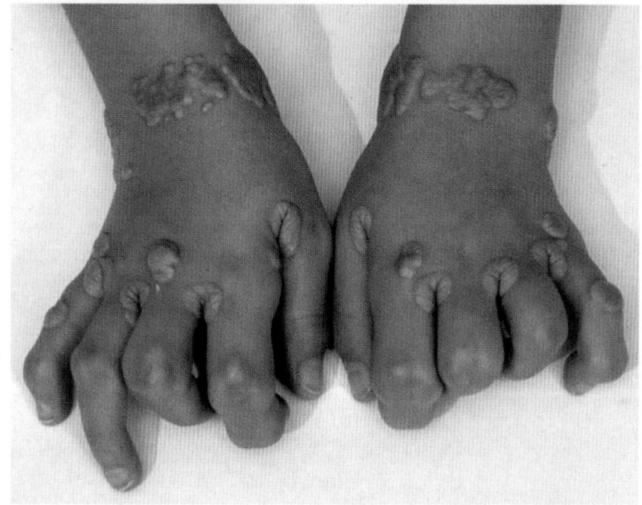
그림 26.56 동종접합고콜레스테롤혈증에서 나타난 간찰부 황색종

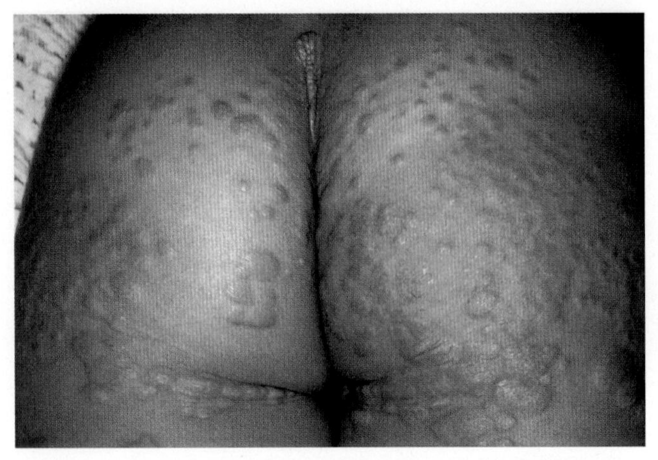

그림 26.57 동종접합고콜레스테롤혈증에서 나타난 간찰부 황색종

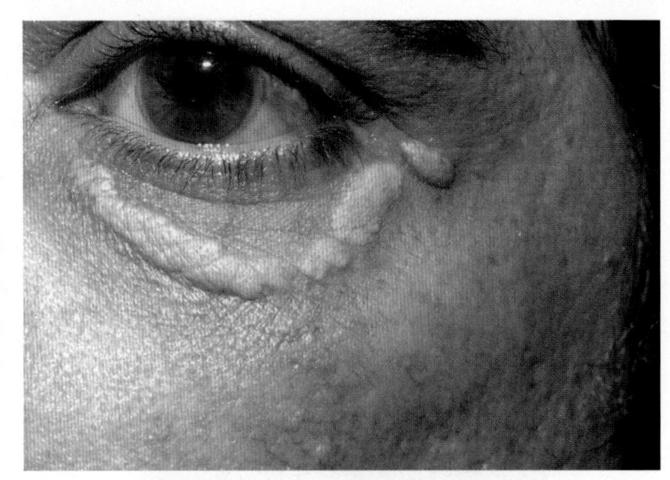

그림 26.58 안검황색종

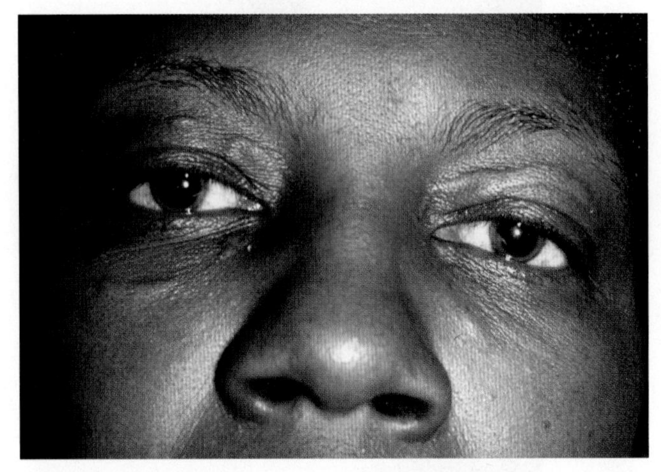

그림 26.59 안검황색종

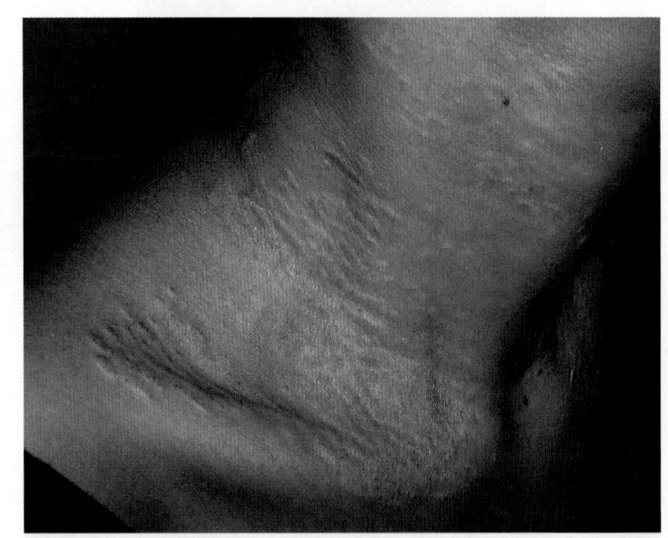

그림 26.60 편평황색종

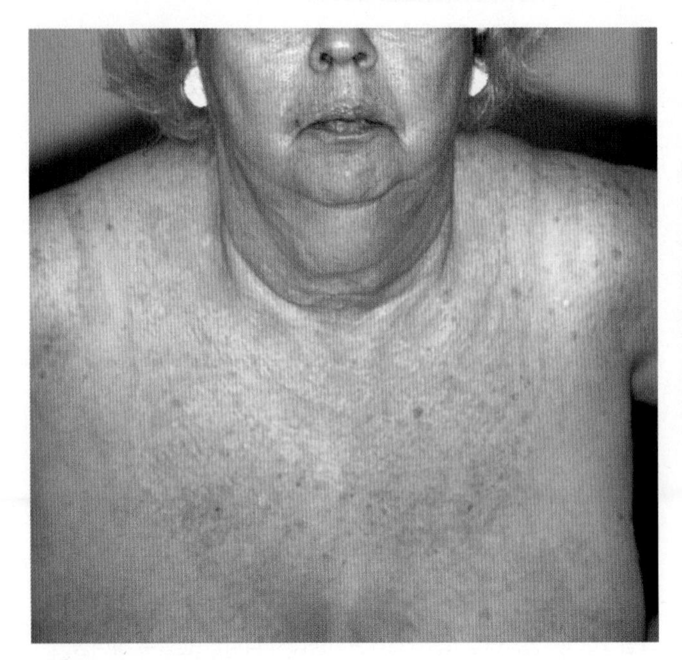

그림 26.61 편평황색종

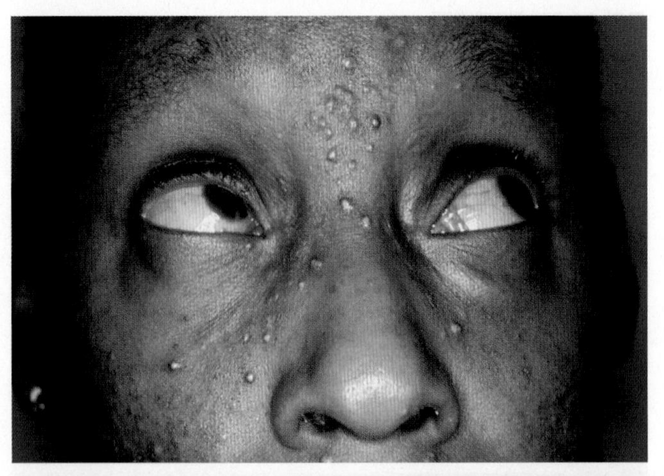

그림 26.62 원발성담관간경화에 발생한 결절발진황색종

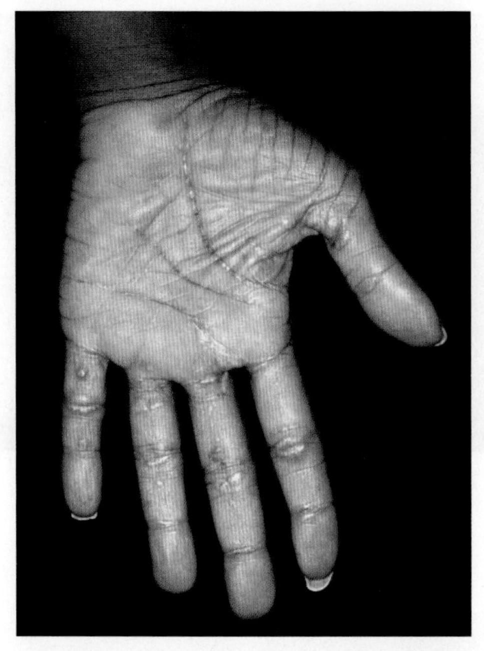

그림 26.63 담관간경화환자의 손바닥황색종

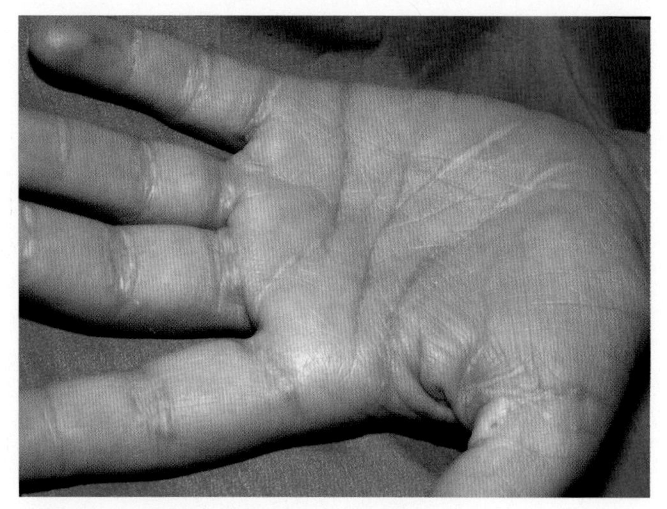

그림 26.64 담관간경화환자의 손바닥황색종

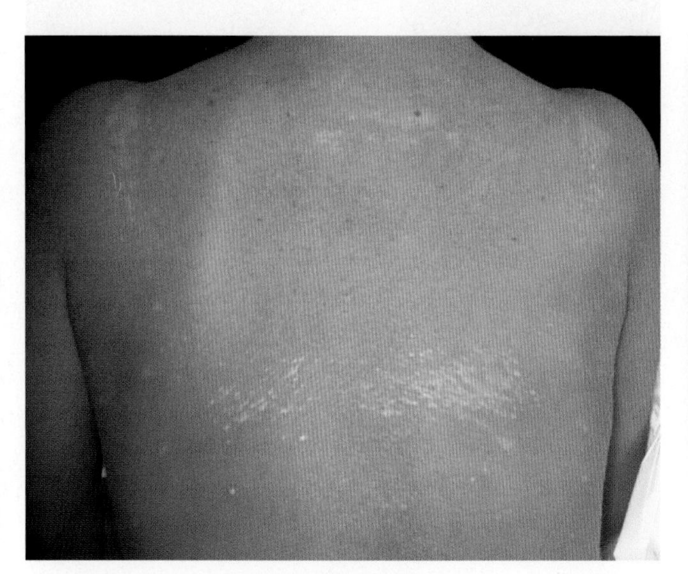

그림 26.65 담관간경화환자의 편평황색종

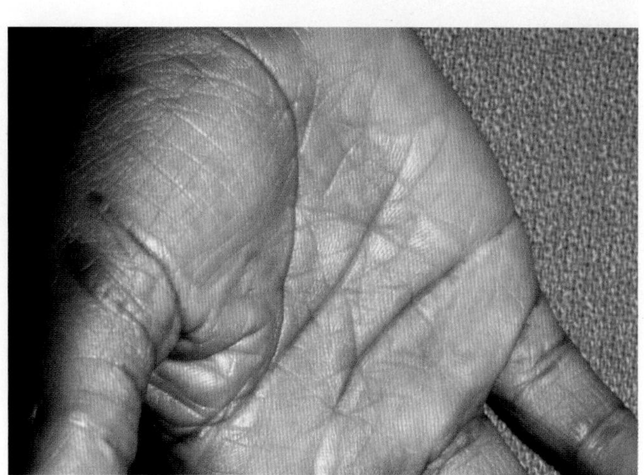

그림 26.66 알라질(Alagille)증후군 환자의 손바닥황색종

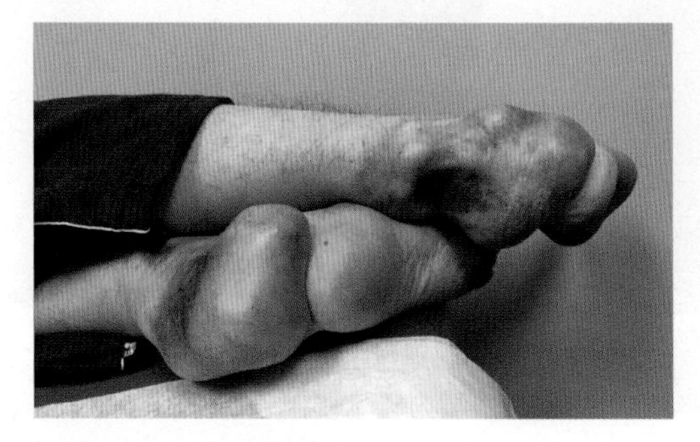

그림 26.67 뇌힘줄황색종

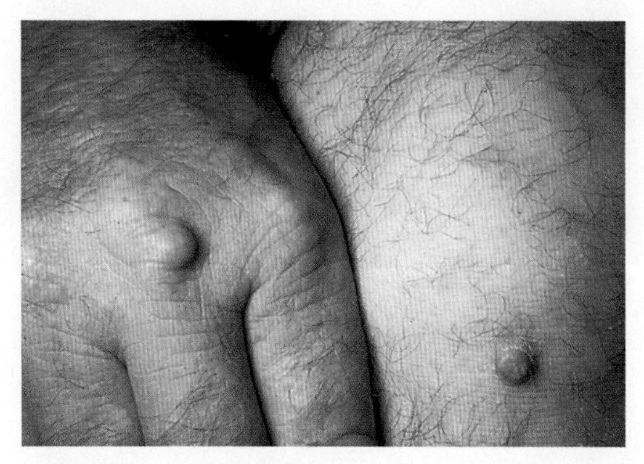

그림 26.68 시토스테롤혈증

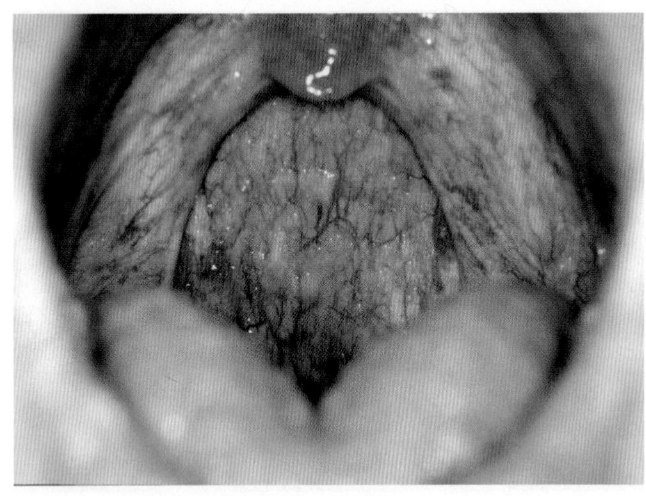

그림 26.69 황색편도를 보이는 탄지에르병

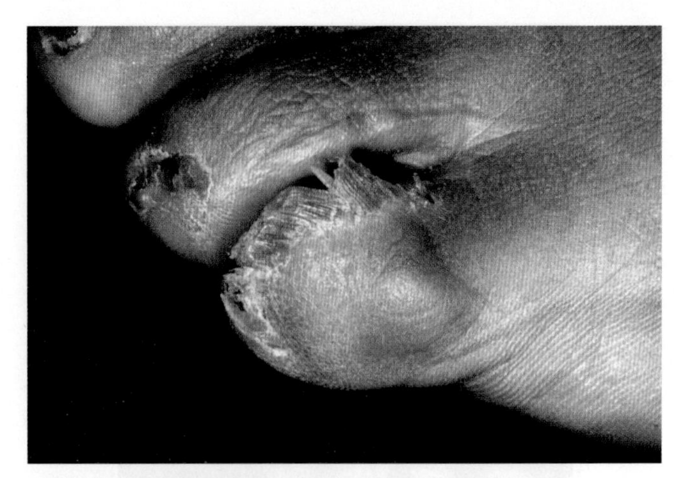

그림 26.70 사마귀모양황색종

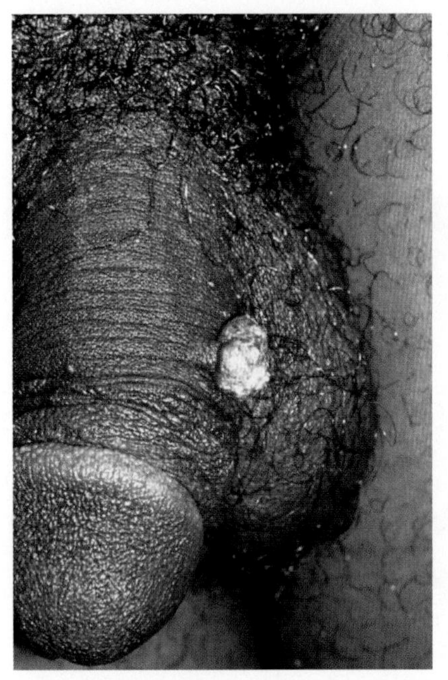

그림 26.71 사마귀모양황색종

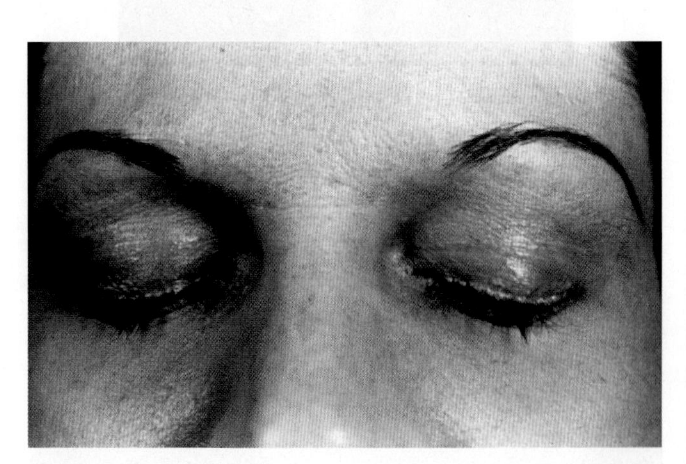

그림 26.72 유사지질단백증

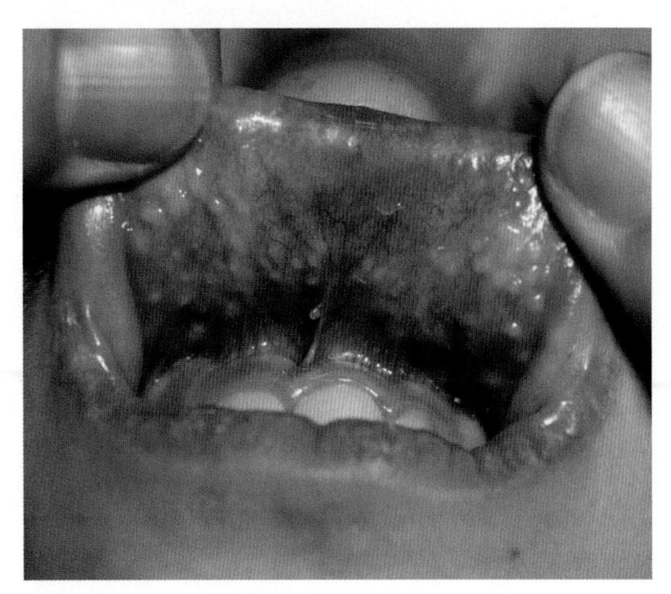

그림 26.73 유사지질단백증

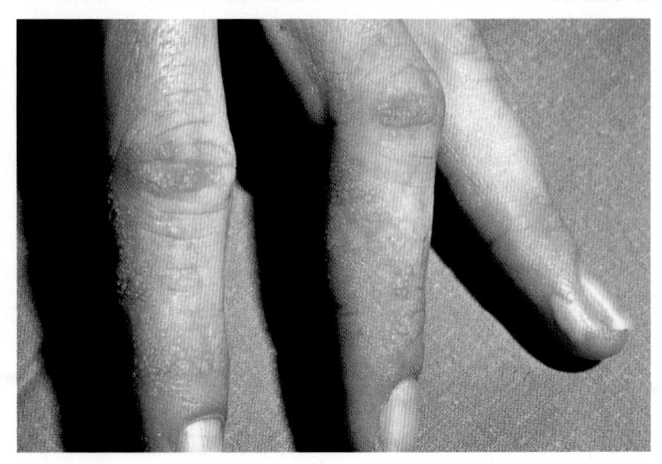

그림 26.74 유사지질단백증

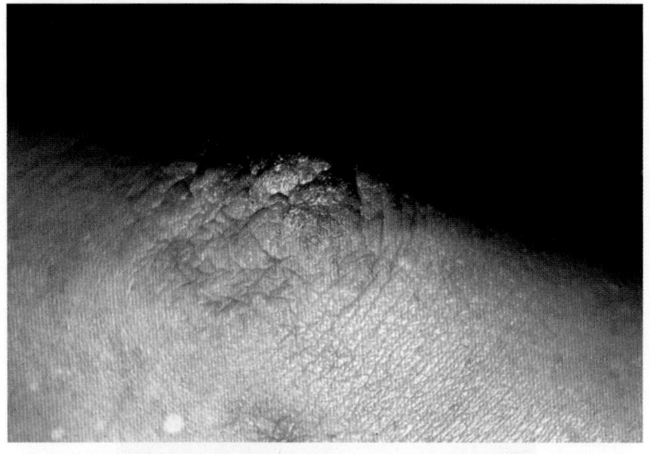

그림 26.75 유사지질단백증

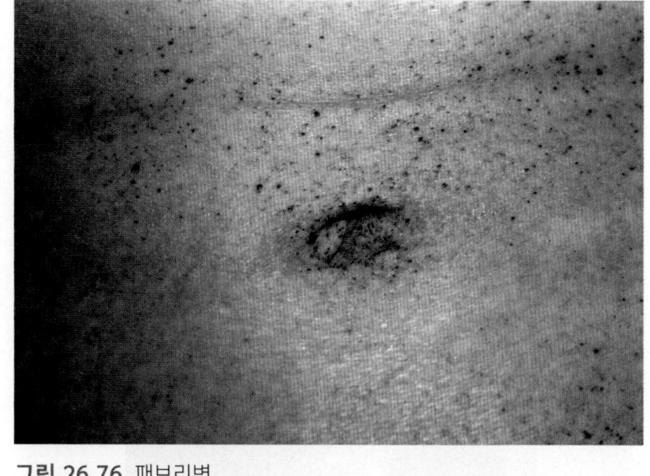

그림 26.76 패브리병

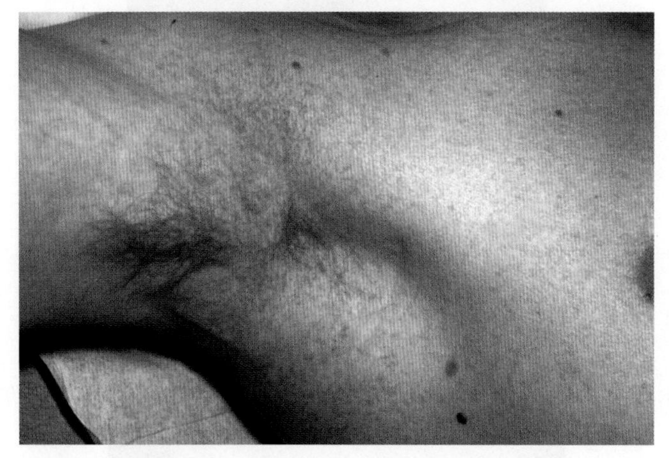

그림 26.77 패브리병

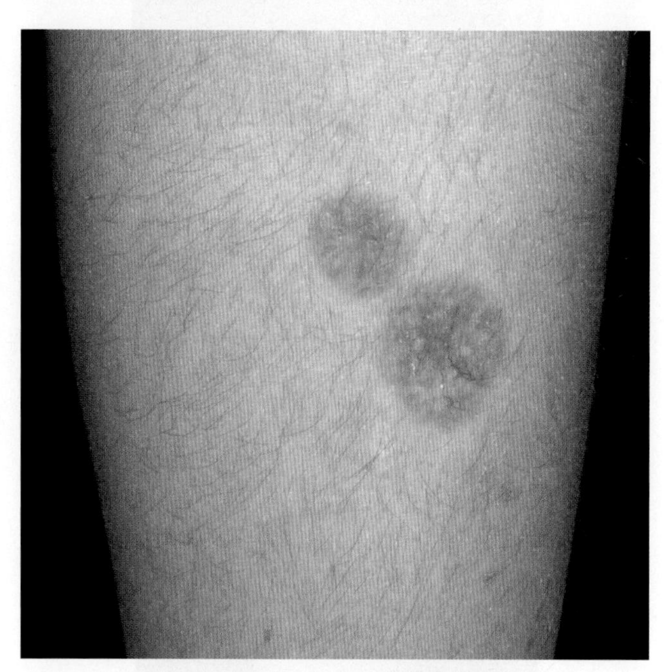

그림 26.78 지방생괴사

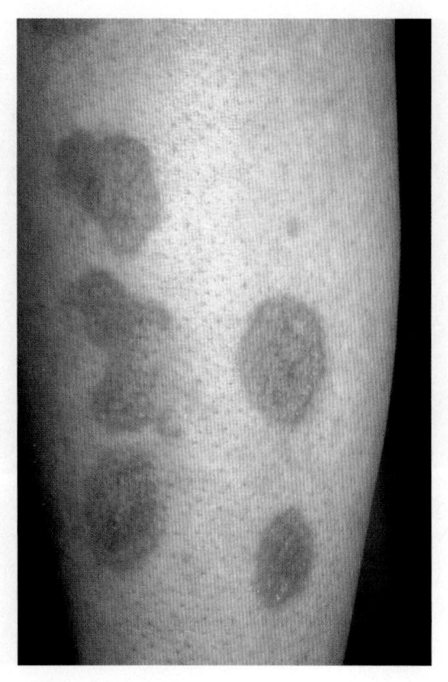

그림 26.79 지방생괴사

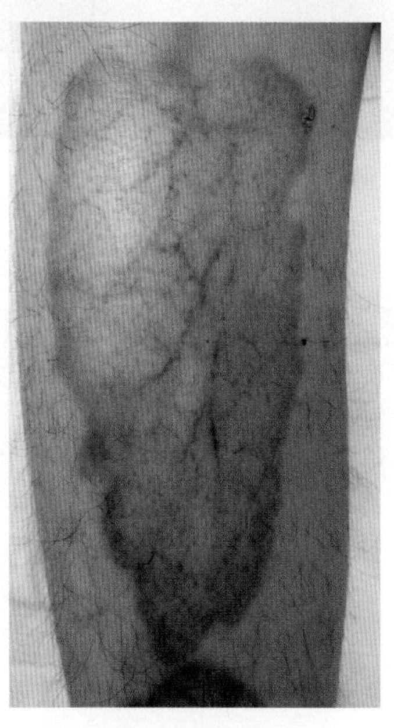

그림 26.80 지방생괴사

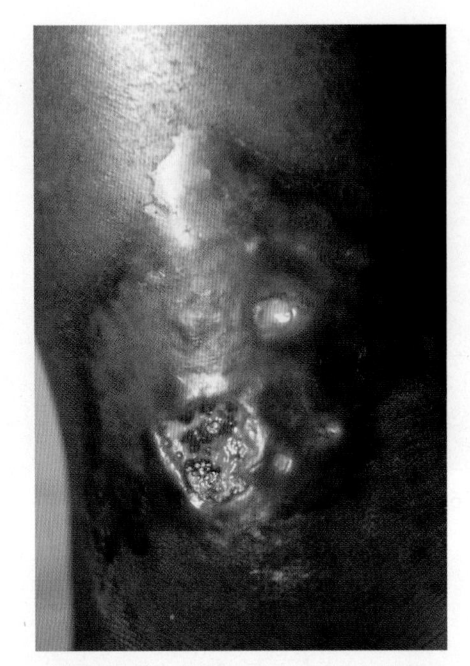

그림 26.81 지방생괴사

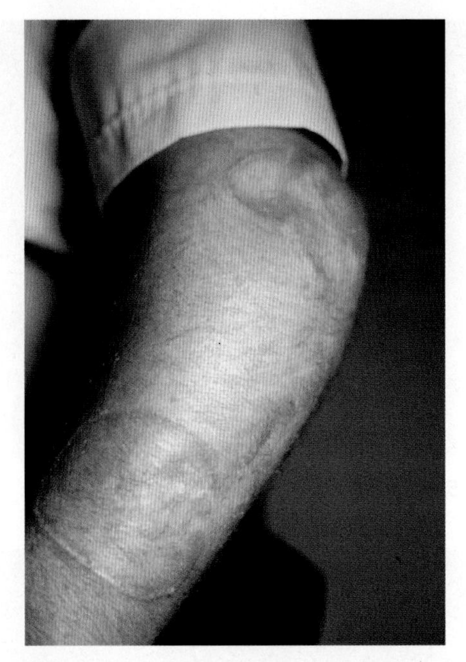

그림 26.82 지방생괴사

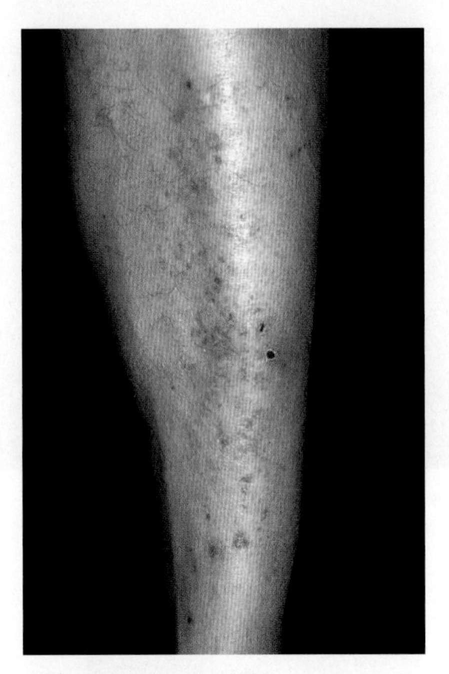

그림 26.83 당뇨피부병증

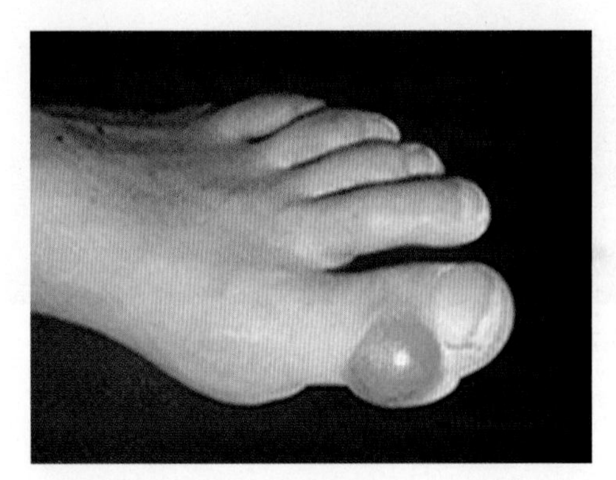

그림 26.84 수포당뇨피부병증

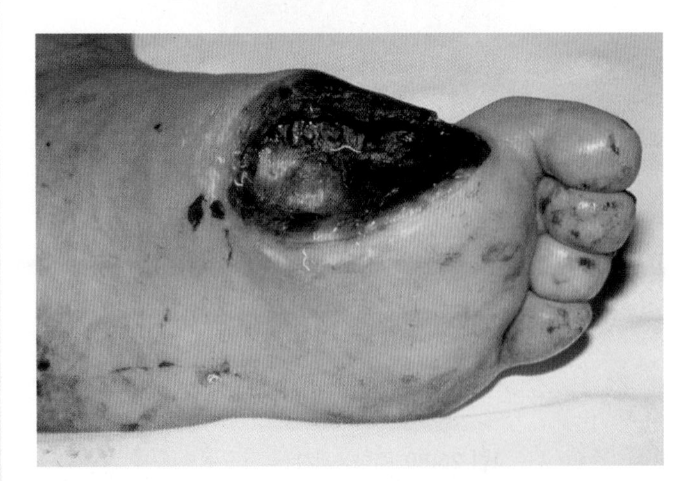

그림 26.85 당뇨괴저

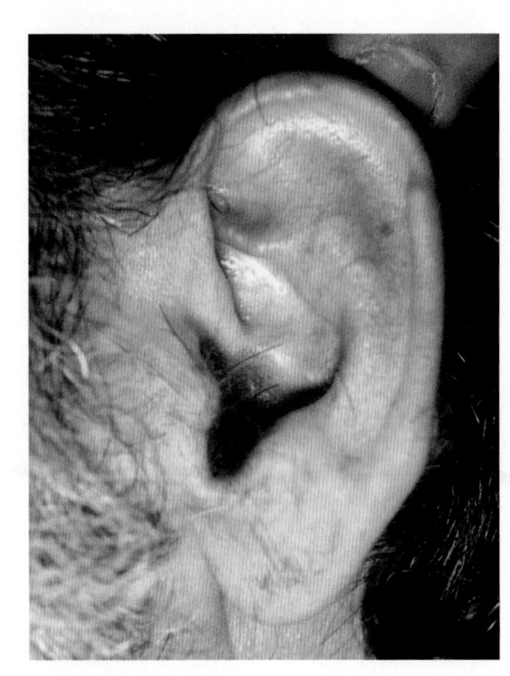

그림 26.86 알캅톤뇨증

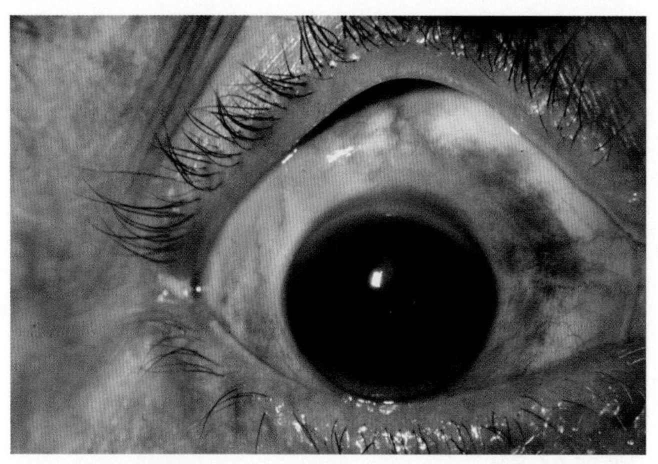

그림 26.87 알캅톤뇨증

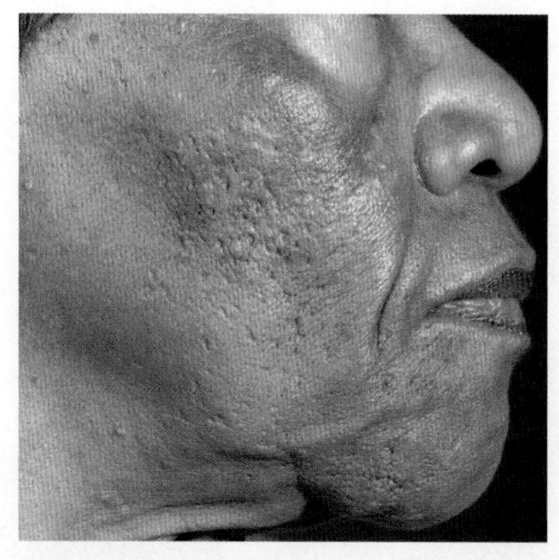

그림 26.88 외인성갈색증

그림 26.89 외인성갈색증

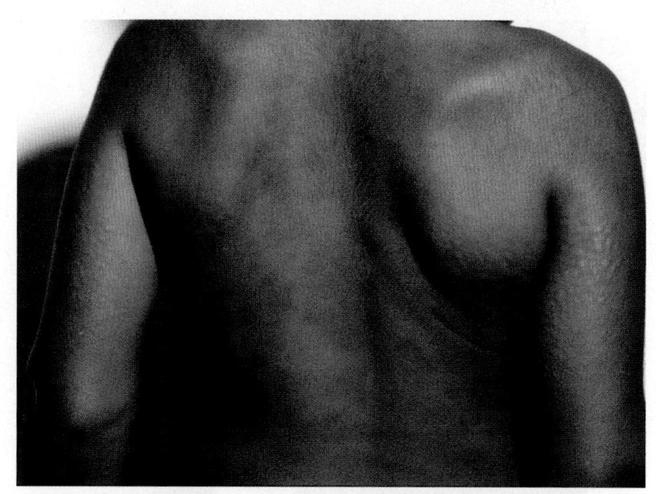

그림 26.90 헌터증후군

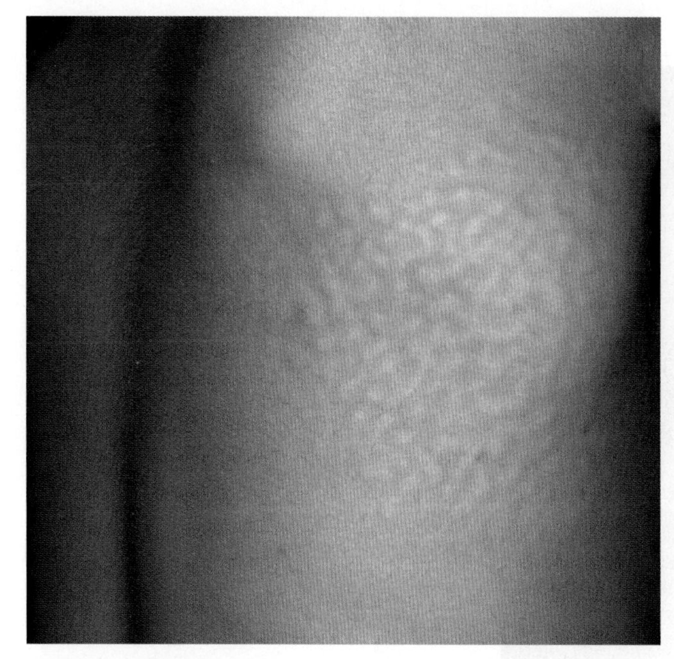

그림 26.91 헌터증후군

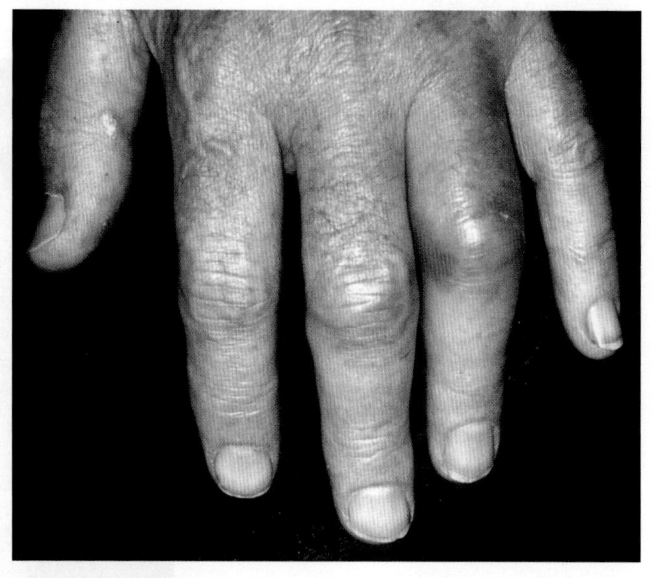

그림 26.92 통풍

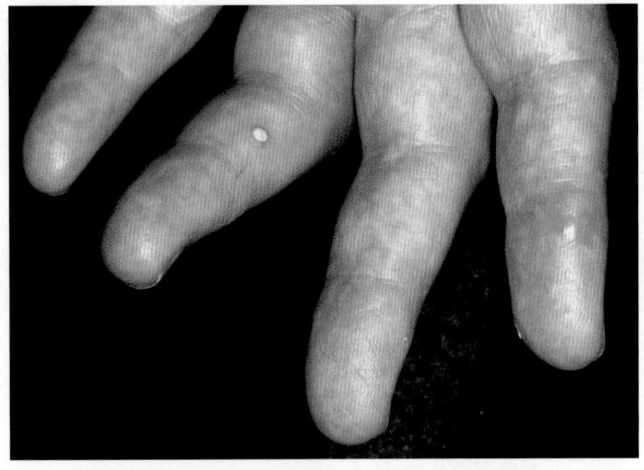

그림 26.93 통풍

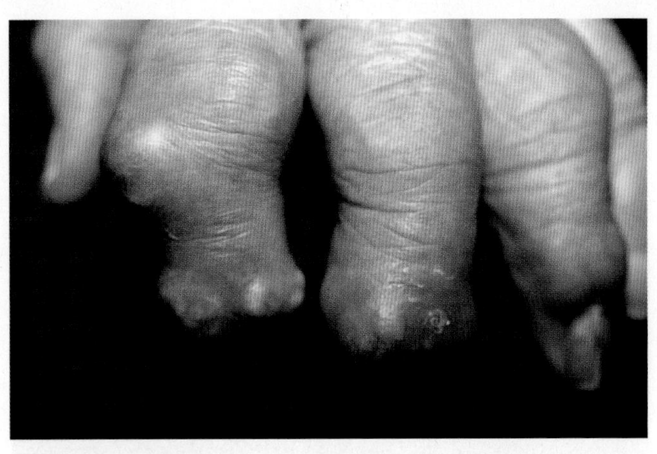

그림 26.94 통풍

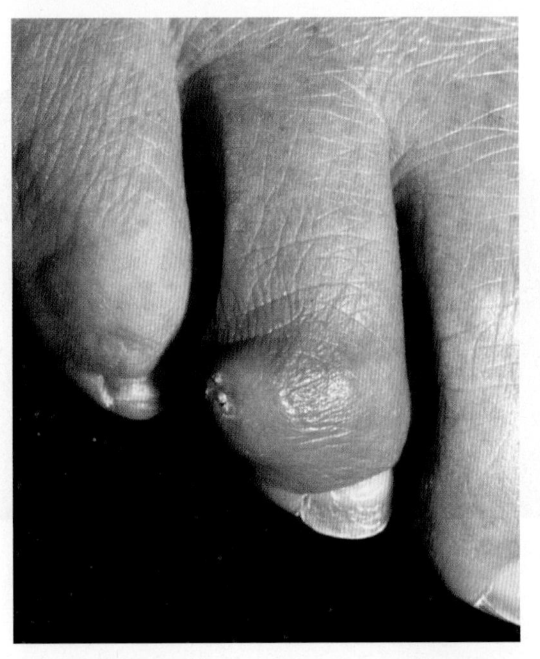

그림 26.95 통풍

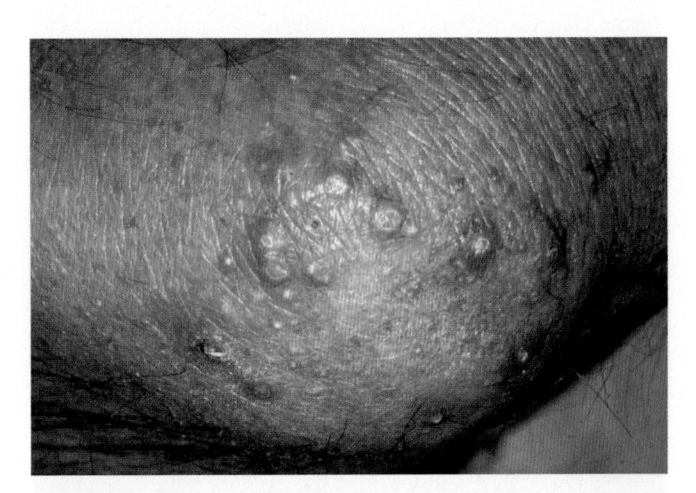

그림 26.96 통풍

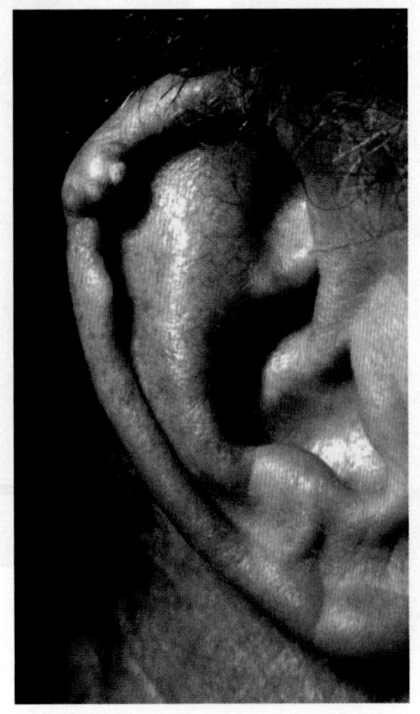

그림 26.97 통풍

유전피부병과 선천기형 27

유전피부질환은 전신소견과 동반되거나 그렇지 않은, 유전적 돌연변이로 인한 다양한 피부상태이다. 새로운 유전자 돌연변이가 빠르게 발견되고 있으며, 많은 경우에 더 확실한 진단을 가능하게 하고 있으나, 신체검사상 현저한 소견을 인지함으로써 더 방향성을 가진 유전검사가 가능하다.

약한 피부를 가진 수포표피박리증이나 콜로디온막을 가진 선천성어린선은 출생 시 발현된다. 색소실소증을 시사하는 특징적인 블라쉬코선의 소수포 및 사마귀모양의 피부발진은 신생아기에 나타난다. 결절경화증 또는 신경섬유종증은 각각 혈관섬유종 또는 신경섬유종을 나타내는 소아기에 발병한다. 다른 유전피부병은 사춘기나 이른 성인기에 나타나는데, 각화 및 딱지의 구진과 판을 나타내는 다리에병과 망상의 미란성 굴측부 판을 보이는 헤리-헤리병(가족만성양성천포창)이다.

광민감반응을 일으키는 유전피부질환으로 모세혈관확장판을 보이는 블룸증후군, 다형피부증을 나타내는 로트문트-톰슨증후군, 흑자, 일광손상, 색소성건피증의 조기피부암이 있다.

이들 질환을 완벽히 평가하기 위해서는 모발, 조갑, 점막, 치아를 조사하여야 한다. 관련증상을 찾는 것이 중요한데, 외배엽형성이상의 발한소실, 표피모반증후군 혹은 결절경화증에 나타나는 발육지연 및 경련이다. 마지막으로 가족력은 유전양상을 결정하거나 유전검사의 범위를 줄이는 데 유용하다.

이 장은 광범위한 유전피부질환과 선천기형을 포함하는데 이는 임상가들에게 이들 질환을 감별하고 필요시 유전검사의 지침을 제시할 것이다.

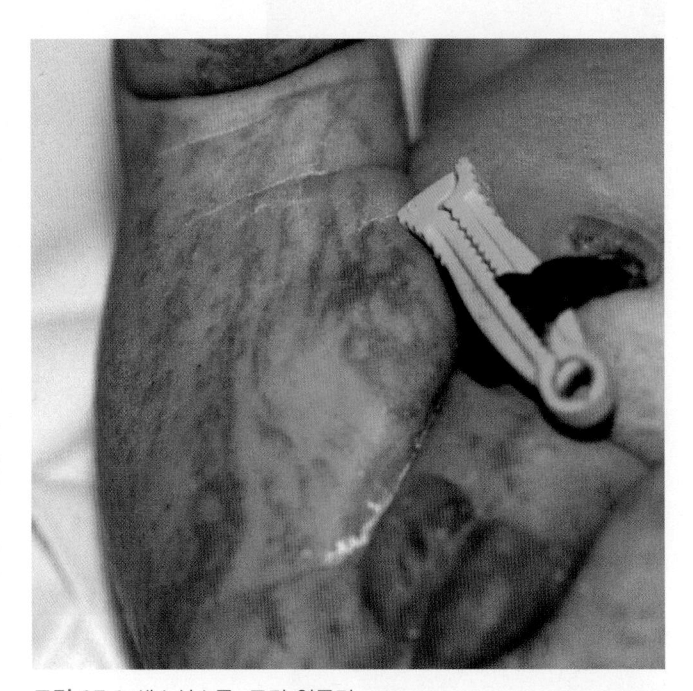

그림 27.1 색소실소증, 조기 염증기

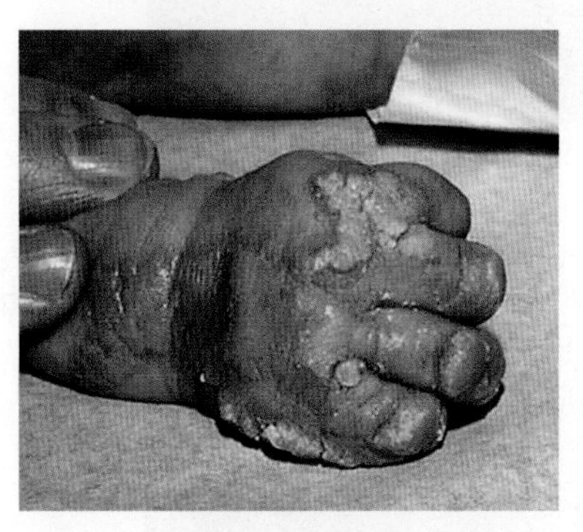

그림 27.2 사마귀모양 병변을 가진 색소실소증

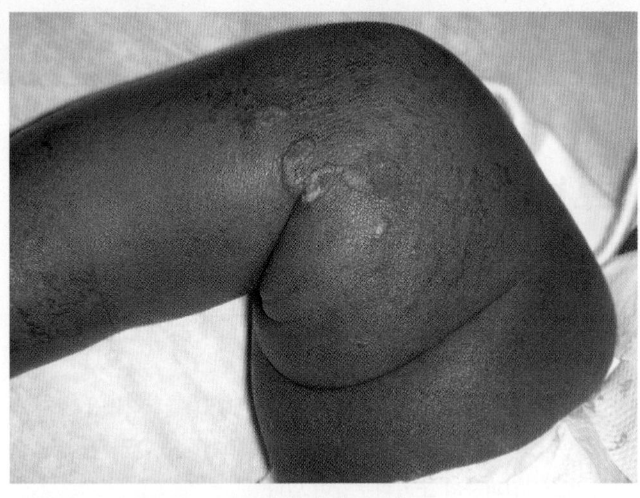

그림 27.3 사마귀모양 병변을 가진 색소실소증

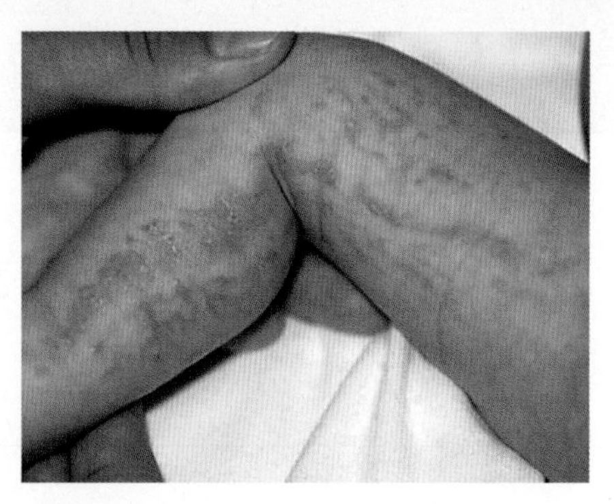

그림 27.4 색소병변을 가진 색소실소증

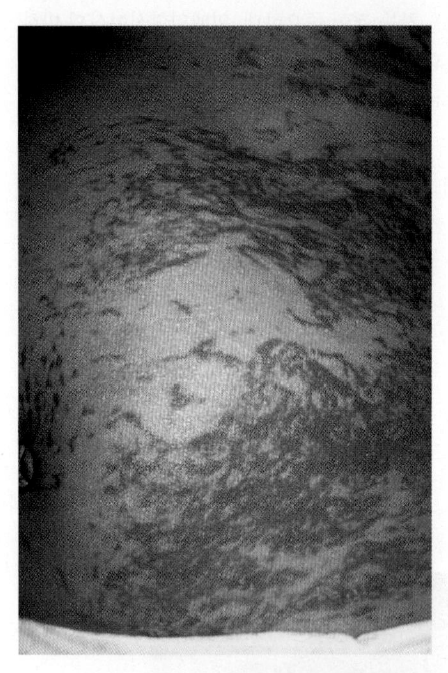

그림 27.5 색소병변을 가진 색소실소증

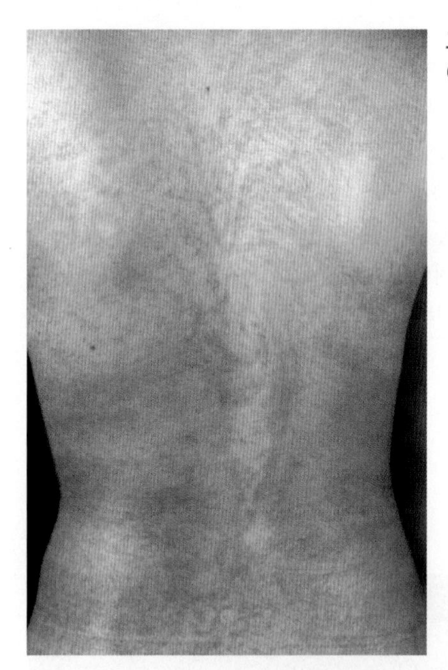

그림 27.6 색소성모자이크현상(이토멜라닌저하증)

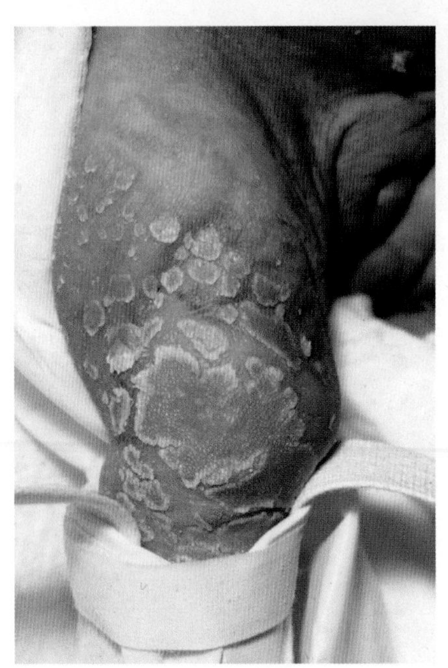

그림 27.7 콘라디-휴어만 증후군

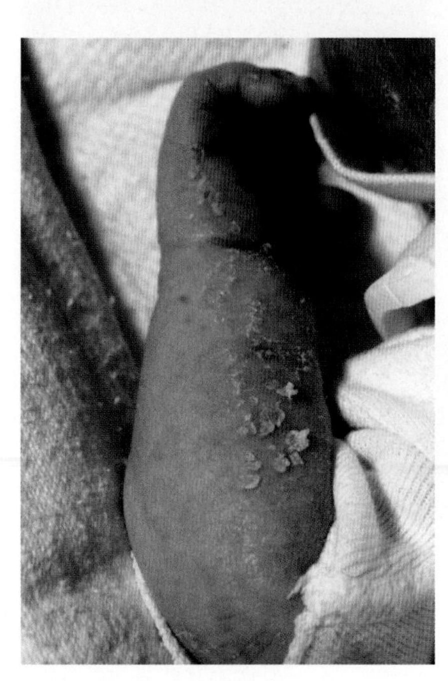

그림 27.8 콘라디-휴어만 증후군

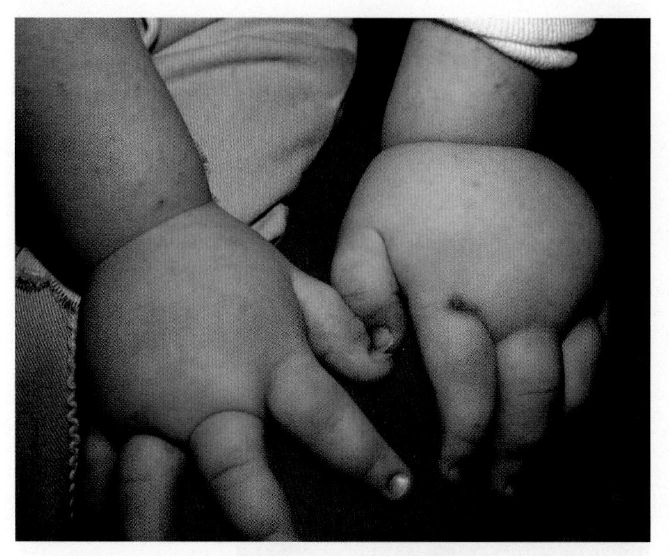
그림 27.9 선천성림프부종을 보이는 터너 증후군

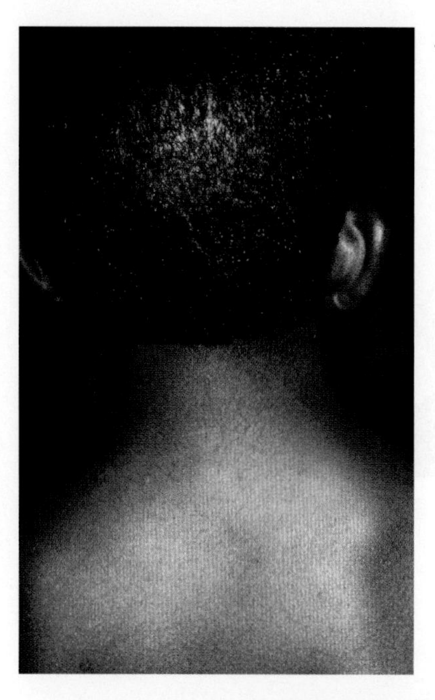
그림 27.10 누난증후군

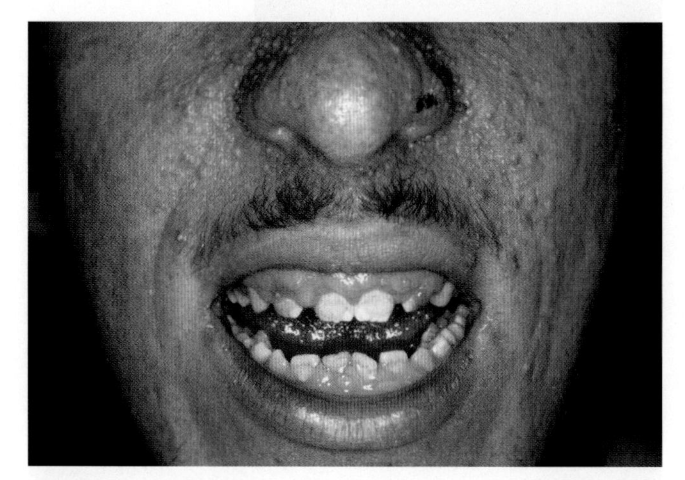
그림 27.11 림프부종과 유미방출을 보이는 누난 증후군

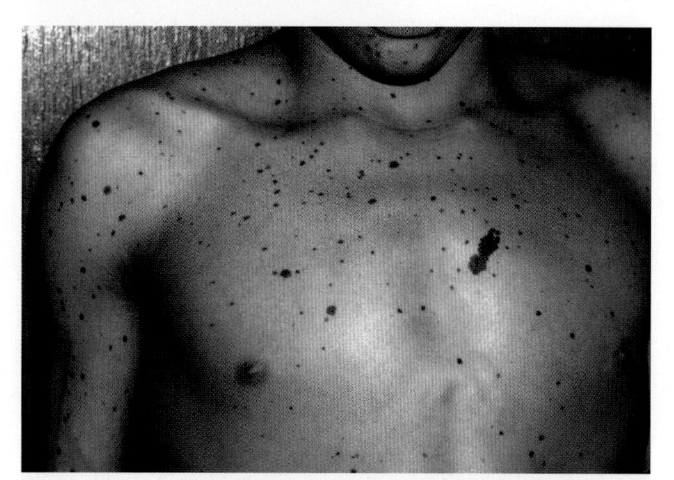
그림 27.12 다발성흑자를 보이는 누난 증후군(LEOPARD 증후군)

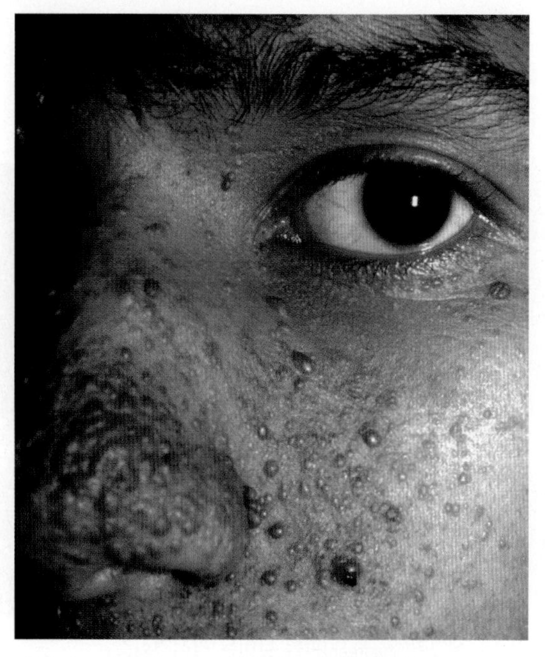
그림 27.13 혈관섬유종을 보이는 결절경화증

그림 27.14 혈관섬유종을 보이는 결절경화증

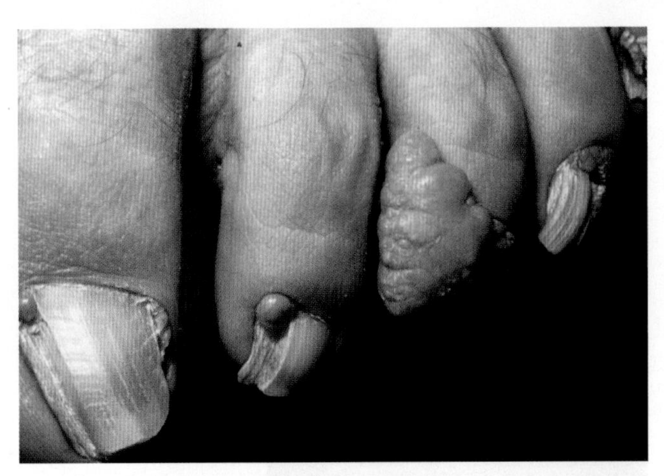

그림 27.15 조갑주위섬유종을 보이는 결절경화증

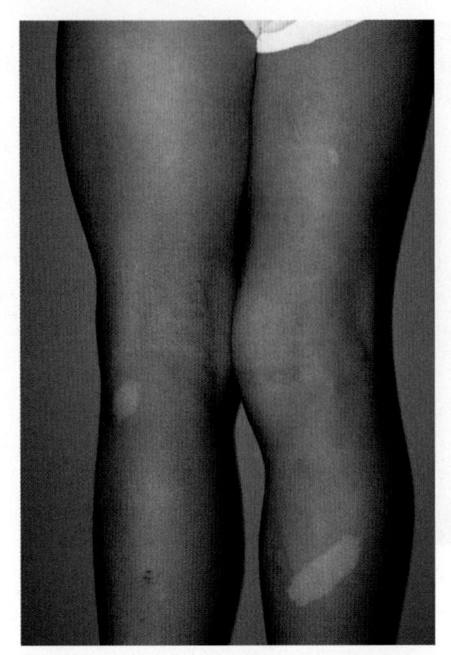

그림 27.16 저색소반(Ash leaf macule)을 보이는 결절경화증

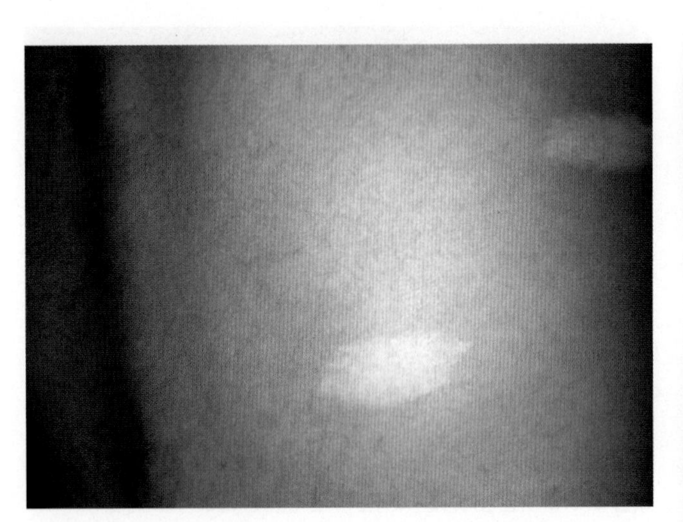

그림 27.17 저색소반(Ash leaf macule)을 보이는 결절경화증

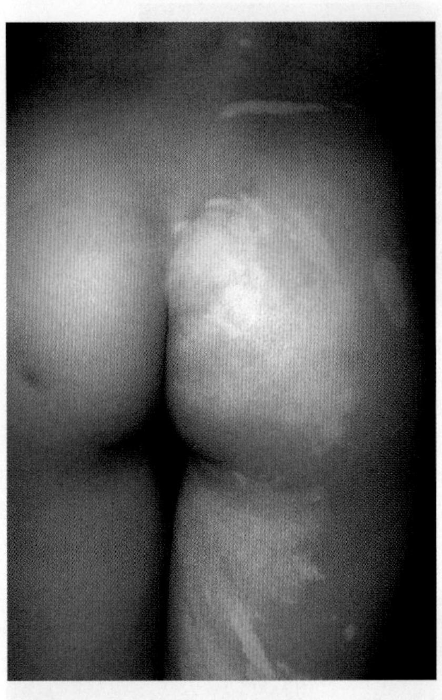

그림 27.18 화필형(Paintbrush-type) 백색선을 보이는 결절경화증

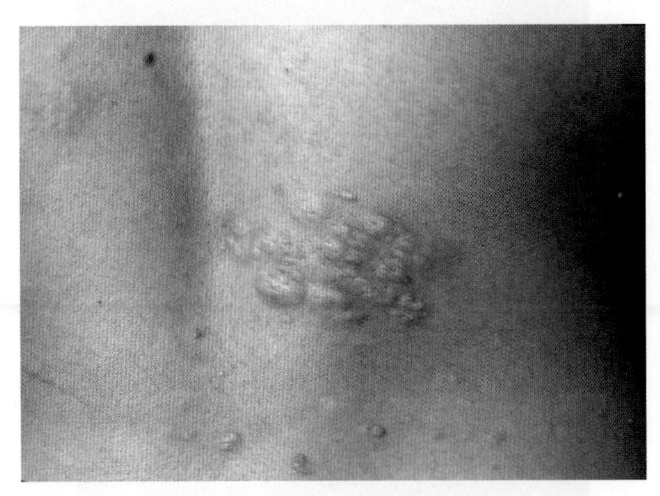

그림 27.19 쉐그린(Shagreen)판을 보이는 결절경화증

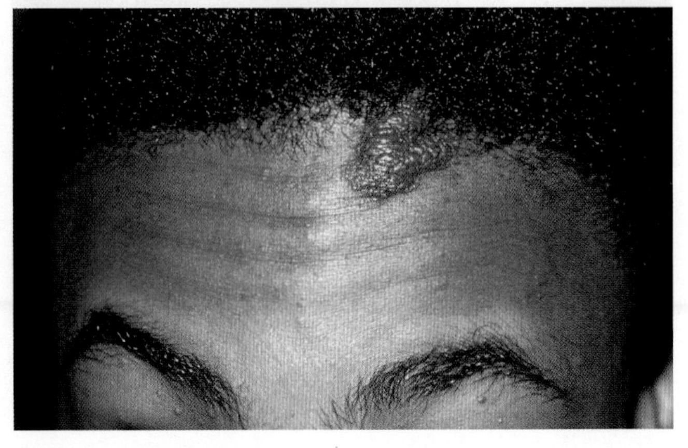

그림 27.20 섬유성전두부판을 보이는 결절경화증

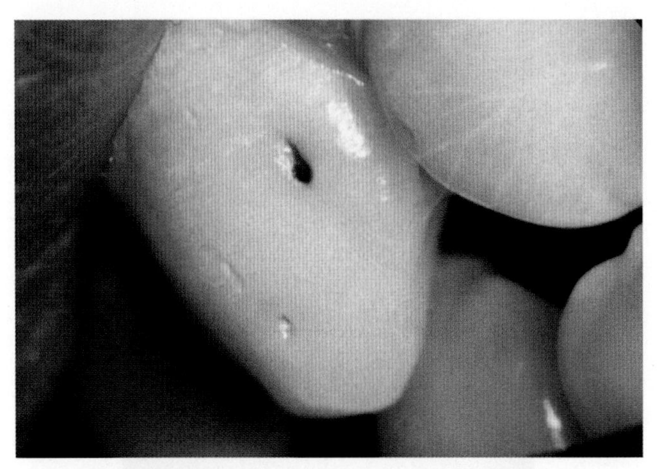

그림 27.21 치아에나멜질오목을 보이는 결절경화증

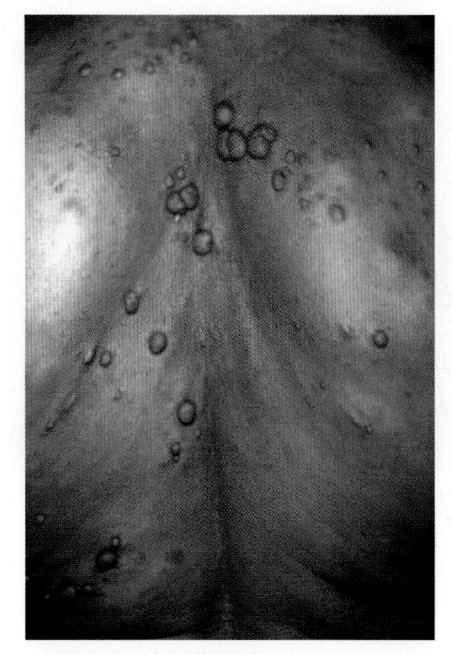

그림 27.22 신경섬유종증

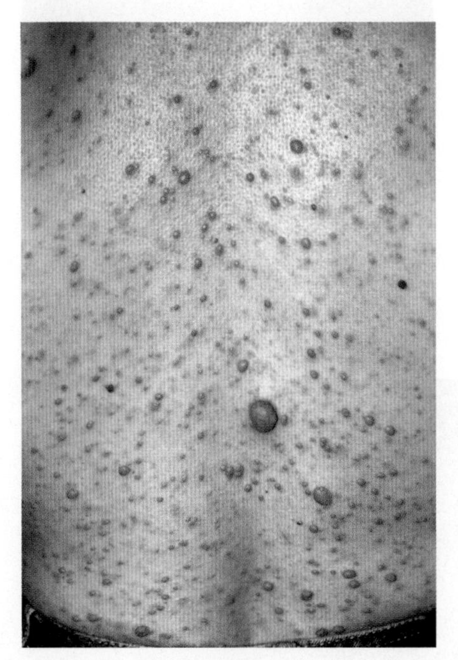

그림 27.23 신경섬유종증

그림 27.24 신경섬유종증

그림 27.25 신경섬유종증

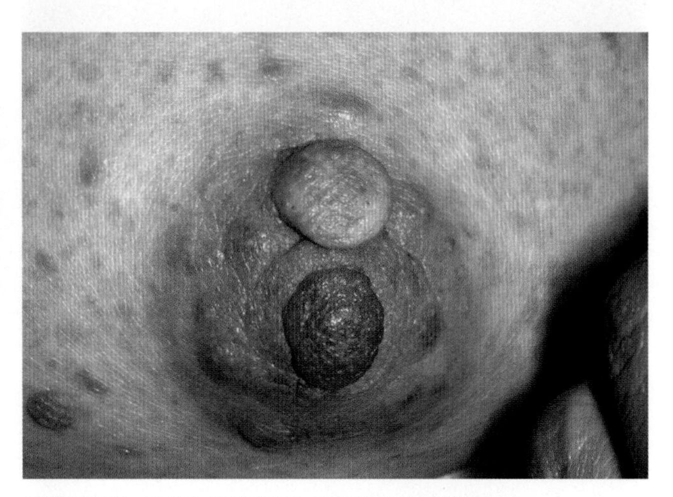

그림 27.26 유륜이 특징적으로 침범된 신경섬유종증

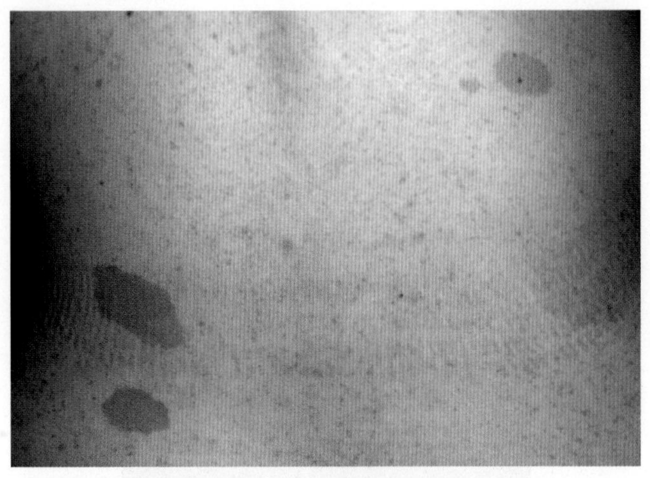

그림 27.27 카페오레반을 보이는 신경섬유종증

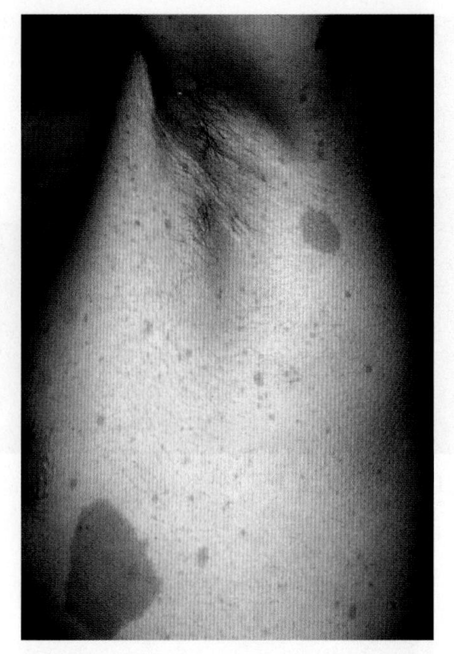

그림 27.28 액와부주근깨를 보이는 신경섬유종증

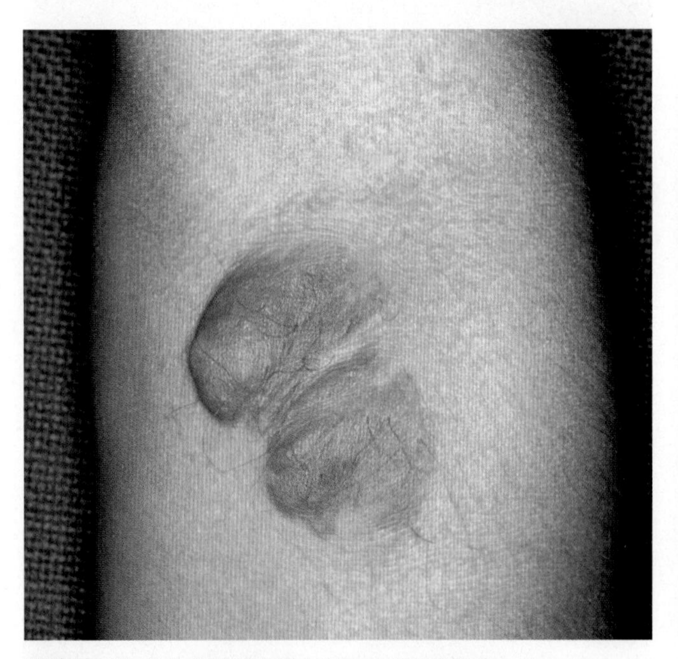

그림 27.29 총상신경섬유종을 보이는 신경섬유종증

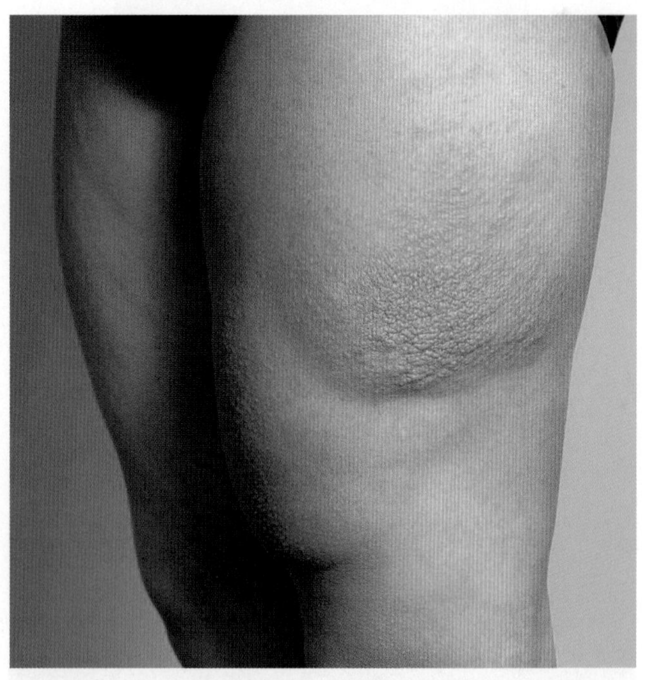

그림 27.30 총상신경섬유종을 보이는 신경섬유종증

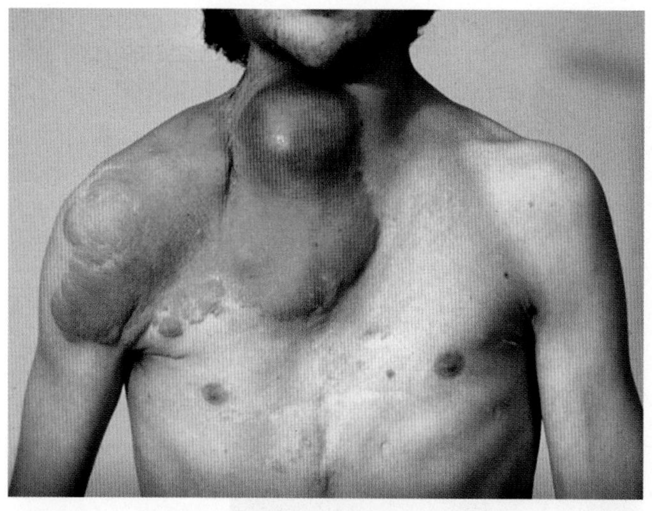
그림 27.31 악성말초신경초종양을 보이는 신경섬유종증

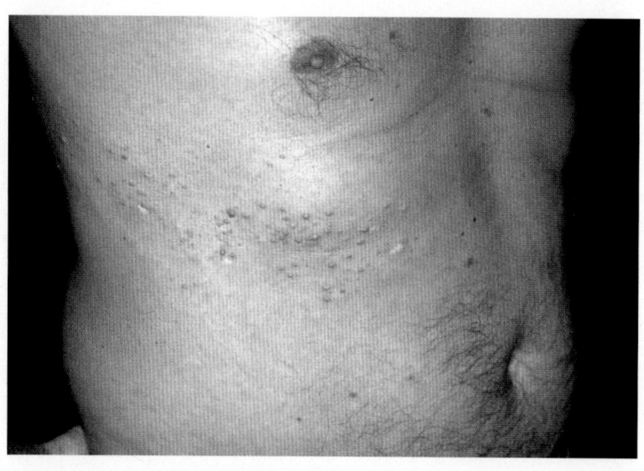
그림 27.32 분절신경섬유종증

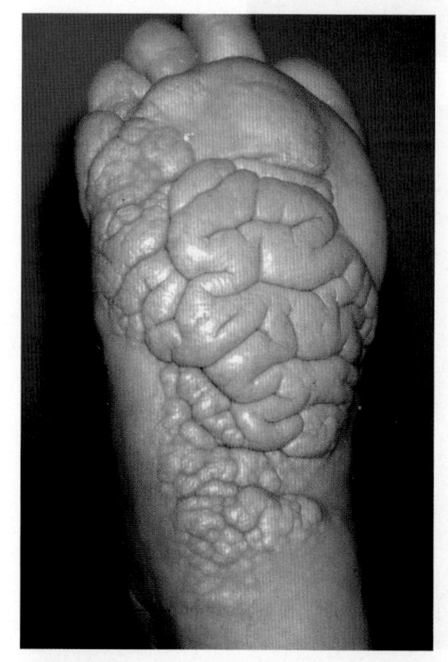
그림 27.33 결체조직모반을 보이는 프로테우스증후군

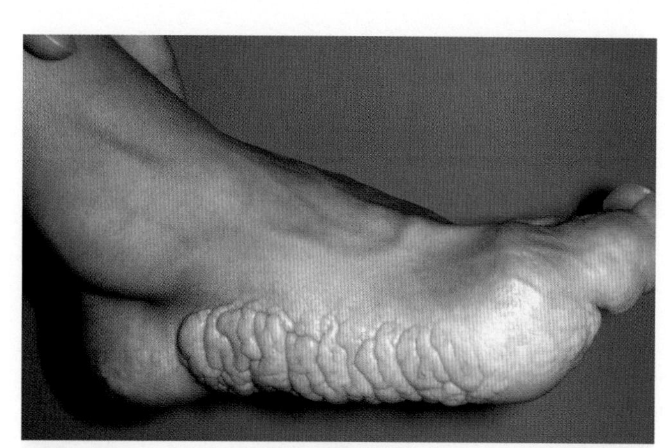
그림 27.34 결체조직모반을 보이는 프로테우스증후군

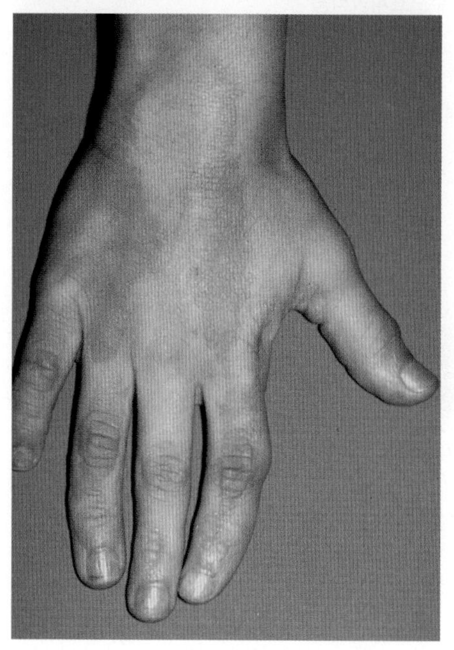
그림 27.35 표피모반을 보이는 프로테우스증후군

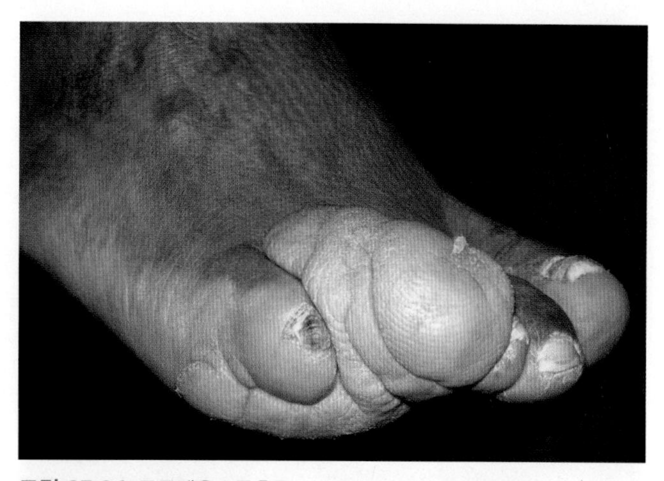
그림 27.36 프로테우스증후군

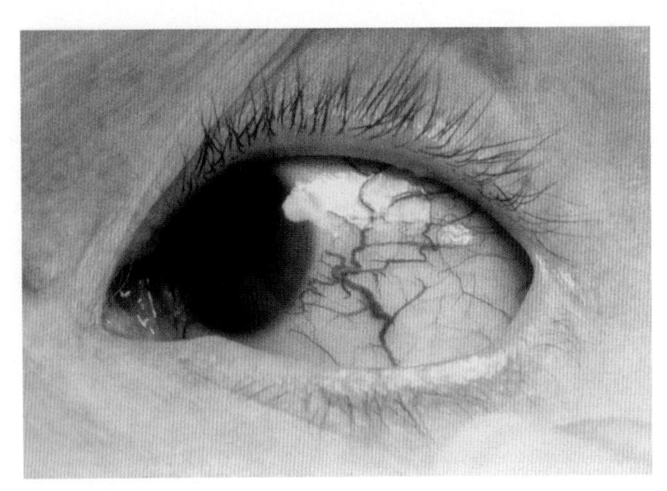

그림 27.37 모세혈관확장실조

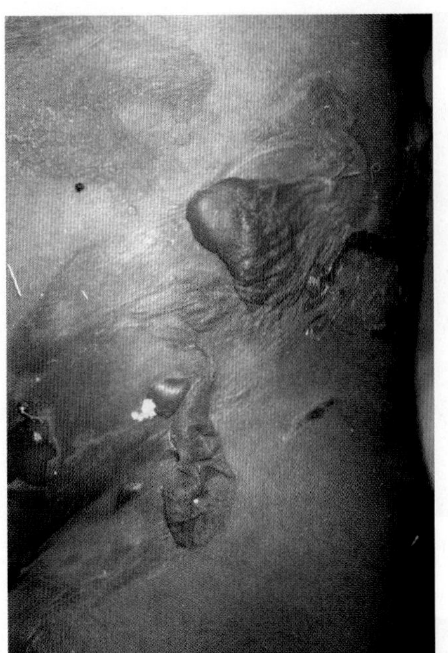

그림 27.38 전신단순수포표피박리증

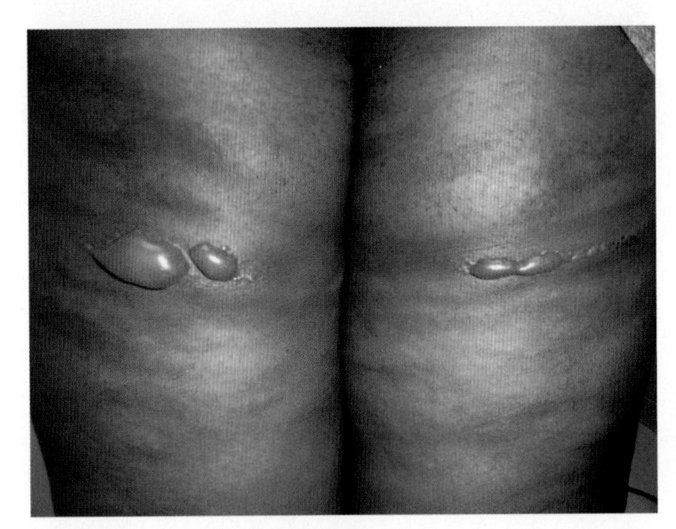

그림 27.39 전신단순수포표피박리증

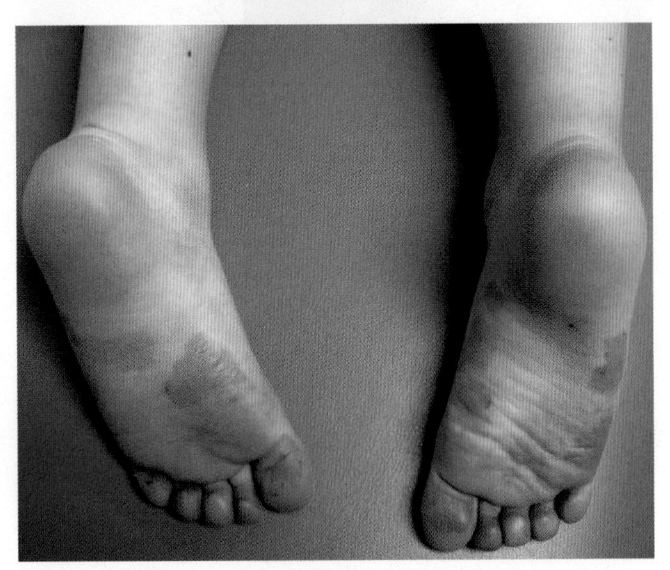

그림 27.40 국소단순수포표피박리증

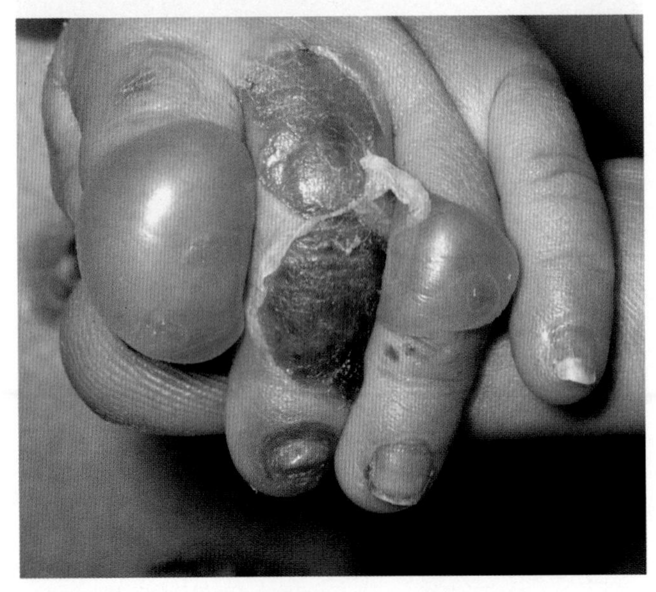

그림 27.41 경계수포표피박리증

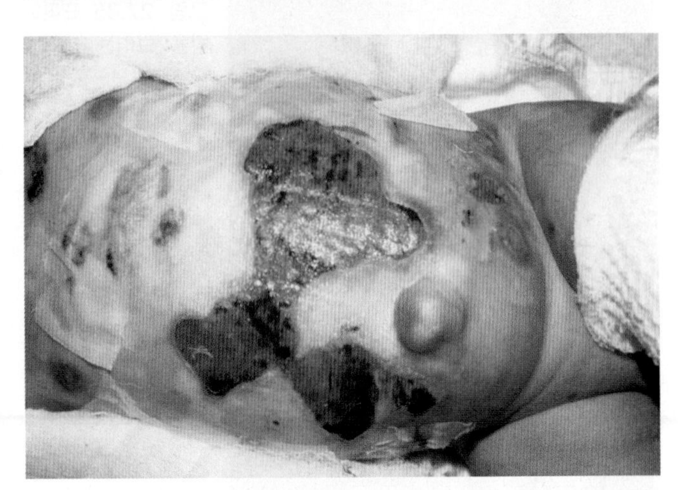

그림 27.42 경계수포표피박리증

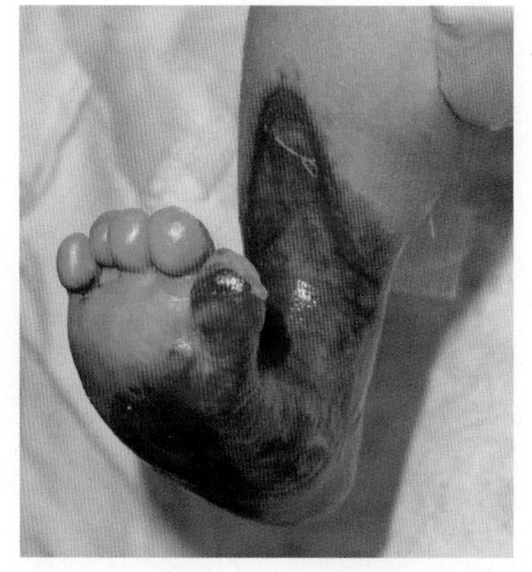

그림 27.43 바트증후군

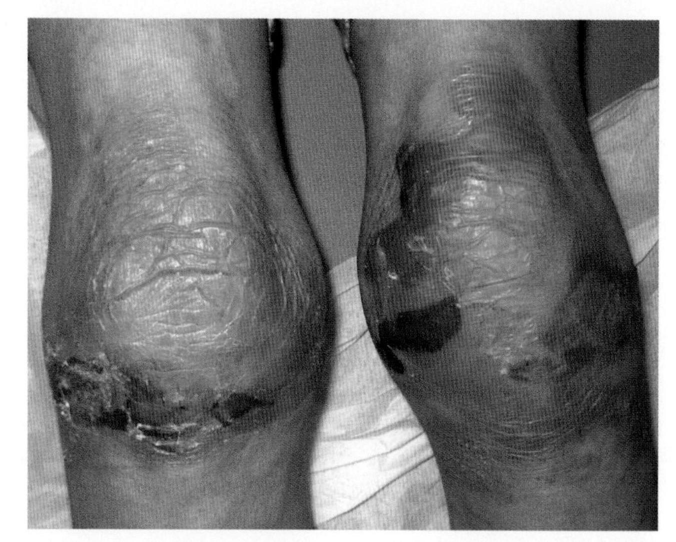

그림 27.44 우성위축수포표피박리증

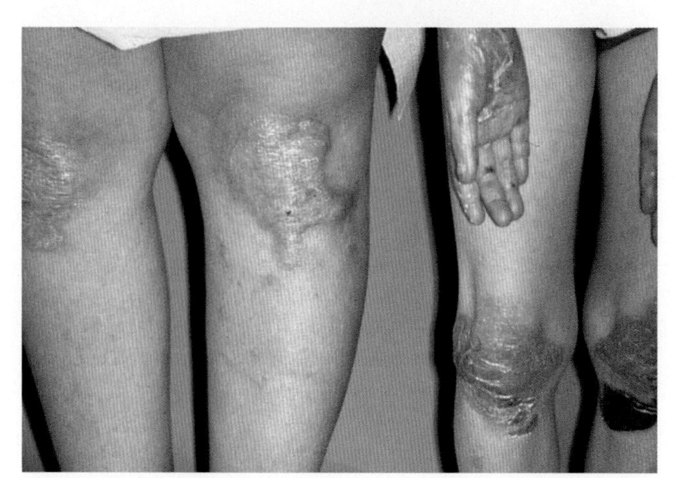

그림 27.45 우성위축수포표피박리증

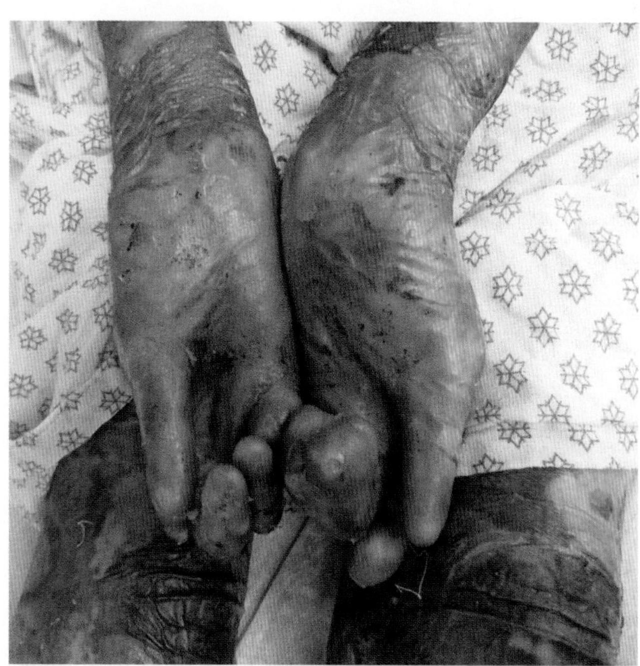

그림 27.46 열성위축수포표피박리증

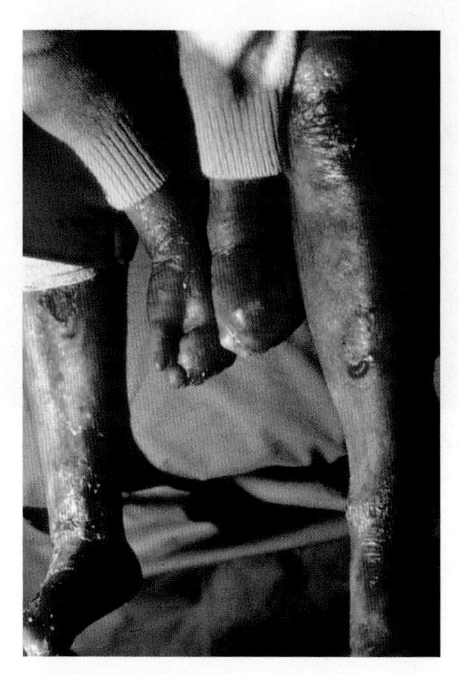

그림 27.47 열성위축수포표피박리증

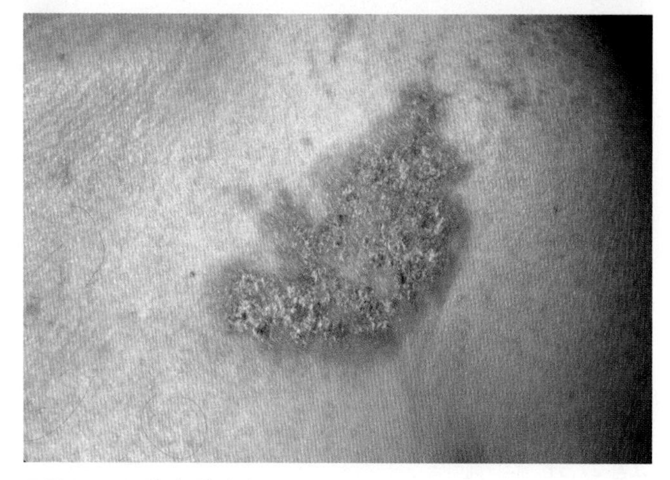

그림 27.48 헤리-헤리병

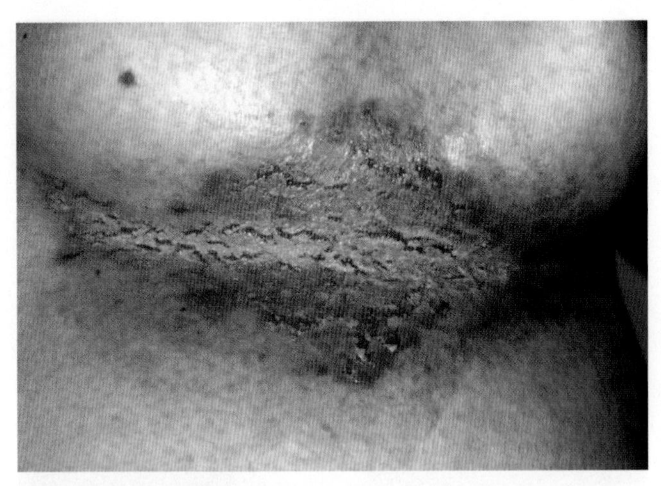

그림 27.49 헤리-헤리병

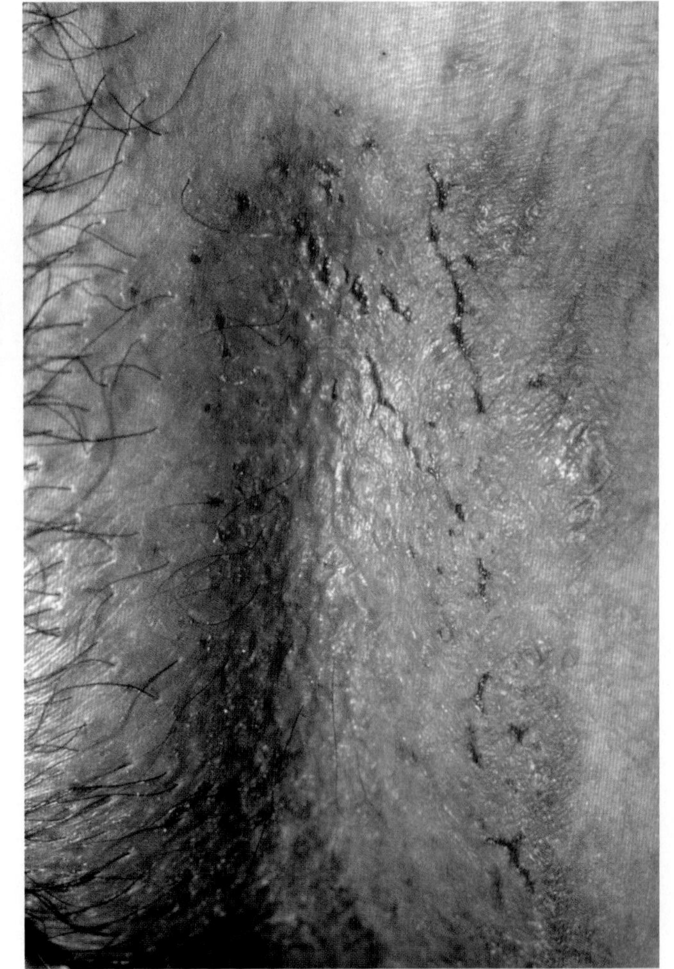

그림 27.50 헤리-헤리병

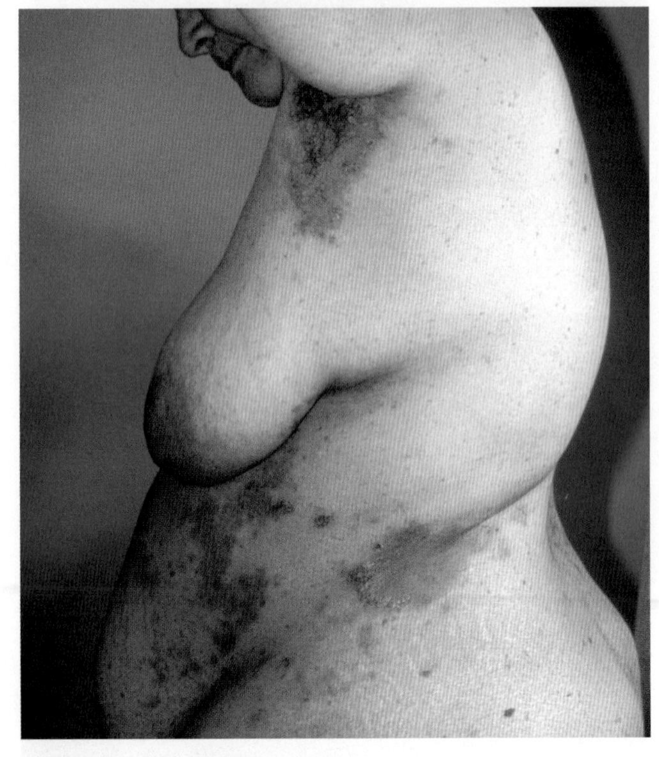

그림 27.51 헤리-헤리병

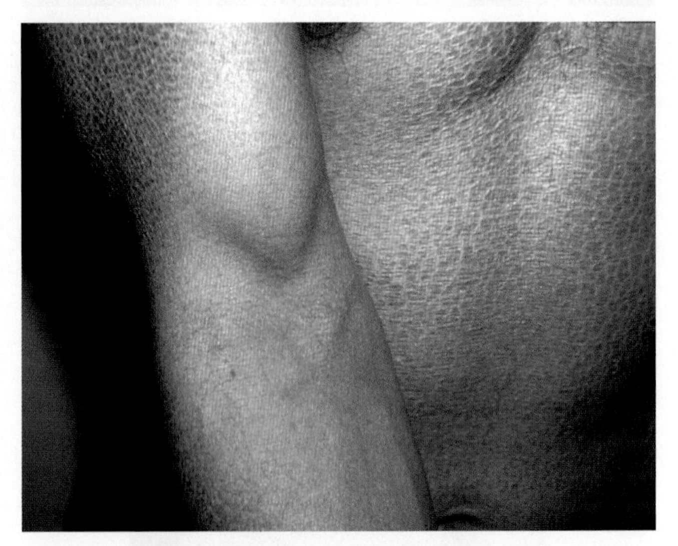

그림 27.52 보통어린선

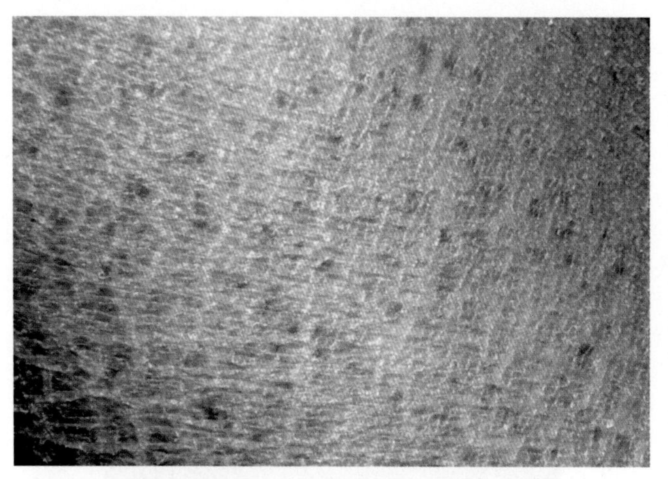

그림 27.53 보통어린선

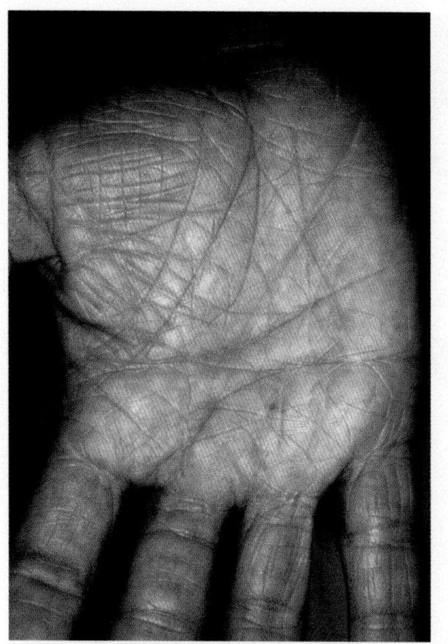

그림 27.54 잔금 많은 손바닥을 보이는 보통어린선

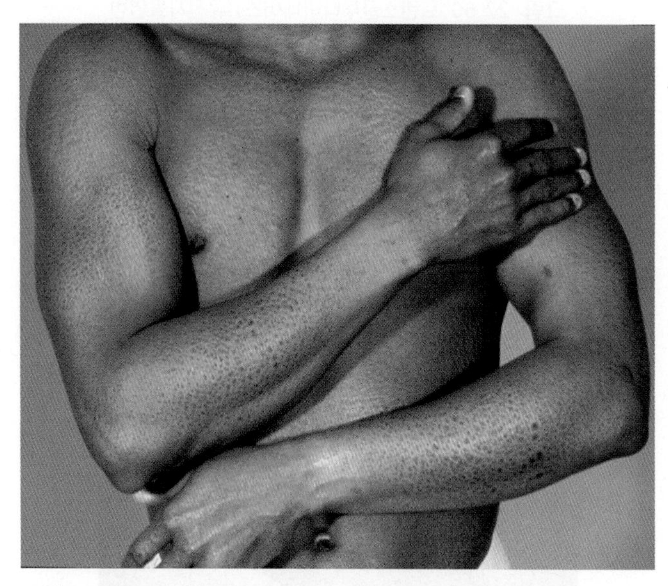

그림 27.55 X염색체연관어린선

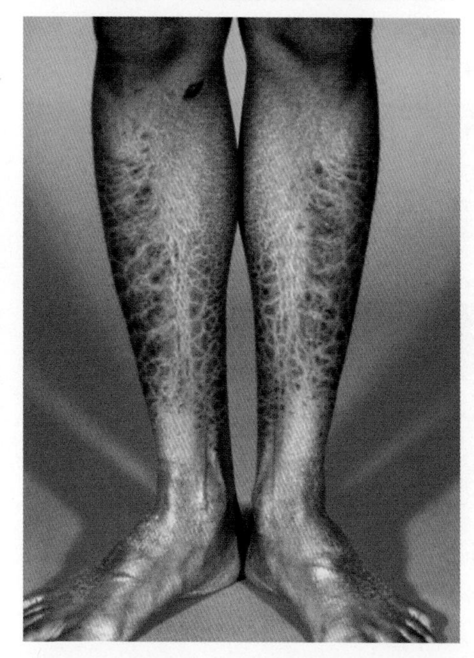

그림 27.56 X염색체연관어린선

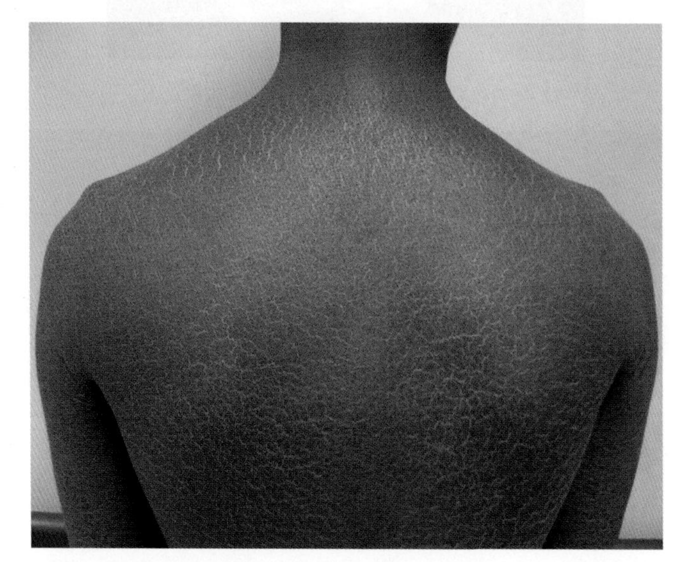

그림 27.57 X염색체연관어린선

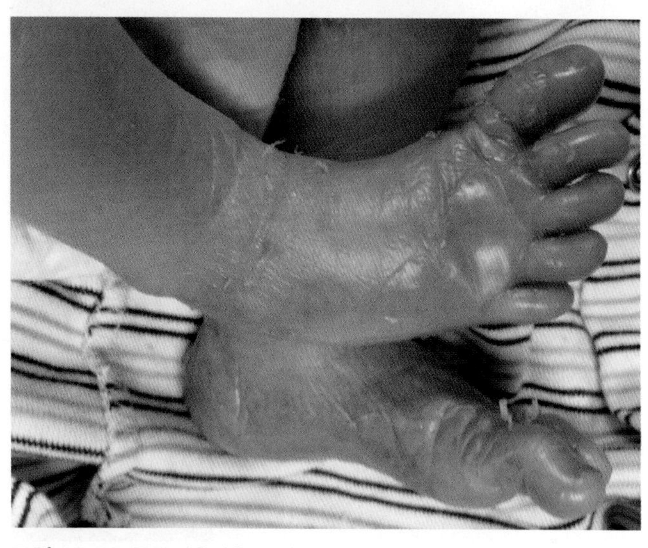

그림 27.58 콜로디온막을 보이는 상염색체열성선천어린선

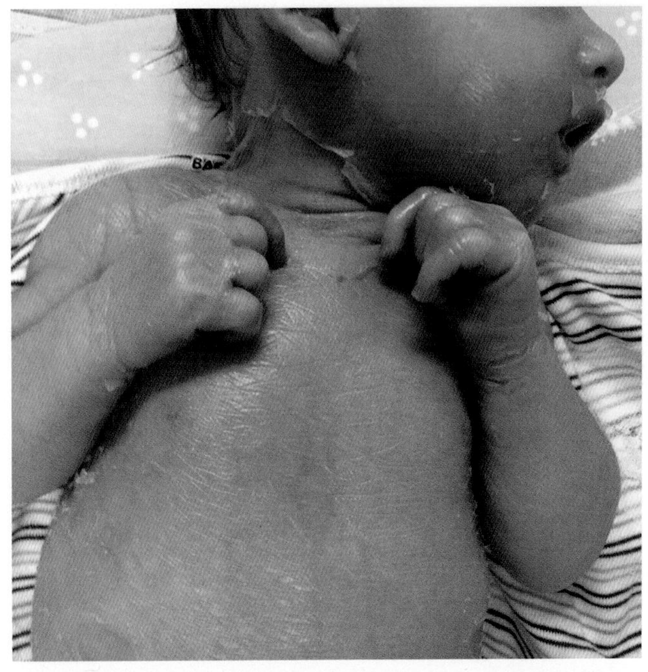

그림 27.59 트랜스글루타미네이즈 유전자돌연변이로 인한 콜로디온막을 보이는 상염색체열성선천어린선

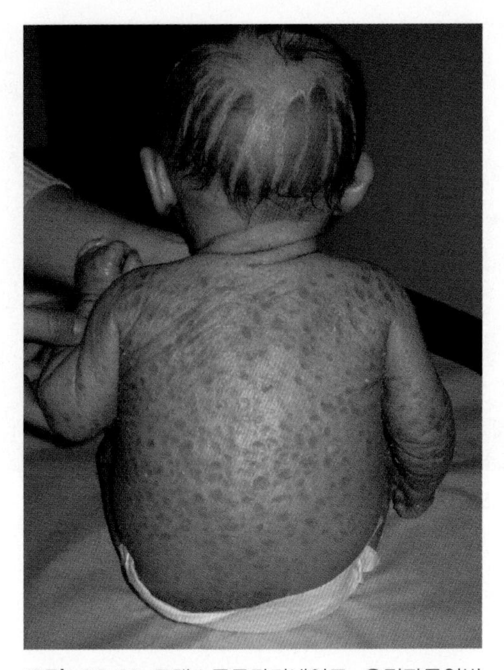

그림 27.60 트랜스글루타미네이즈 유전자돌연변이로 인한 층판형상염색체열성선천어린선

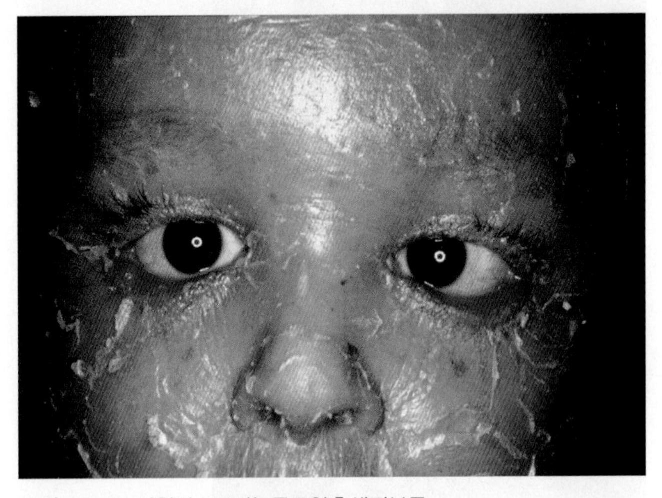

그림 27.61 선천비수포비늘증모양홍색피부증

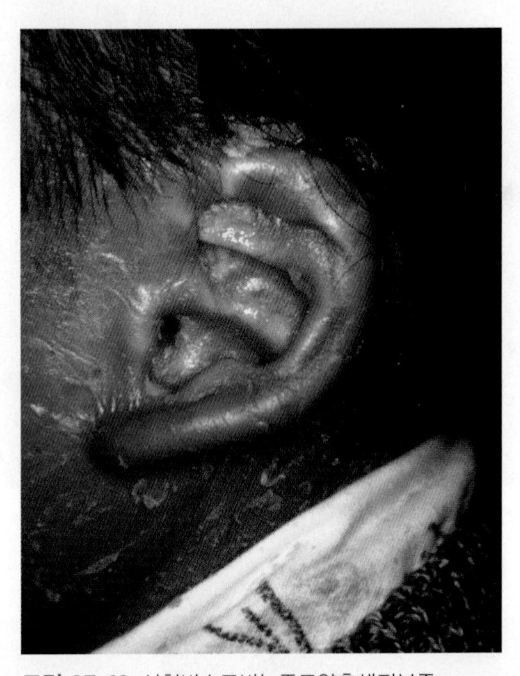

그림 27.62 선천비수포비늘증모양홍색피부증

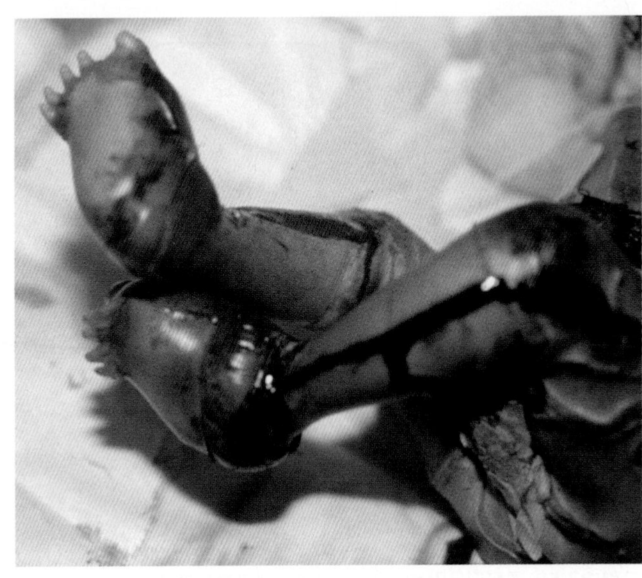

그림 27.63 할리퀸태아

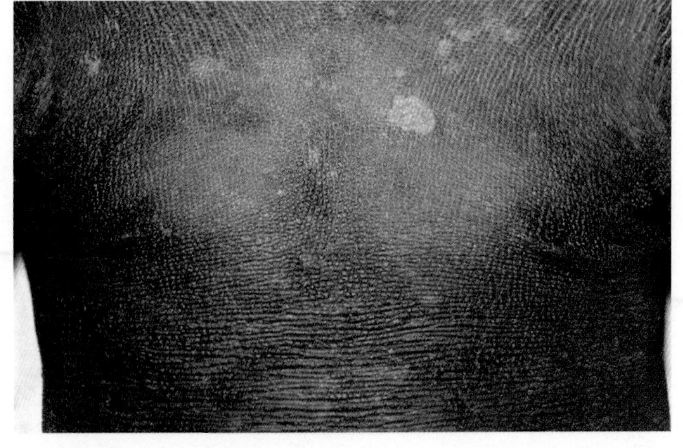

그림 27.64 표피박리어린선

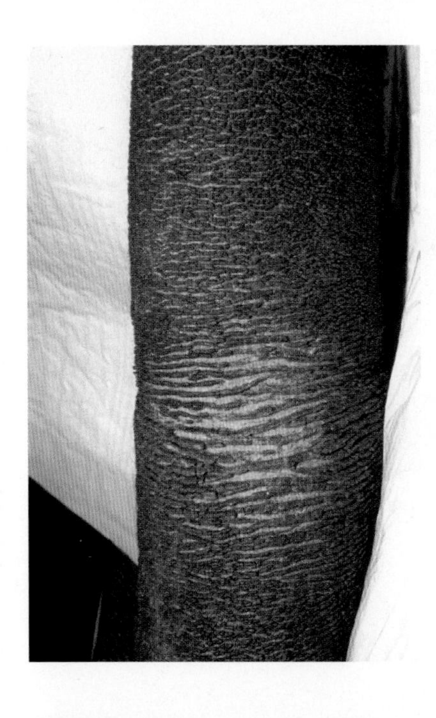
그림 27.65 표피박리어린선

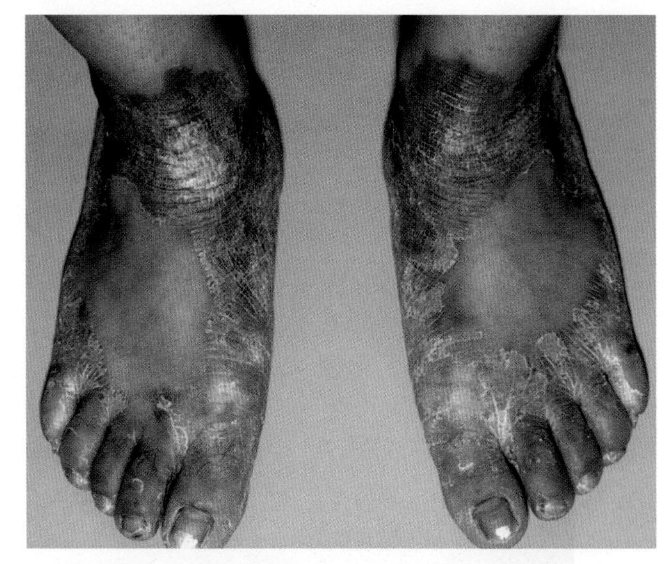
그림 27.66 표피박리어린선

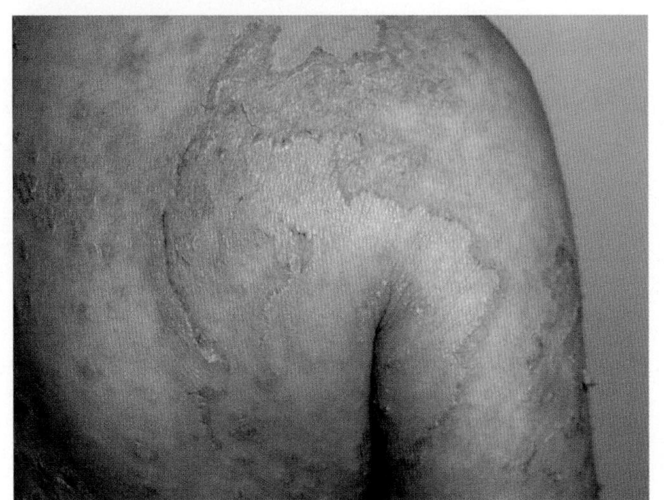
그림 27.67 네덜톤 증후군

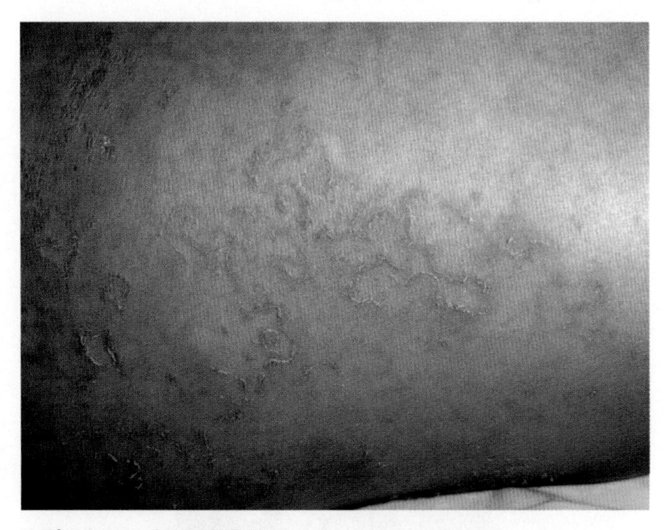
그림 27.68 네덜톤 증후군

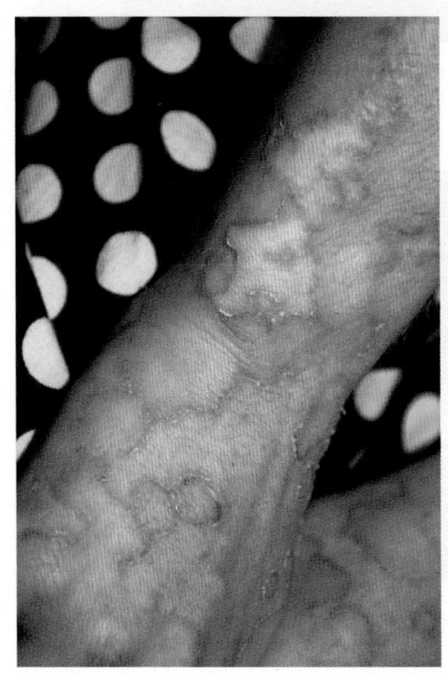
그림 27.69 네덜톤 증후군

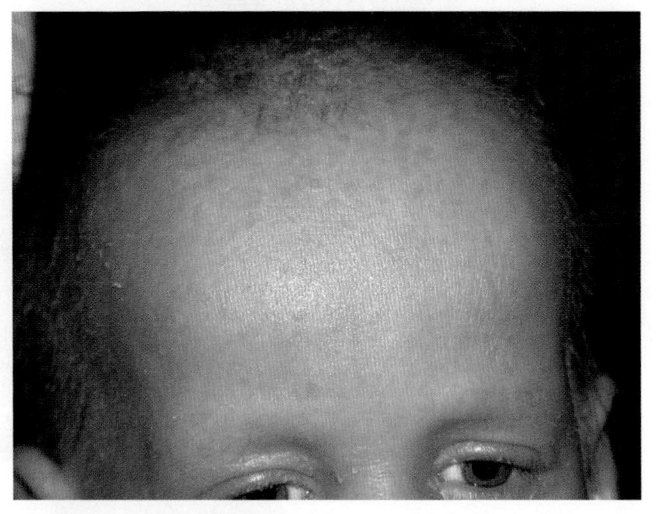
그림 27.70 네덜톤 증후군

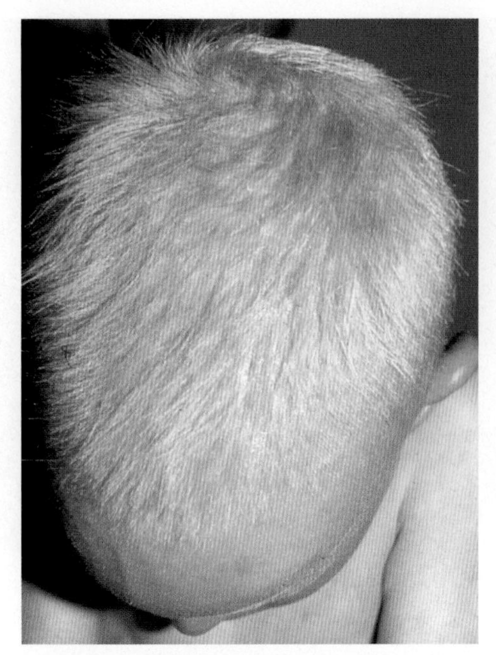

그림 27.71 네덜톤 증후군

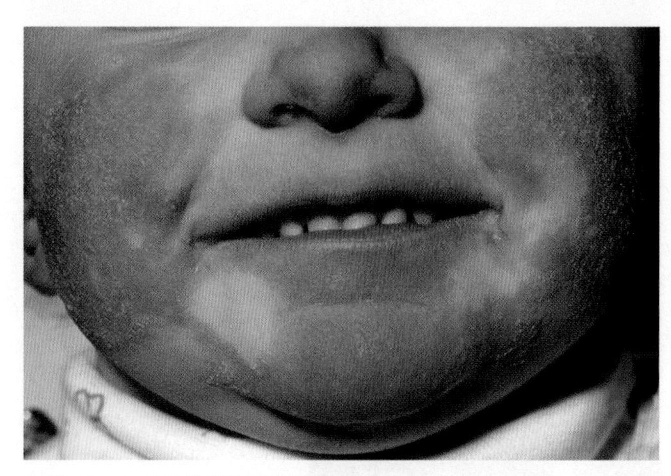

그림 27.72 각막염어린선청각소실 증후군

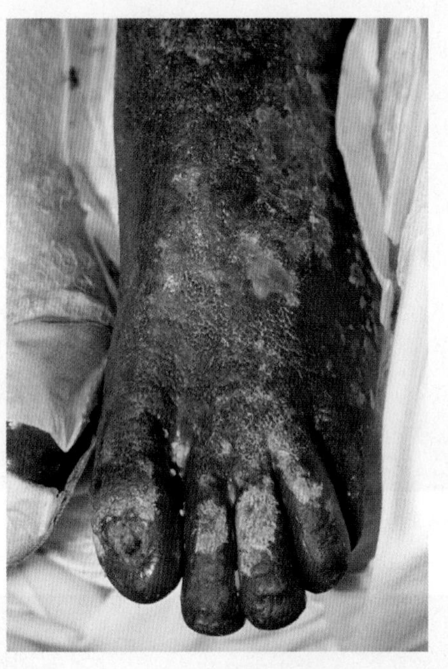

그림 27.73 각막염어린선청각소실 증후군

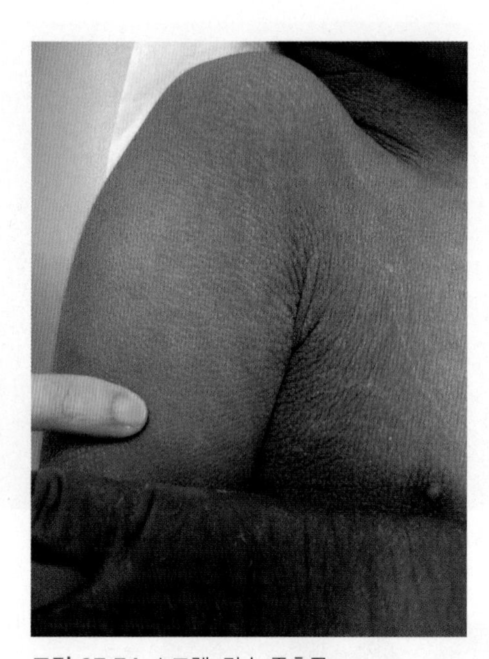

그림 27.74 쇼그렌-라손 증후군

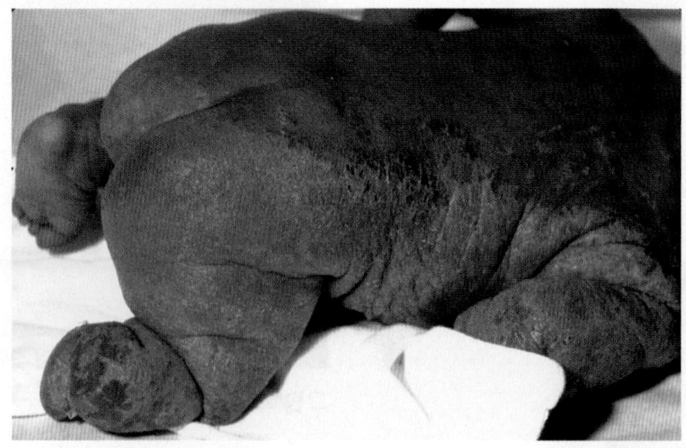

그림 27.75 비늘증모양홍색피부증과 사지결손을 가진 선천성반형성장애, CHILD 증후군

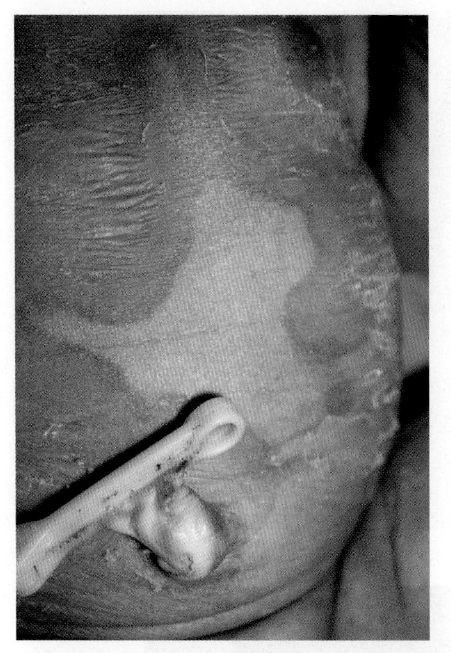

그림 27.76 가변홍색각질피부증

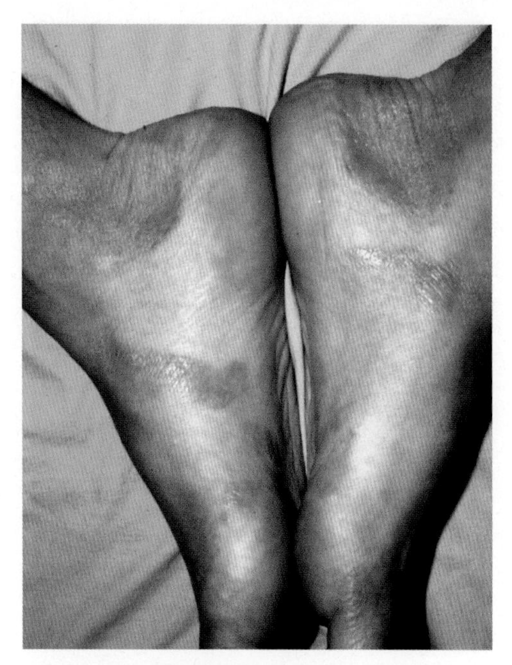

그림 27.77 진행대칭홍색각질피부증

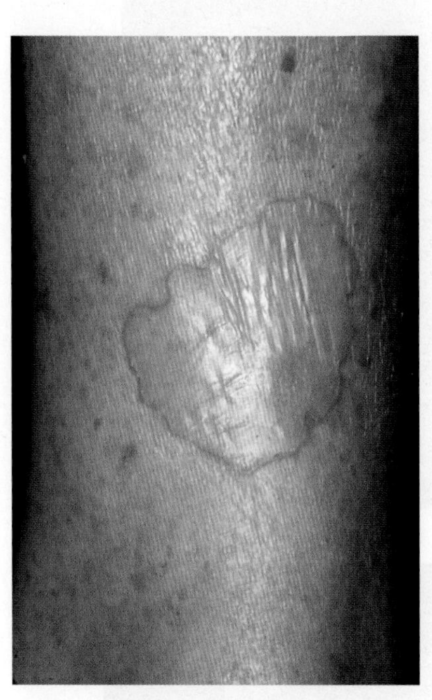

그림 27.78 한공각화증

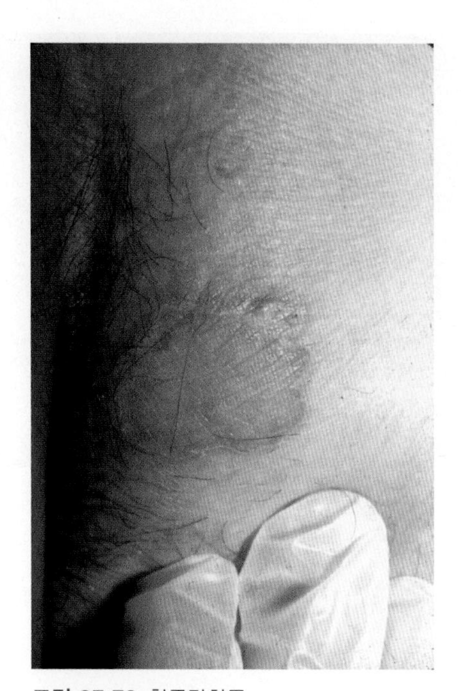

그림 27.79 한공각화증

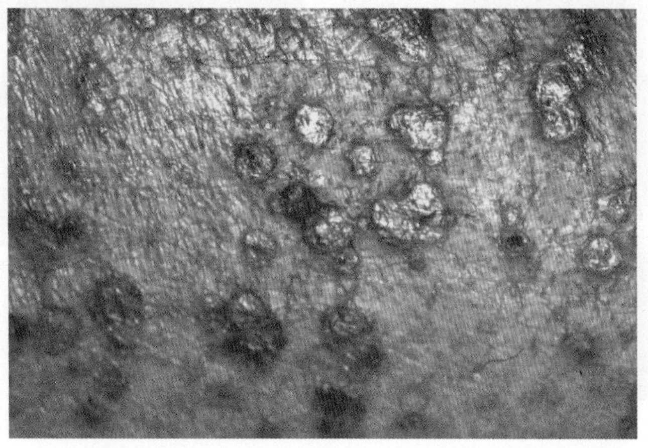

그림 27.80 파종표재광선한공각화증

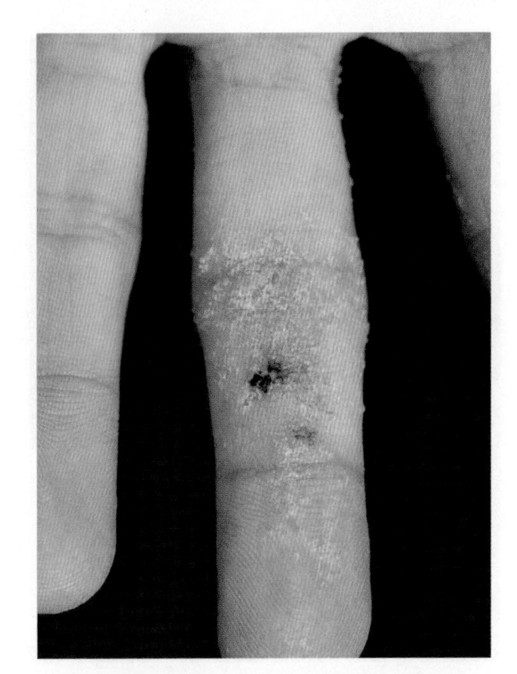

그림 27.81 에크린구멍관한공각화모반

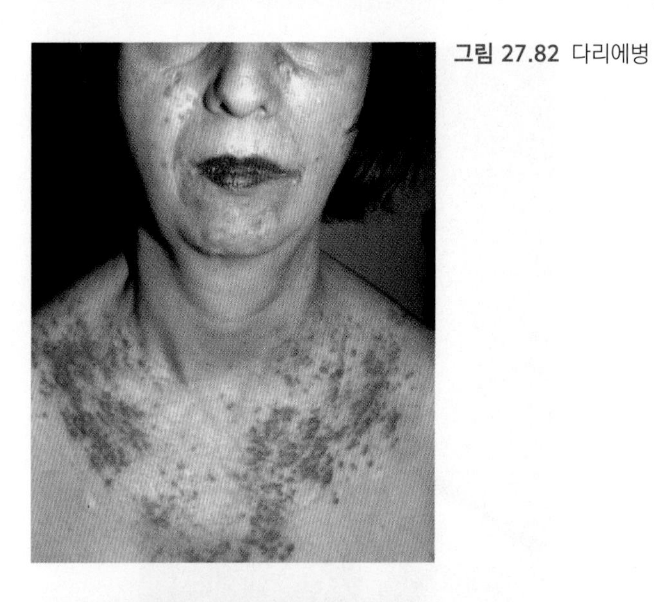

그림 27.82 다리에병

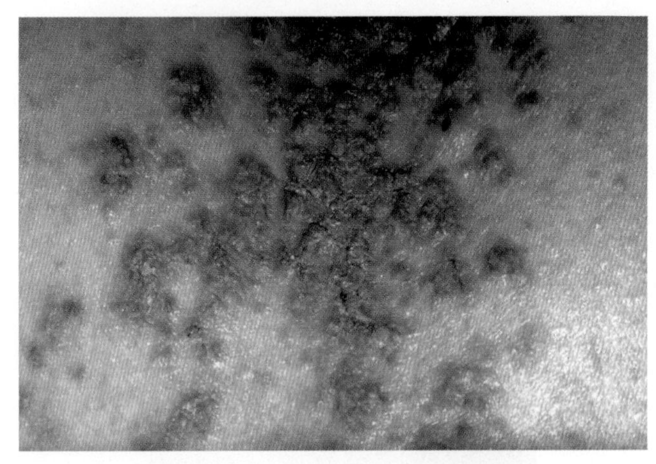

그림 27.83 다리에병

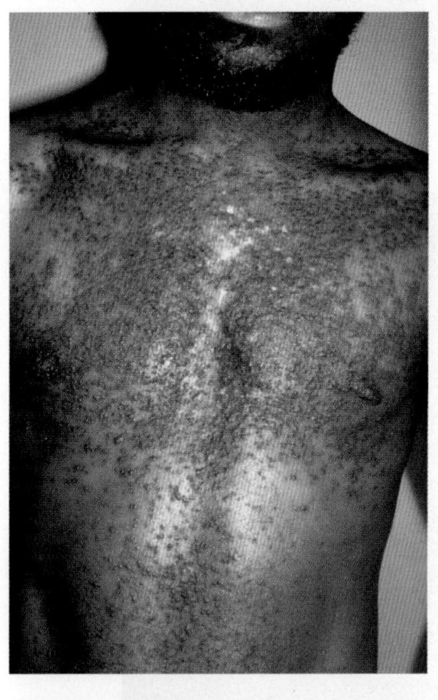

그림 27.84 다리에병

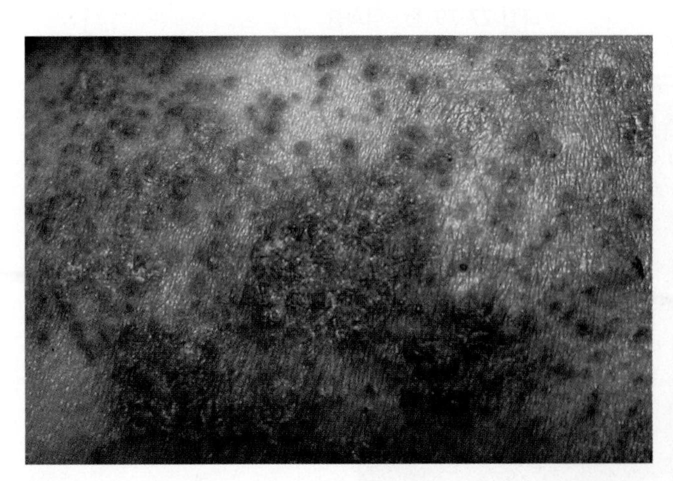

그림 27.85 다리에병

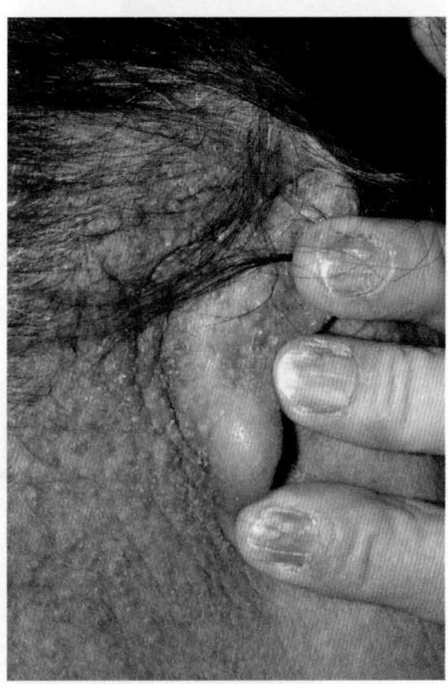

그림 27.86 다리에병

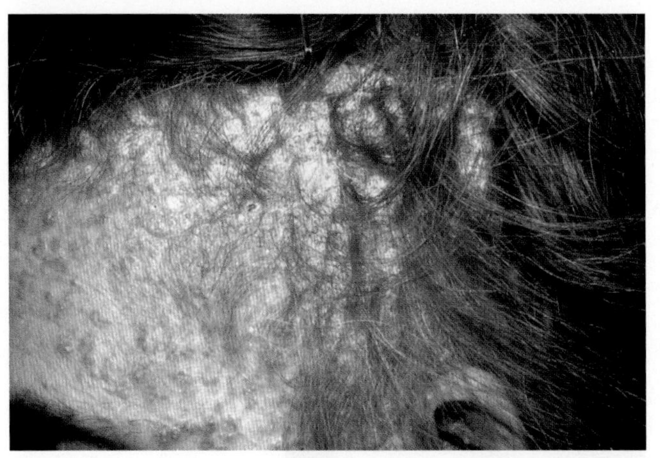

그림 27.87 다리에병

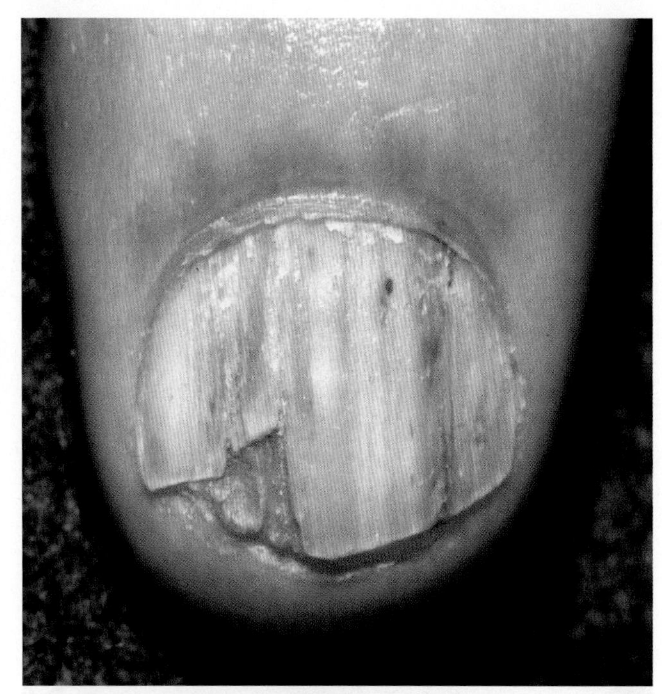

그림 27.88 다리에병

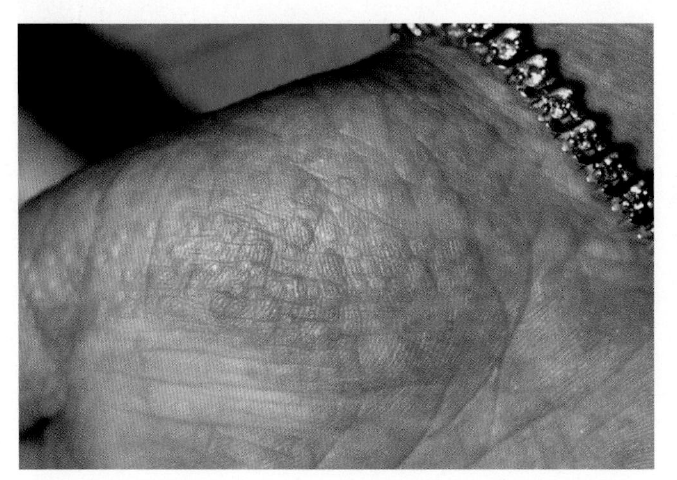

그림 27.89 다리에병

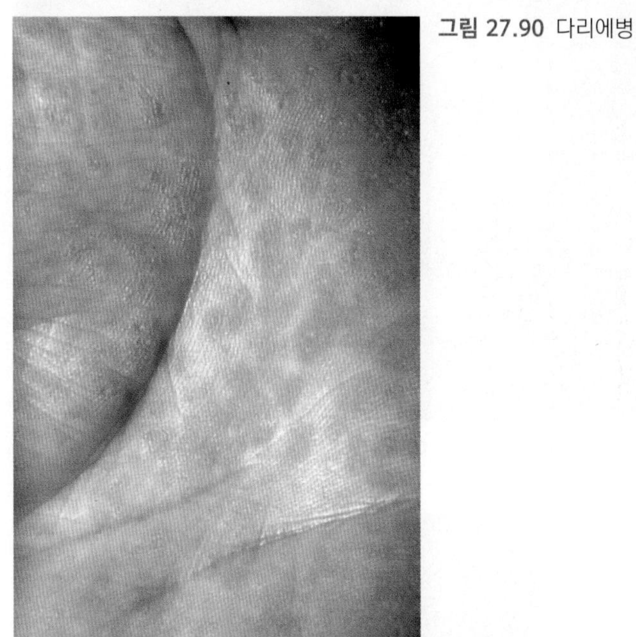

그림 27.90 다리에병

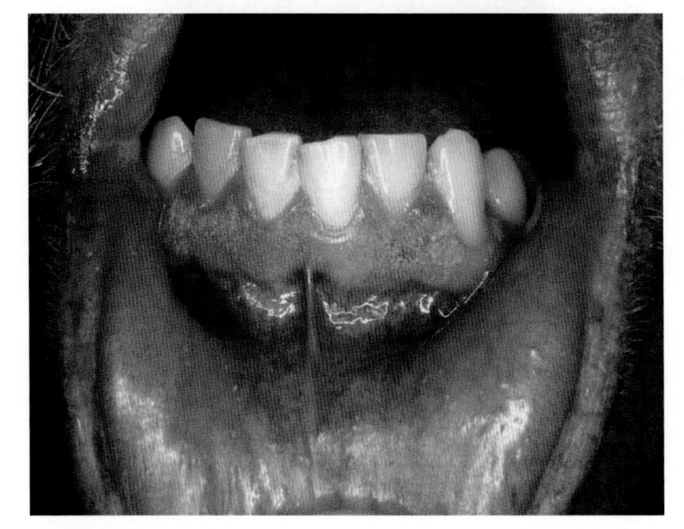

그림 27.91 다리에병

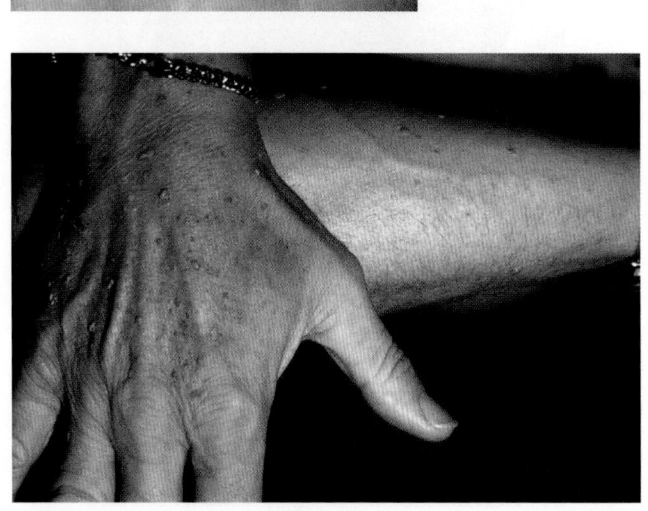

그림 27.92 사마귀양말단각화증(Hopf)

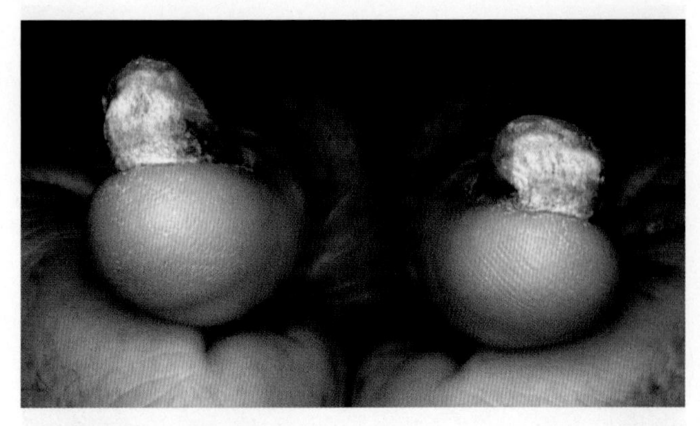

그림 27.93 선천조갑비대증

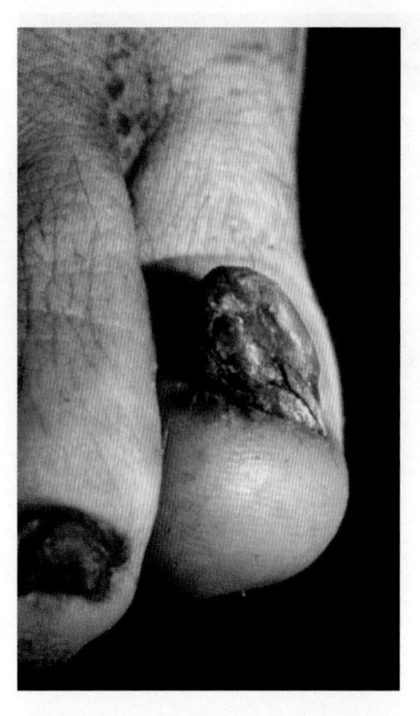

그림 27.94 선천조갑비대증

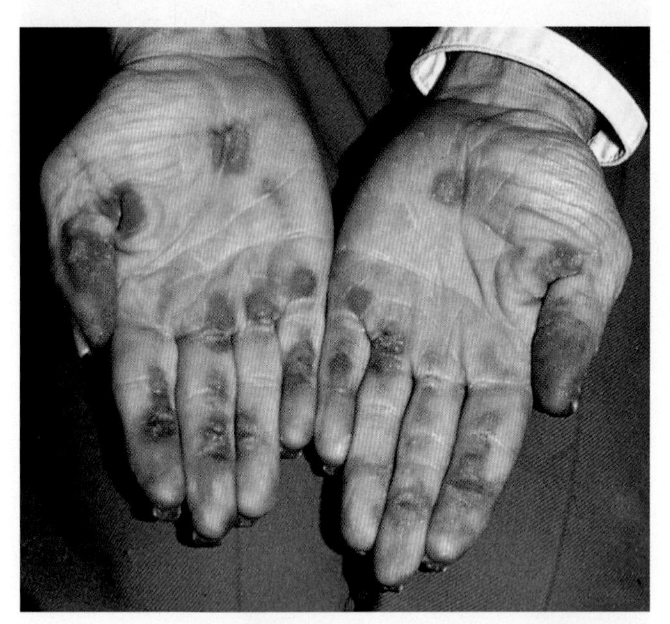

그림 27.95 선천조갑비대증

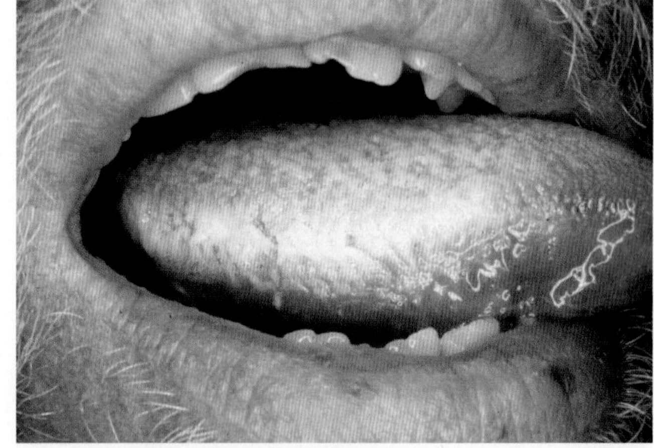

그림 27.96 선천조갑비대증

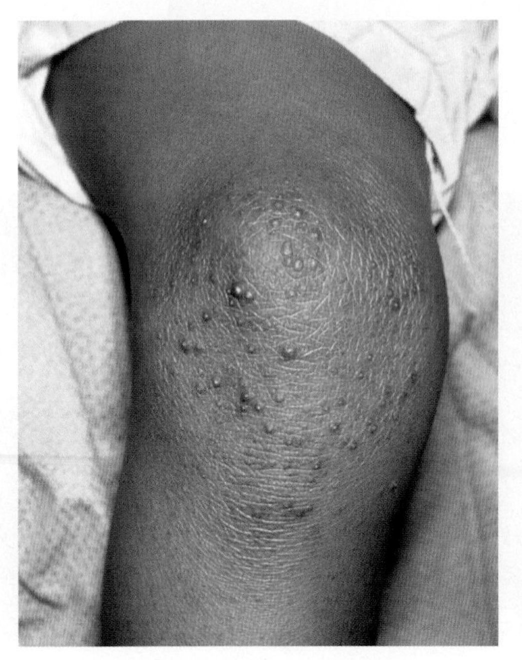

그림 27.97 선천조갑비대증

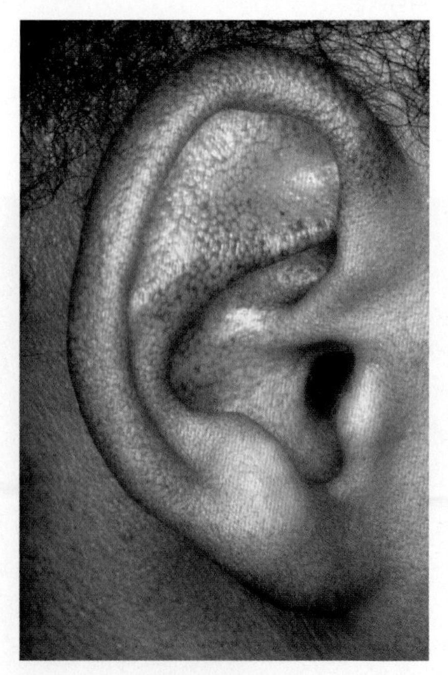

그림 27.98 선천이상각화증

그림 27.99 선천이상각화증

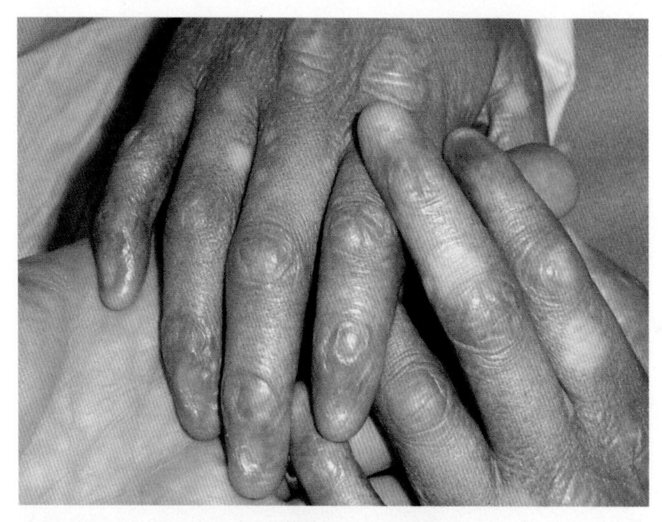

그림 27.100 선천이상각화증

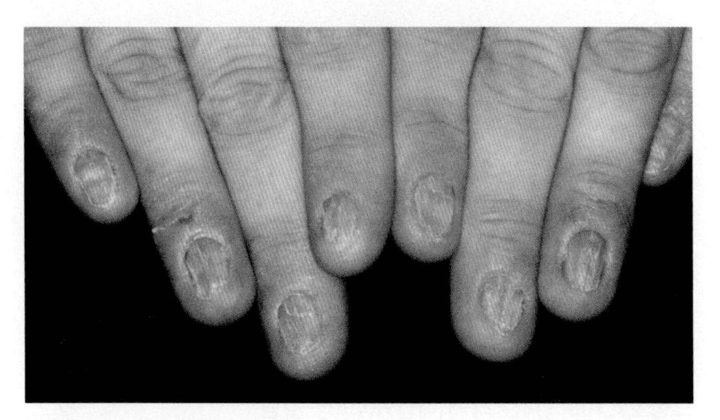

그림 27.101 선천이상각화증

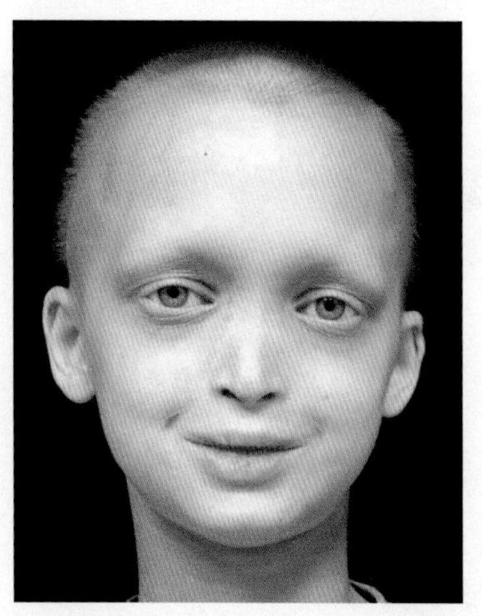

그림 27.102 발한저하X염색체연관외배엽형성이상증

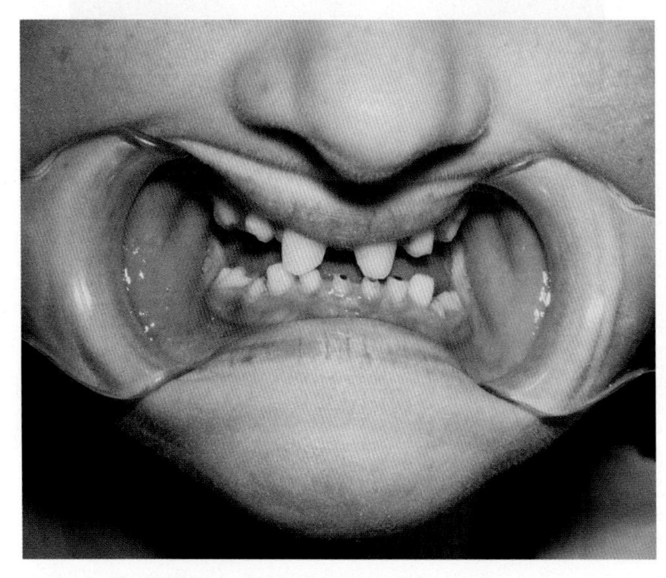

그림 27.103 발한저하X염색체연관외배엽형성이상증

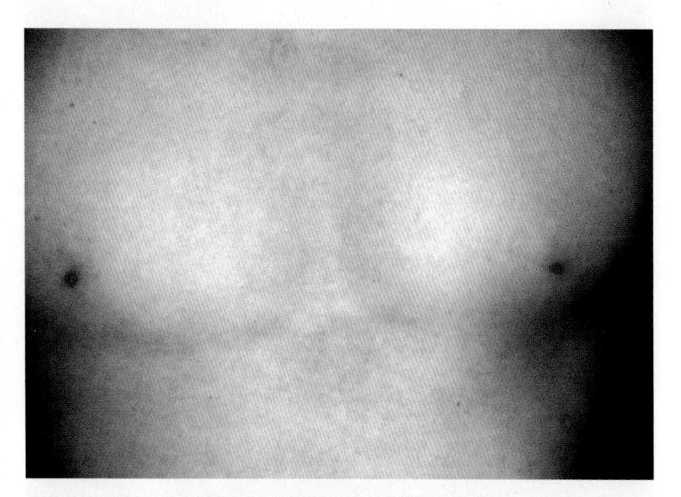

그림 27.104 발한저하X염색체연관외배엽형성이상증

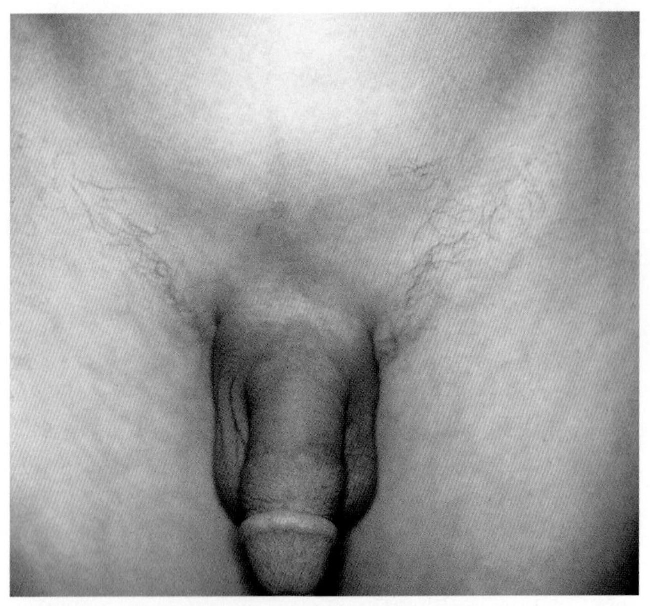

그림 27.105 발한저하X염색체연관외배엽형성이상증

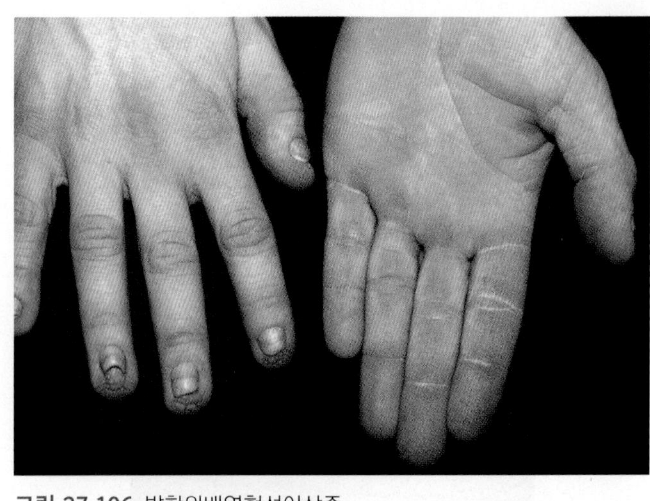

그림 27.106 발한외배엽형성이상증

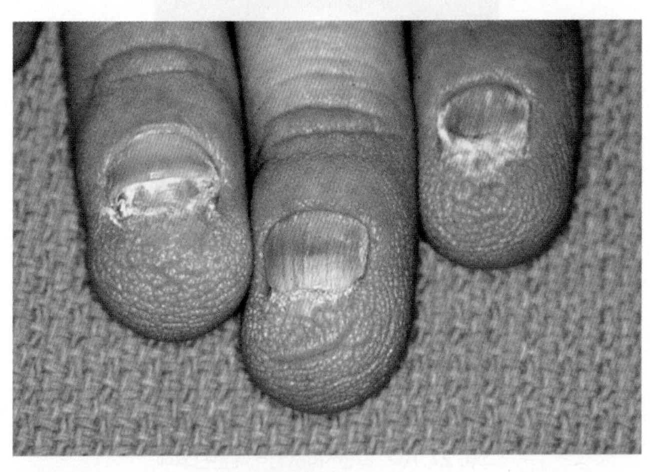

그림 27.107 발한외배엽형성이상증

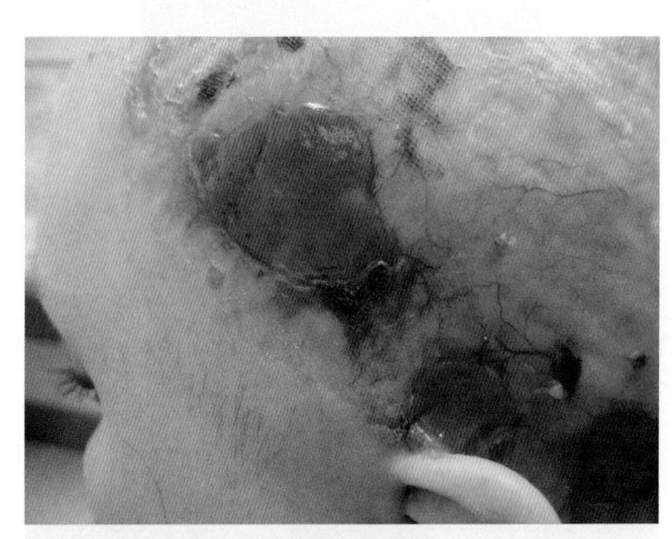

그림 27.108 안검유착-외배엽형성이상-갈림

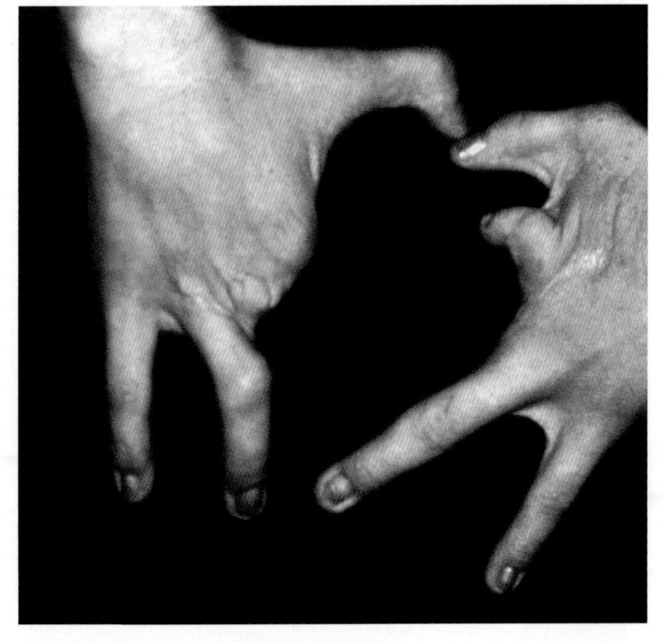

그림 27.109 결지-외배엽형성이상-갈림

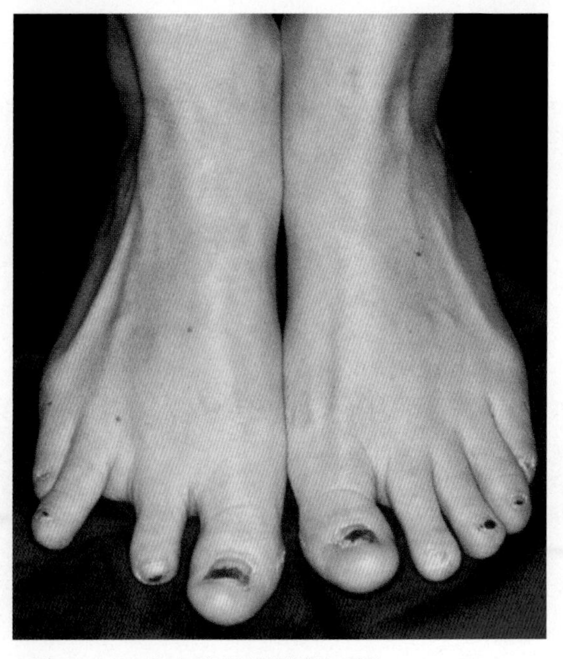

그림 27.110 결지-외배엽형성이상-갈림

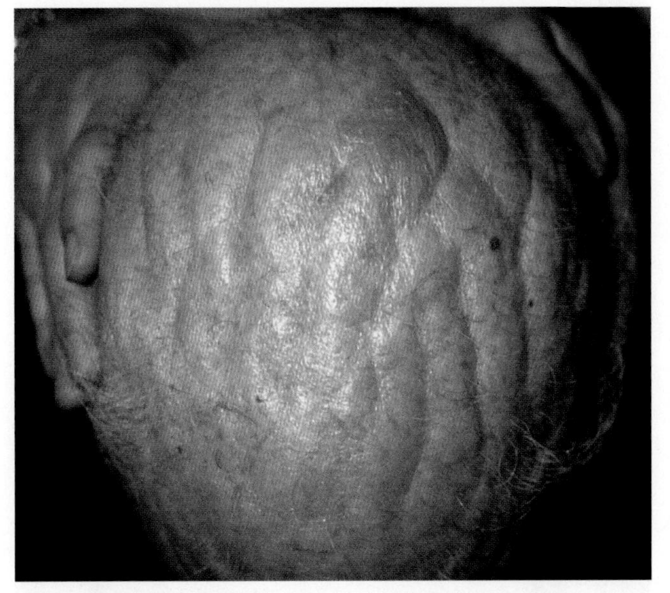

그림 27.111 뇌이랑피부

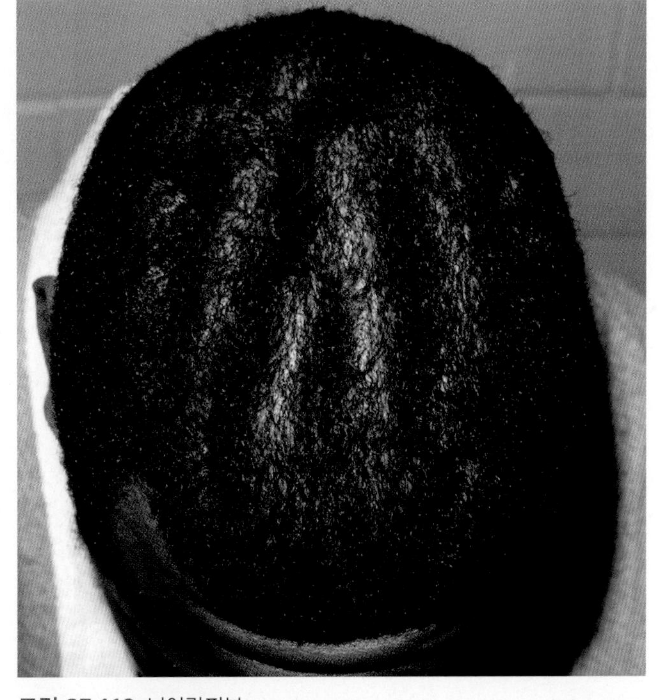

그림 27.112 뇌이랑피부

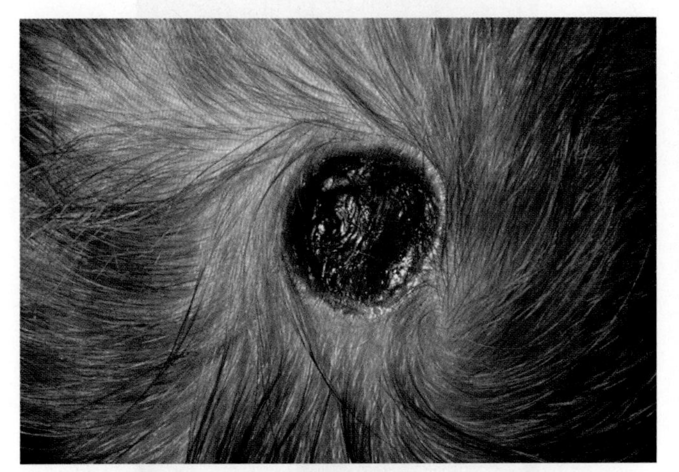

그림 27.113 선천피부무형성

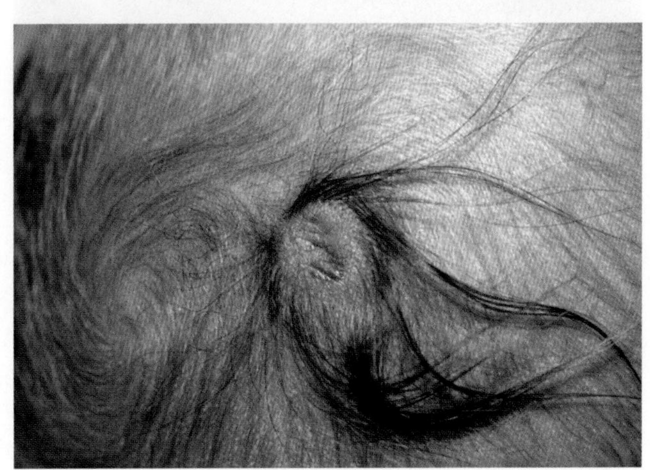

그림 27.114 모발깃(Hair collar)징후

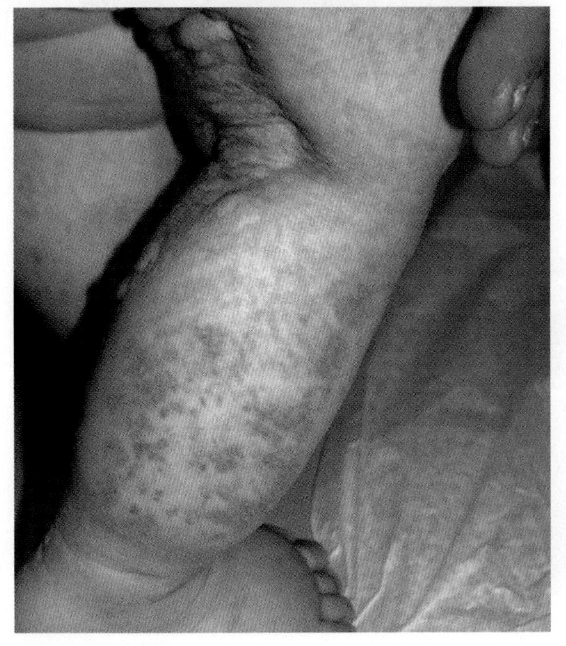

그림 27.115 골츠 증후군

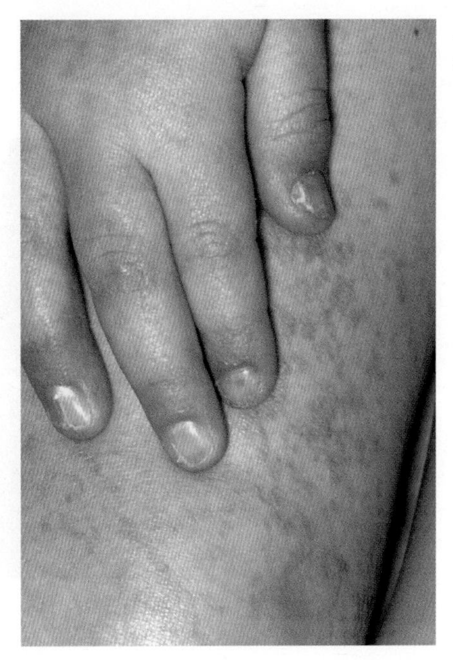

그림 27.116 골츠 증후군

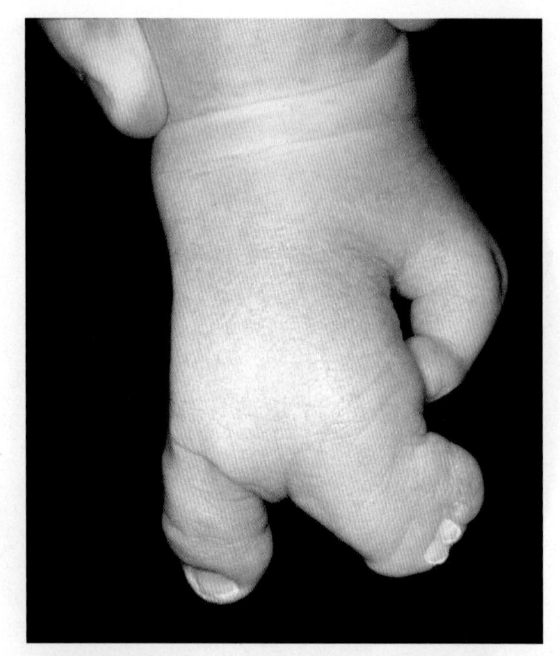
그림 27.117 골츠 증후군

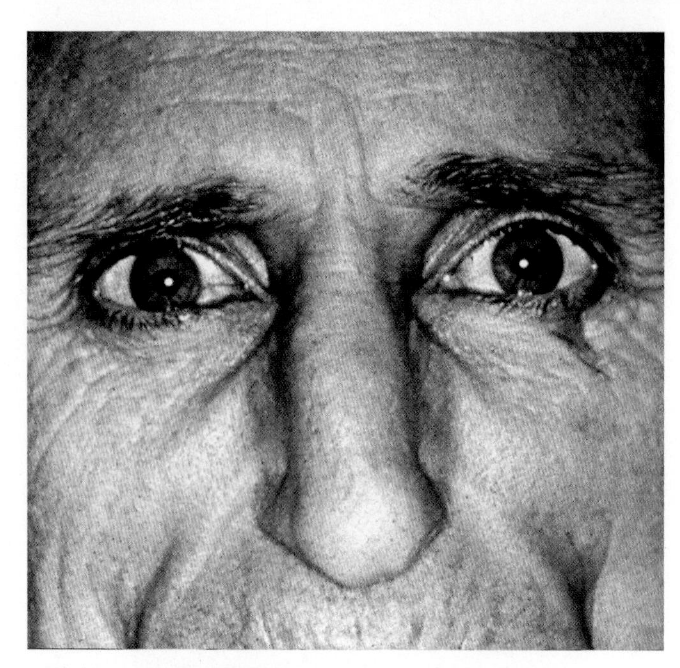
그림 27.118 베르너 증후군

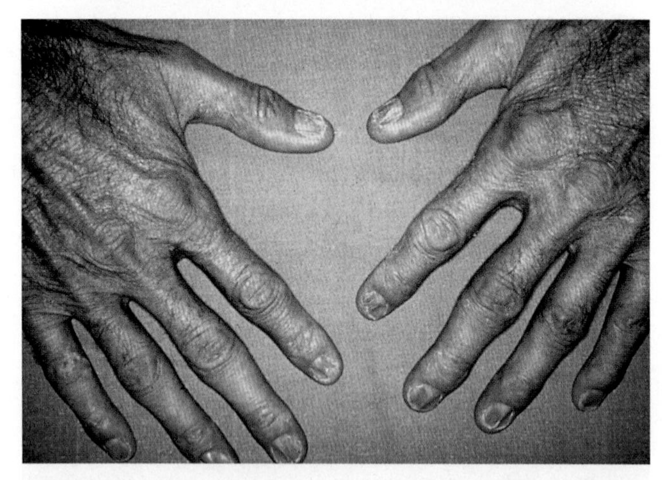
그림 27.119 베르너 증후군

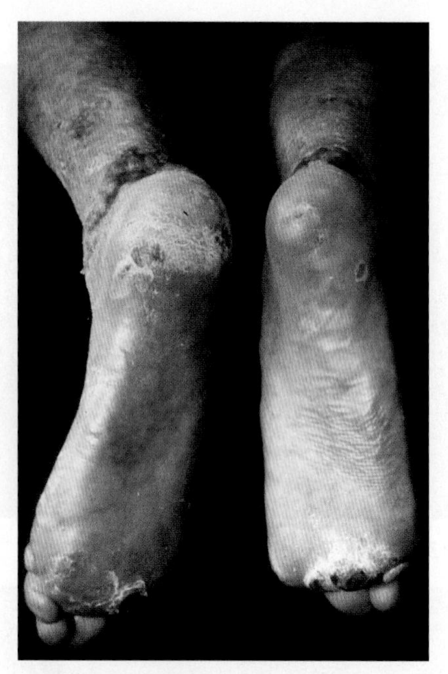
그림 27.120 베르너 증후군

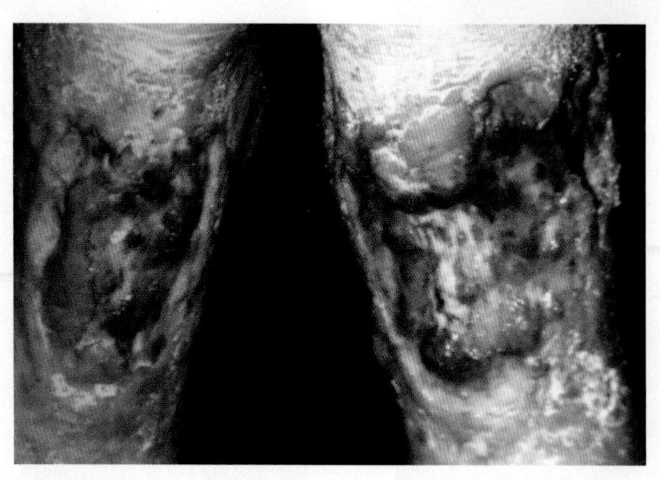
그림 27.121 베르너 증후군

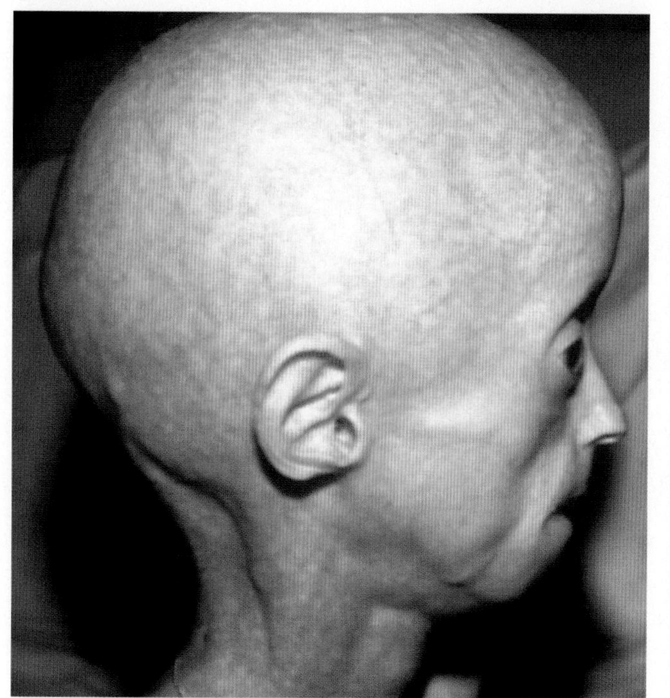

그림 27.122 유전조로증

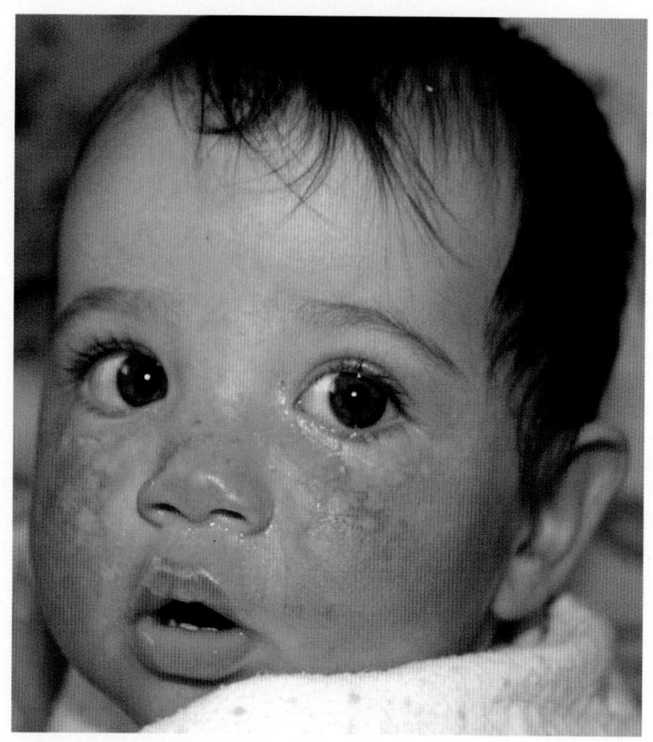

그림 27.123 색소성건피증. First published in Bradford PT, Goldstein AM, Tamura D, et al: Cancer and neurologic degeneration in xeroderma pigmentosum. J Med Genet 2011;48:168-176.

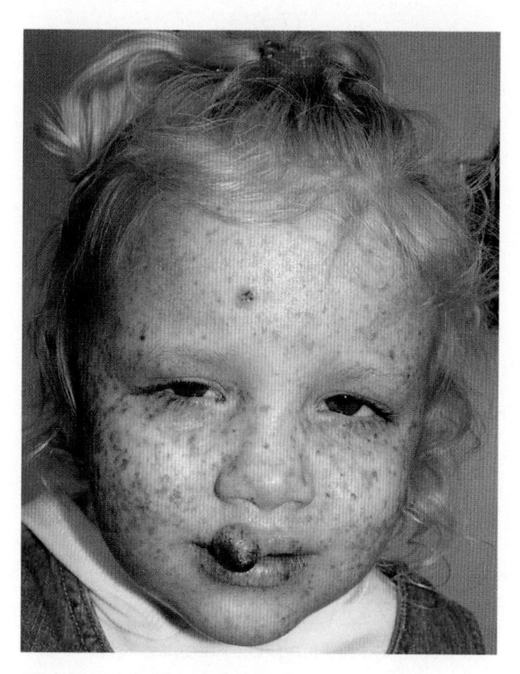

그림 27.124 색소성건피증. First published in Bradford PT, Goldstein AM, Tamura D, et al: Cancer and neurologic degeneration in xeroderma pigmentosum. J Med Genet 2011;48:168-176.

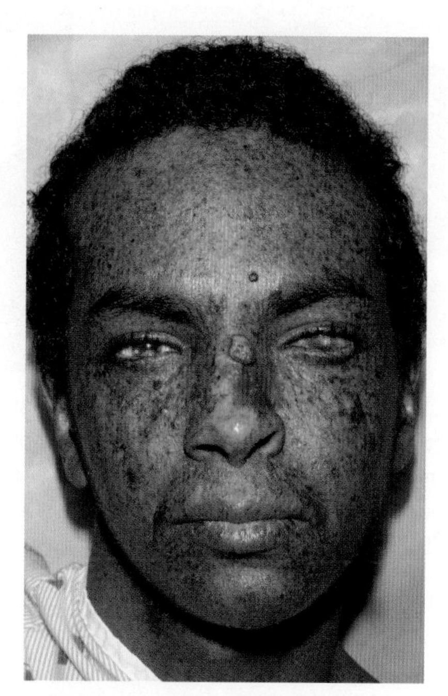

그림 27.125 색소성건피증. First published in Bradford PT, Goldstein AM, Tamura D, et al: Cancer and neurologic degeneration in xeroderma pigmentosum. J Med Genet 2011;48:168-176.

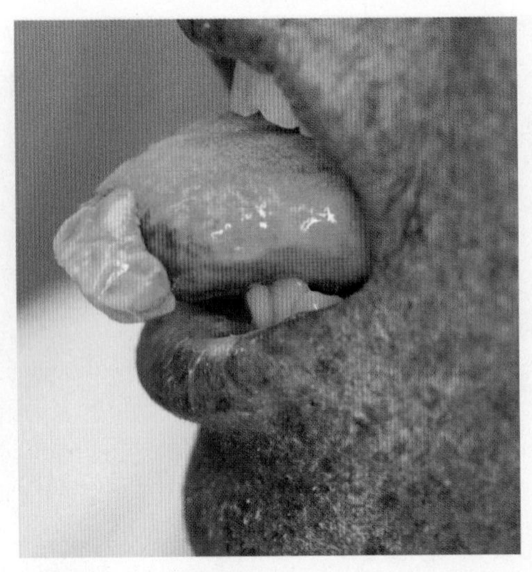

그림 27.126 색소성건피증. First published in Mahindra P, DiGiovanna JJ, Tamura D, et al: Skin cancers , blindness and anterior tongue mass in African brothers. J Amer Acad Dermatol 2008;59:881-886.

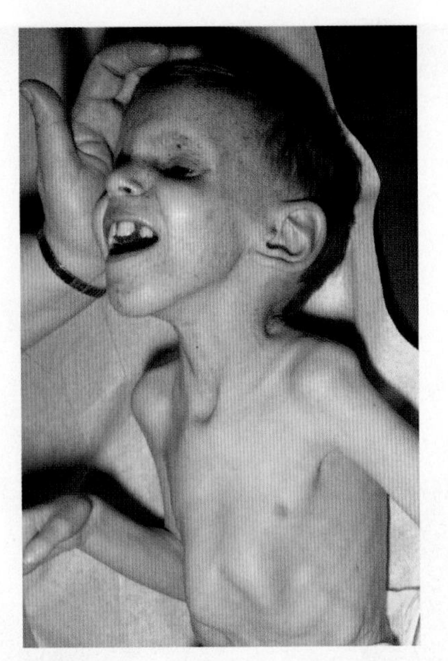

그림 27.127 코케인 증후군. First published in Lindenbaum Y, Dickson, D.W., Rosenbaum, P., Kraemer K.H., et al.: Xeroderma pigmentosum/ Cockayne Syndrome(XP/CS) complex. Eur J Child Neurol 2001;5:225-242.

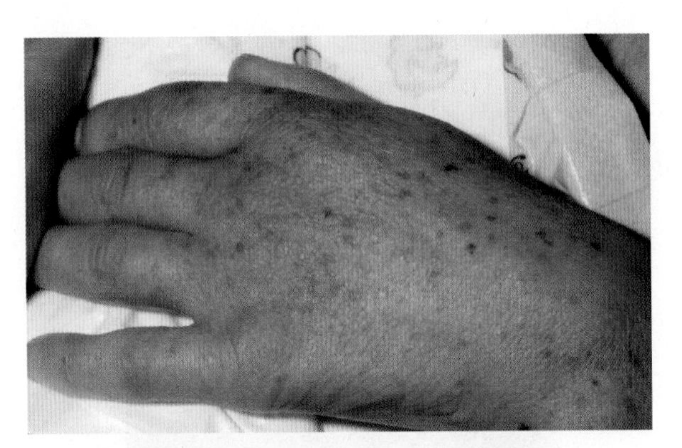

그림 27.128 코케인-색소성건피증증후군복합체. First published in Lindenbaum Y, Dickson, D.W., Rosenbaum, P., Kraemer K.H., et al.: Xeroderma pigmentosum/ Cockayne Syndrome(XP/CS) complex. Eur J Child Neurol 2001;5:225-242.

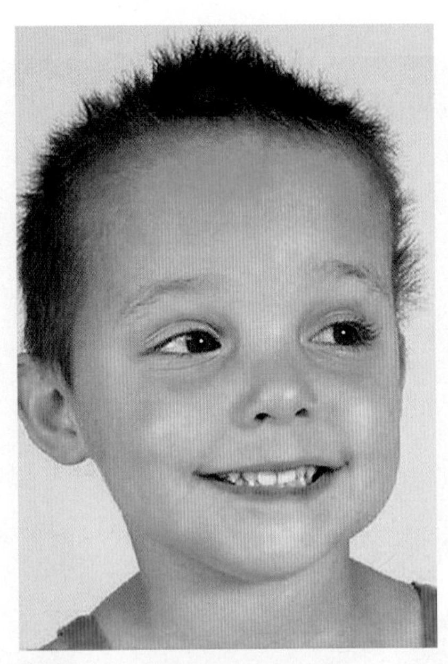

그림 27.129 모유황이상증. First published in Liang, C., Kraemer, K.H., Morris, A., et al: Characterization of tiger tail banding and hair shaft abnormalities in trichothiodystrophy. J American Acad Dermatol 2005;52:224-232.

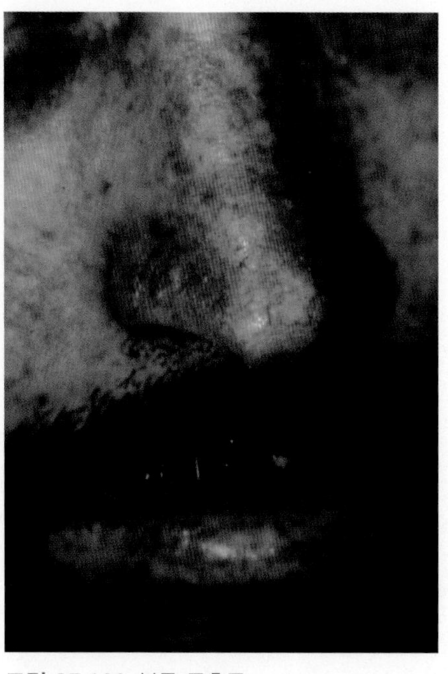

그림 27.130 블룸 증후군

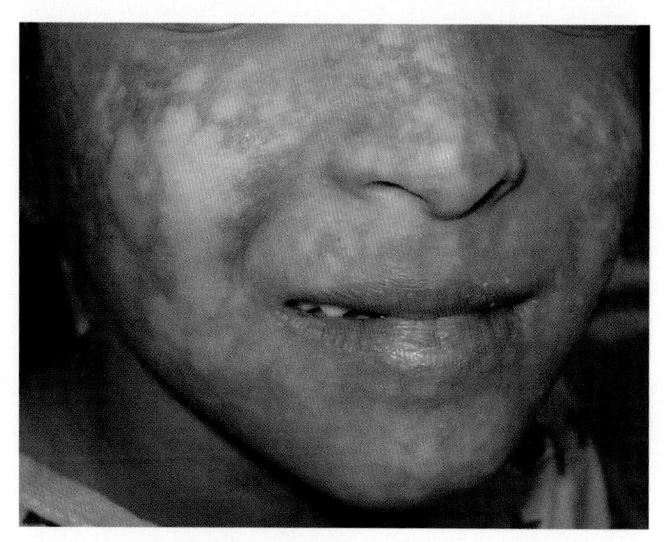

그림 27.131 로트문트-톰슨 증후군

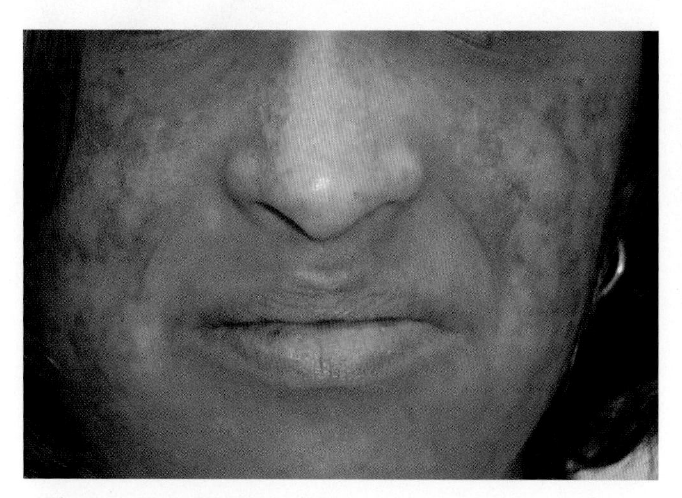

그림 27.132 로트문트-톰슨 증후군

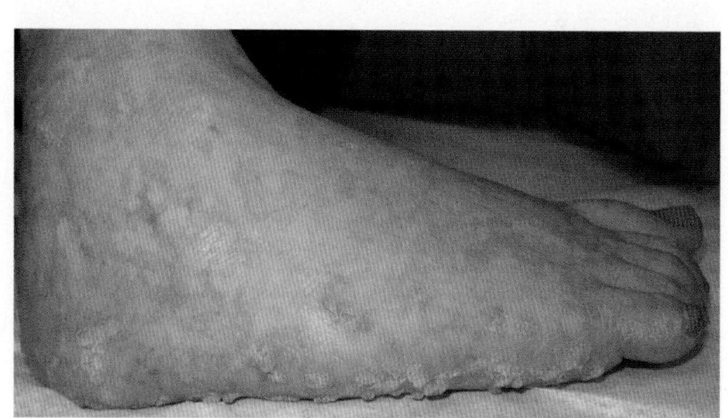

그림 27.133 로트문트-톰슨 증후군

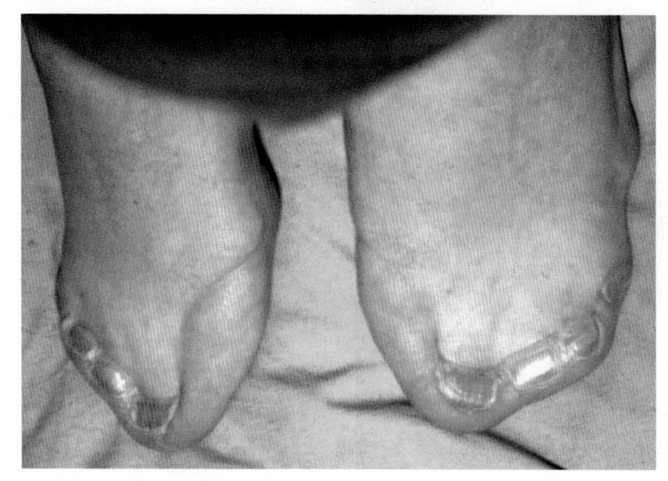

그림 27.134 에이퍼트 증후군

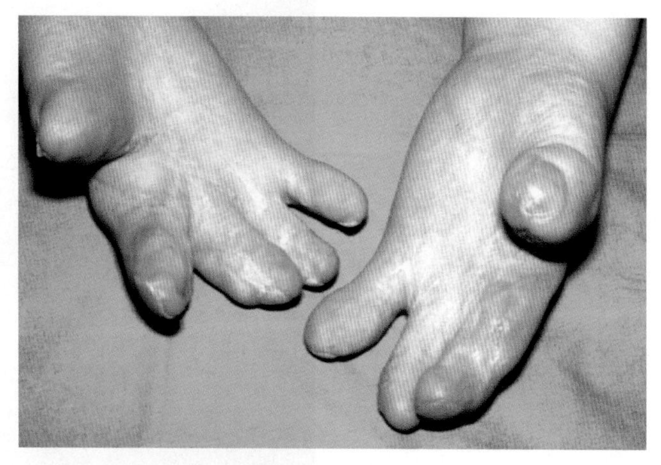

그림 27.135 에이퍼트 증후군

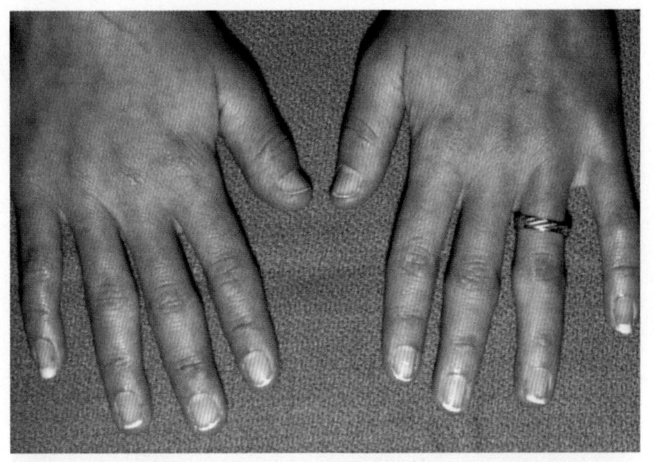
그림 27.136 모발비지절 증후군

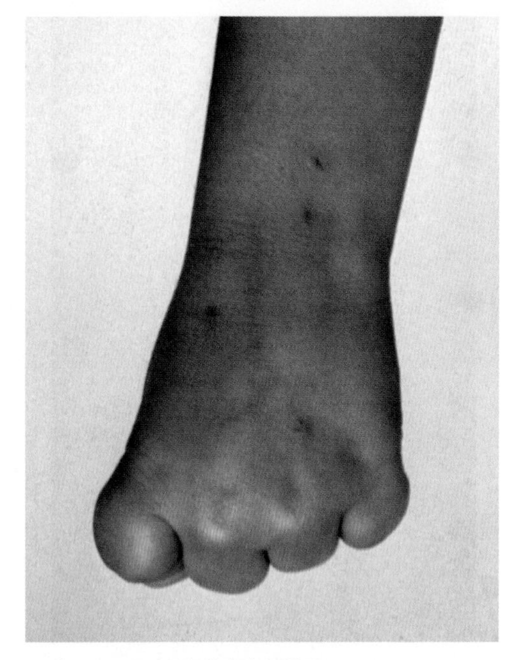
그림 27.137 모발비지절 증후군

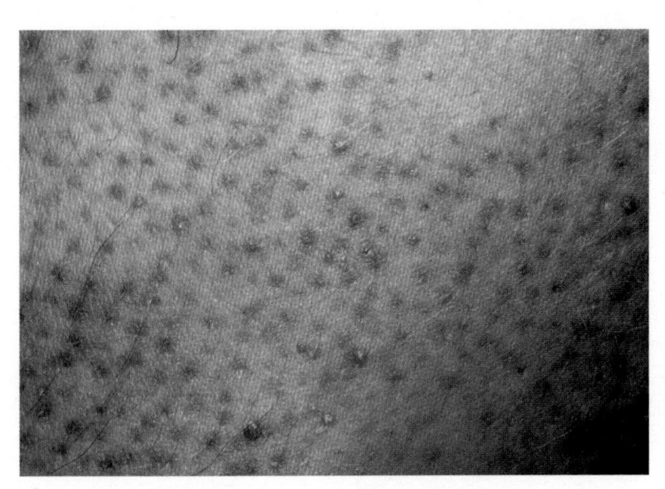
그림 27.138 모공각화증

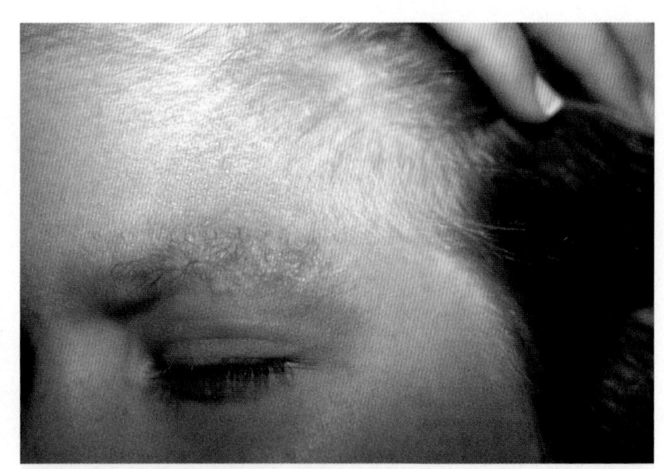
그림 27.139 눈썹흉터홍반

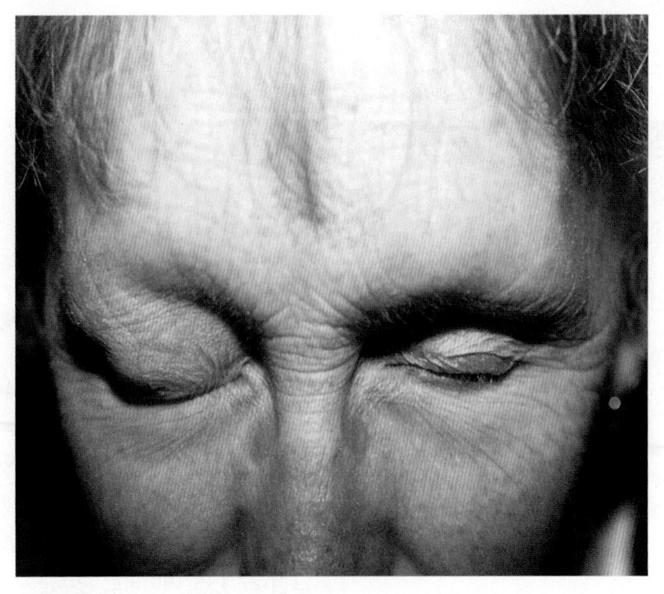
그림 27.140 가시양탈모모낭각화증

진피 및 피하종양 28

혈관종양은 혈관정체 및 혈색소의 탈산소의 정도에 따라 적색에서 청색으로 나타난다. 혈전증 혹은 소모성응고병증과 연관될 때는 병변은 단단하고 압통이 나타난다. 임상의사는 혈관증식성병변을 혈관기형과 감별해야 하는데, 전자는 베타차단제에 반응을 보이나 후자는 반응하지 않는다. 기형으로 화염상모반, 연어반, 빈혈성모반, 선천모세혈관확장대리석피부 등이 있다. 어떤 혈관기형은 주변조직의 과도성장과 동반되어 심한 병을 일으킨다. 이번 장은 섬유 및 혈관의 증식과 성장을 일으키는 진피종양과 근육, 신경 및 지방조직 종양을 포함한다.

피부생검이 진피종양의 확진을 위해 필요하지만, 병변의 색깔, 형태, 및 분포는 자주 정확한 임상진단에 이르게 한다. 피부섬유종은 단단한, 분홍색에서 갈색의 진피결절로 나타나는데, 병변상부에 흐릿하거나 벨벳 같은 색조를 보이는 표피 극세포증으로 덮혀있다. 주변피부를 양측으로 누르면 특징적인 오목형성징후가 나타난다. 과립세포종양은 크지는 경향이 있으나 상부가 벨벳 혹은 사마귀양의 피부로 덮힌다. 반면에, 융기피부섬유육종은 다발성 결절을 보이고, 상부에 당겨지고, 윤이 나는 표피위축으로 덮여있다. 이들 종양은 신경섬유종의 연한 고무나 젤리 느낌과 달리 촉진상 아주 단단하다.

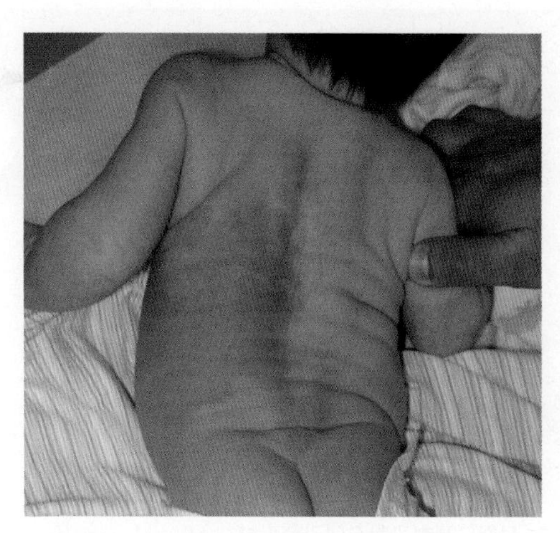

그림 28.1 색소혈관모종증

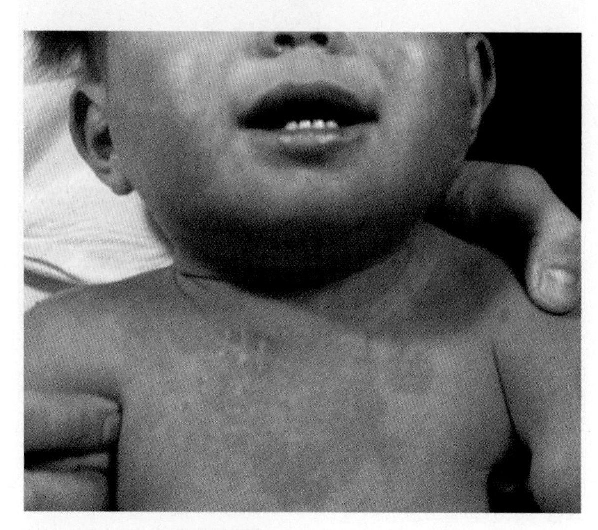

그림 28.2 색소혈관모종증

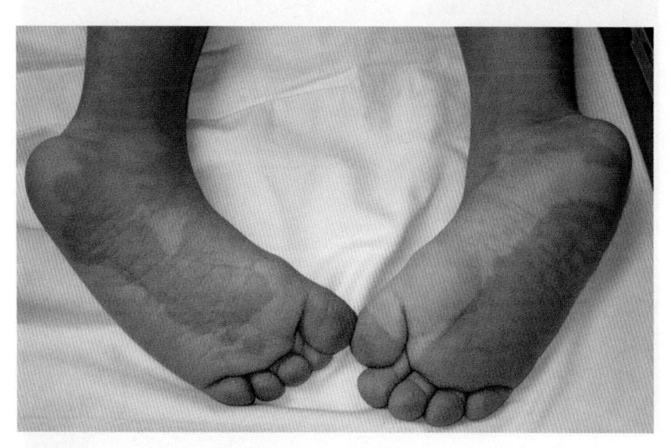

그림 28.3 PIK3CA-관련분절과성장증후군

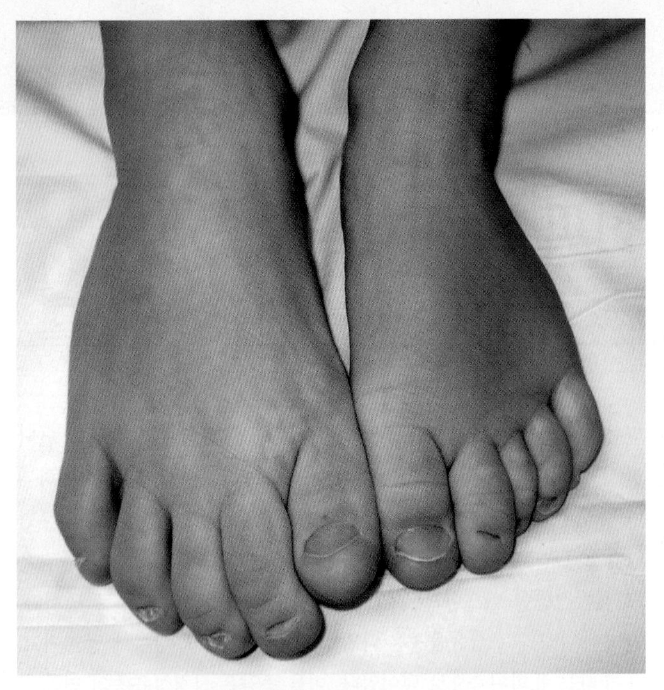

그림 28.4 PIK3CA-관련분절과성장증후군

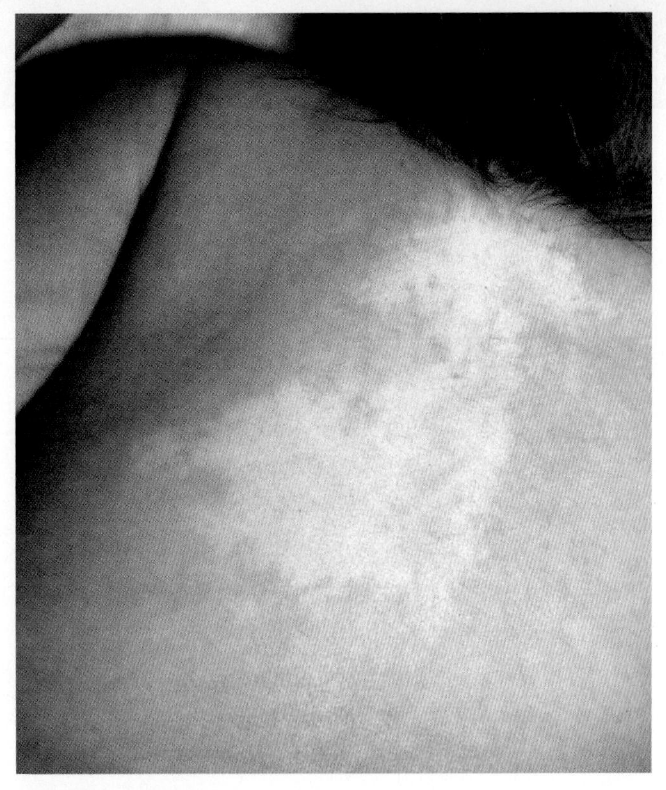

그림 28.5 빈혈모반

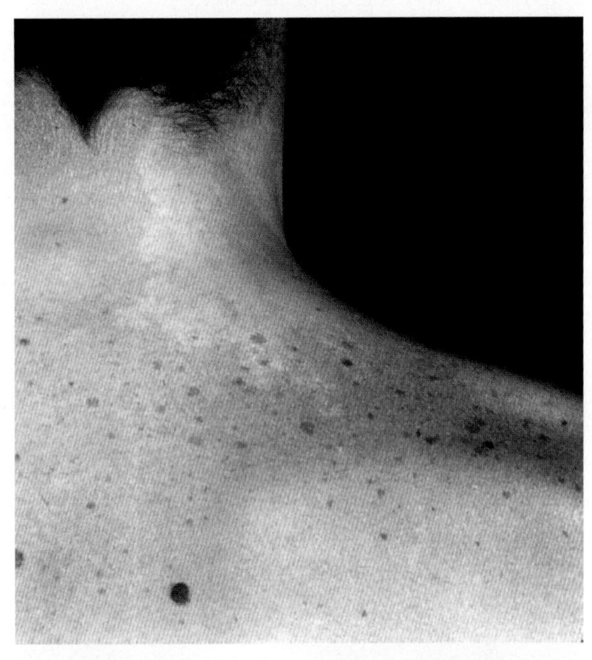

그림 28.6 빈혈모반

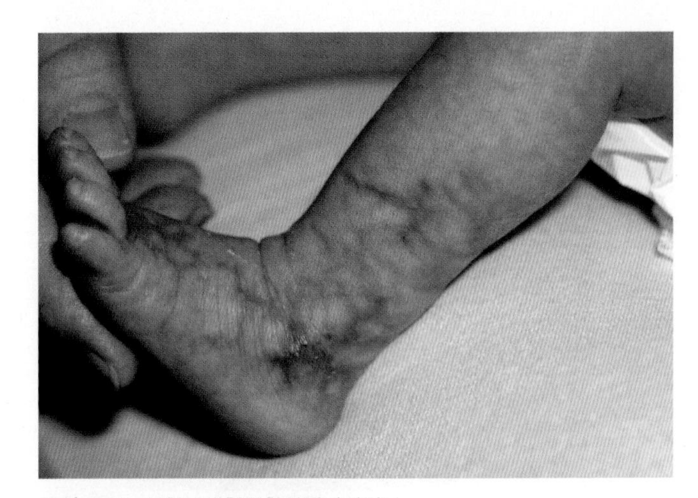

그림 28.7 선천모세혈관확장대리석피부

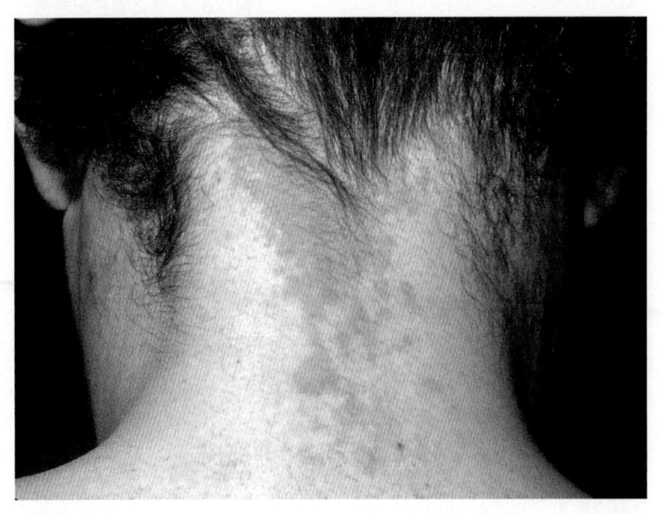

그림 28.8 단순모반

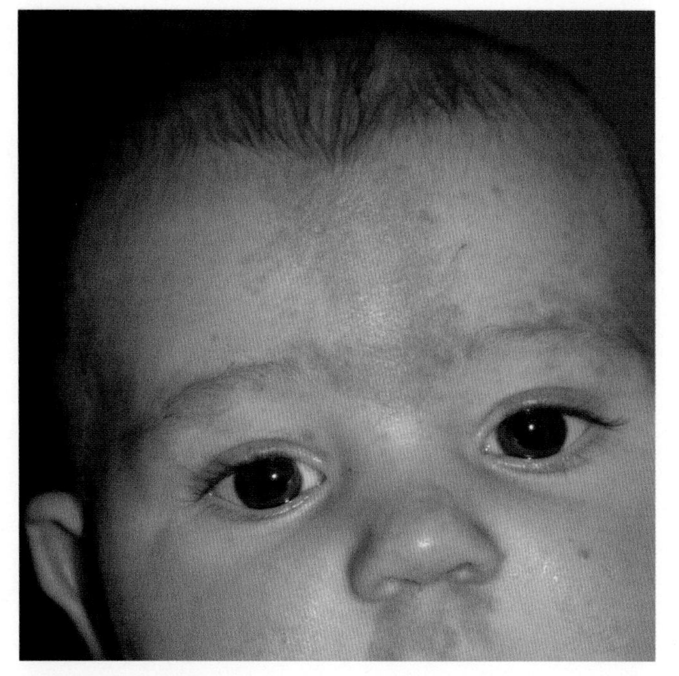

그림 28.9 단순모반

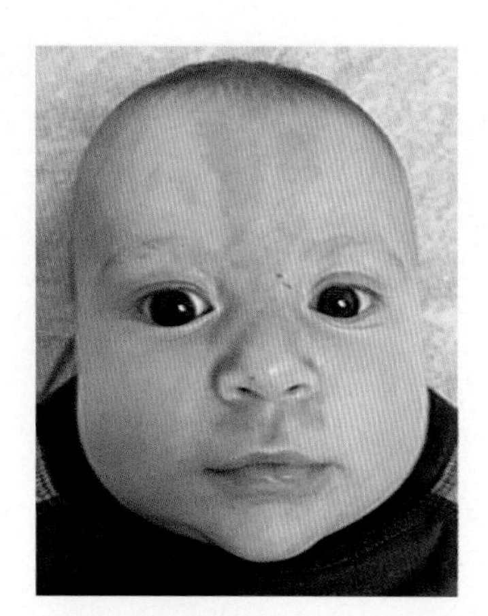

그림 28.10 단순모반

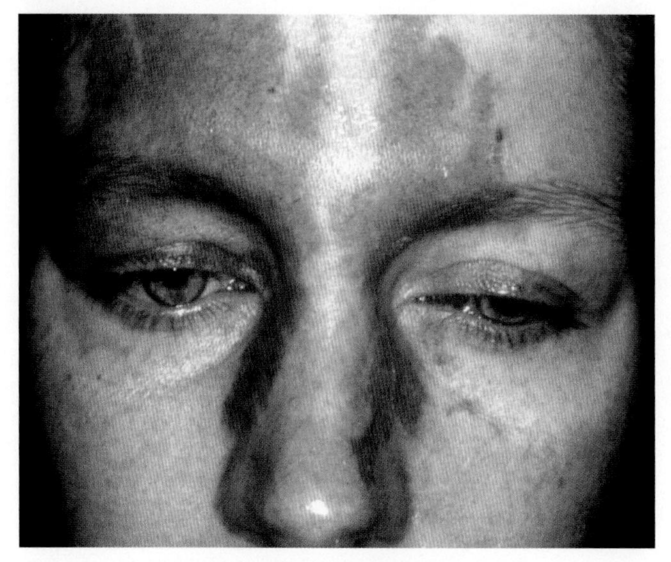

그림 28.11 스터지웨버증후군의 모세혈관기형(적포도주색)

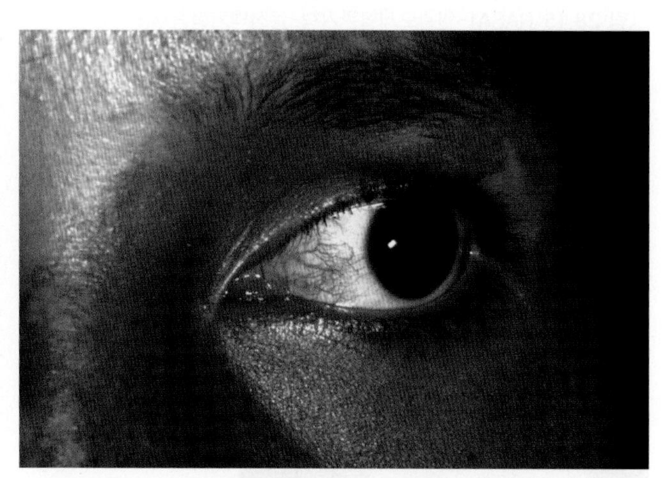

그림 28.12 스터지웨버증후군의 모세혈관기형(적포도주색)

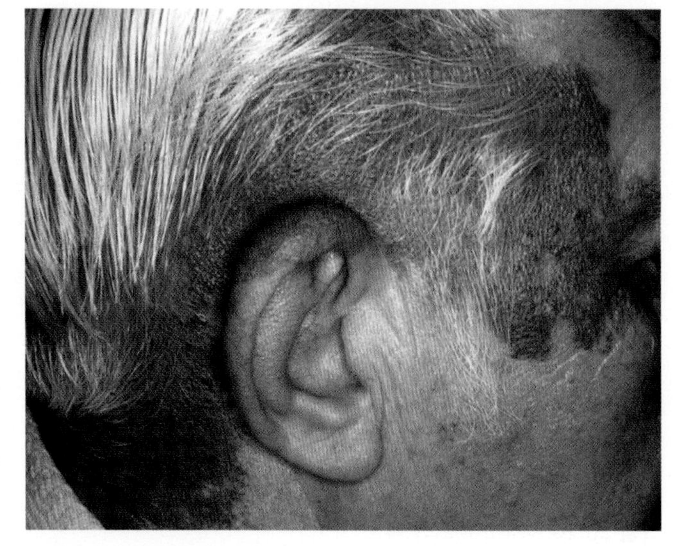

그림 28.13 모세혈관기형(적포도주색)

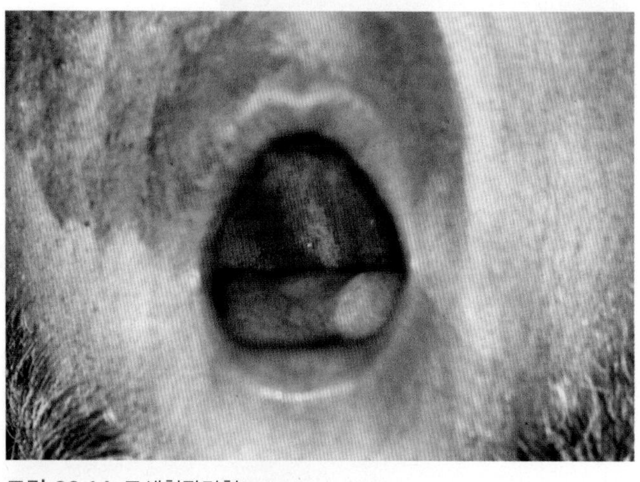

그림 28.14 모세혈관기형(적포도주색)

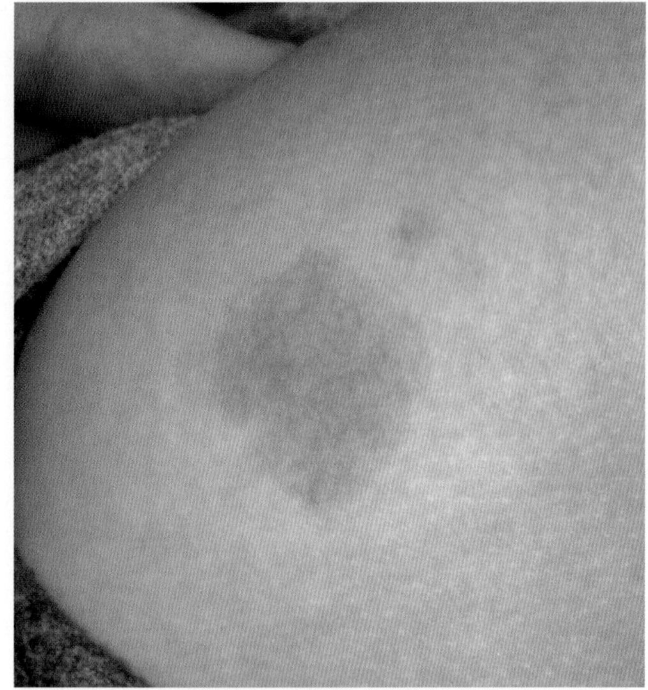

그림 28.15 RASA1-연관모세혈관기형-동정맥기형증후군

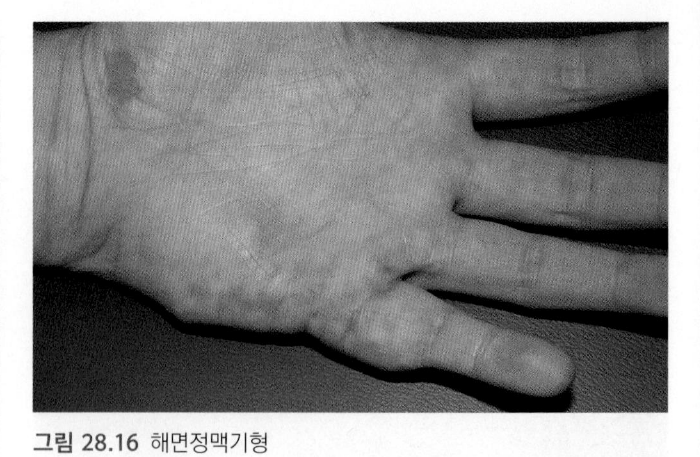

그림 28.16 해면정맥기형

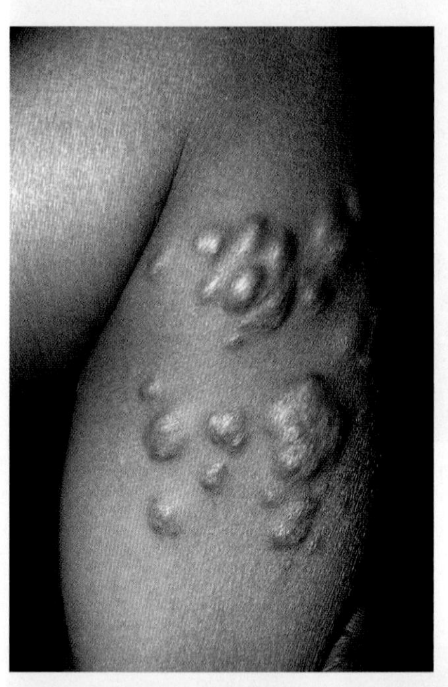

그림 28.17 해면정맥기형

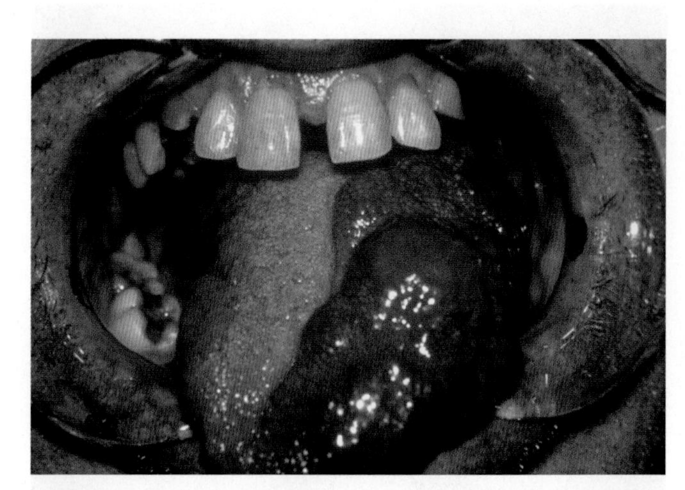

그림 28.18 해면정맥기형

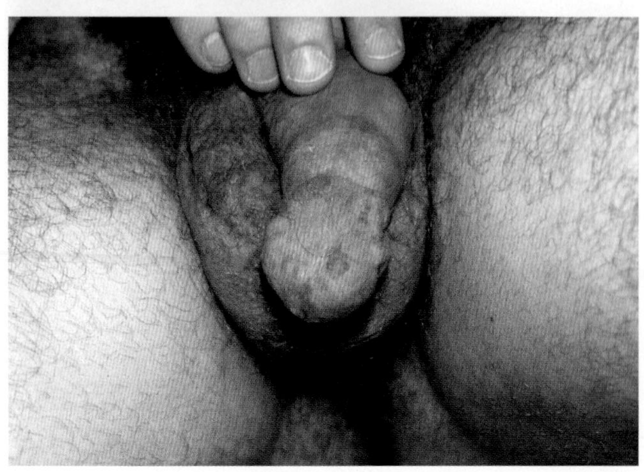

그림 28.19 정맥기형

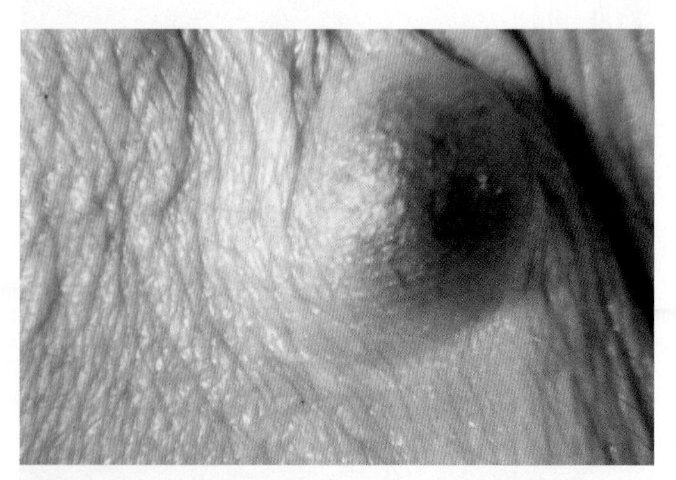

그림 28.20 청색고무물집증후군

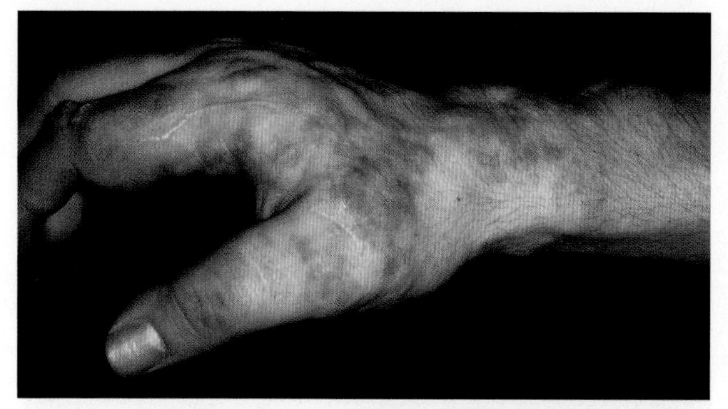

그림 28.21 마푸치증후군

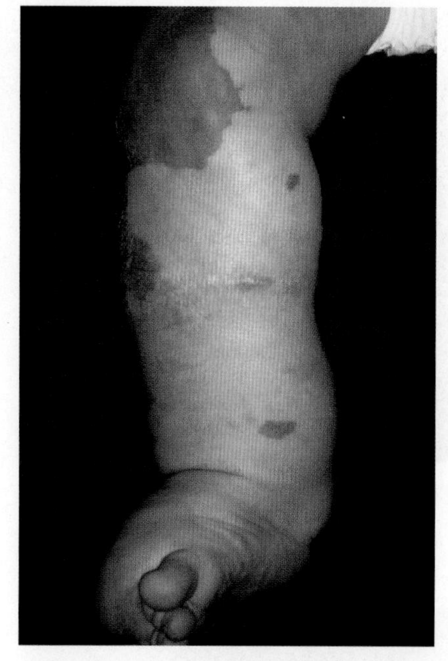

그림 28.22 클리펠-트레노니증후군

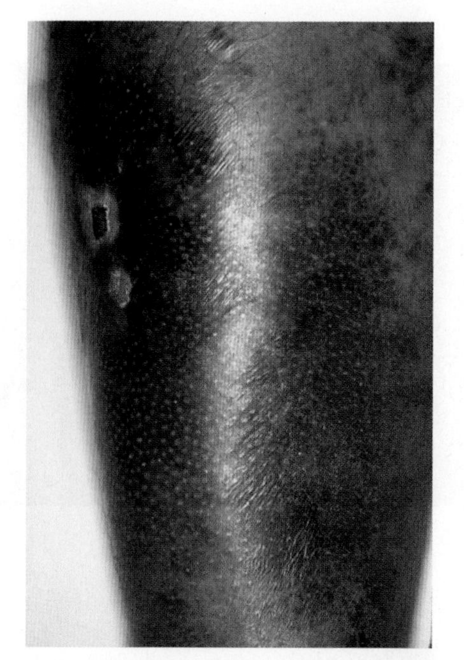

그림 28.23 동정맥누공

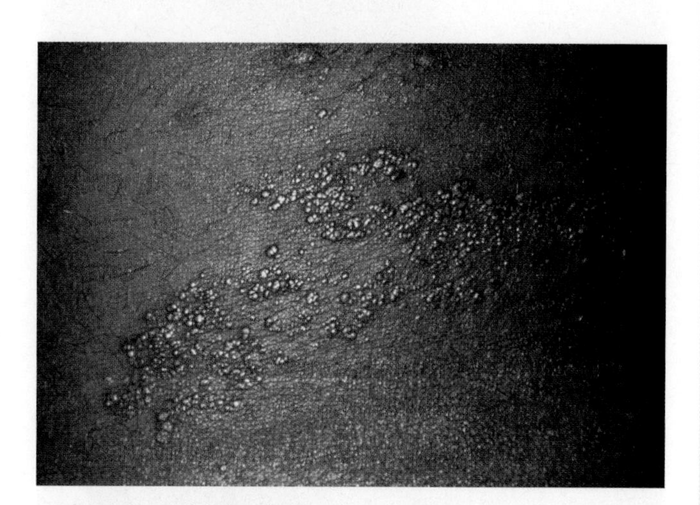

그림 28.24 미세낭림프관기형

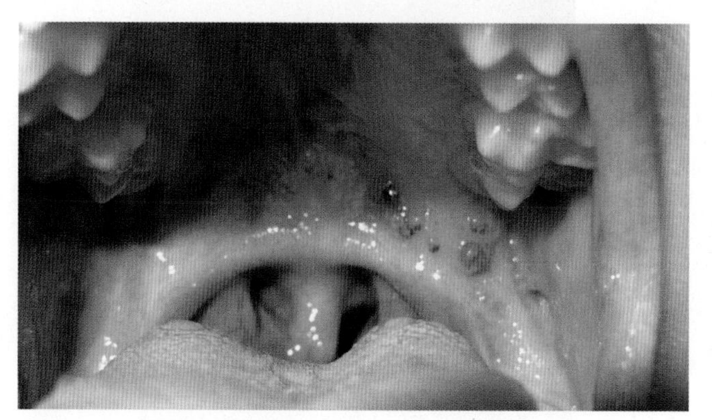

그림 28.25 구강림프관기형

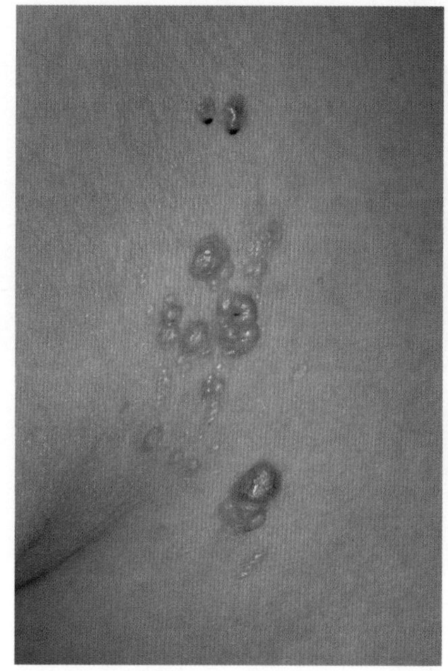

그림 28.26 표재림프관기형

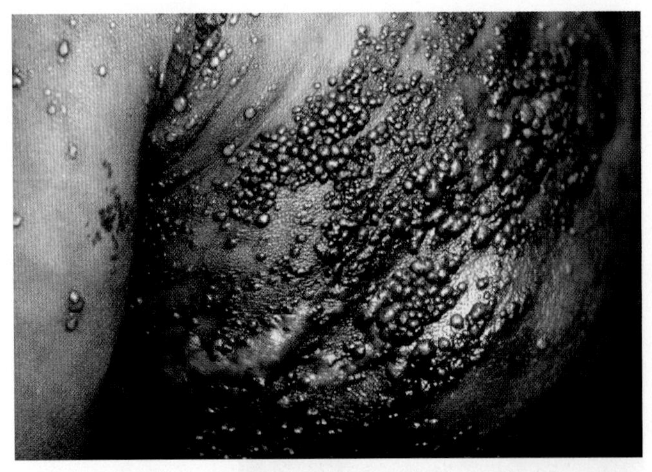

그림 28.27 정맥림프관기형

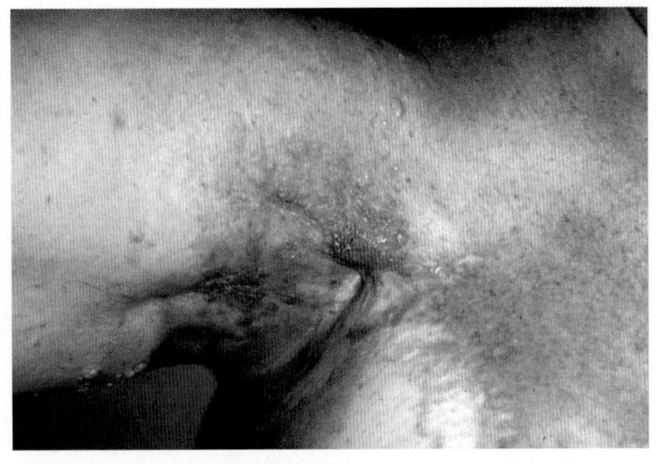

그림 28.28 유방암의 수술 및 방사선치료 후 발생한 후천성림프관확장. 피부 발적은 유미의 배출로 인한 자극이다.

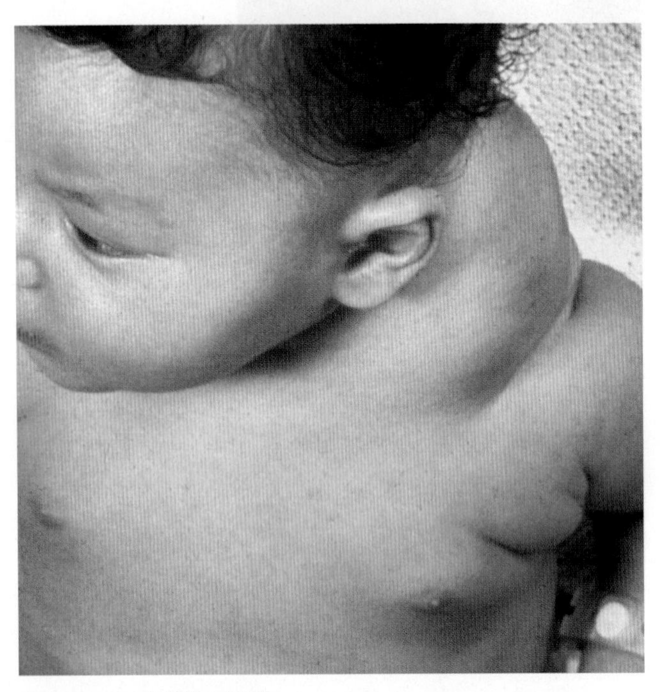

그림 28.29 심재림프관기형

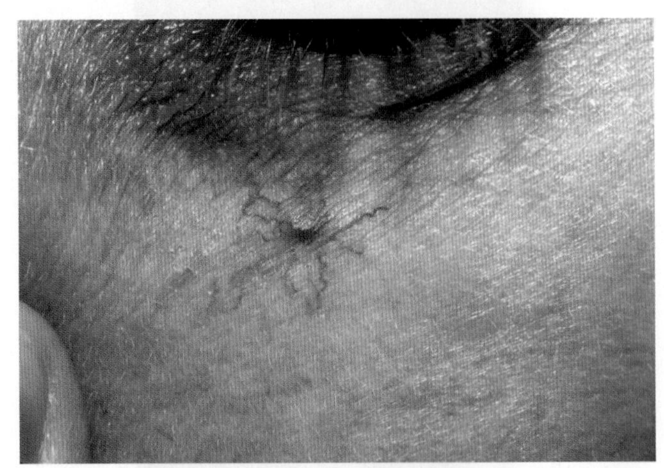

그림 28.30 거미혈관종

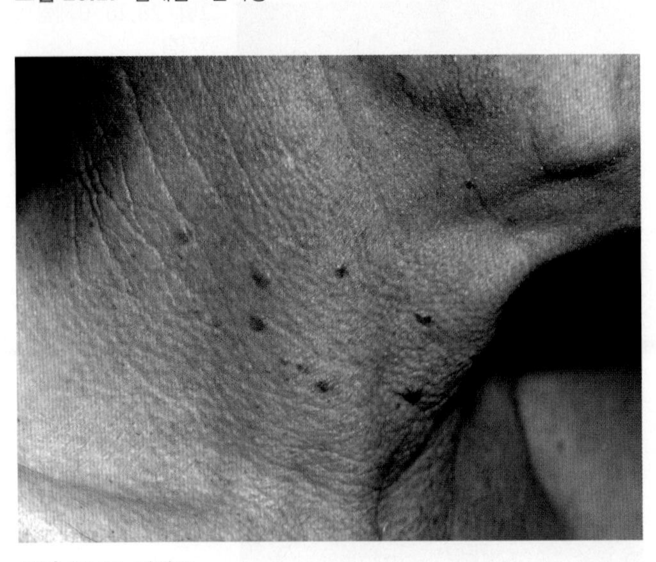

그림 28.31 정맥호

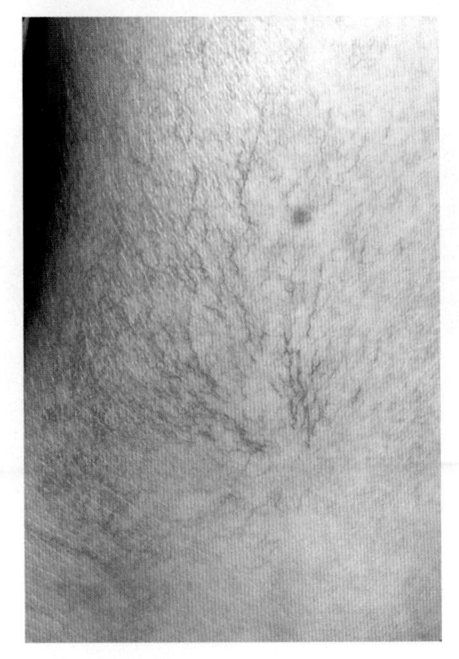

그림 28.32 전신본태성모세혈관확장

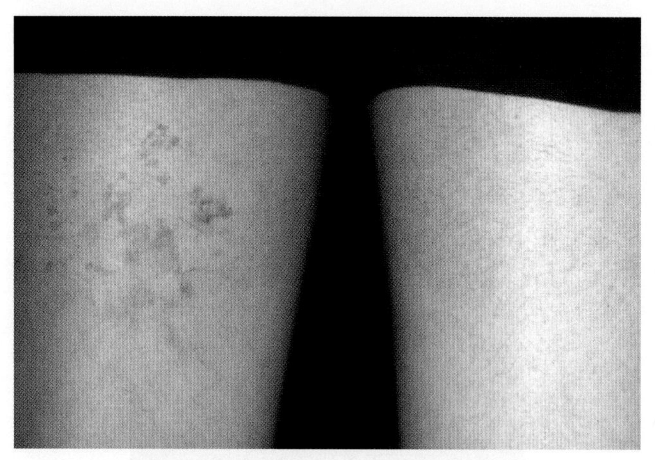
그림 28.33 일측모반모세혈관확장

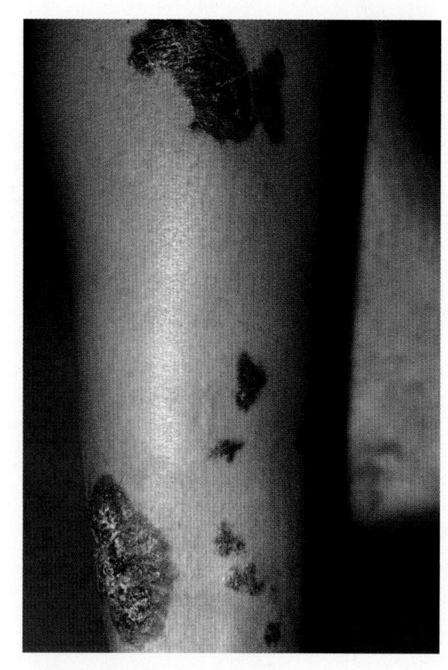
그림 28.34 국한혈관각화종

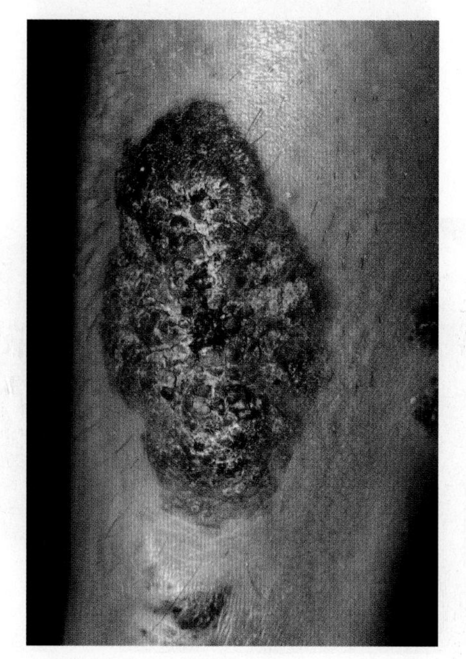
그림 28.35 국한혈관각화종

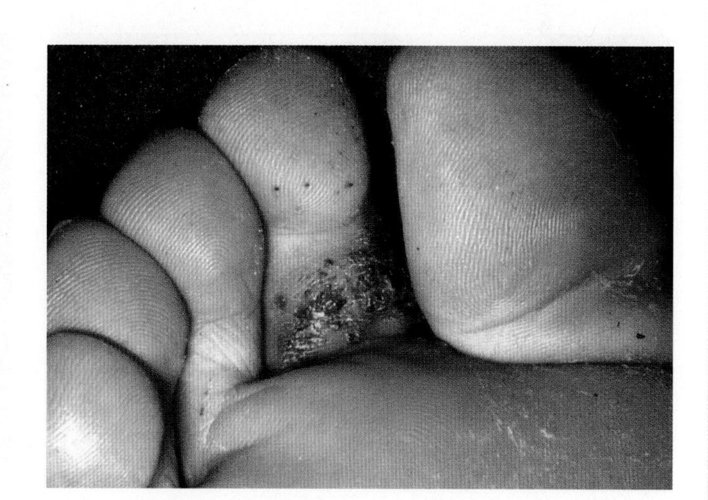
그림 28.36 미벨리혈관각화종

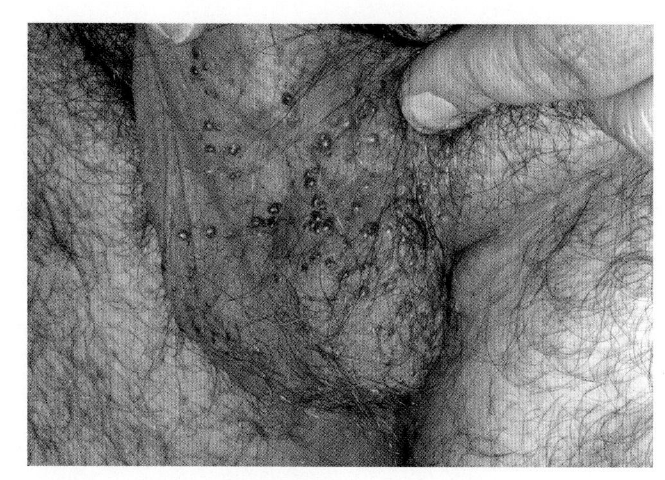
그림 28.37 포다이스혈관각화종

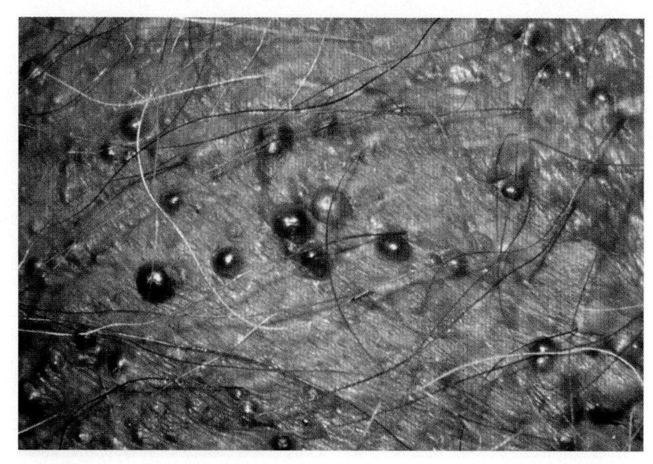
그림 28.38 포다이스혈관각화종

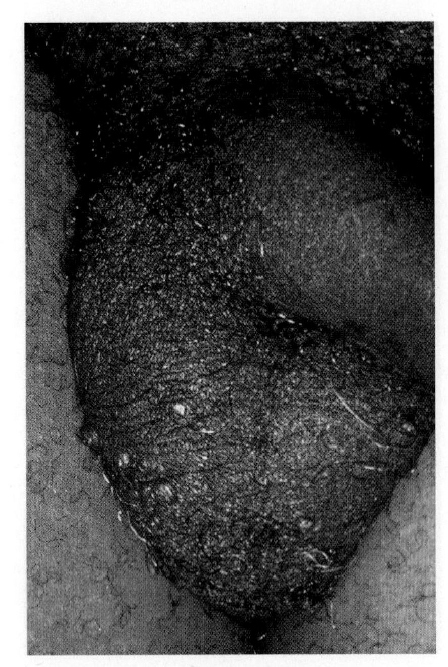

그림 28.39 포다이스혈관각화종

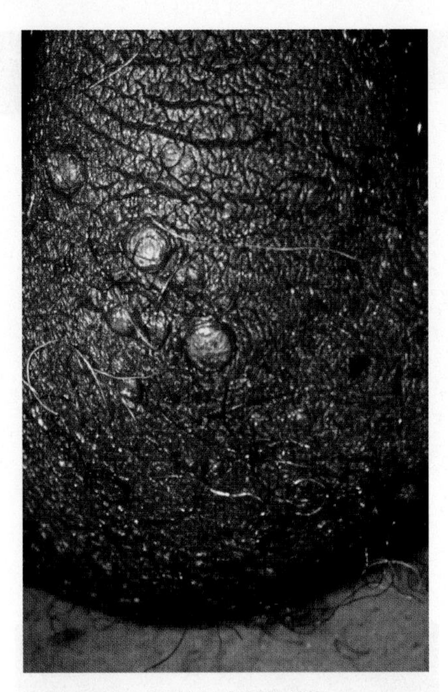

그림 28.40 포다이스혈관각화종

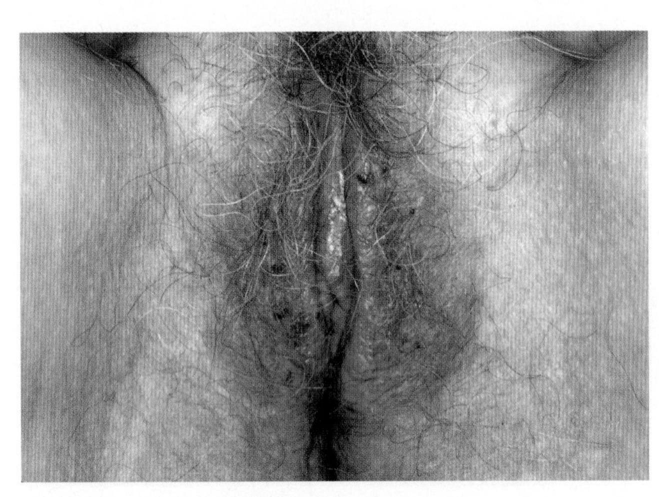

그림 28.41 포다이스혈관각화종

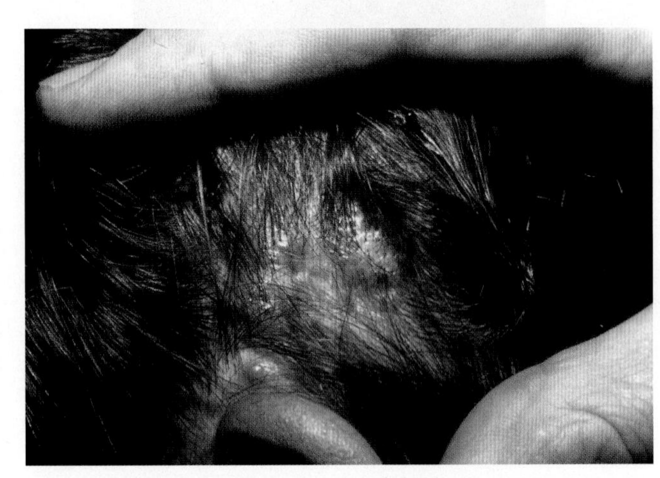

그림 28.42 호산구증가혈관림프구증식

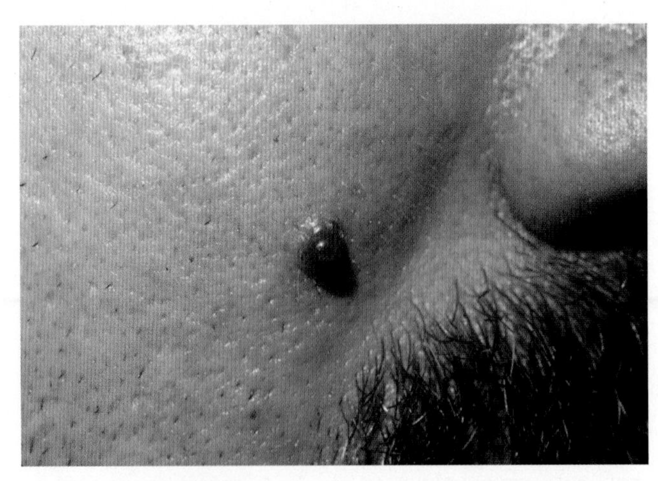

그림 28.43 화농육아종

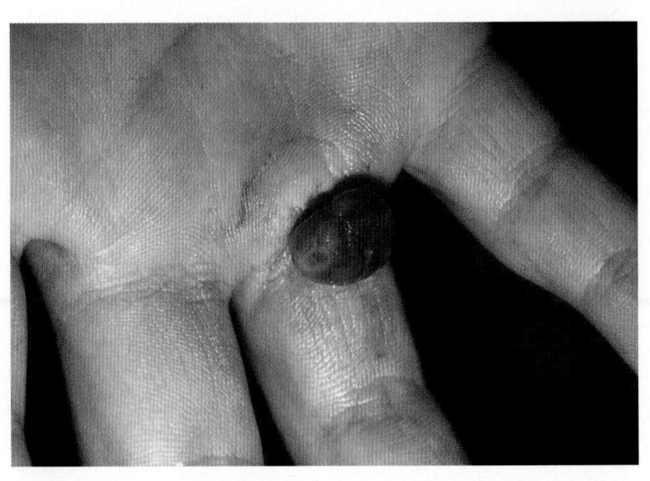

그림 28.44 화농육아종

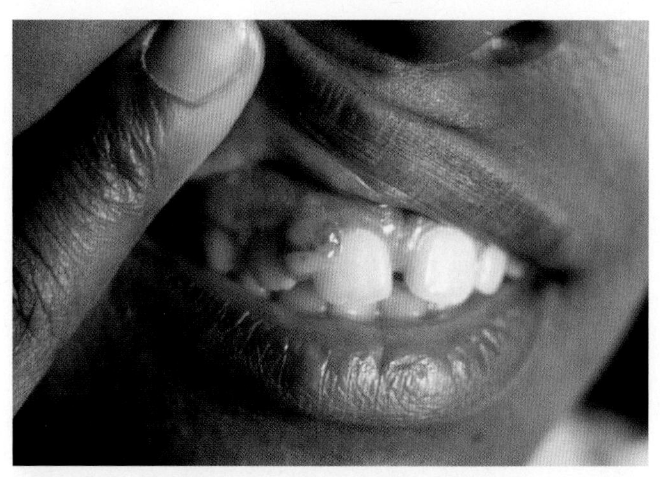

그림 28.45 화농육아종

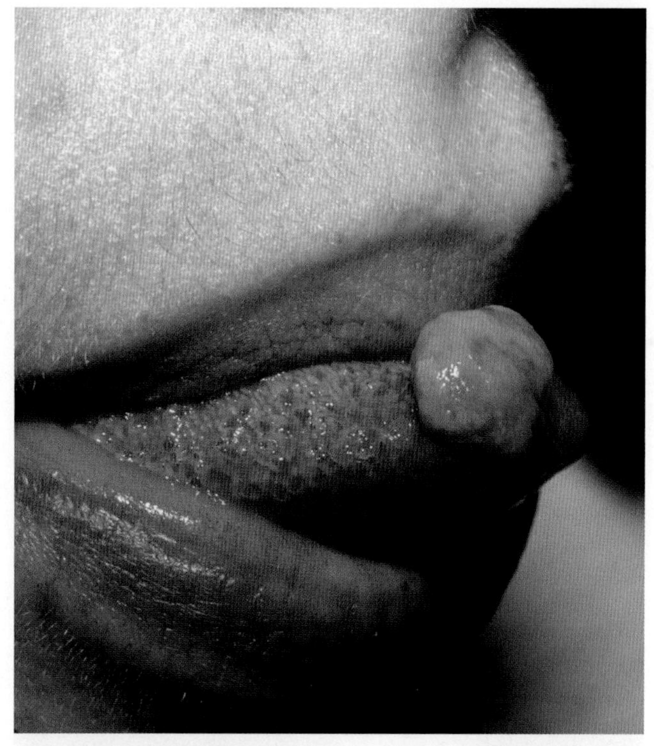

그림 28.46 화농육아종

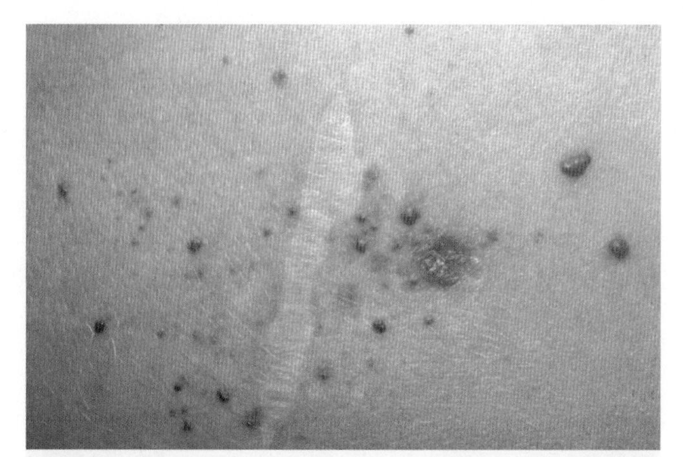

그림 28.47 위성병변을 가진 재발성 화농육아종

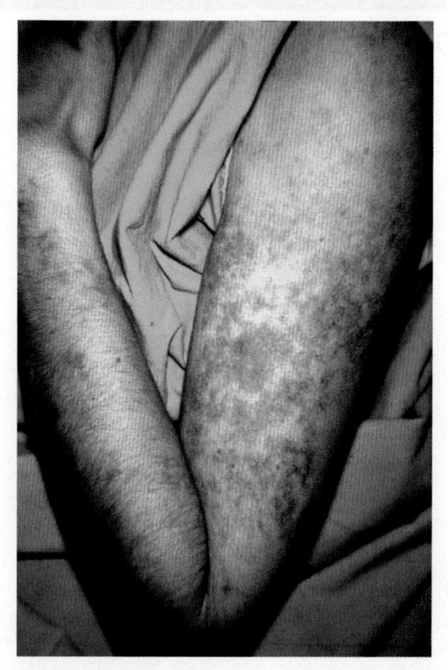

그림 28.48 사행성혈관종

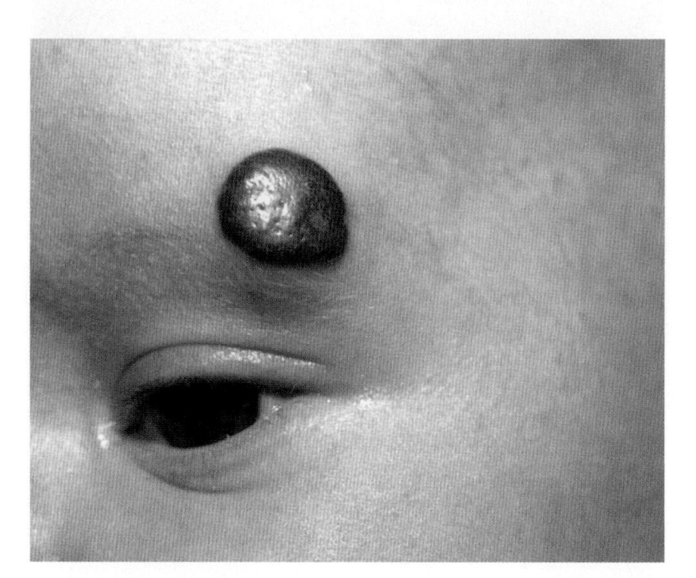

그림 28.49 유아혈관종

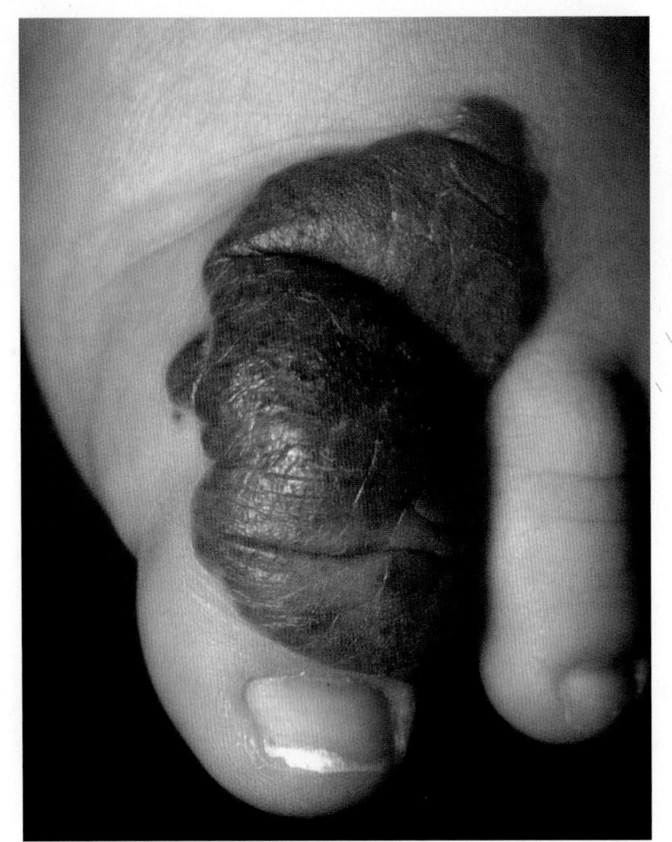

그림 28.50 유아혈관종

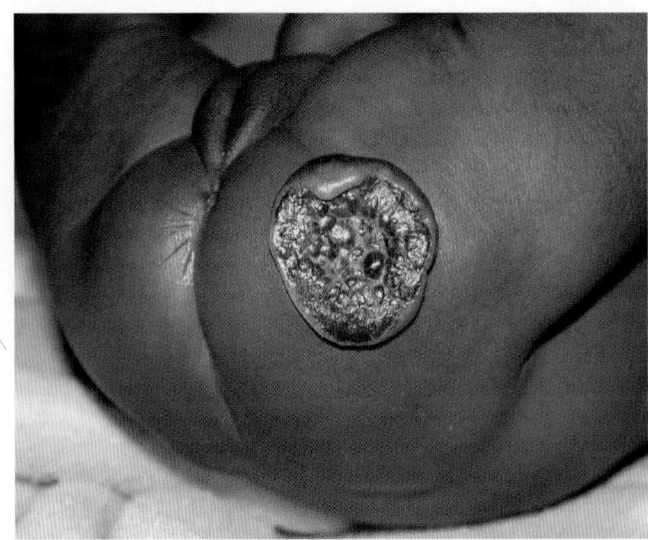

그림 28.51 궤양을 보이는 유아혈관종

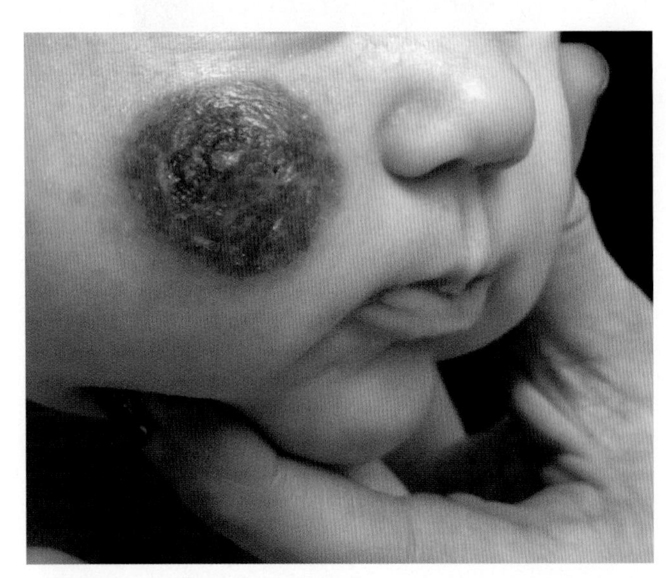

그림 28.52 궤양을 보이는 유아혈관종

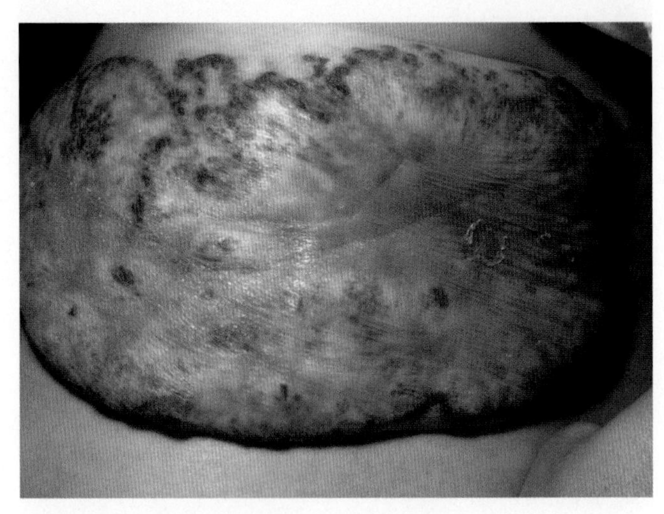

그림 28.53 퇴화성 유아혈관종

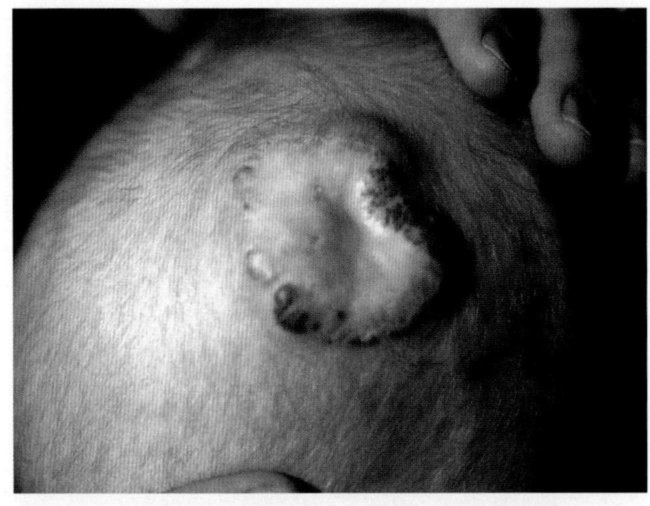

그림 28.54 퇴화성 유아혈관종

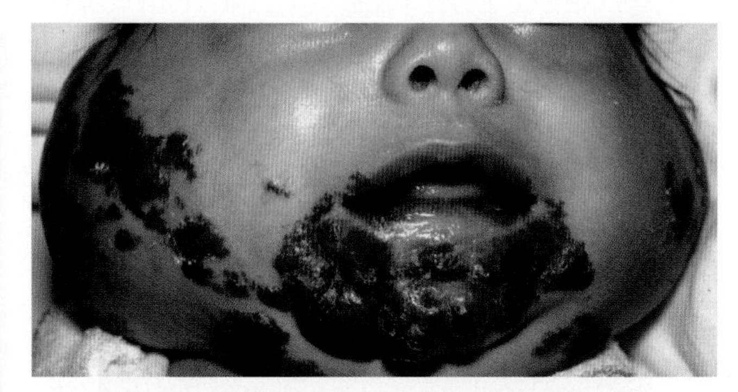

그림 28.55 PHACE증후군

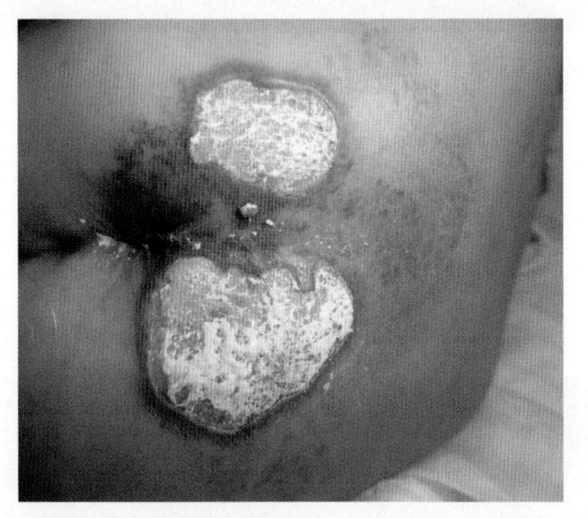

그림 28.56 LUMBAR증후군

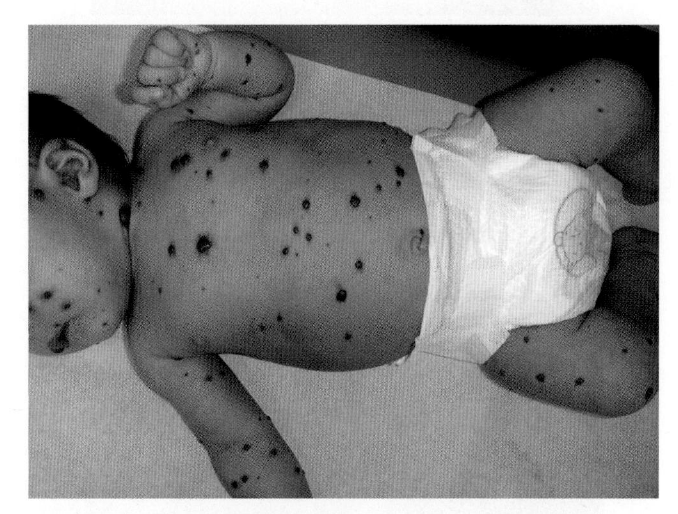

그림 28.57 광범위신생아혈관종증

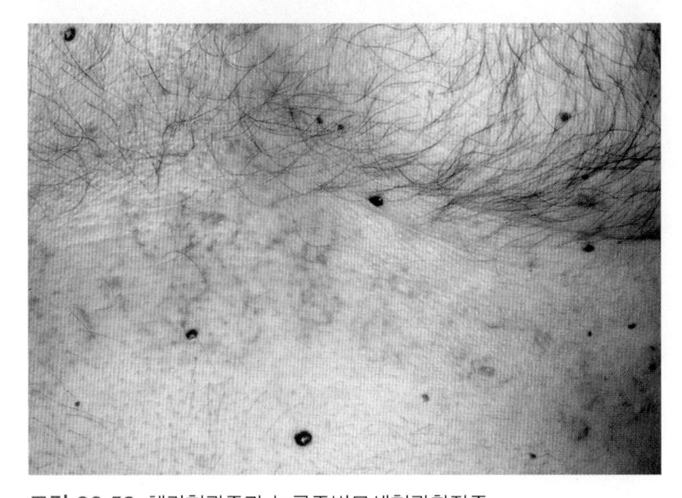

그림 28.58 체리혈관종과 늑골주변모세혈관확장증

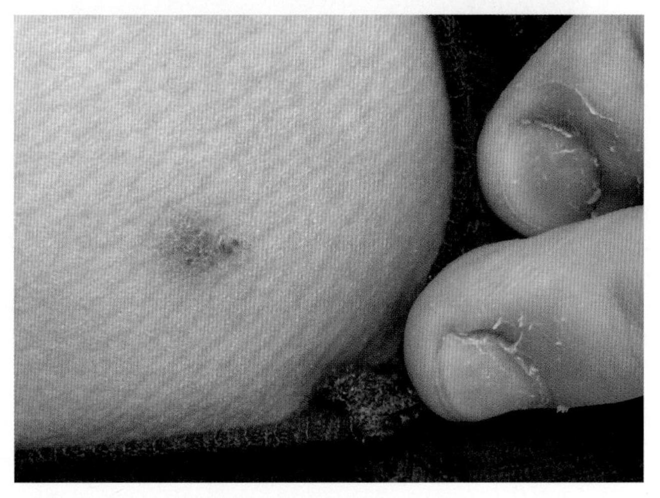

그림 28.59 표적모양혈철소혈관종

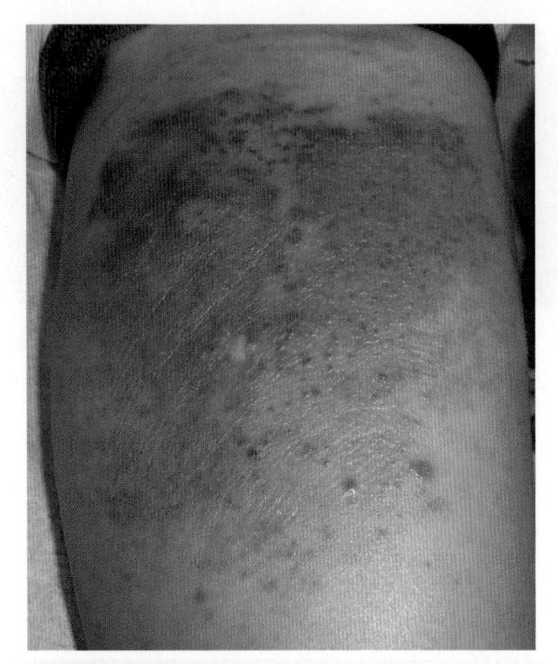

그림 28.60 뭉치혈관종

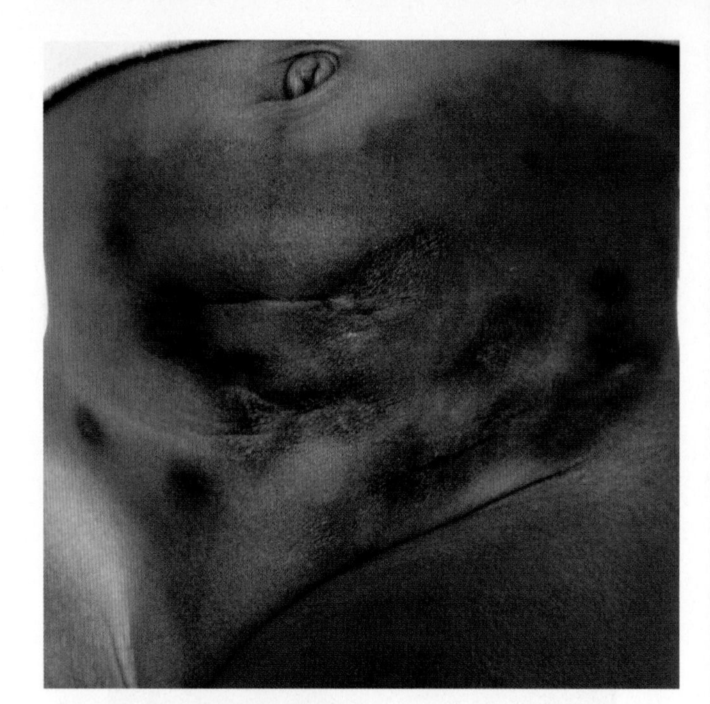

그림 28.61 카포시양혈관내피종

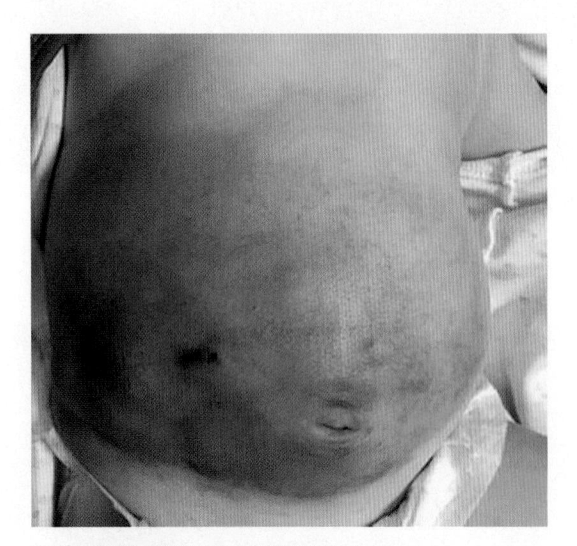

그림 28.62 카사바하-메리트증후군

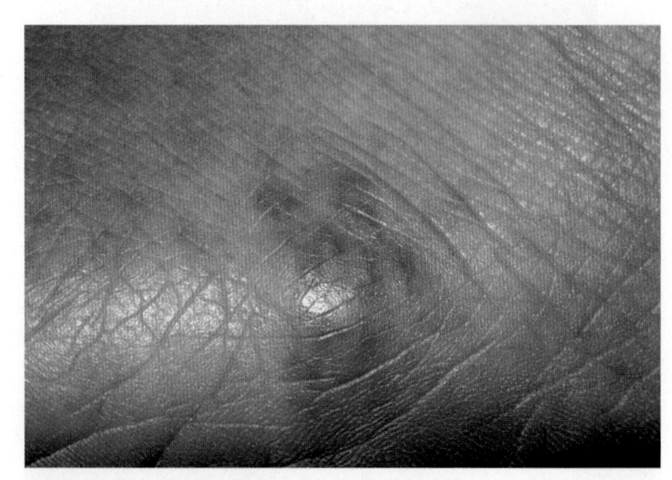

그림 28.63 사구혈관종

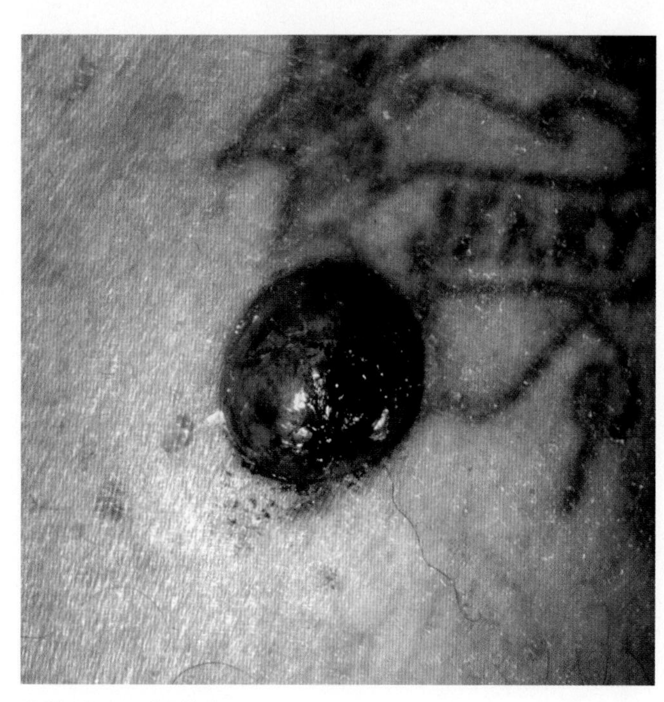

그림 28.64 사구혈관종

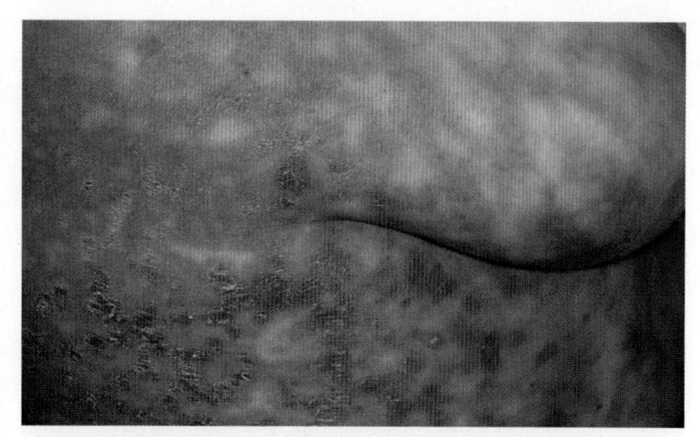

그림 28.65 광범위진피혈관종증

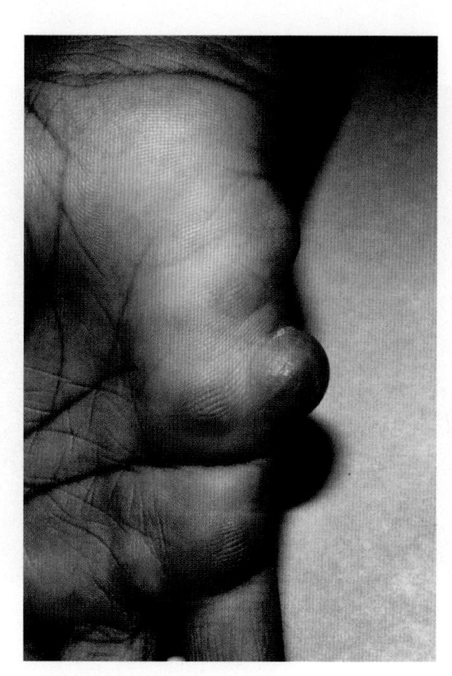

그림 28.66 방추세포혈관종

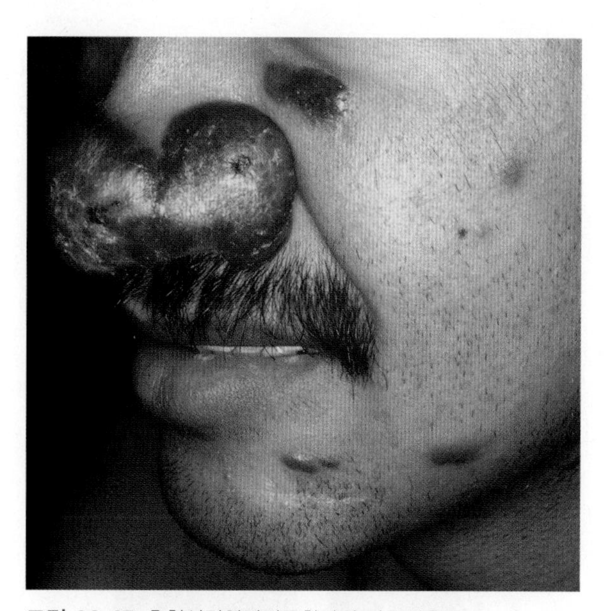

그림 28.67 후천성면역결핍증환자의 카포시육종

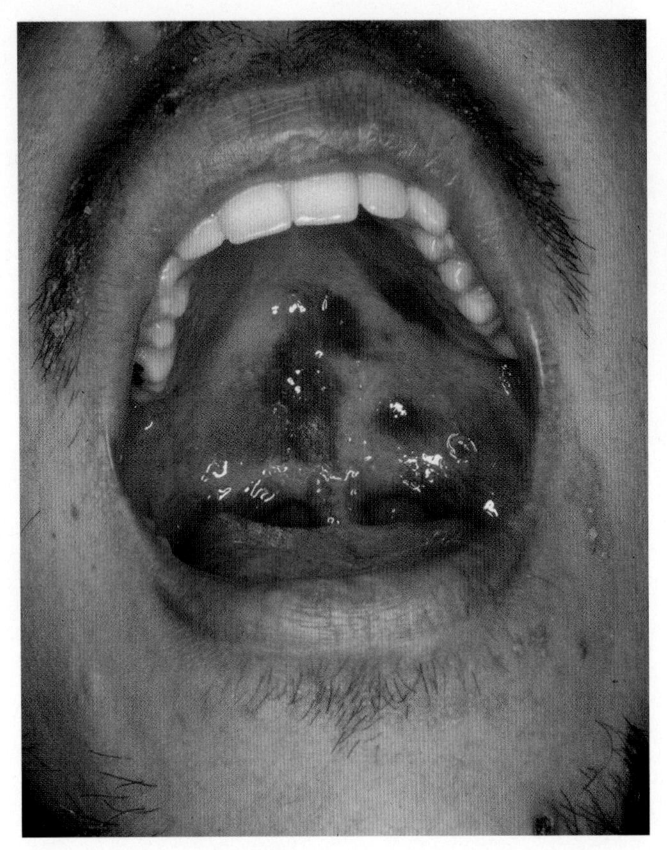

그림 28.68 후천성면역결핍증환자의 카포시육종. 구개가 흔히 침범된다.

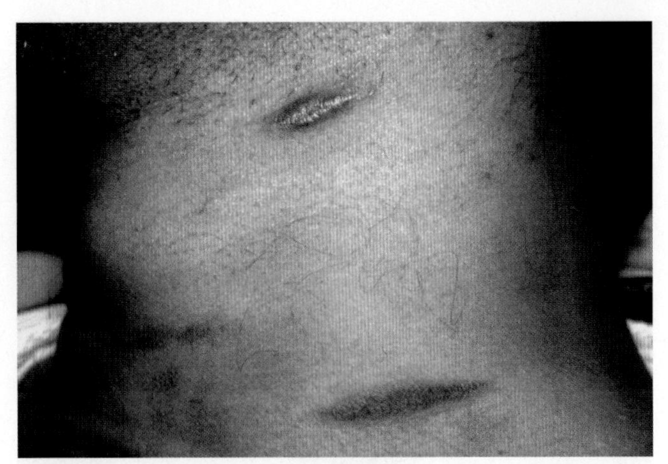

그림 28.69 후천성면역결핍증환자의 카포시육종. 피부선을 따라 선상의 연장된 병변이 특징적이다.

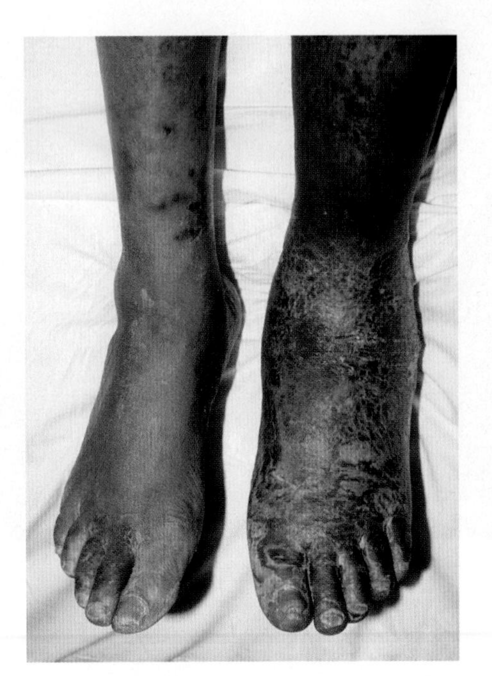

그림 28.70 후천성면역결핍증환자의 카포시육종

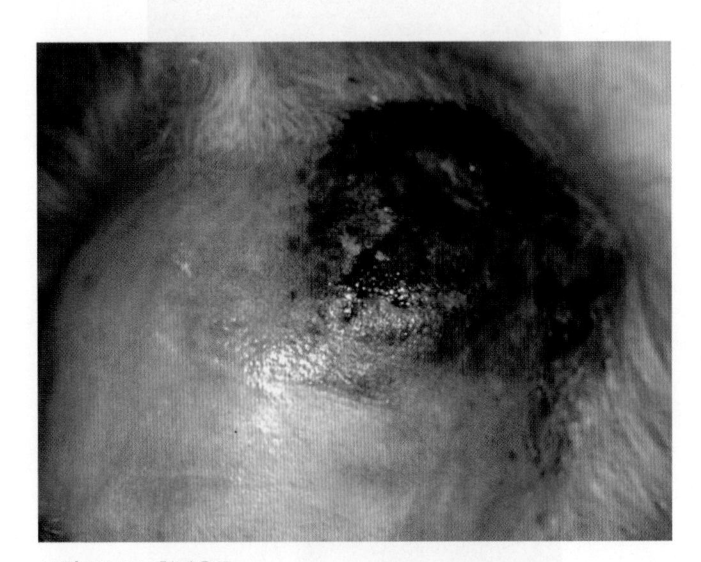

그림 28.71 혈관육종

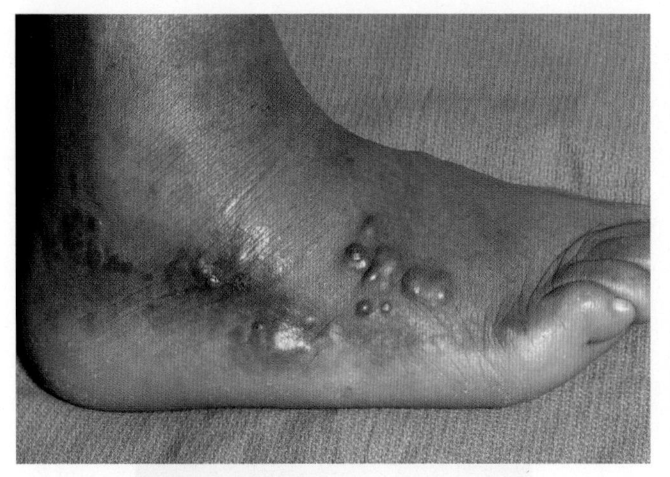

그림 28.72 혈관육종

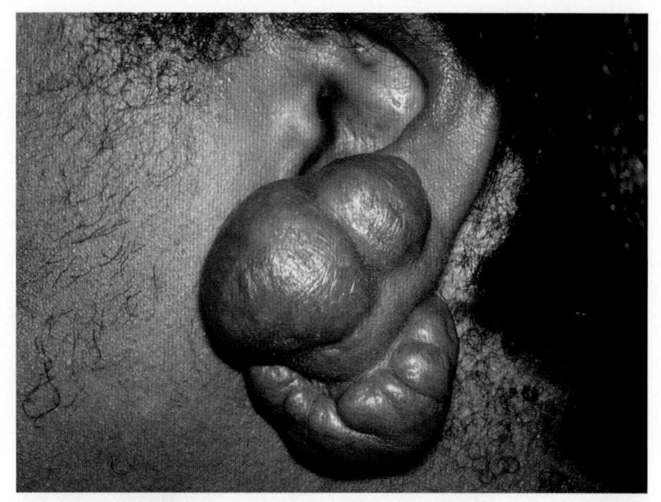

그림 28.73 켈로이드

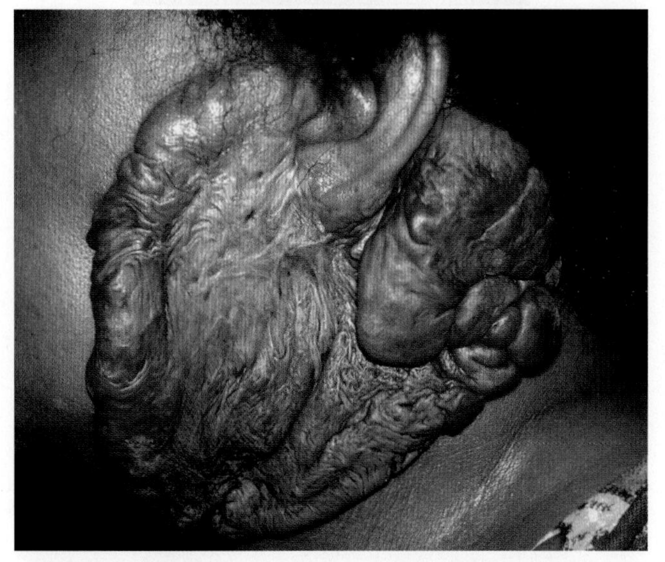

그림 28.74 켈로이드

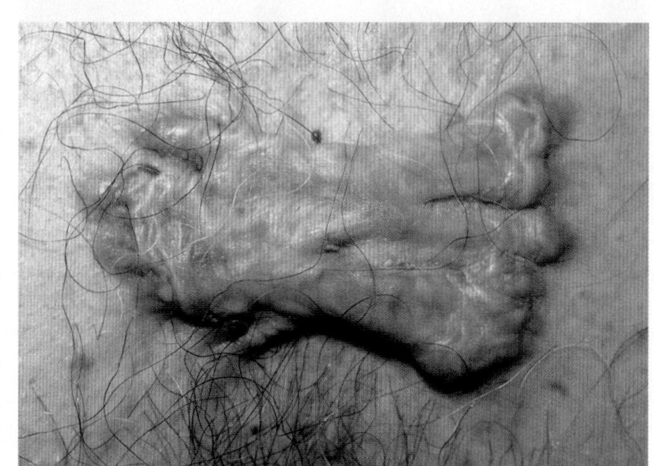

그림 28.75 켈로이드

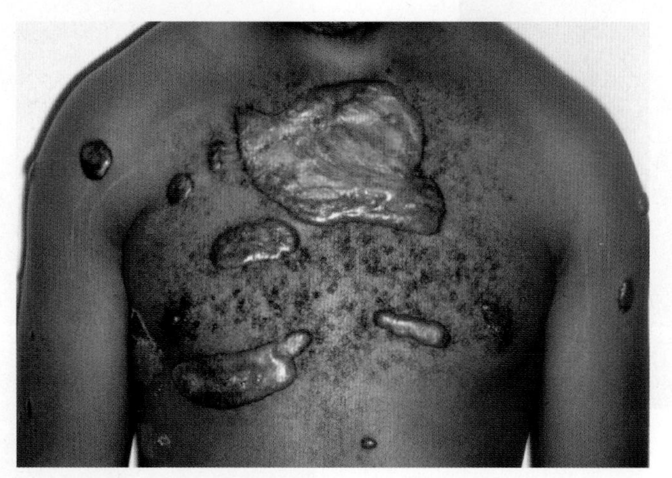

그림 28.76 궤양형성 켈로이드

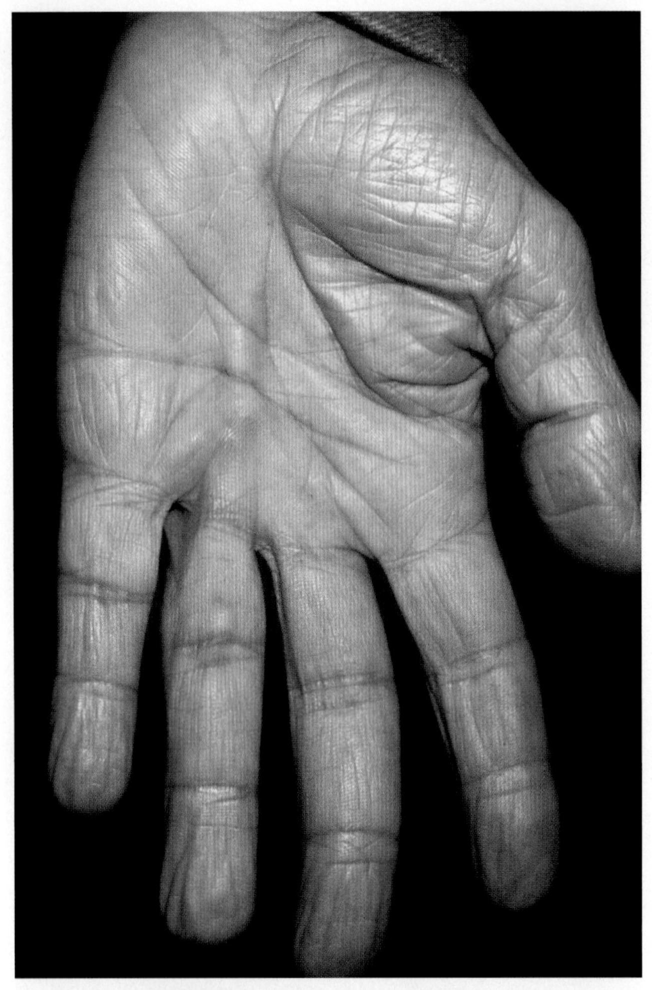

그림 28.77 듀피트렌구축

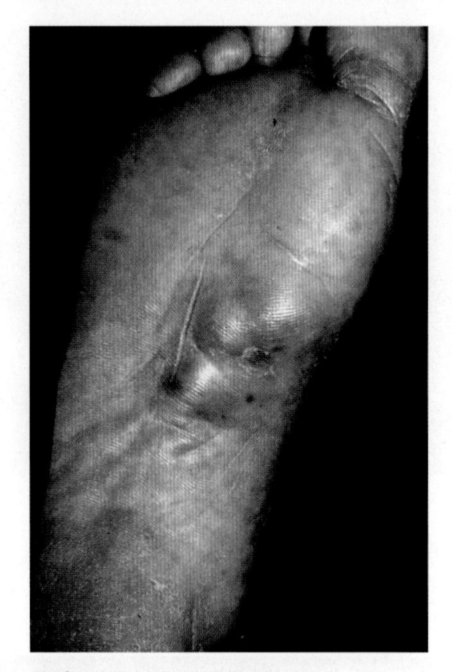

그림 28.78 족저섬유종증

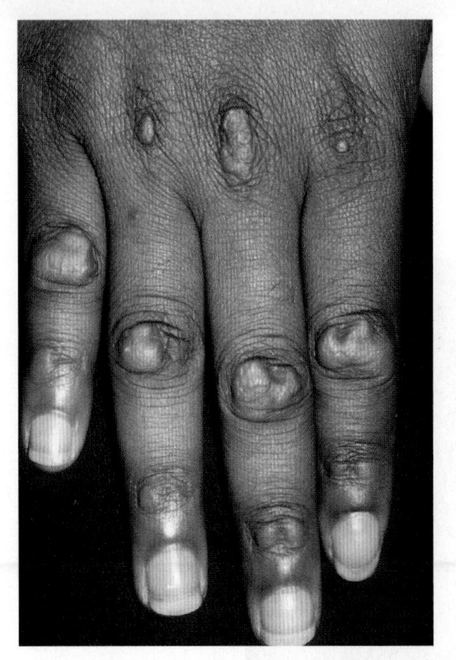

그림 28.79 너클패드

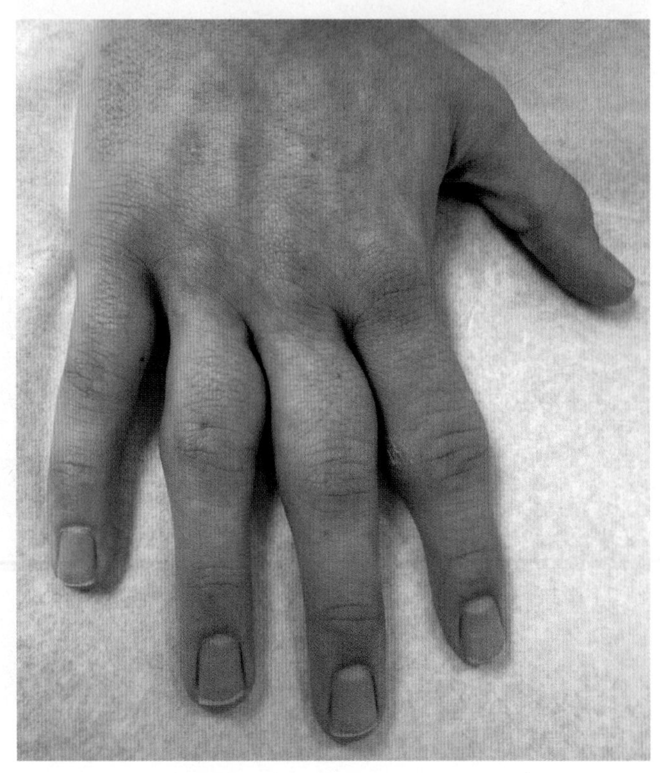

그림 28.80 손발가락피부비후증

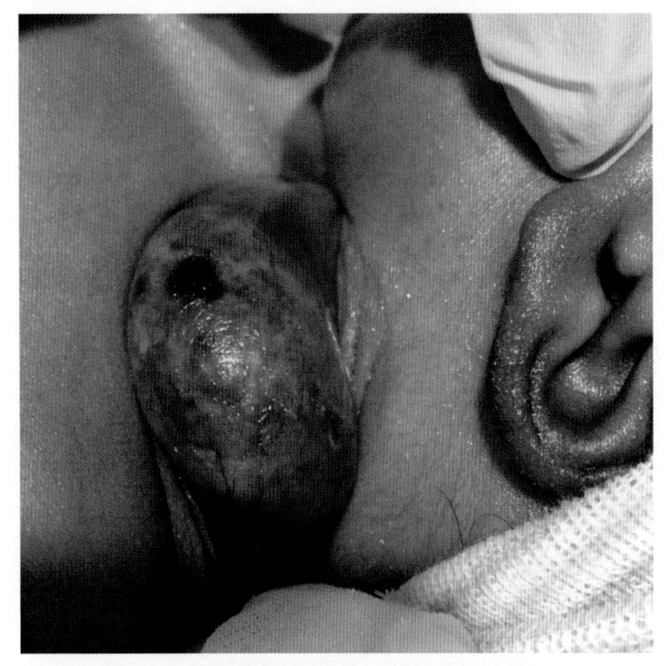

그림 28.81 단발선천근섬유종

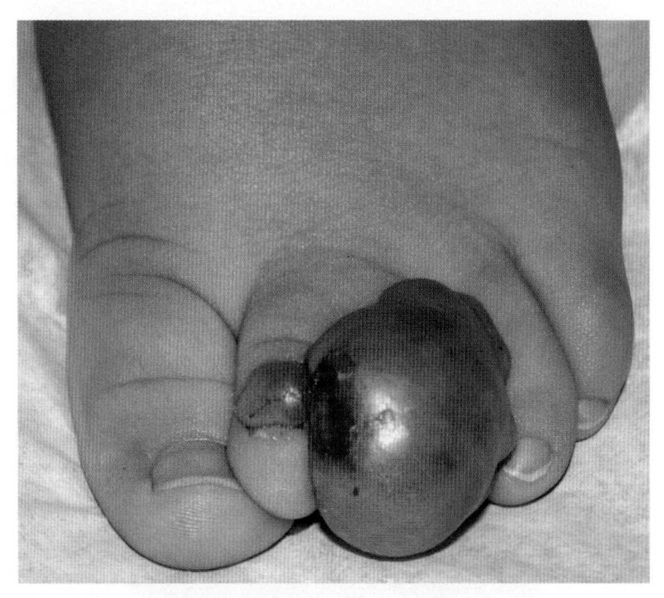

그림 28.82 유아손발가락섬유종

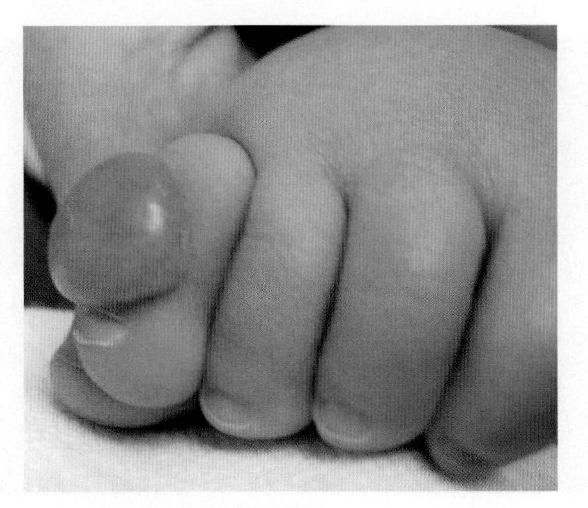

그림 28.83 유아손발가락섬유종

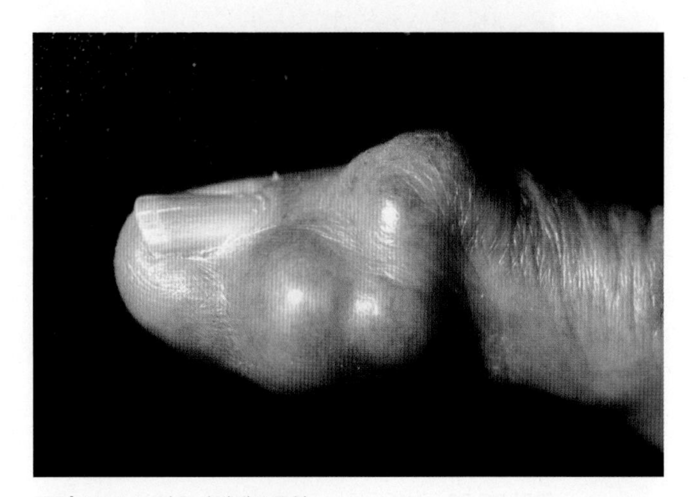

그림 28.84 건초거대세포종양

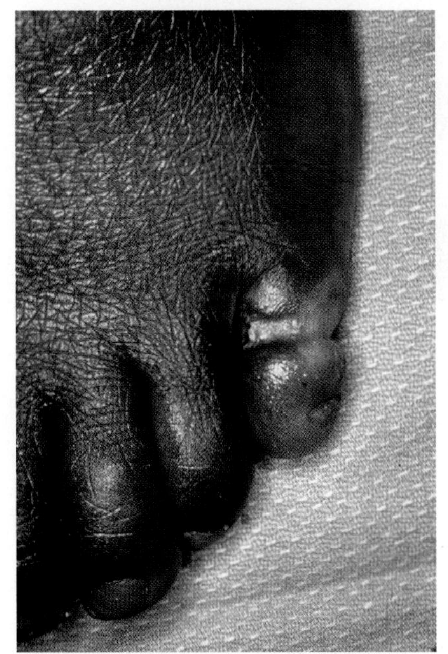

그림 28.85 자연손발가락절단증

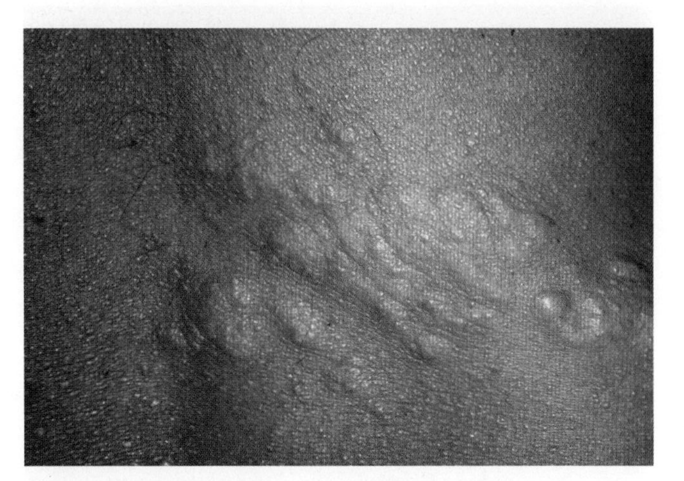

그림 28.86 결체조직모반

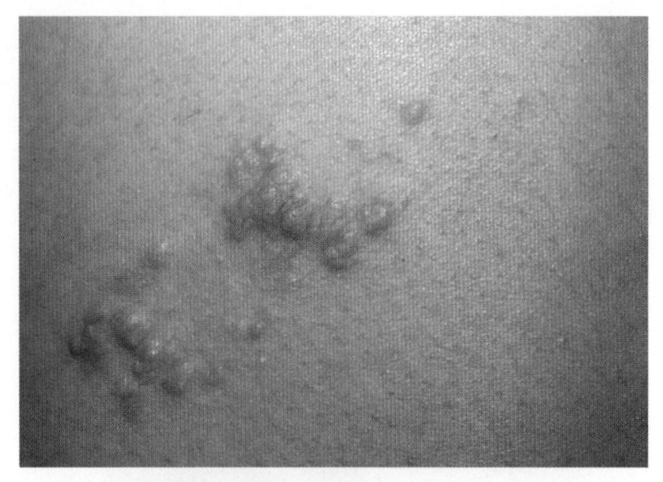

그림 28.87 결체조직모반

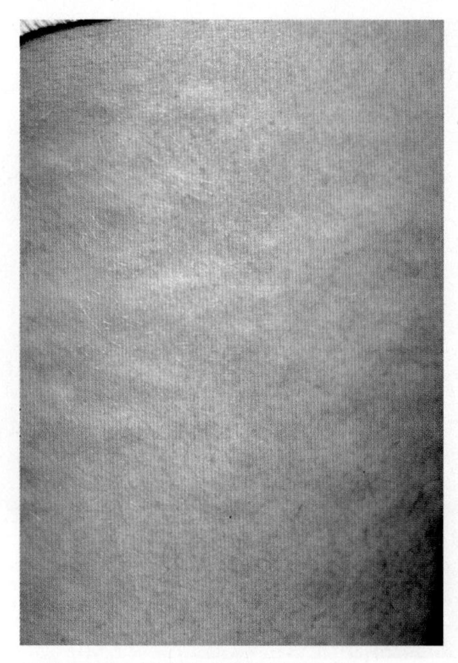

그림 28.88 부쉬케-올렌도프증후군

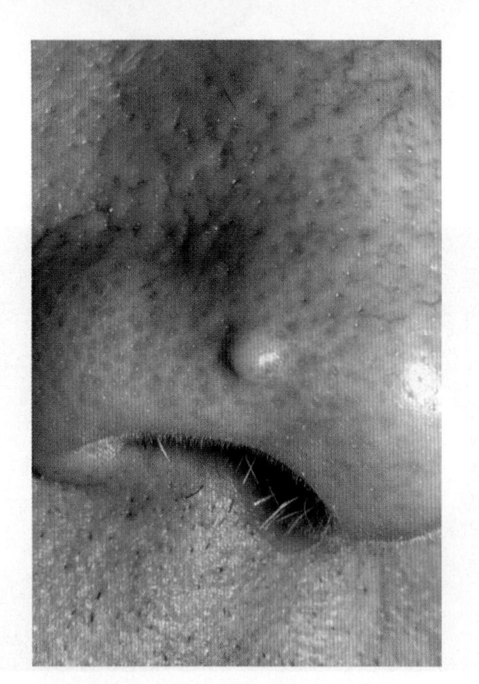

그림 28.89 코섬유구진

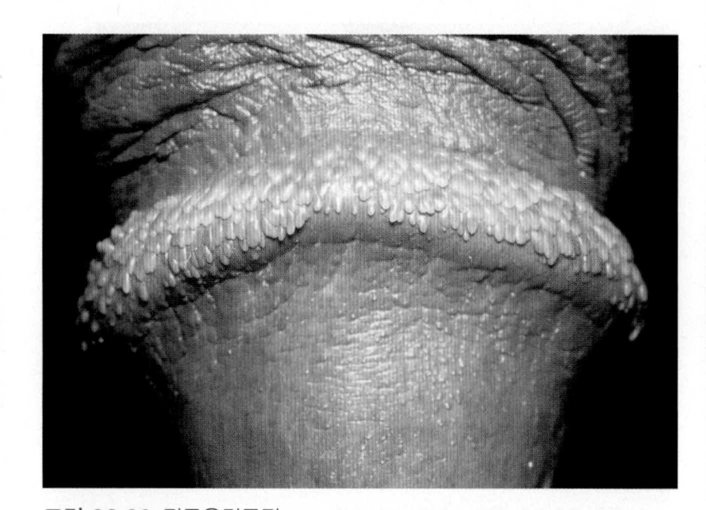

그림 28.90 진주음경구진

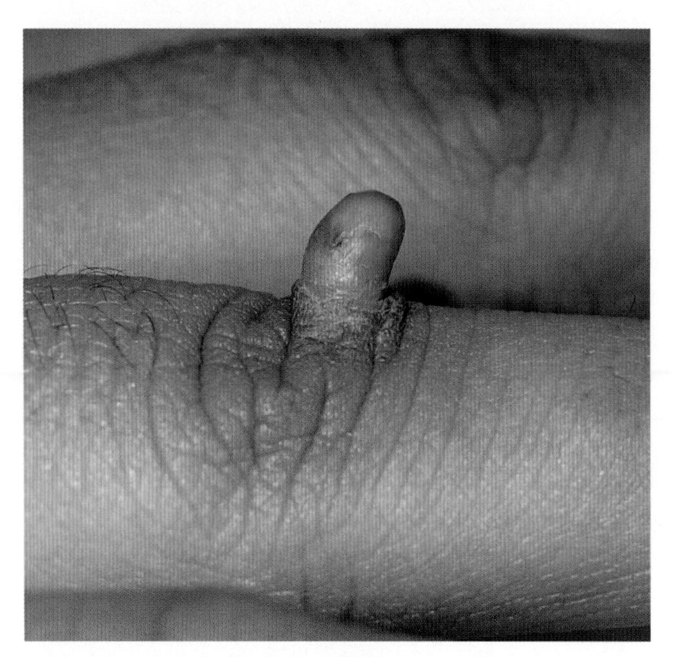

그림 28.91 후천손발가락섬유각화종

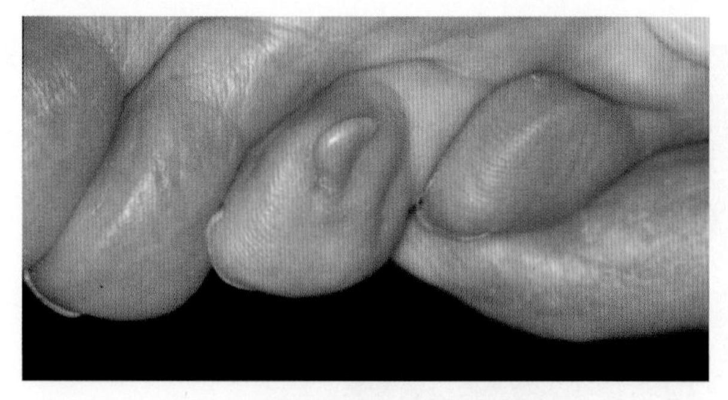

그림 28.92 후천손발가락섬유각화종

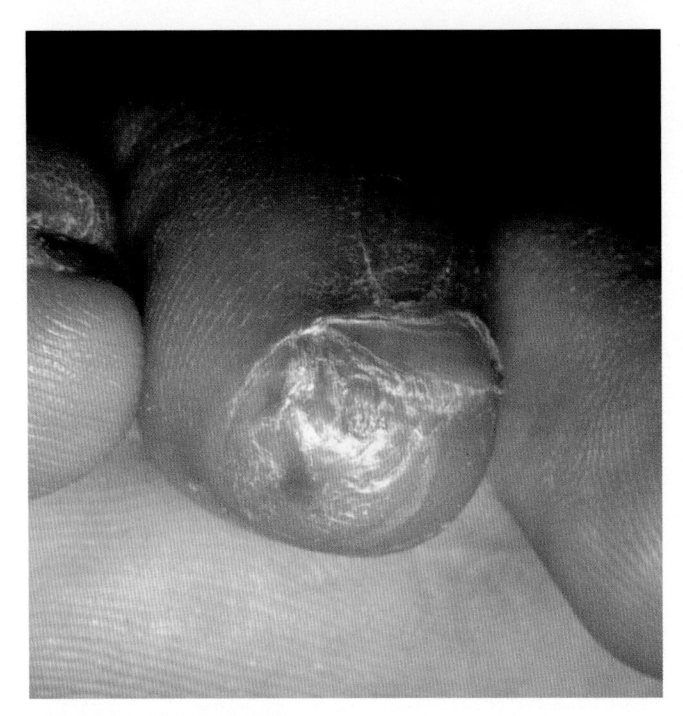

그림 28.93 조갑하골돌출증

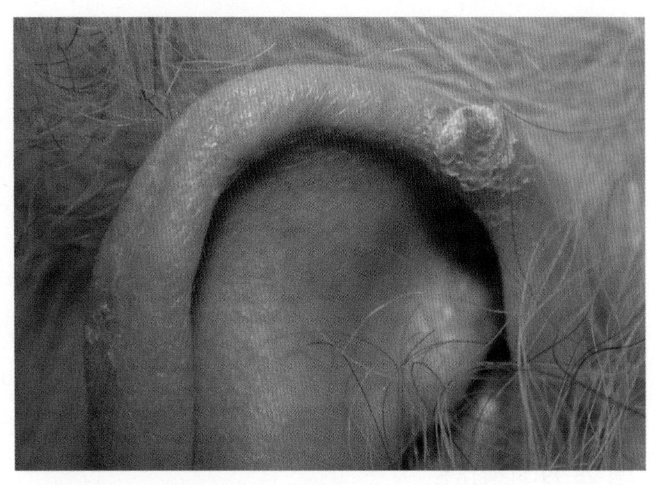

그림 28.94 만성귓바퀴결절연골피부염

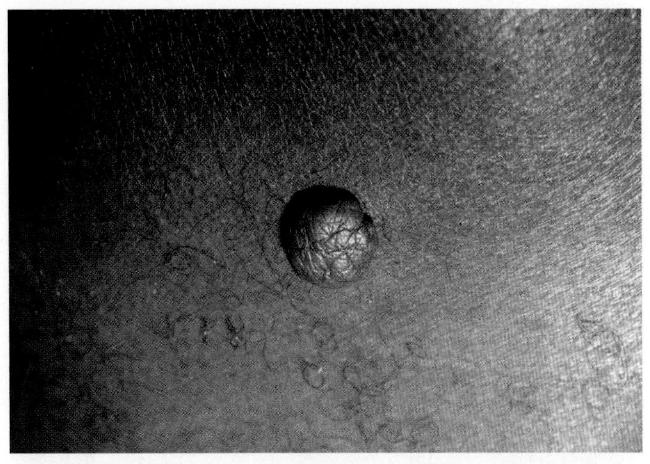

그림 28.95 연성섬유종

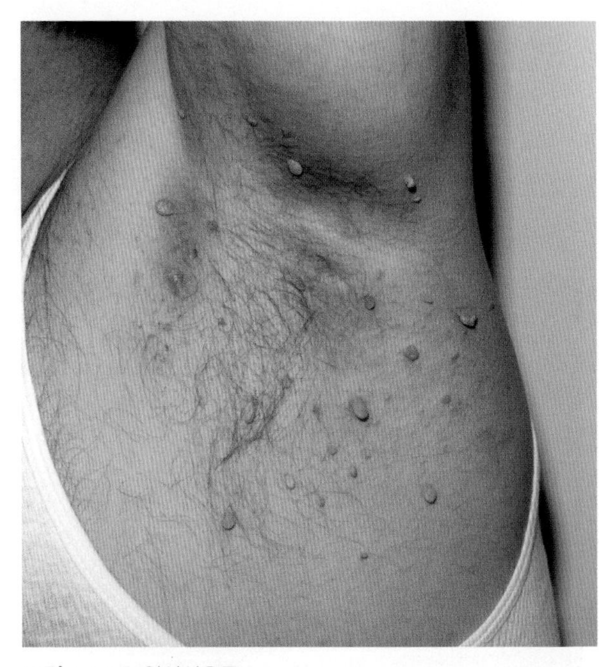

그림 28.96 연성섬유종

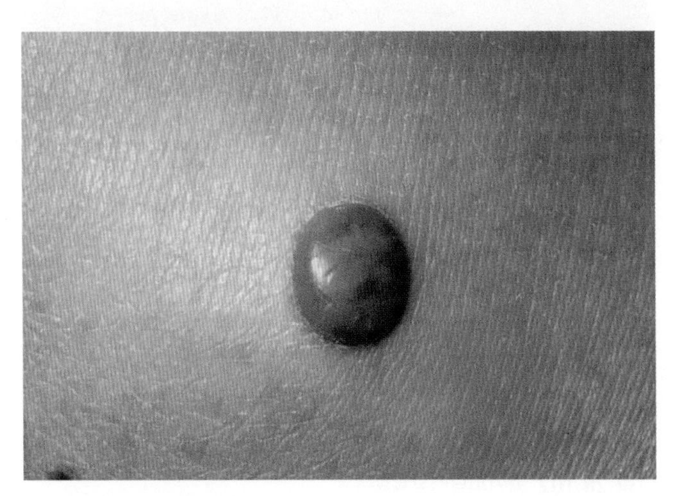

그림 28.97 피부섬유종

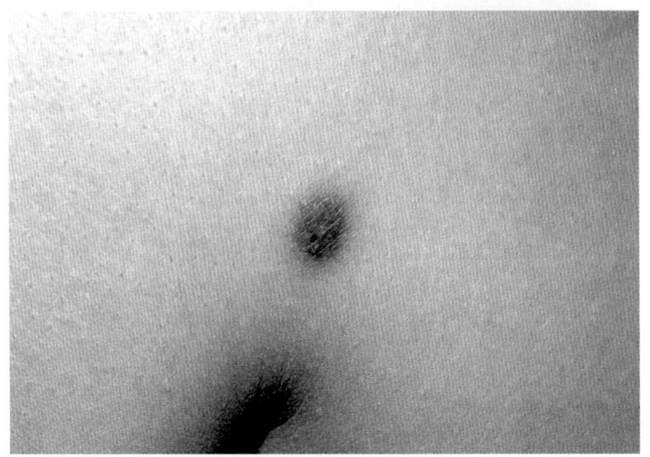

그림 28.98 피부섬유종

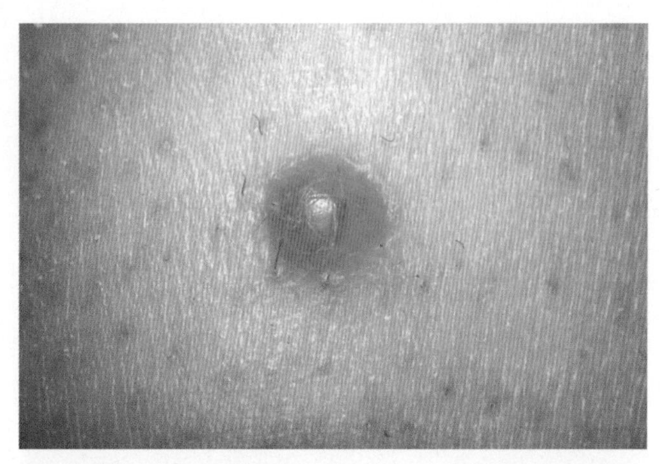
그림 28.99 피부섬유종

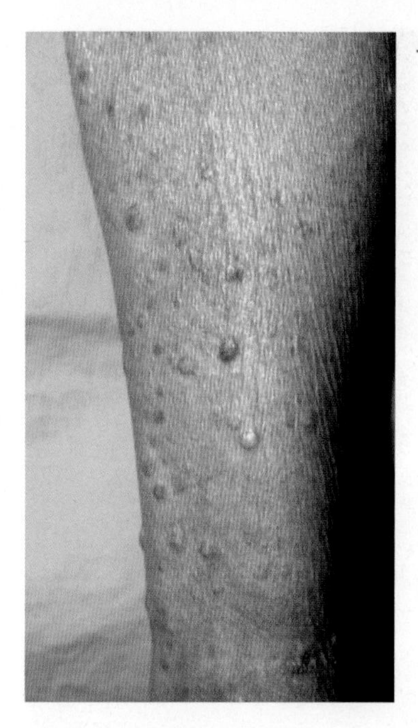
그림 28.100 다발성피부섬유종

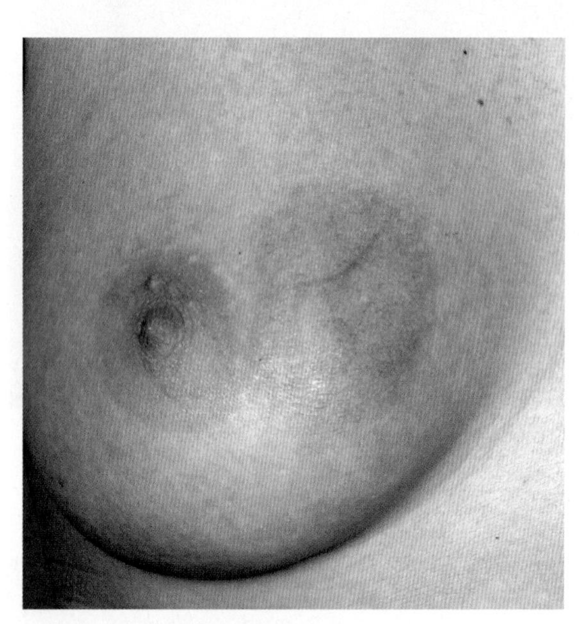
그림 28.101 진피수지세포과오종

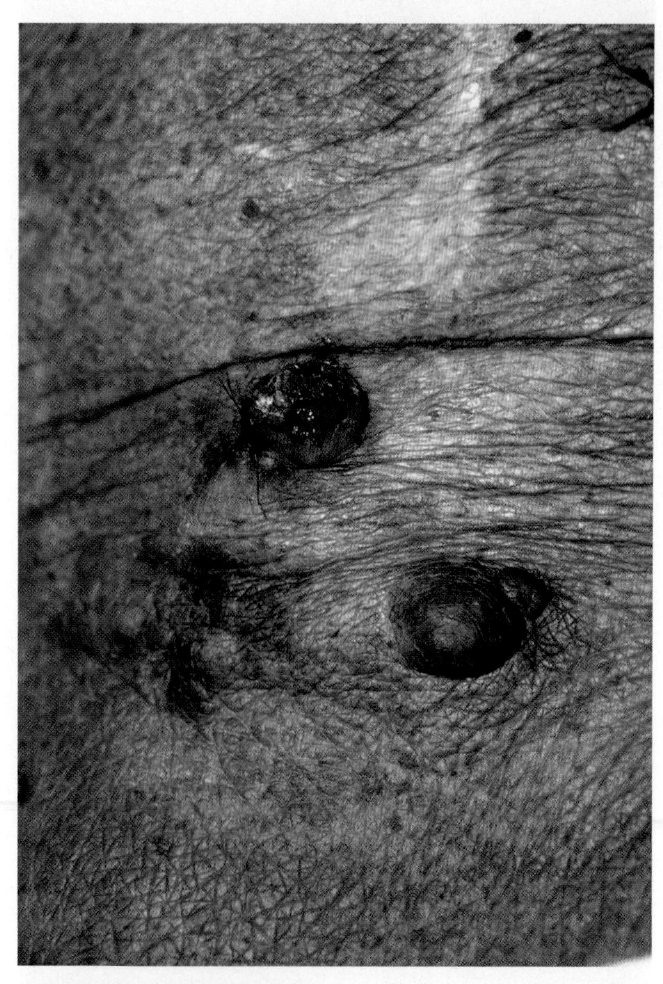
그림 28.102 융기피부섬유육종

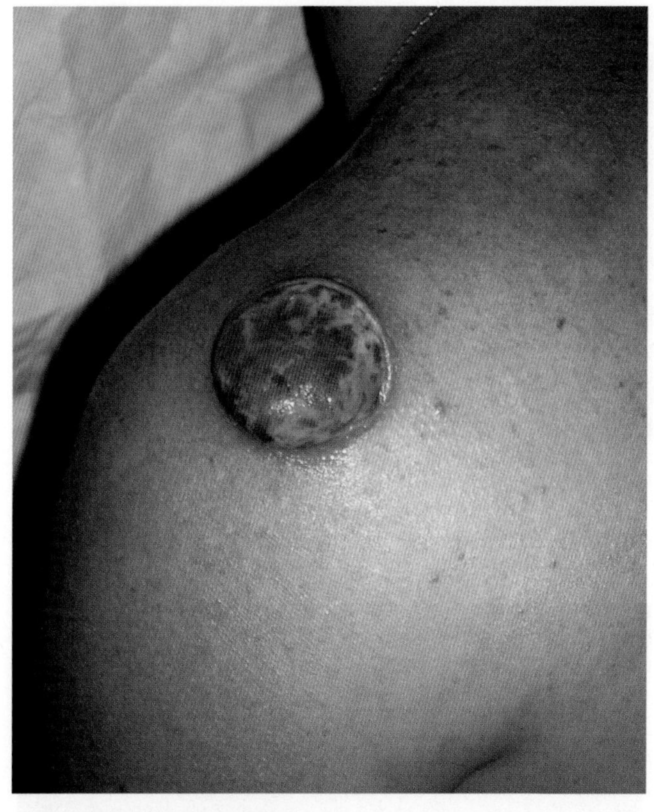

그림 28.103 융기피부섬유육종

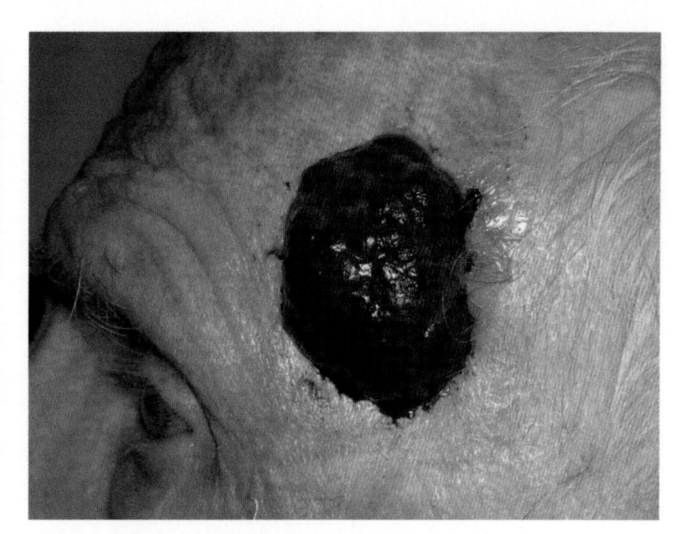

그림 28.104 비정형섬유황색종

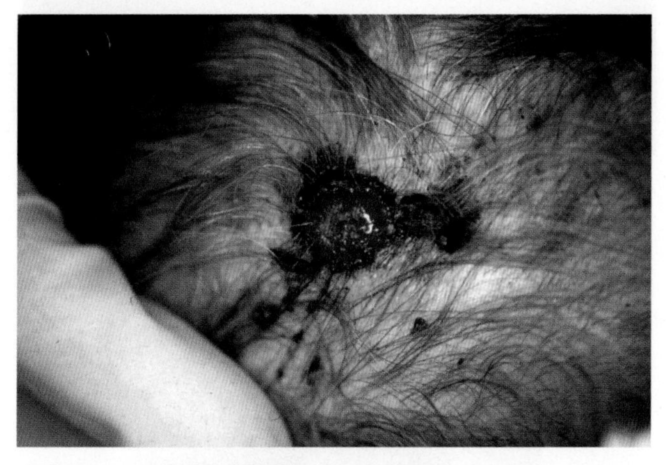

그림 28.105 비정형섬유황색종

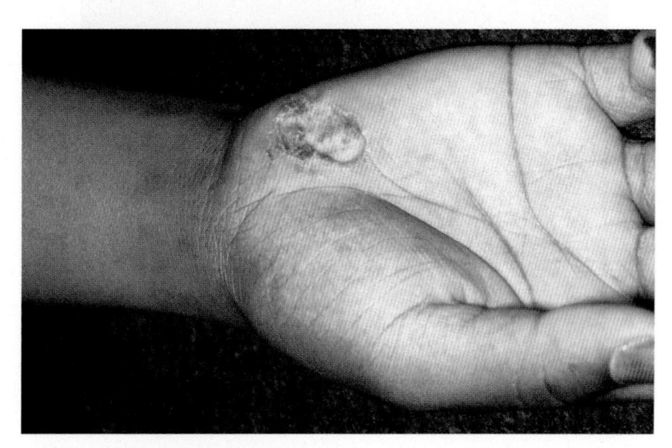

그림 28.106 상피모양육종

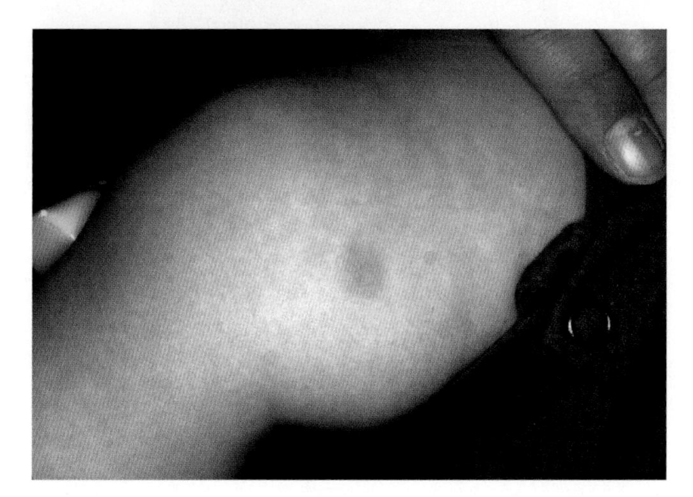

그림 28.107 단발성비만세포종

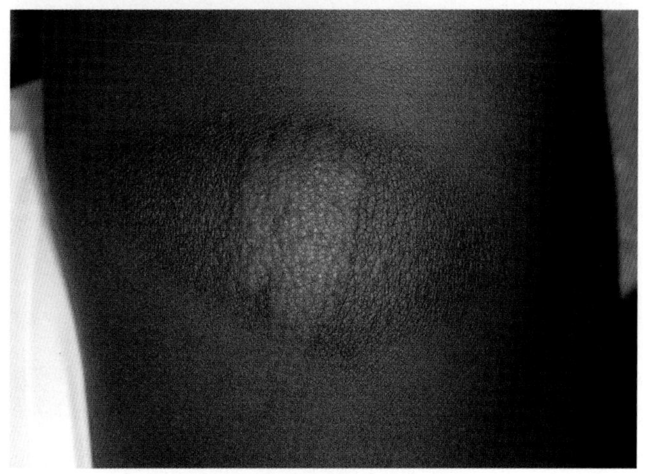

그림 28.108 다리에징후비만세포종

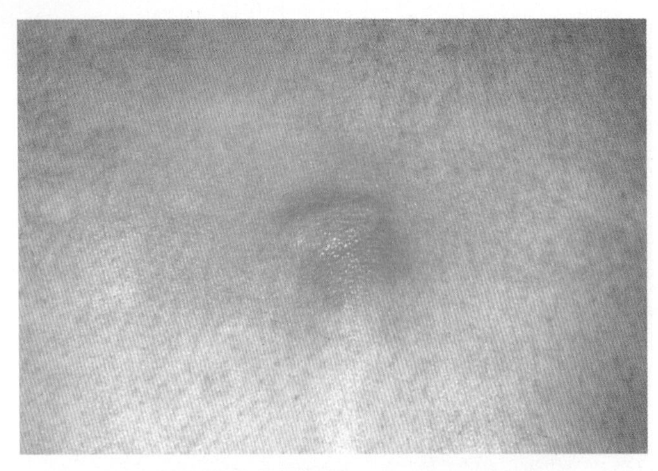

그림 28.109 다리에징후비만세포종

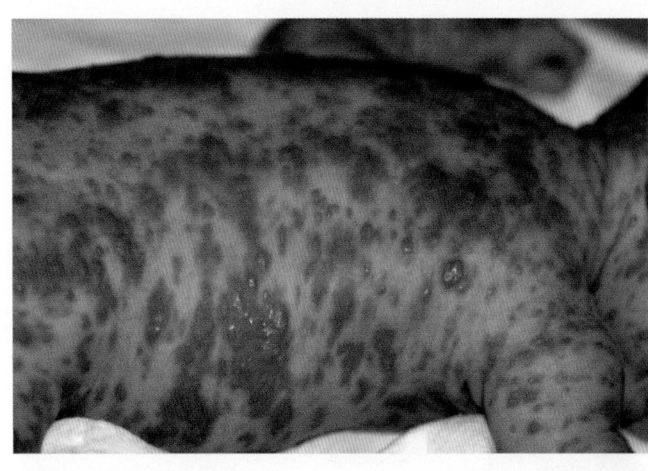

그림 28.110 수포비만세포증

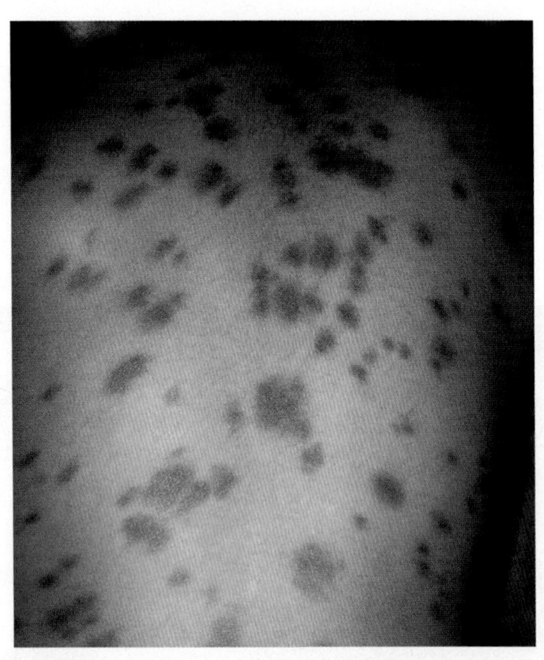

그림 28.111 색소성두드러기

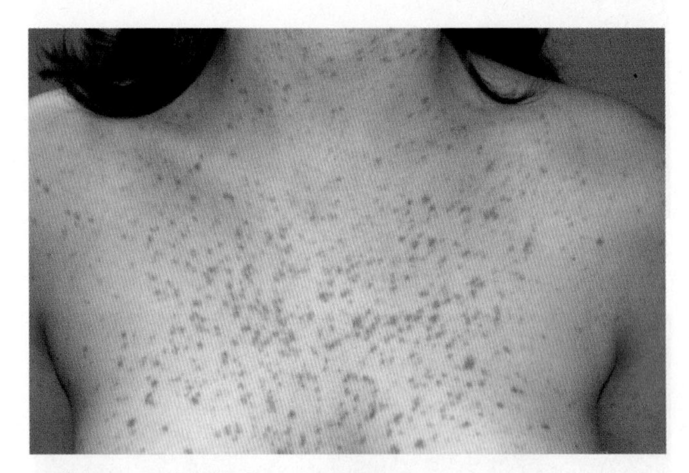

그림 28.112 비만세포증

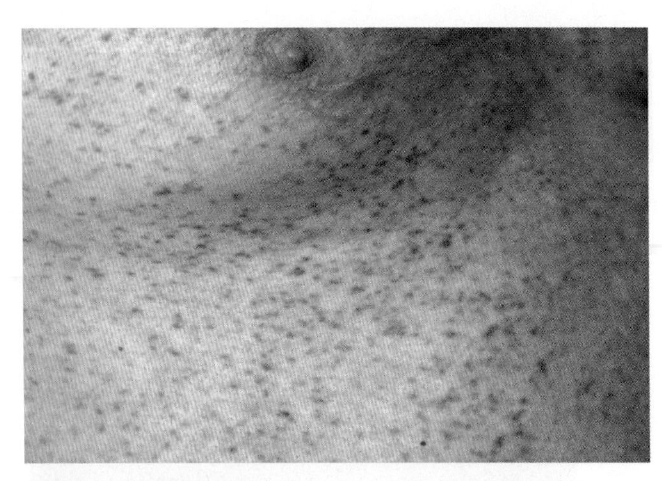

그림 28.113 비만세포증

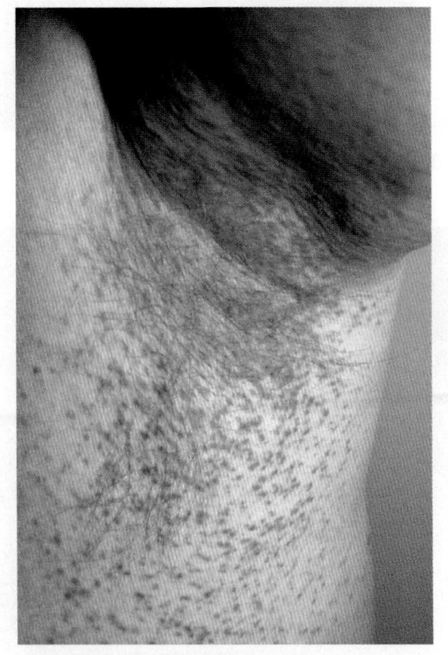

그림 28.114 비만세포증

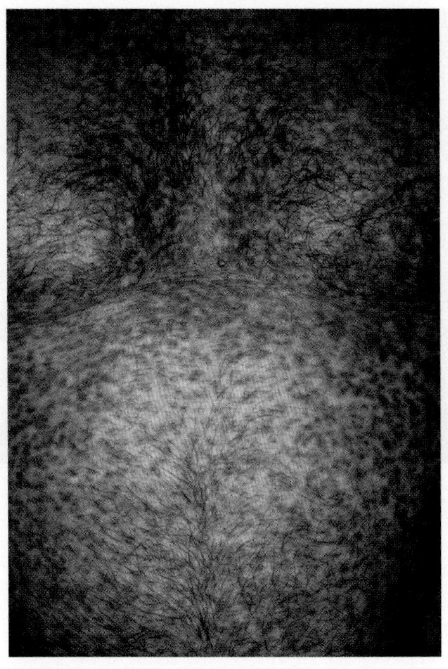
그림 28.115 전신성인비만세포증

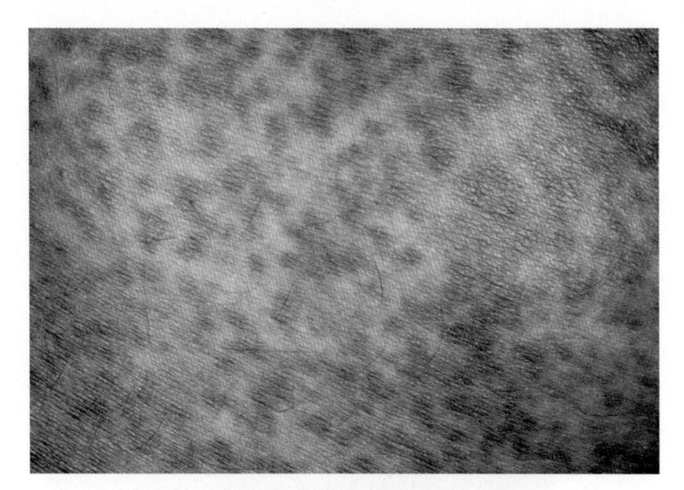
그림 28.116 전신성인비만세포증

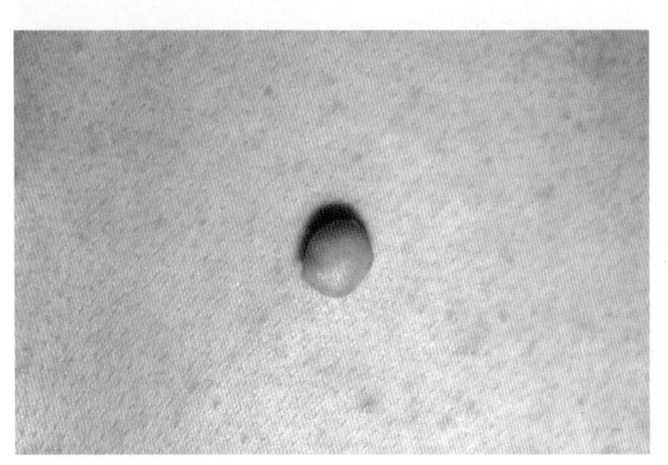
그림 28.117 단발성신경섬유종

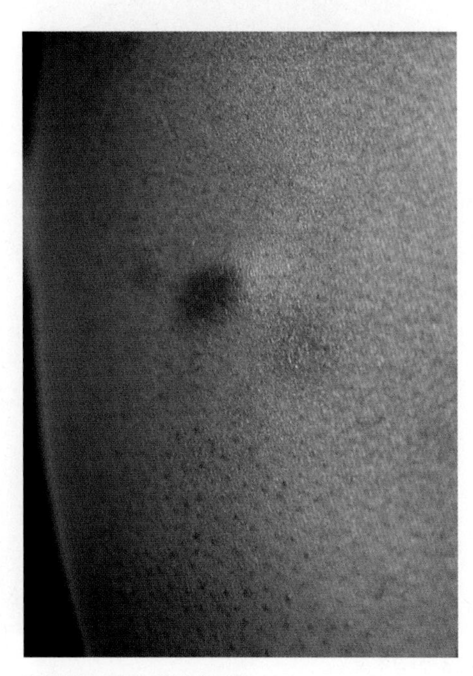
그림 28.118 과립세포종

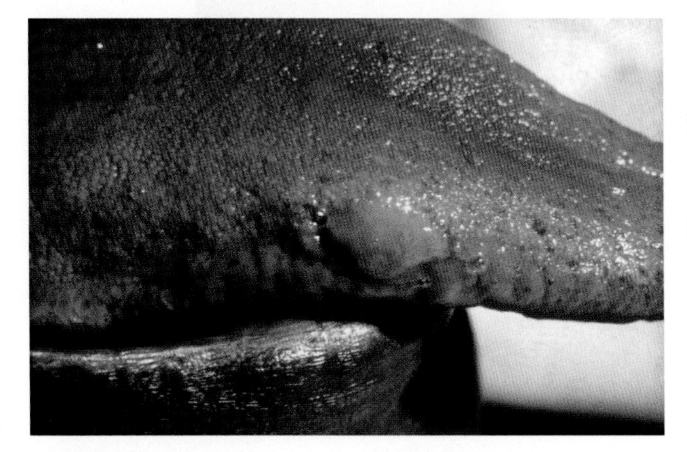
그림 28.119 과립세포종

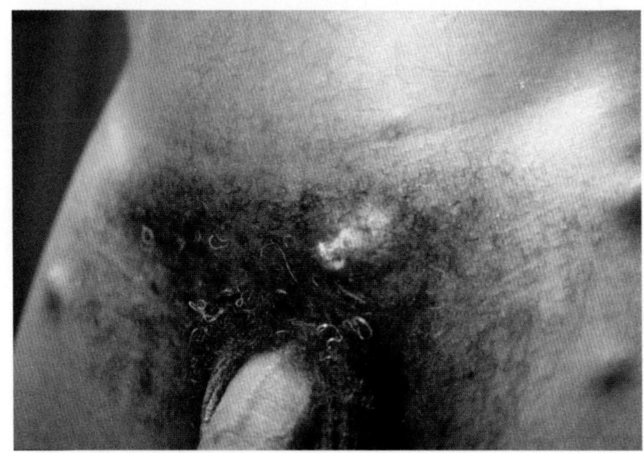
그림 28.120 다발과립세포종

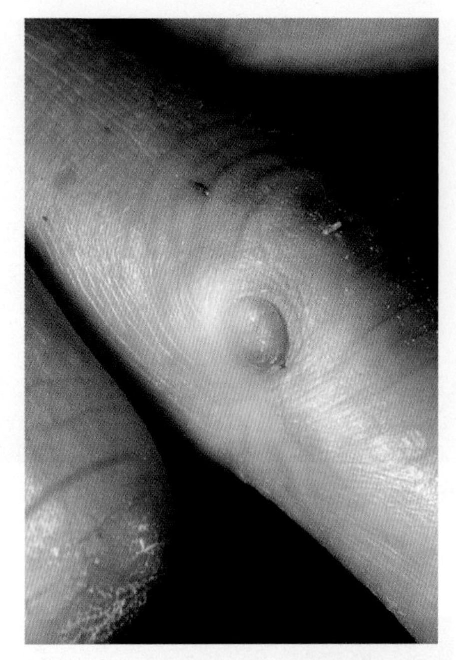

그림 28.121 신경종

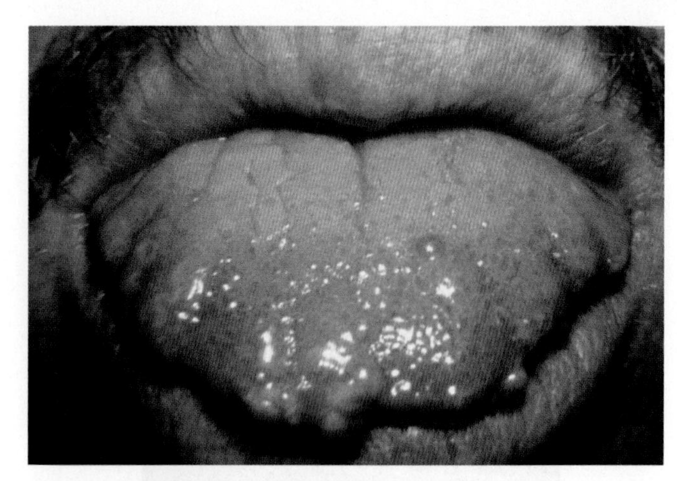

그림 28.122 다발점막신경종증후군

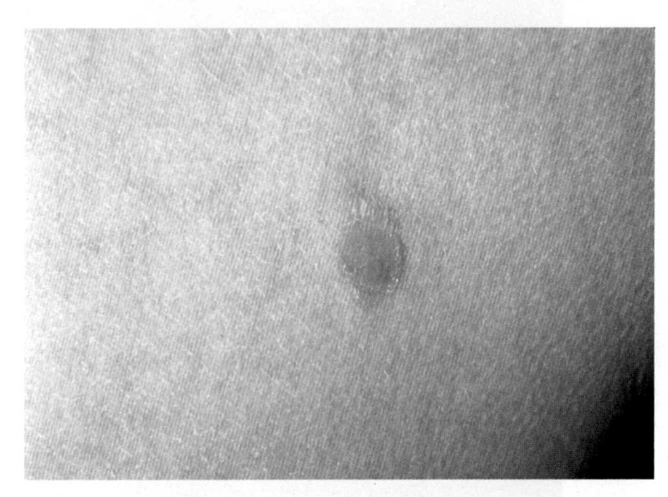

그림 28.123 신경초종

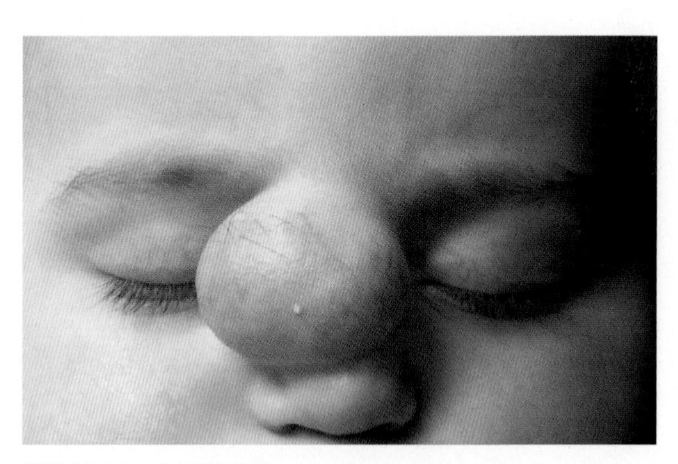

그림 28.124 코신경아교종

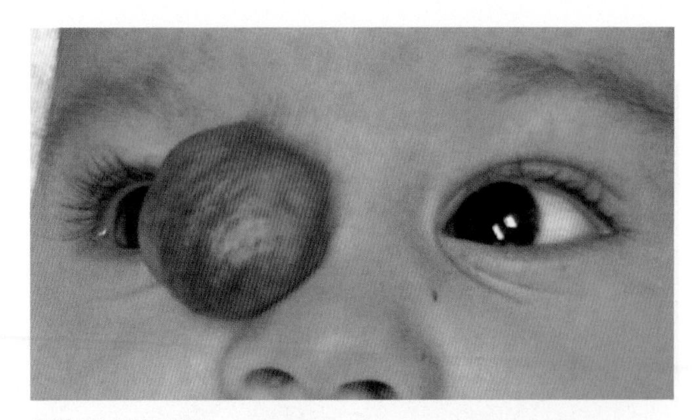

그림 28.125 뇌류

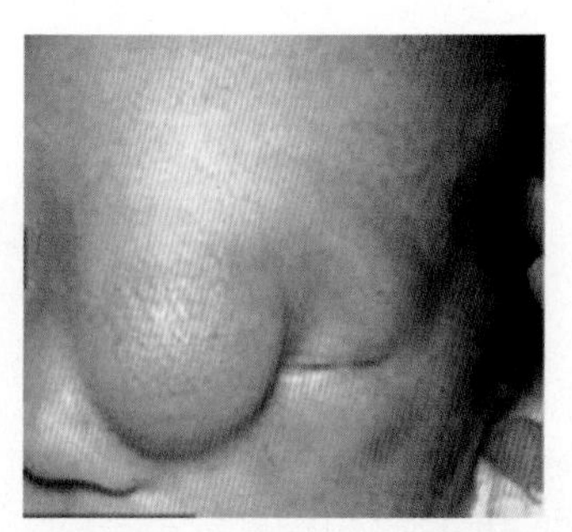

그림 28.126 뇌류

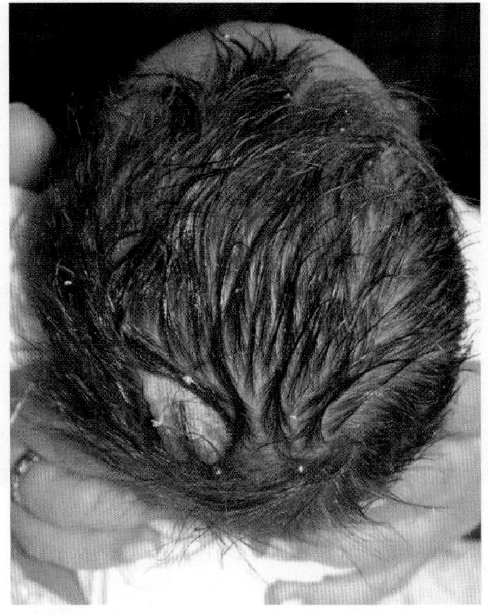

그림 28.127 뇌류

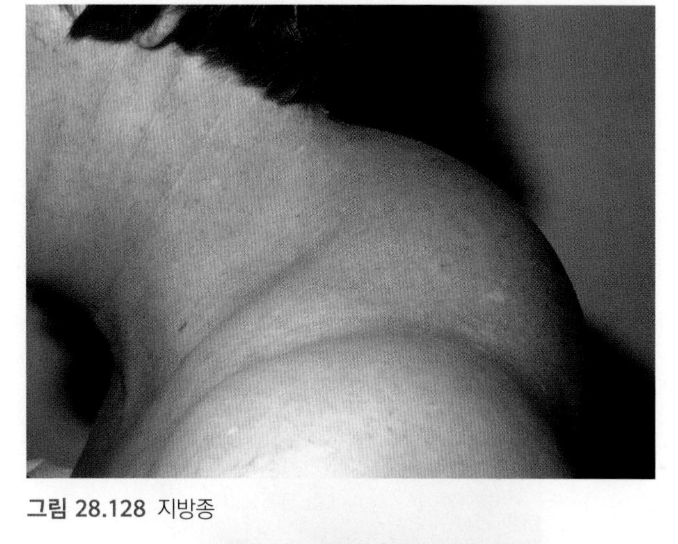

그림 28.128 지방종

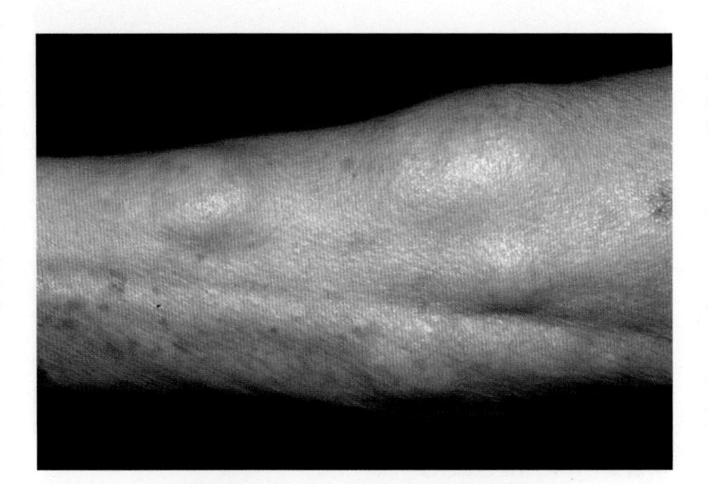

그림 28.129 다발지방종

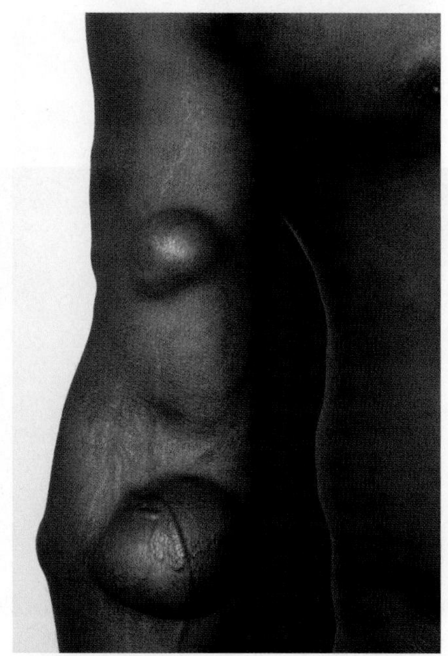

그림 28.130 다발지방종

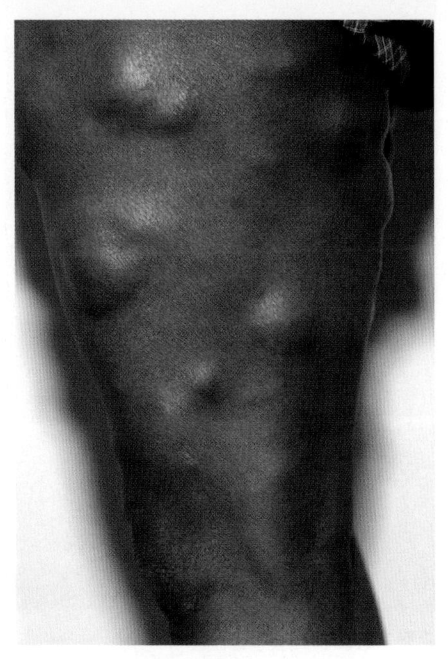

그림 28.131 다발지방종

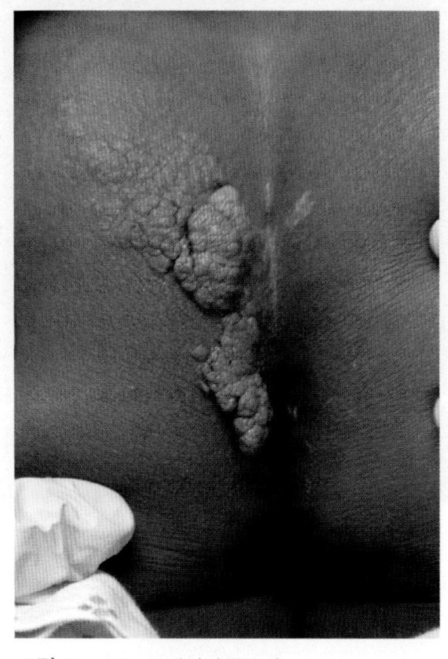

그림 28.132 표재지방종모반

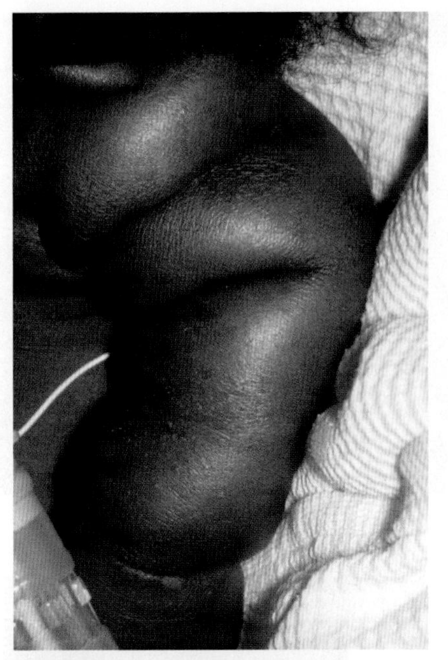

그림 28.133 미세린타이어아기

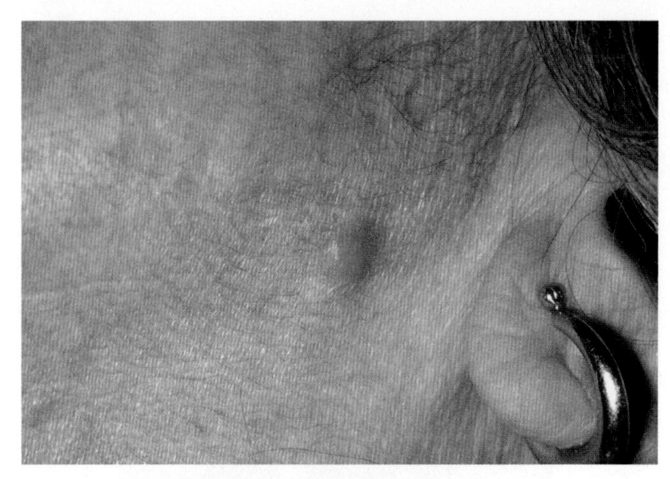

그림 28.134 평활근종

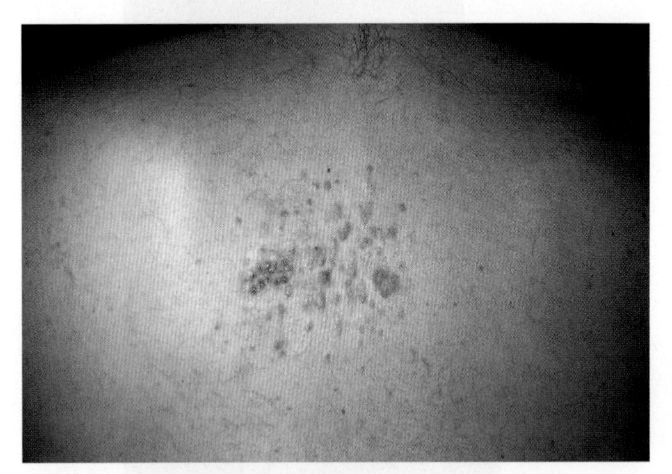

그림 28.135 다발평활근종

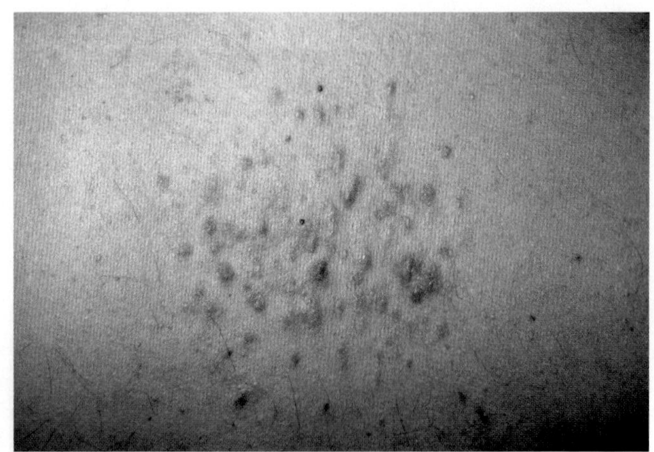

그림 28.136 다발평활근종

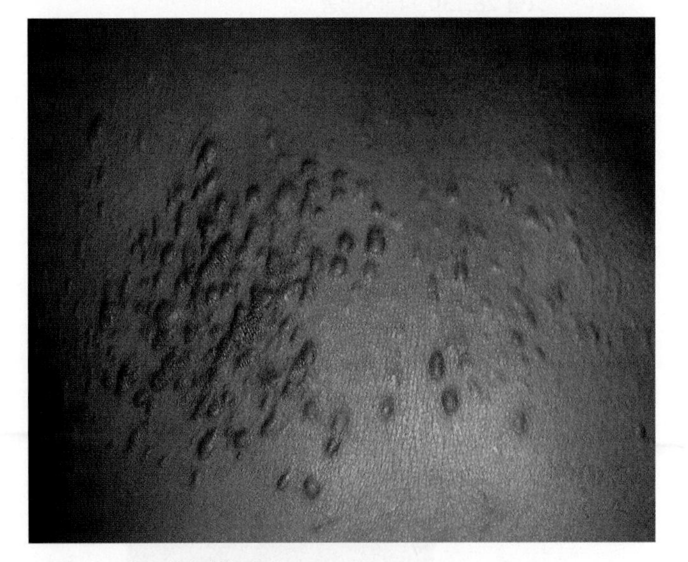

그림 28.137 다발평활근종

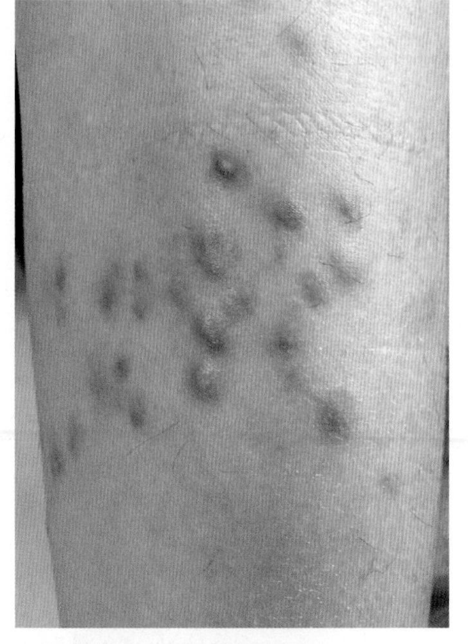

그림 28.138 다발평활근종

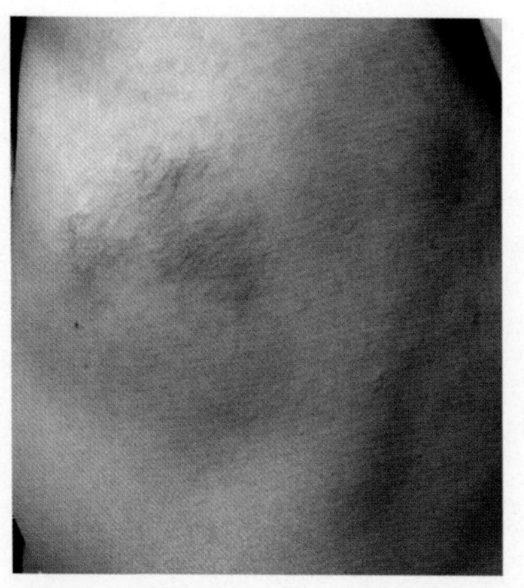

그림 28.139 평활근과오종

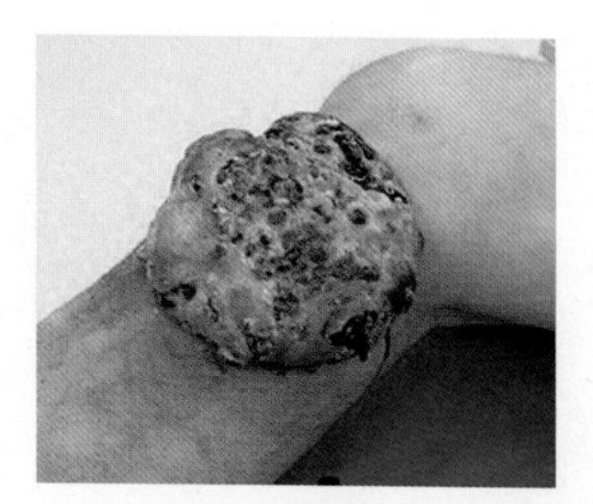

그림 28.140 평활근육종

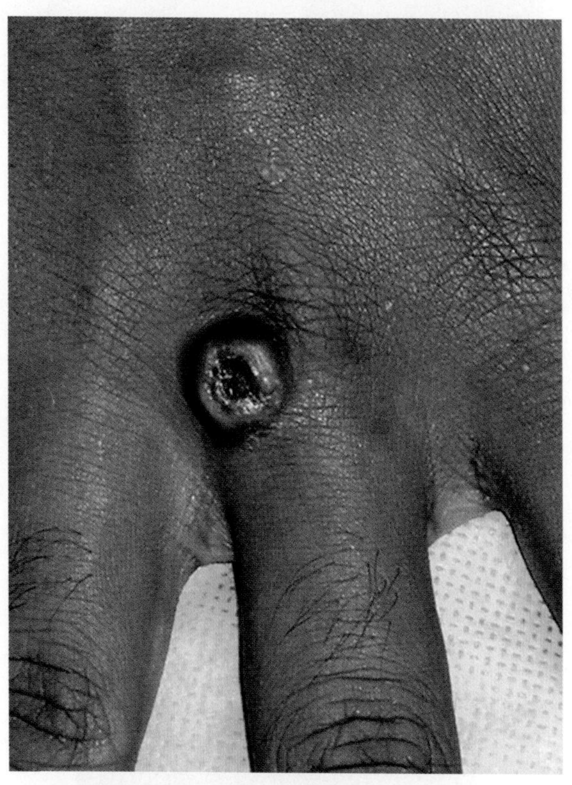

그림 28.141 평활근육종

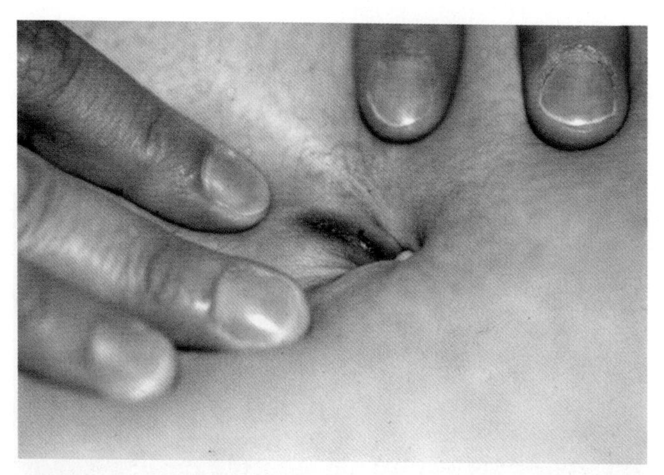

그림 28.142 피부자궁내막증

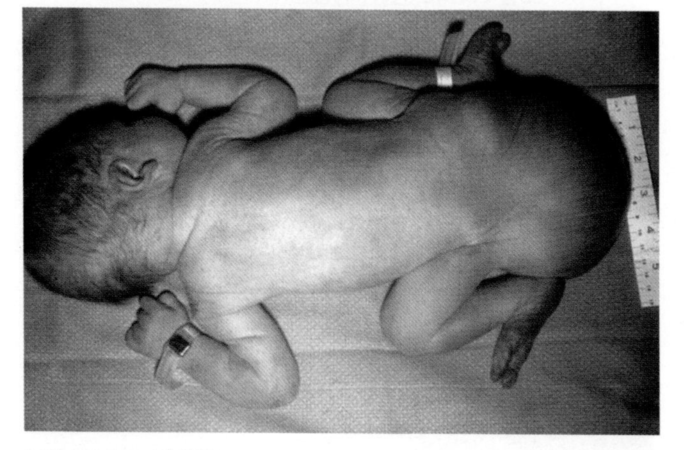

그림 28.143 기형종

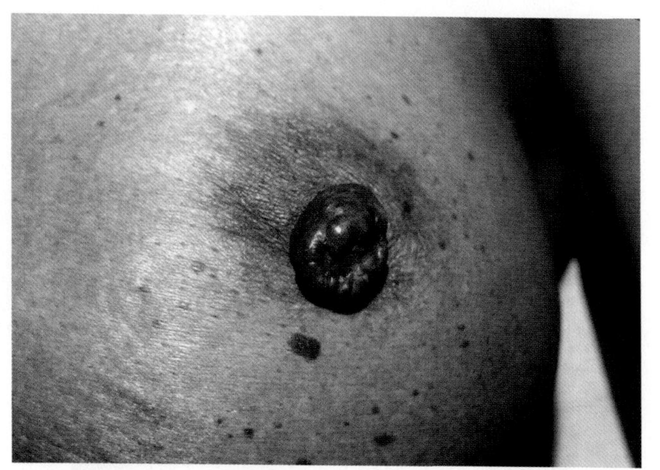

그림 28.144 관세포유방암

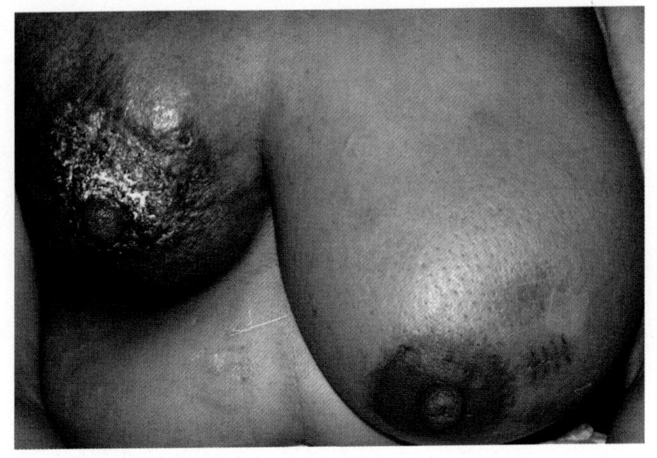

그림 28.145 염증유방암

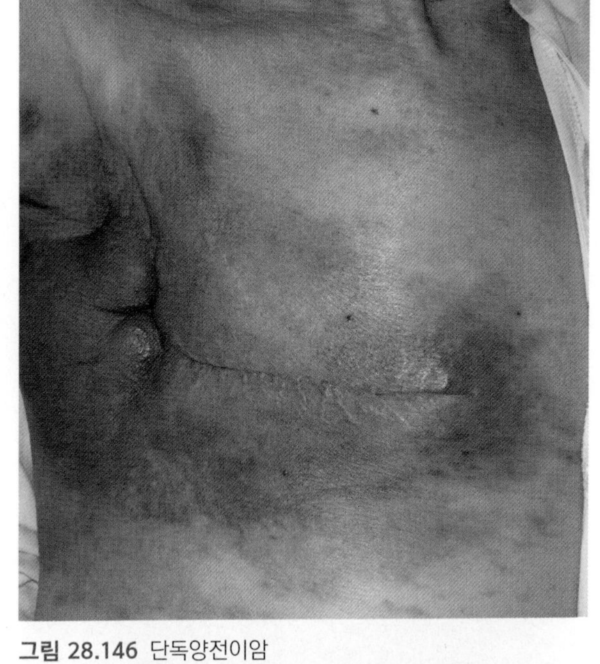

그림 28.146 단독양전이암

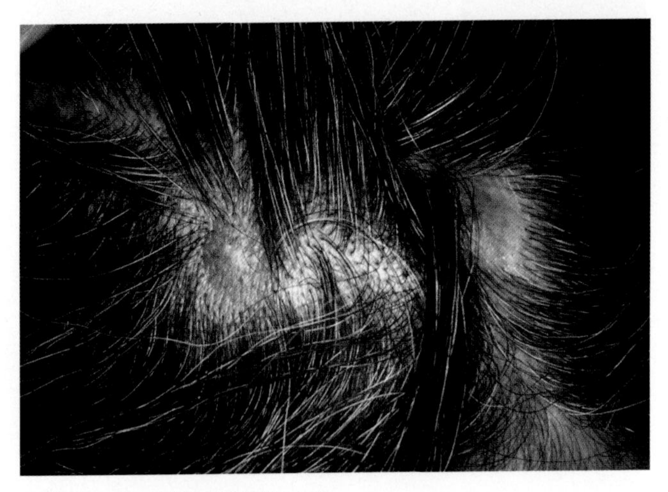

그림 28.147 종양연관탈모(유방암)

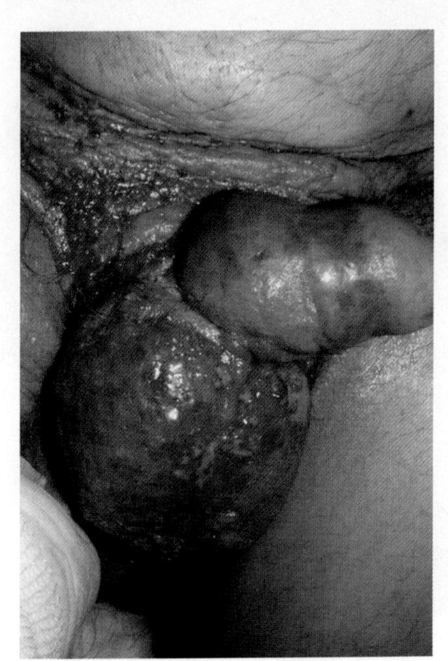

그림 28.148 남성유방암전이

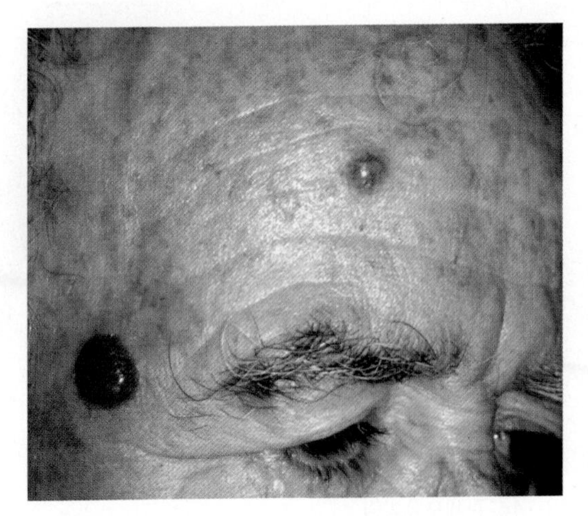

그림 28.149 폐암전이

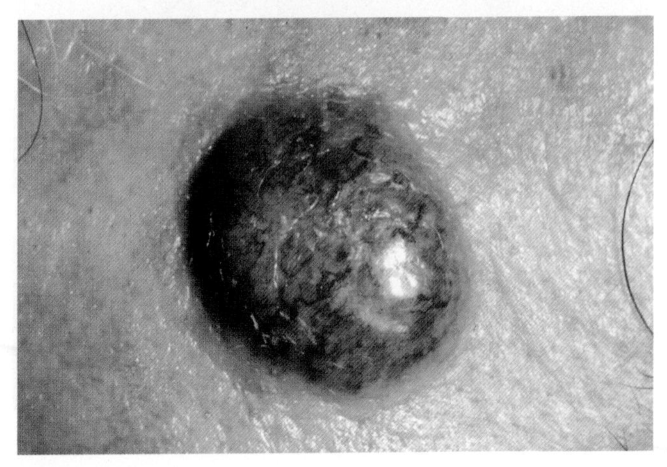

그림 28.150 폐암전이

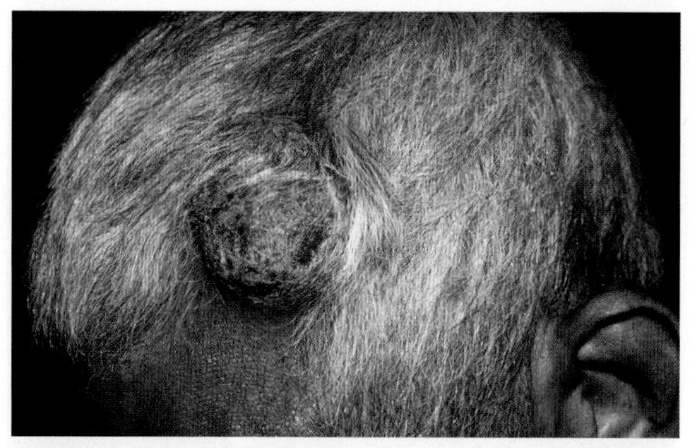

그림 28.151 폐암전이

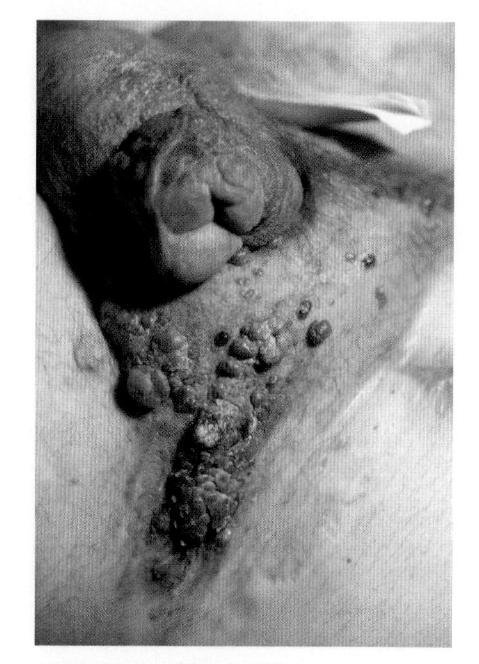

그림 28.152 전립선암전이

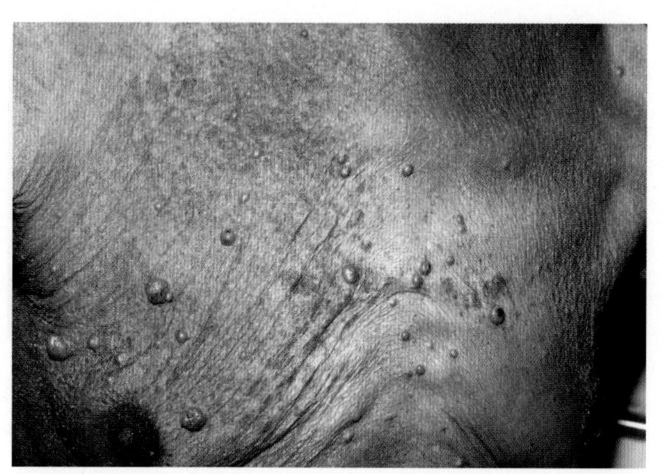

그림 28.153 전립선암전이

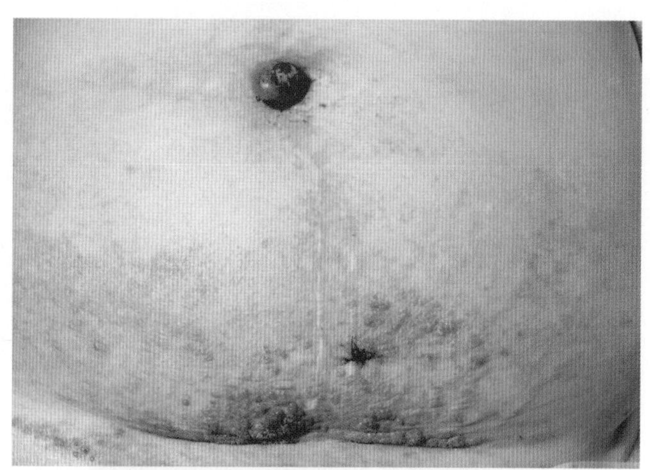

그림 28.154 자궁암전이(Sister Mary Joseph 결절)

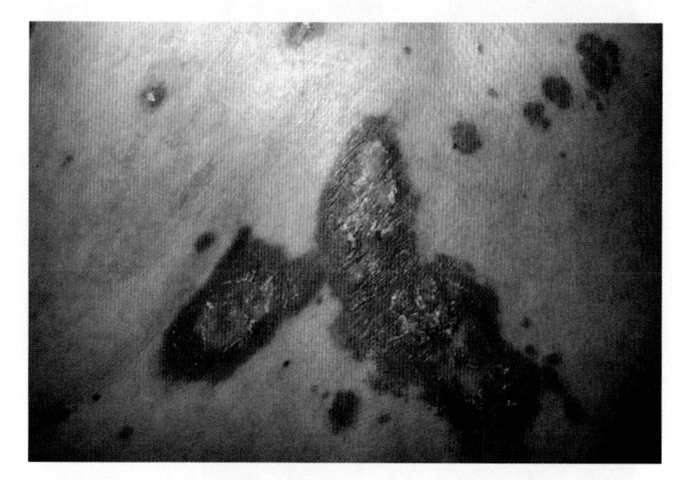

그림 28.155 글루카곤종

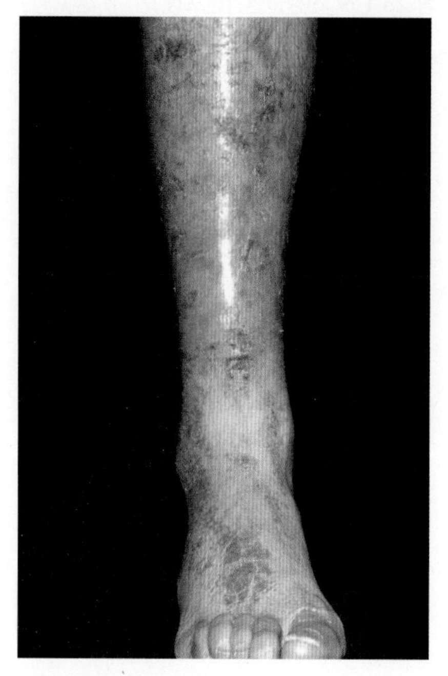

그림 28.156 글루카곤종

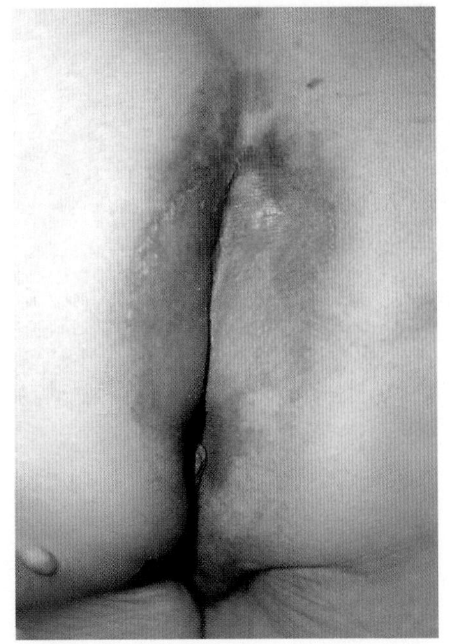
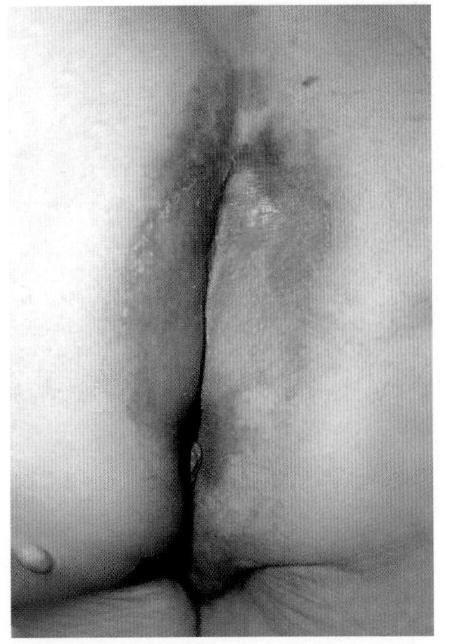

그림 28.157 글루카곤종

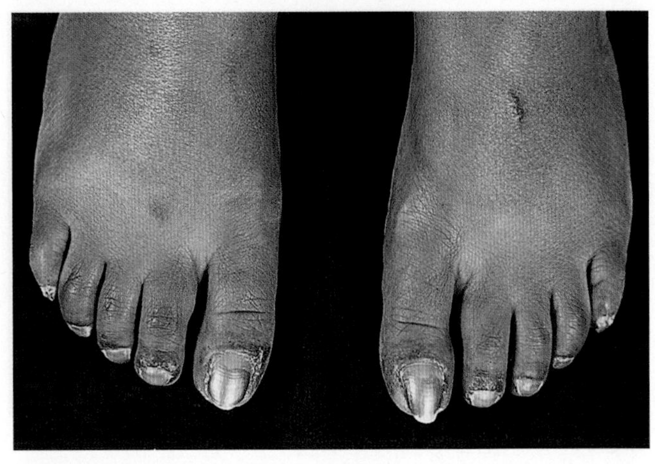

그림 28.158 바젝스증후군

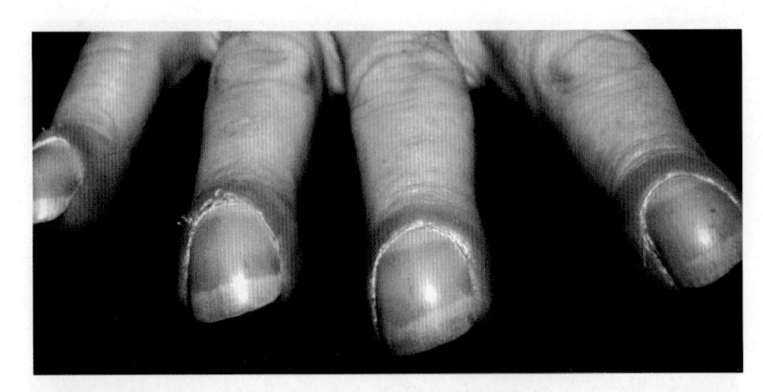

그림 28.160 폐암에 나타난 비대골관절병증

그림 28.159 신생물연관천포창

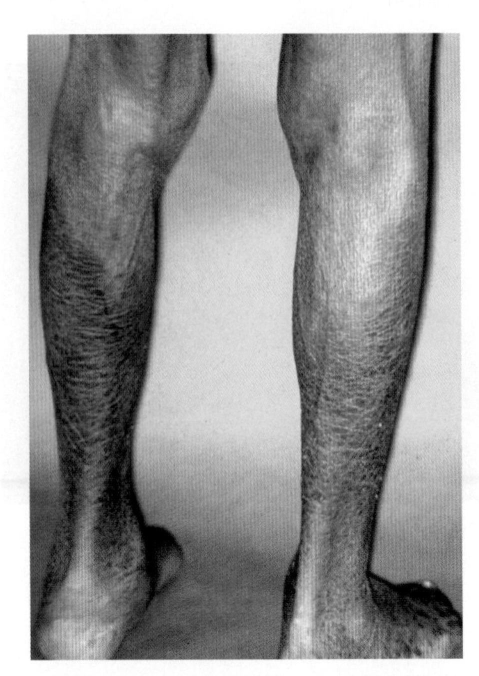

그림 28.161 골수종환자에 나타난 후천어린선

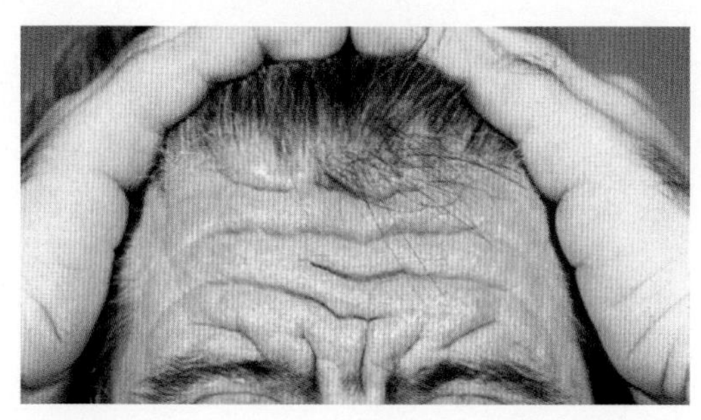

그림 28.162 암에 의해 이차적으로 발생한 피부비후골막증

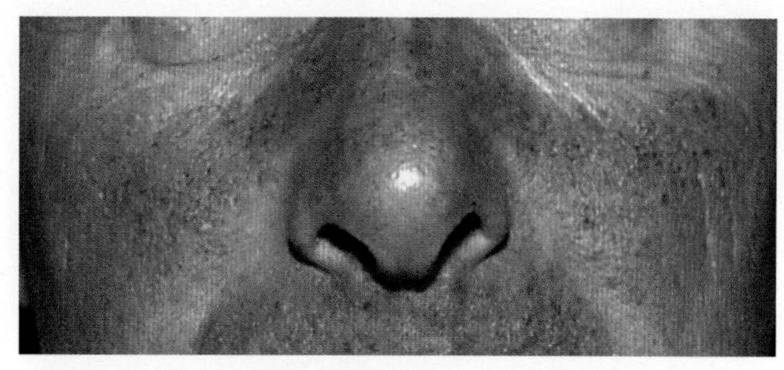

그림 28.163 카르시노이드증후군

표피모반, 신생물 및 낭종 29

표피신생물은 흔히 과각화증, 극세포증, 혹은 유두종증을 나타낸다. 그들은 임상적으로 피각, 비늘, 촉진 가능한 경화, 벨벳 같은 혹은 실 모양의, 혹은 주변피부 위로 올라온 부드러운 병변을 나타낸다. 예컨데 표피모반은 주변피부에 비해 돌출된 선상의 모양을 가지고, 블라쉬코 선을 따른다. 병변은 과색소, 혹은 저색소 침착, 다육질의 혹은 각화의 모습으로 나타난다.

낭종과 진피표피 신생물은 상부피부를 밀어내고 그 위에 피부위축, 홍반, 혹은 모세혈관확장을 일으킬 수 있다. 종양관련 혈관분포상태는 혈류의 속도와 혈산소포화도에 따라 적색 혹은 청색을 나타낸다. 세포질의 액상상태에 녹은 카로티노이드는 이들 세포질의 존재를 황색으로 나타낸다. 표피세포 및 진피의 멜라닌은 대부분의 갈색을 나타내지만, 때로 진피혈철소 혹은 리포퓨신에 의한 갈색일 수 있다. 아포크린 땀에 녹은 리포퓨신은 한선종양의 일부를 청색으로 나타내는데 이는 틴달효과에 의한 광선의 산란작용에 의한다. 피지성분은 황색 혹은 오렌지색을 나타낸다. 색깔, 모양 및 병변의 분포는 이들 질환의 감별진단에 유용하다.

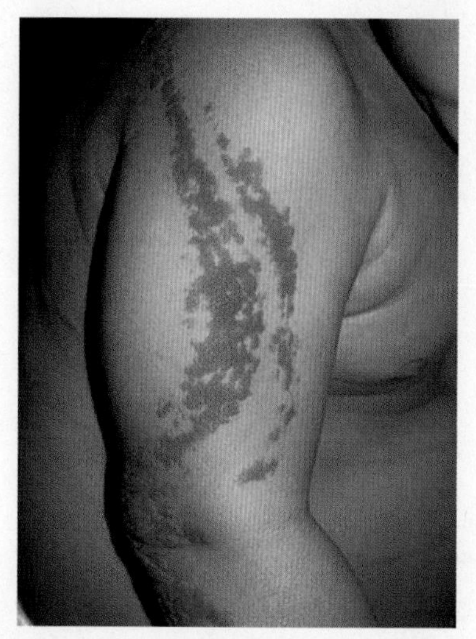

그림 29.2 표피모반

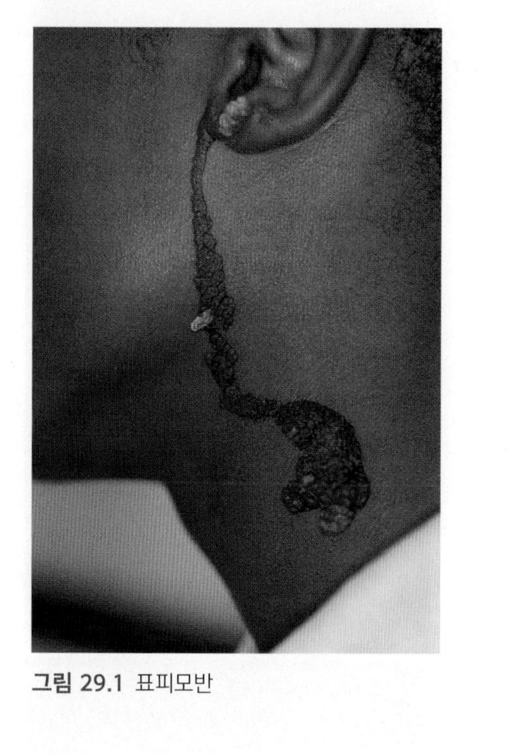

그림 29.1 표피모반

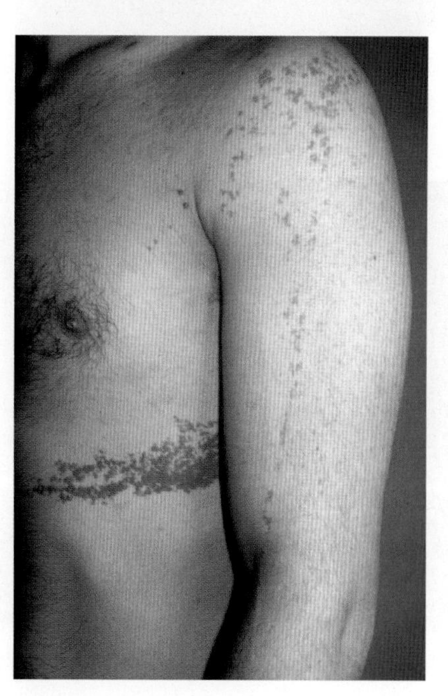

그림 29.3 표피모반

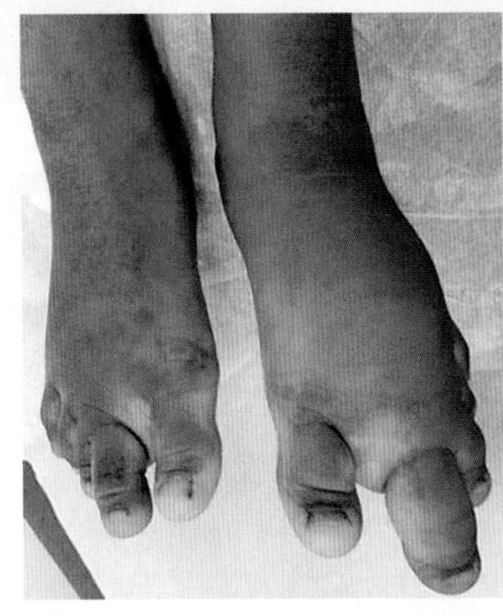

그림 29.4 CLOVE증후군

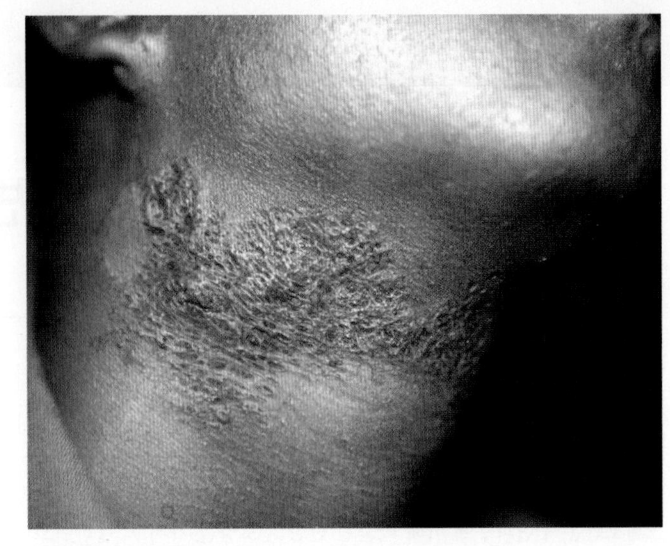

그림 29.5 면포모반

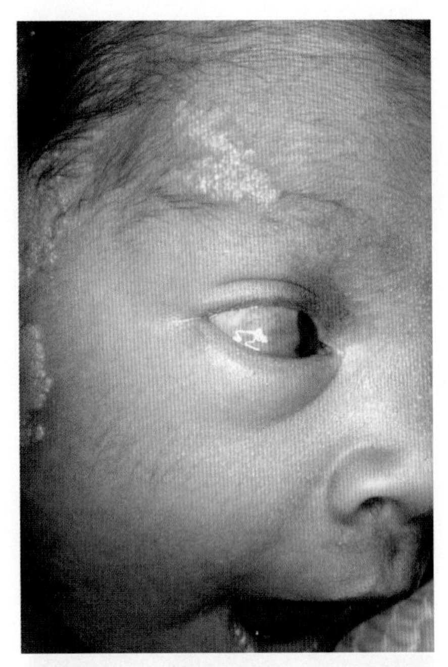

그림 29.6 결막지질유피낭을 보이는 쉼멜펜닝 증후군

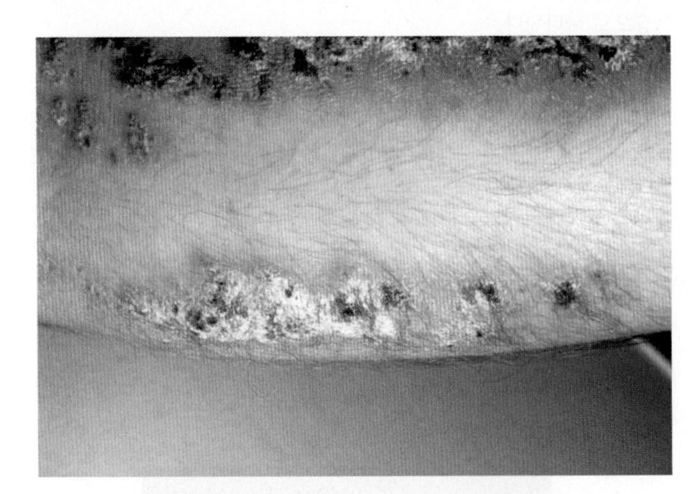

그림 29.7 염증성선상사마귀모양표피모반

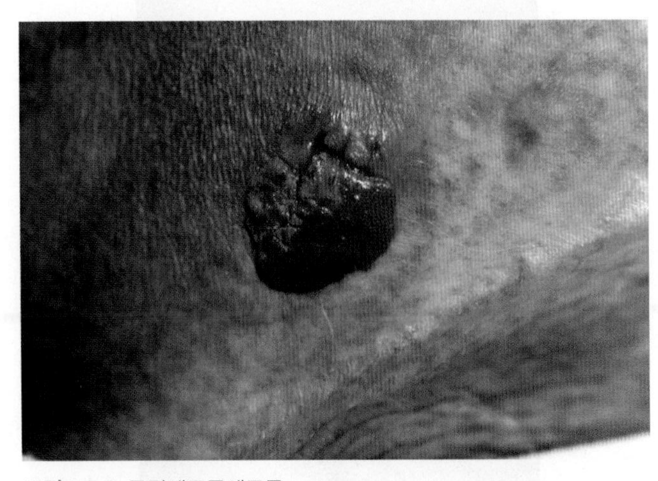

그림 29.8 투명세포극세포종

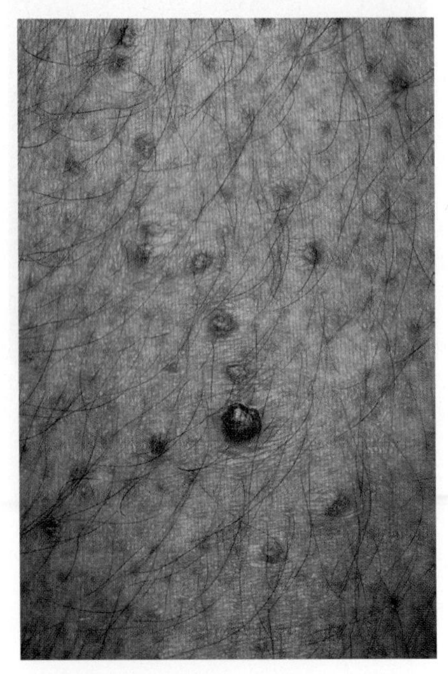

그림 29.9 다발투명세포극세포종

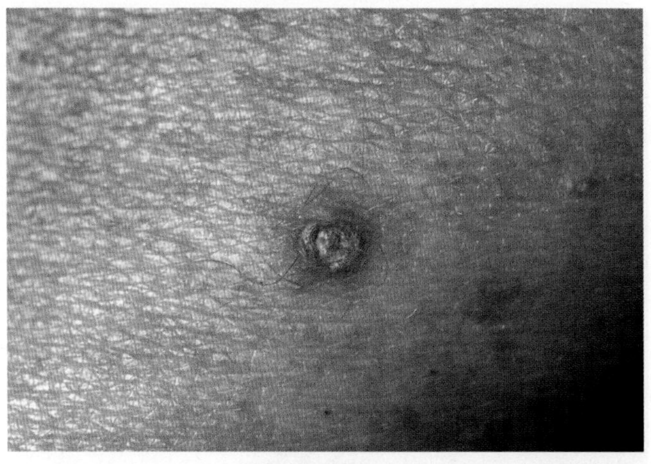
그림 29.10 사마귀이상각화종

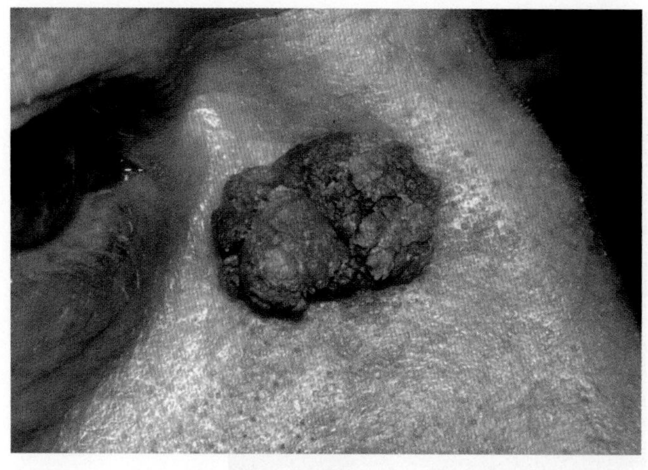
그림 29.11 지루각화증

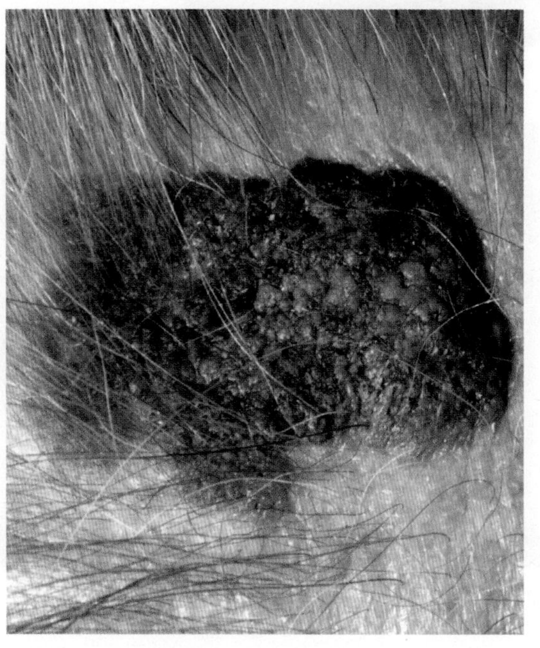
그림 29.12 지루각화증

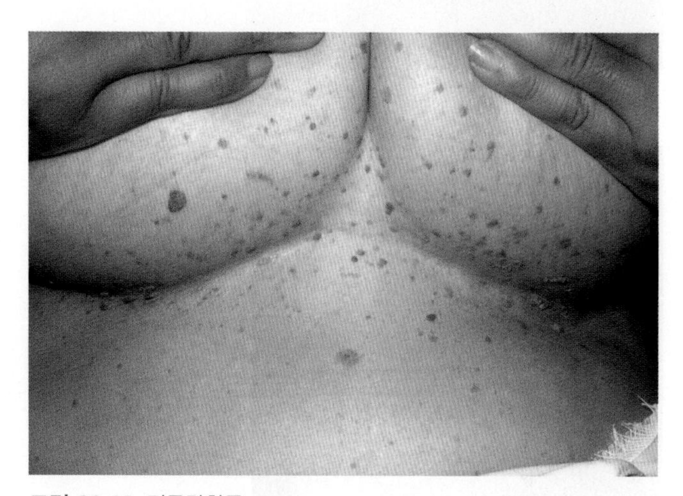
그림 29.13 지루각화증

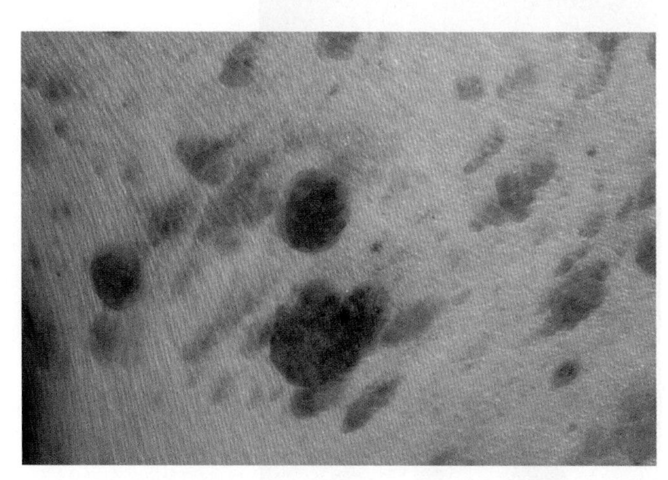
그림 29.14 지루각화증

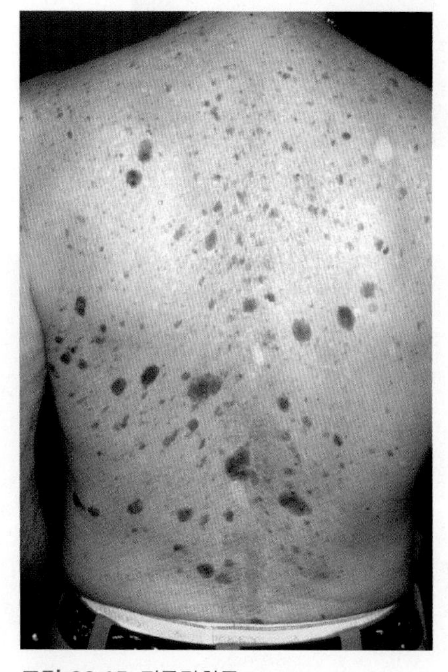
그림 29.15 지루각화증

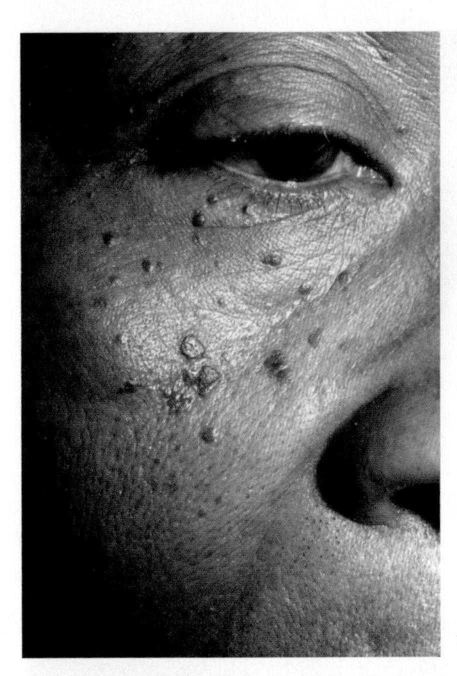

그림 29.16 흑색구진피부병

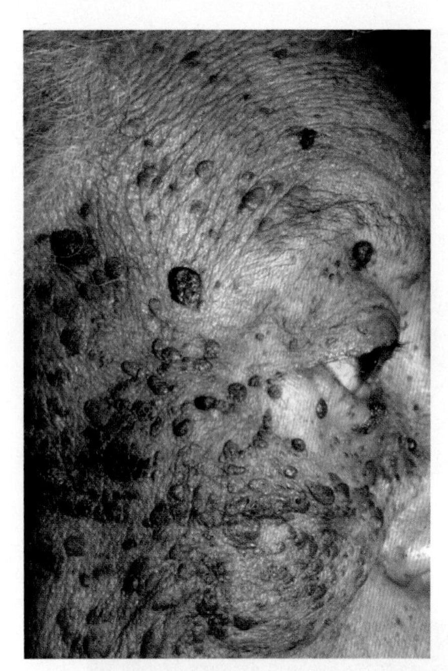

그림 29.17 흑색구진피부병

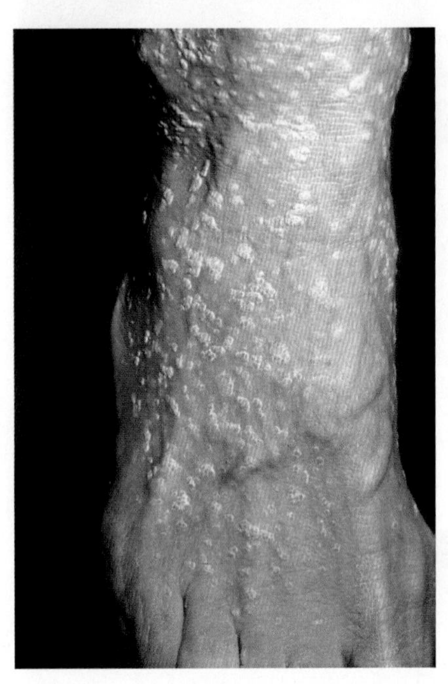

그림 29.18 스투코각화증

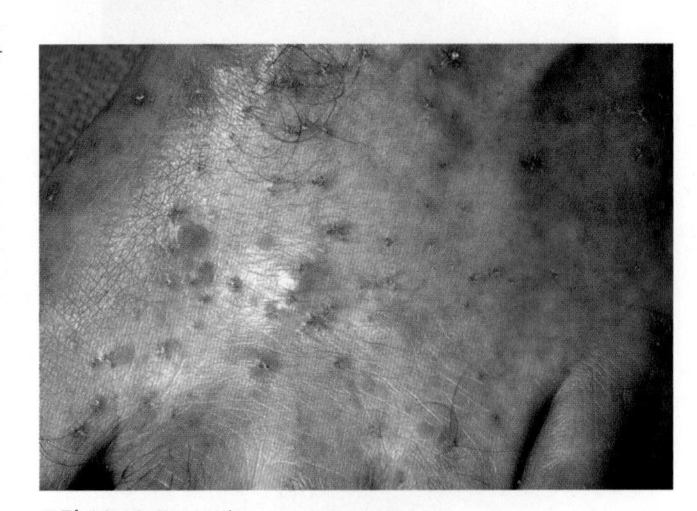

그림 29.19 Flegel병(지속렌즈모양과각화증)

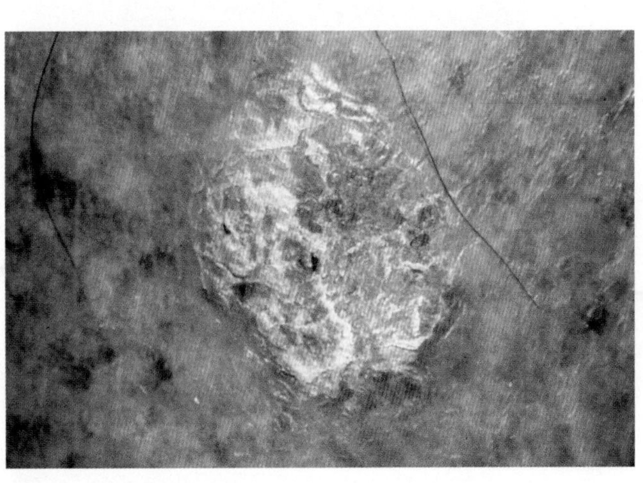

그림 29.20 양성태선각화증

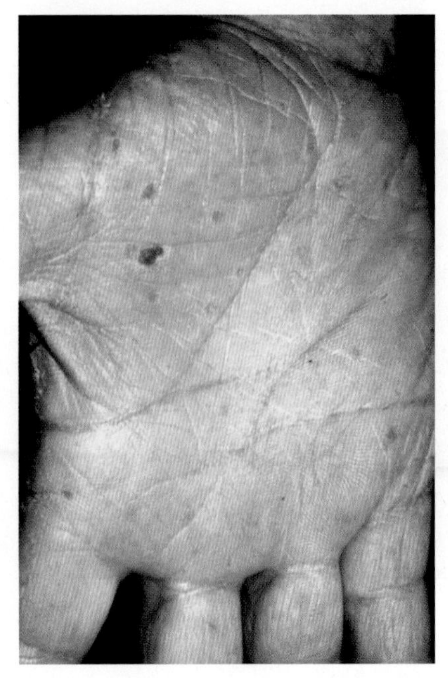

그림 29.21 비소각화증

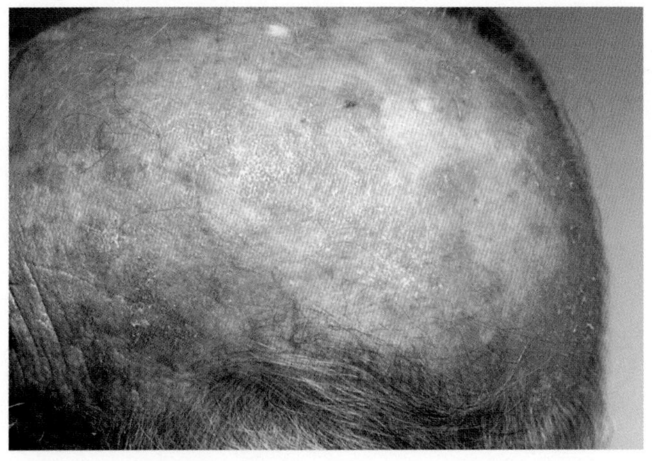

그림 29.22 광선각화증

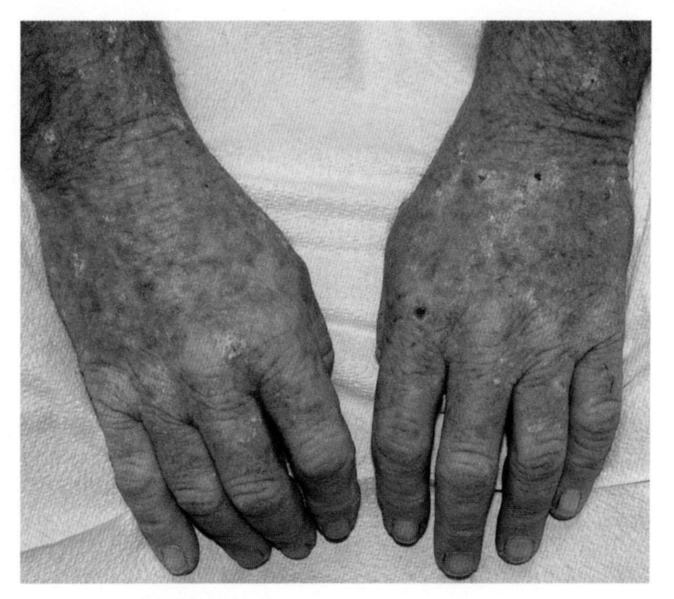

그림 29.23 광선각화증

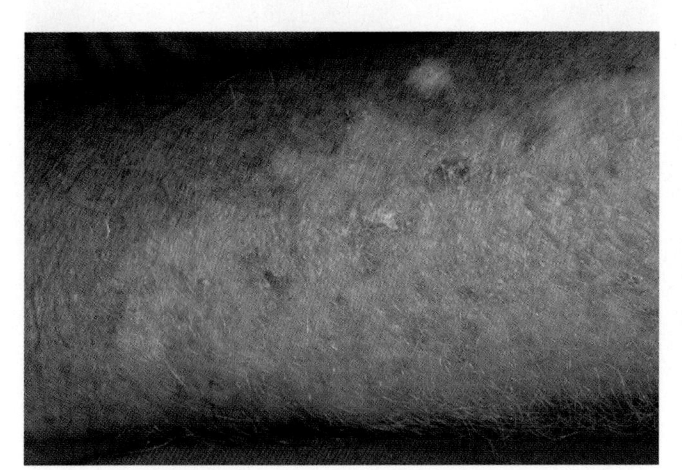

그림 29.24 백반증피부를 가진 광선각화증

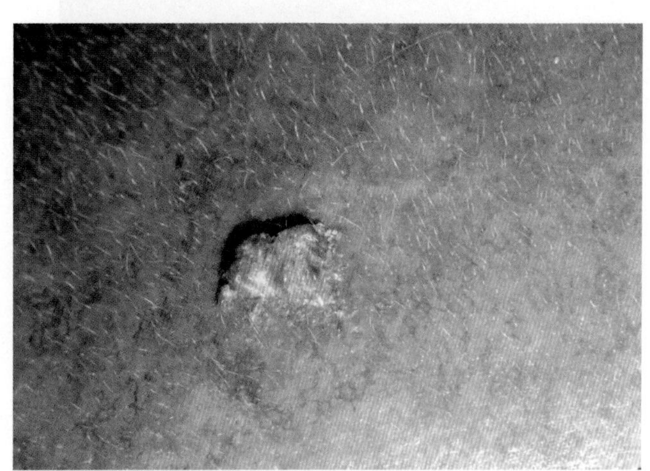

그림 29.25 비대광선각화증

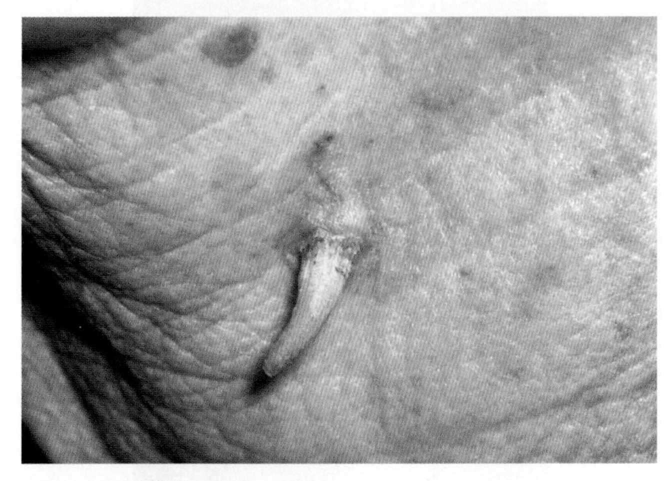

그림 29.26 피각

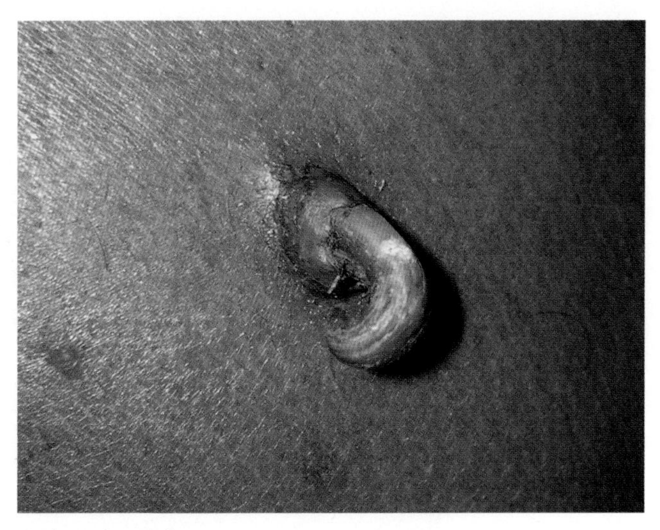

그림 29.27 피각

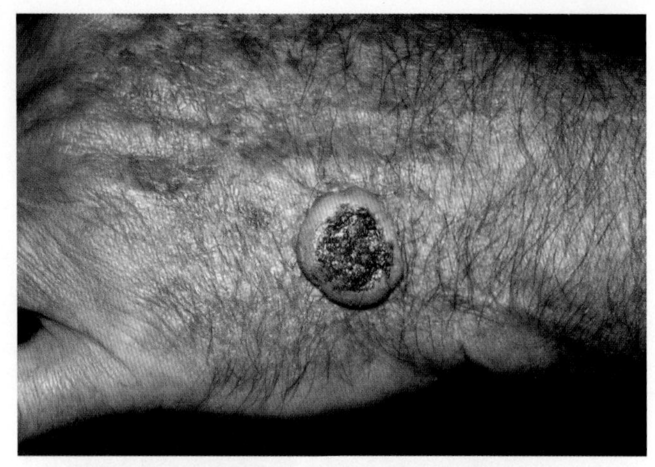

그림 29.28 각화극세포종

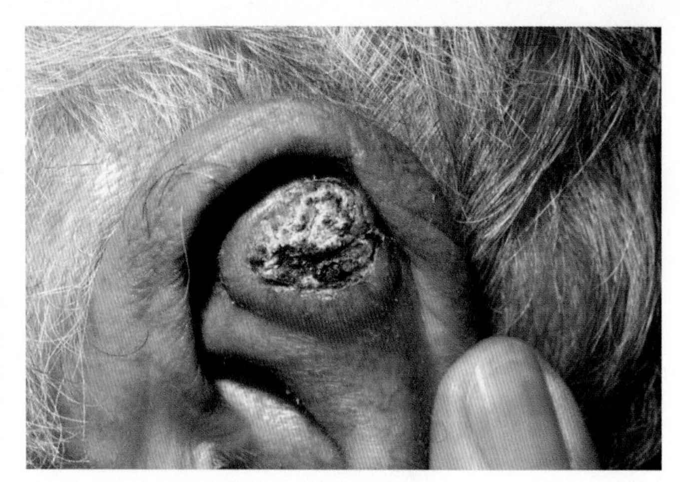

그림 29.29 각화극세포종

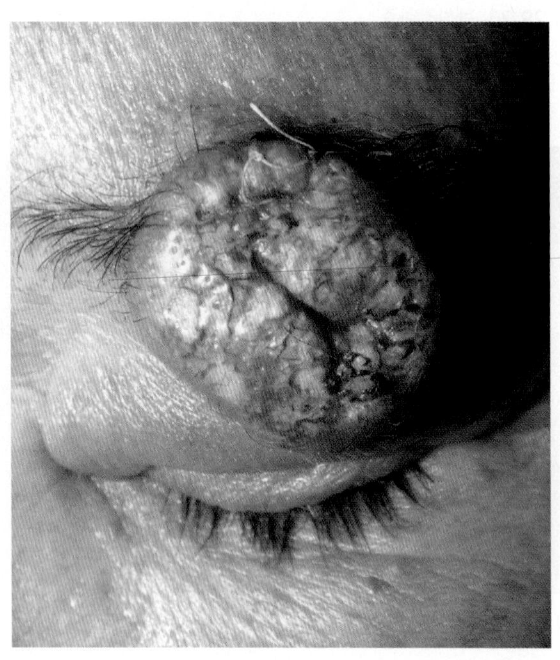

그림 29.30 각화극세포종

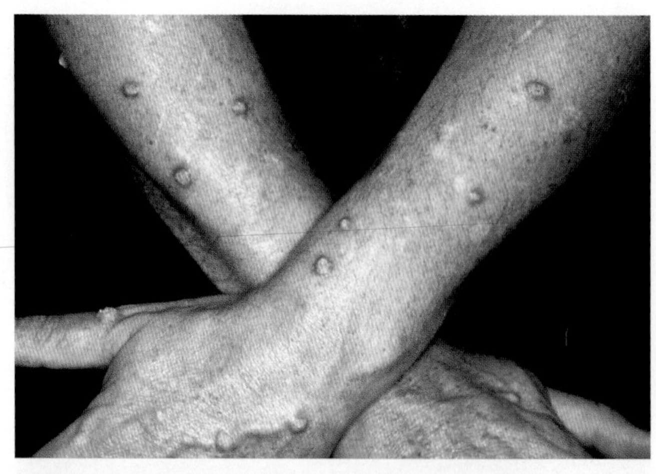

그림 29.31 다발각화극세포종

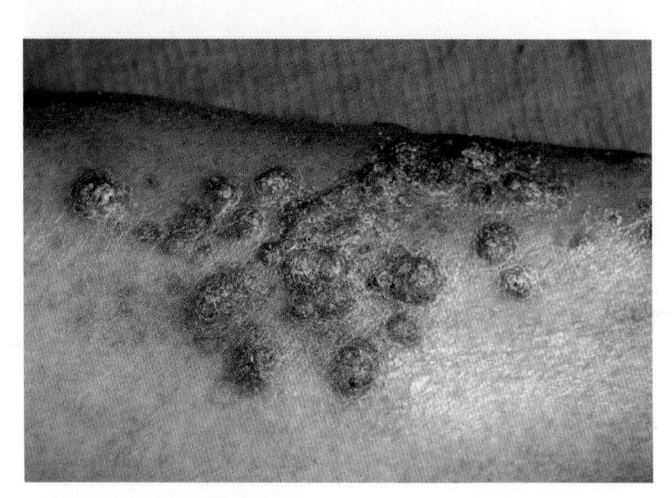

그림 29.32 발진각화극세포종

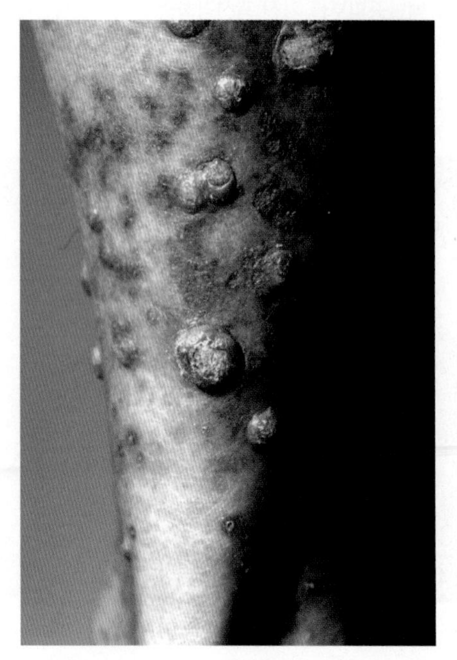

그림 29.33 발진각화극세포종

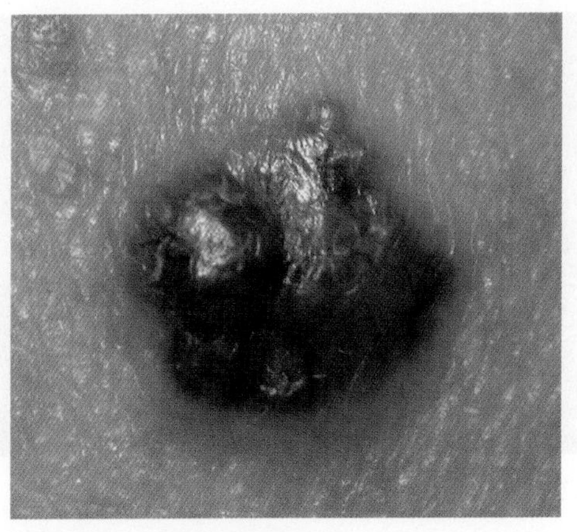

그림 29.34 기저세포암

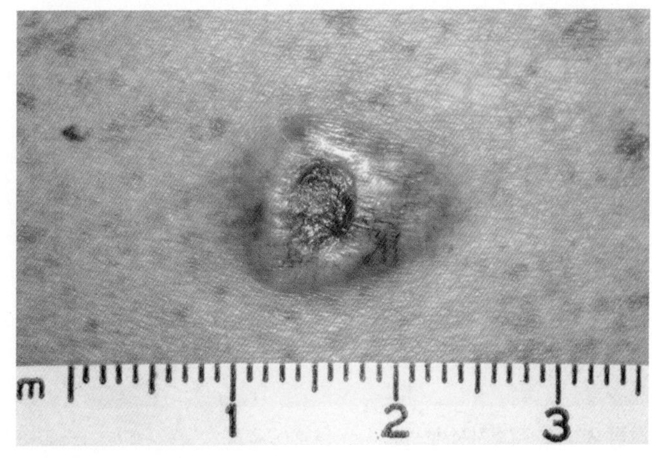

그림 29.35 기저세포암

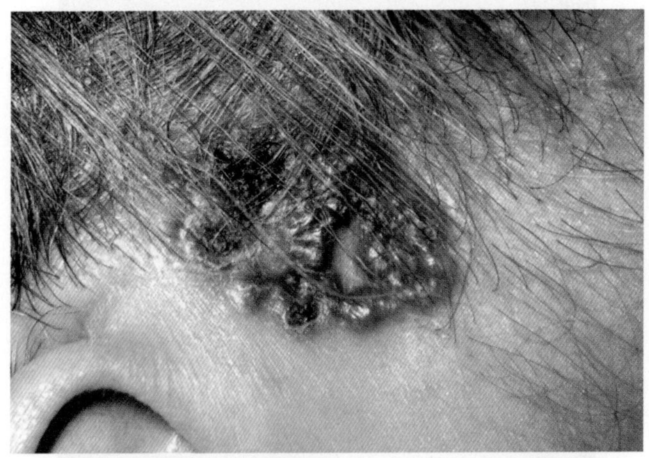

그림 29.36 기저세포암

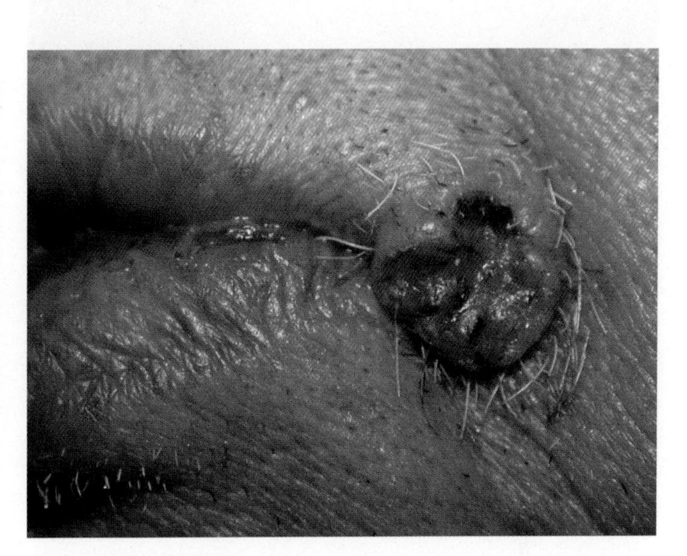

그림 29.37 기저세포암

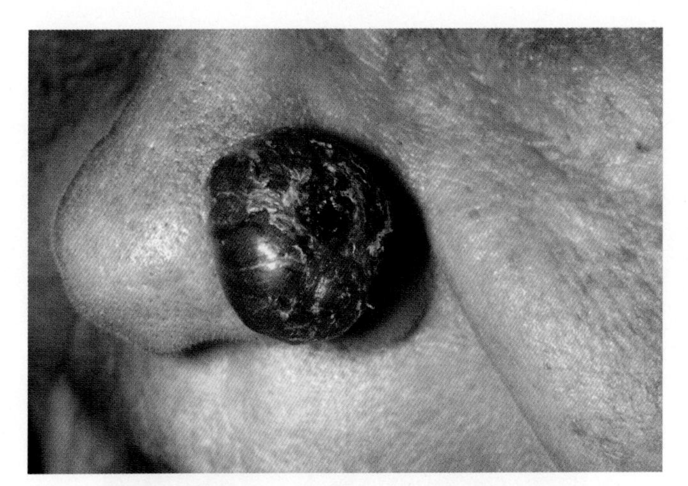

그림 29.38 기저세포암

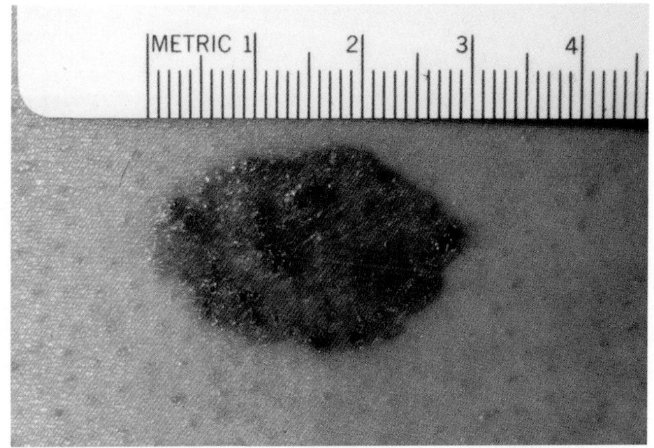

그림 29.39 표재기저세포암

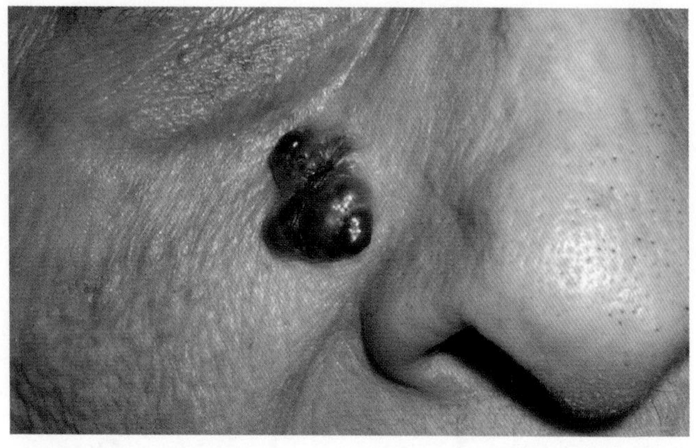

그림 29.40 색소기저세포암

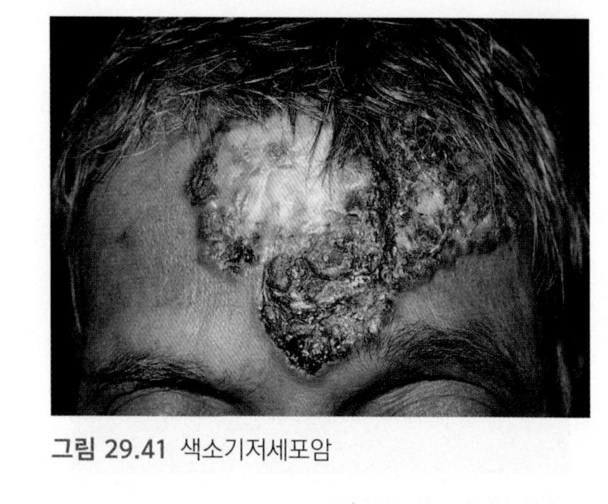

그림 29.41 색소기저세포암

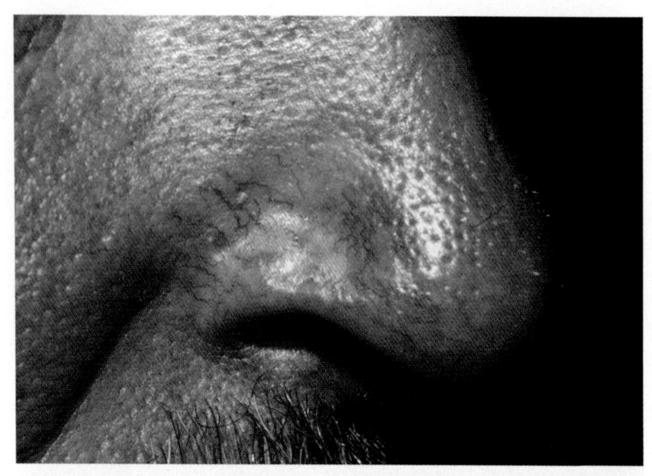

그림 29.42 국소피부경화증모양기저세포암

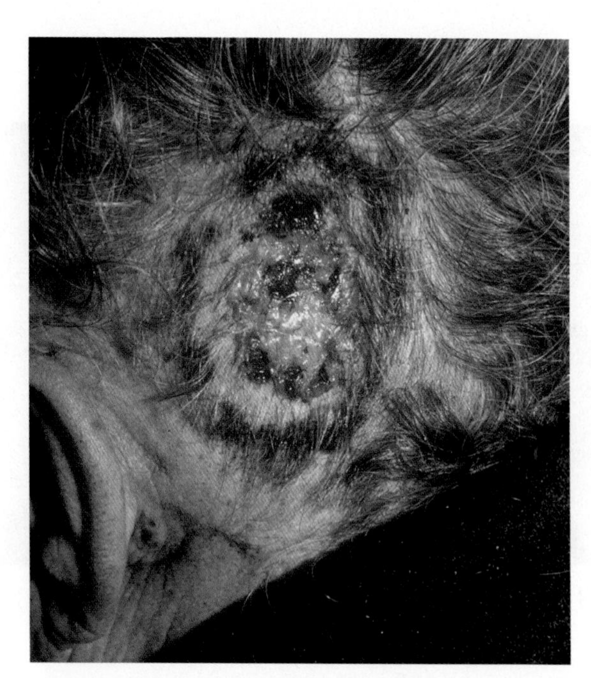

그림 29.43 기저세포암

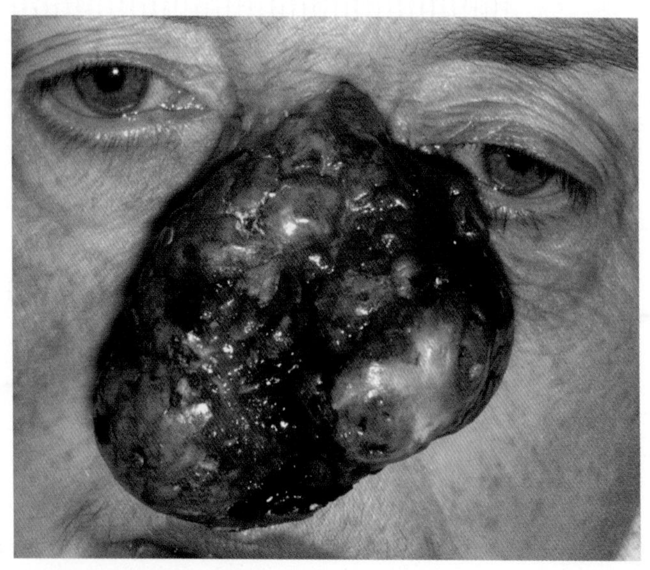

그림 29.44 대기저세포암

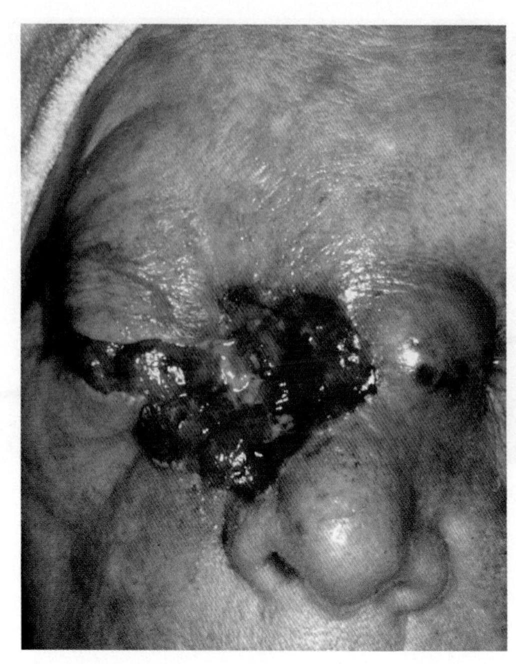

그림 29.45 공격기저세포암

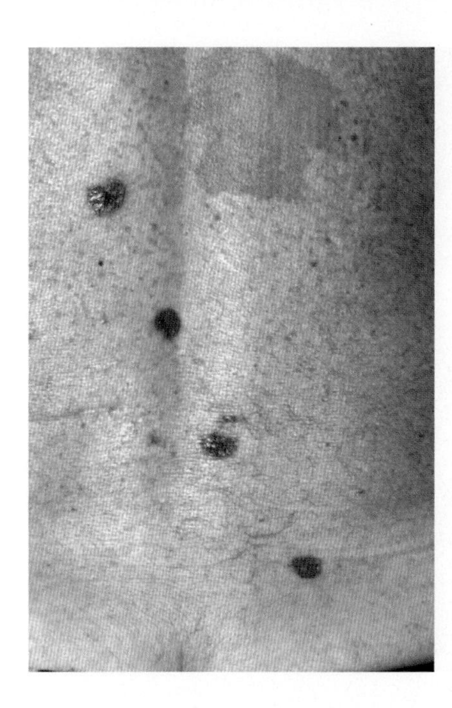

그림 29.46 방사선조사부위에 발생한 다발기저세포암

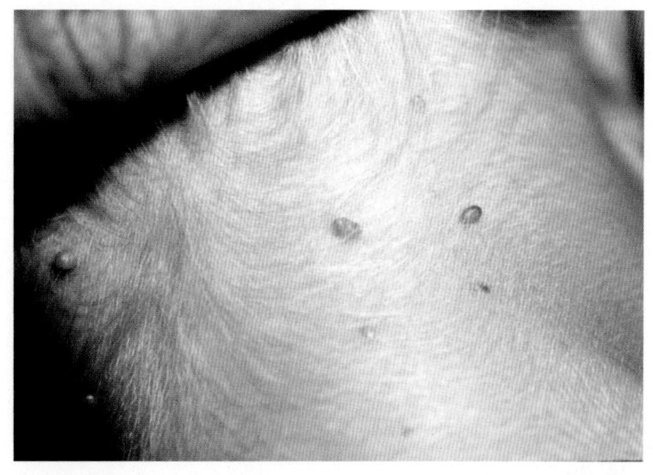

그림 29.47 연성섬유종모양기저세포암을 보이는 기저세포모반증후군

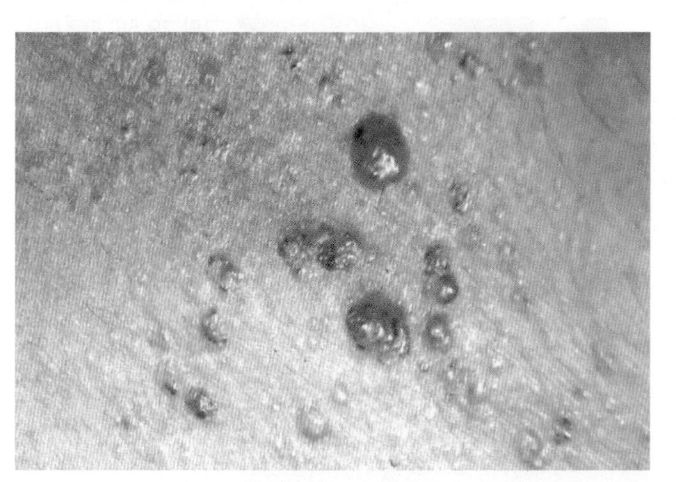

그림 29.48 기저세포모반증후군

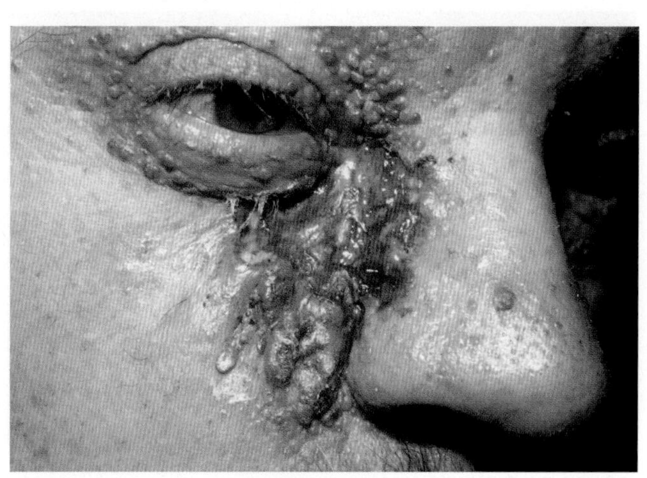

그림 29.49 기저세포모반증후군

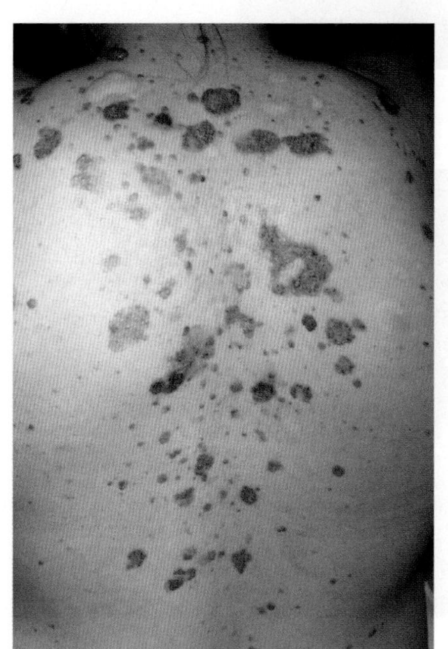

그림 29.50 기저세포모반증후군

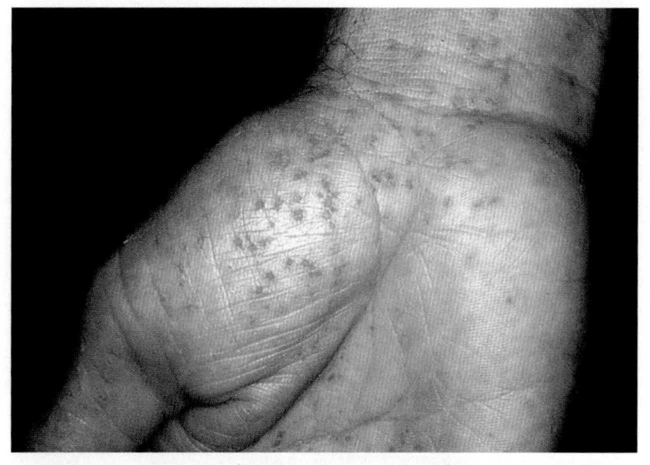

그림 29.51 수장오목을 보이는 기저세포모반증후군

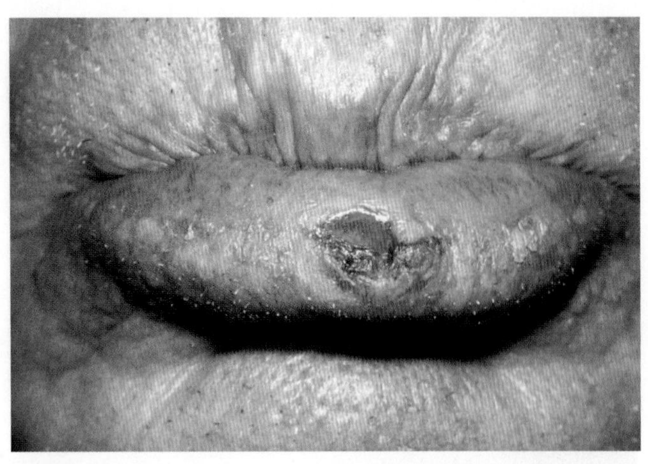

그림 29.52 편평세포암

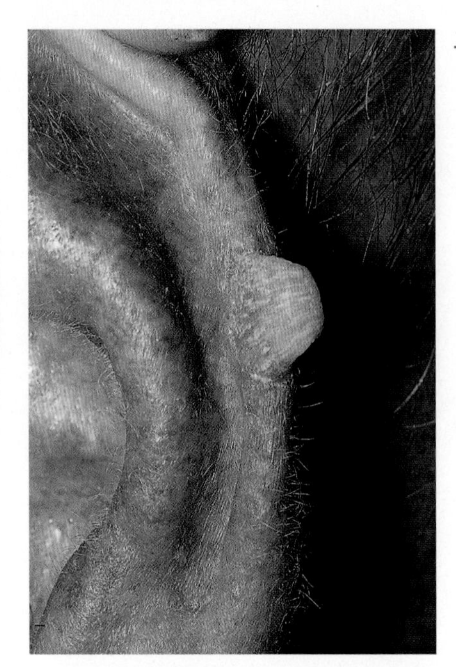

그림 29.53 편평세포암

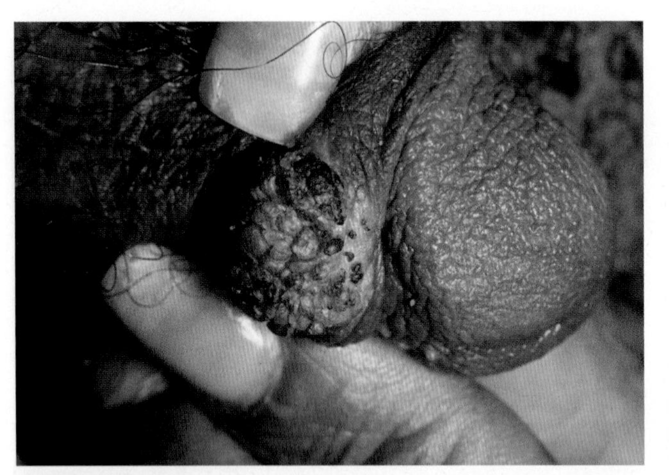

그림 29.54 편평세포암

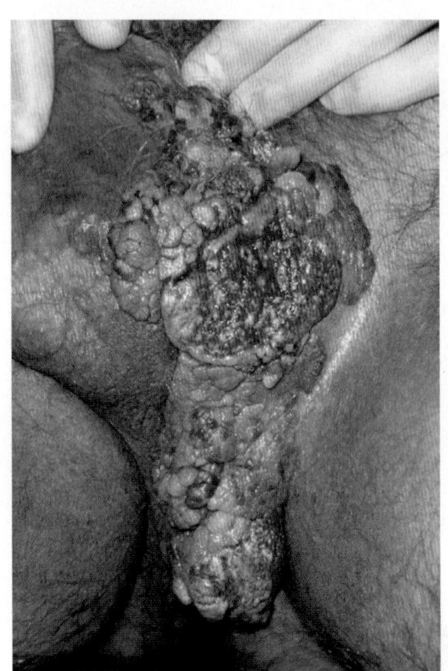

그림 29.55 편평세포암

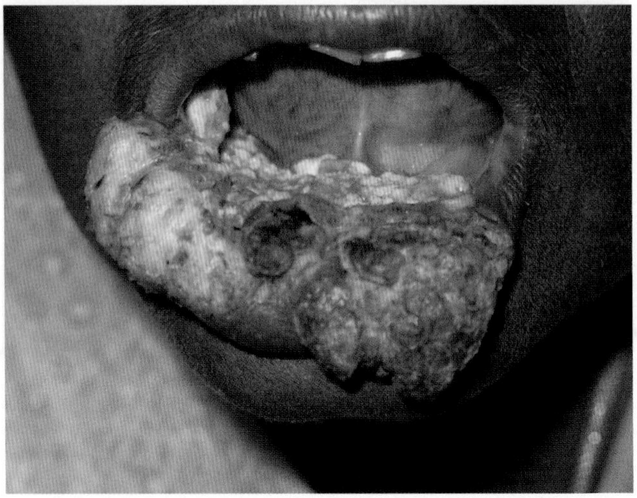

그림 29.56 편평세포암

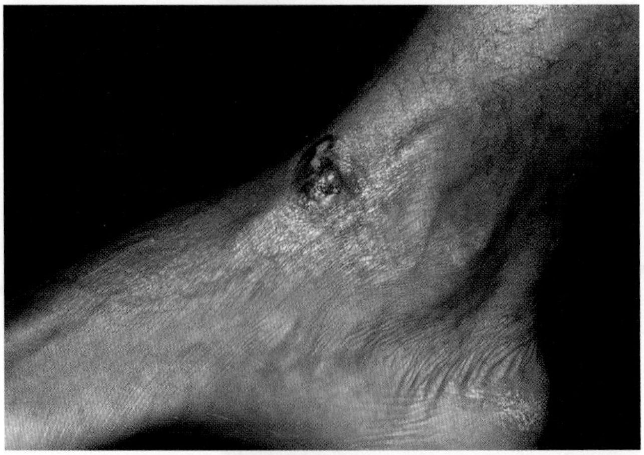

그림 29.57 아프리카계미국인의 편평세포암

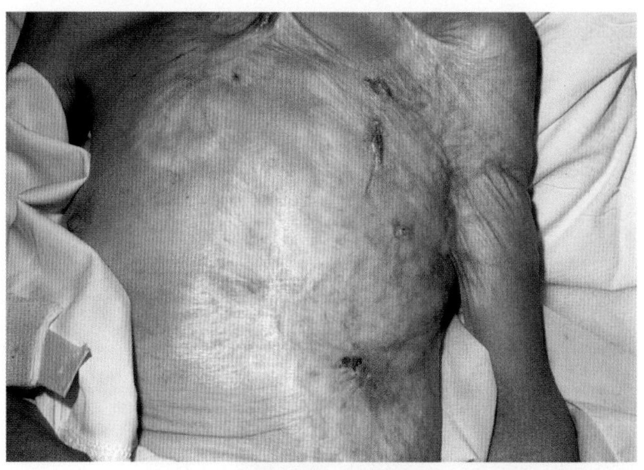

그림 29.58 화상반흔에 발생한 편평세포암

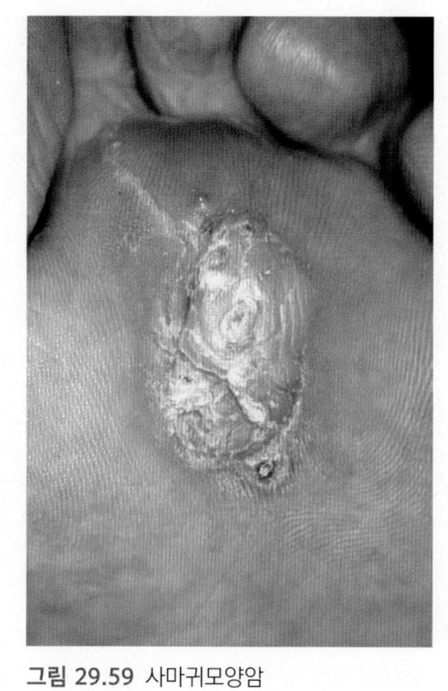

그림 29.59 사마귀모양암

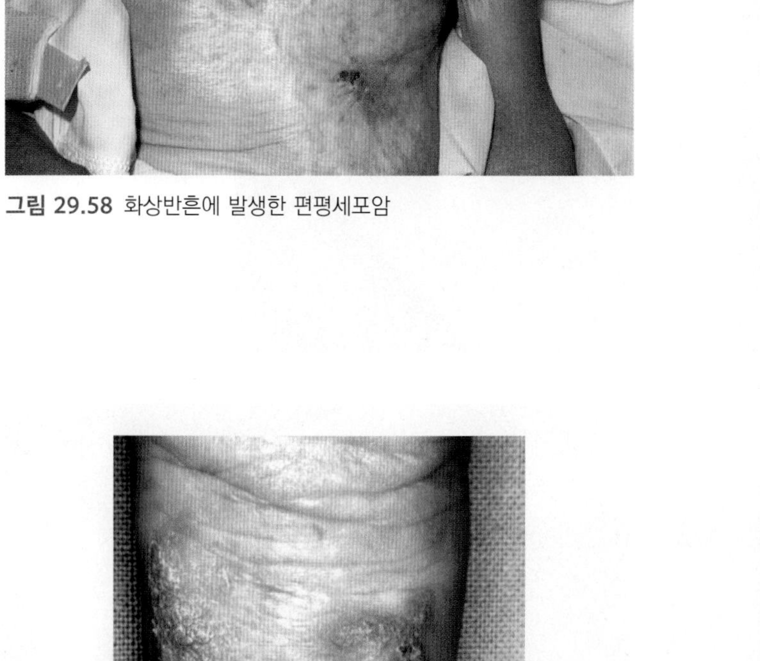

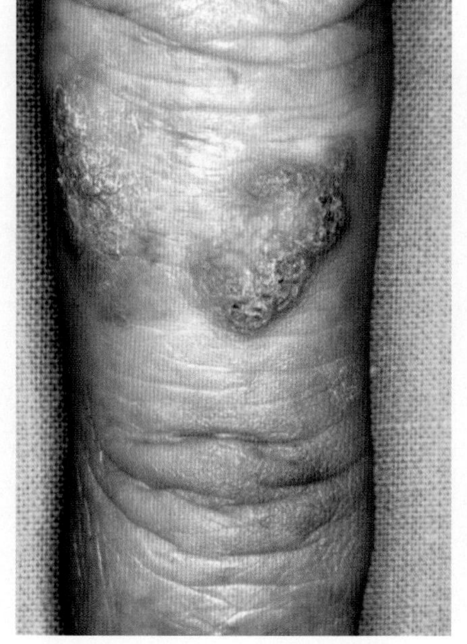

그림 29.60 보웬병

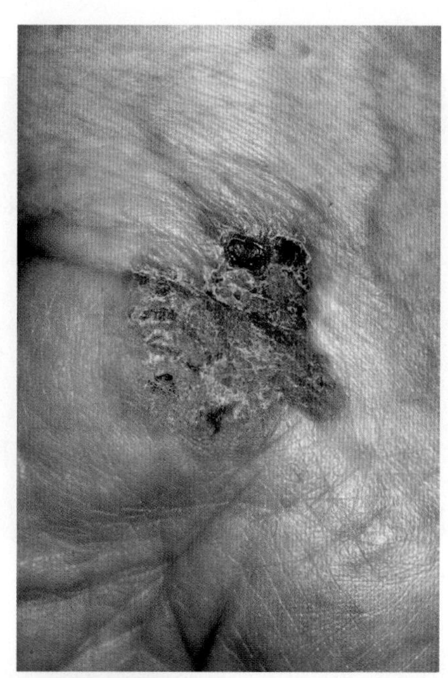

그림 29.61 보웬병

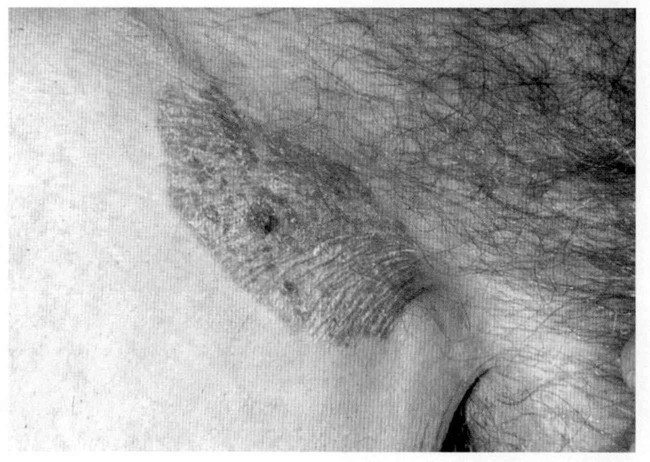

그림 29.62 보웬병

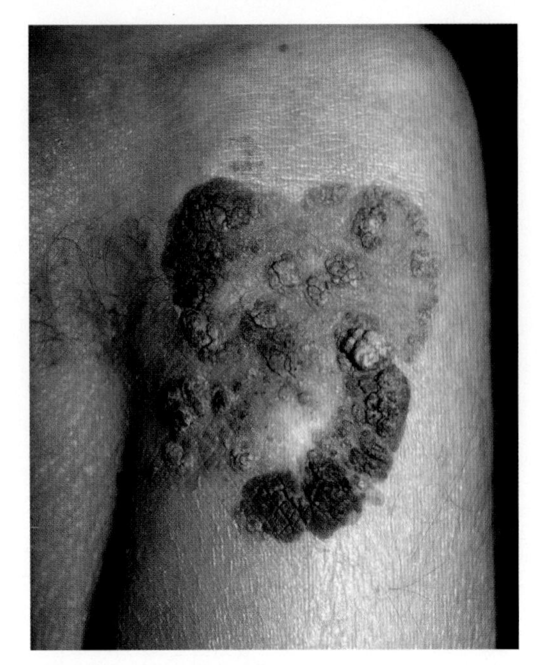

그림 29.63 편평세포암과 함께한 보웬병

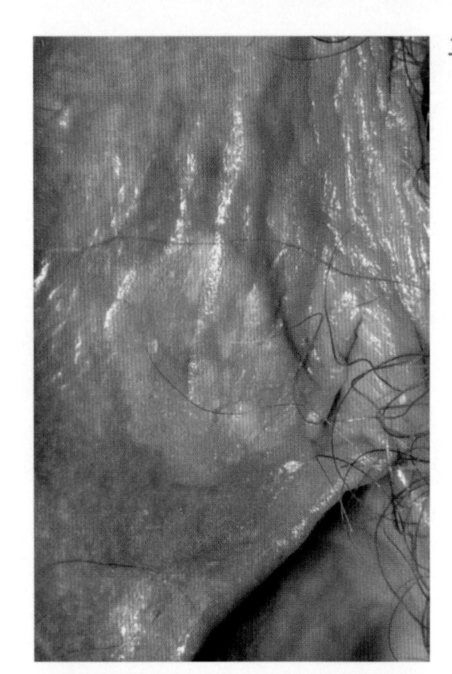

그림 29.64 보웬병

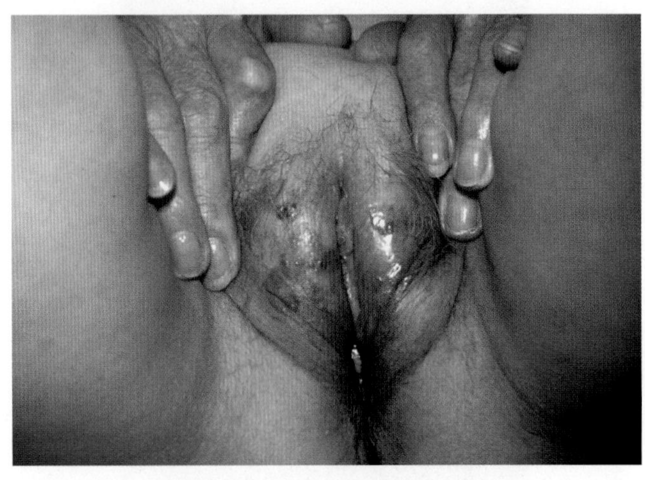

그림 29.65 색소다중심보웬병

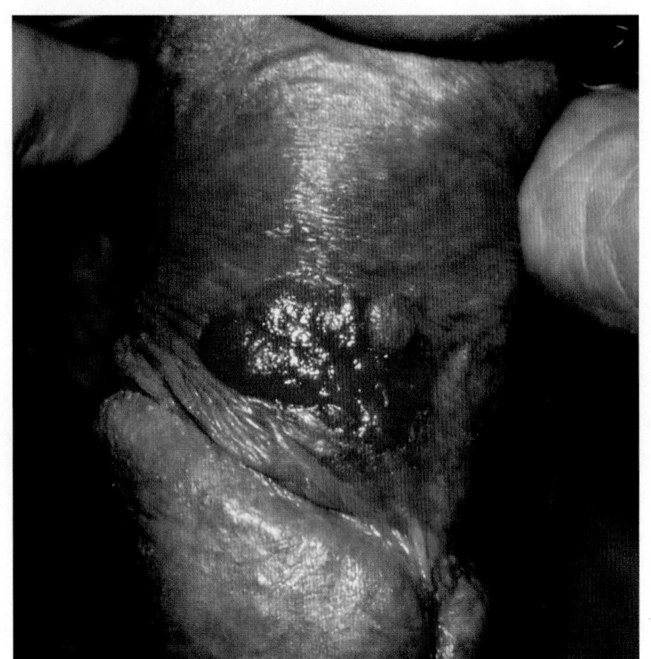

그림 29.66 퀴라홍색형성증

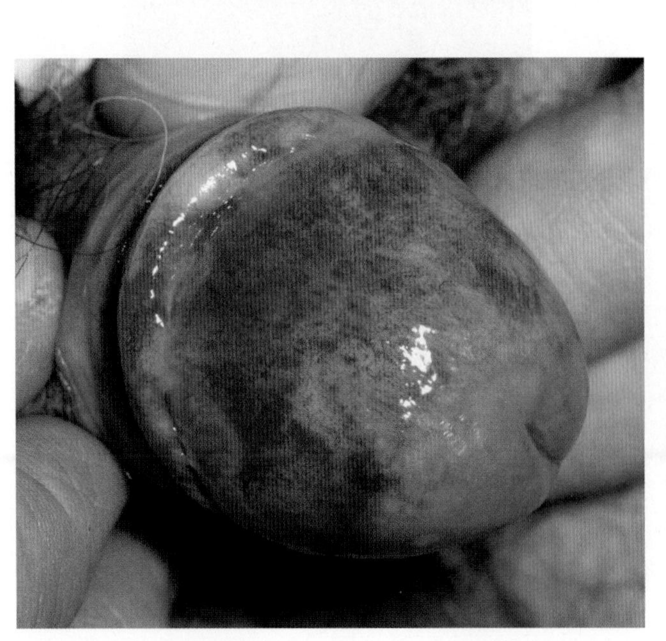

그림 29.67 준(Zoon)귀두염

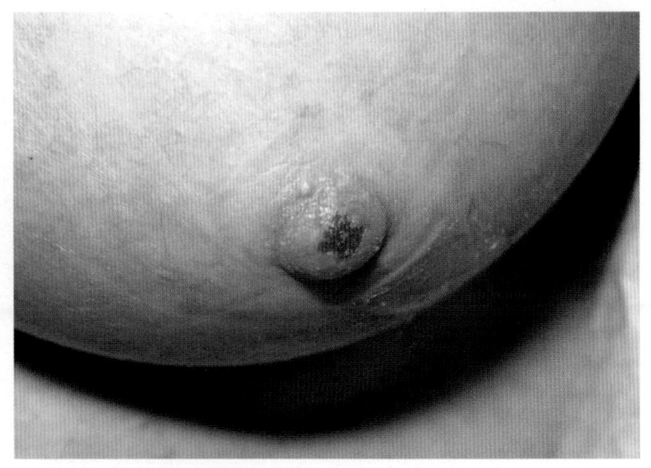

그림 29.68 유방파제트병

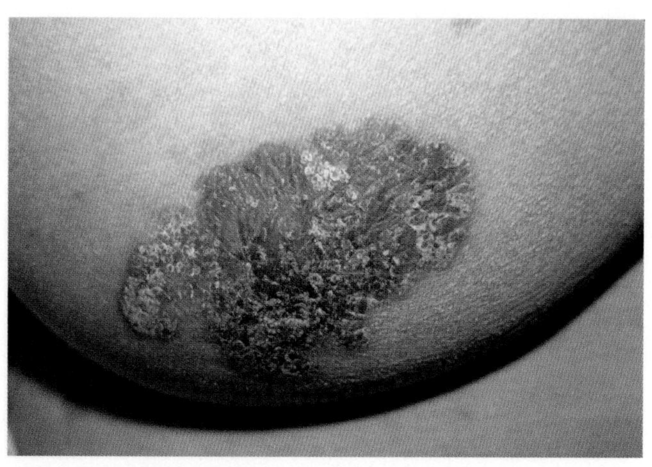

그림 29.69 유방파제트병

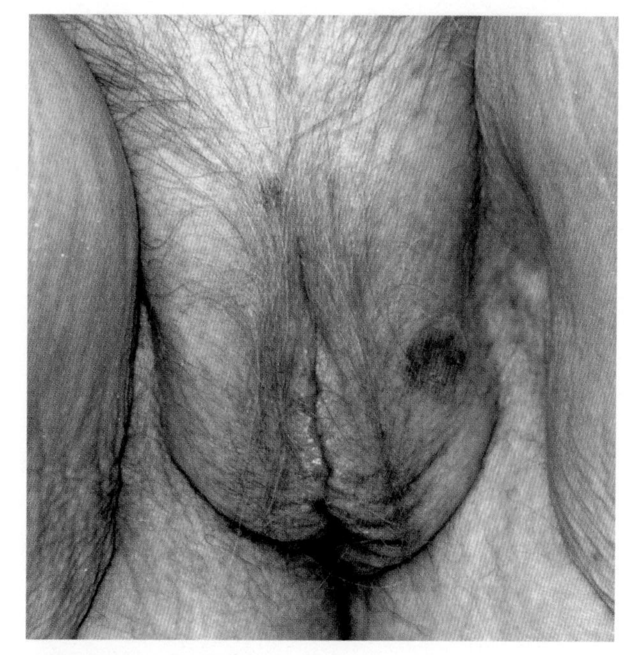

그림 29.70 유방외파젯병

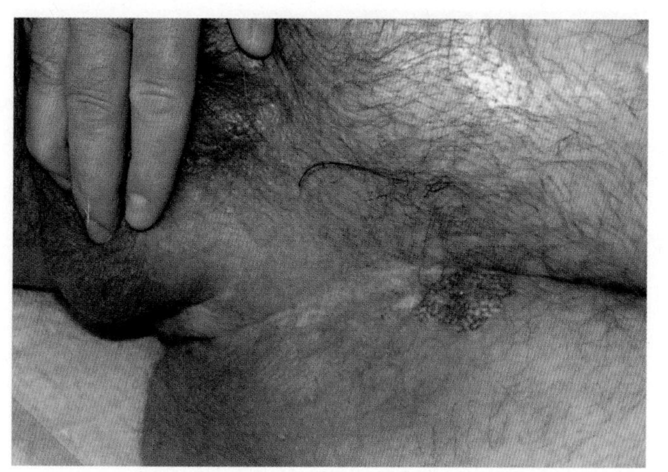

그림 29.71 유방외파젯병

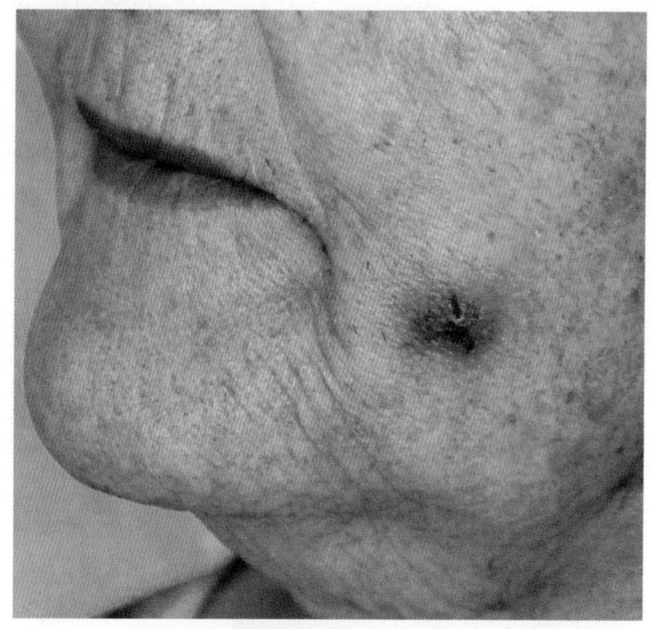

그림 29.72 머켈세포암

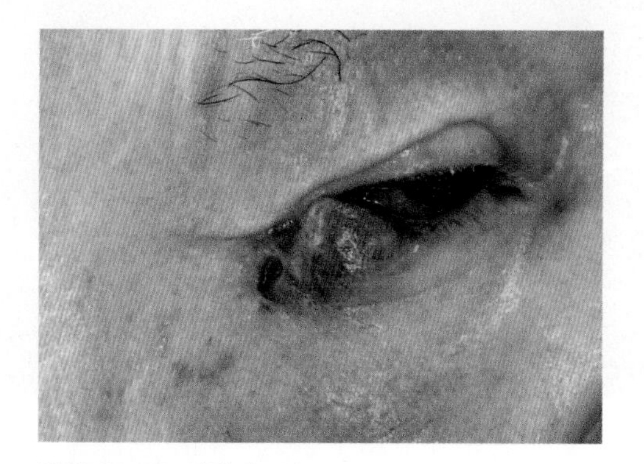

그림 29.73 머켈세포암

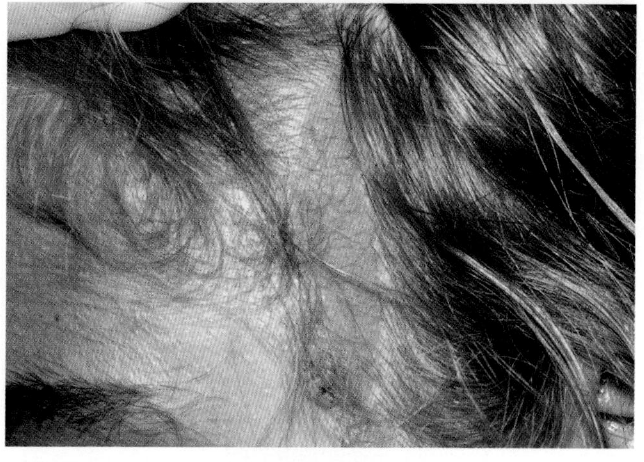

그림 29.74 피지선모반

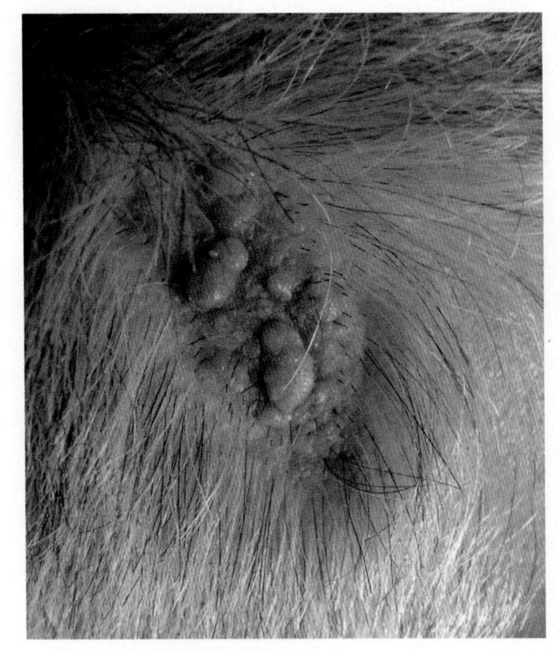

그림 29.75 피지선모반

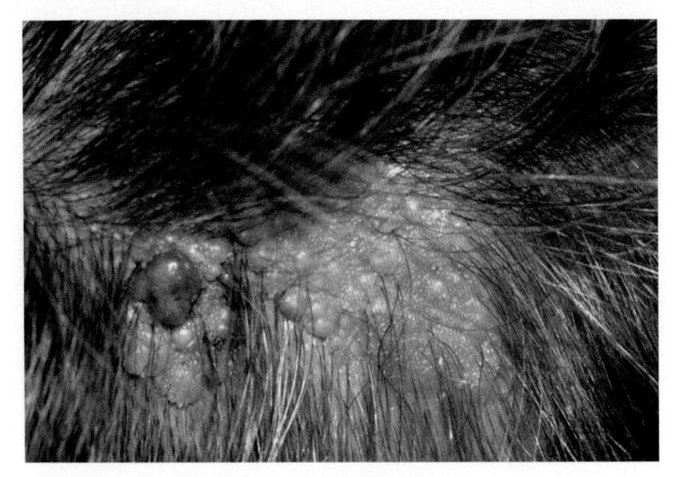

그림 29.76 기저세포암을 보인 피지선모반

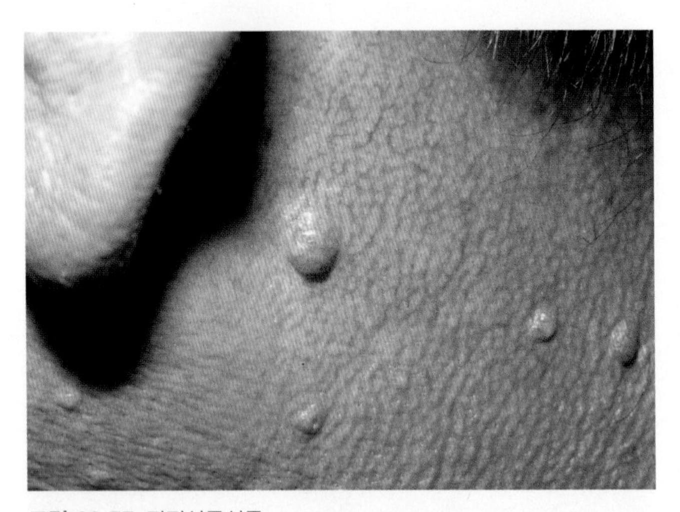

그림 29.77 피지선증식증

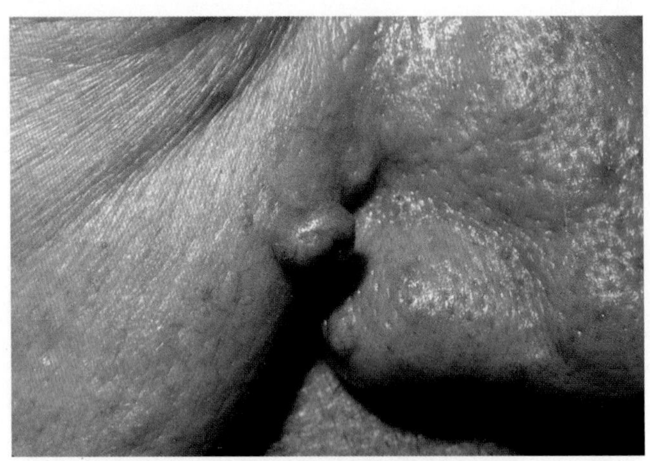

그림 29.78 뮤어-토레증후군의 피지선선종

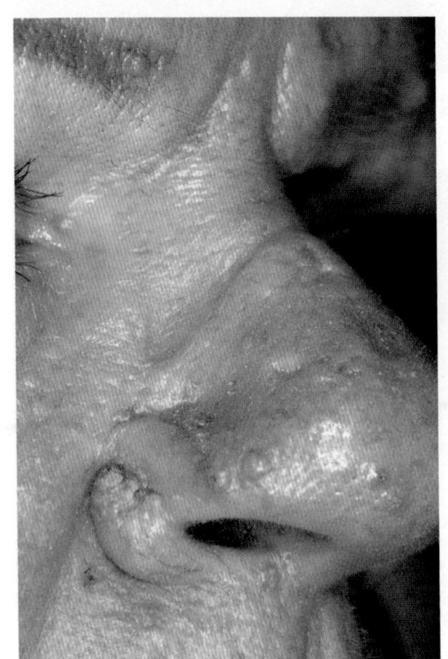

그림 29.79 뮤어-토레 증후군의 피지선선종

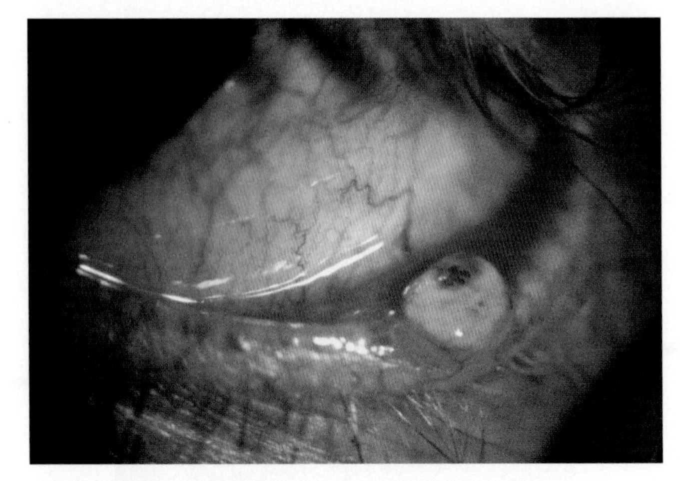

그림 29.80 피지선암

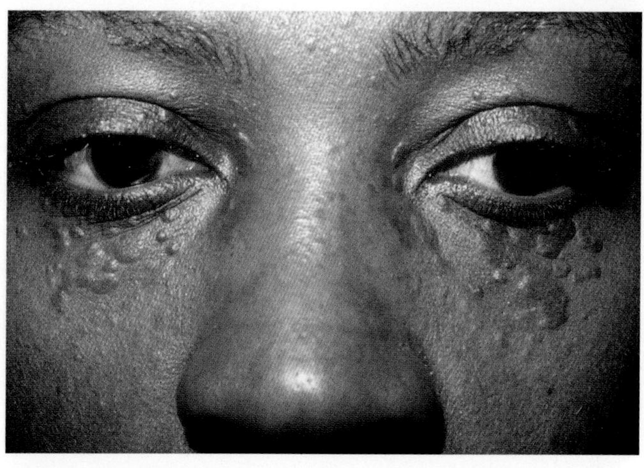

그림 29.81 한관종

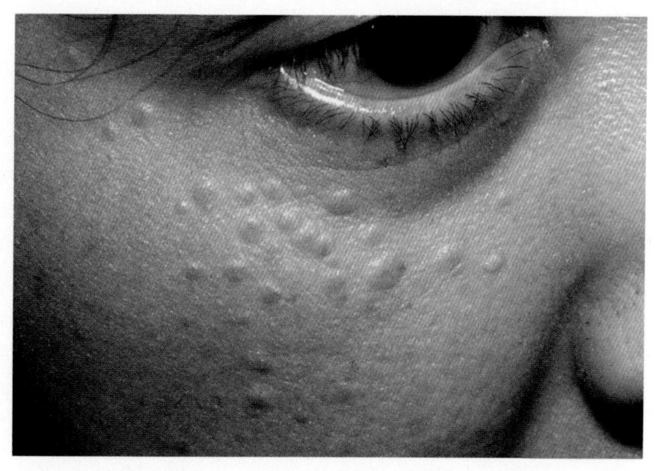

그림 29.82 한관종

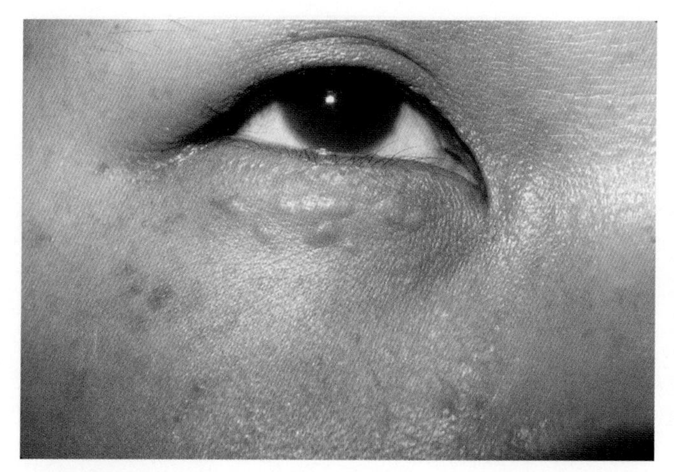

그림 29.83 한관종

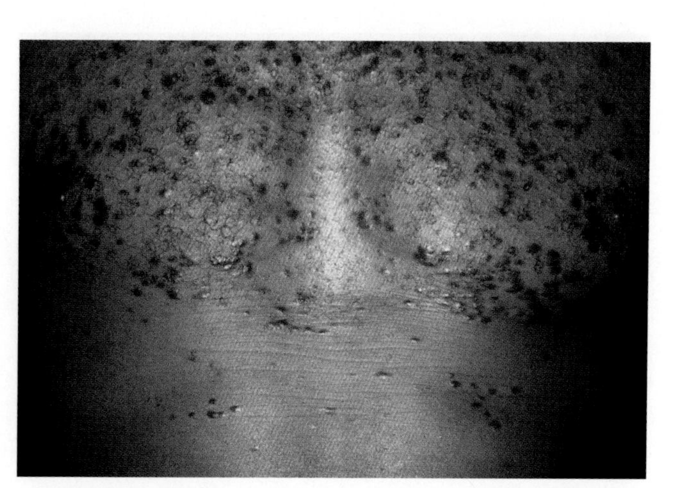

그림 29.84 한관종

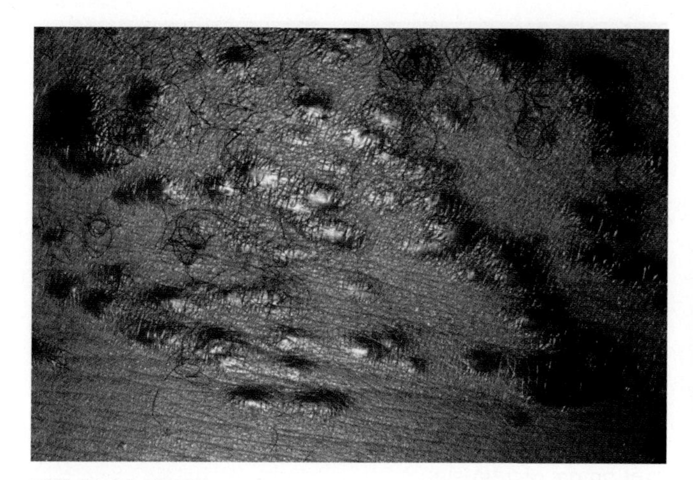

그림 29.85 한관종

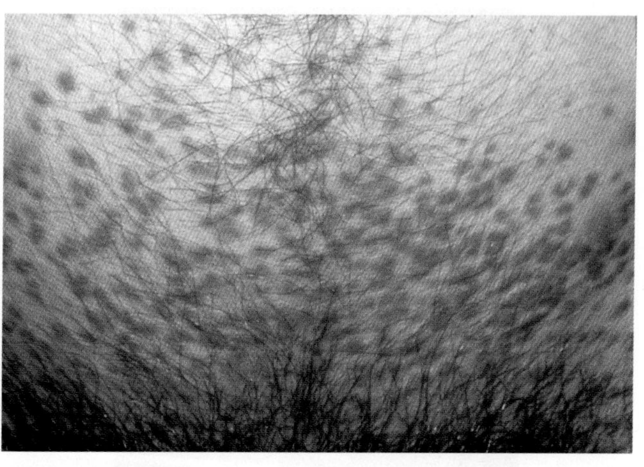

그림 29.86 한관종

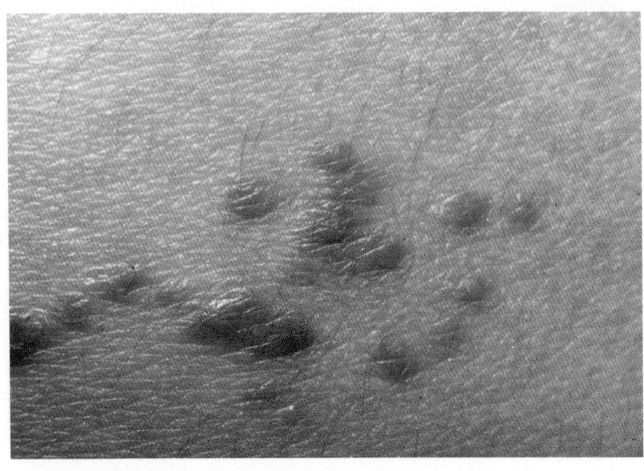

그림 29.87 한관종

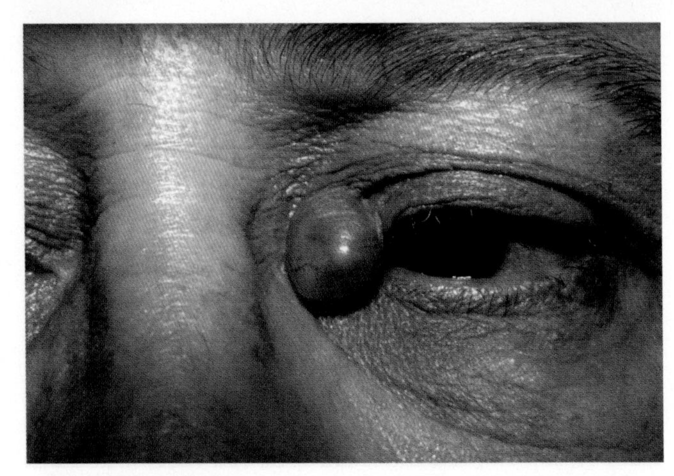

그림 29.88 한선낭종

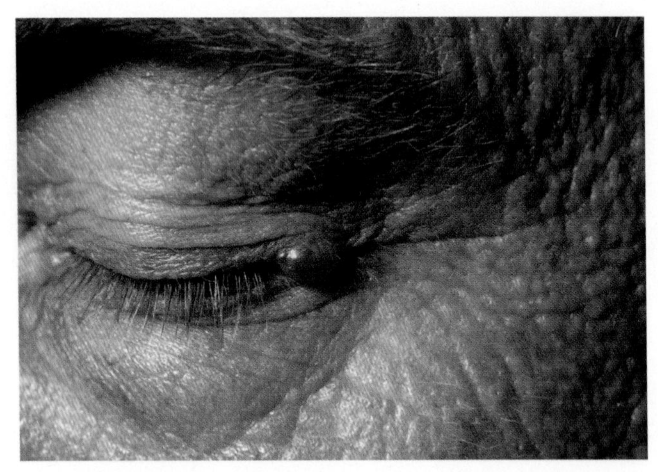

그림 29.89 한선낭종

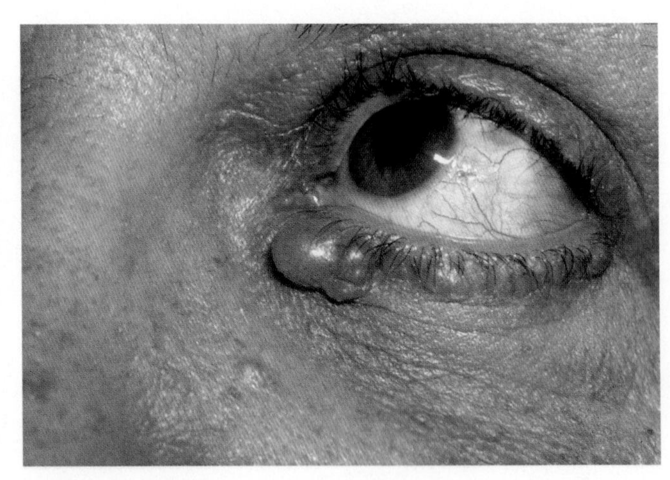

그림 29.90 한선낭종

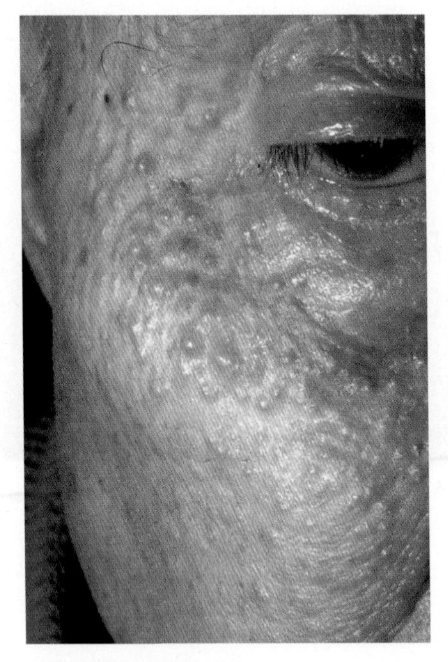

그림 29.91 다발한선낭종

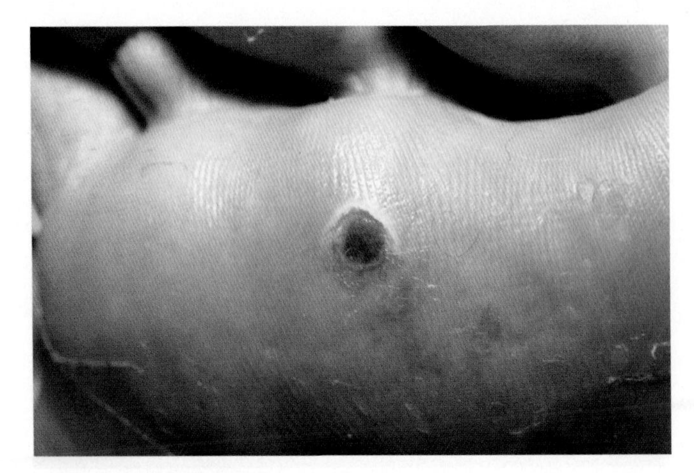

그림 29.92 에크린한공종

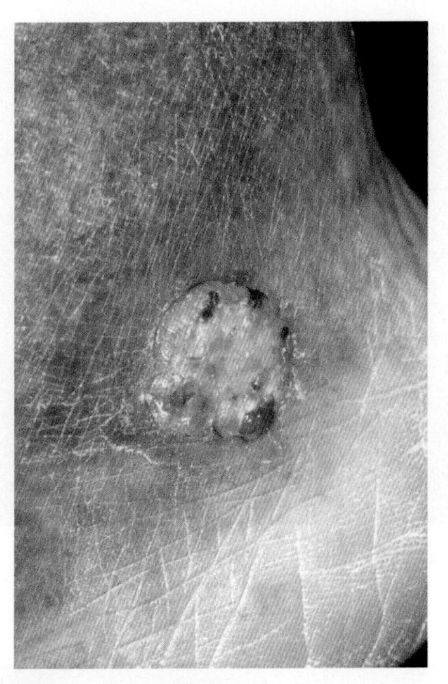

그림 29.93 에크린한공종

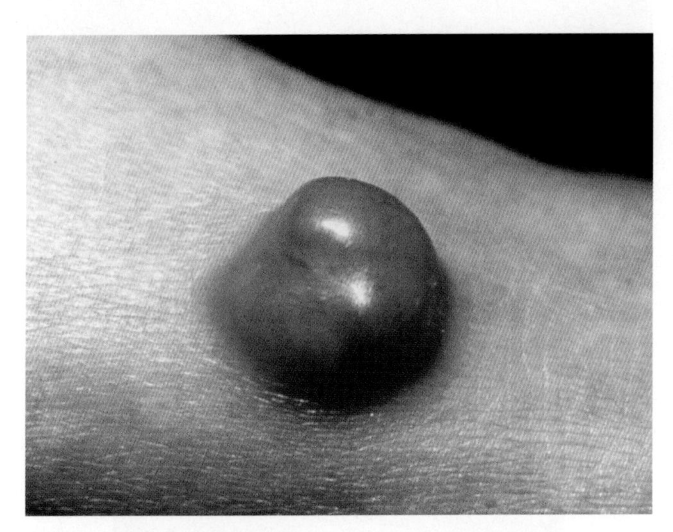

그림 29.95 에크린선단한선종

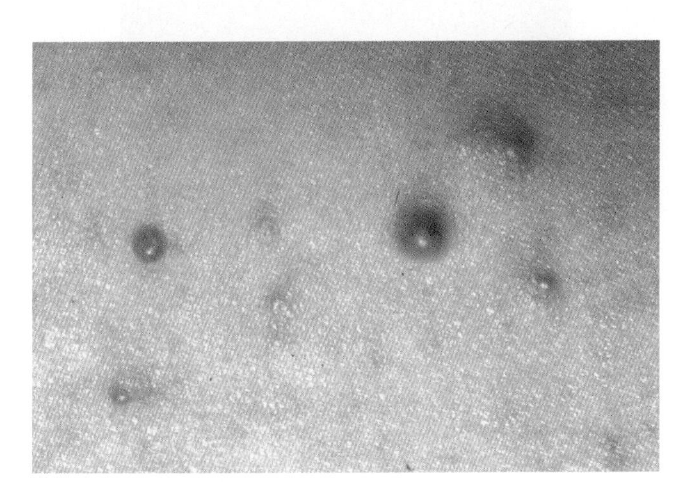

그림 29.97 다발선단한선종

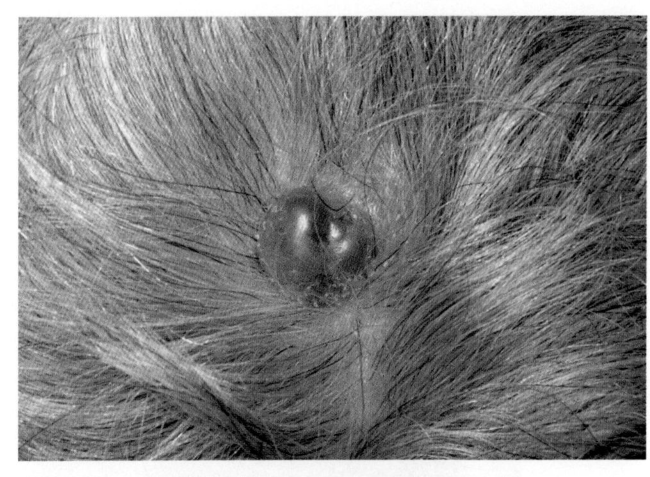

그림 29.94 결절한선종

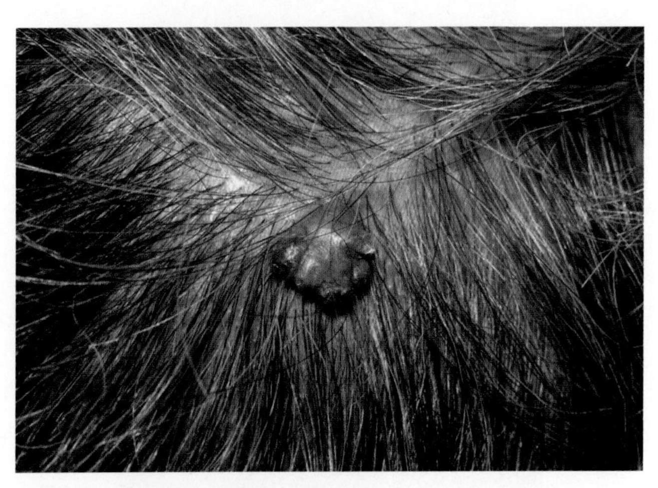

그림 29.96 에크린한선종

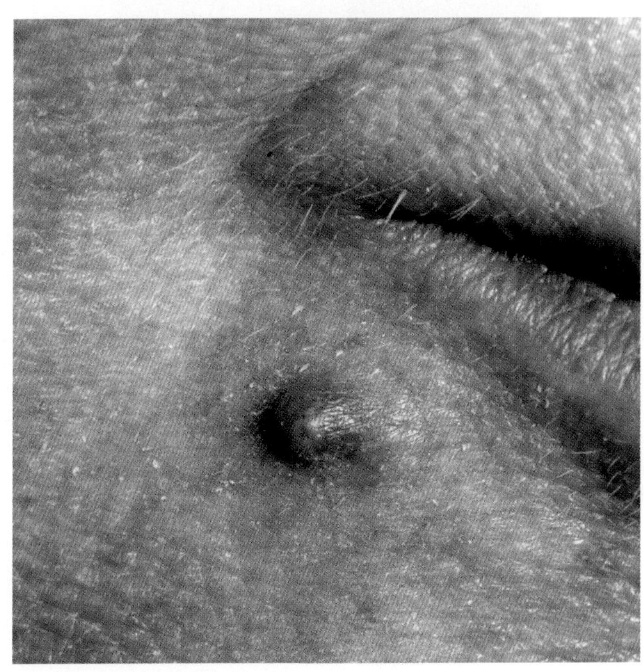

그림 29.98 진피관종양

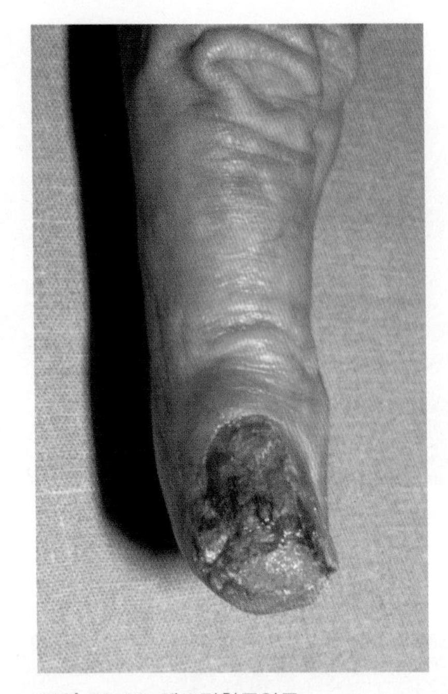

그림 29.99 에크린한공암종

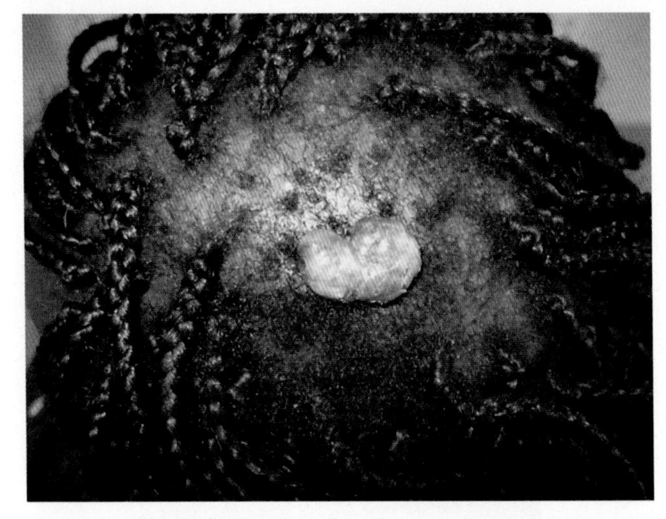

그림 29.100 에크린한공암종

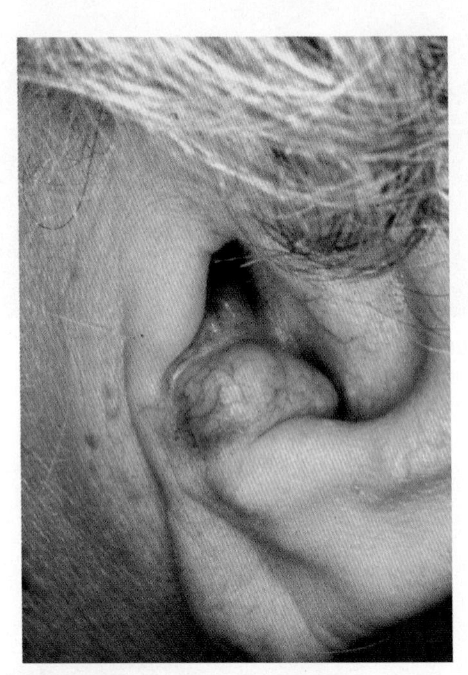

그림 29.101 원주종

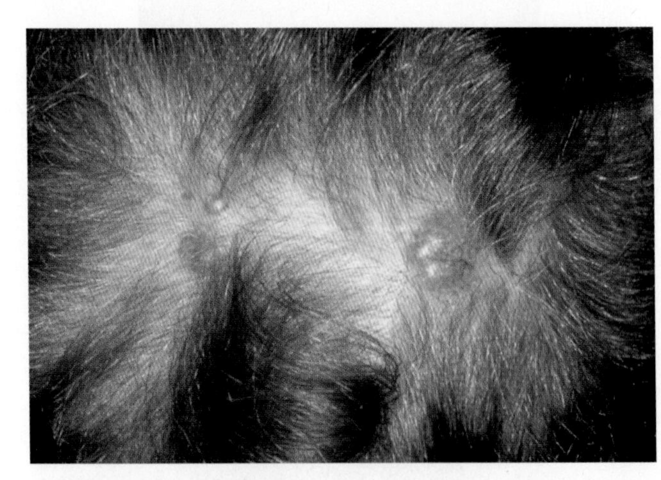

그림 29.102 다발원주종

그림 29.103 연골양한관종

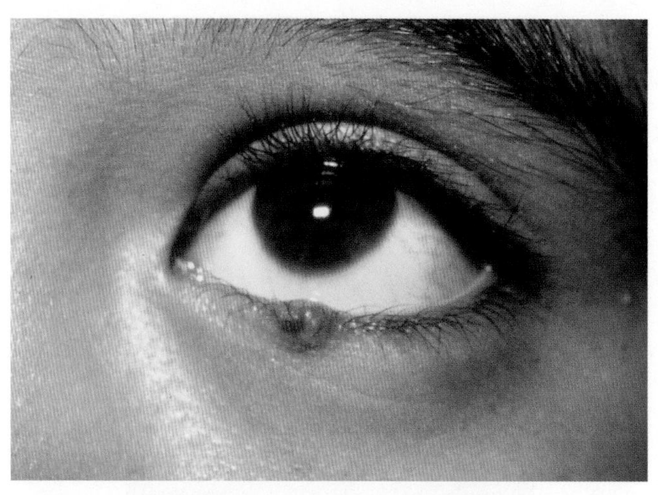

그림 29.104 유두상한선종

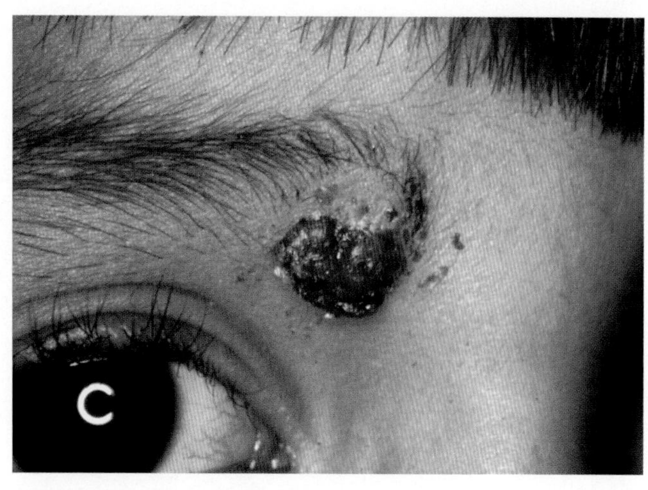

그림 29.105 유두상한선종

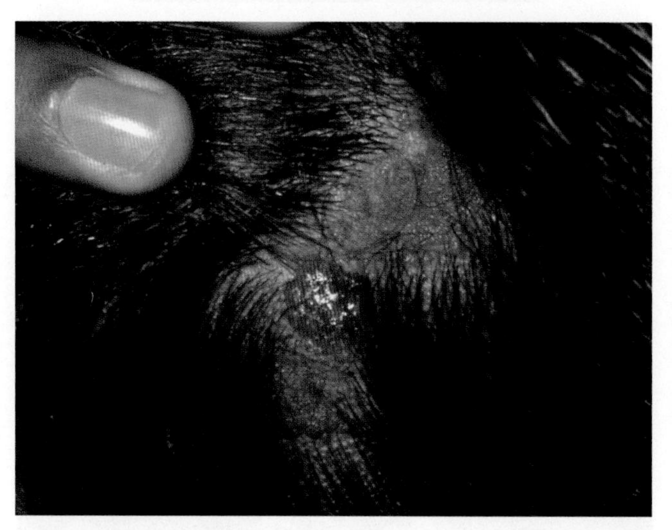

그림 29.106 피지모반에서의 유두상한선종

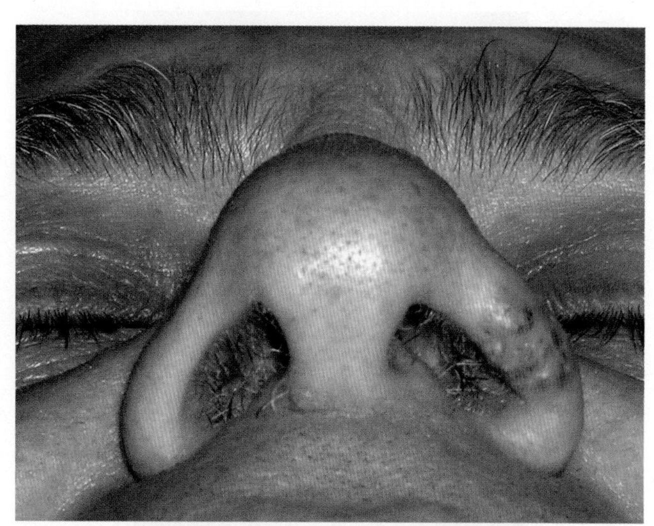

그림 29.107 미세낭부속기암

그림 29.108 에크린암

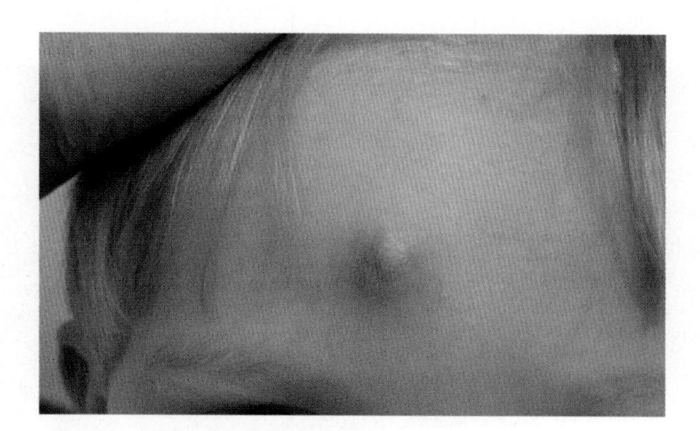

그림 29.109 모기질종

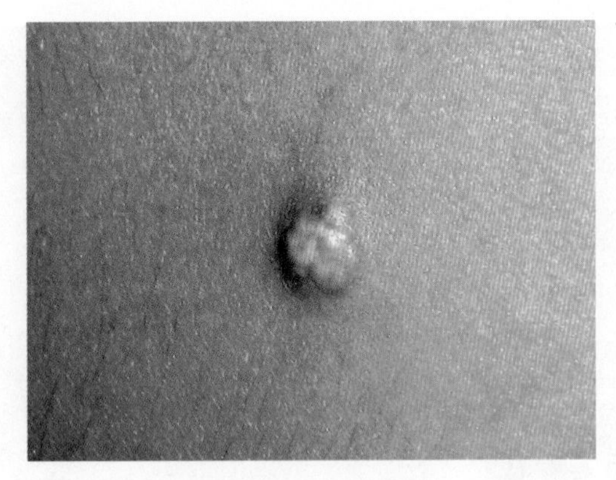

그림 29.110 모기질종

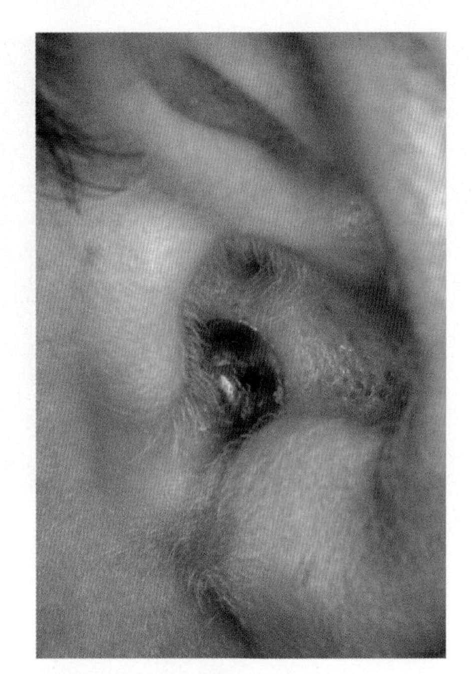

그림 29.111 모기질종

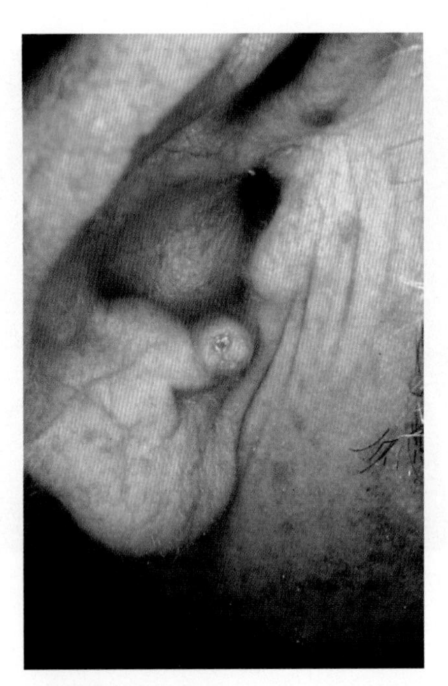

그림 29.112 모낭종

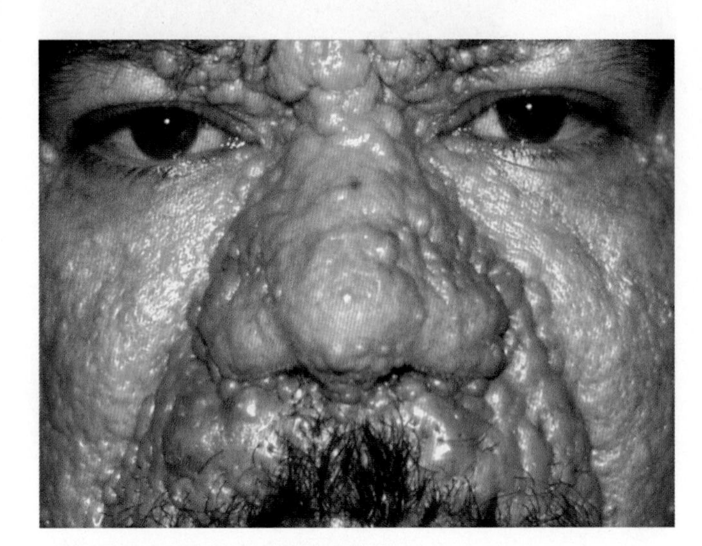

그림 29.113 브루크-슈피글러 증후군

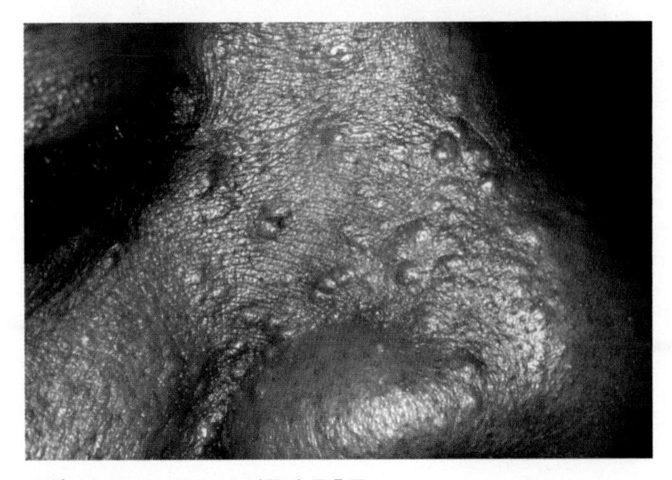

그림 29.114 브루크-슈피글러 증후군

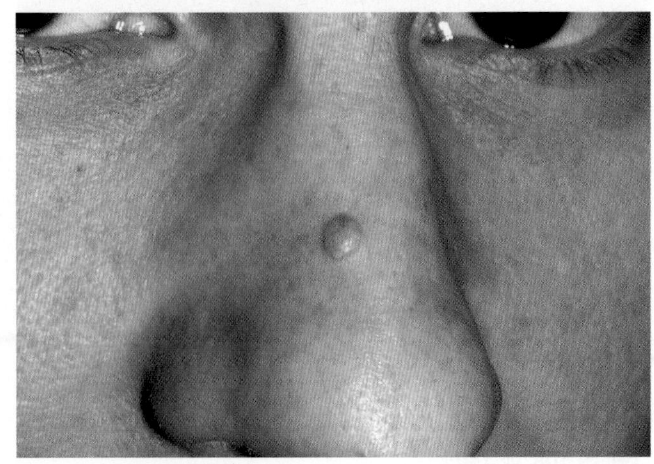

그림 29.115 단발모상피종

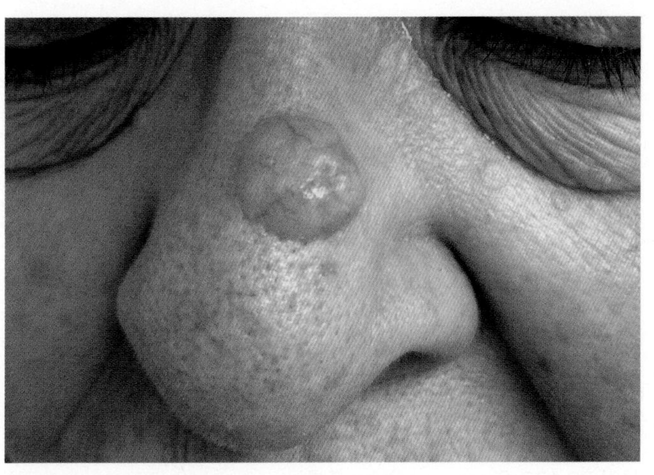

그림 29.116 거대모상피종

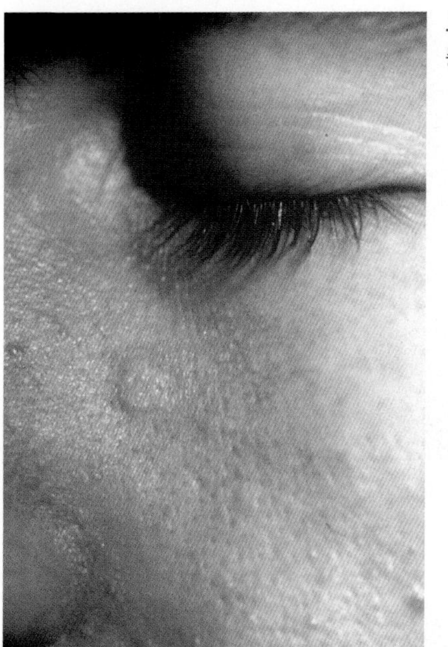

그림 29.117 결합조직 증식모상피종

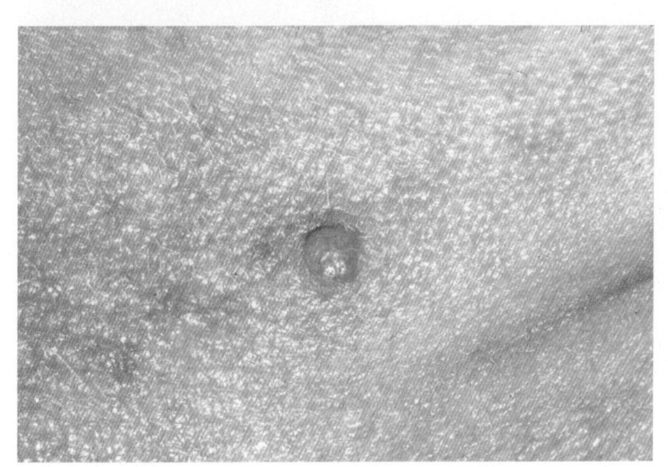

그림 29.118 단발모종

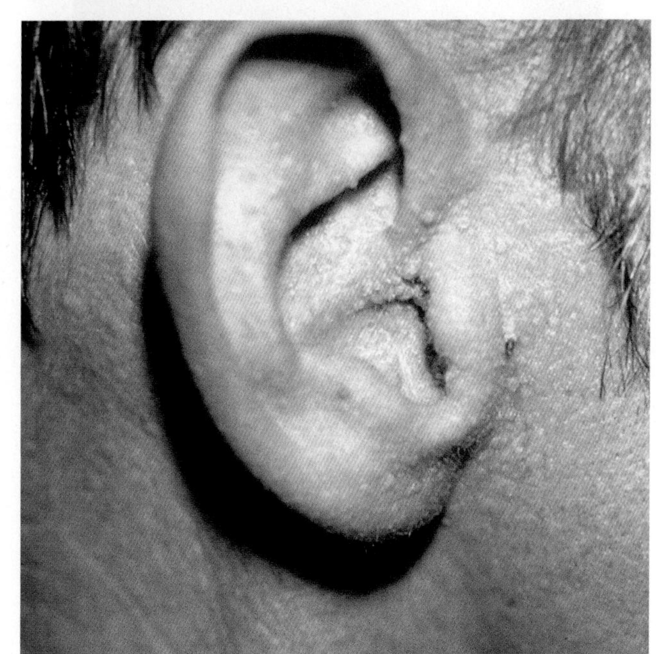

그림 29.119 Cowden 증후군

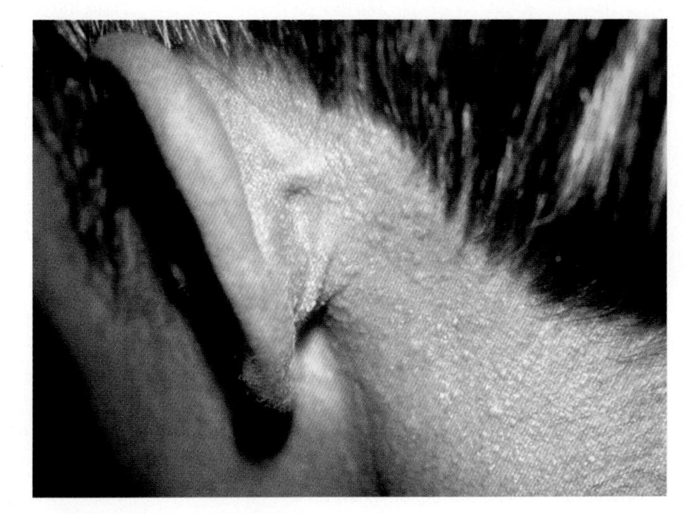

그림 29.120 Cowden 증후군

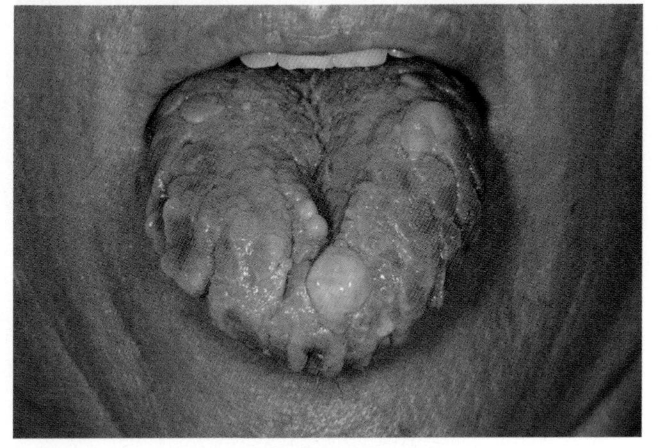

그림 29.121 Cowden 증후군의 구강유두종

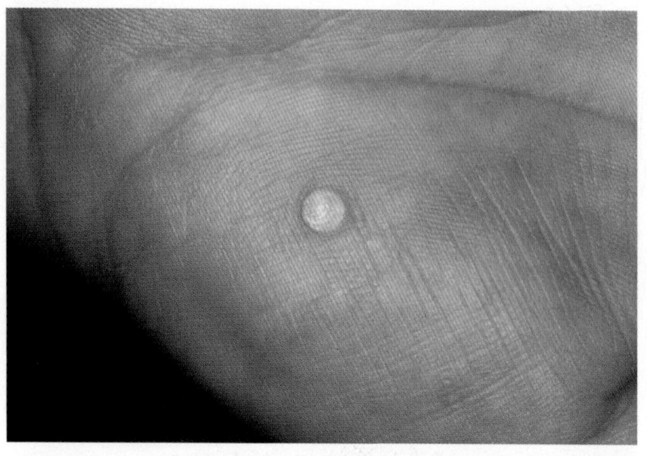

그림 29.122 경화섬유종

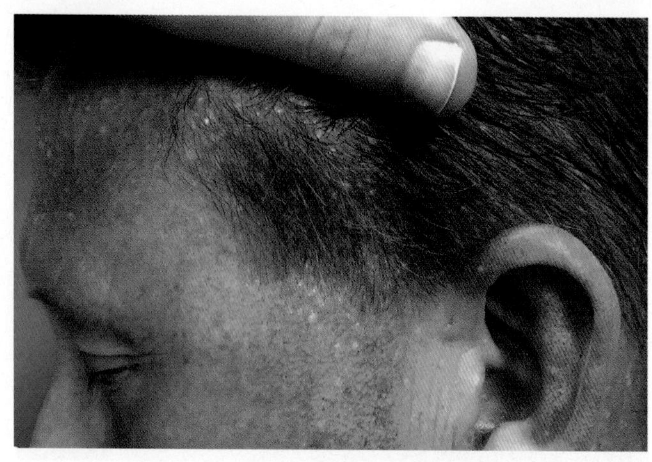

그림 29.123 Birt-Hogg-Dube 증후군

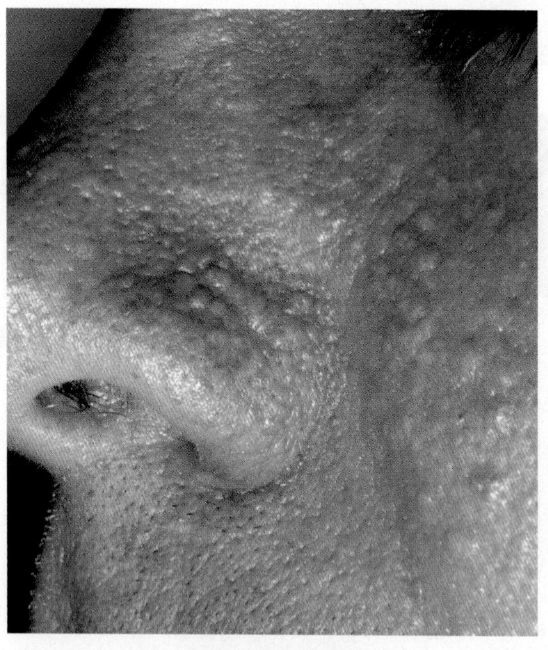

그림 29.124 Birt-Hogg-Dube 증후군

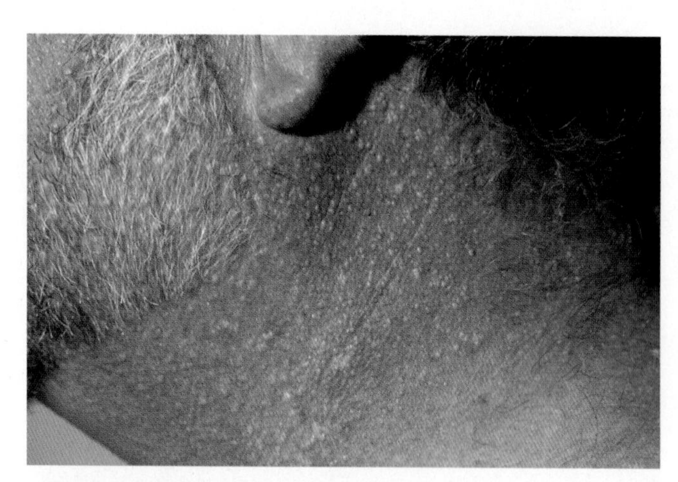

그림 29.125 Birt-Hogg-Dube 증후군

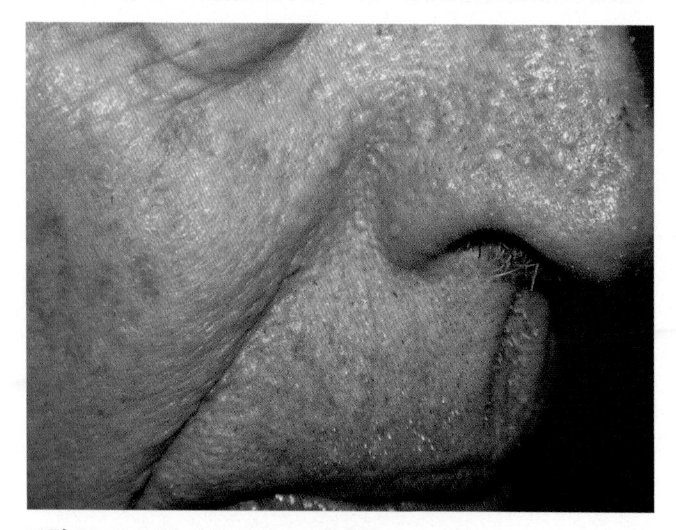

그림 29.126 Birt-Hogg-Dube 증후군

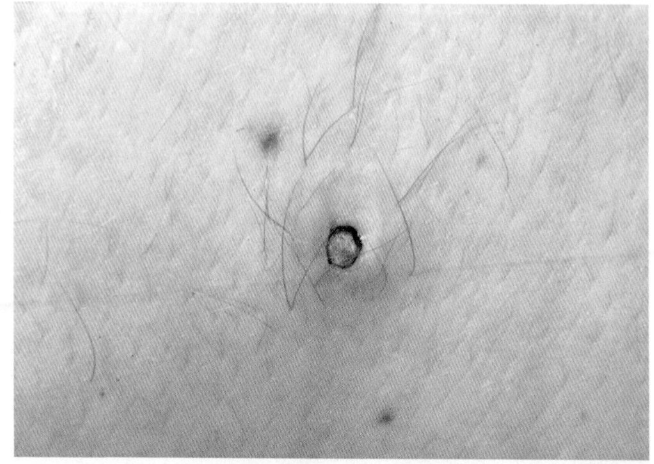

그림 29.127 위너구멍(Pore of Winer)

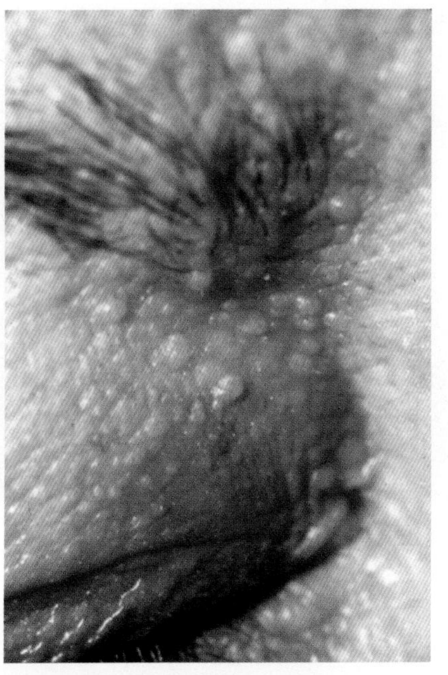

그림 29.128 기저양모낭과오종

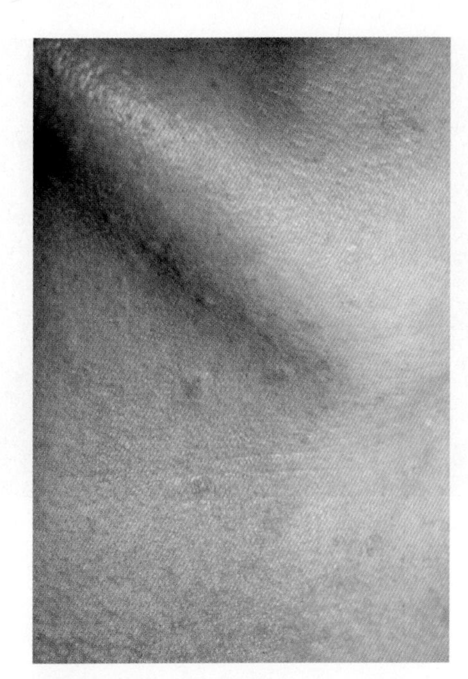

그림 29.129 모낭누두종양

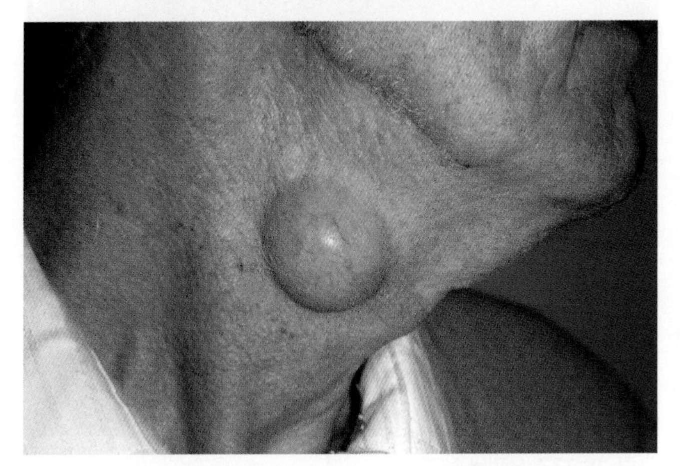

그림 29.130 표피낭종

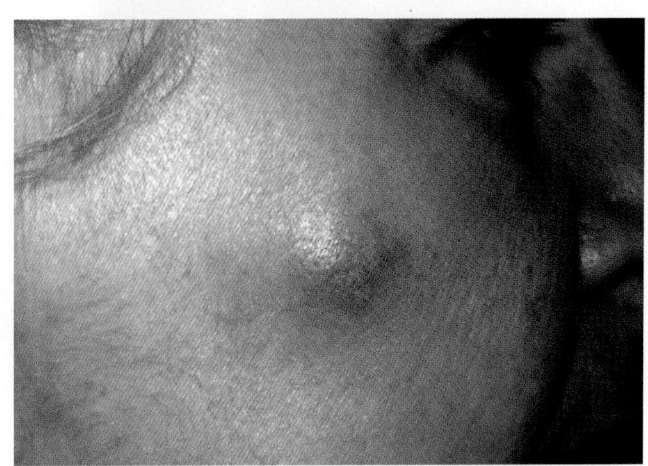

그림 29.131 염증표피낭종

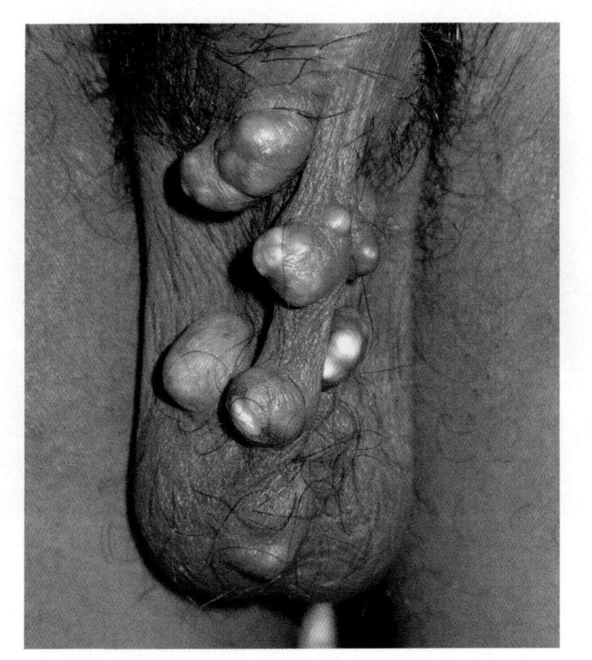

그림 29.132 음낭낭종

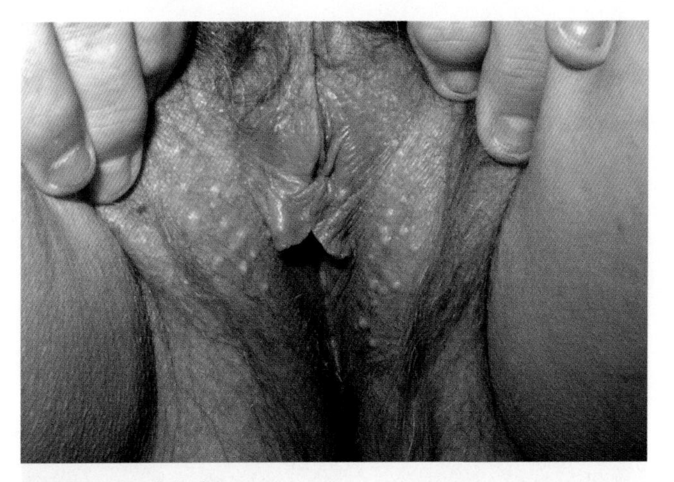

그림 29.133 음순낭종

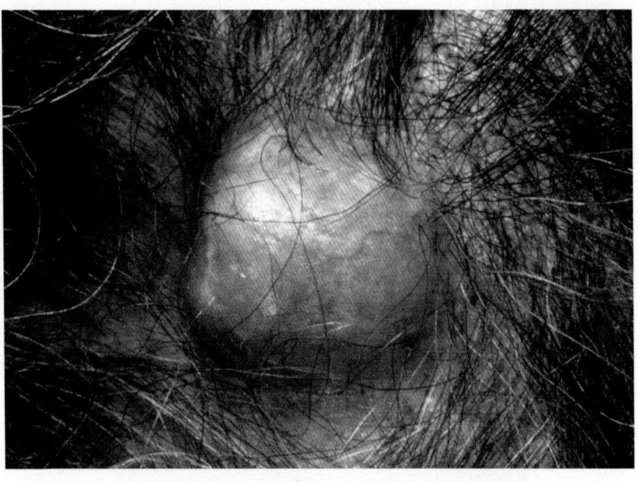

그림 29.134 모낭종

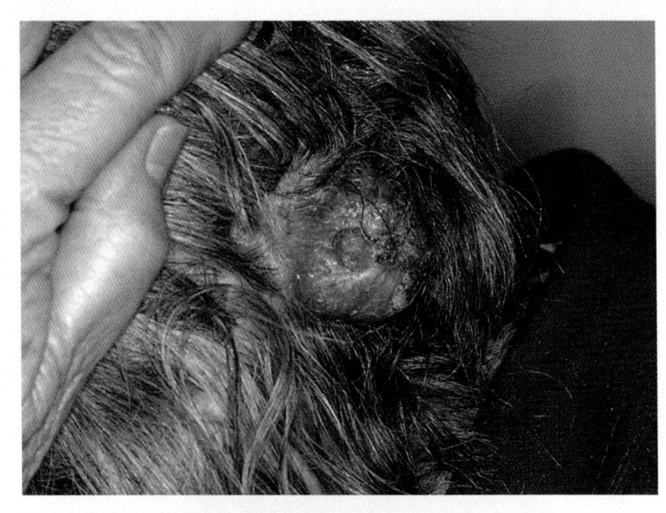

그림 29.135 증식모낭종

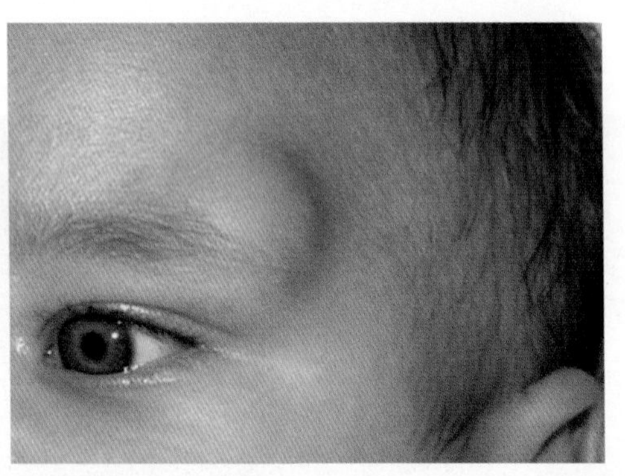

그림 29.136 유피낭종

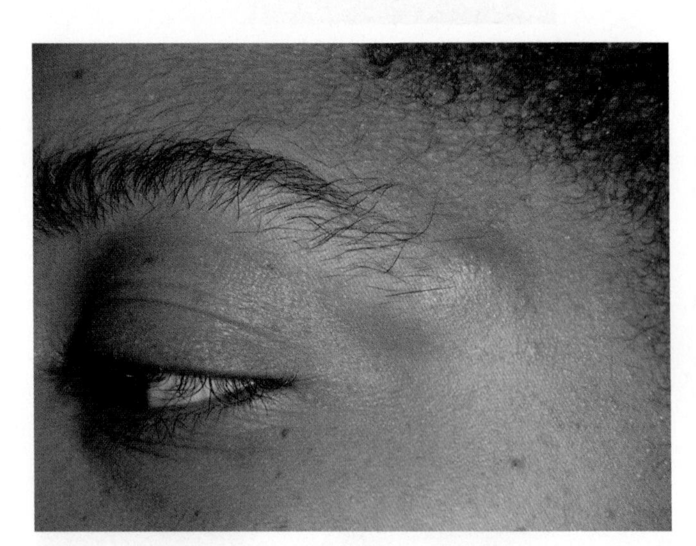

그림 29.137 유피낭종

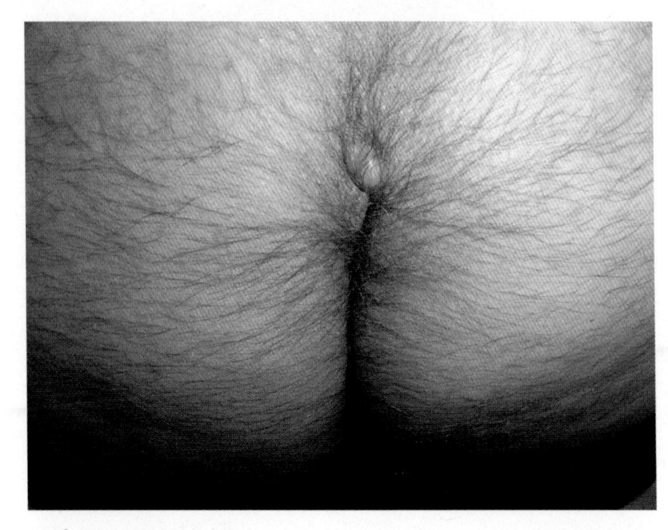

그림 29.138 모낭낭종

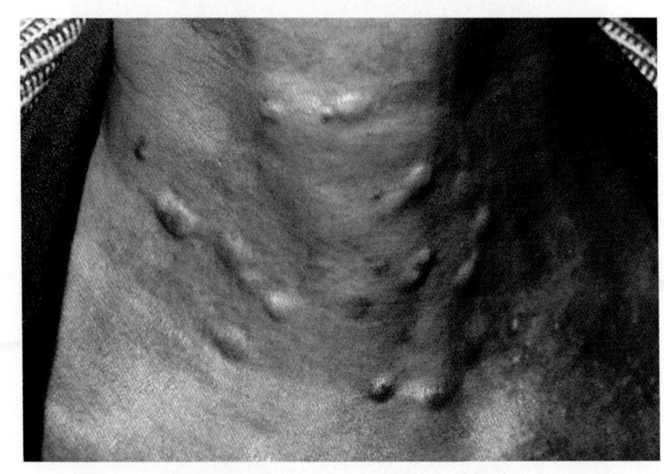

그림 29.139 다발피지낭종

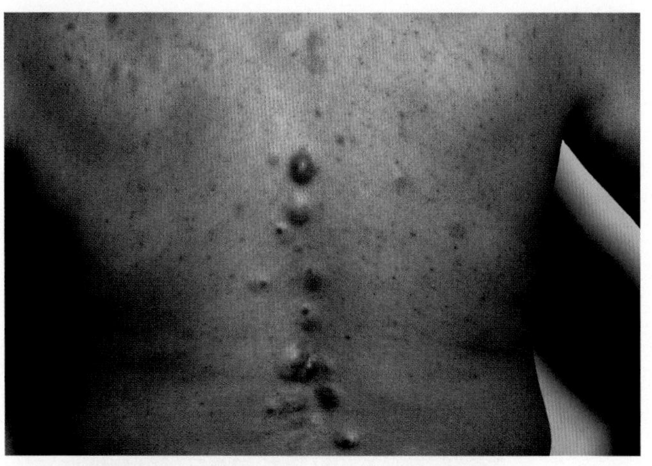

그림 29.140 다발피지낭종

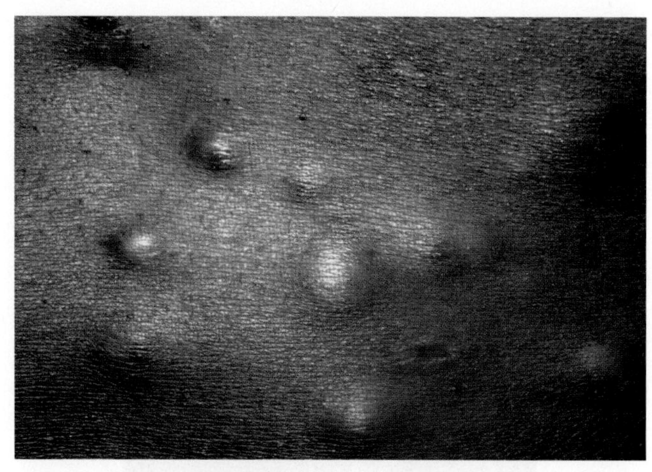

그림 29.141 다발피지낭종

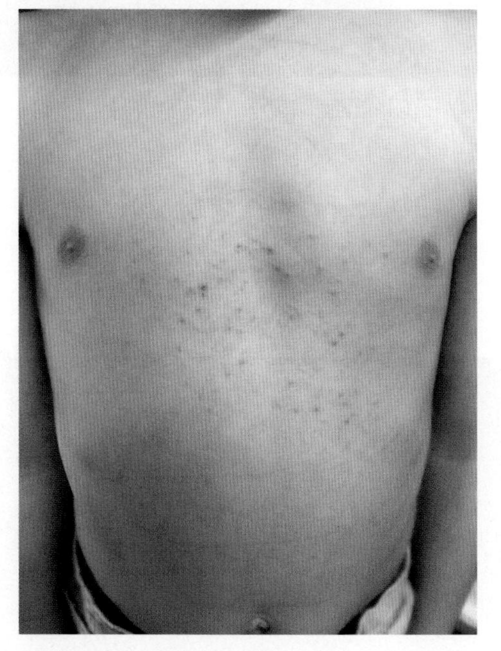

그림 29.142 발진연모낭종

그림 29.143 발진연모낭종

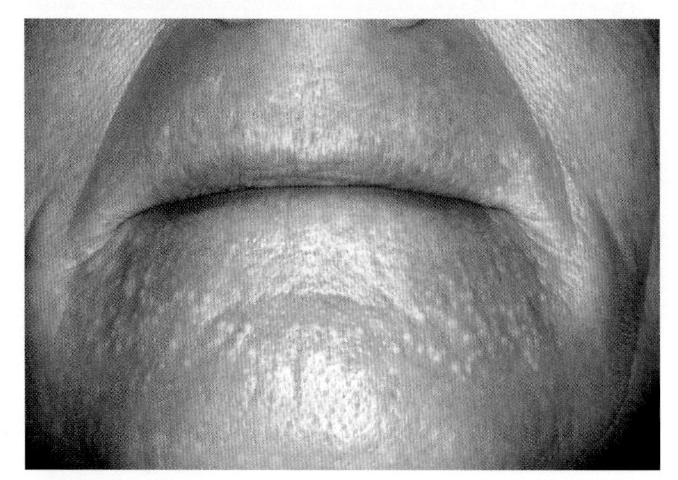

그림 29.144 비립종

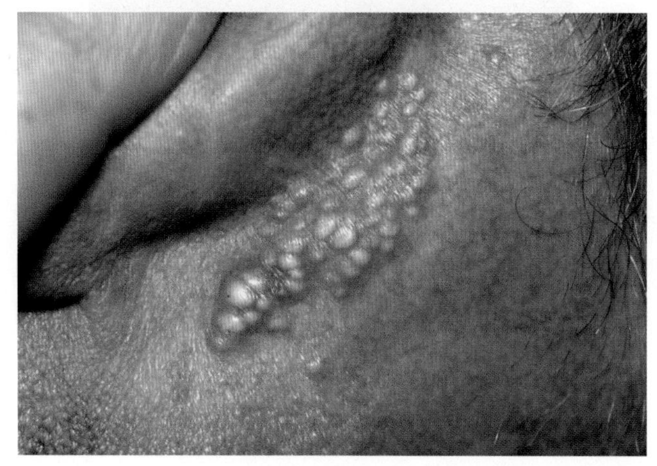

그림 29.145 판상비립종

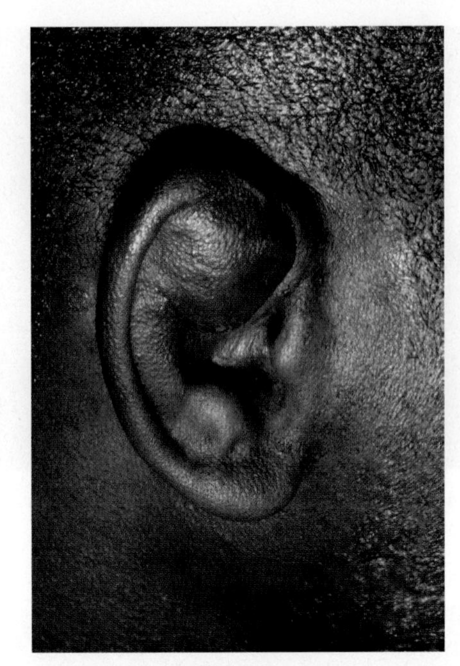

그림 29.146 이개 가성낭종

그림 29.147 정중봉합낭종

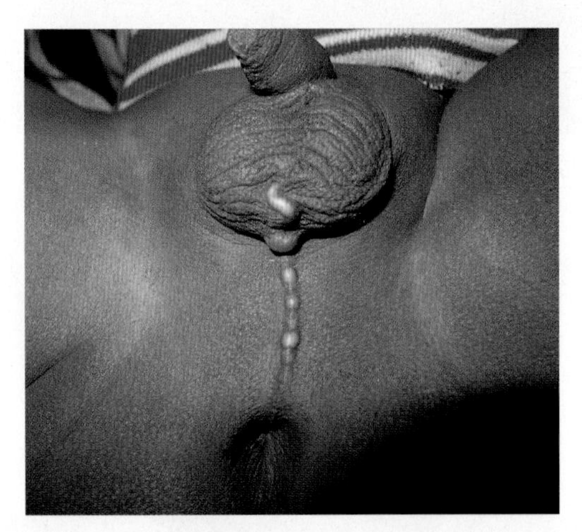

그림 29.148 정중봉합낭종

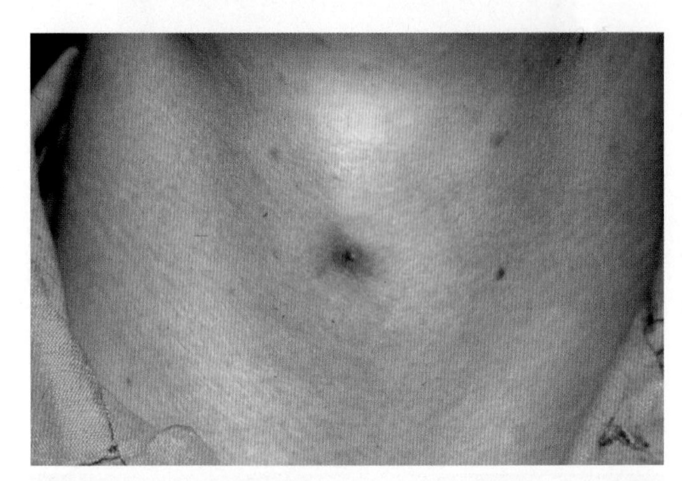

그림 29.149 갑상설관낭종

멜라닌세포모반과 신생물 30

피부과에서 색소병변의 평가는 가장 중요한 기술 중 하나다. 흑색종의 발생빈도는 지속적으로 증가하고, 조기진단은 사망률, 이환율, 그리고 의료비를 줄이는 데 결정적인 역할을 한다. 멜라닌세포 병변은 우리 몸 어디나 분포할 수 있는데, 대상포진양흑자모반 병변은 유전적 모자이크현상을 시사하는 분절상의 블라쉬코선 분포를 나타낸다. 대부분의 양성병변은 둥글고 타원이며, 비교적 작고, 고르게 색소가 분포되며, 모습이 안정적이다. 반면, 악성병변은 불규칙적인 가장자리를 가지고 비대칭적이고, 색소분포가 고르지 않으며, 직경이 크고, 진행하는 양상을 보인다. 이러한 개념은 주로 원발병소에 적용되는데, 전이병변은 자주 구형이고 대칭적으로 나타난다. 흑색종의 "ABCDs"는 일반대중을 위한 교육에 유용한 도구이지만, 가능한 관심 병변의 확인에 불과하다. 이들은 자주 무색소흑색종, 대칭적, 색소분포가 고른 종양을 간과할 수 있으며, 피부과의사에 의한 병변의 전체적인 평가를 대체할 수 없다. 또한 피부생검을 위한 유일한 기준 또는 피부과의사에게 환자를 의뢰하기 위한 방법으로 사용되어서는 안 된다.

피부확대경으로 시진으로 불가한 병변특징을 볼 수 있으며, 공초점현미경은 어떤 병변의 생체 내 현미경적 영상을 가능하게 한다. 궁극적으로는 병변의 철저하고 세심한 시진이 관심병변의 확인에 필수적인 첫걸음이다.

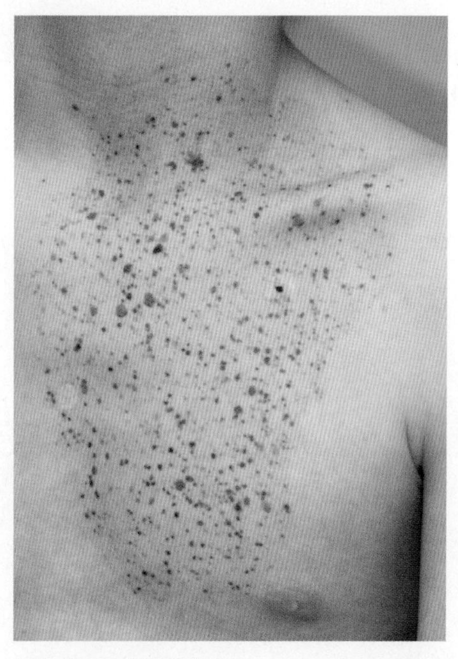

그림 30.2 대반문상모반

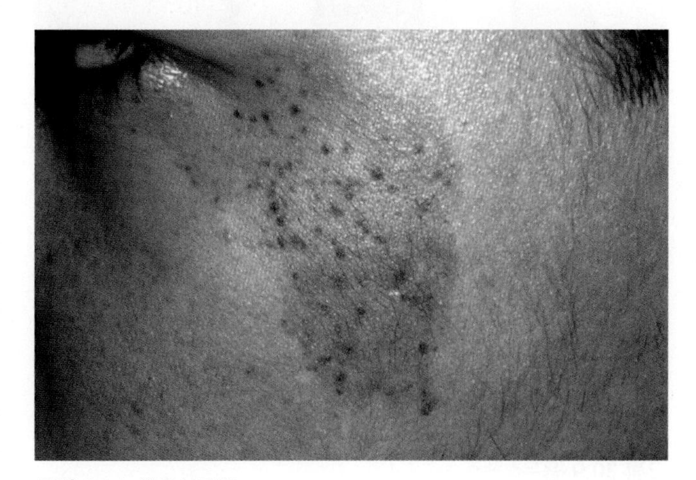

그림 30.1 반문상모반

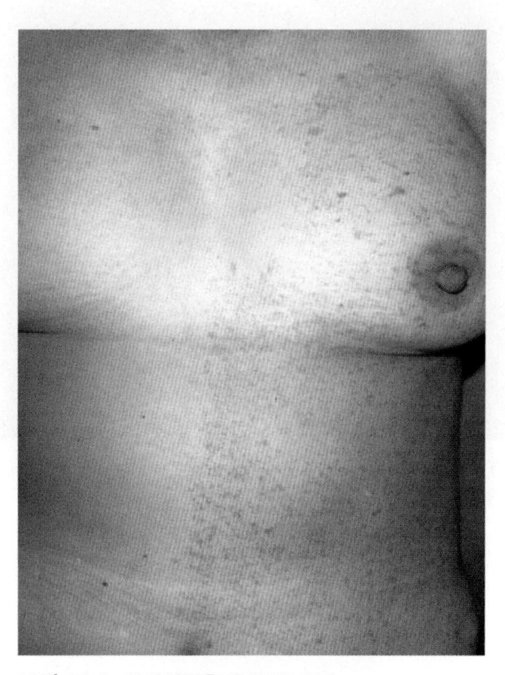

그림 30.3 광범위일측성반문상모반

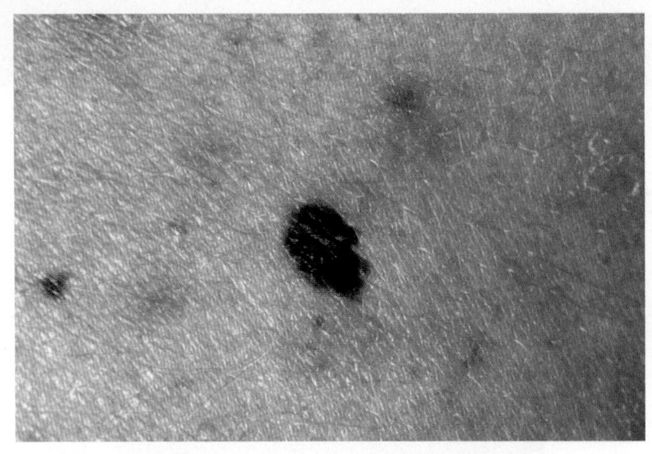

그림 30.4 단순흑자

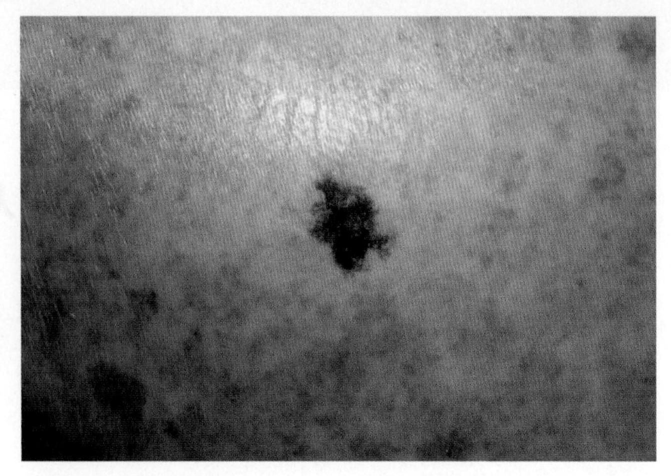

그림 30.5 잉크얼룩흑자

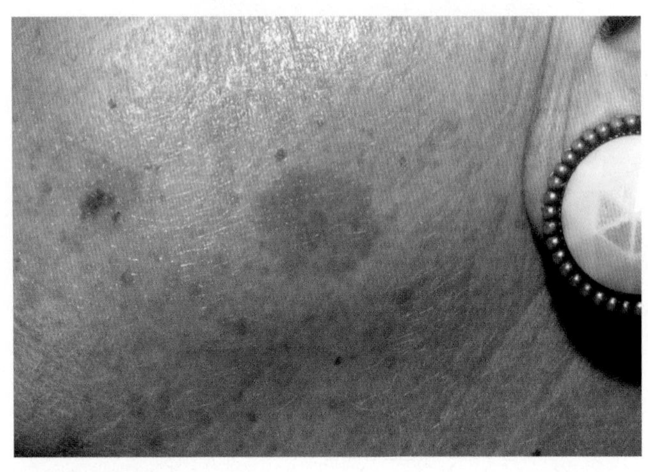

그림 30.6 일광흑자

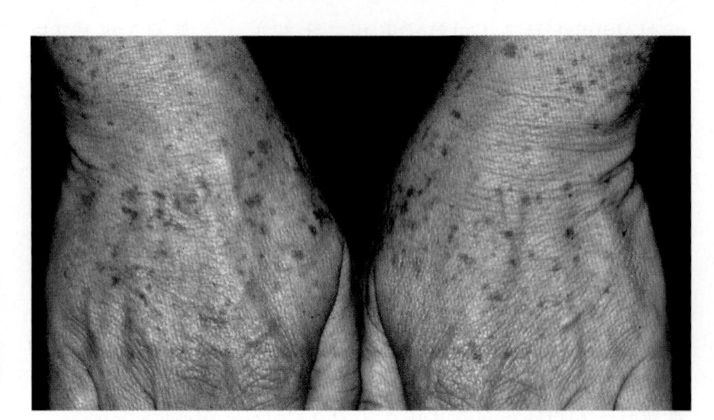

그림 30.7 일광흑자

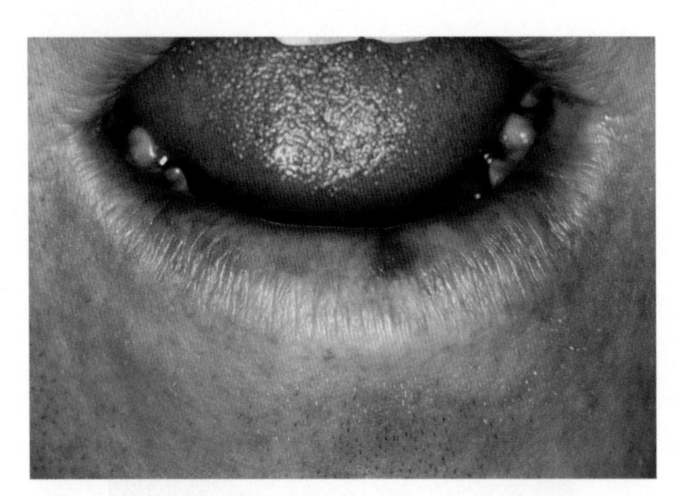

그림 30.8 입술멜라닌반

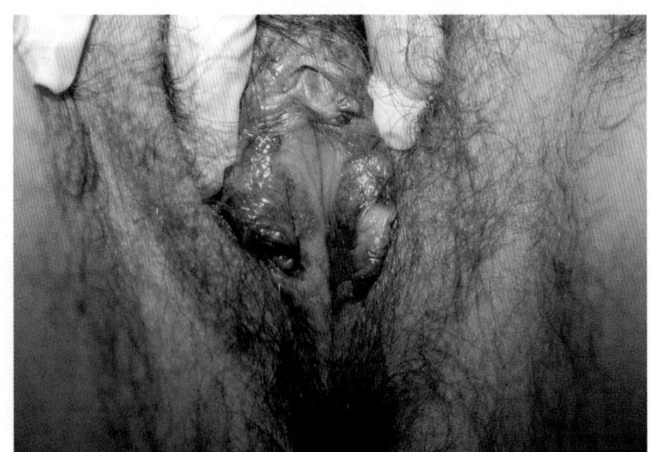

그림 30.9 음문흑색증

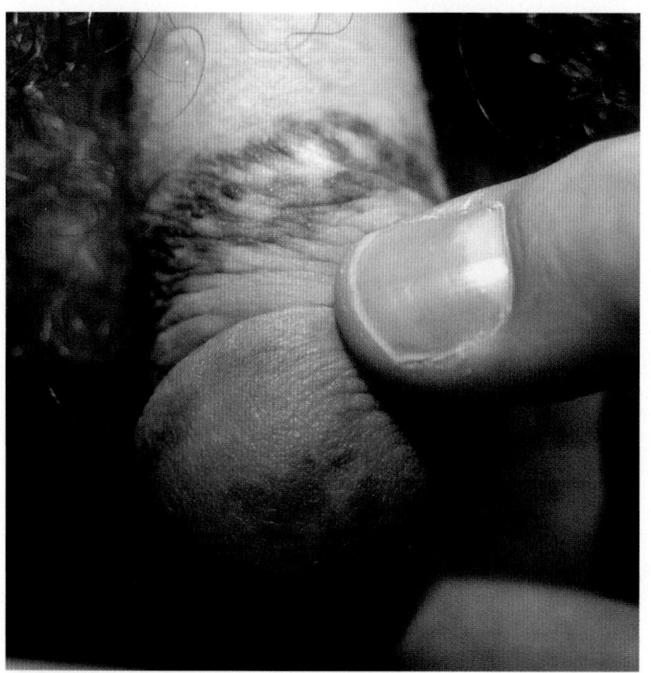

그림 30.10 음경흑색증

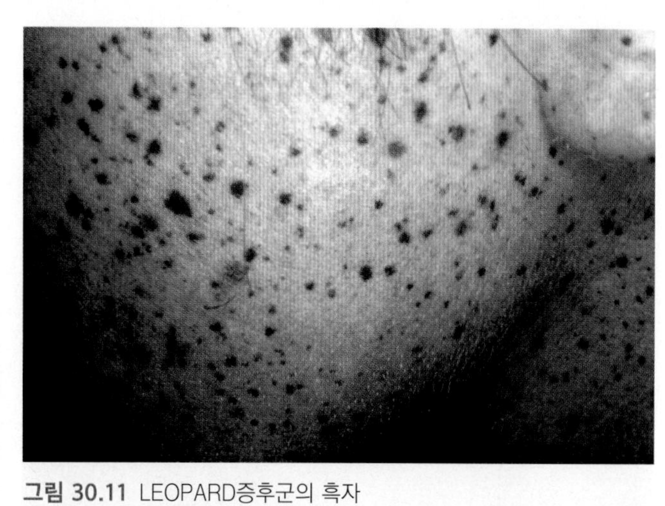

그림 30.11 LEOPARD증후군의 흑자

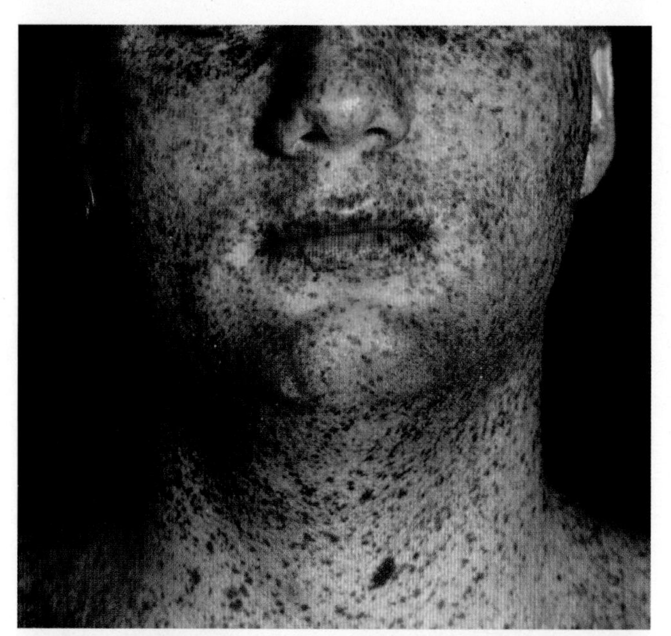

그림 30.12 전신흑자증

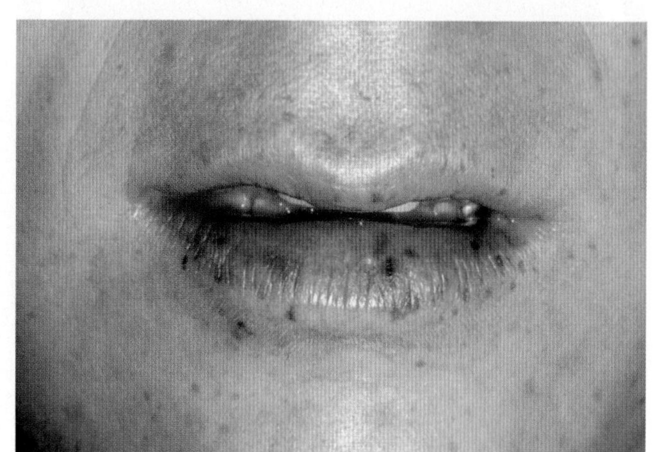

그림 30.13 카니증후군

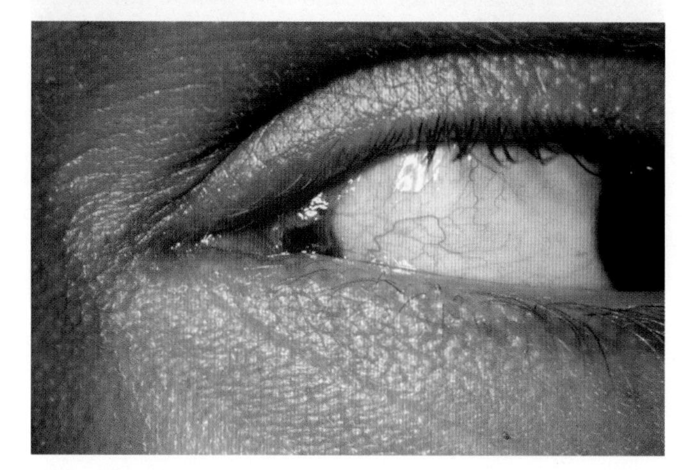

그림 30.14 카니증후군

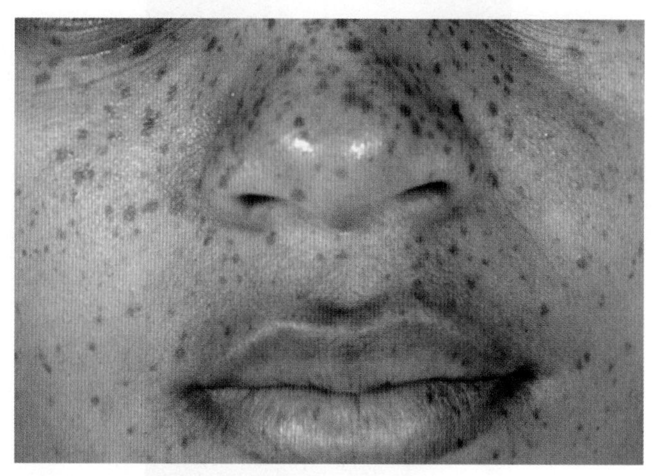

그림 30.15 유전패턴흑자증

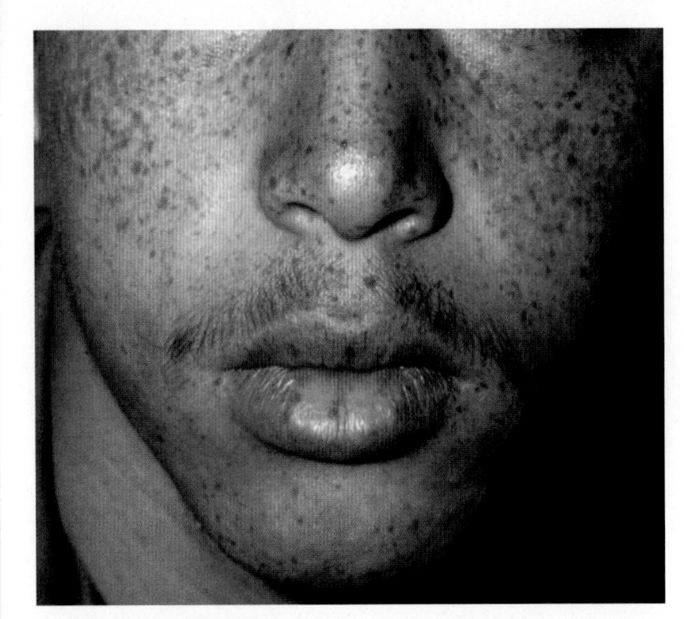
그림 30.16 유전패턴흑자증

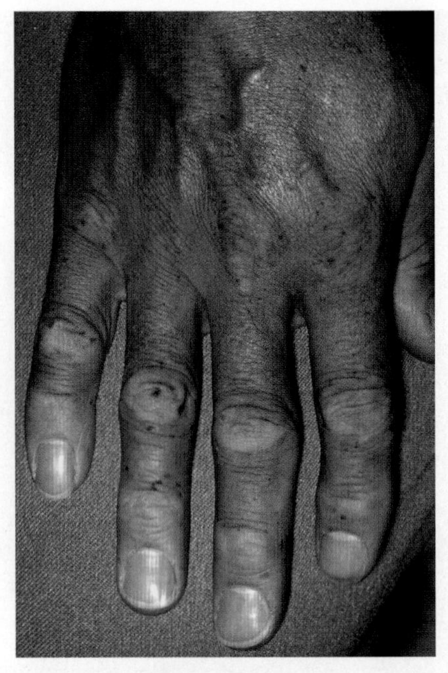
그림 30.17 유전패턴흑자증

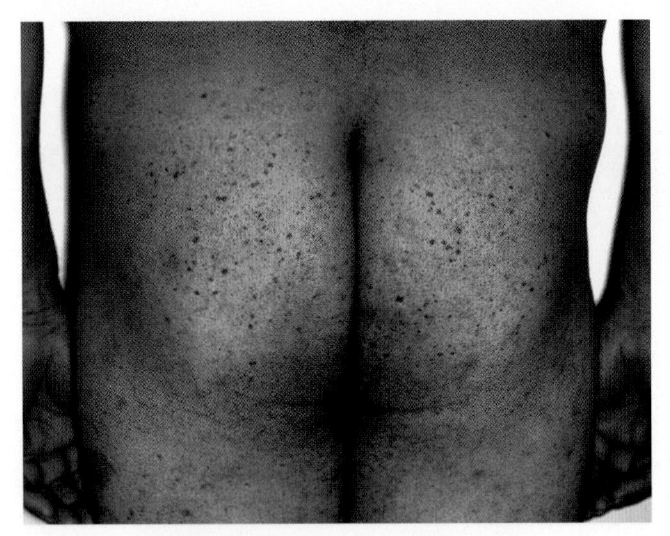
그림 30.18 유전패턴흑자증

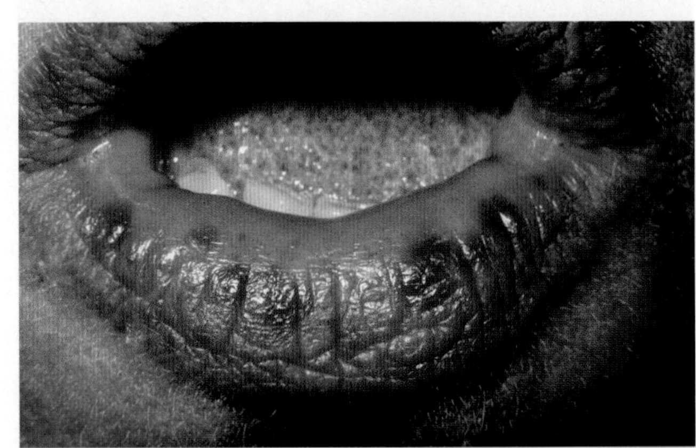
그림 30.19 포이츠-예거스증후군

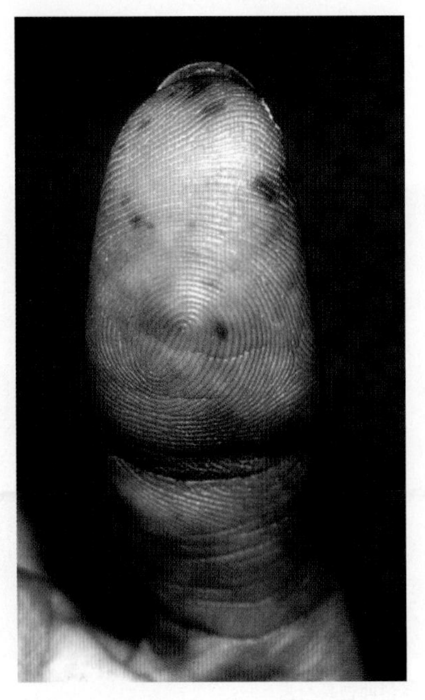
그림 30.20 포이츠-예거스증후군

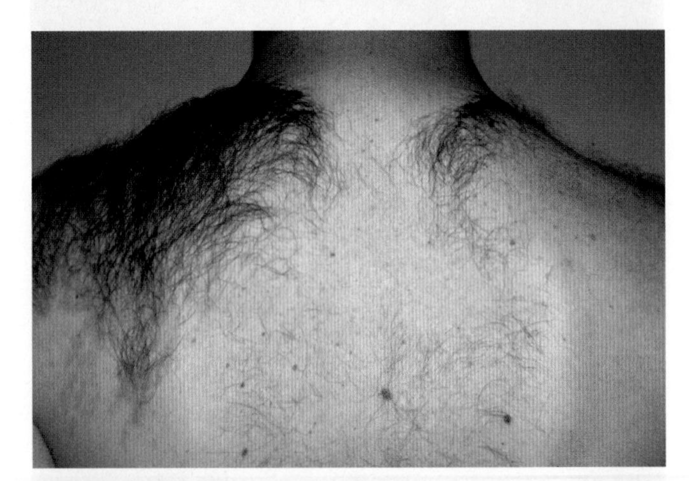
그림 30.21 베커모반

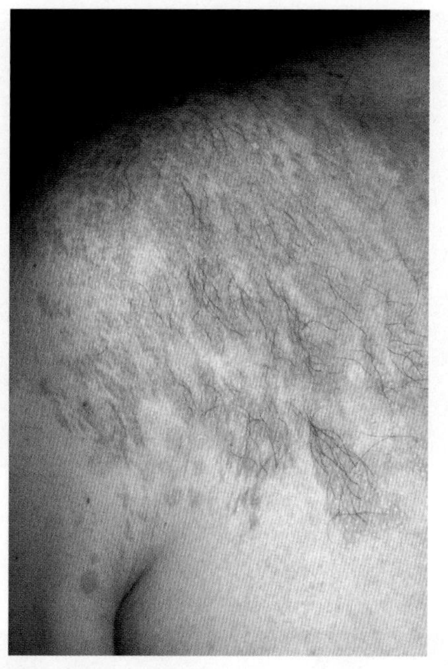

그림 30.22 베커모반

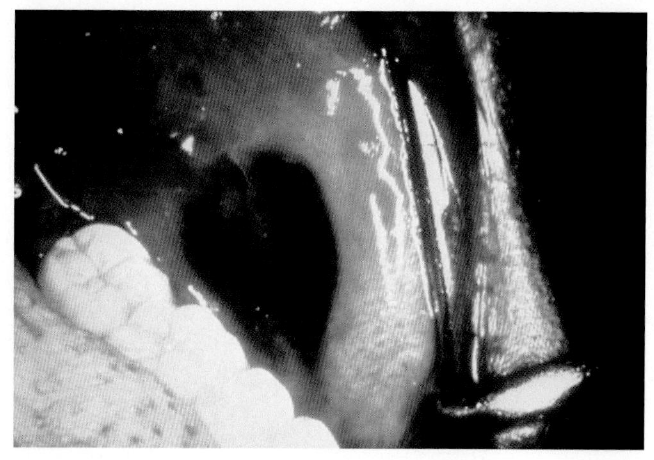

그림 30.23 멜라닌극세포종

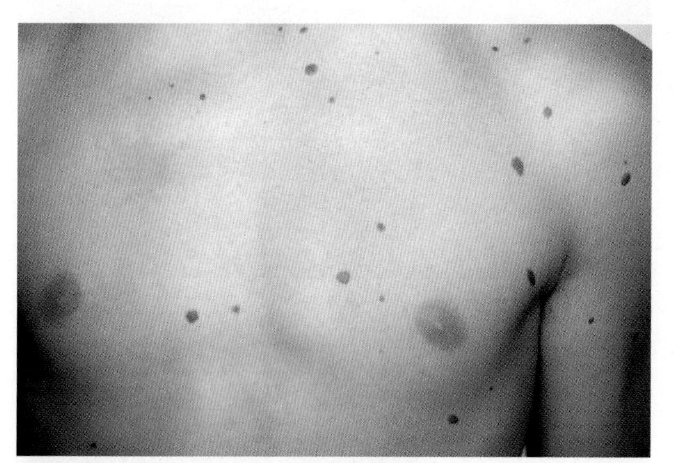

그림 30.24 경계모반

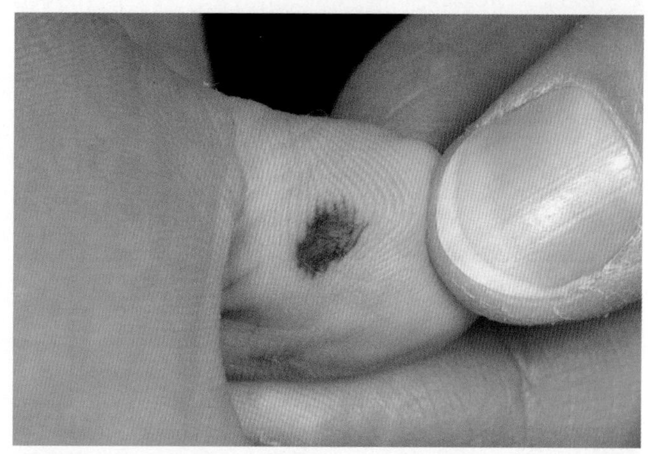

그림 30.25 선단경계모반

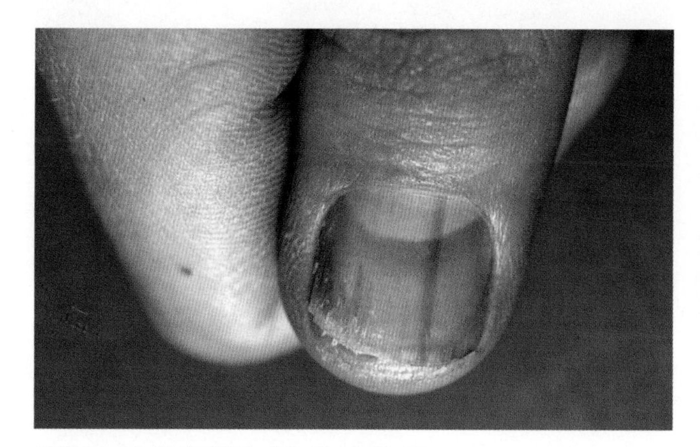

그림 30.26 경계모반에 의한 세로흑색조갑

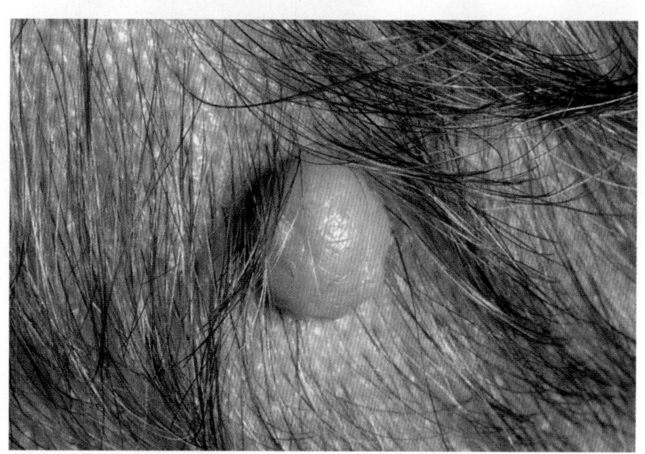

그림 30.27 진피내모반

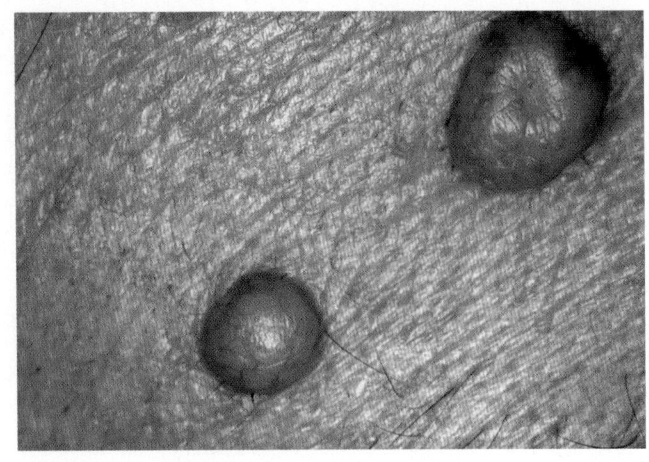

그림 30.28 진피내모반

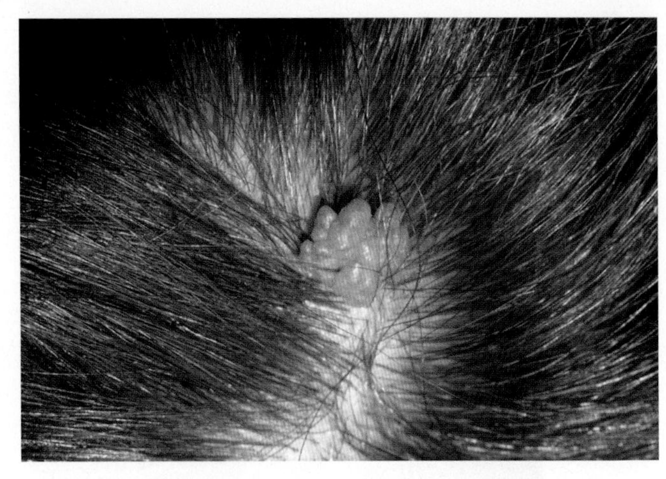

그림 30.29 모반

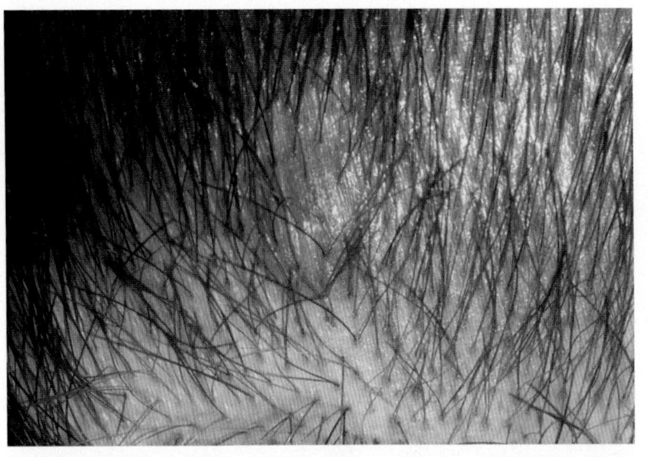

그림 30.30 모반

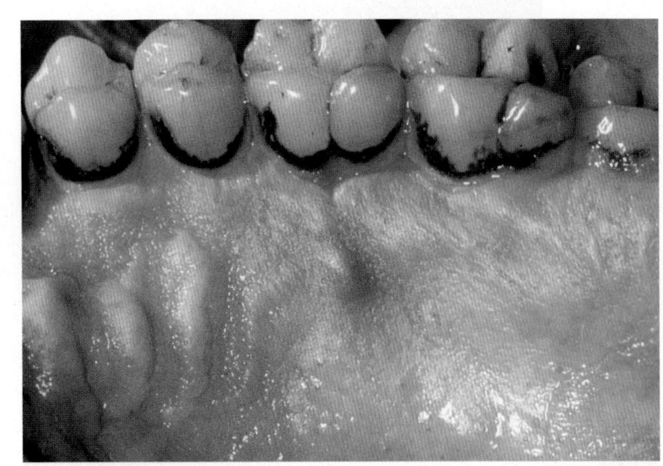

그림 30.31 구강청색모반

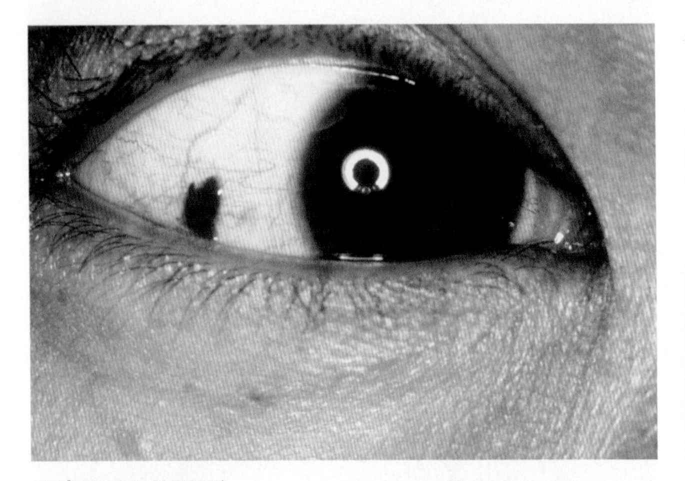

그림 30.32 안구모반

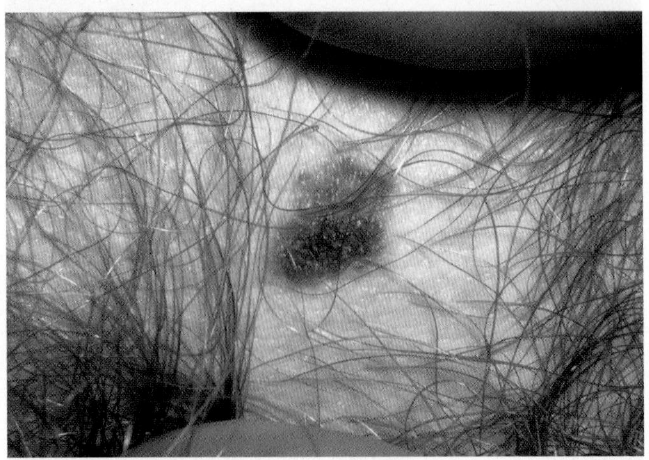

그림 30.33 여성성기부의 거대변이색소모반

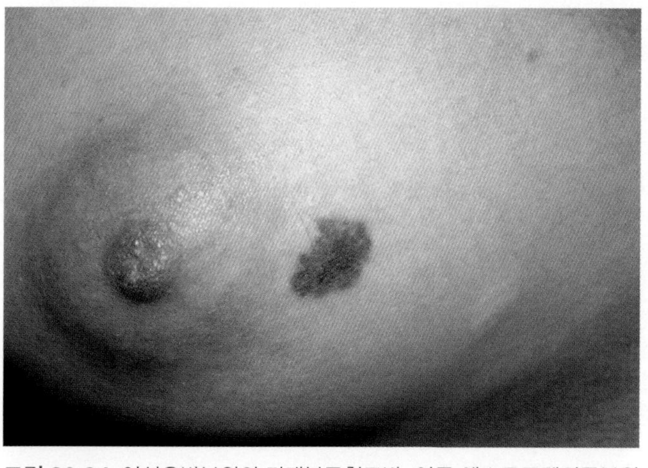

그림 30.34 여성유방부위의 거대불규칙모반. 이들 에스트로겐의존부위 모반은 자주 크다.

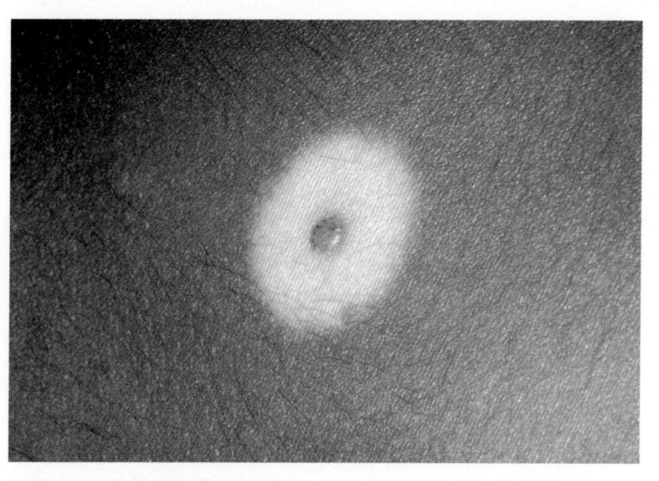

그림 30.35 운륜모반

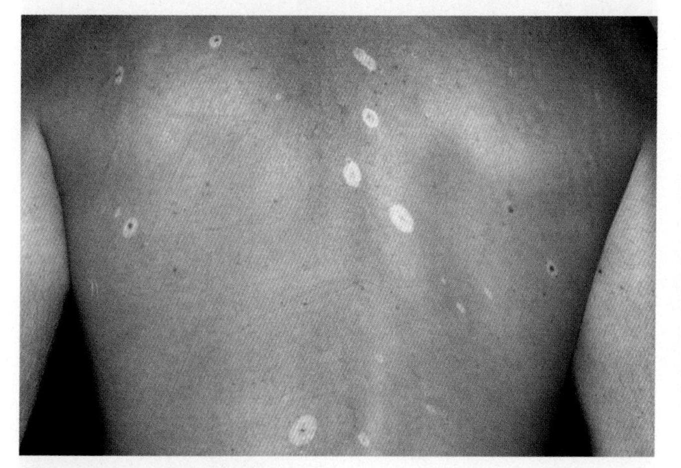

그림 30.36 운륜모반

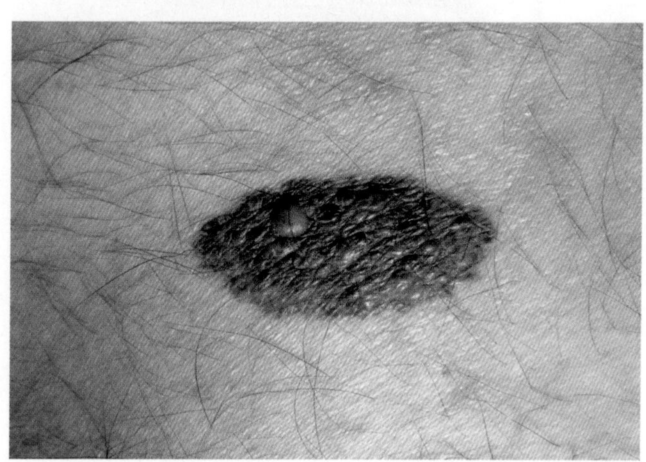

그림 30.37 선천모반

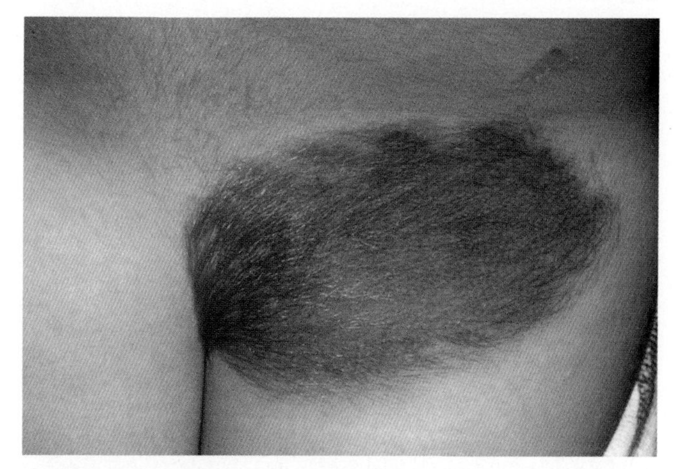

그림 30.38 선천모반

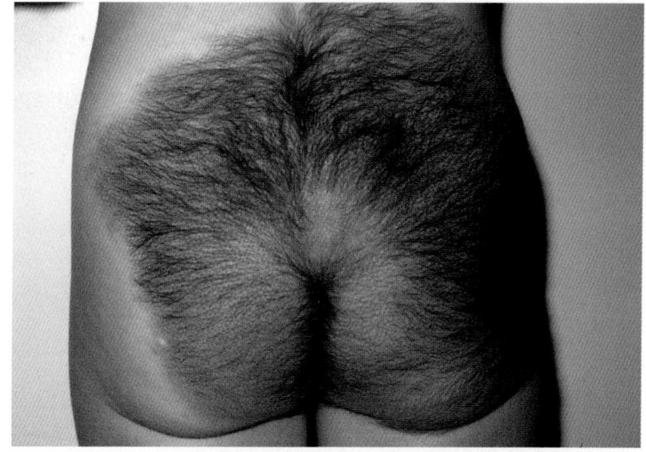

그림 30.39 선천모반

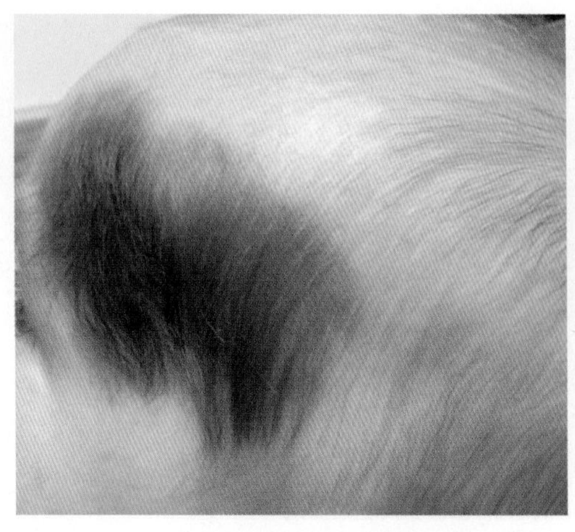

그림 30.40 선천모반. 모반 내 두꺼운 모발의 주목

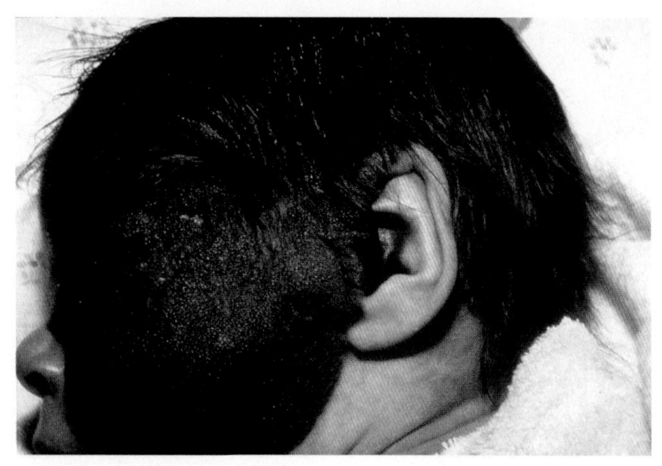

그림 30.41 선천모반

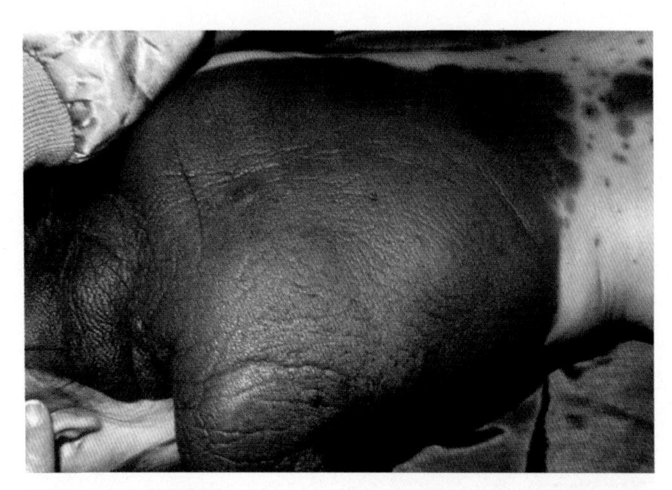

그림 30.42 선천모반

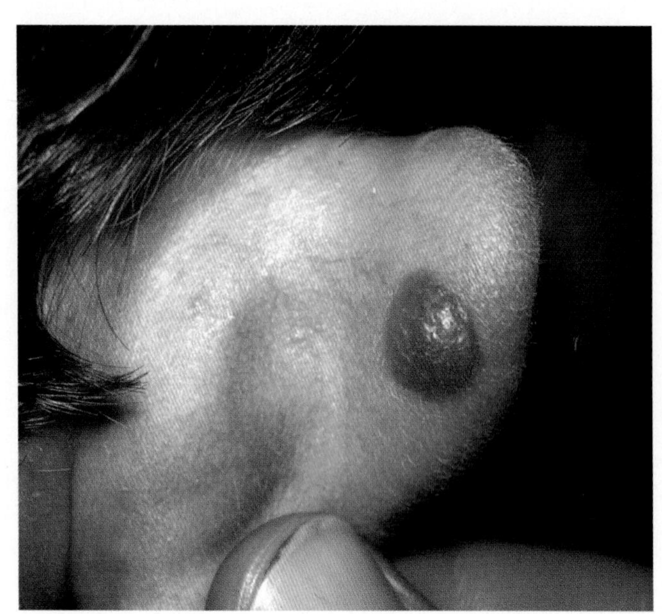

그림 30.43 스피츠모반

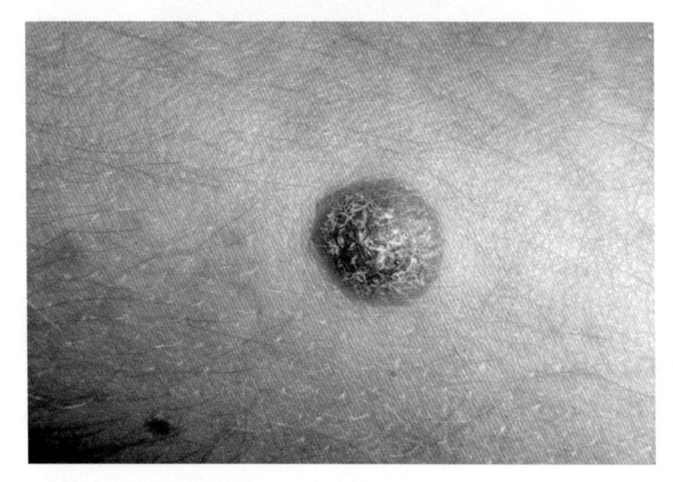

그림 30.44 스피츠모반

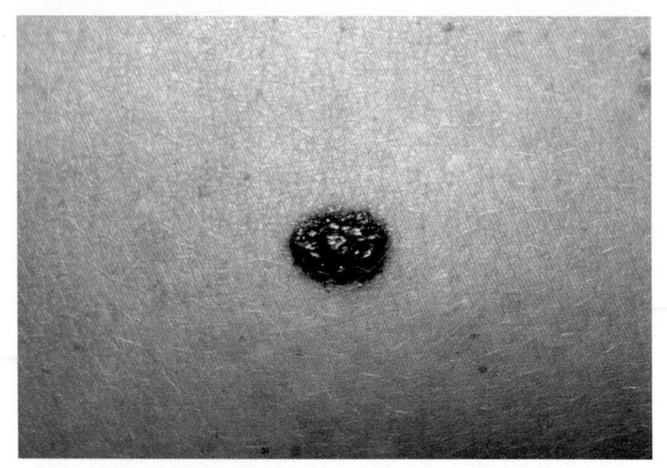

그림 30.45 스피츠모반

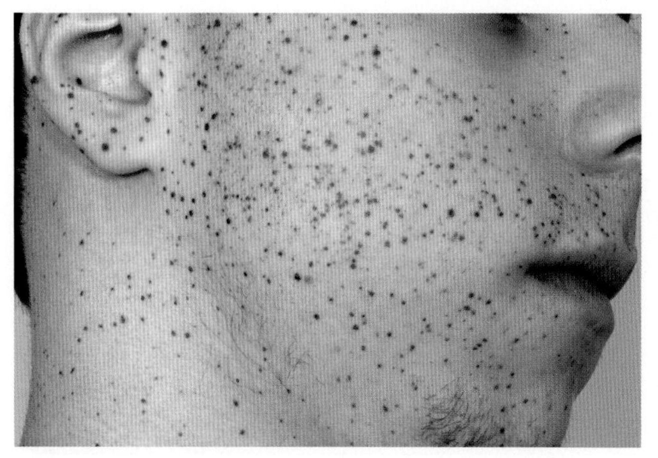

그림 30.46 방추세포모반

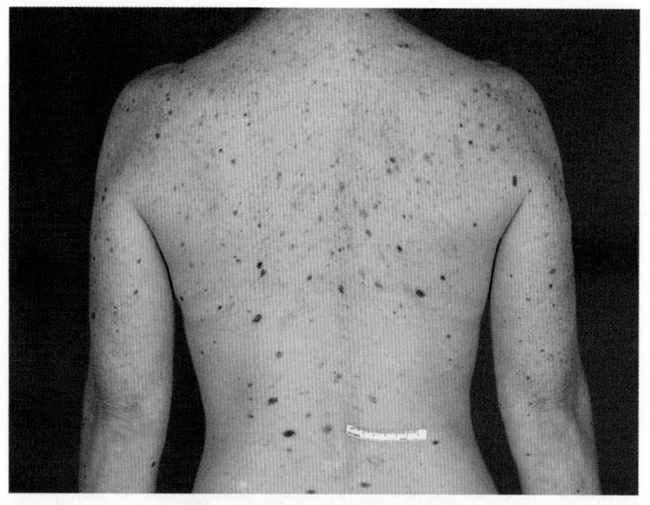

그림 30.47 CDKN2A 돌연변이환자. 이 환자는 많은 수의 흑색종과 가족력상 흑색종 양성을 나타내었다.

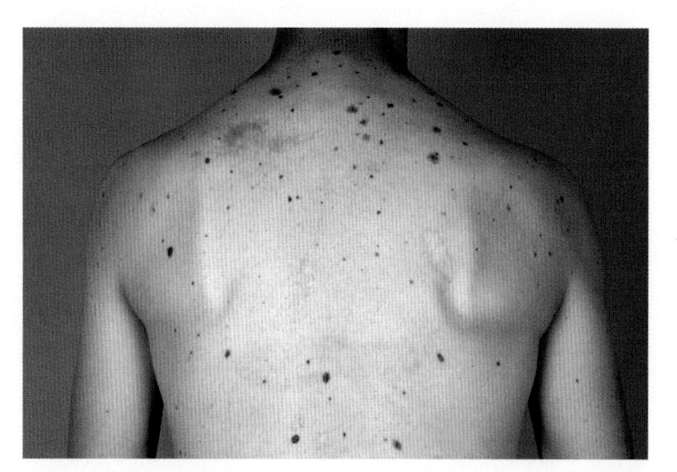

그림 30.48 이형성모반

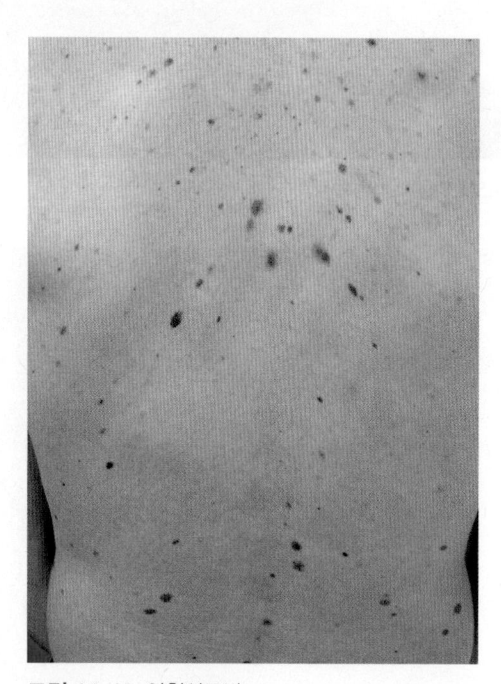

그림 30.49 이형성모반

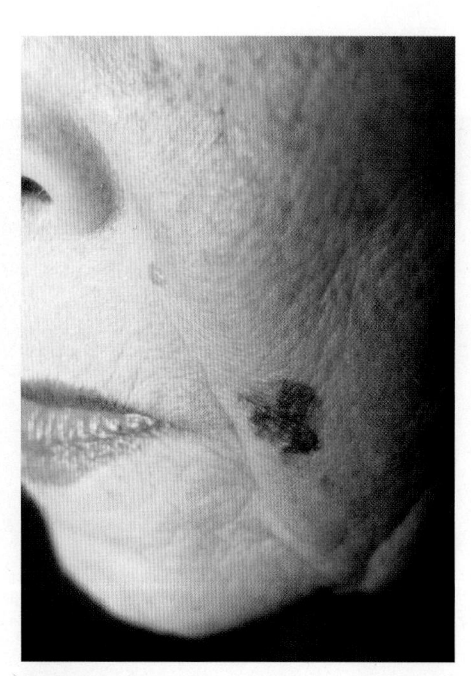

그림 30.50 악성흑자

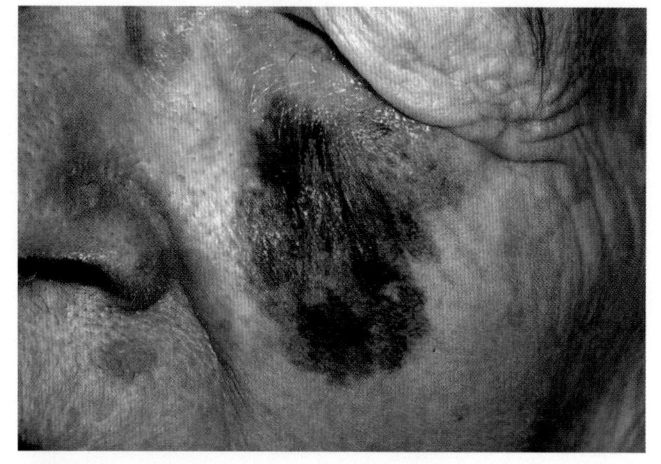

그림 30.51 악성흑자

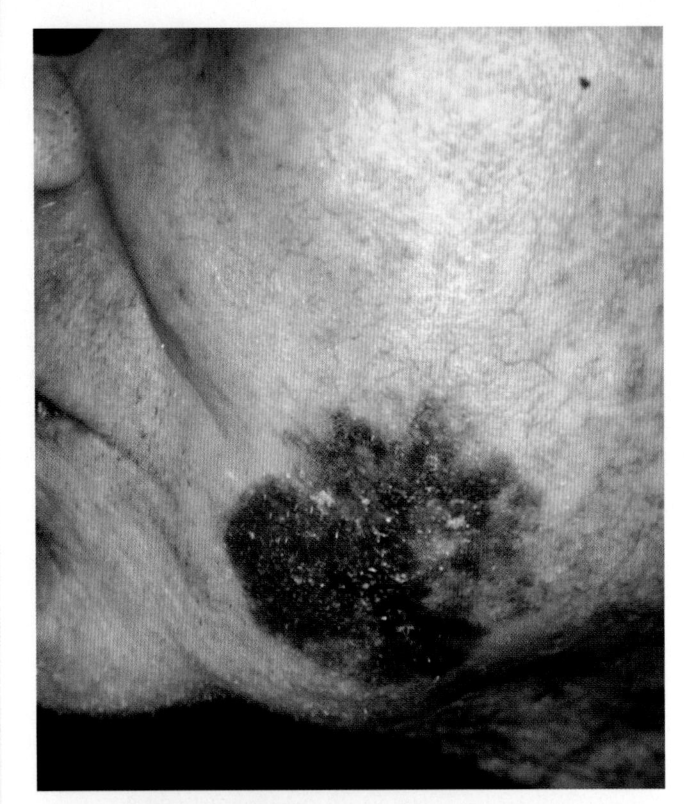

그림 30.52 악성흑색점흑색종

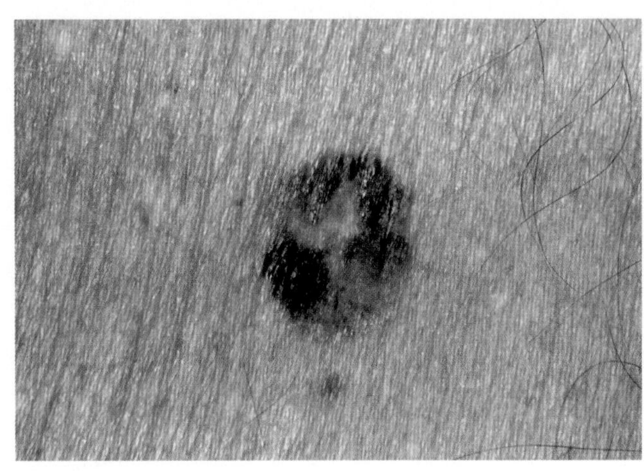

그림 30.53 표재확산흑색종

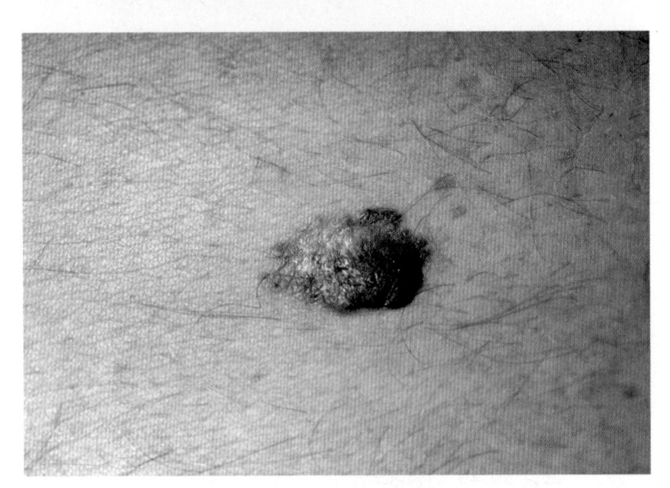

그림 30.54 표재확산흑색종

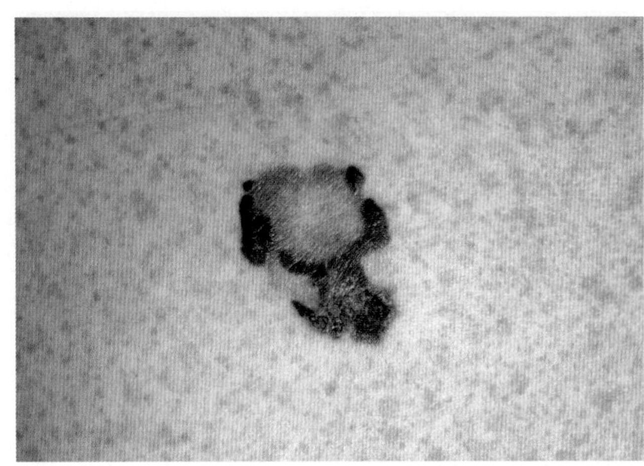

그림 30.55 표재확산흑색종

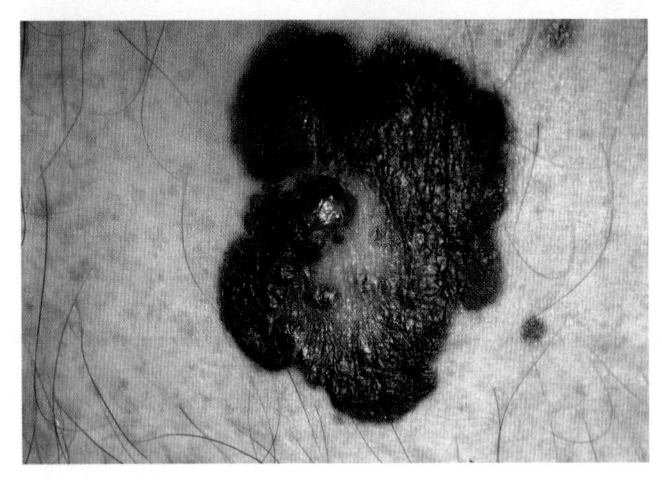

그림 30.56 표재확산흑색종

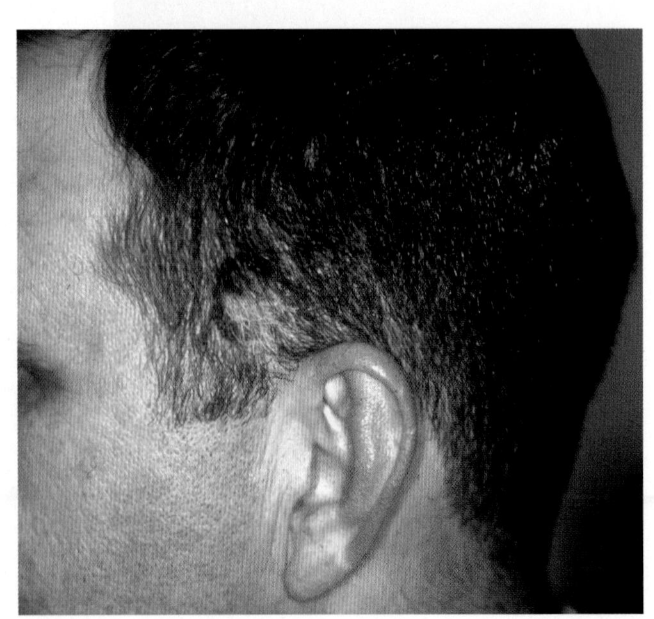

그림 30.57 표재확산흑색종

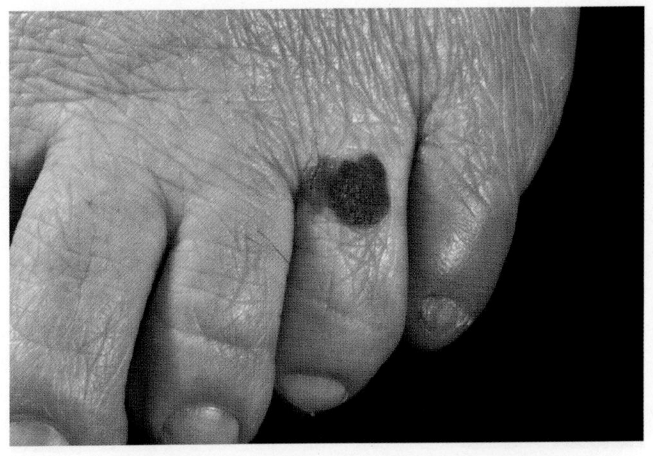

그림 30.58 말단흑색종

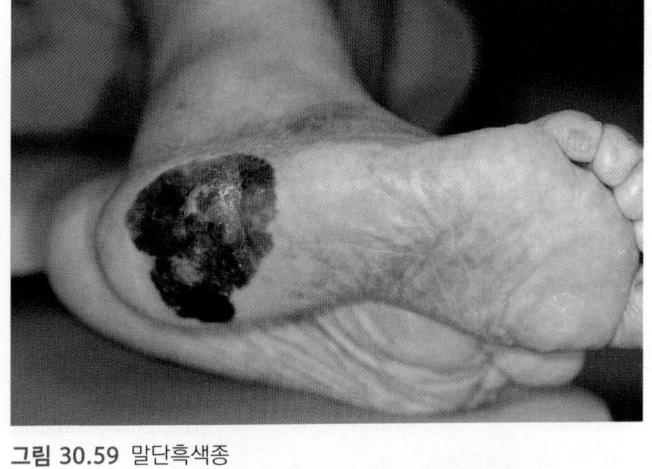

그림 30.59 말단흑색종

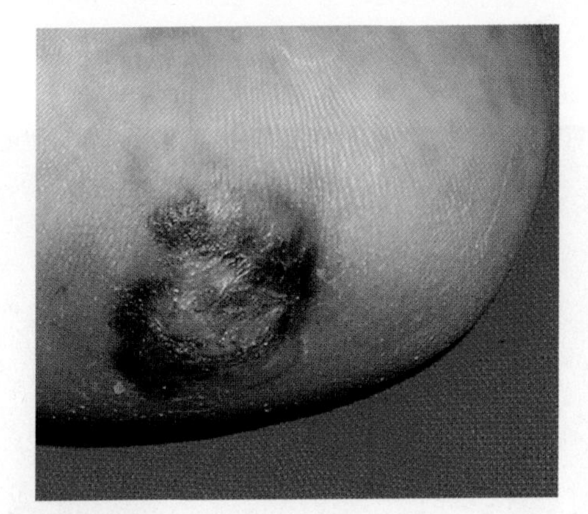

그림 30.60 말단흑색종

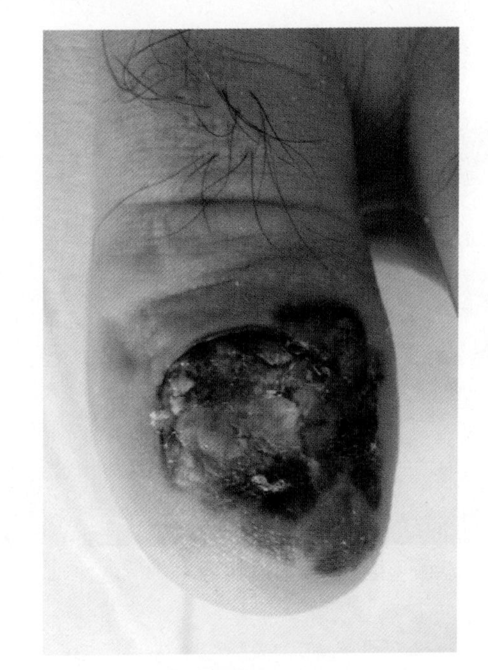

그림 30.61 말단흑색종

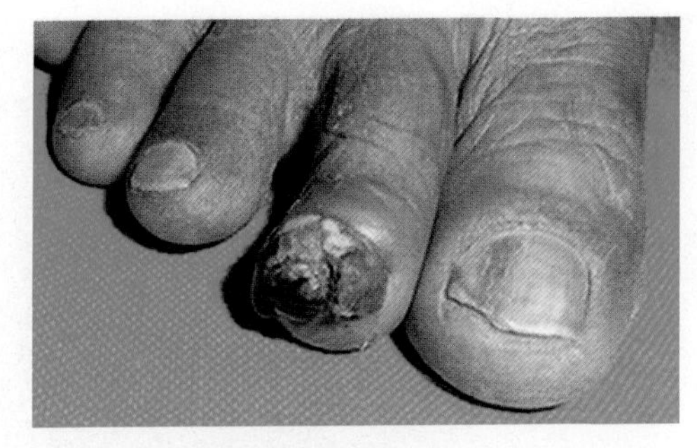

그림 30.62 말단흑색종

그림 30.63 구강흑색종

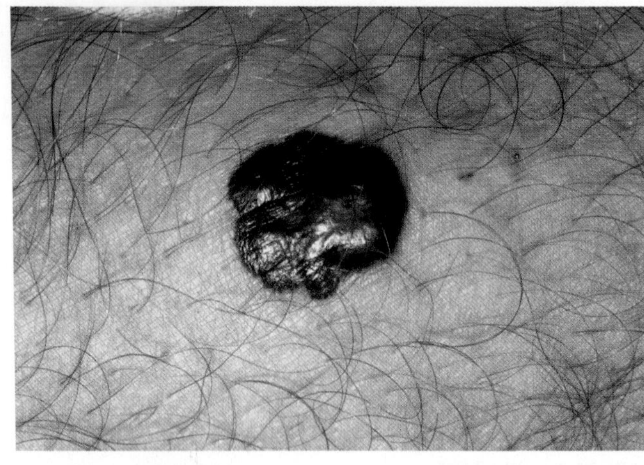

그림 30.64 결절흑색종

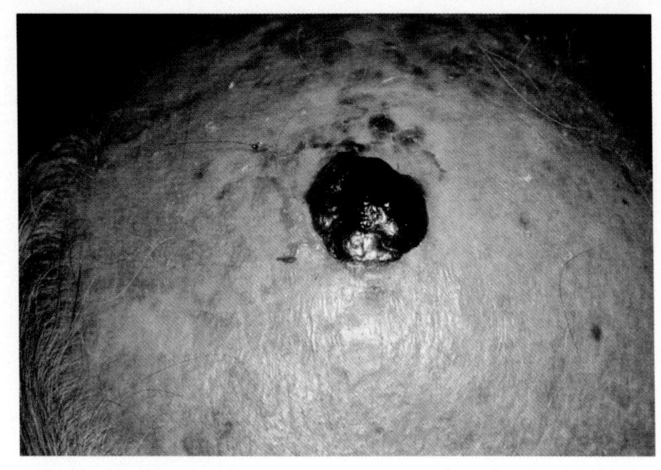

그림 30.65 결절흑색종

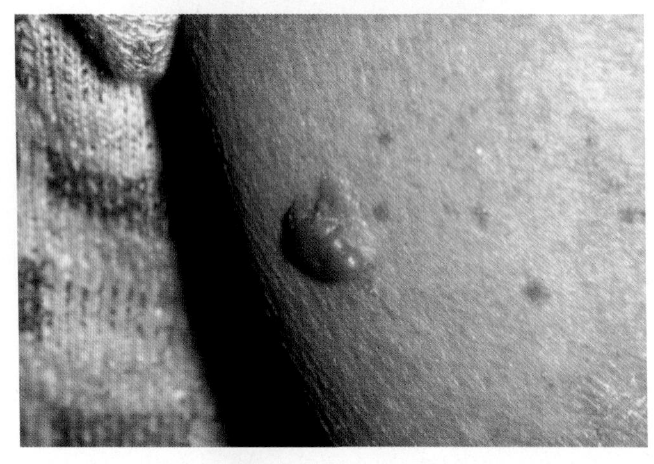

그림 30.66 무색소흑색종

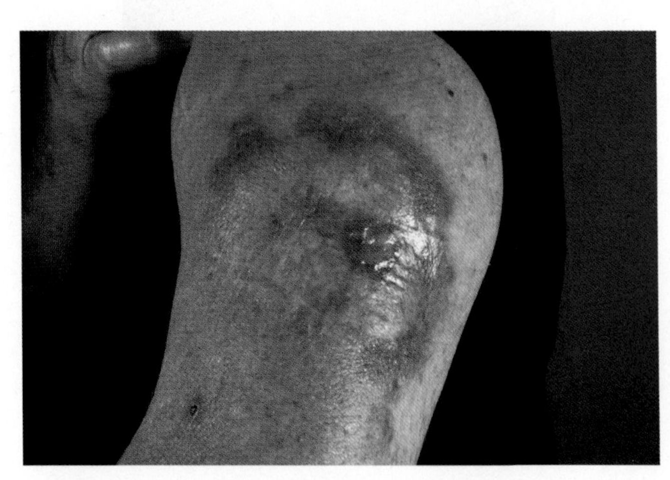

그림 30.67 국소피부경화증 병변을 기지는 무색소흑색종

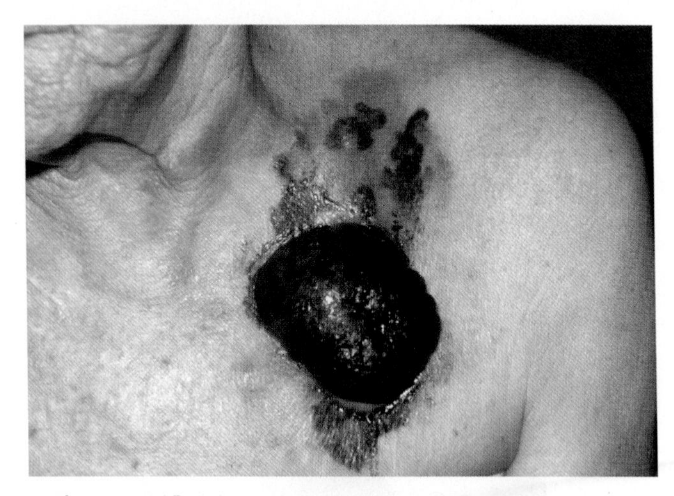

그림 30.68 대흑색종

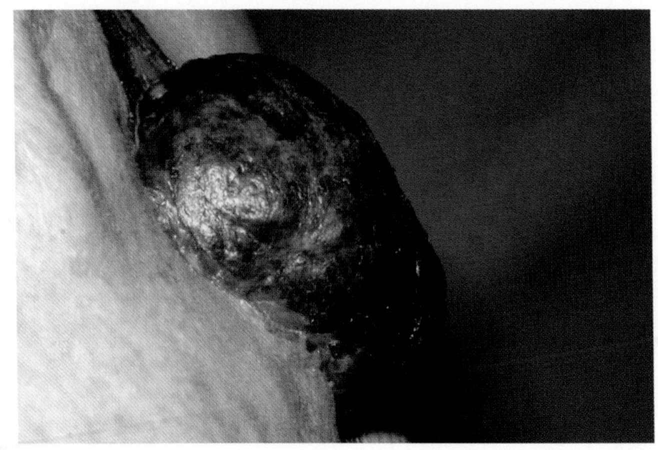

그림 30.69 대흑색종

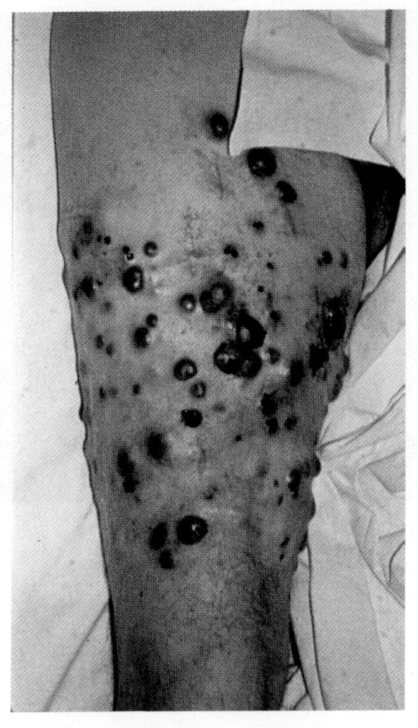

그림 30.70 흑색종의 위성전이

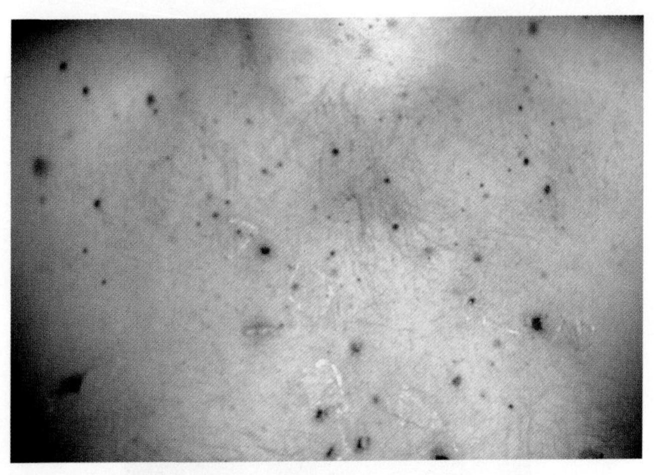

그림 30.71 전이흑색종

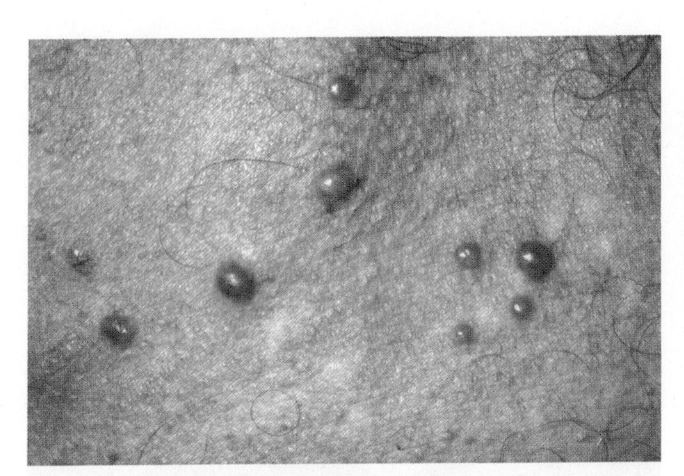

그림 30.72 전이무색소흑색종

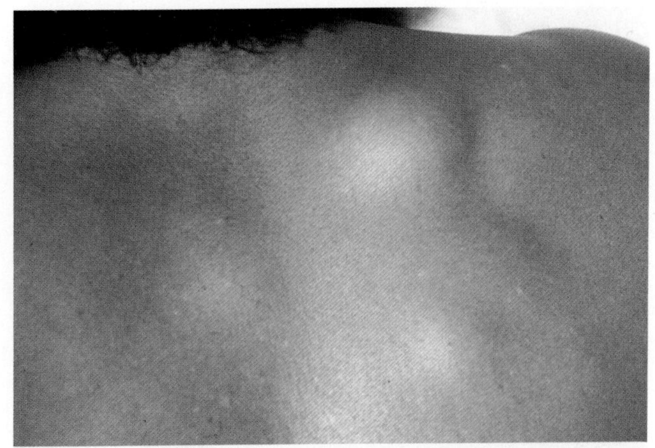

그림 30.73 전이흑색종

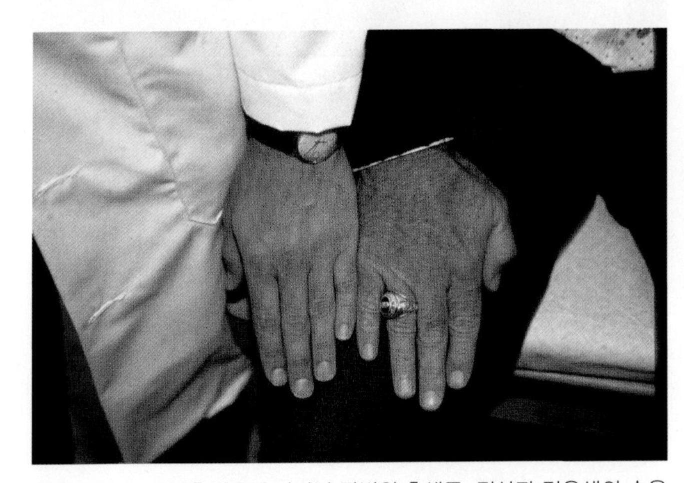

그림 30.74 전이흑색종에 나타난 광범위 흑색증; 정상과 검은색의 손을 비교

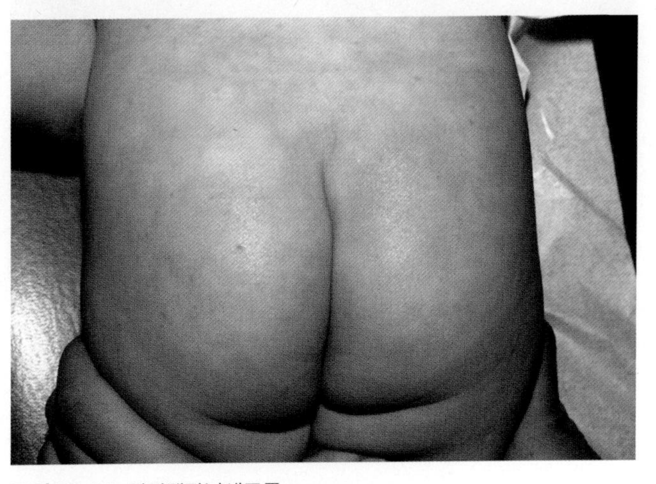

그림 30.75 진피멜라닌세포증

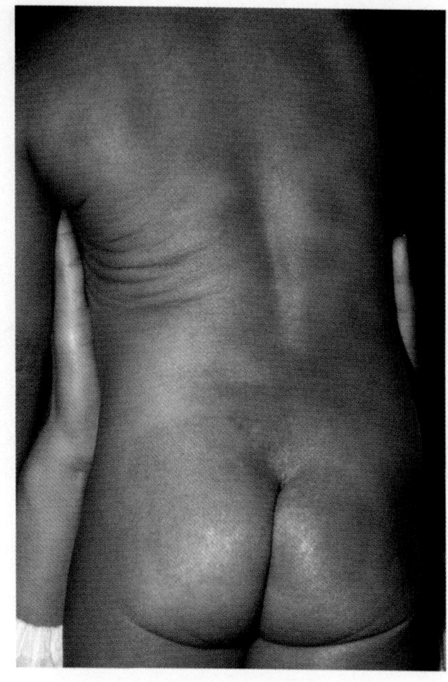

그림 30.76 진피멜라닌세포증

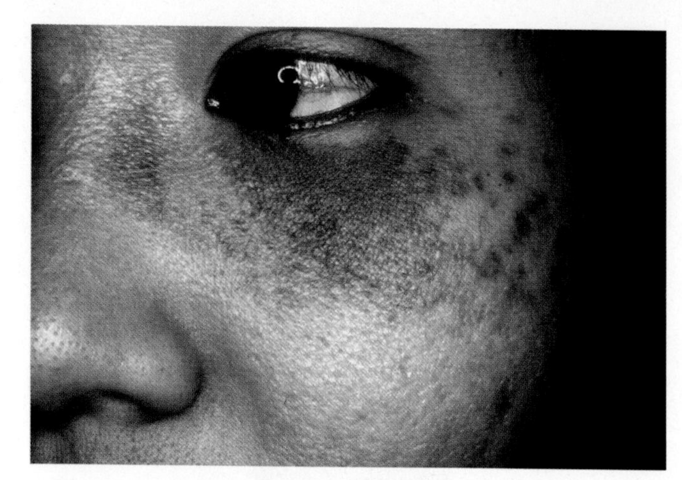

그림 30.77 오타모반

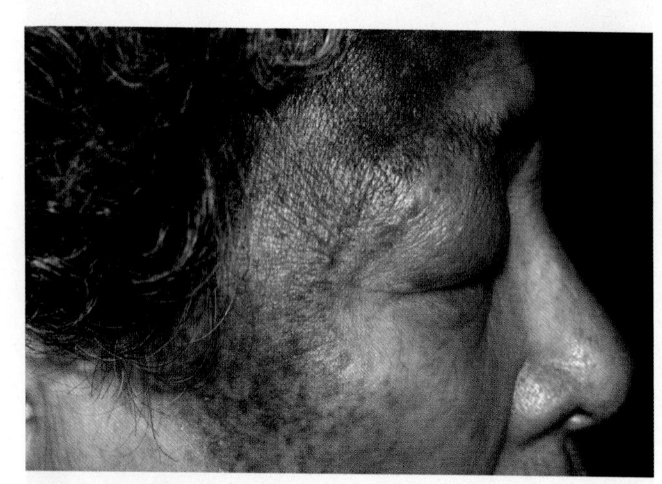

그림 30.78 오타모반

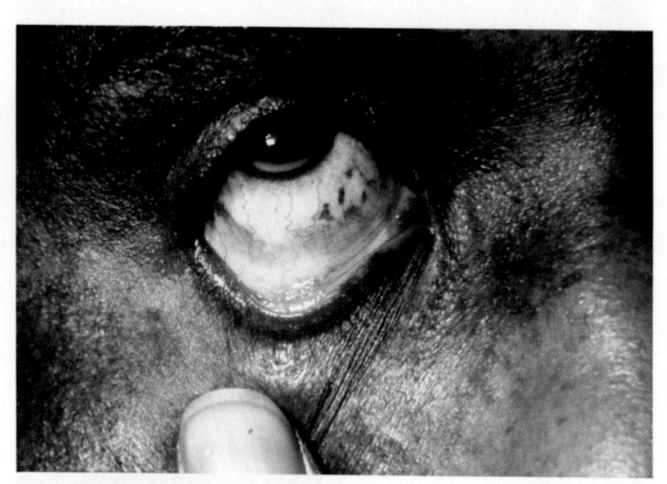

그림 30.79 오타모반

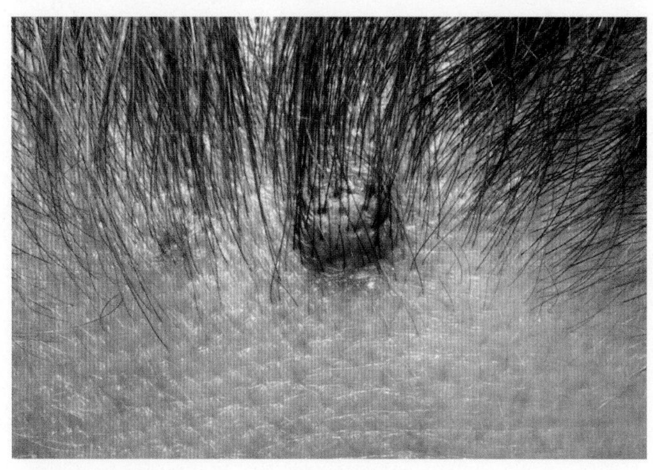

그림 30.80 청색모반

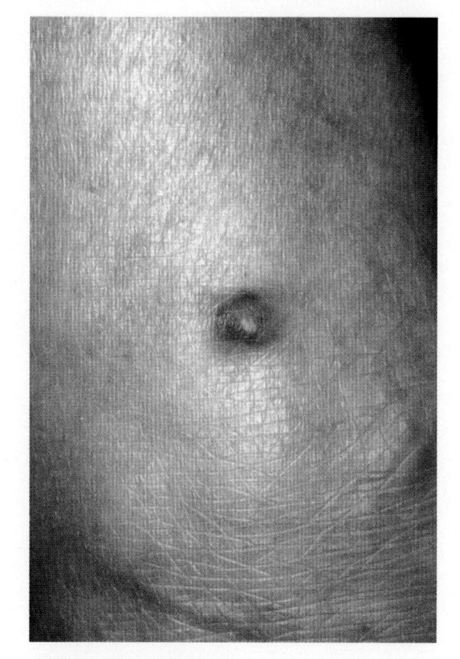

그림 30.81 청색모반

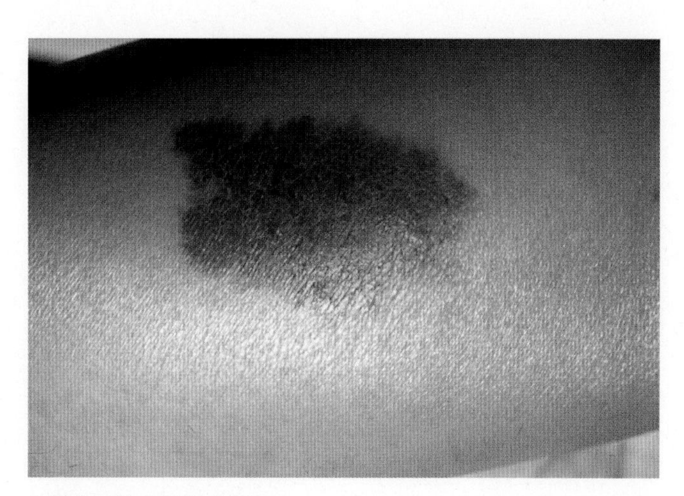

그림 30.82 선천청색모반

대식세포/단핵구 질환 31

이번 장은 피부에 국한되거나 전신질환의 피부침범으로 나타나는 육아종성 혹은 조직구질환을 포함한다. 많은 수의 이들 질환이 확정적 진단과 추후 검사 및 치료를 위해서 피부생검을 필요로 한다.

흔한 육아종질환으로 윤상육아종이 있는데, 이 질환은 발등, 전박, 하지 등의 마찰부위 피부에 윤상의 피부색 구진이나 결절로 나타난다. 다른 형태의 환상육아종은 진단이 어려운데, 천공 혹은 심재(피하)형 등이다. 유육종증은 만성전신질환의 틀 속에서 피부소견을 나타내는 육아종성질환이다. 유육종증의 피부소견은 다양한데, 구진, 환상의 윤상육아종모양판, 어린선모양반, 문신부위의 결절 등으로 나타난다. 유육종증이 의심되면 전신침범의 확인이 필수적인데 이 질환이 거의 모든 장기를 침범할 수 있기 때문이다.

조직구질환으로 소아황색육아종, 랑게르한스세포조직구증, 흔치 않은 다중심세망조직구증식증 등이 있다. 소아황색육아종은 흔한 소아질환으로 주로 피부에 국한해서 황색/오렌지색의 부드러운 구진 혹은 결절로 나타난다. 랑게르한스세포조직구증은 연령과 전신침범의 정도에 따라서 임상적으로 더 다양하게 나타난다. 흔한 피부소견으로 미란, 출혈점을 가진 주름의 적색반; 딱지를 만드는 적갈색 구진; 피부황색 종양결절; 성인에서 가슴과 등의 여드름양 발진 등으로 나타난다. 이번 장은 육아종성 및 조직구성질환을 포함하여 대식세포와 단핵구의 질환이다.

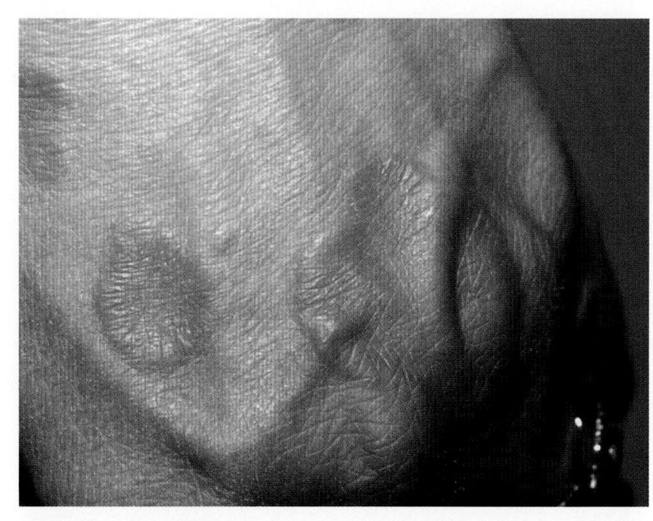

그림 31.2 윤상육아종

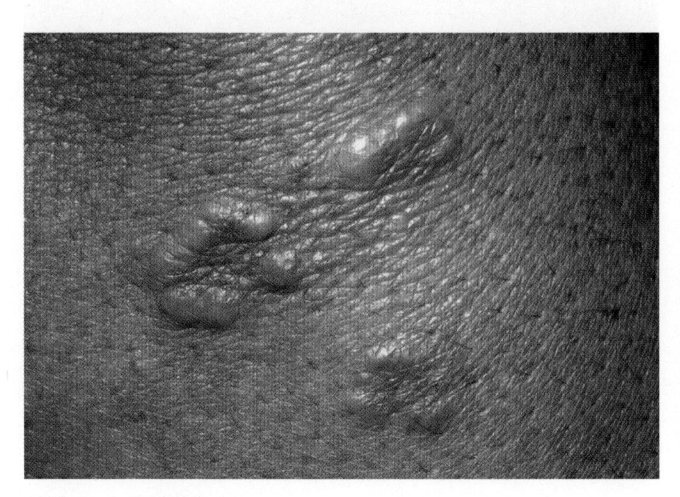

그림 31.1 윤상육아종

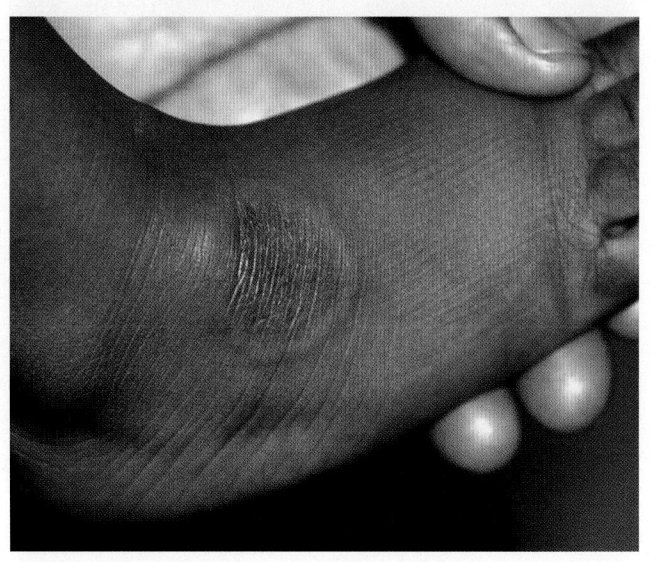

그림 31.3 윤상육아종

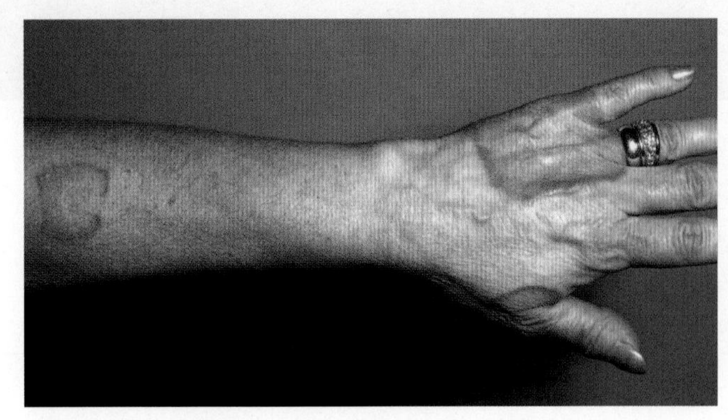

그림 31.4 윤상육아종

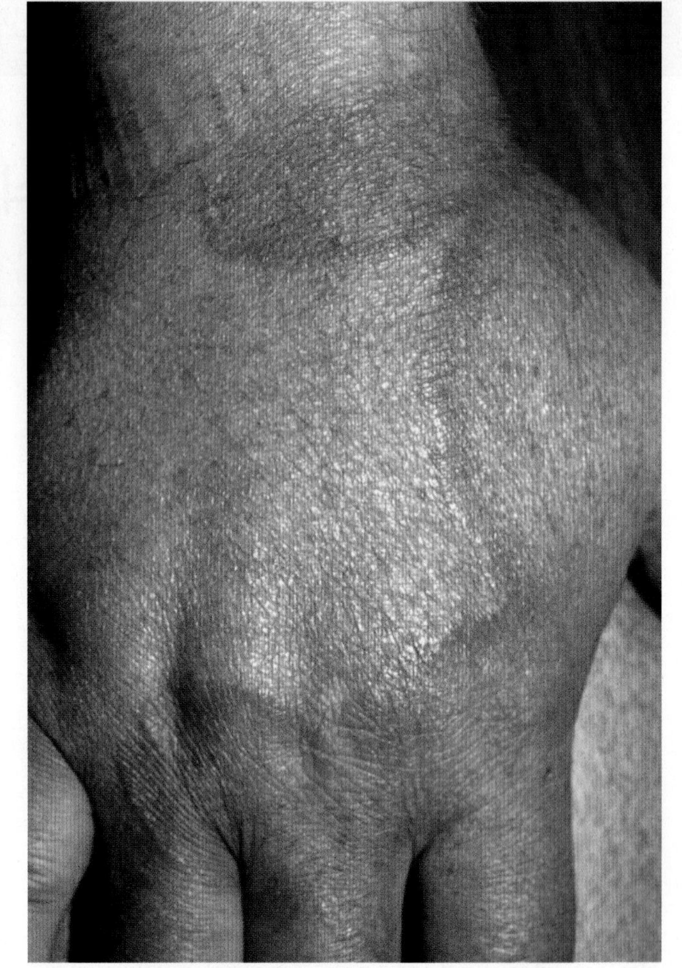

그림 31.5 윤상육아종

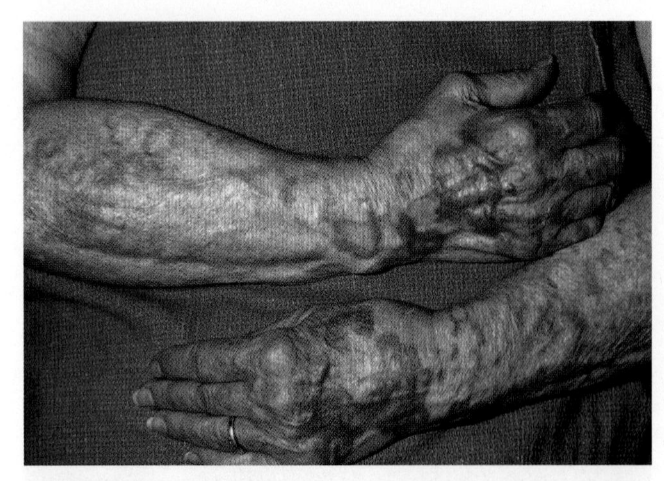

그림 31.6 윤상육아종

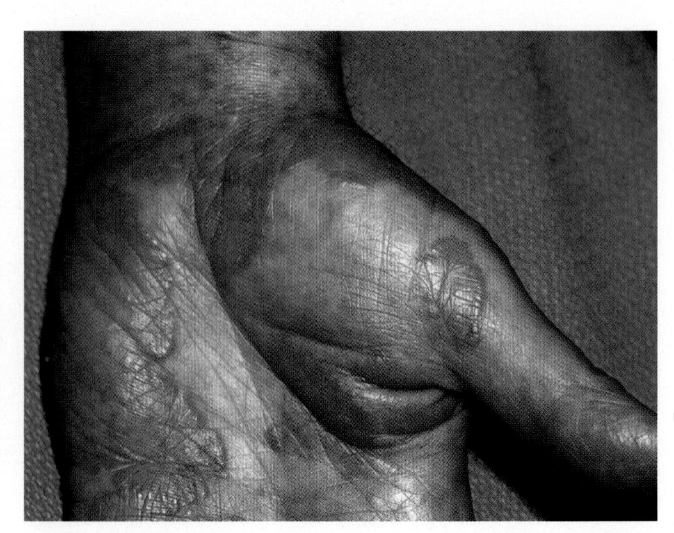

그림 31.7 윤상육아종

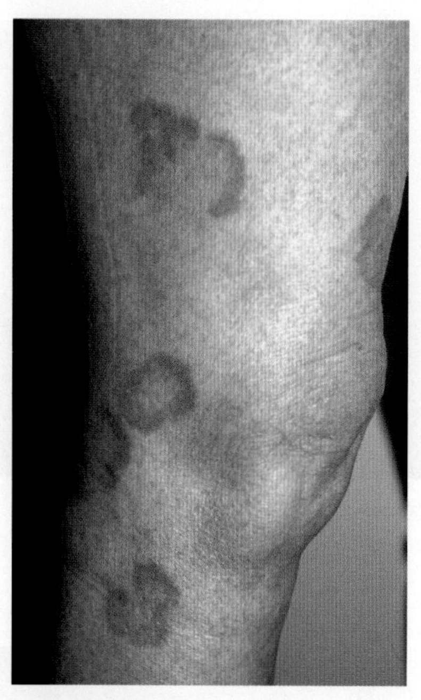

그림 31.8 윤상육아종

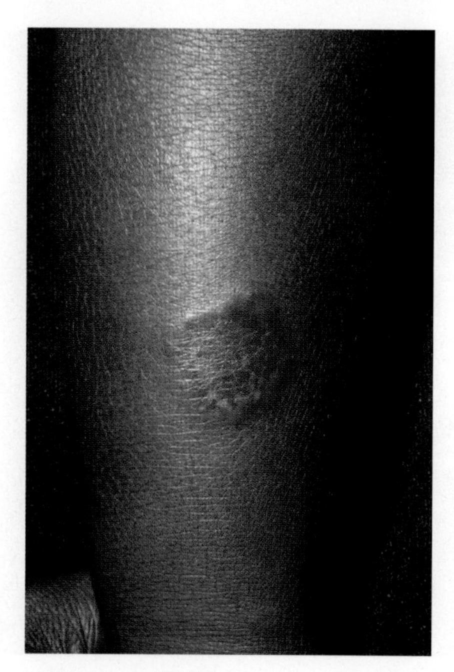

그림 31.9 윤상육아종

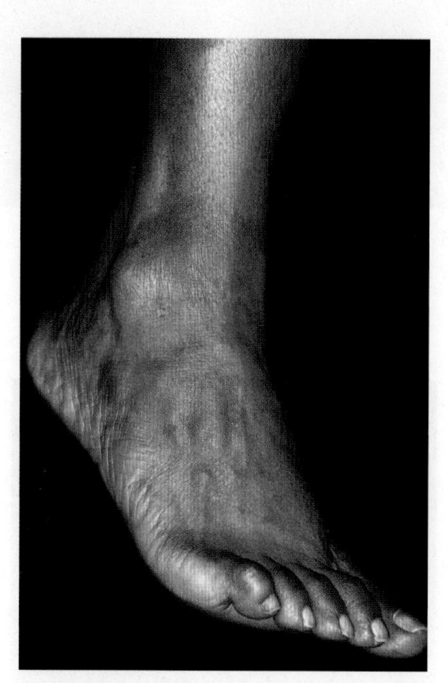

그림 31.10 윤상육아종

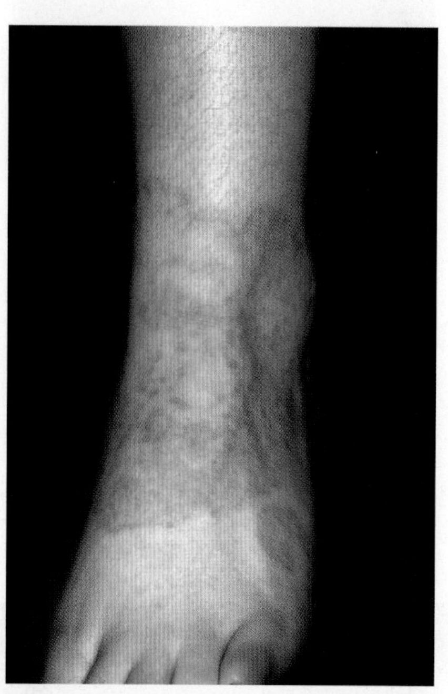

그림 31.11 윤상육아종

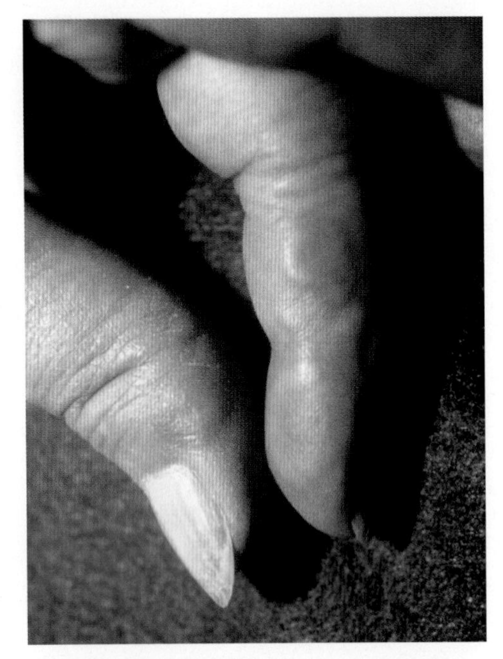
그림 31.12 윤상육아종

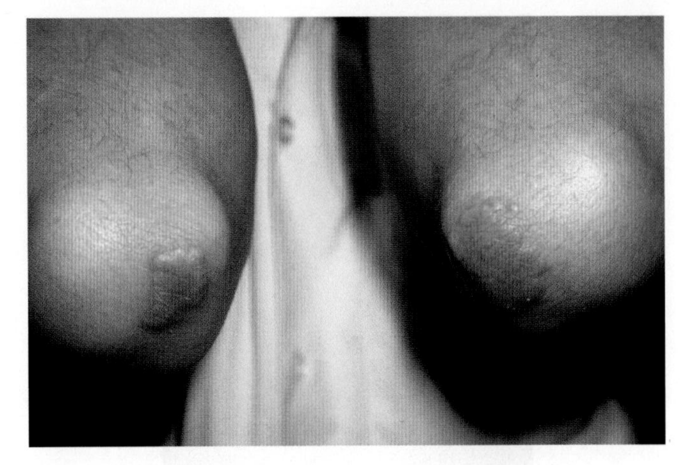
그림 31.13 윤상육아종

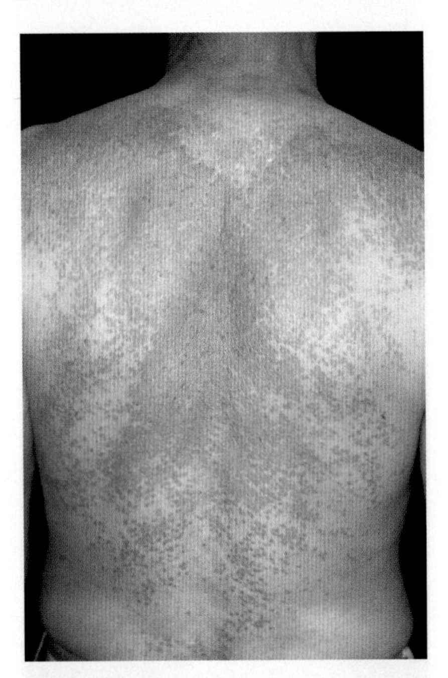
그림 31.14 파종윤상육아종

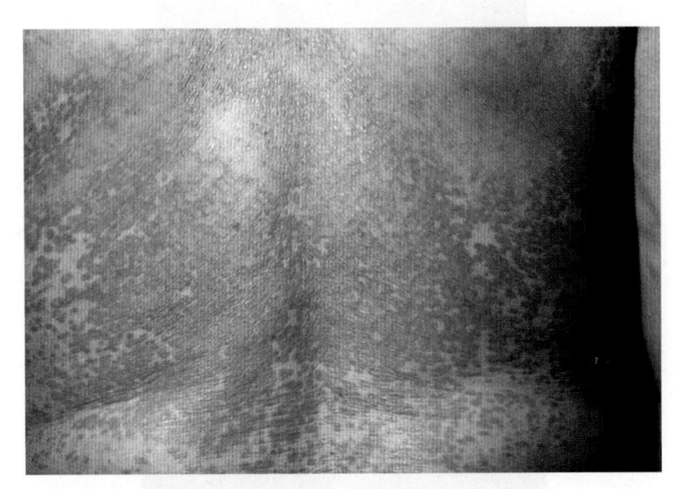
그림 31.15 파종윤상육아종

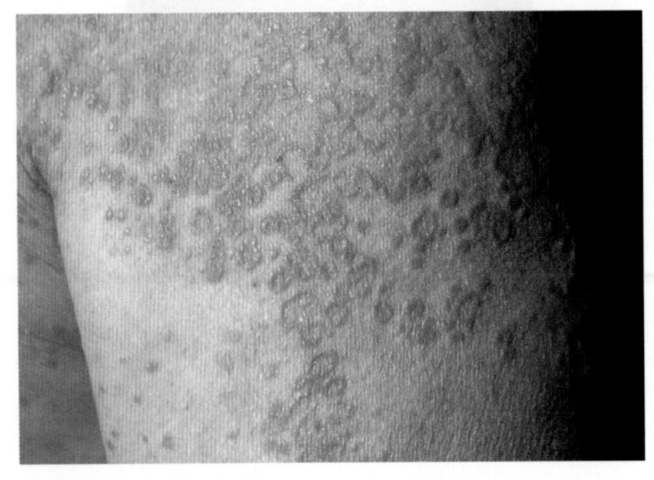
그림 31.16 파종윤상육아종

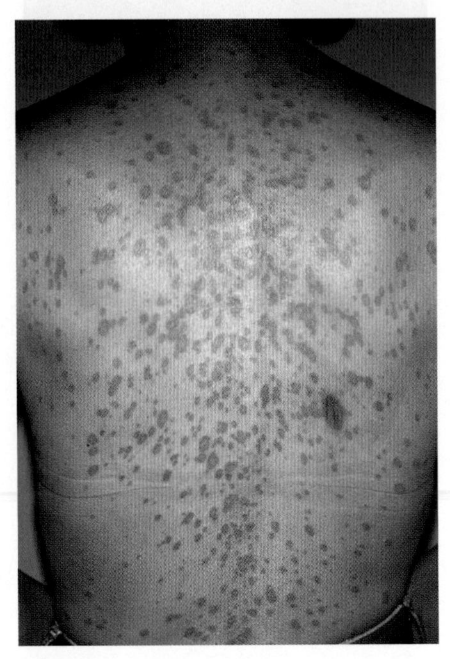
그림 31.17 파종윤상육아종

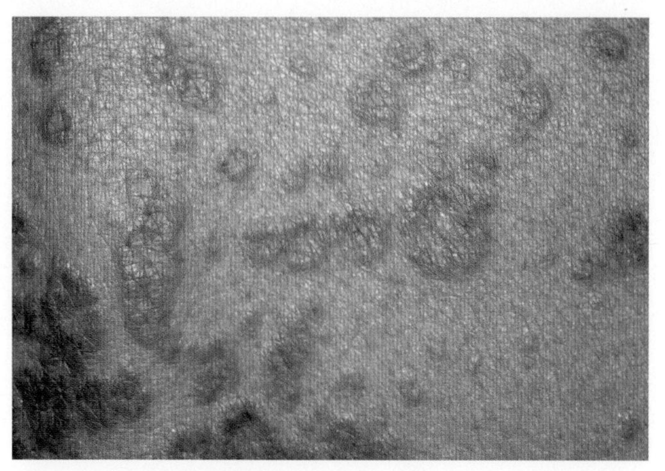

그림 31.18 파종윤상육아종

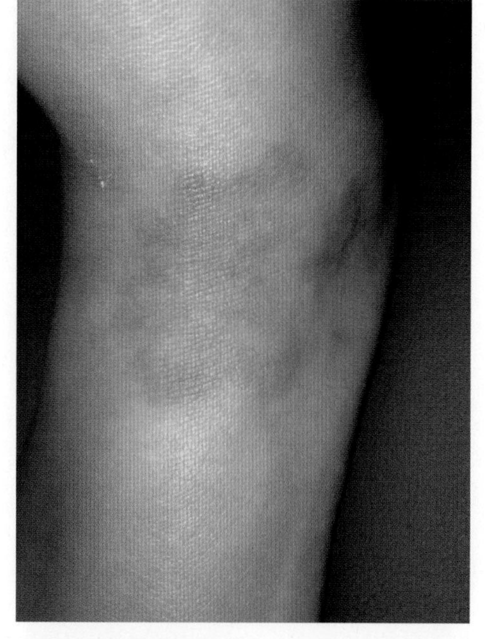

그림 31.19 윤상육아종

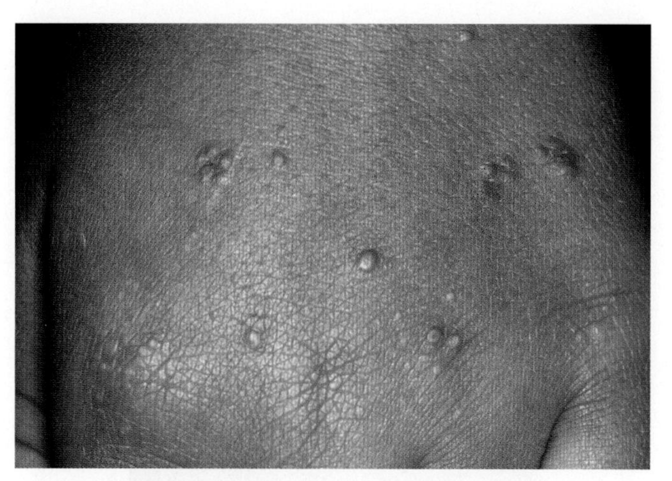

그림 31.20 천공윤상육아종

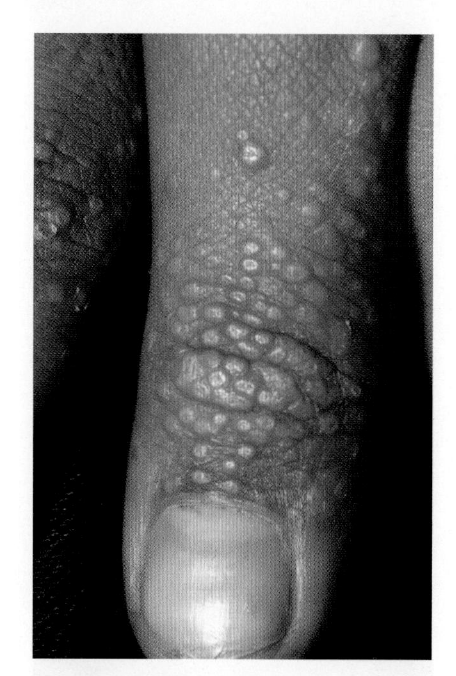

그림 31.21 천공윤상육아종

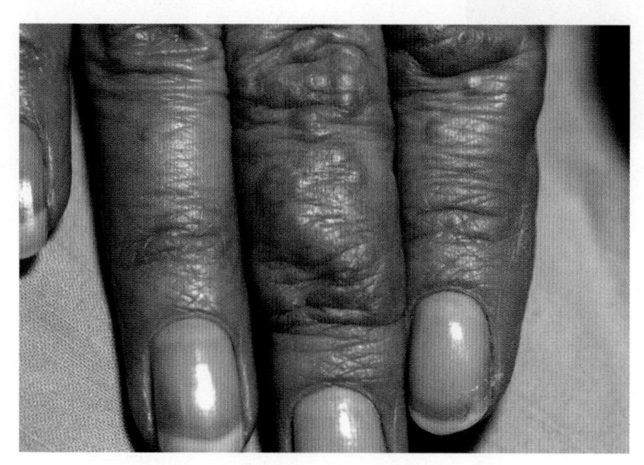

그림 31.22 심재윤상육아종

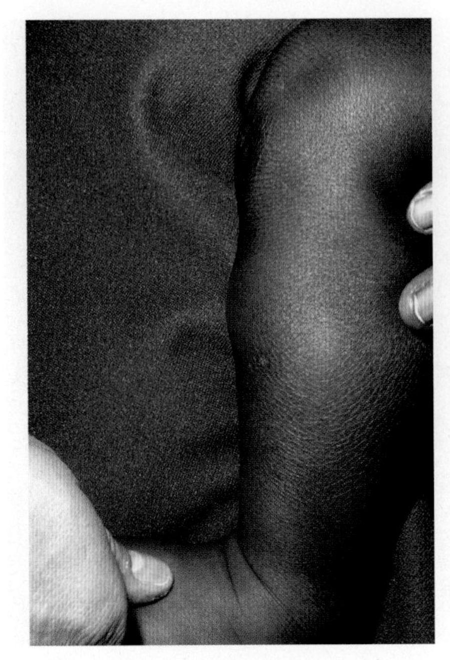
그림 31.23 피하윤상육아종

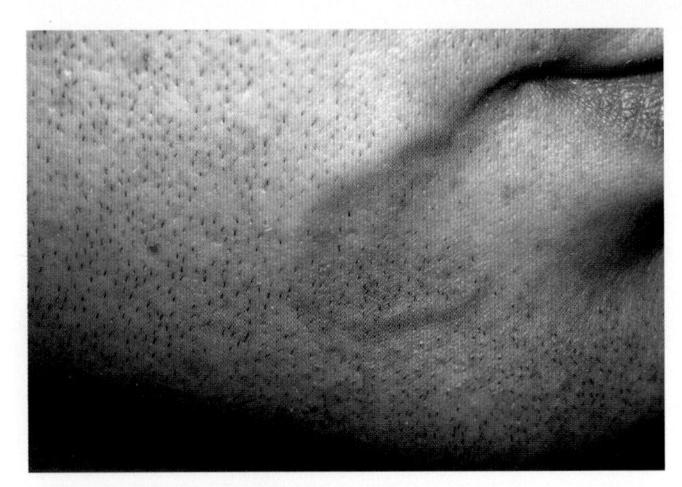
그림 31.24 안면윤상육아종

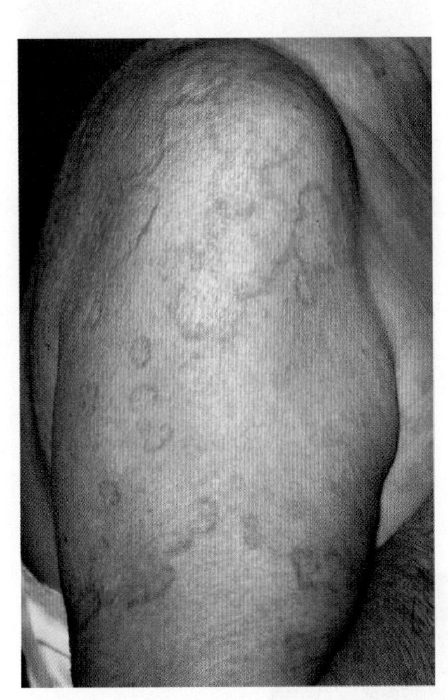
그림 31.25 윤상탄력섬유용해육아종

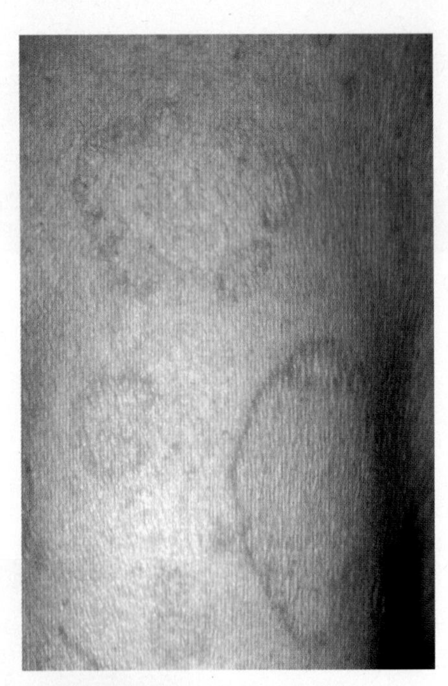
그림 31.26 윤상탄력섬유용해육아종

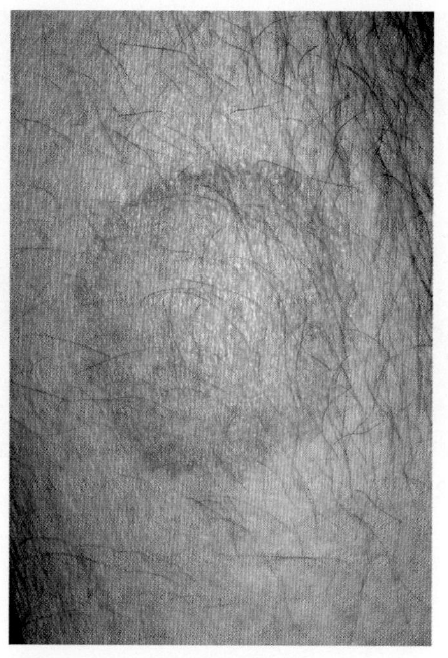

그림 31.27 윤상탄력섬유용해육아종

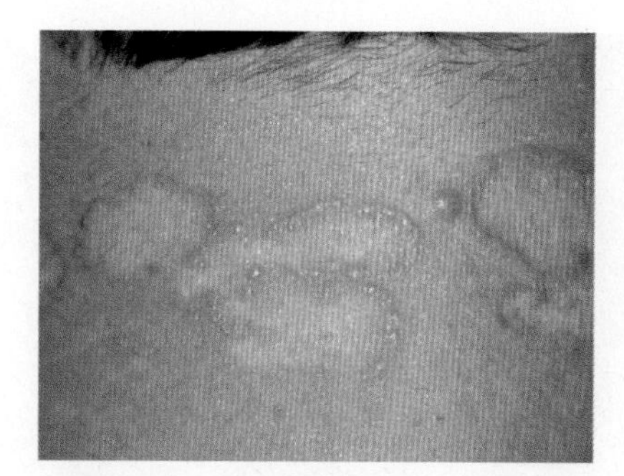

그림 31.28 광선육아종

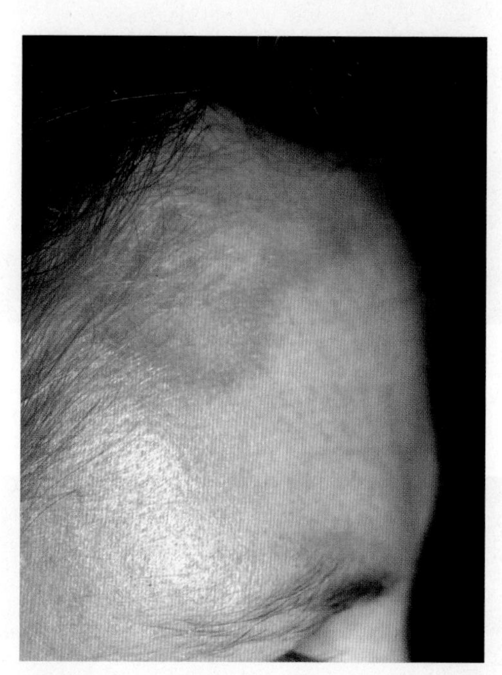

그림 31.29 미셔육아종

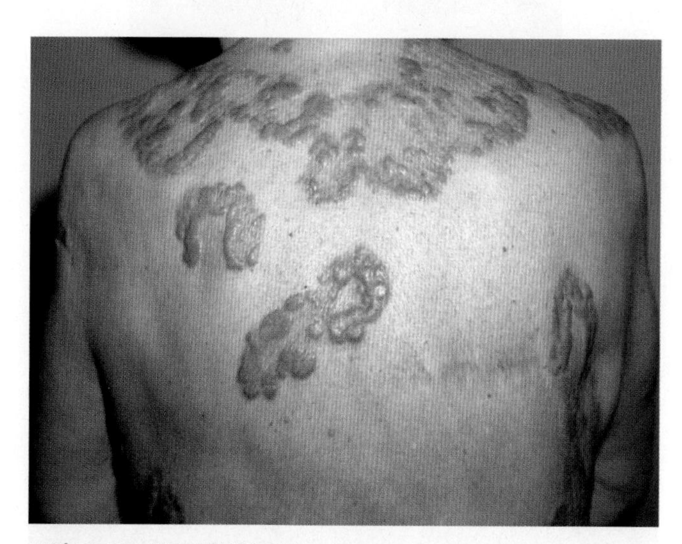

그림 31.30 생괴사황색육아종

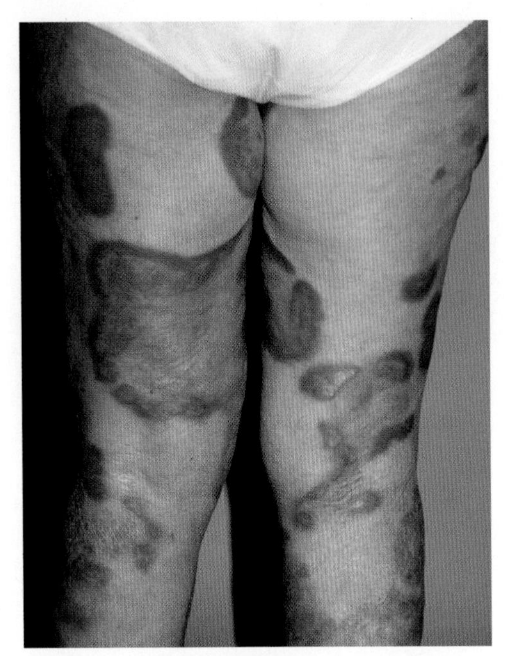

그림 31.31 생괴사황색육아종

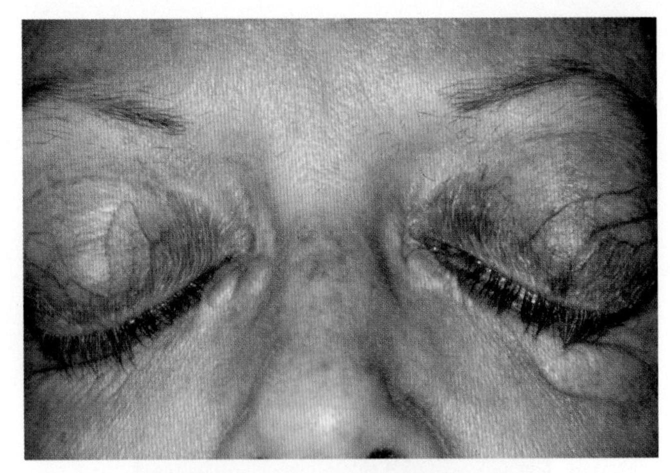

그림 31.32 상하안검을 침범한 생괴사황색육아종

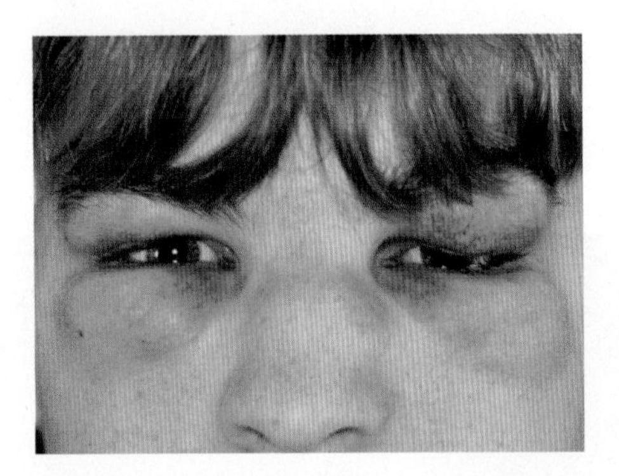

그림 31.33 생괴사황색육아종

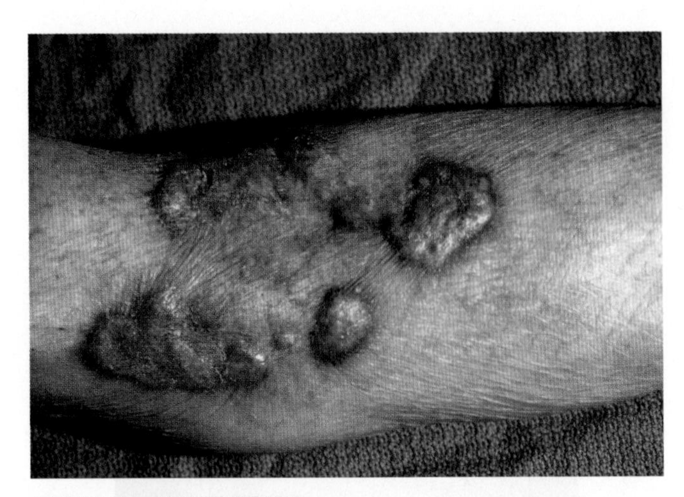

그림 31.34 생괴사황색육아종

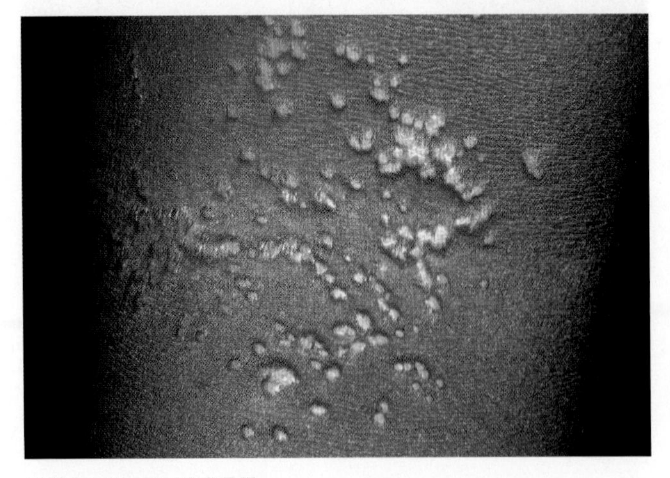

그림 31.35 구진유육종증

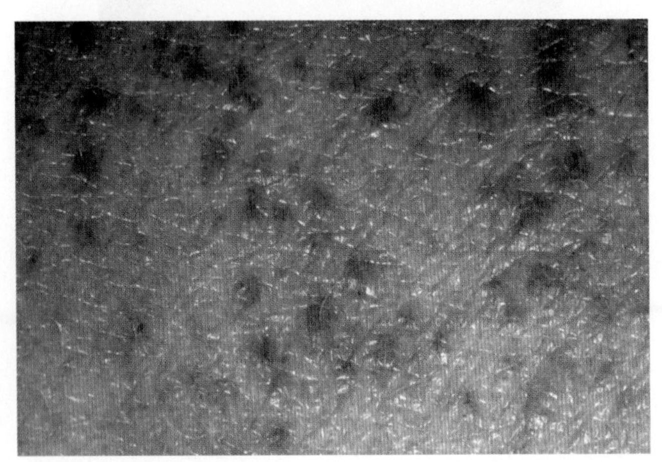

그림 31.36 구진유육종증

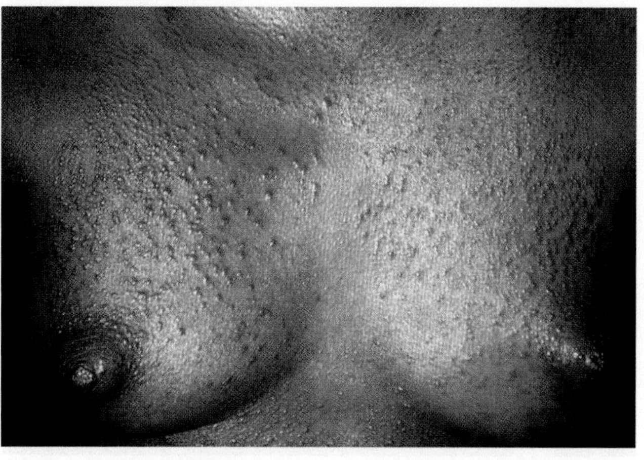

그림 31.37 구진유육종증

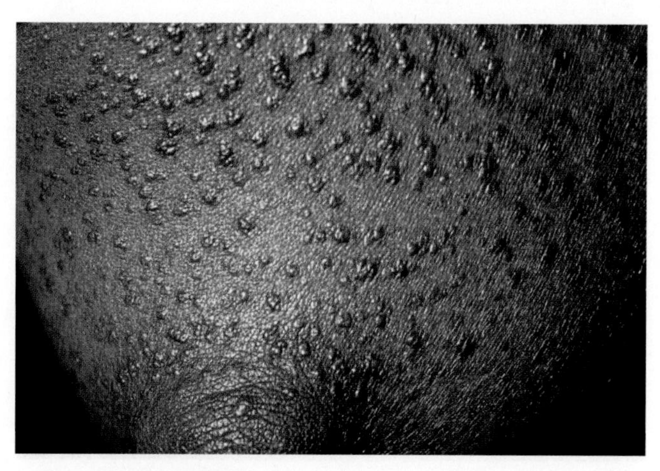

그림 31.38 구진유육종증

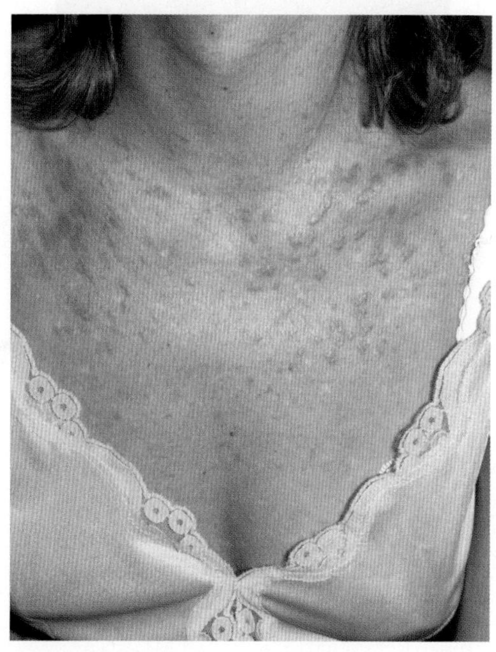

그림 31.39 구진유육종증

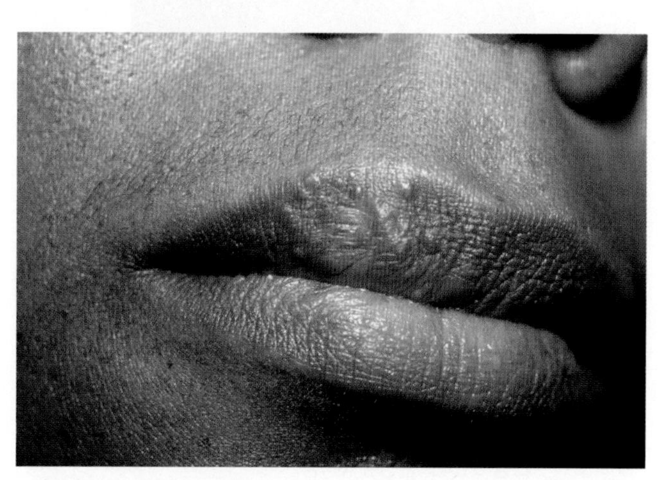

그림 31.40 구진유육종증

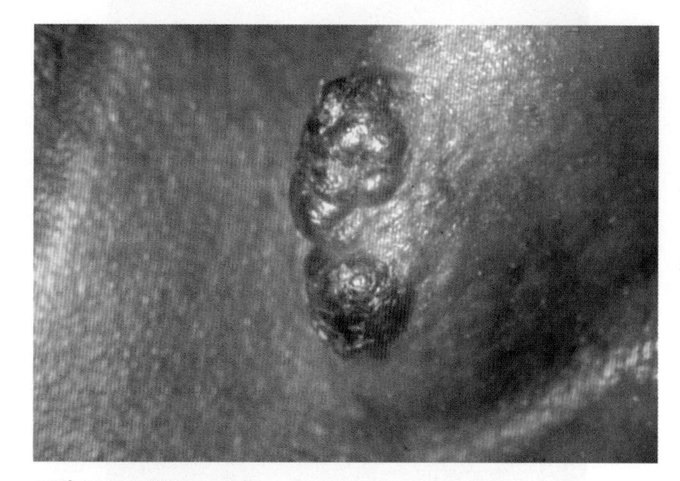

그림 31.41 결절유육종증

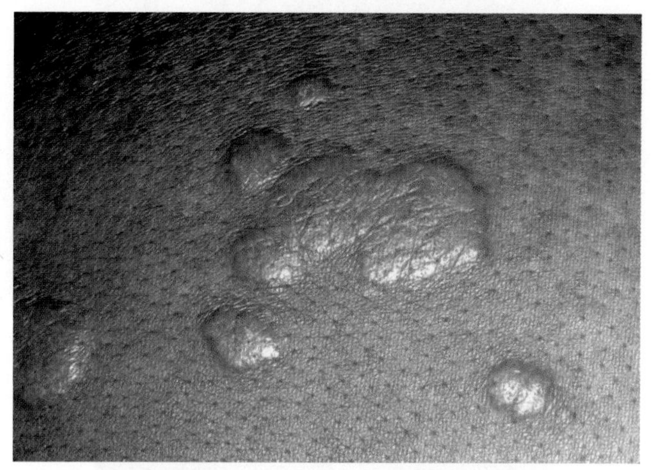

그림 31.42 판유육종증

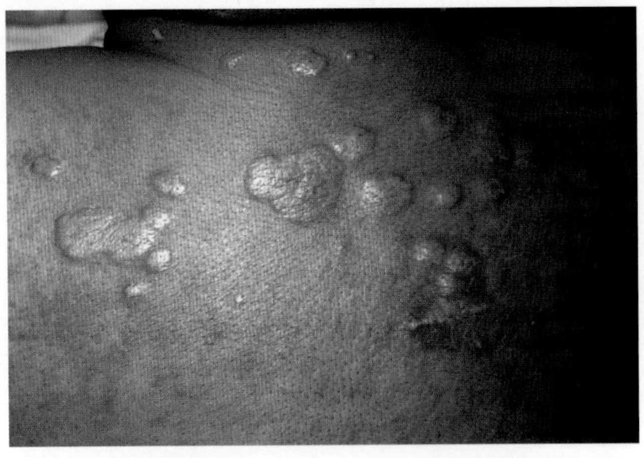

그림 31.43 판유육종증

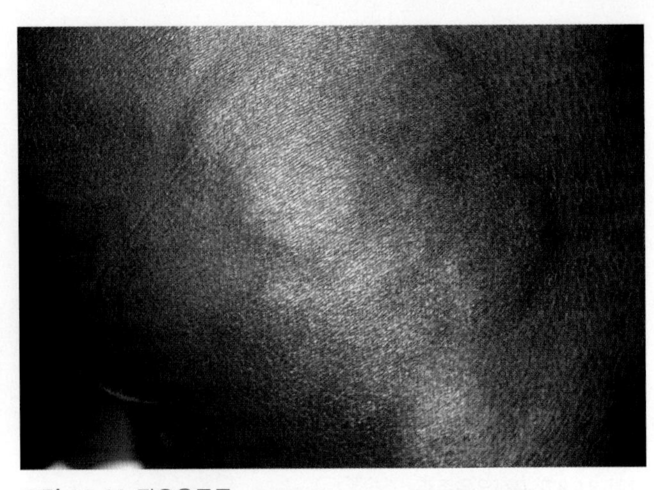

그림 31.44 판유육종증

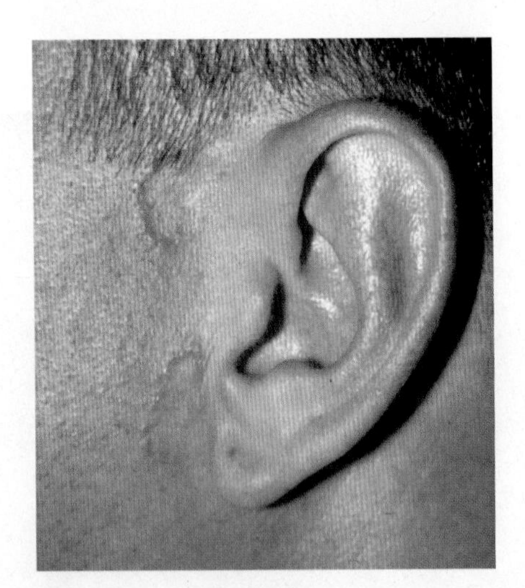

그림 31.45 윤상유육종증

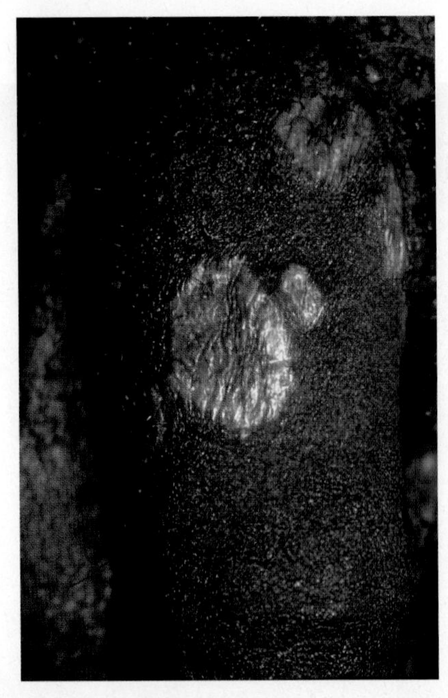

그림 31.46 윤상성기유육종

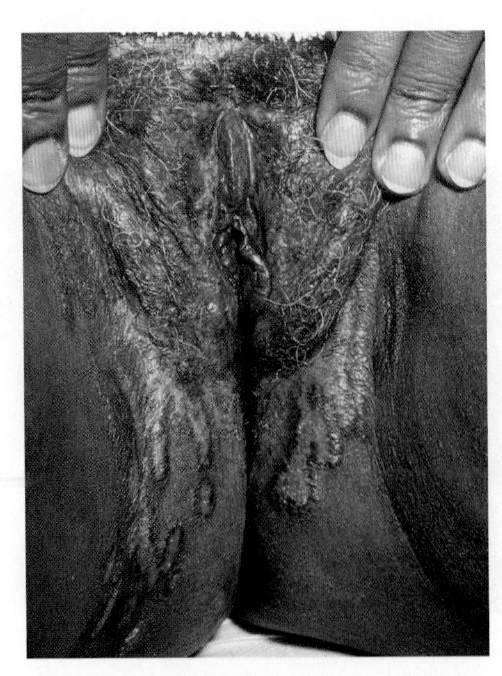

그림 31.47 성기유육종증

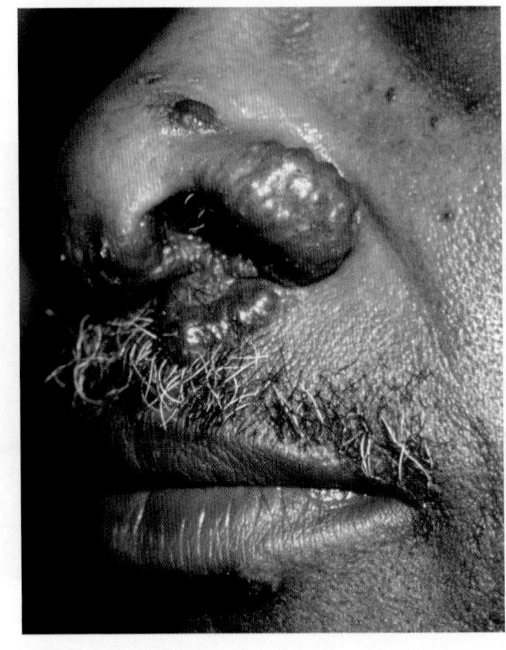

그림 31.48 동창루푸스

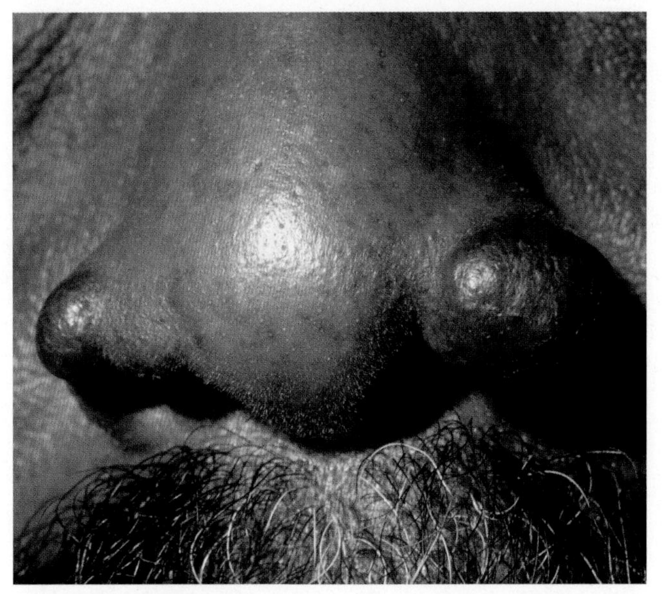

그림 31.49 동창루푸스

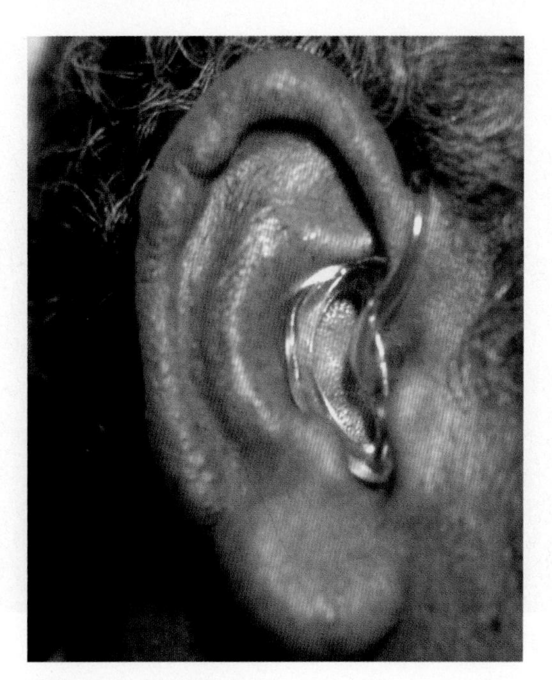

그림 31.50 동창루푸스

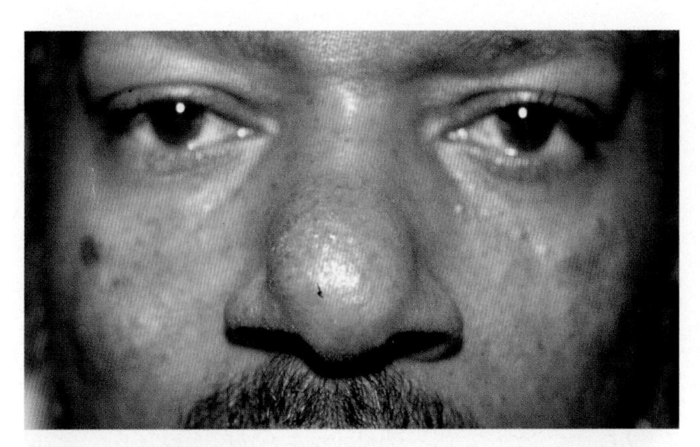

그림 31.51 동창루푸스

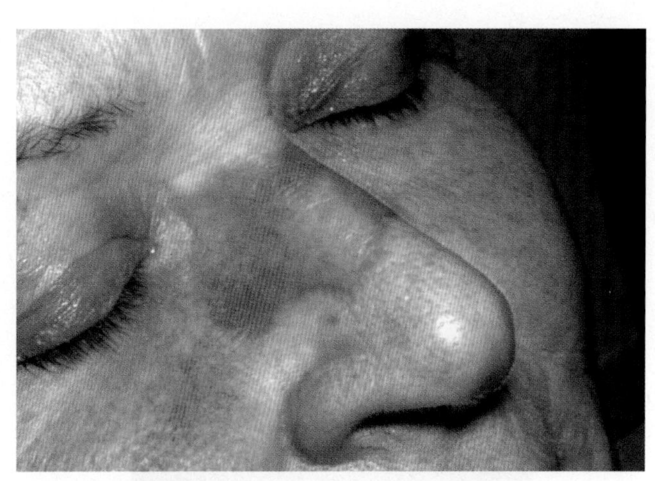

그림 31.52 동창루푸스

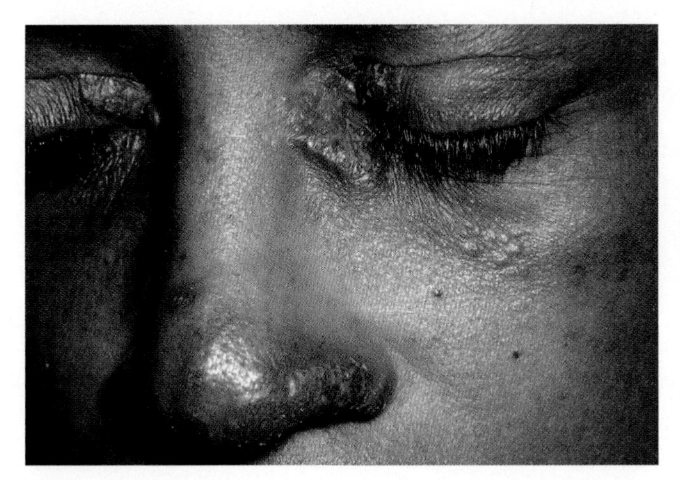

그림 31.53 동창루푸스

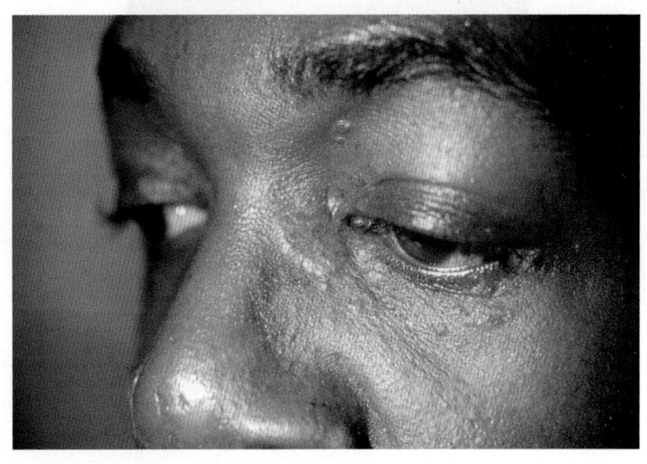

그림 31.54 유육종증

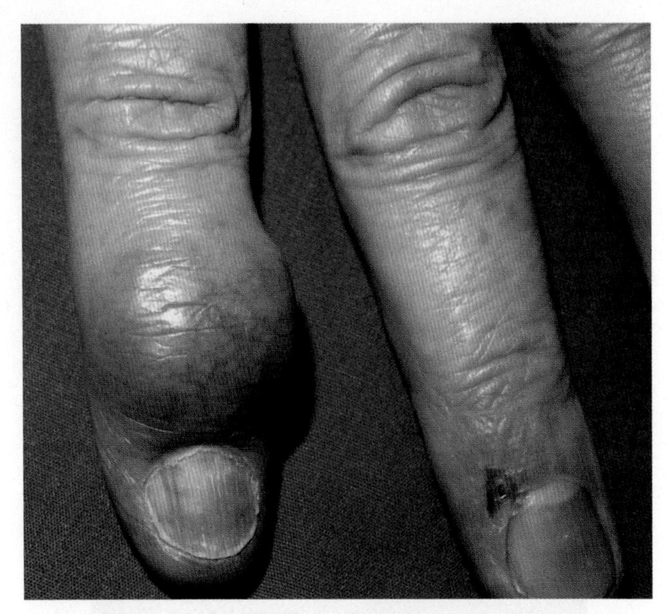

그림 31.55 손발가락유육종증

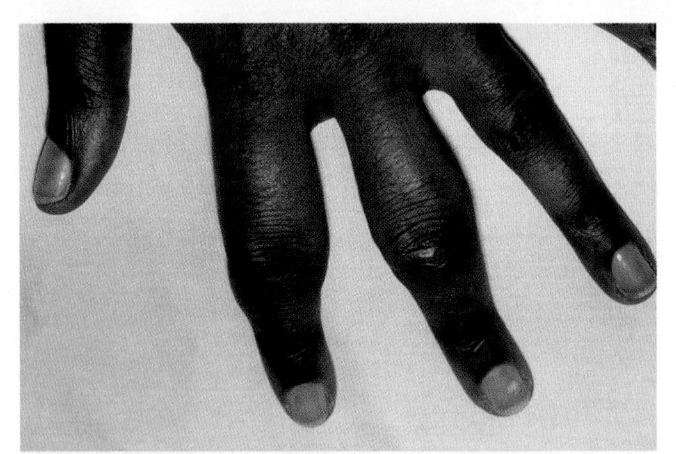

그림 31.56 골유육종증

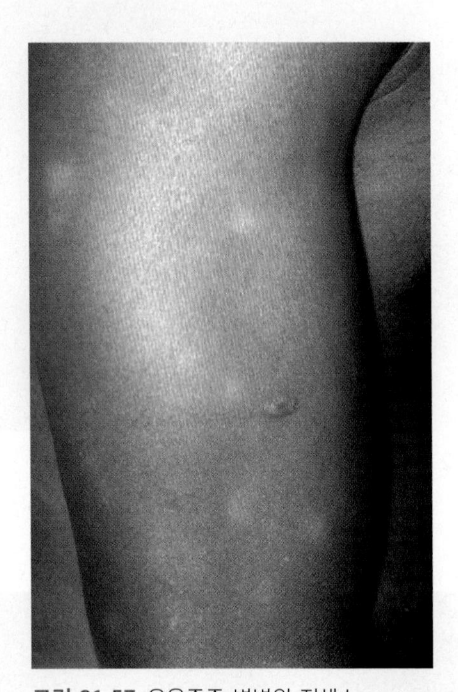

그림 31.57 유육종증 병변위 저색소

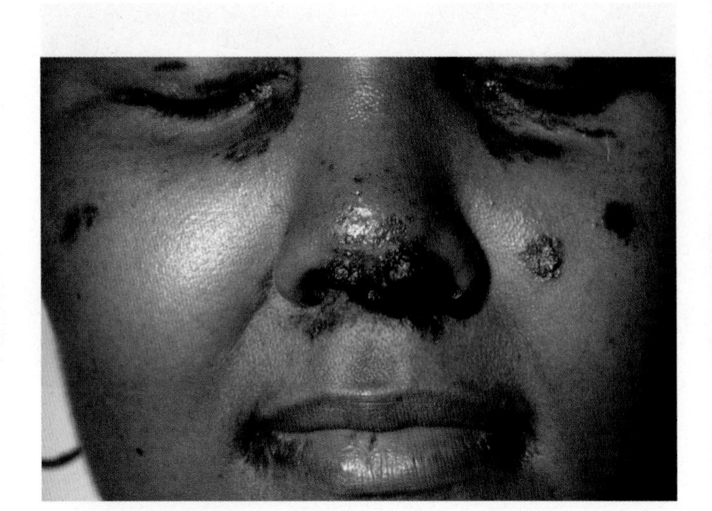

그림 31.58 궤양유육종증

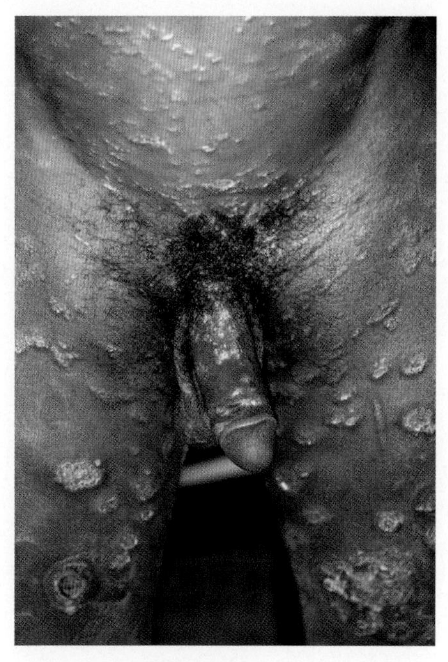

그림 31.59 궤양유육종증

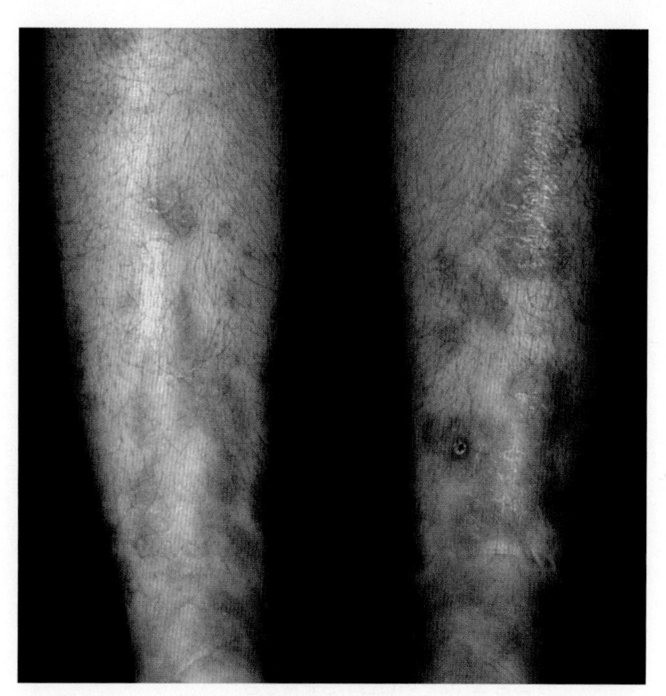

그림 31.60 경결홍반양유육종증. 조직검사상 육아종성으로 나옴

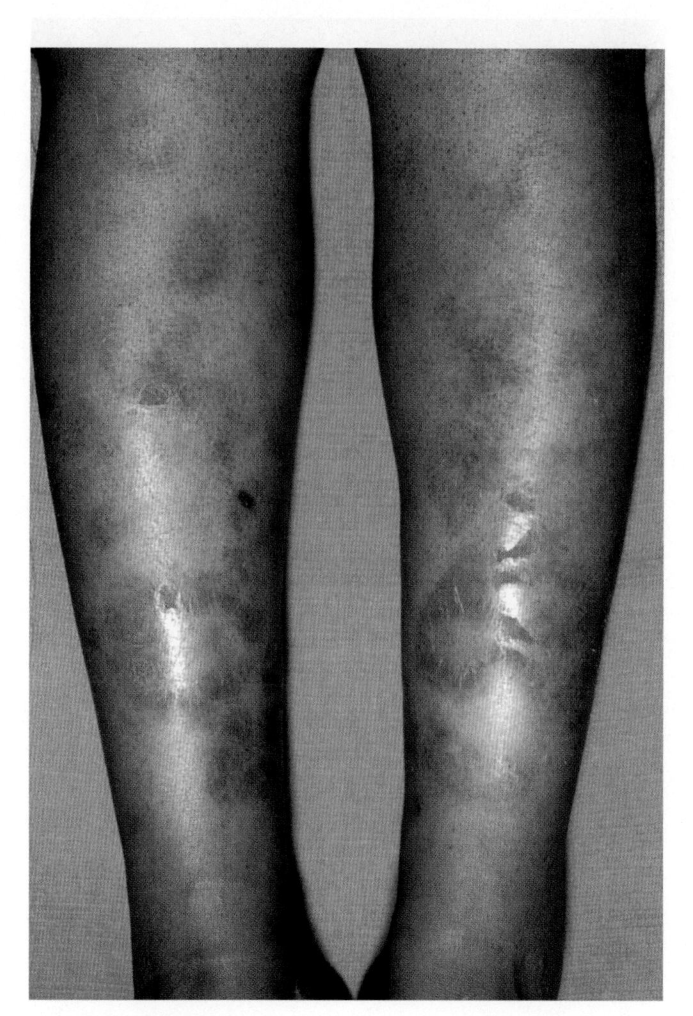

그림 31.61 유육종증

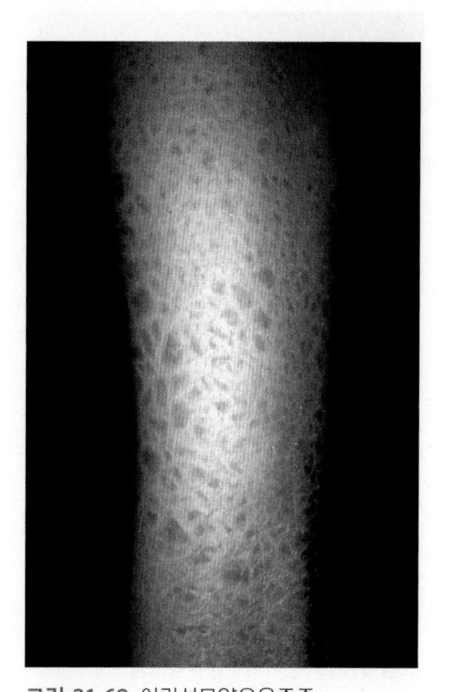

그림 31.62 어린선모양유육종증

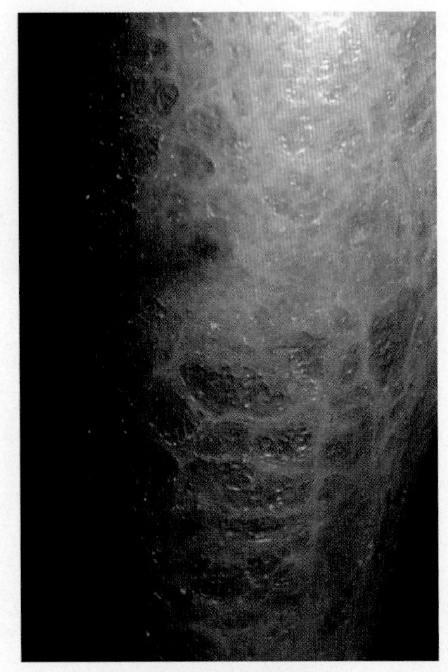
그림 31.63 어린선모양유육종증

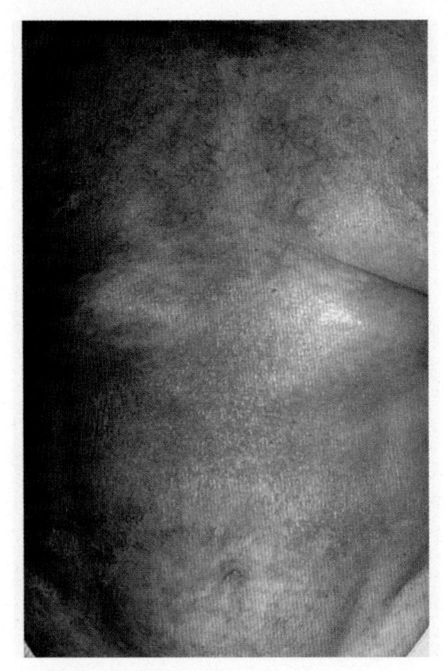
그림 31.64 홍색피부증유육종증

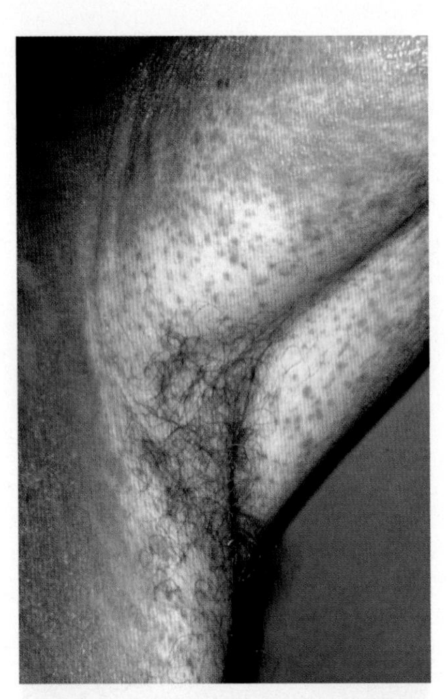
그림 31.65 홍색피부증유육종증

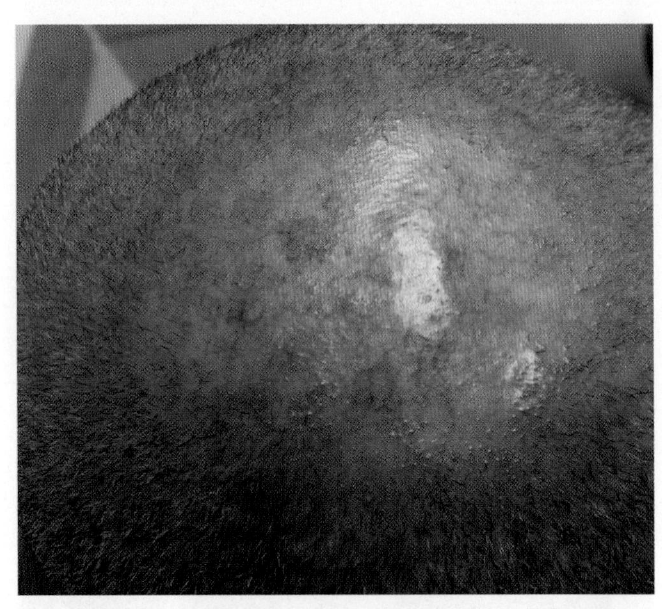
그림 31.66 유육종증에 나타난 탈모

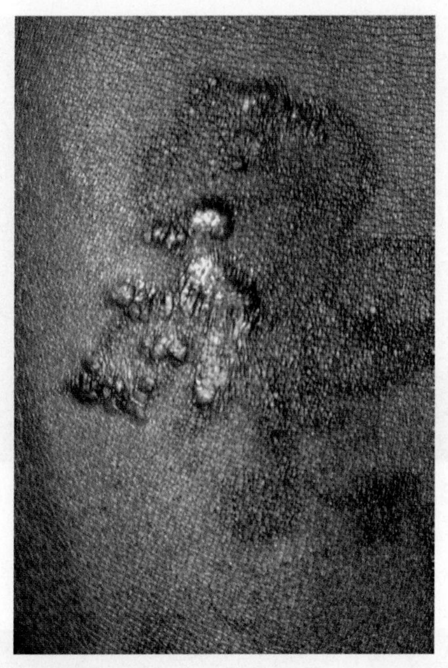

그림 31.67 문신피부의 유육종증

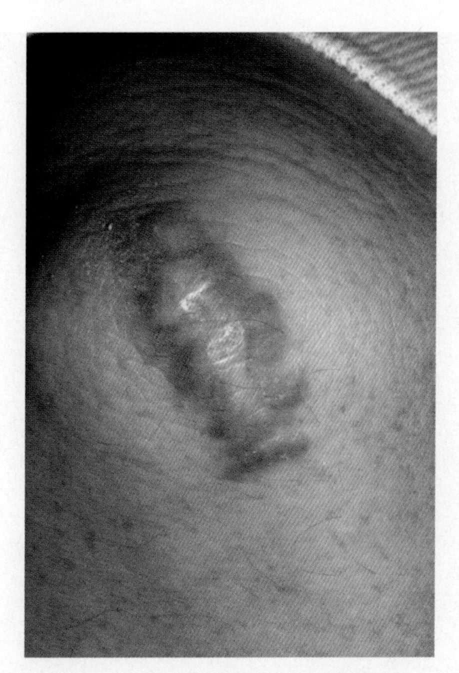

그림 31.68 반흔유육종증

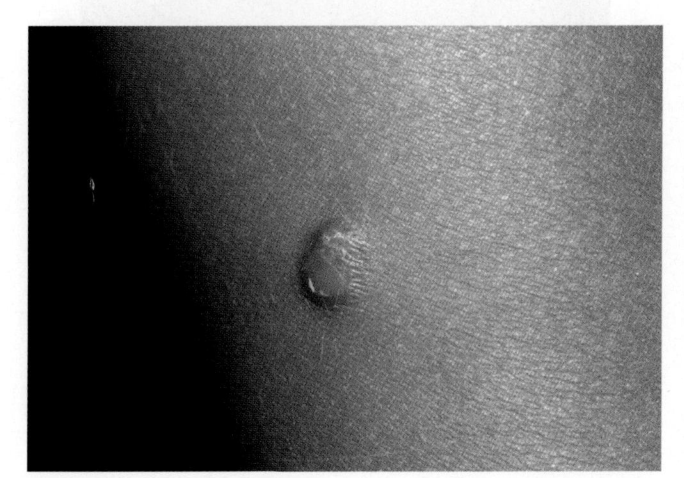

그림 31.69 소아황색육아종

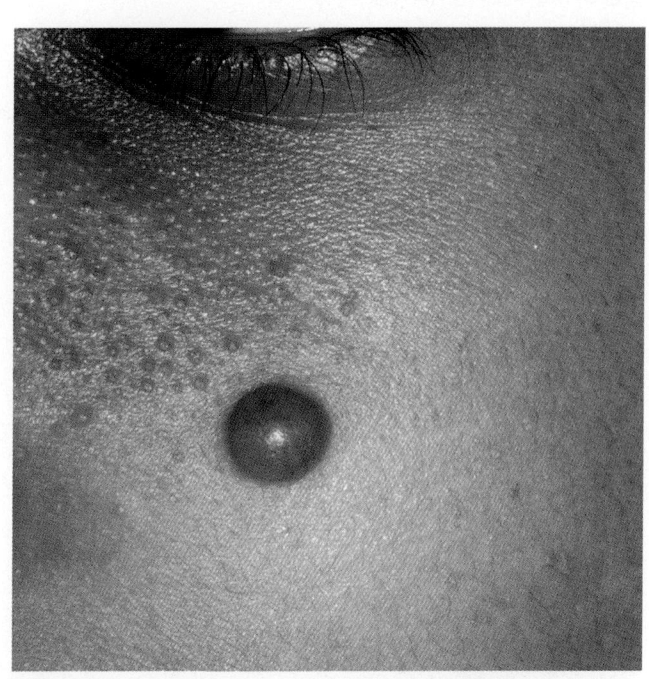

그림 31.70 소아황색육아종

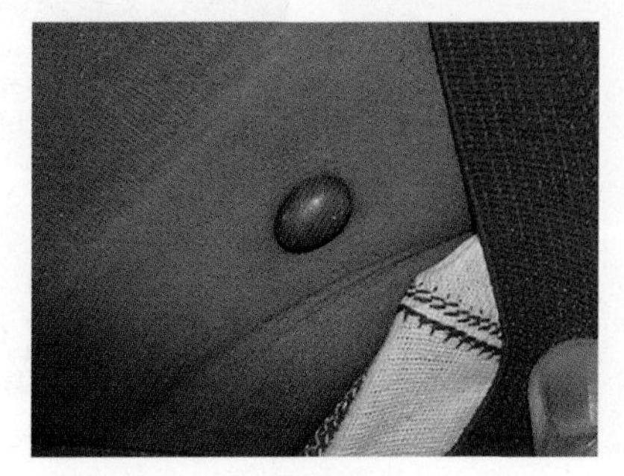

그림 31.71 소아황색육아종

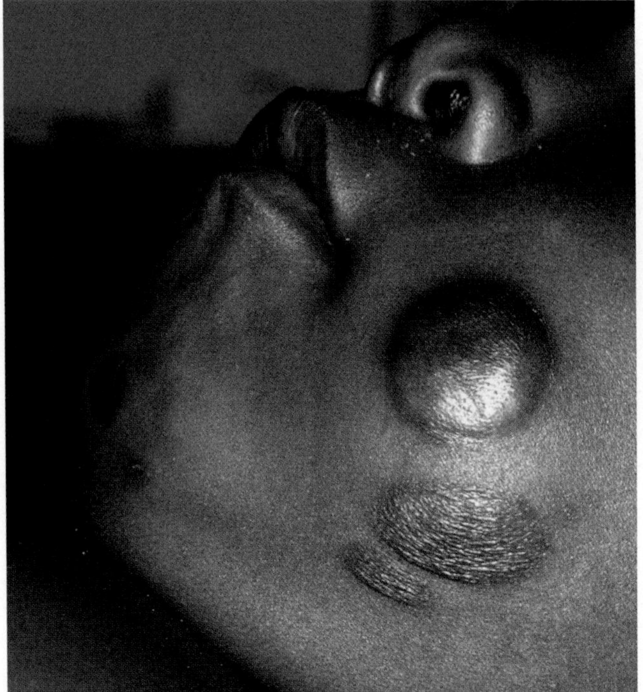

그림 31.72 대소아황색육아종

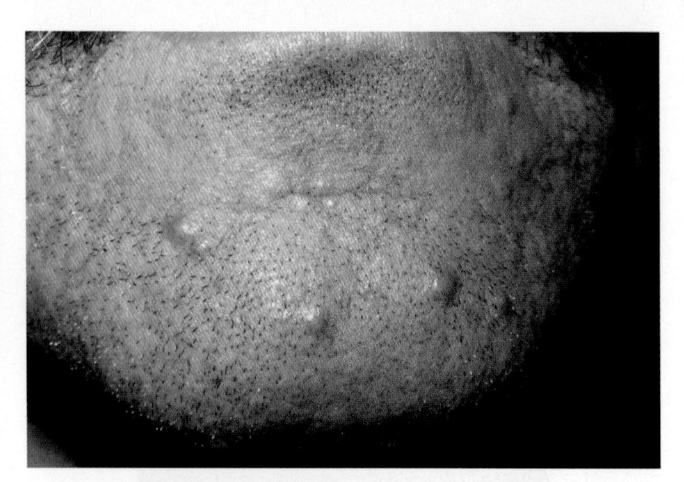

그림 31.73 다발소아황색육아종

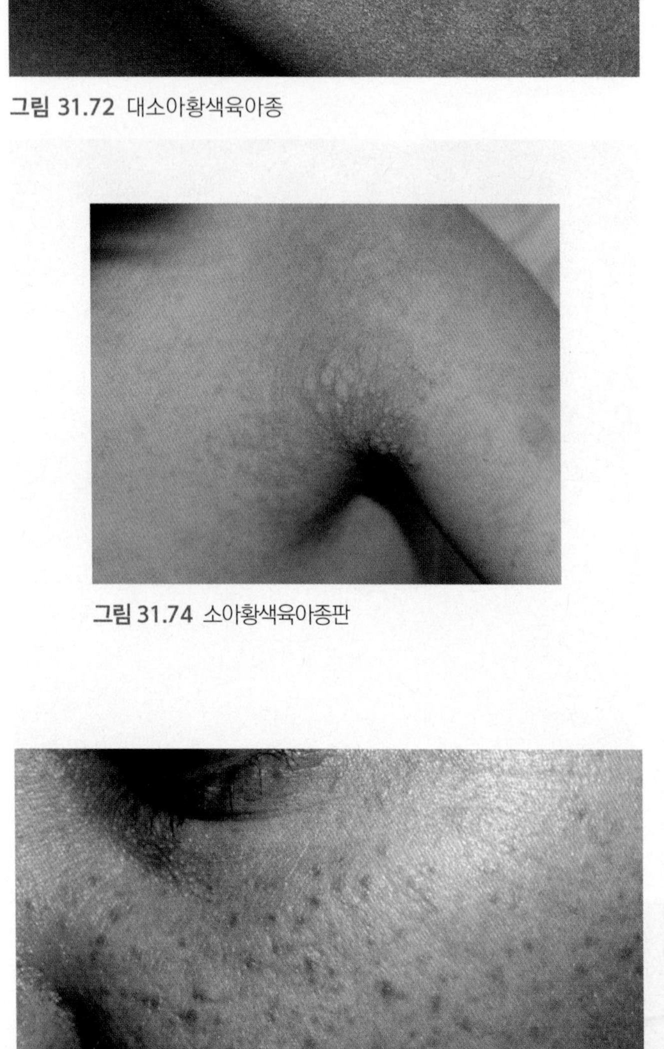

그림 31.74 소아황색육아종판

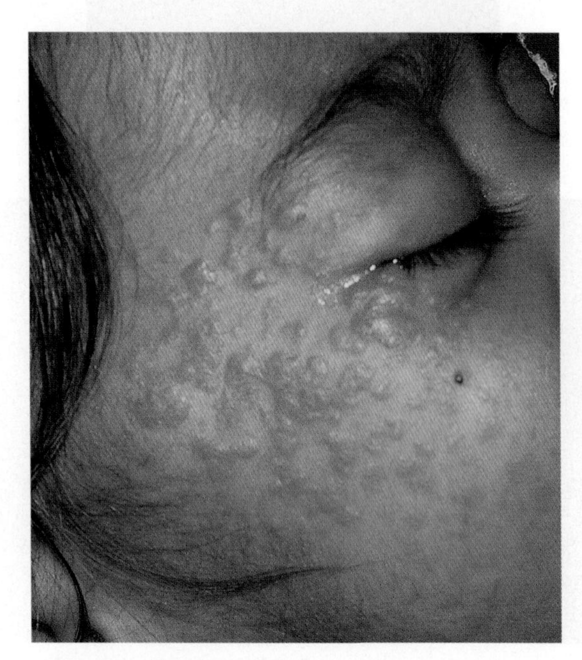

그림 31.75 양성머리조직구증

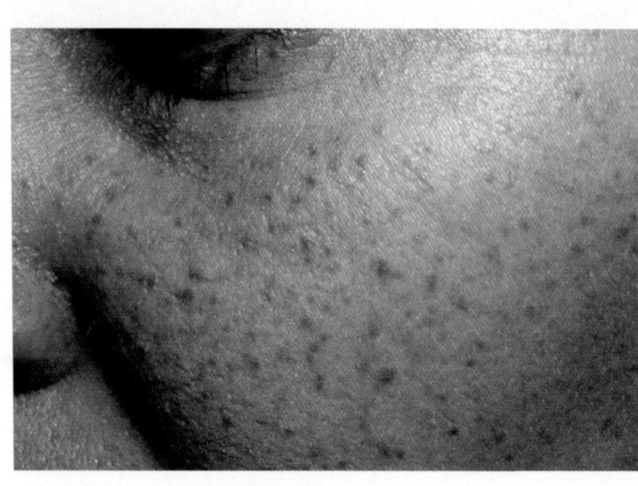

그림 31.76 전신발진조직구종

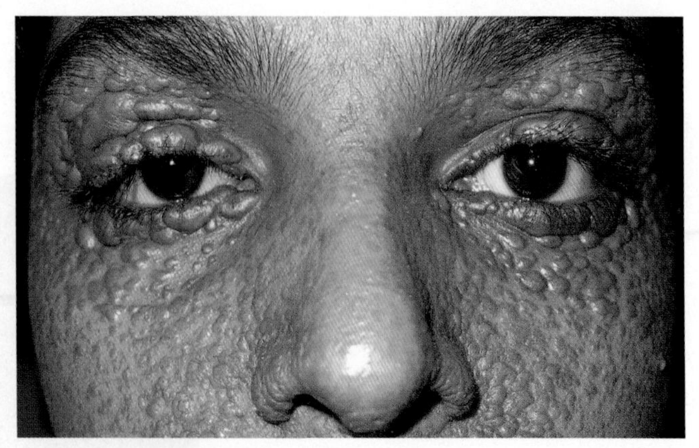

그림 31.77 파종황색종

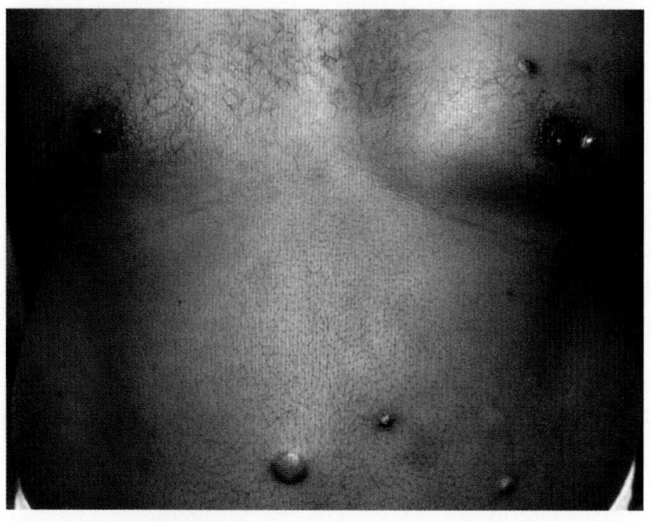

그림 31.78 진행결절조직구증

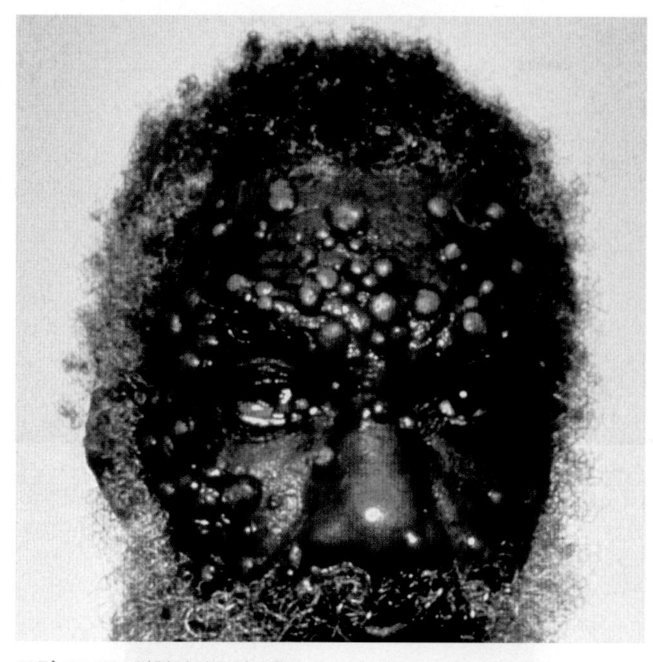

그림 31.79 진행결절조직구증

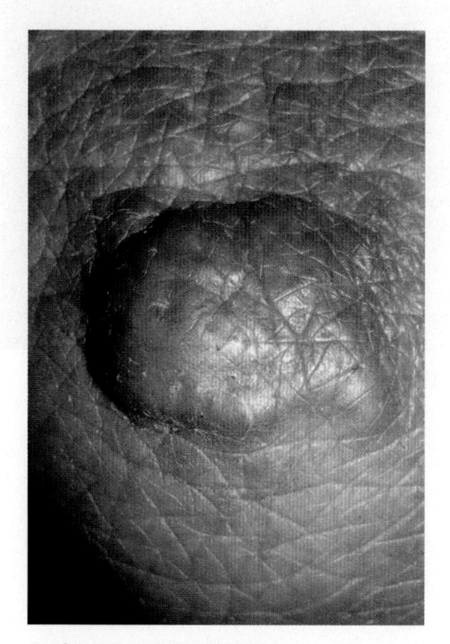

그림 31.80 세망조직세포종

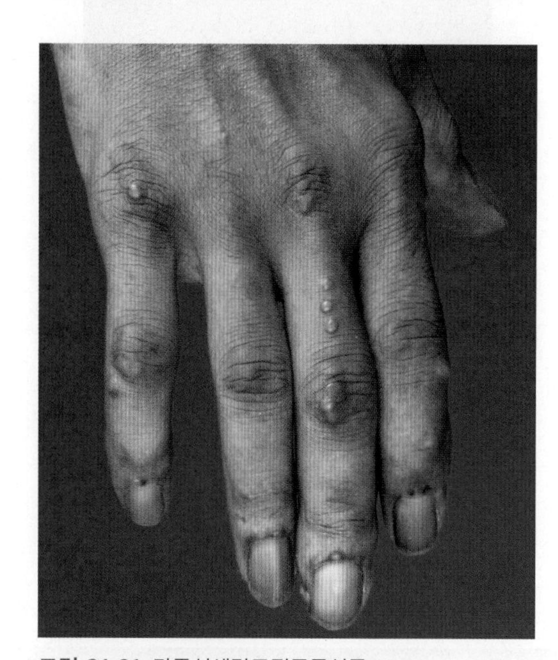

그림 31.81 다중심세망조직구증식증

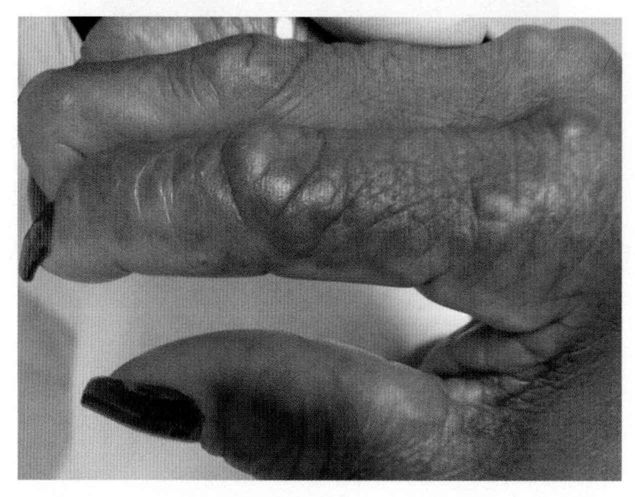

그림 31.82 다중심세망조직구증식증

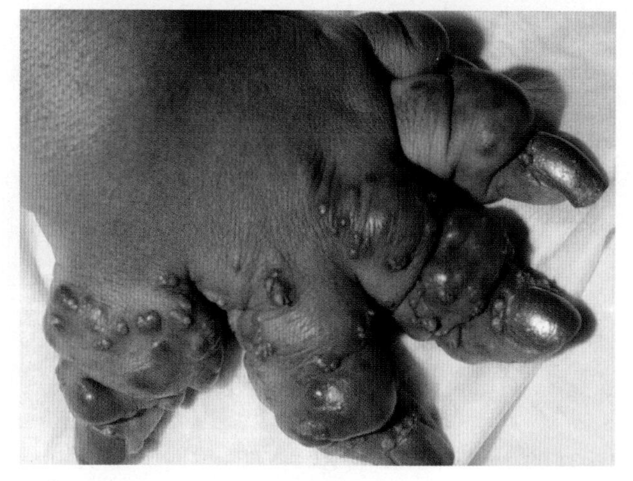

그림 31.83 다중심세망조직구증식증

그림 31.84 다중심세망조직구증식증

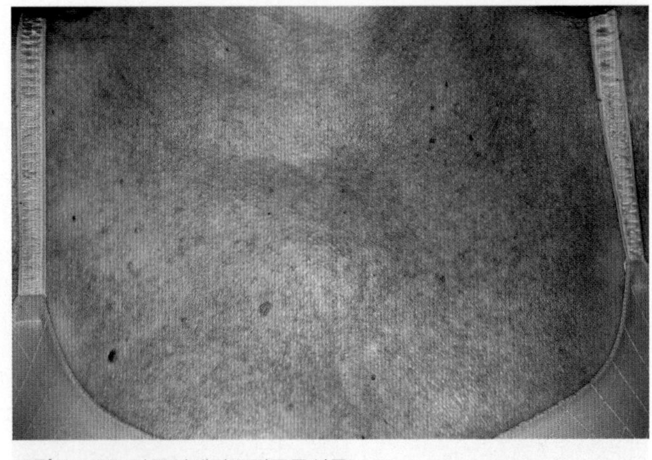

그림 31.85 다중심세망조직구증식증

그림 31.86 다중심세망조직구증식증

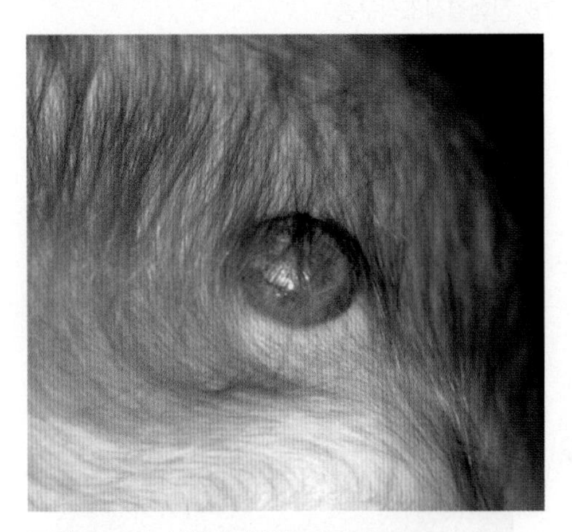

그림 31.87 선천자가치유조직구종

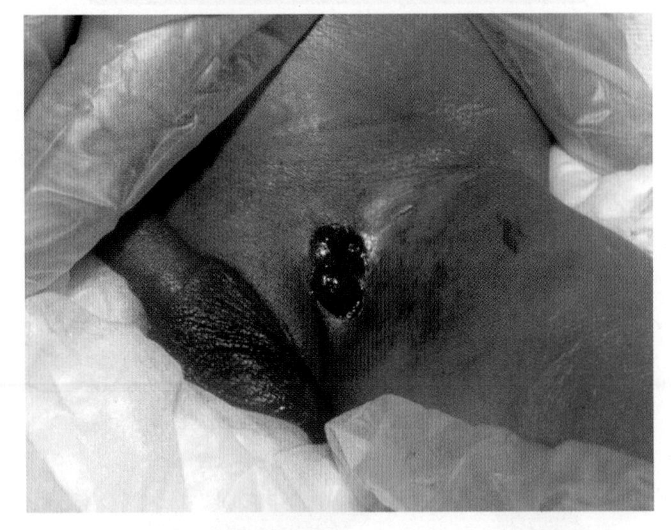

그림 31.88 선천자가치유조직구종

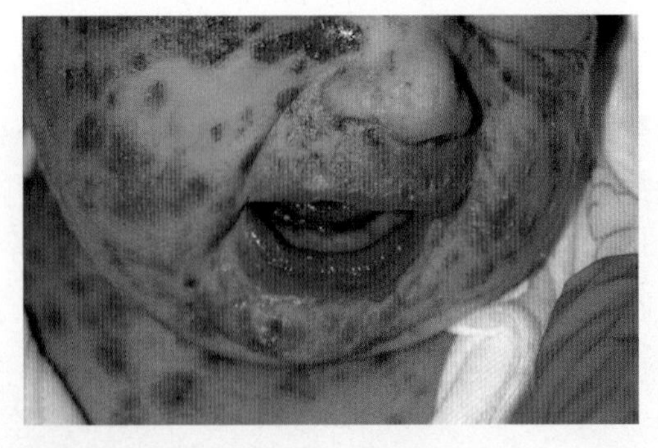

그림 31.89 선천랑게르한스세포조직구증

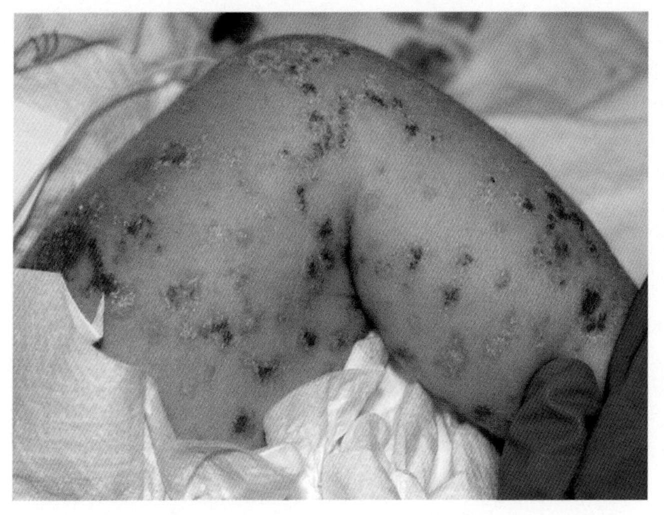

그림 31.90 선천랑게르한스세포조직구증

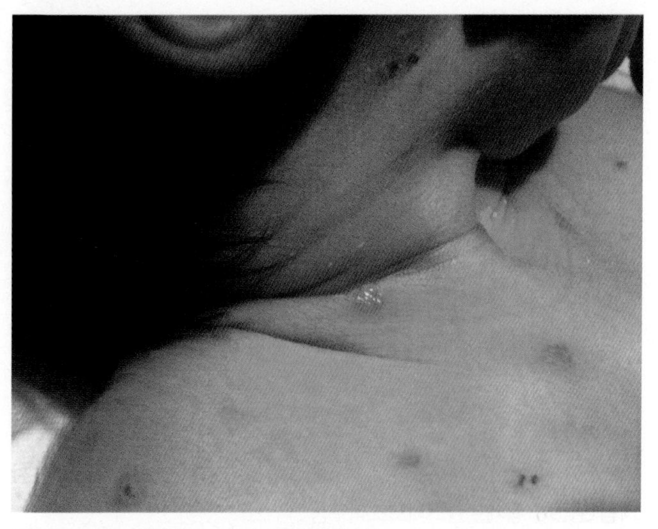

그림 31.91 선천랑게르한스세포조직구증

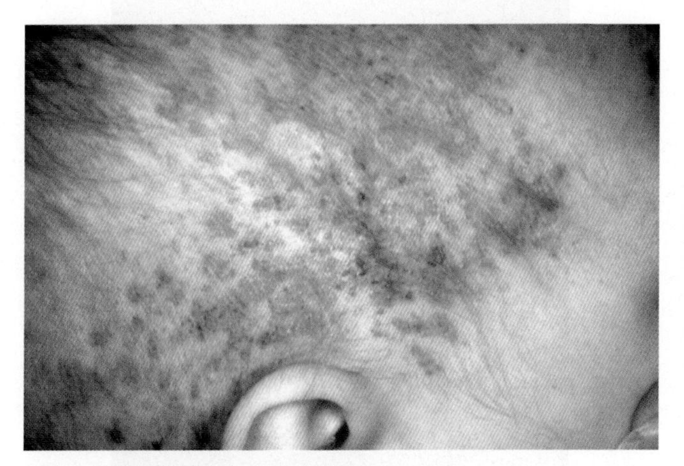

그림 31.92 랑게르한스세포조직구증

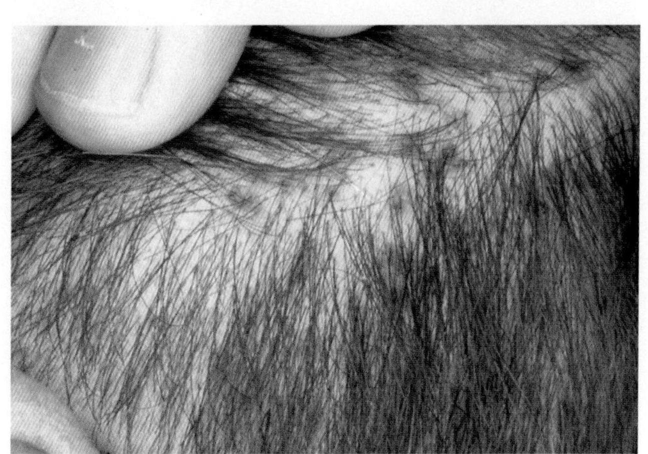

그림 31.93 랑게르한스세포조직구증

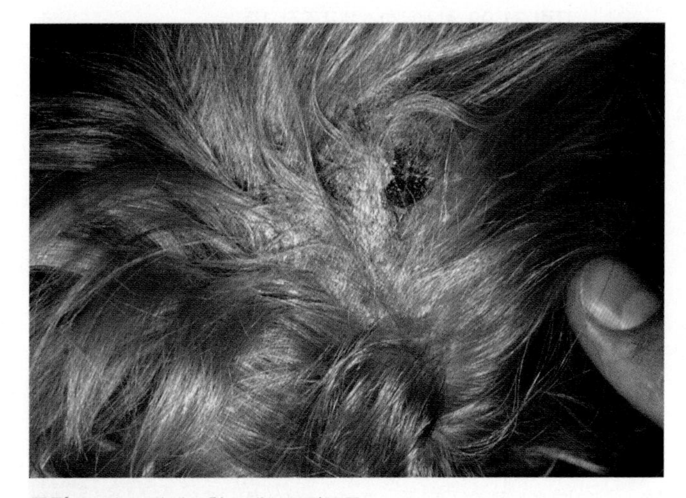

그림 31.94 랑게르한스세포조직구증

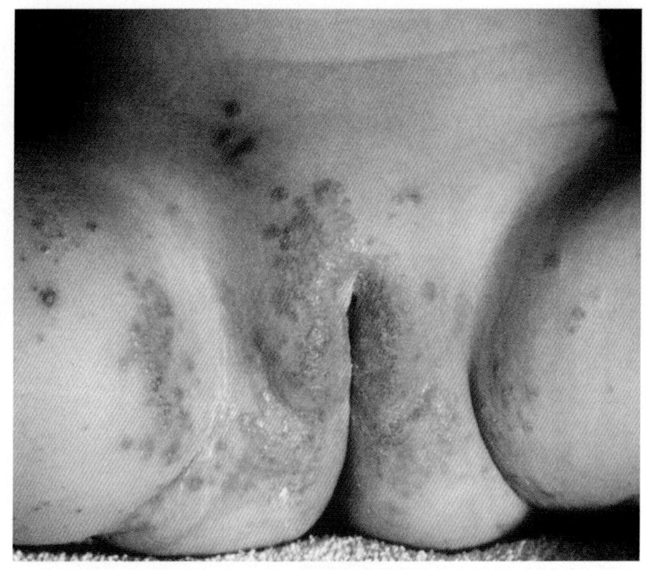

그림 31.95 랑게르한스세포조직구증

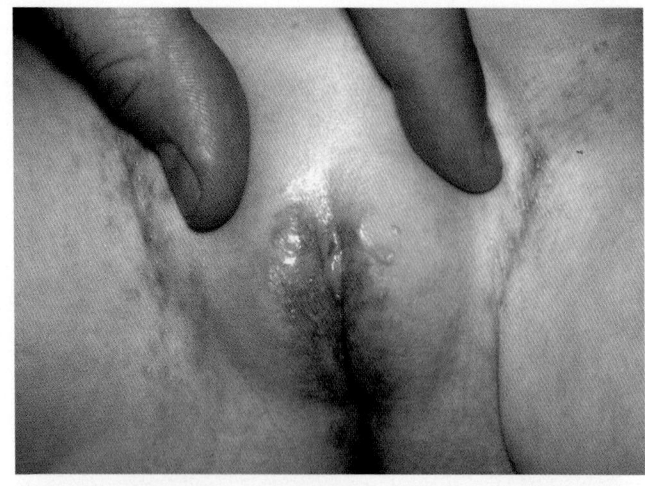
그림 31.96 랑게르한스세포조직구증

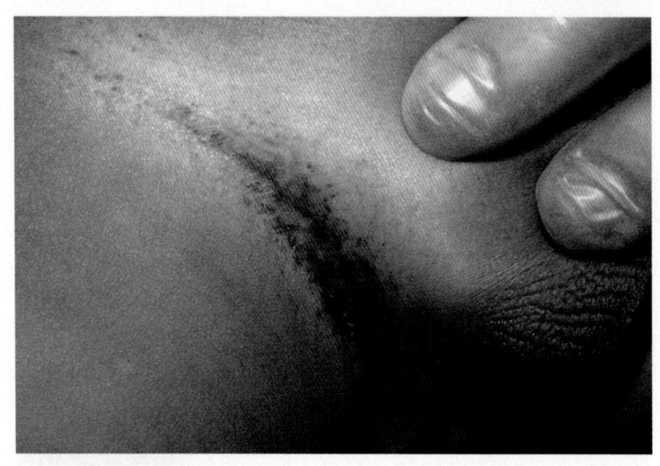
그림 31.97 랑게르한스세포조직구증

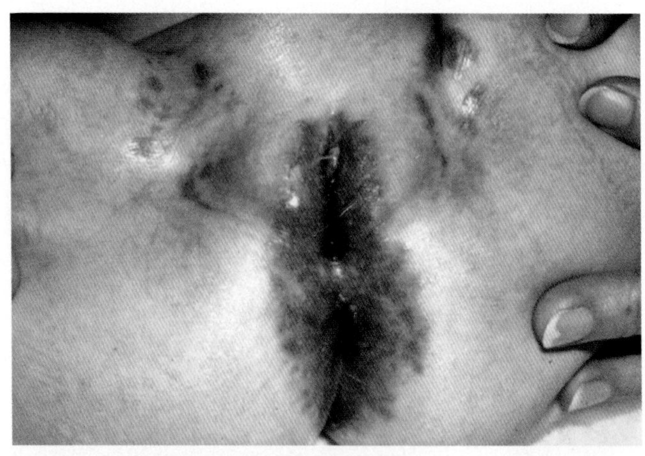
그림 31.98 랑게르한스세포조직구증

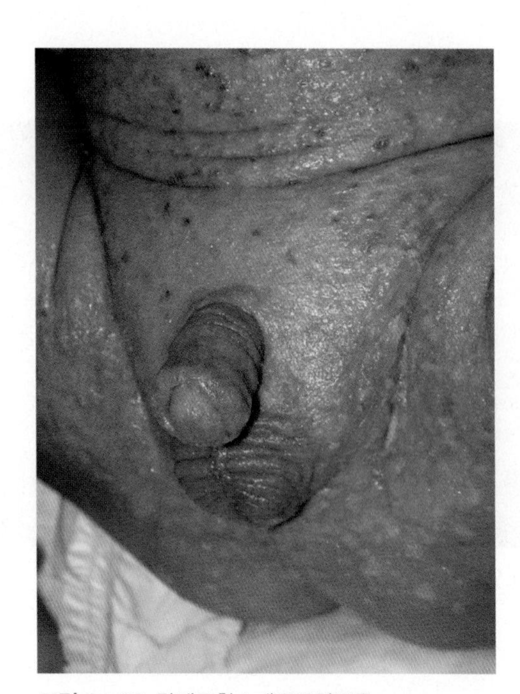
그림 31.99 랑게르한스세포조직구증

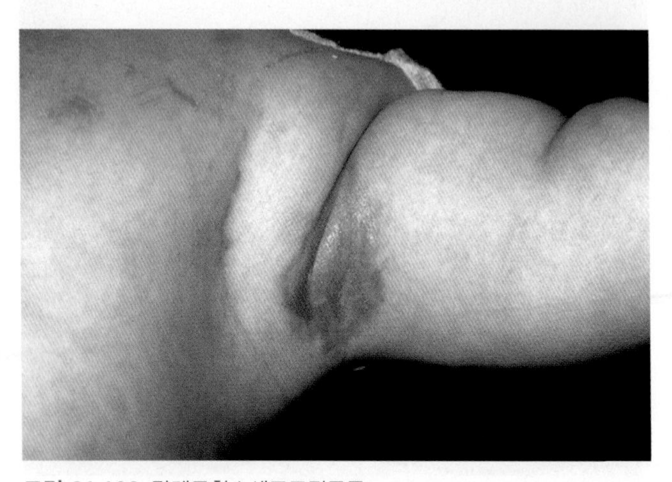
그림 31.100 랑게르한스세포조직구증

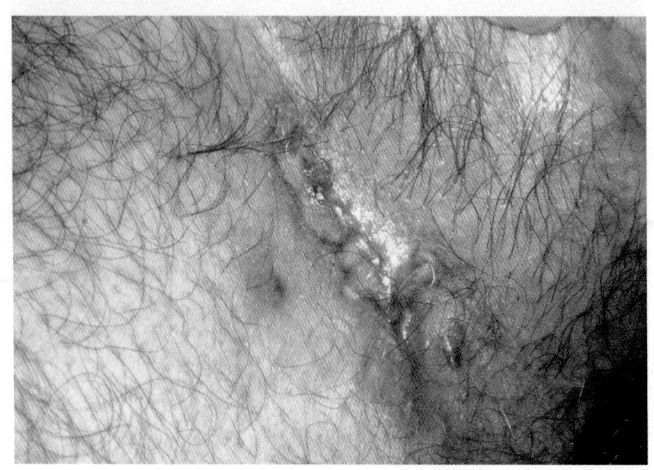
그림 31.101 성인랑게르한스세포조직구증

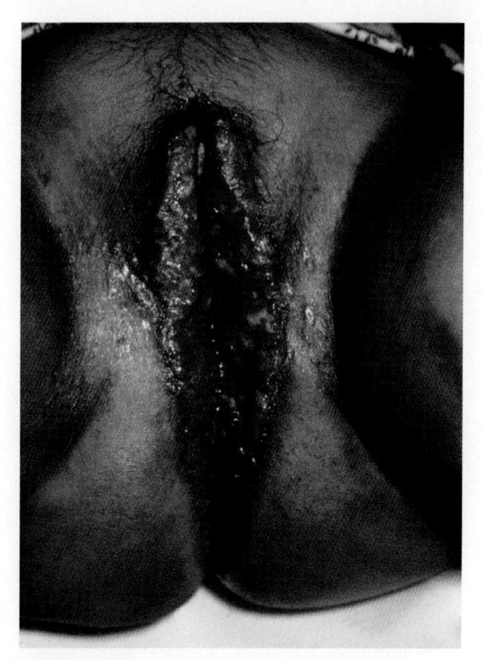

그림 31.102 성인랑게르한스세포조직구증

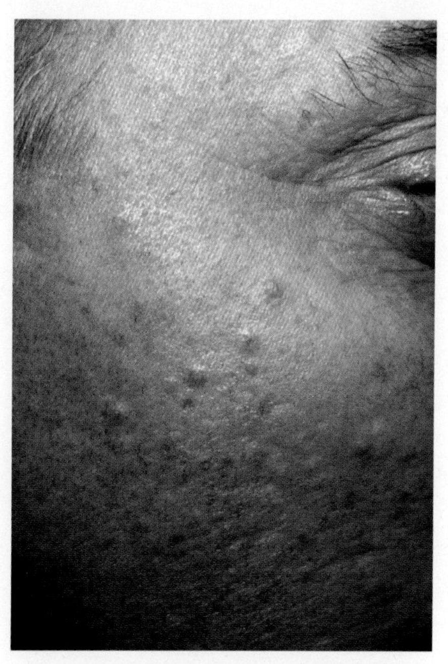

그림 31.103 성인랑게르한스세포조직구증

피부림프구모양증식, 피부T세포림프종, 기타 악성림프종 및 관련질환

32

림프구모양신생물의 평가는 전형적으로 임상병리적 상관과 자주 면역염색이 필요한 분류를 요구한다. 이 장은 의사가 즉각적인 피부생검을 할 수 있도록 피부림프종의 임상적 표현에 집중한다. 또한 병변의 분포와 형태는 적절한 치료를 위한 신생물의 분류에 도움을 준다.
균상식육종은 흔히 체간, 둔부, 사지근위부를 침범한다. 병변은 직경 5 cm 이상으로 커지며, 다형피부증(반점형성, 과색소 및 저색소침착, 위축 및 모세혈관확장)을 나타낸다. B세포림프종은 흔히 부드럽고 반짝이는 표면을 가진 자두색의 결절로 나타난다. 두경부, 체간 혹은 사지근위부의 별개의 결절; 체간의 활모양병변과 결절; 하지의 팽팽하고 반짝이는 결절; 다리의 다발결절 병변은 이 장의 다양한 림프구모양신생물에서 볼 수 있다. 림프종모양구진증은 자주 구진괴사, 군집발진을 나타내고, 저절로 호전된다. 백혈병과 골수종은 자주 피부색 내지 보라색 구진 및 결절로 나타나고, 가끔 병변부 내 출혈이 동반된다. 이 장은 림프구모양증식의 피부소견을 주로 다룬다.

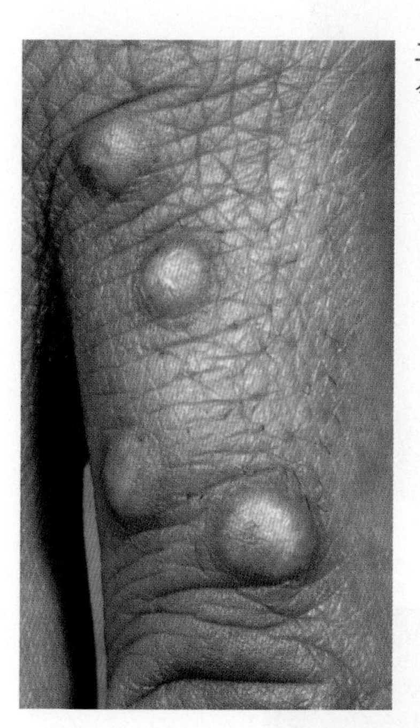

그림 32.1 피부림프구모양증식, 결절B세포패턴

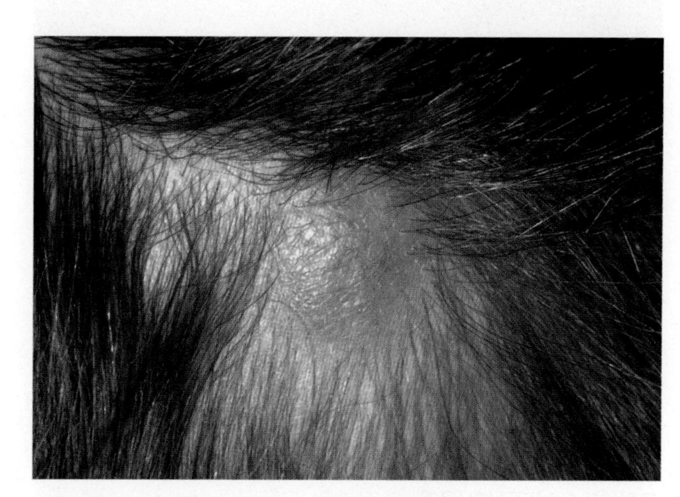

그림 32.2 피부림프구모양증식, 결절B세포패턴

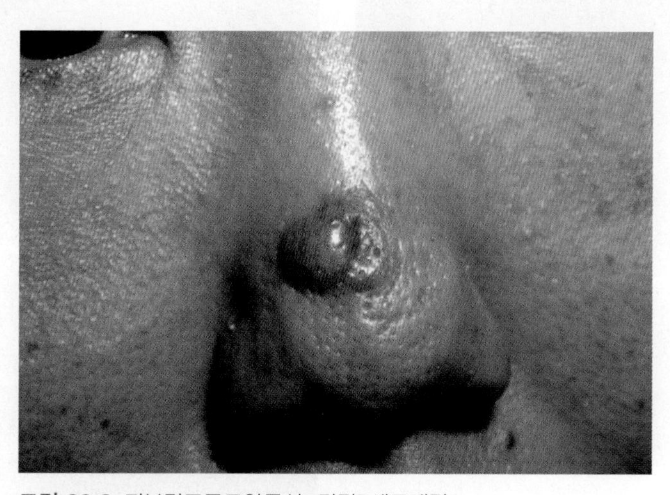

그림 32.3 피부림프구모양증식, 결절B세포패턴

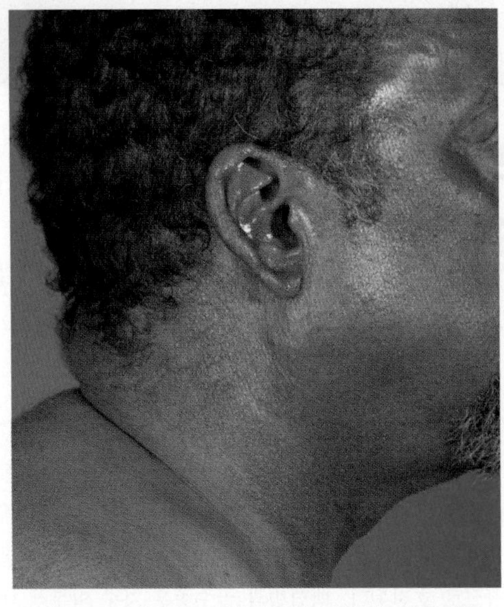
그림 32.4 피부림프구모양증식, 띠형태T세포페턴

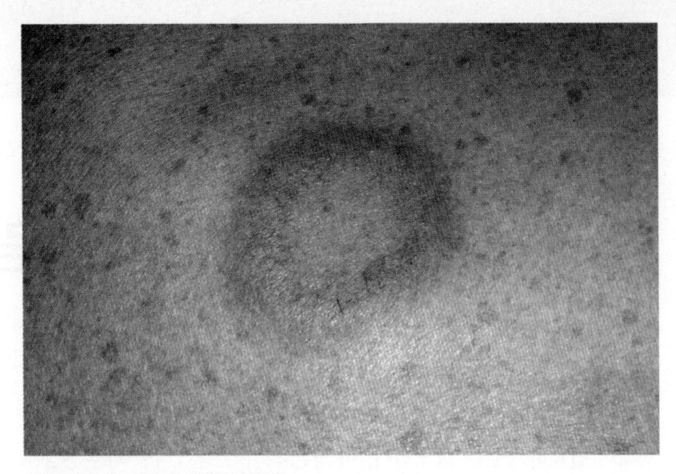
그림 32.5 제스너림프구침윤

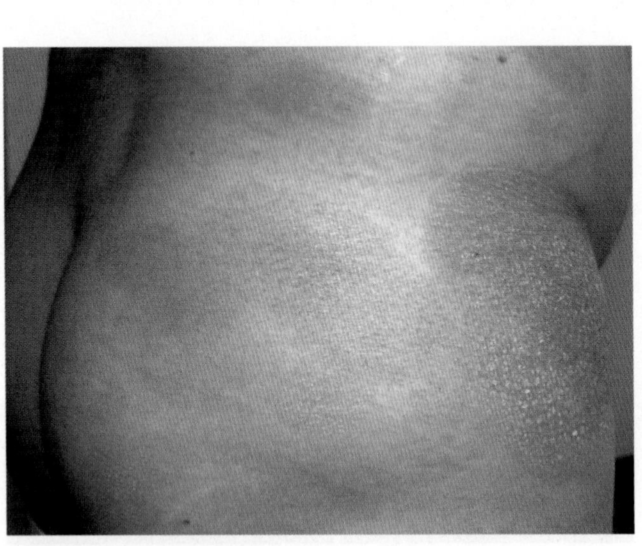
그림 32.6 반기균상식육종

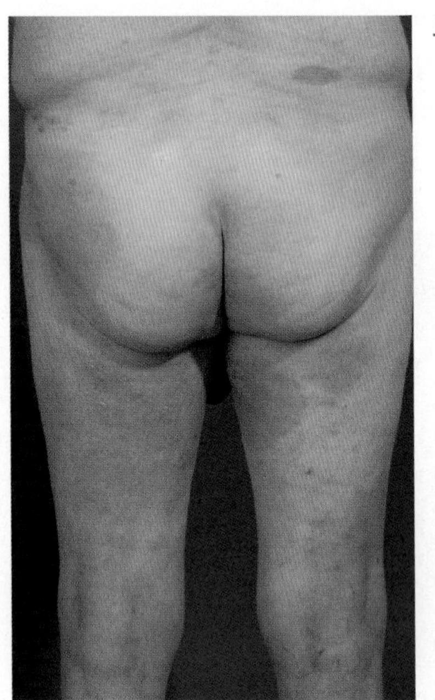
그림 32.7 반기균상식육종

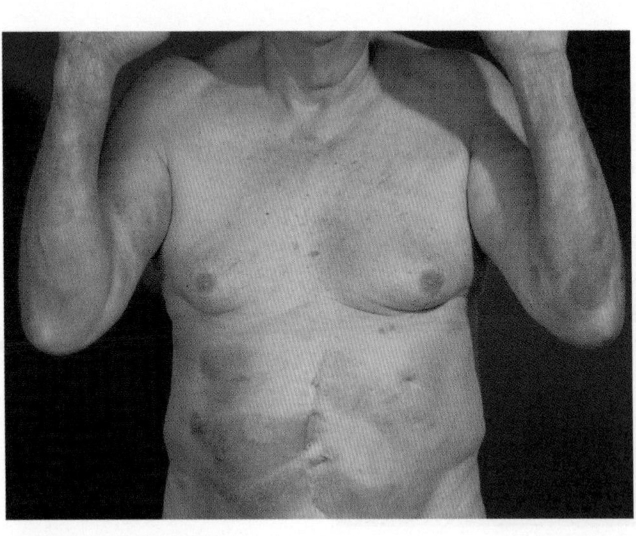
그림 32.8 반기균상식육종

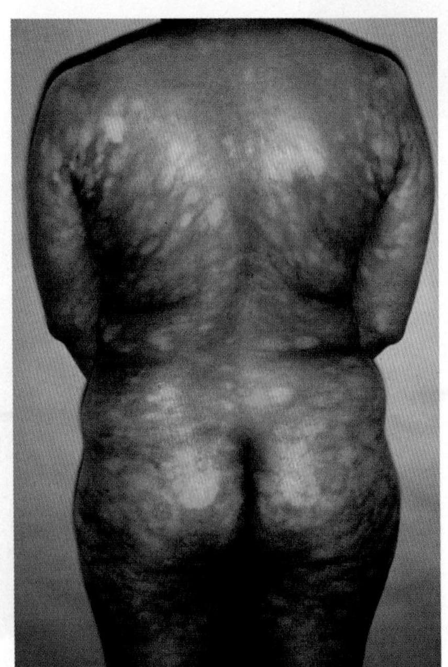
그림 32.9 반기균상식육종

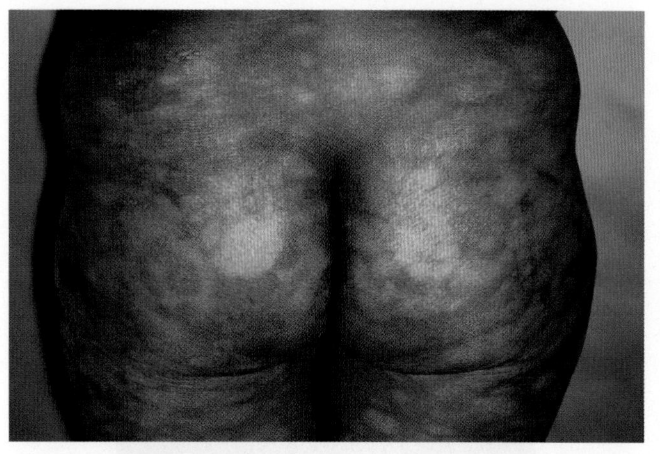
그림 32.10 반기균상식육종

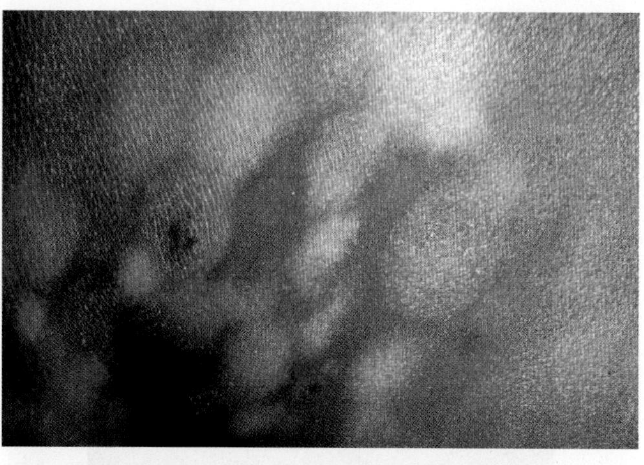
그림 32.11 반기균상식육종

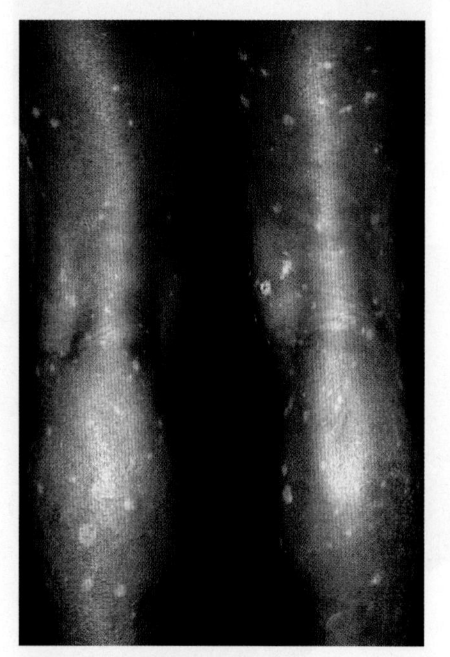
그림 32.12 반기균상식육종

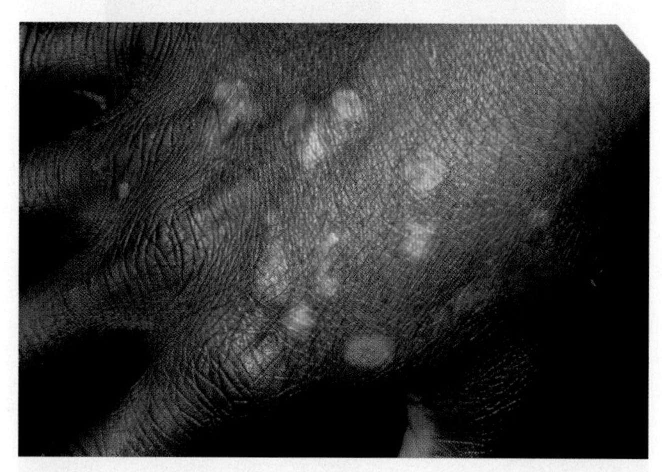
그림 32.13 반기균상식육종

그림 32.14 반기균상식육종

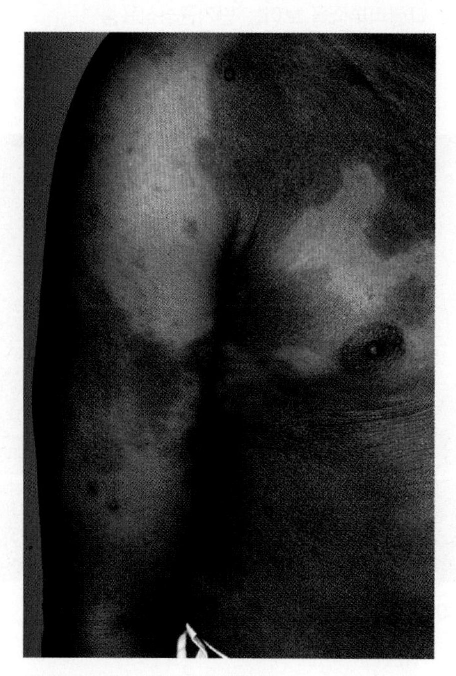
그림 32.15 반기균상식육종

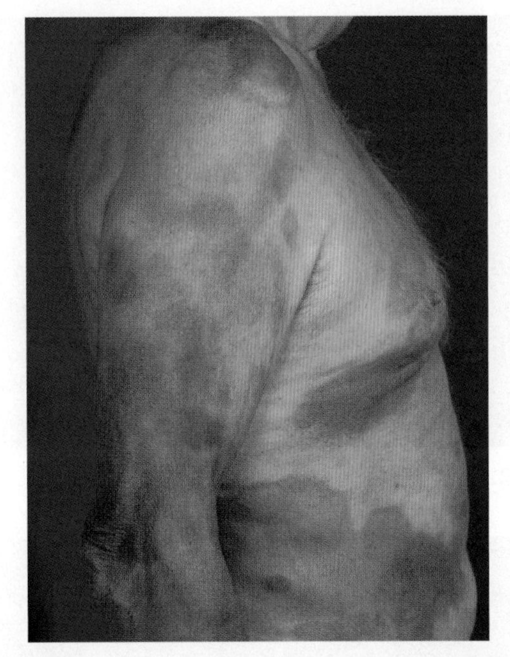

그림 32.16 반기균상식육종

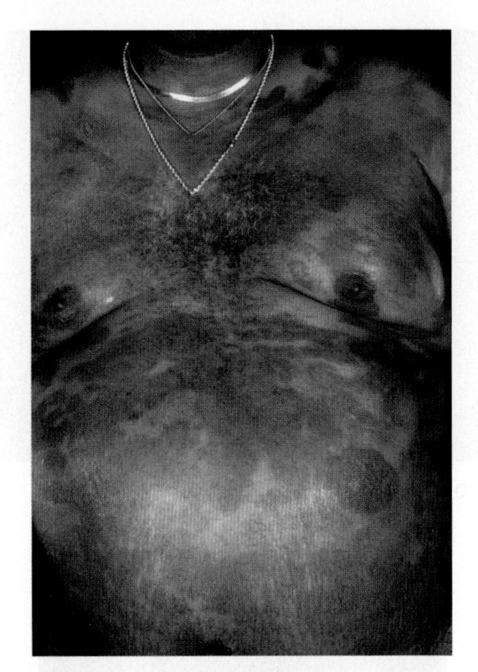

그림 32.17 반기균상식육종

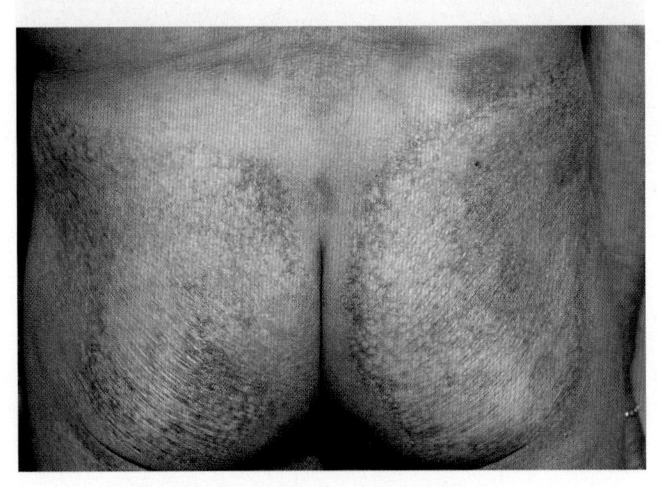

그림 32.18 다형피부증을 보이는 반기균상식육종

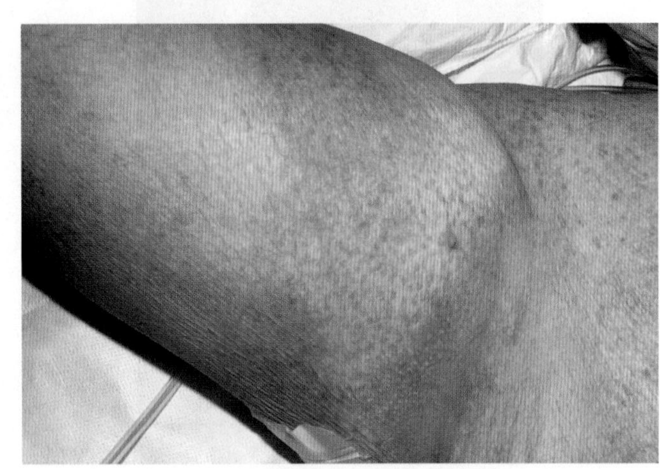

그림 32.19 다형피부증을 보이는 반기균상식육종

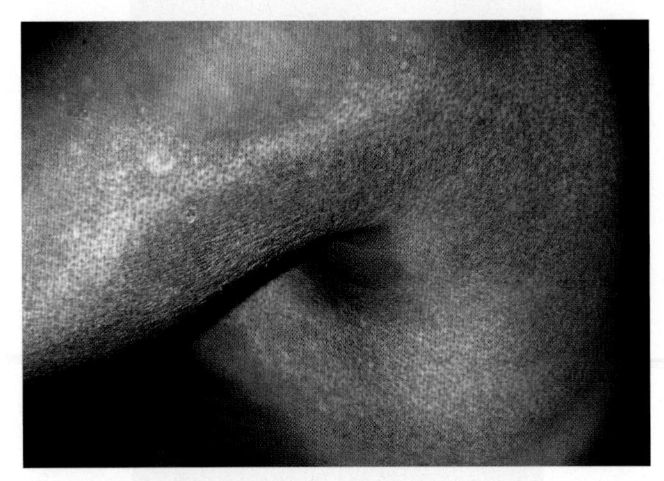

그림 32.20 다형피부증을 보이는 반기균상식육종

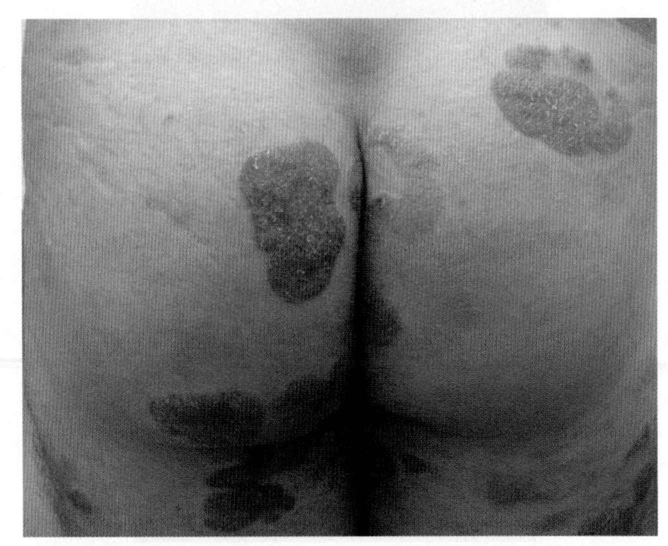

그림 32.21 판기균상식육종

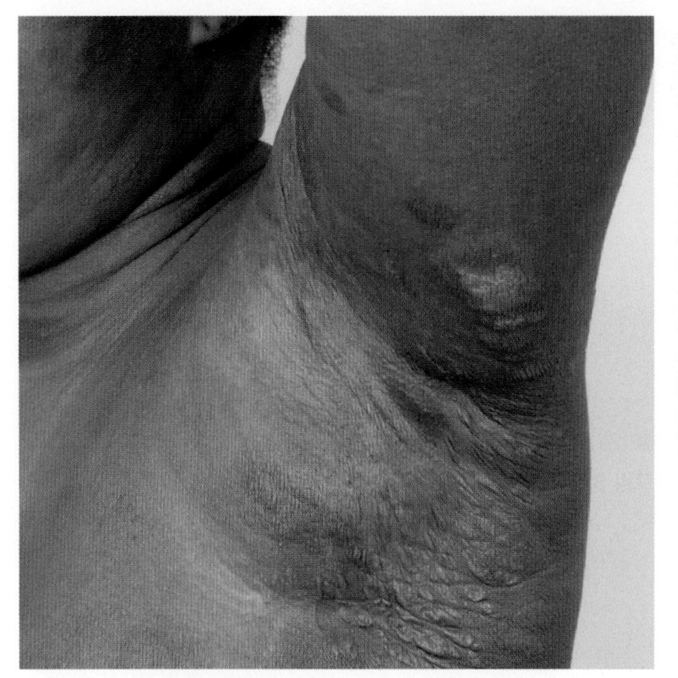

그림 32.22 판기균상식육종

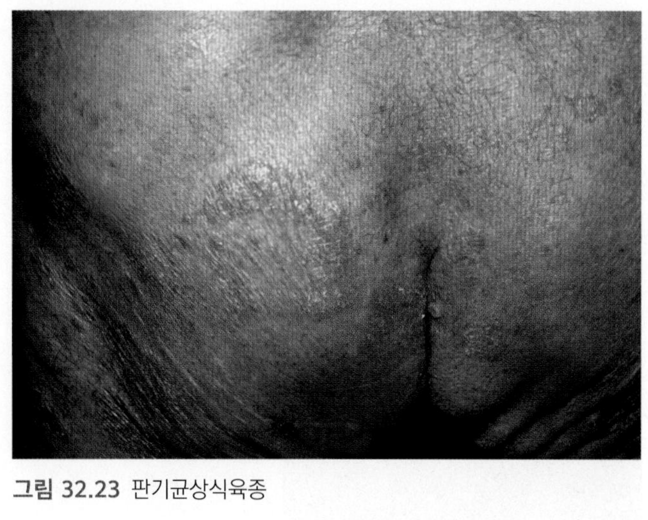

그림 32.23 판기균상식육종

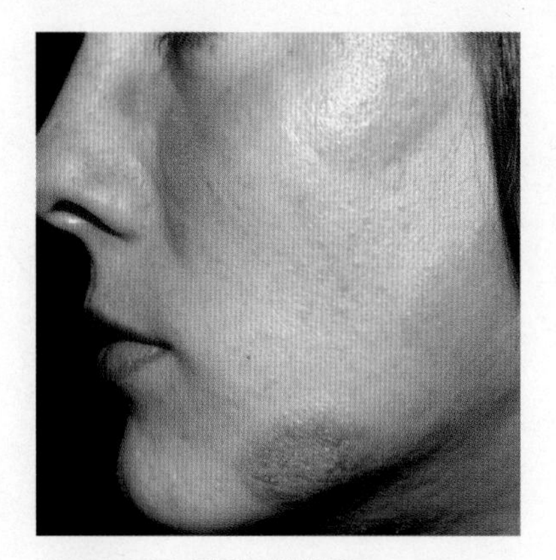

그림 32.24 판기균상식육종

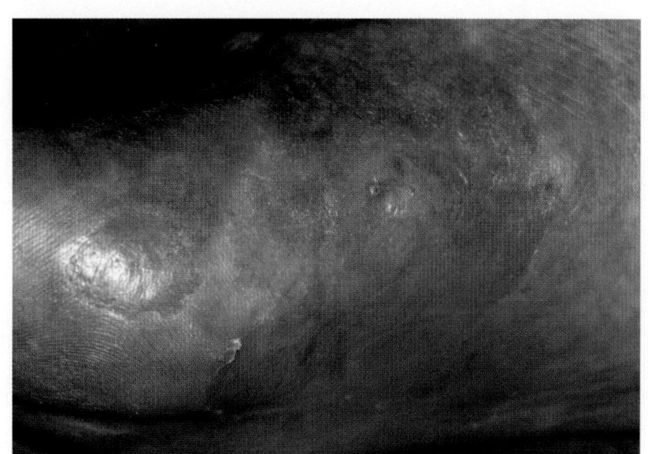

그림 32.25 판기균상식육종

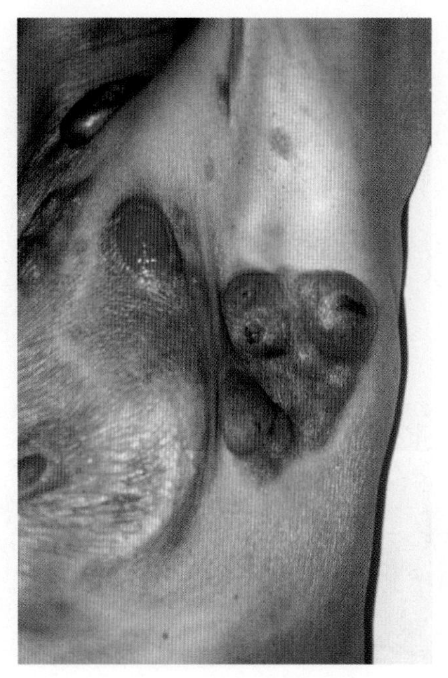

그림 32.26 종양기균상식육종

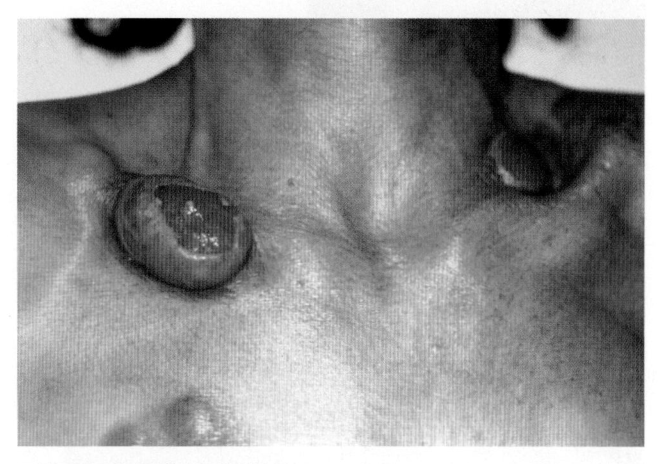

그림 32.27 종양기균상식육종

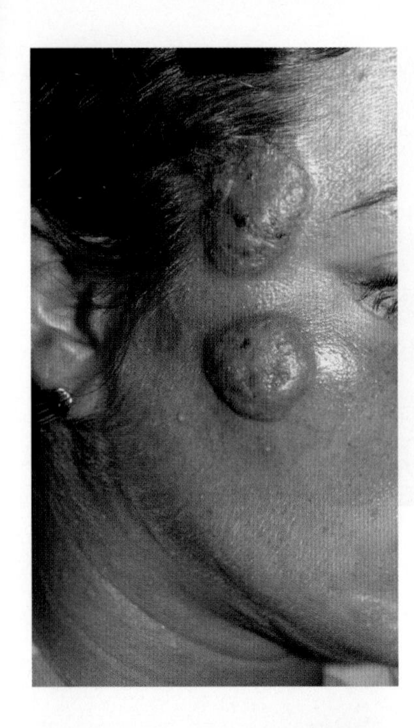

그림 32.28 종양기균상식육종

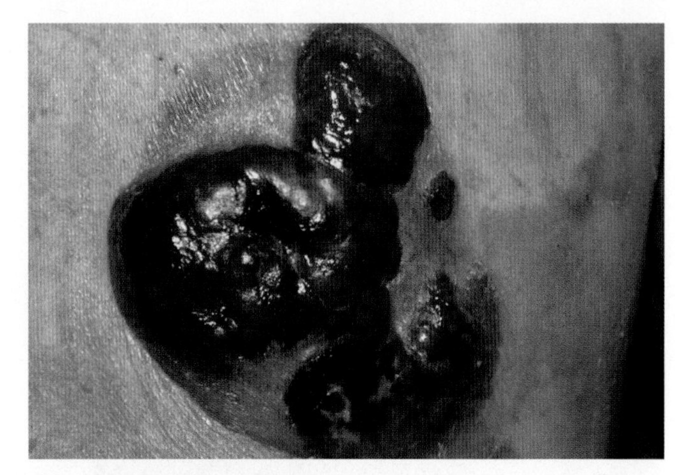

그림 32.29 종양기균상식육종

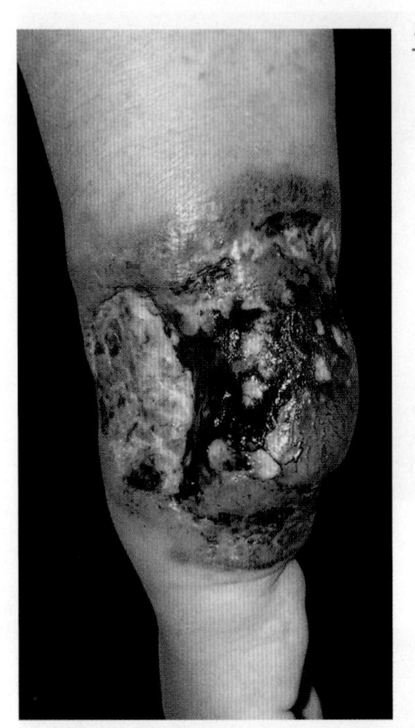

그림 32.30 종양기균상식육종

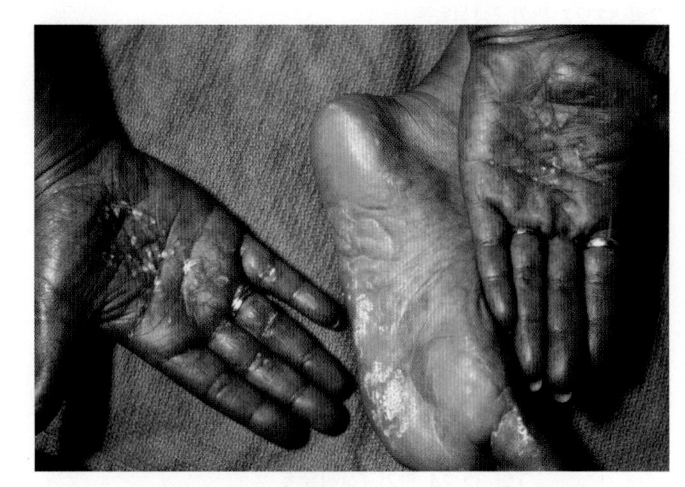

그림 32.31 수장족저균상식육종

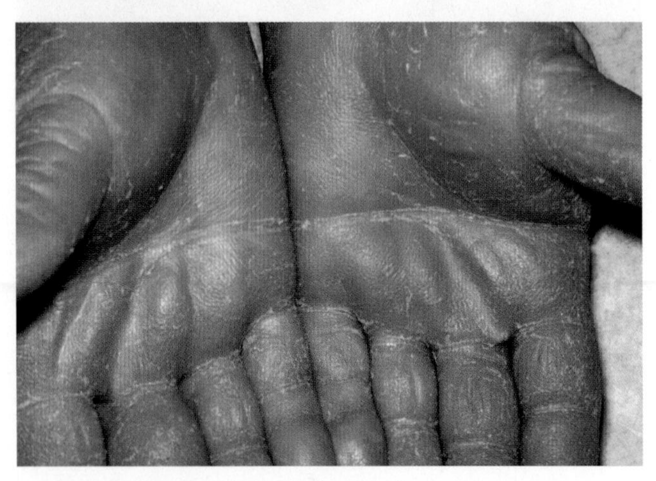

그림 32.32 수장족저균상식육종

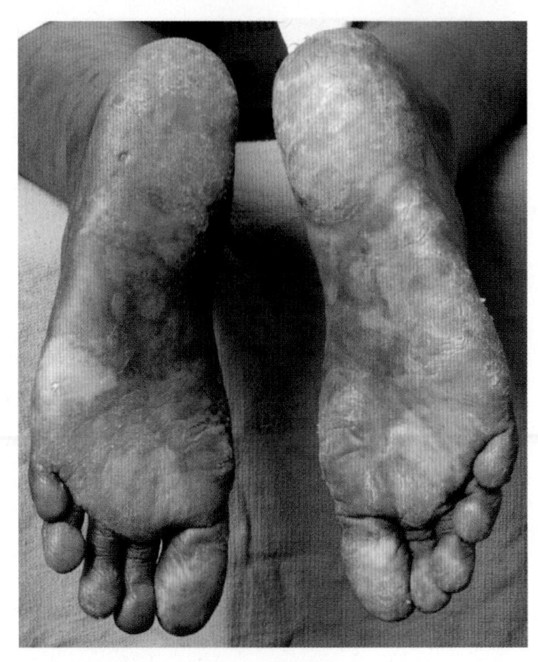

그림 32.33 수장족저균상식육종

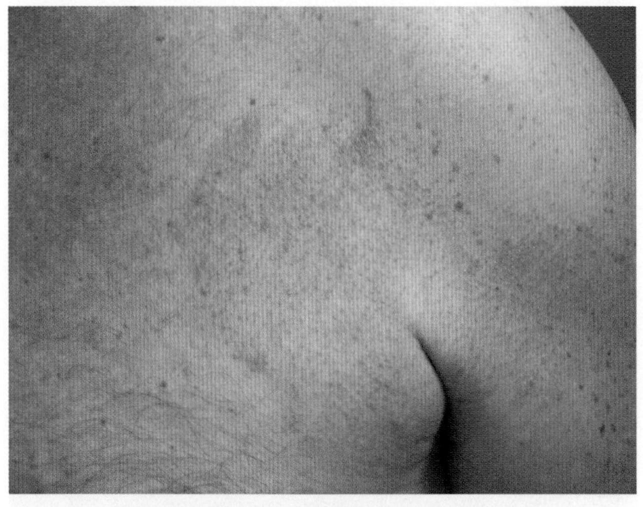

그림 32.34 균상식육종과 연관된 점액탈모

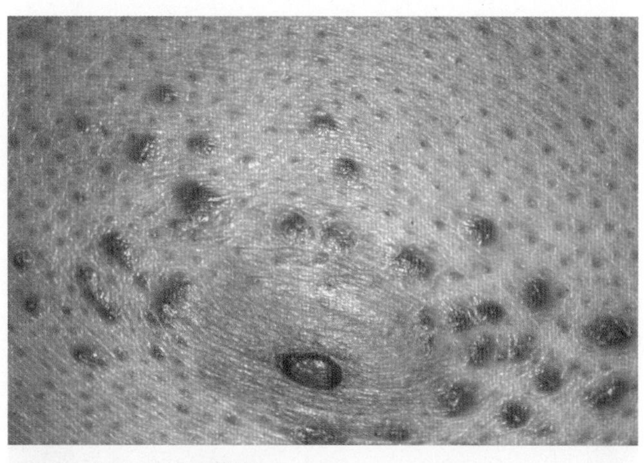

그림 32.35 모낭균상식육종

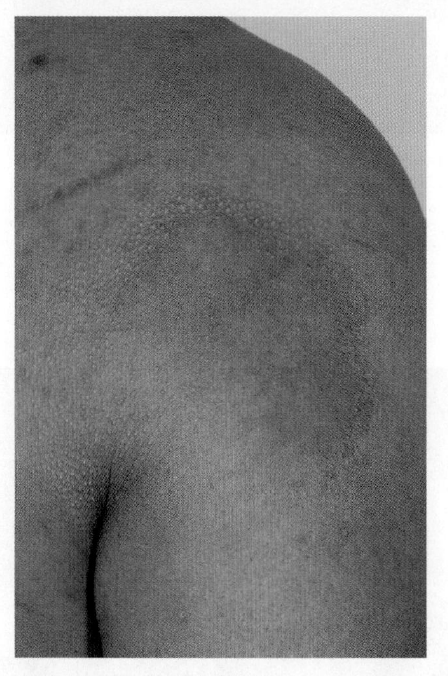

그림 32.36 모낭균상식육종

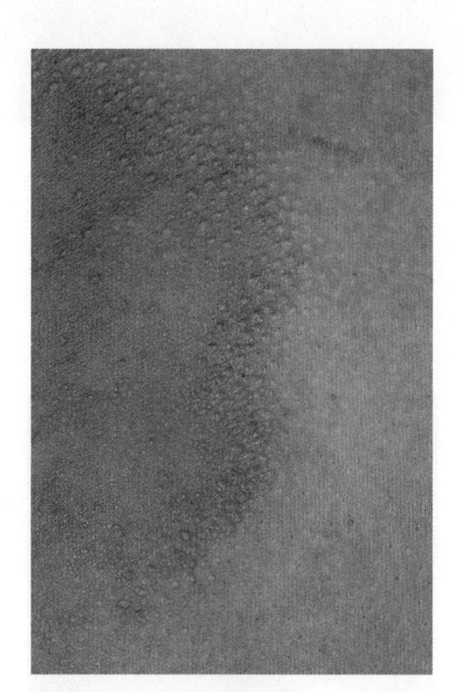

그림 32.37 모낭균상식육종

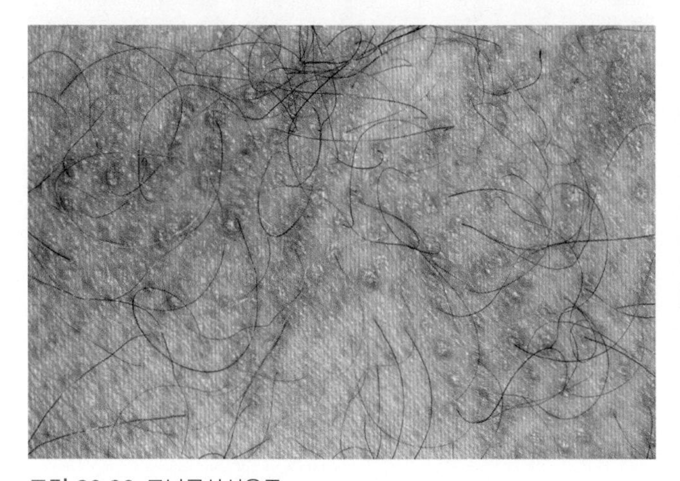

그림 32.38 모낭균상식육종

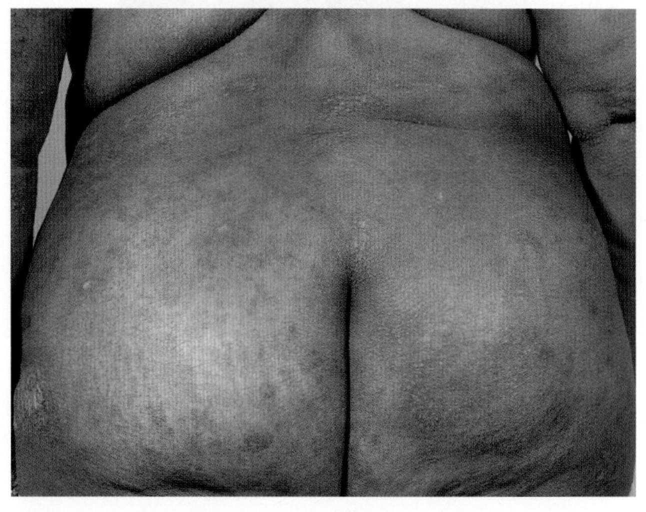

그림 32.39 대세포형질변환을 가진 모낭균상식육종

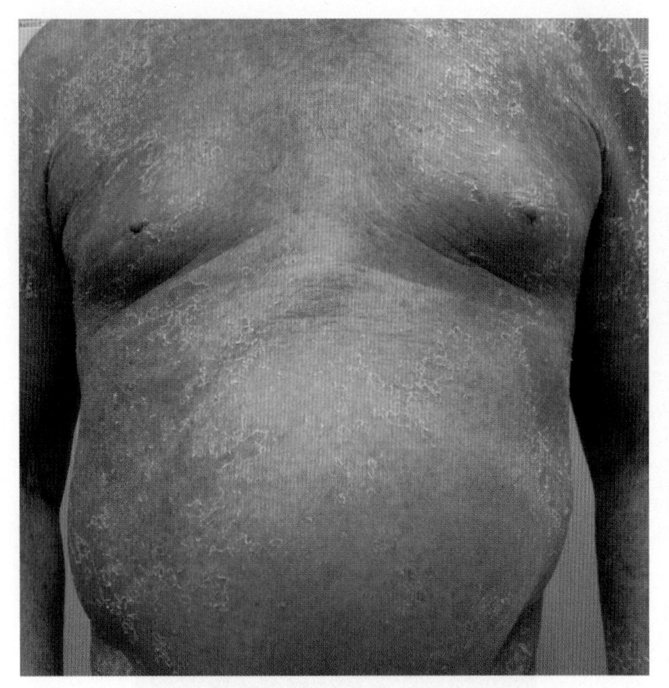
그림 32.40 세자리증후군

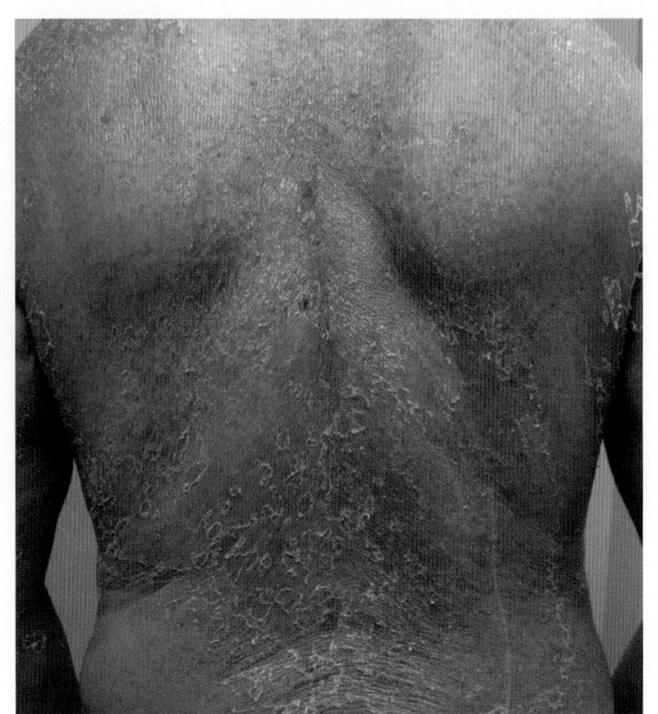
그림 32.41 세자리증후군

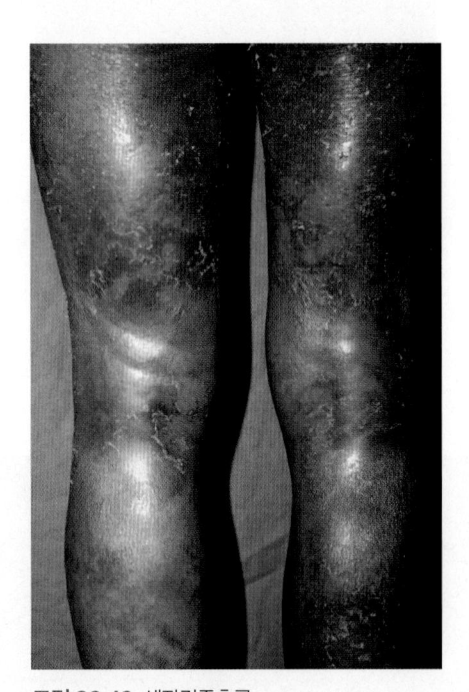
그림 32.42 세자리증후군

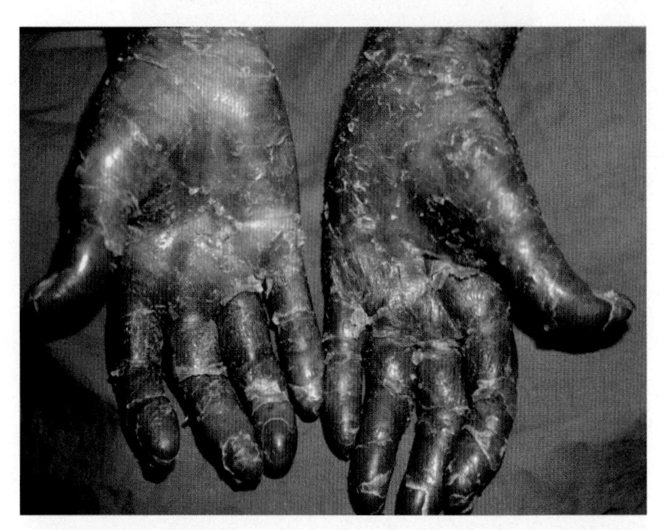
그림 32.43 세자리증후군

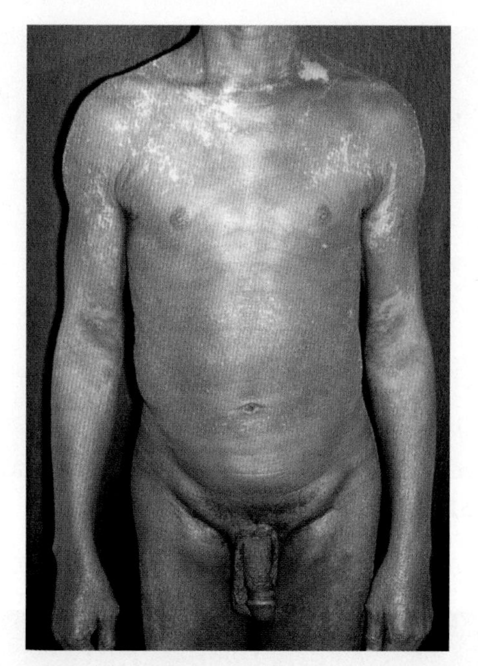

그림 32.44 세자리증후군

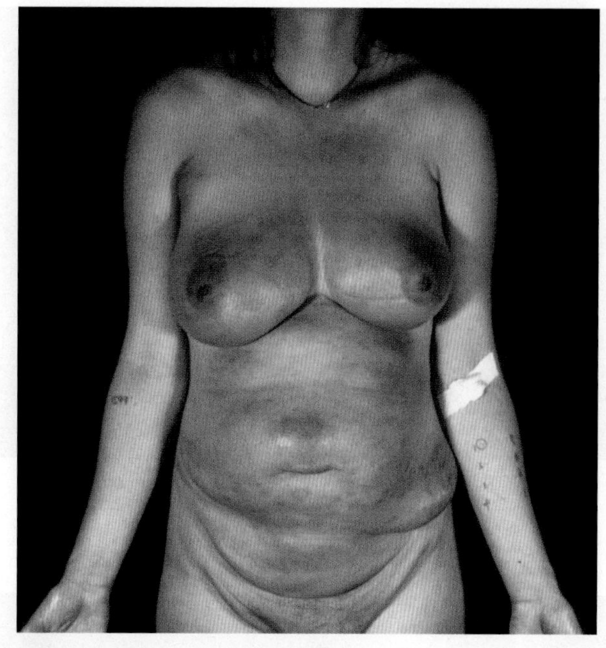

그림 32.45 육아종이완피부

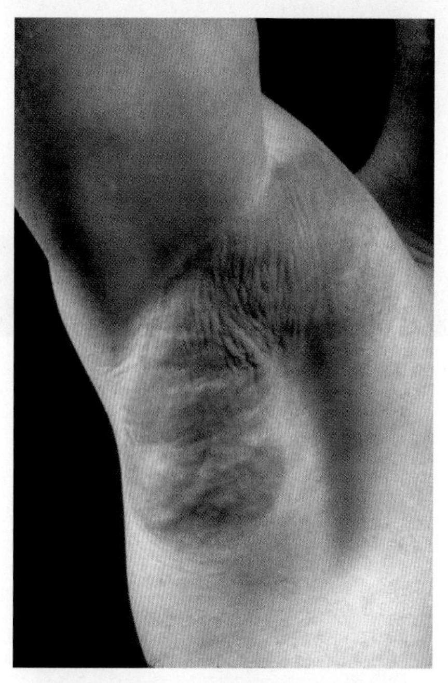

그림 32.46 육아종이완피부

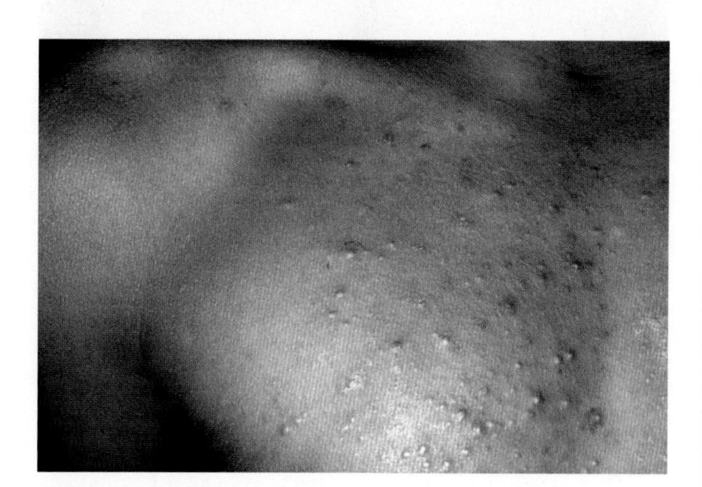

그림 32.47 림프종모양구진증

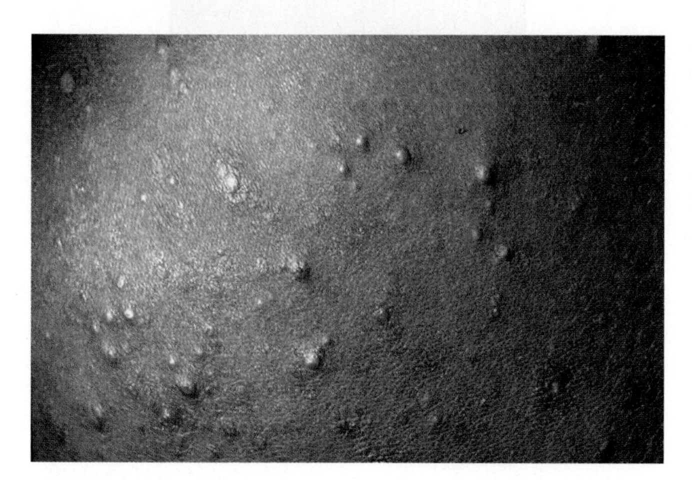

그림 32.48 림프종모양구진증

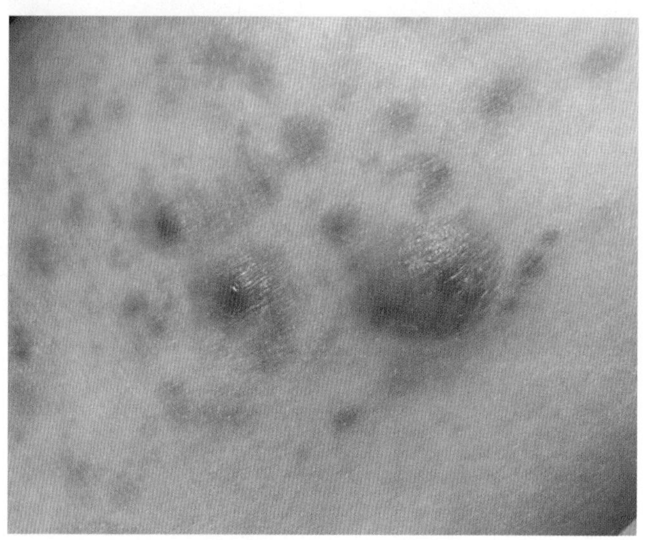

그림 32.49 림프종모양구진증

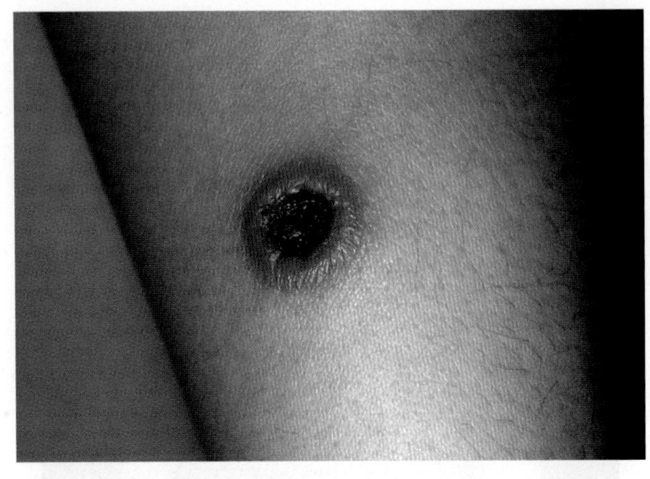

그림 32.50 림프종모양구진증

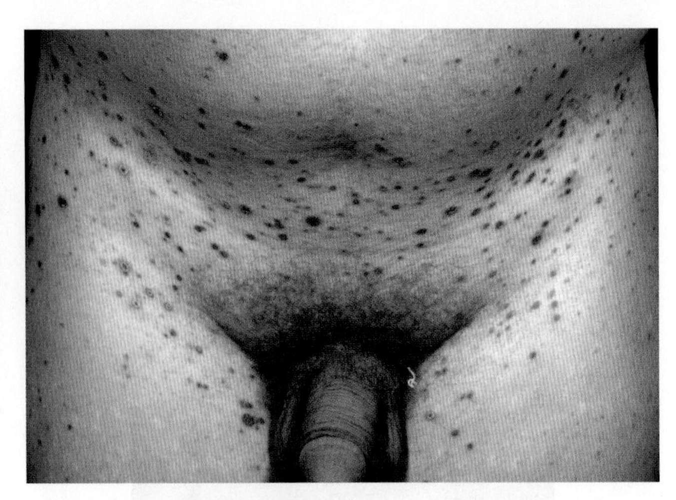

그림 32.51 급성두창태선모양비강진

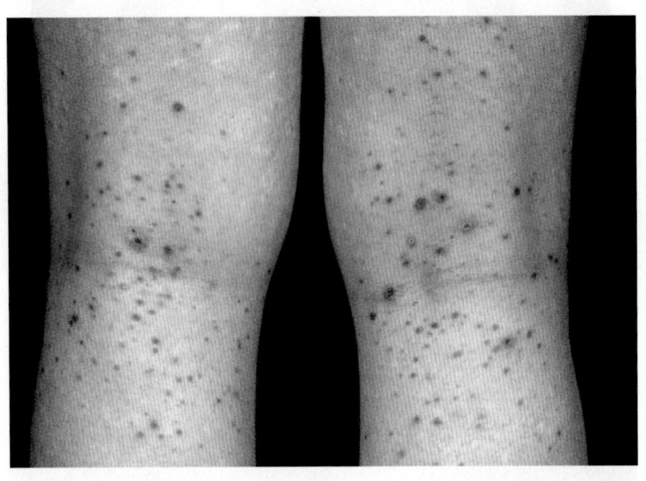

그림 32.52 급성두창태선모양비강진

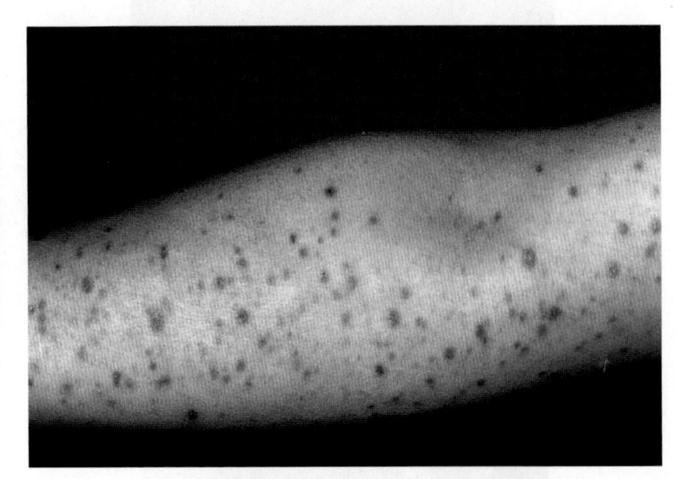

그림 32.53 급성두창태선모양비강진

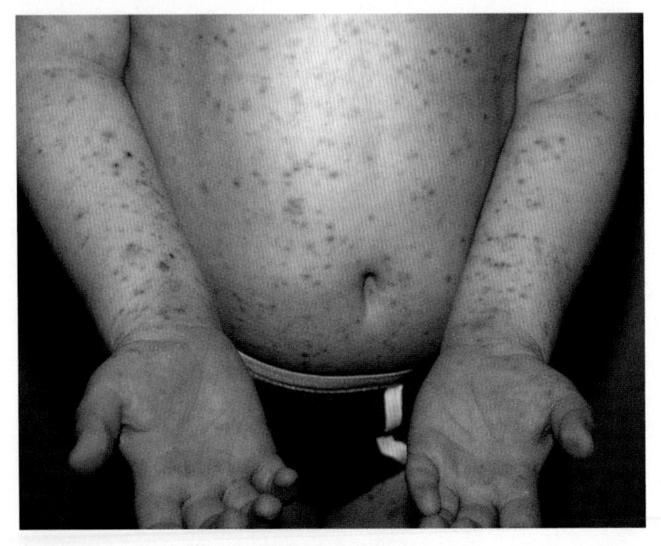

그림 32.54 급성두창태선모양비강진

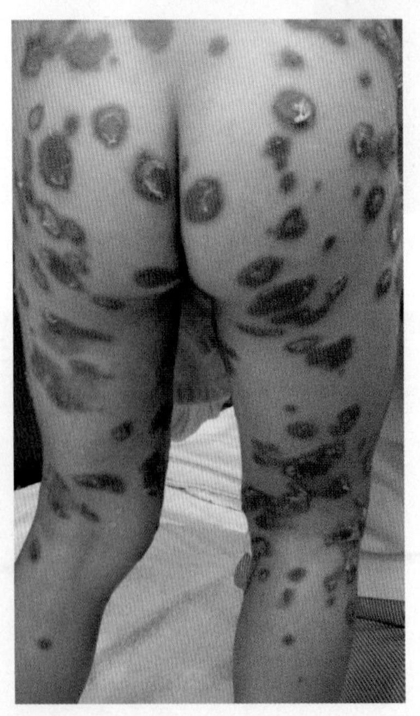

그림 32.55 궤양괴사 Mucha-Habermann병

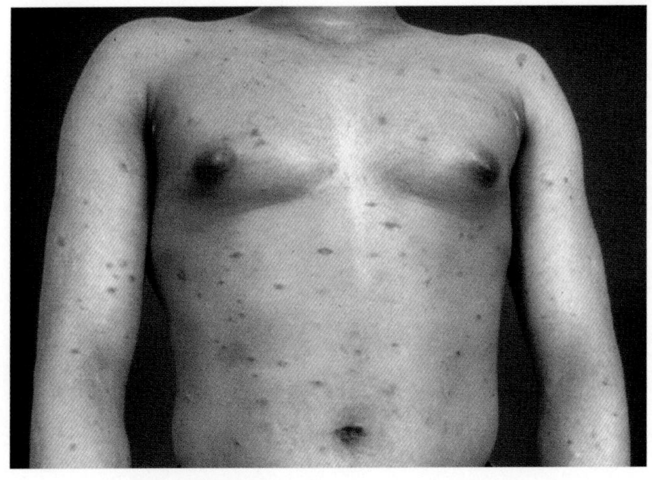

그림 32.56 만성태선모양비강진

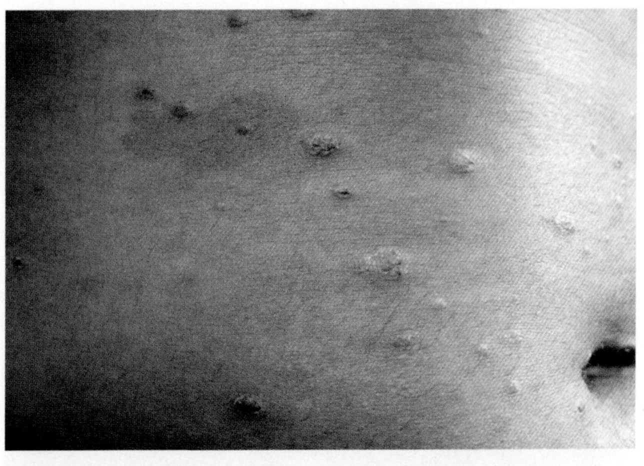

그림 32.57 만성태선모양비강진

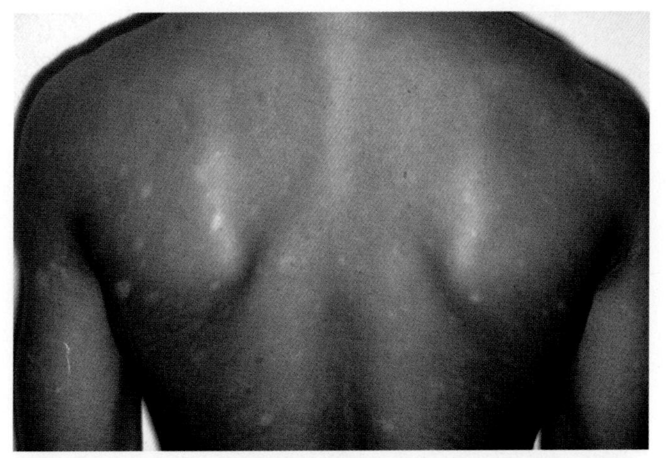

그림 32.58 만성태선모양비강진

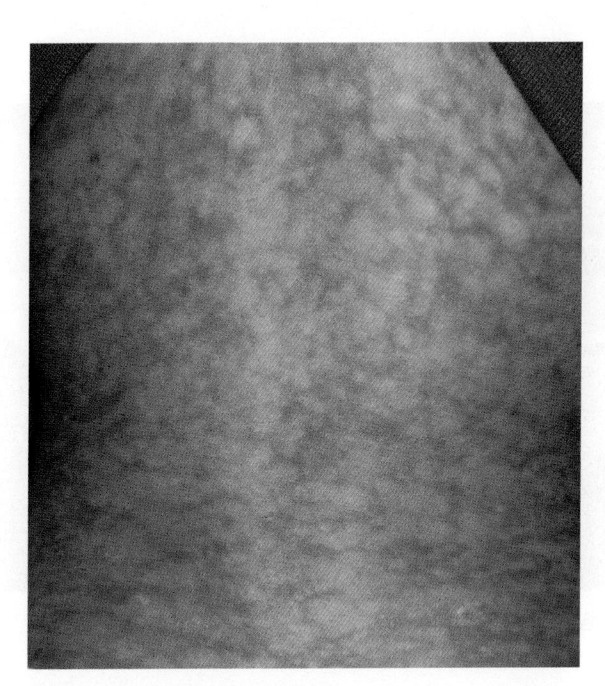

그림 32.59 만성태선모양비강진

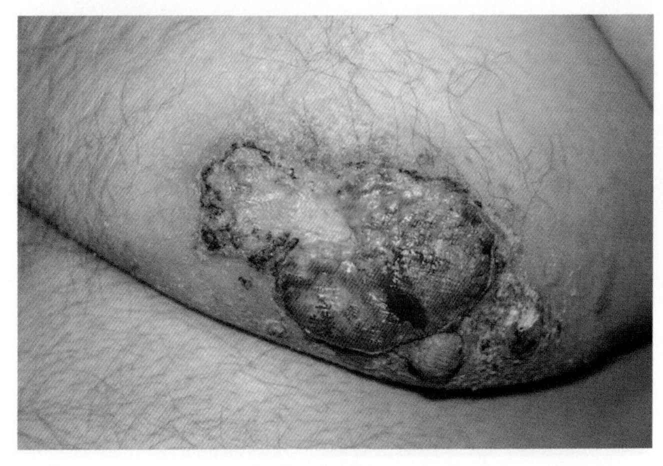

그림 32.60 CD30+역형성T세포림프종

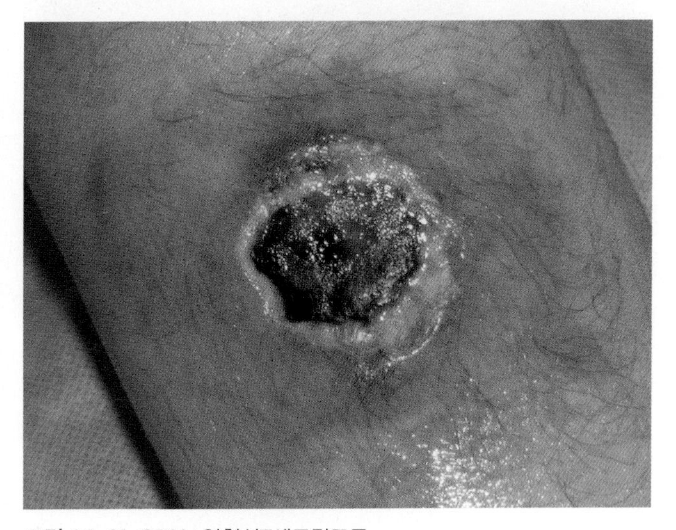

그림 32.61 CD30+역형성T세포림프종

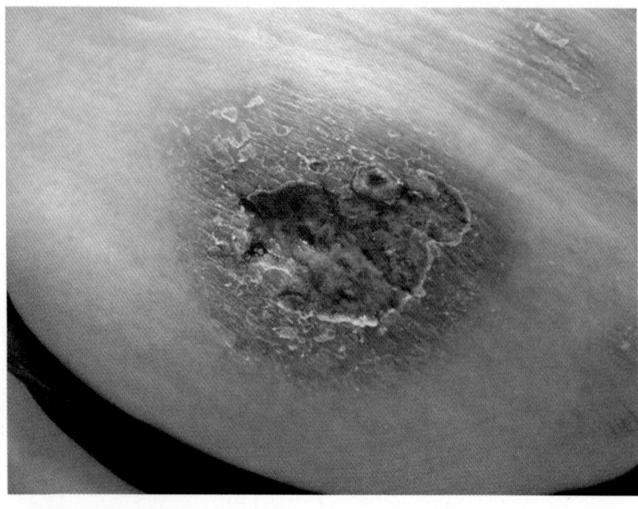
그림 32.62 Gamma-deltaT세포림프종

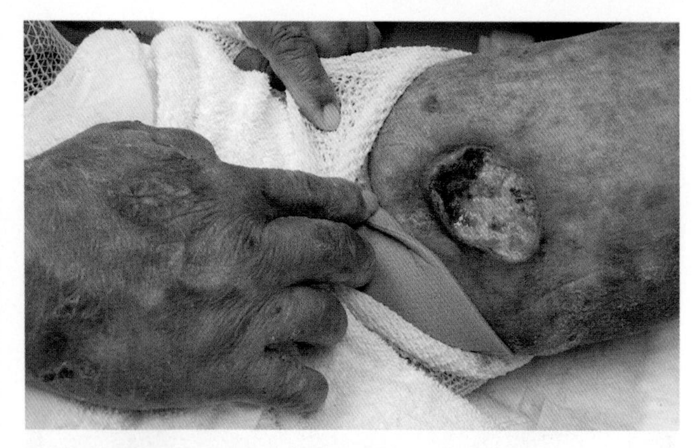
그림 32.63 Gamma-deltaT세포림프종

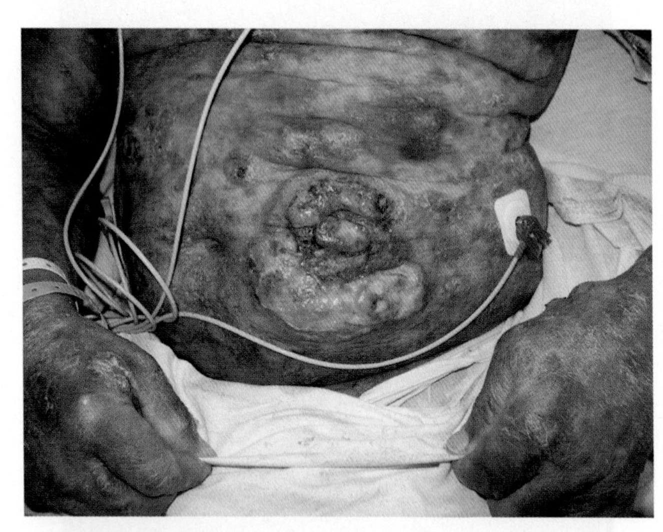
그림 32.64 Gamma-deltaT세포림프종

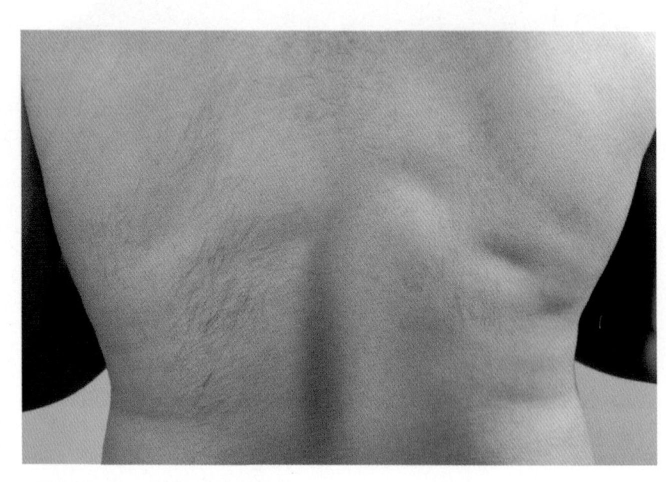
그림 32.65 피하T세포림프종

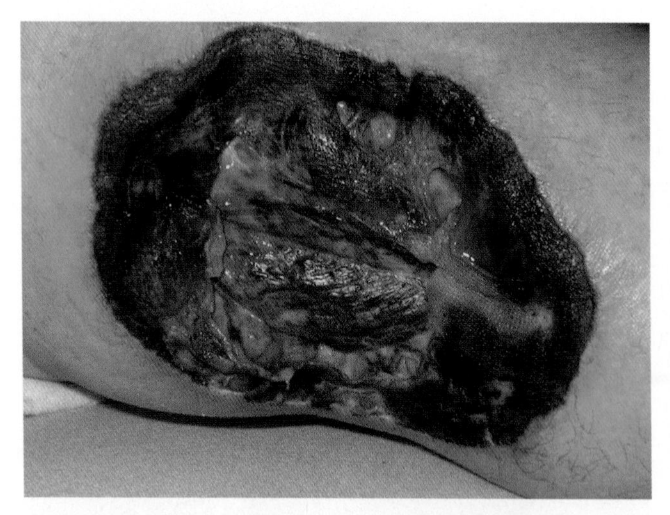
그림 32.66 NK/T세포림프종

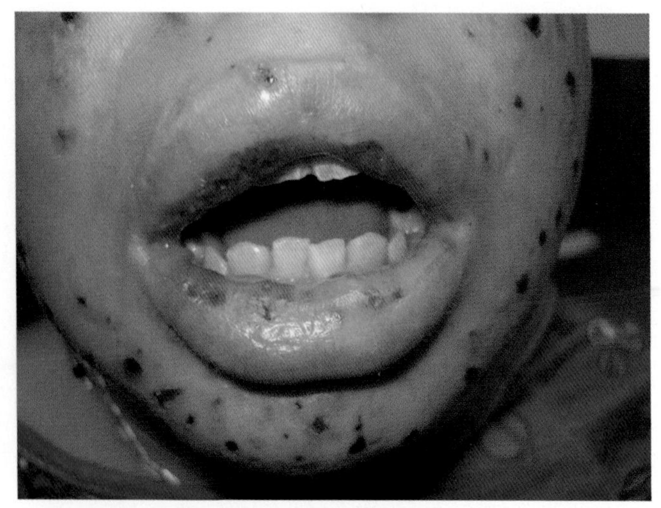
그림 32.67 우두모양수포증양NK/T세포림프종

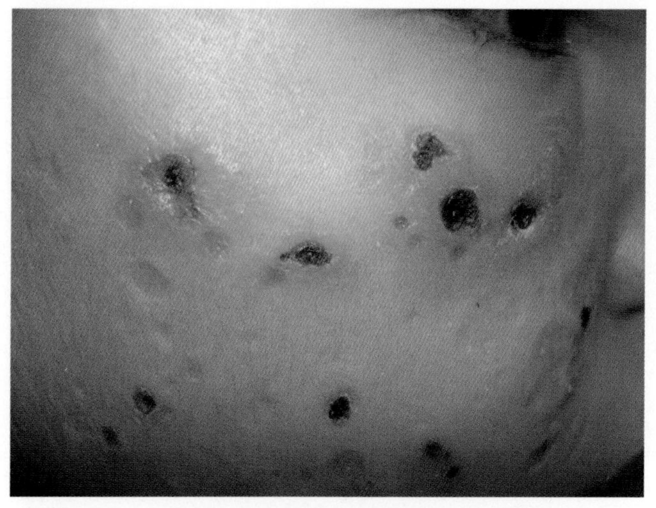

그림 32.68 우두모양수포증양NK/T세포림프종

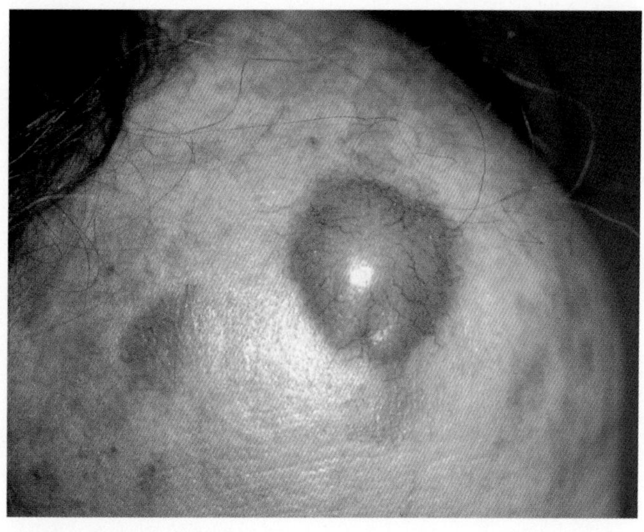

그림 32.69 B세포림프종

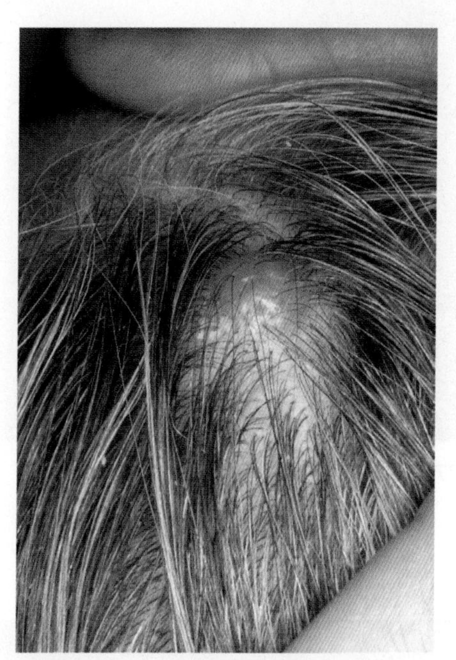

그림 32.70 B세포림프종

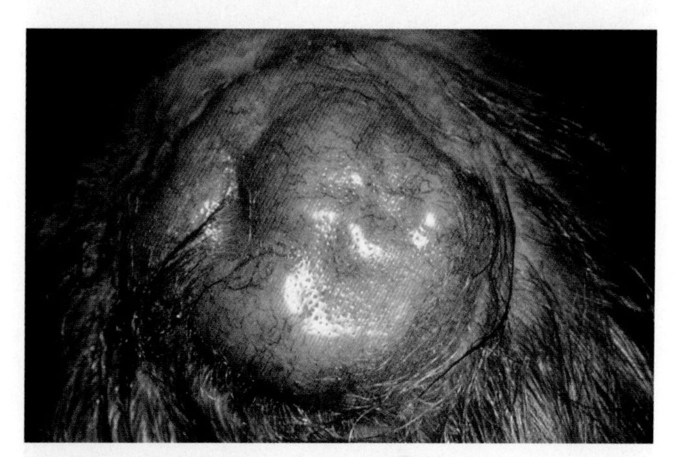

그림 32.71 B세포림프종

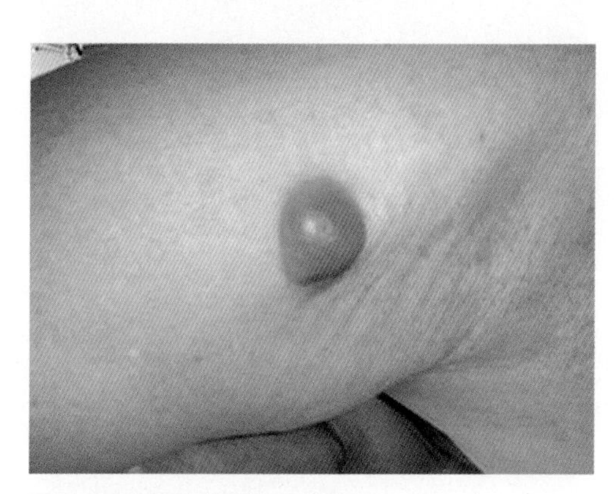

그림 32.72 B세포림프종

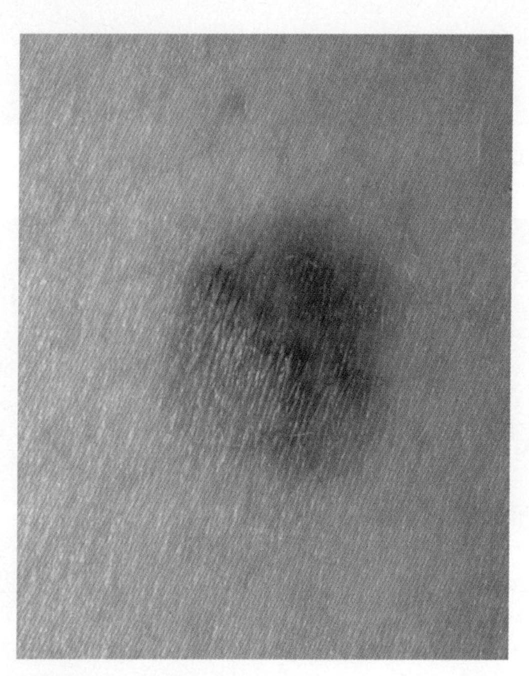

그림 32.73 이차피부림프종

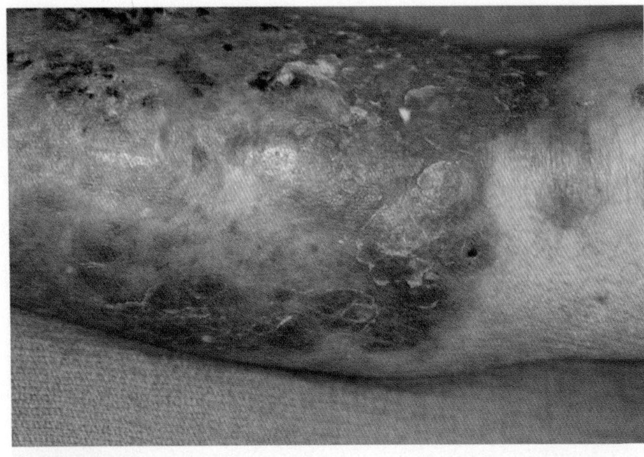

그림 32.74 B세포림프종, 다리형

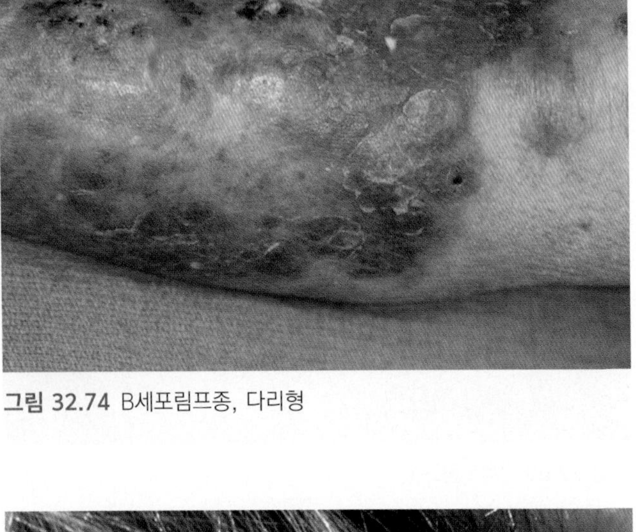

그림 32.75 형질세포종

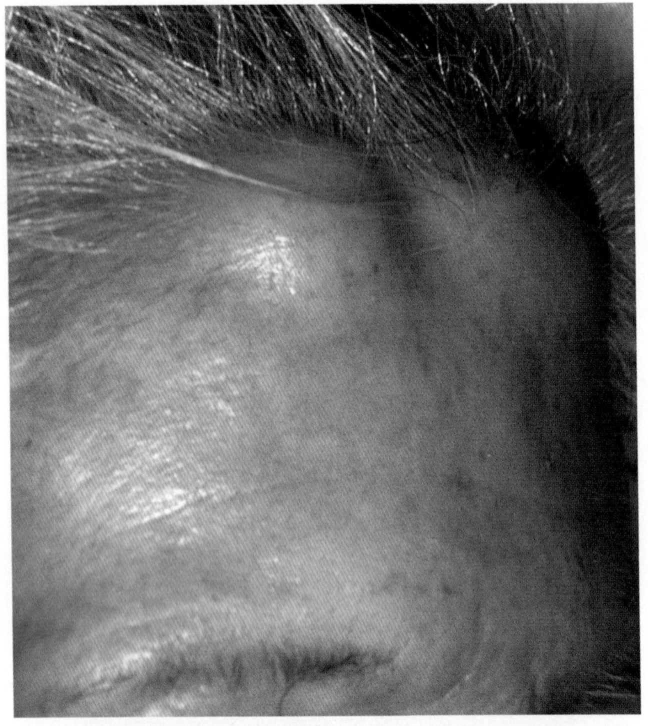

그림 32.76 형질세포종

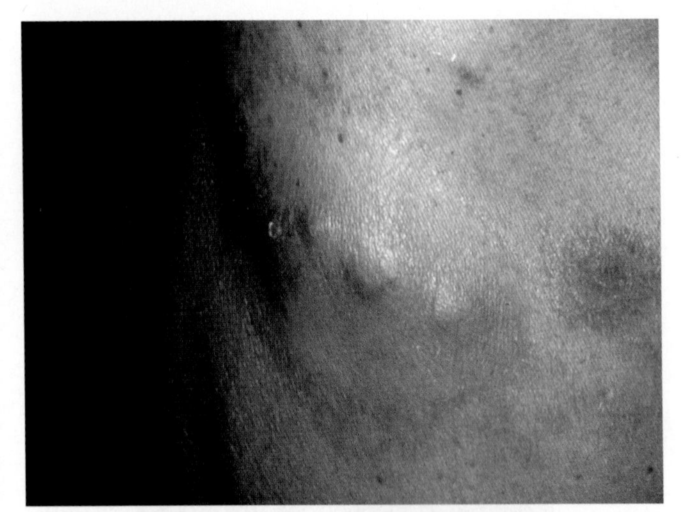

그림 32.77 악성조직구증

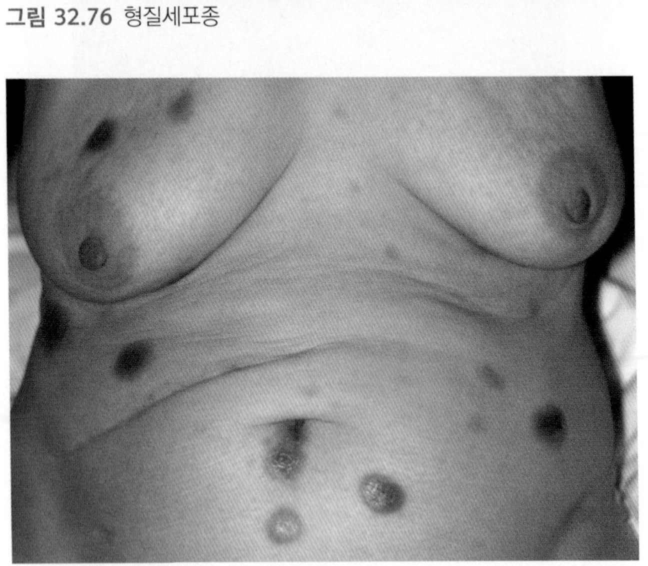

그림 32.78 급성골수단핵세포피부백혈병

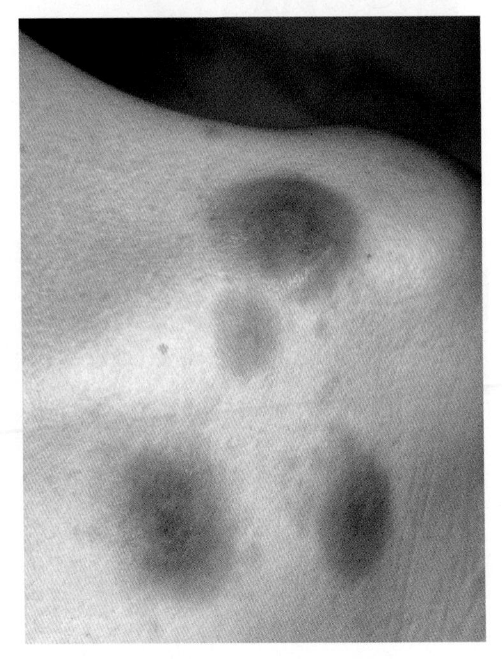

그림 32.79 급성골수단핵세포피부백혈병

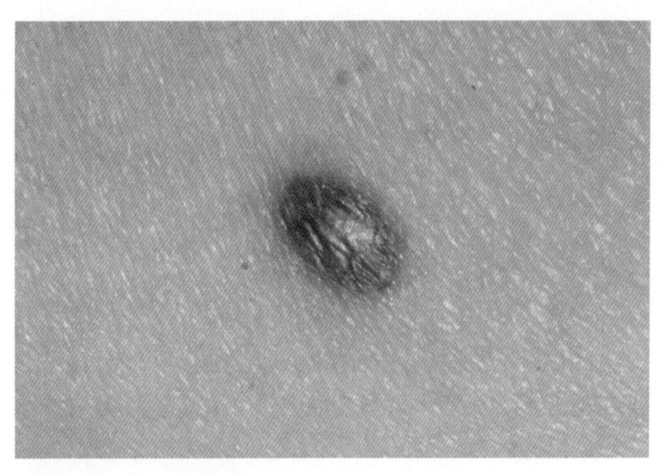

그림 32.80 피부백혈병

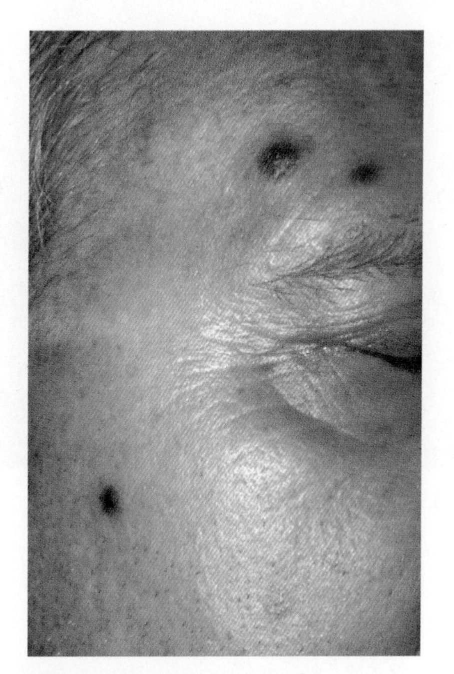

그림 32.81 급성골수피부백혈병

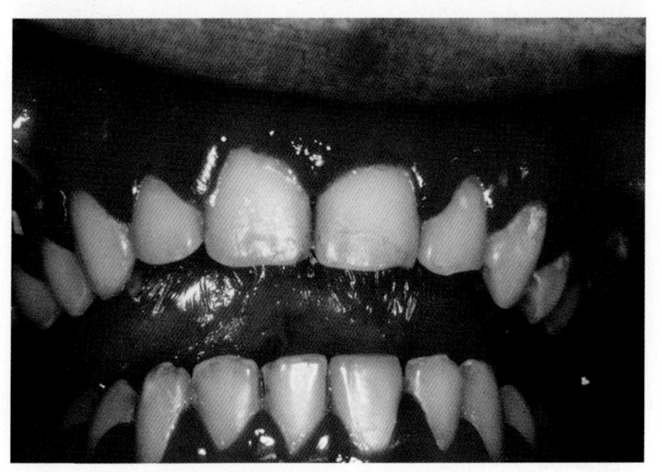

그림 32.82 급성골수단핵세포백혈병

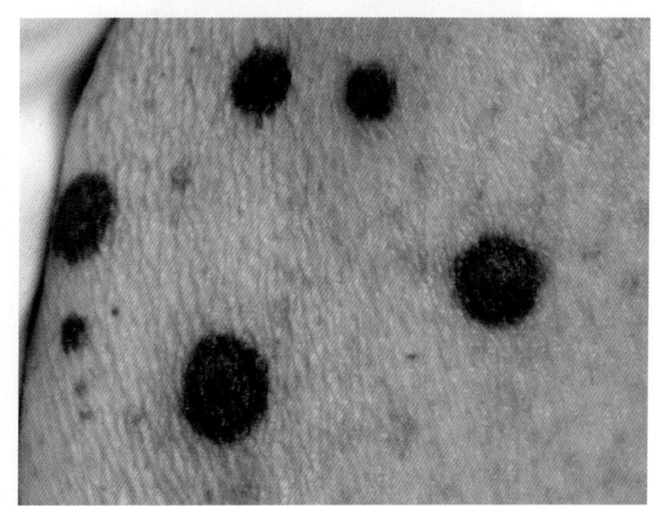

그림 32.83 피부백혈병

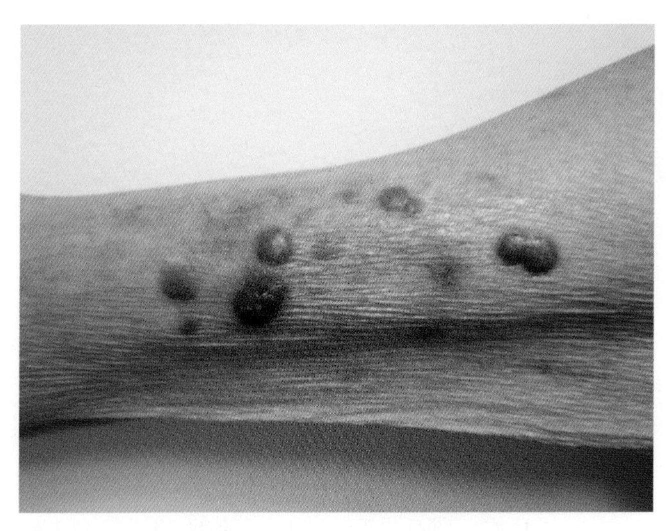

그림 32.84 피부백혈병

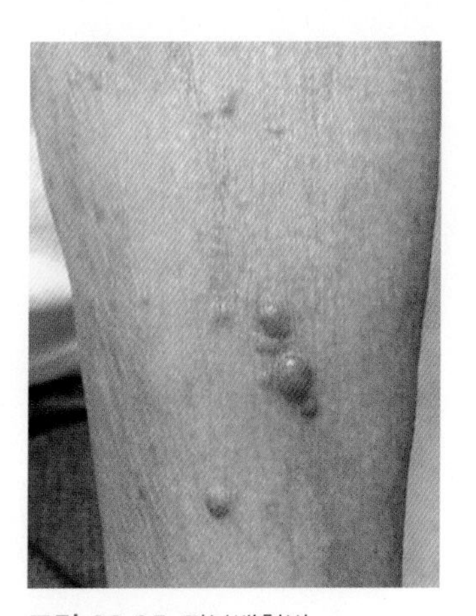

그림 32.85 피부백혈병

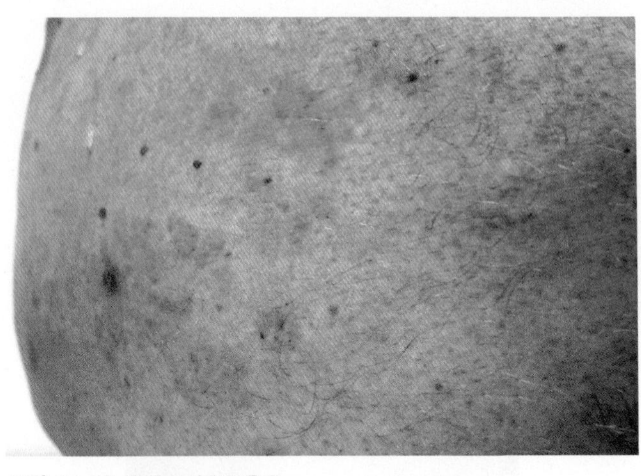

그림 32.86 과다호산구증후군

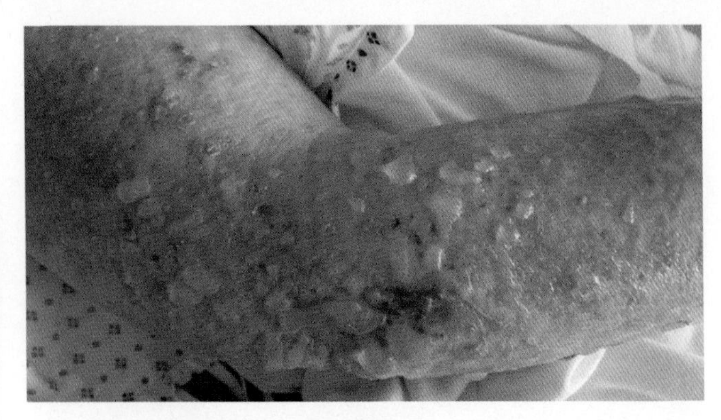

그림 32.87 혈관면역모구T세포림프종

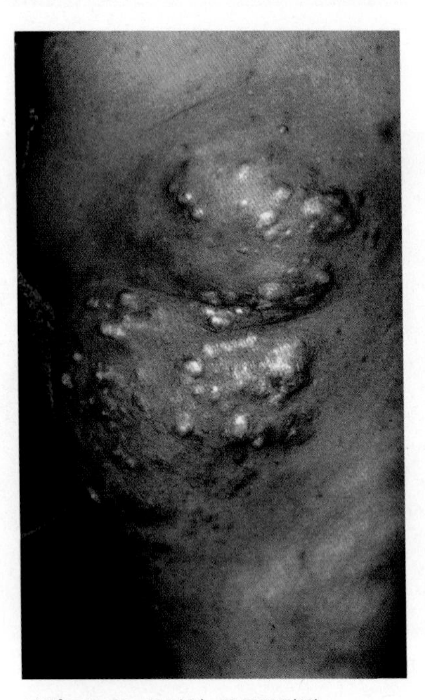

그림 32.88 로사이-도르프만병

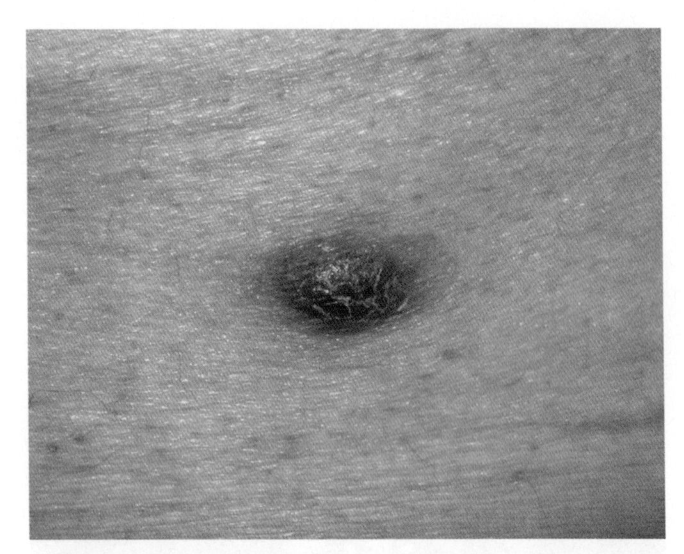

그림 32.88 로사이-도르프만병

피부부속기질환 33

피부과 영역은 피부와 피부부속기, 즉 모발, 한선, 조갑의 질환을 포함한다. 다양한 종류의 상태가 피부부속기를 침범하는데, 어떤 것들은 모발, 조갑, 혹은 한선에 국한되지만, 때로 전신피부 또는 전신질환의 일부로 나타난다.

모발질환으로 탈모, 남성형다모증과, 모발색과 모간에의 영향 등이 있다. 이들 질환의 평가는 두피, 눈썹, 속눈썹, 체모의 평가와 함께 직접적인 병력청취를 포함한다. 모낭을 평가하기 위한 병변부 피부생검 외에도, 모낭과 모간의 온전함을 알기 위해서 각각 pull test와 tug test와 같은 모발당김검사가 도움이 된다.

조갑단위의 검사로는 조상, 조갑초승달과 함께 조갑판, 조갑주름 및 각피의 관찰이다. 모발의 경우와 같이 흑색조갑 등은 단독으로 나타나지만, 다른 조갑상태는 광범위한 질환과 연관될 수 있다. 건선에서 나타나는 조갑오목형성처럼 어떤 조갑소견은 근원적인 피부질환의 단서가 될 수 있으며, 신장질환에서 나타나는 백색근위부를 가진 반반조갑의 경우는 전신질환과 연관된다. 이외에 약제 및 창상으로 인한 이차적 조갑질환이 있다.

한선은 광범위의 에크린한선과 액와와 서혜부에 나타나는 국소적 분포의 아포크린선이 있다. 이 장은 모발, 한선, 그리고 조갑을 포함하는 피부부속기의 질환이다.

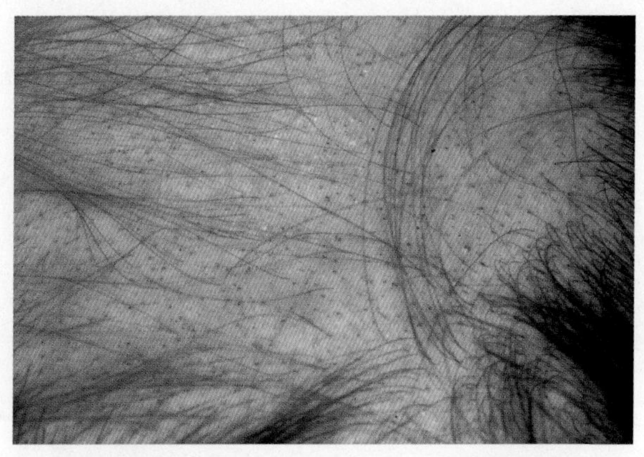

그림 33.2 원형탈모

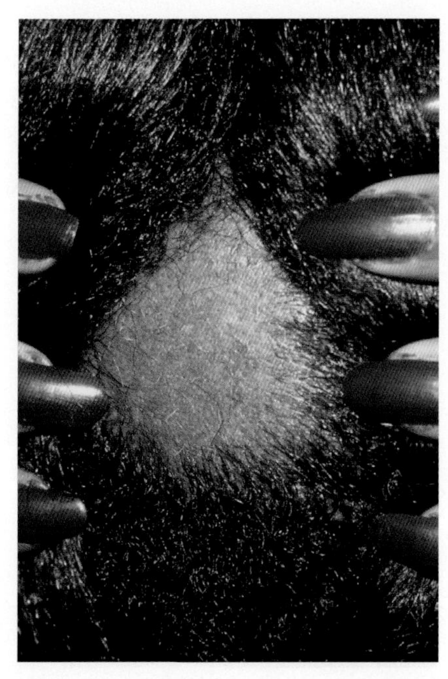

그림 33.1 원형탈모

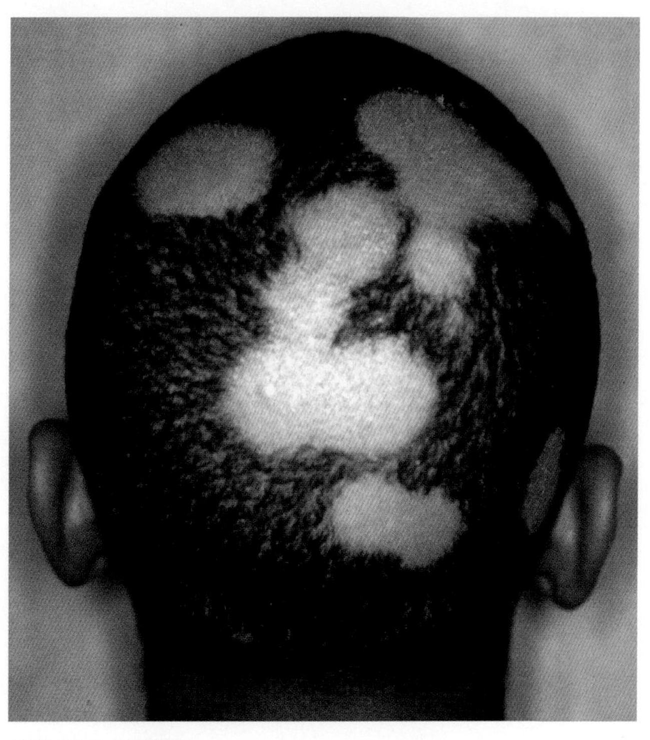

그림 33.3 원형탈모

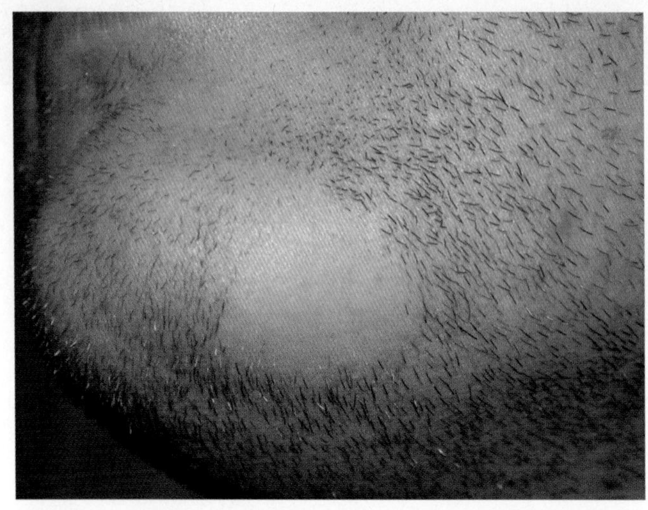
그림 33.4 턱수염의 원형탈모

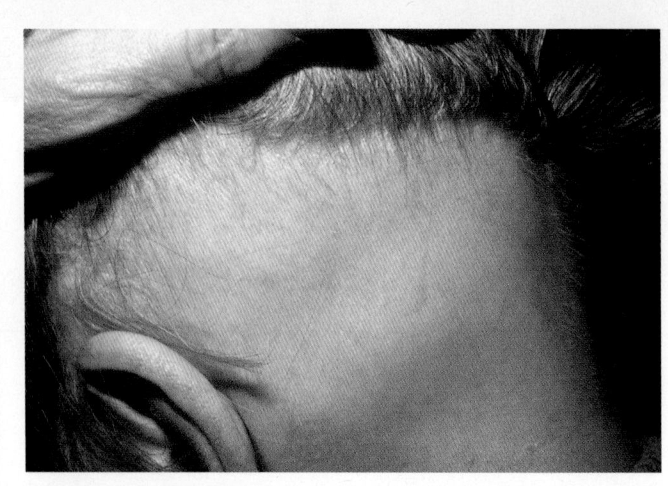
그림 33.5 사행상원형탈모

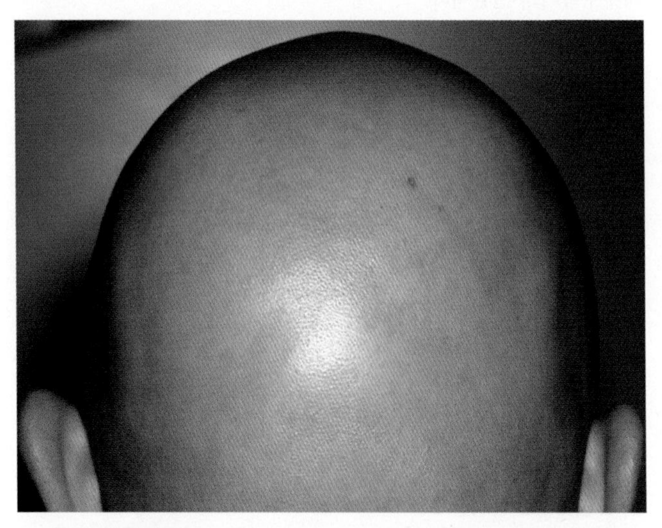
그림 33.6 전신탈모

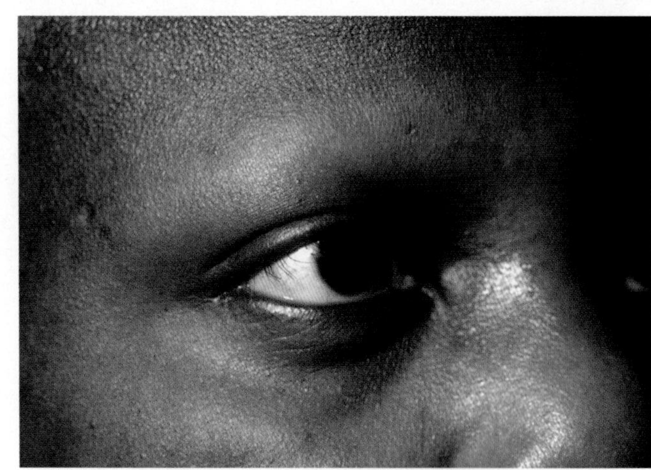
그림 33.7 전신탈모

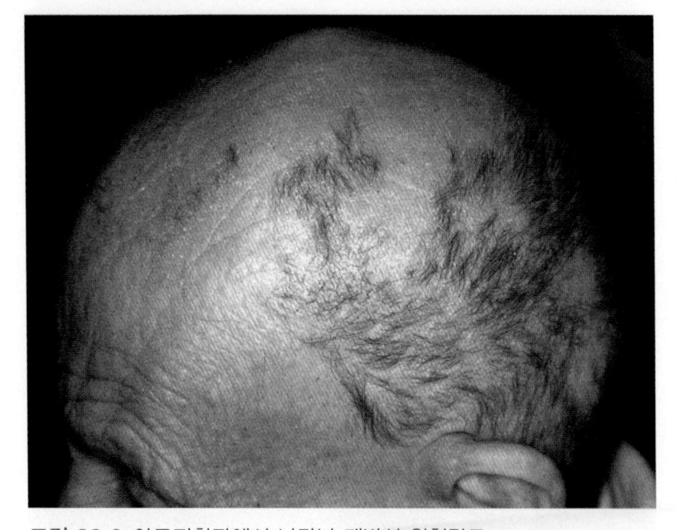
그림 33.8 아토피환자에서 나타난 재발성 원형탈모

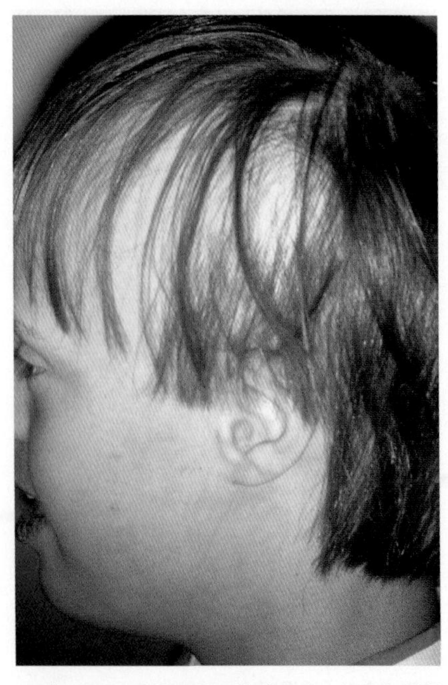
그림 33.9 다운증후군환자에서 나타난 원형탈모

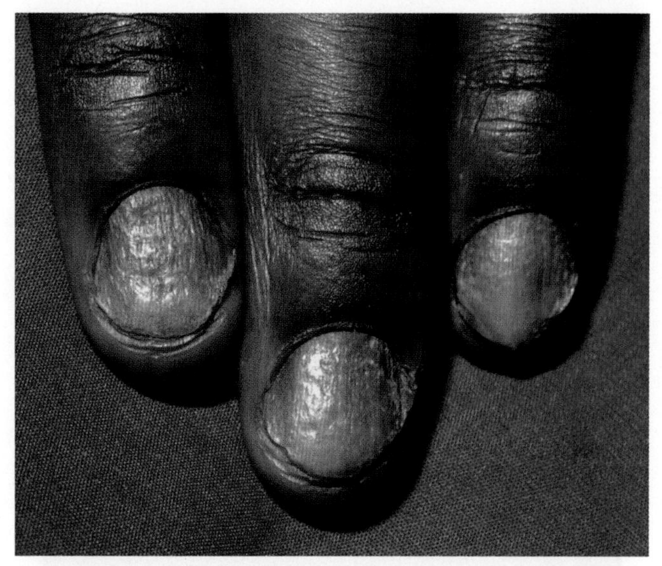

그림 33.10 원형탈모환자의 조갑

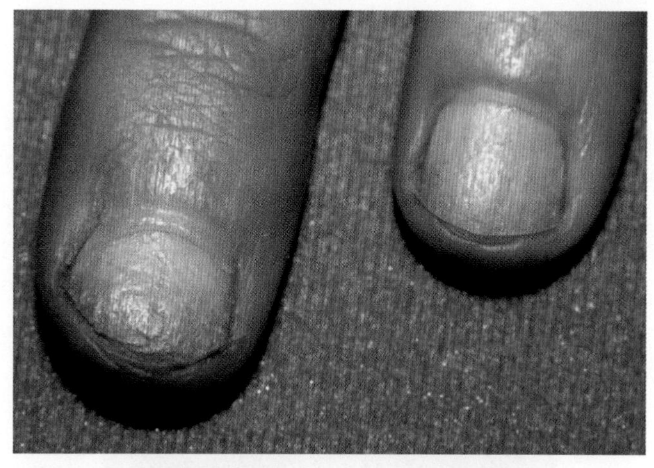

그림 33.11 원형탈모환자의 조갑

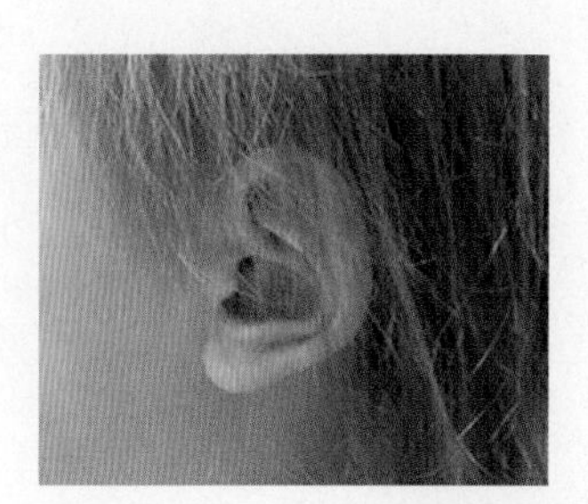

그림 33.12 느슨한성장기모발 증후군

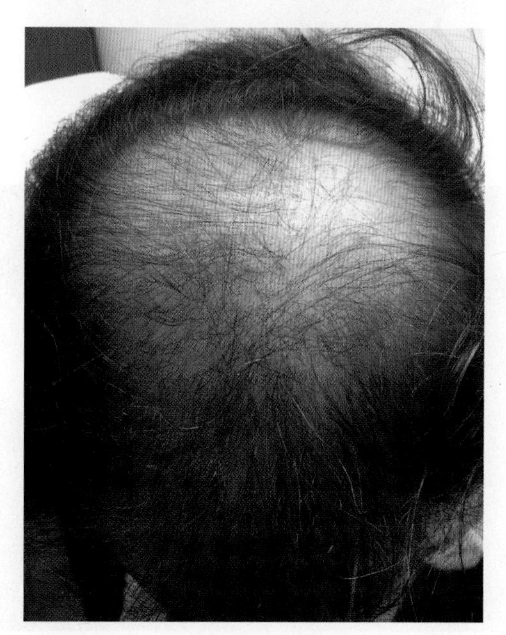

그림 33.13 남성의 안드로겐탈모

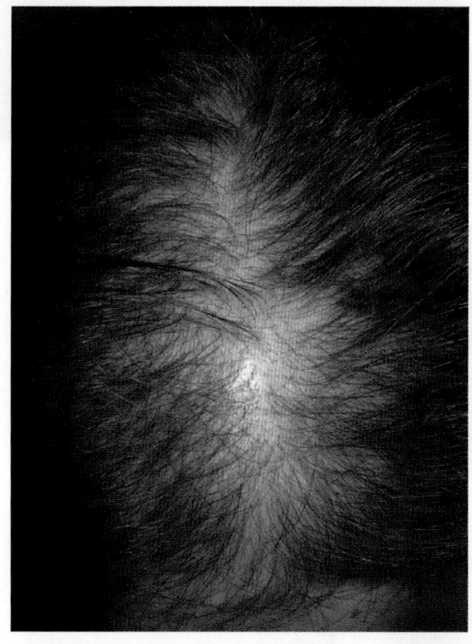

그림 33.14 여성의 안드로겐탈모

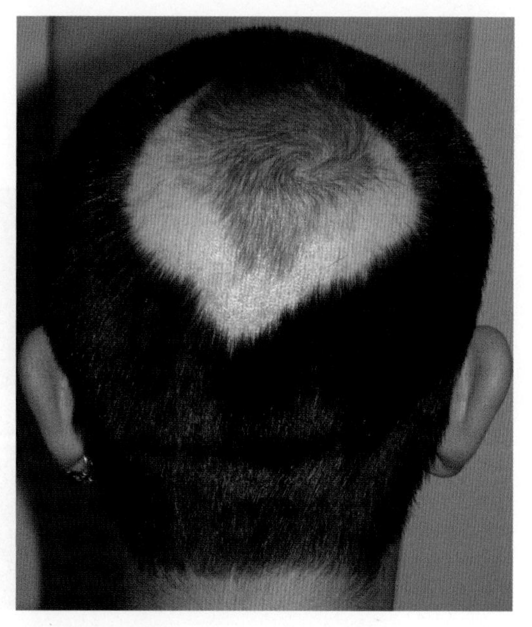

그림 33.15 발모

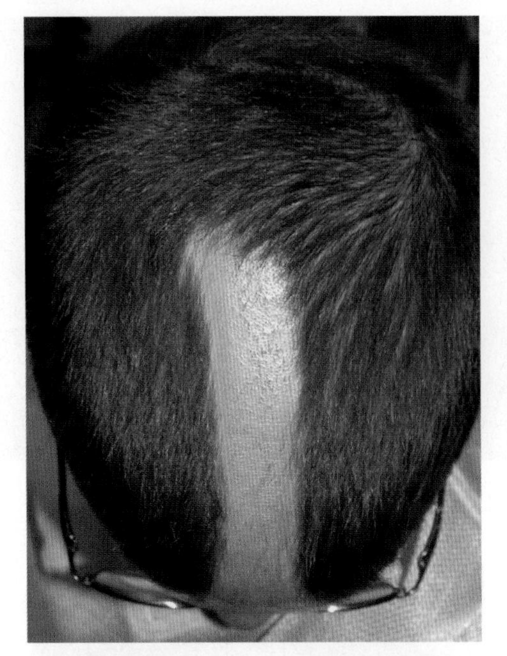

그림 33.16 발모

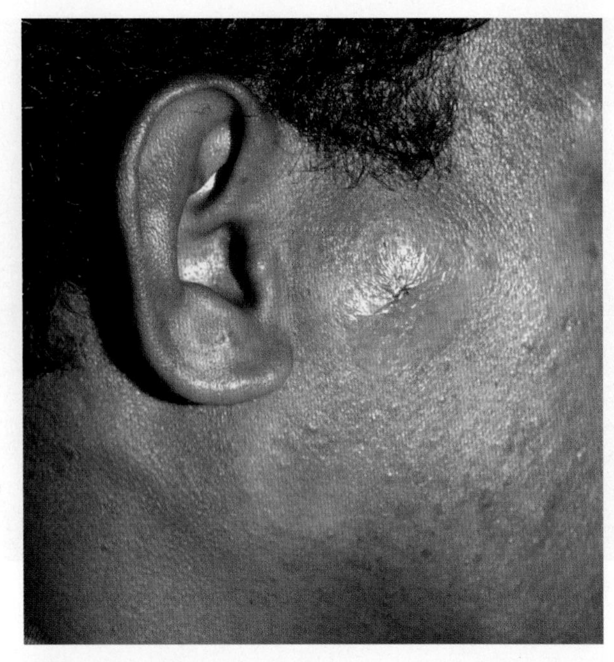

그림 33.17 점액탈모

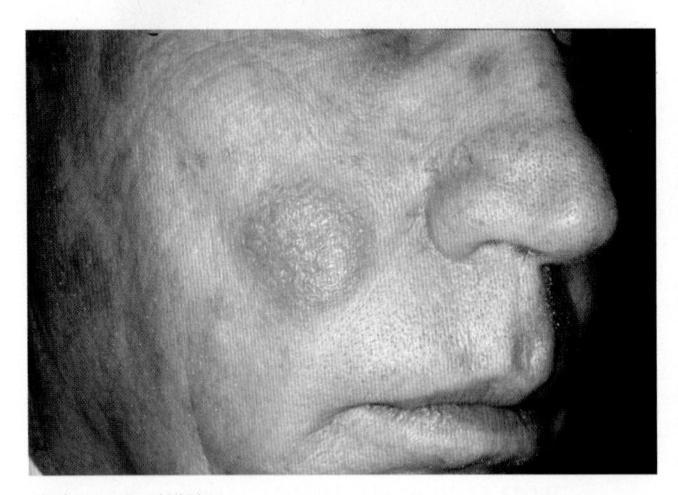

그림 33.18 점액탈모

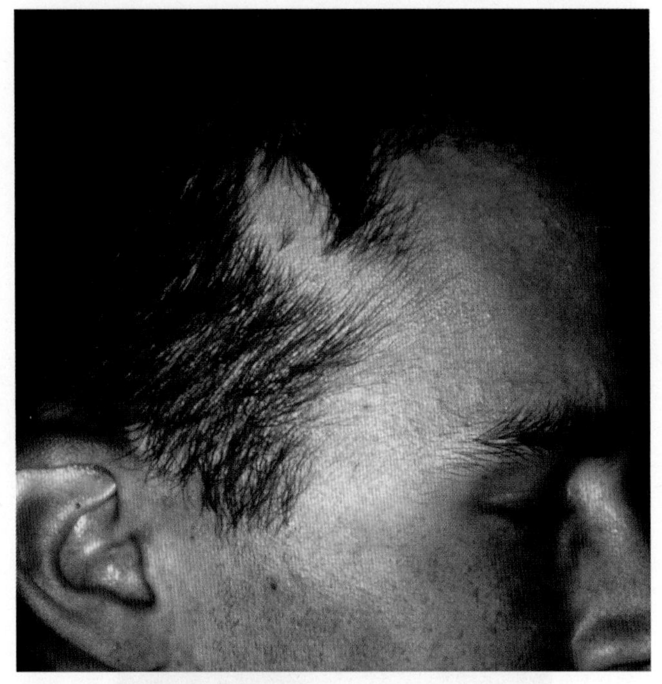

그림 33.19 선천삼각탈모

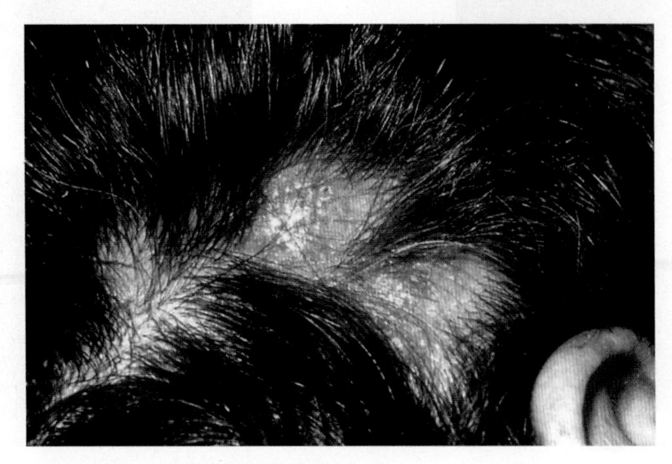

그림 33.20 두피의 원반모양루푸스

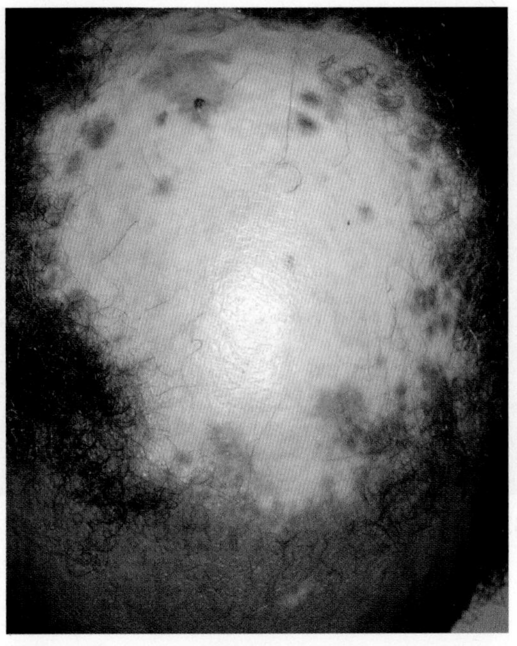

그림 33.21 원반모양홍반루푸스에 이차적으로 발생한 흉터형성탈모

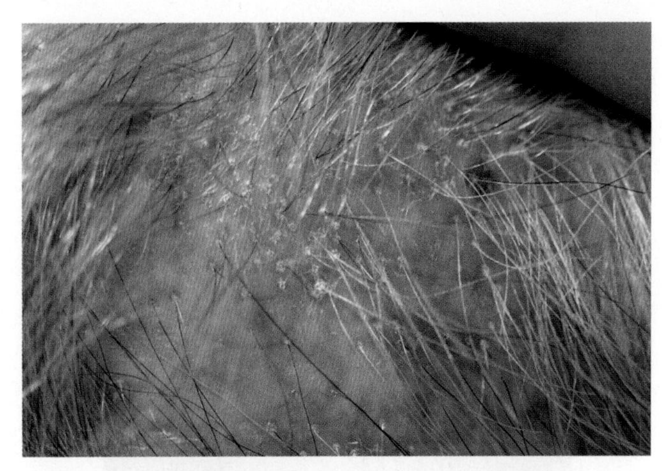

그림 33.22 모공편평태선

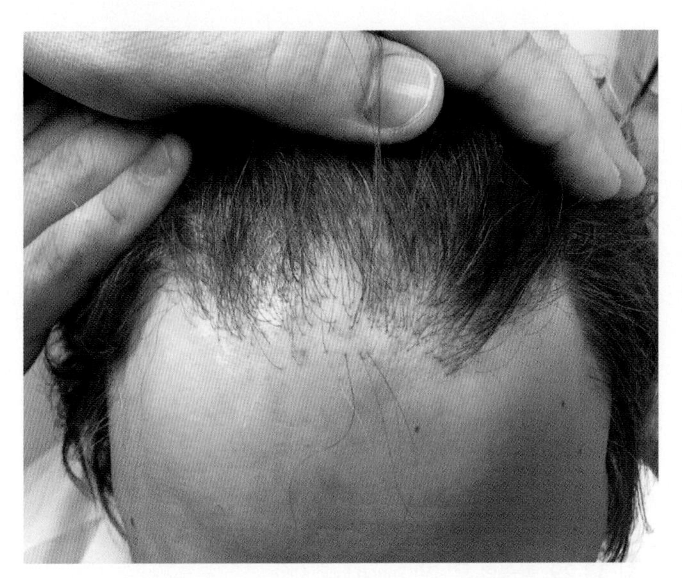

그림 33.23 이마섬유화탈모

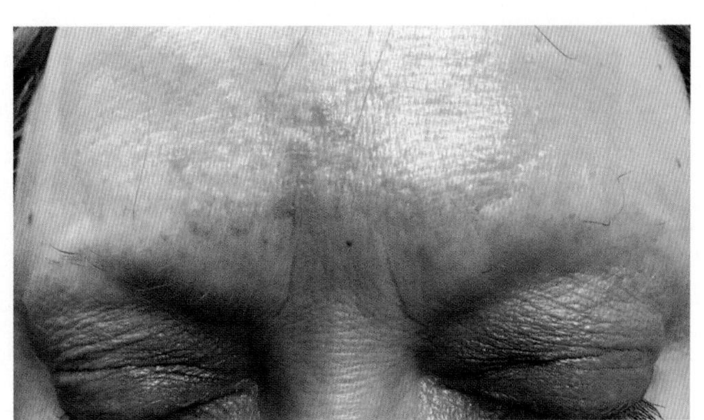

그림 33.24 이마섬유화탈모

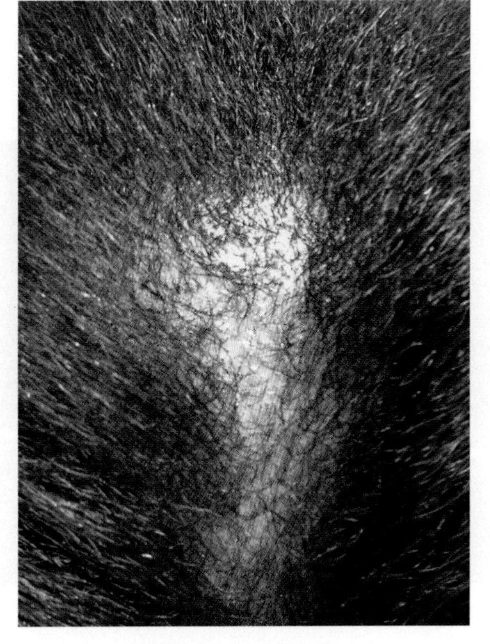

그림 33.25 중심원심흉터탈모

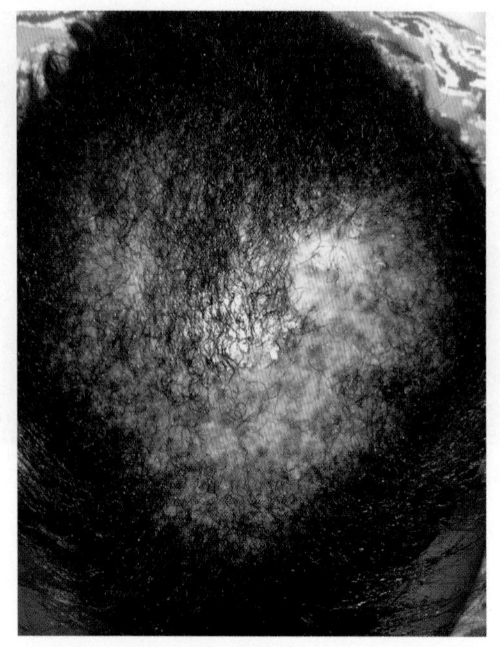

그림 33.26 중심원심흉터탈모

그림 33.27 탈모모낭염

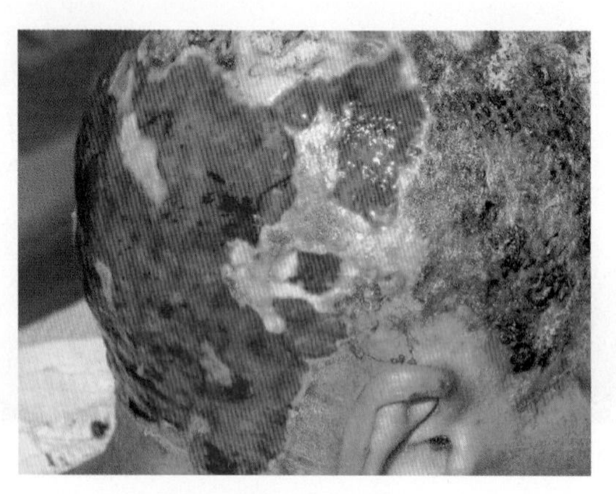

그림 33.28 두피의 미란농포피부염

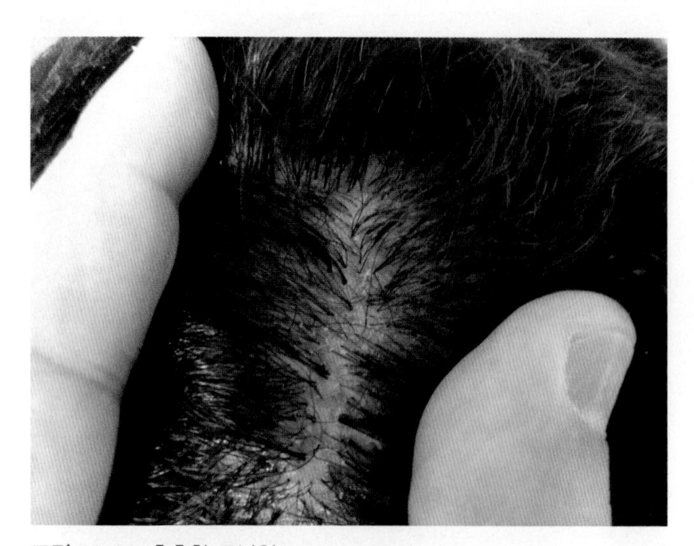

그림 33.29 촘촘한 모낭염(Tufted folliculitis)

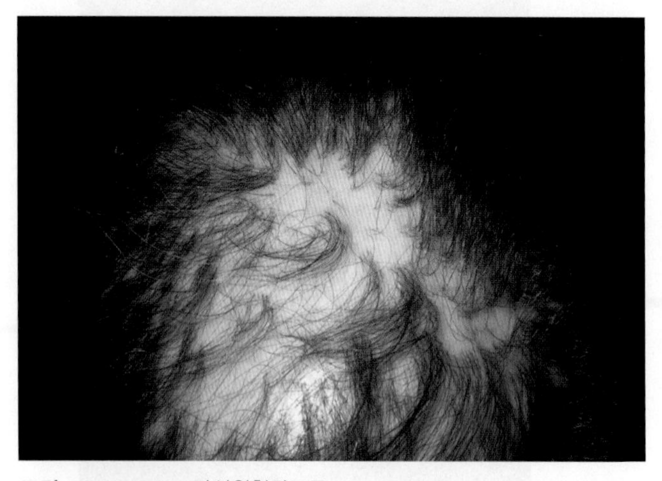

그림 33.30 Brocq가성원형탈모증

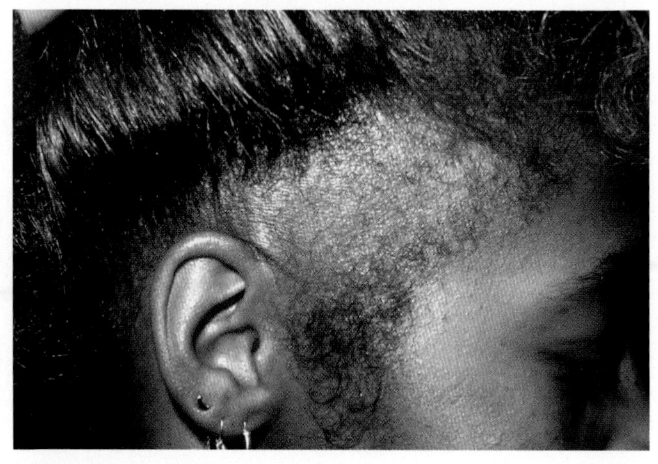

그림 33.31 견인탈모

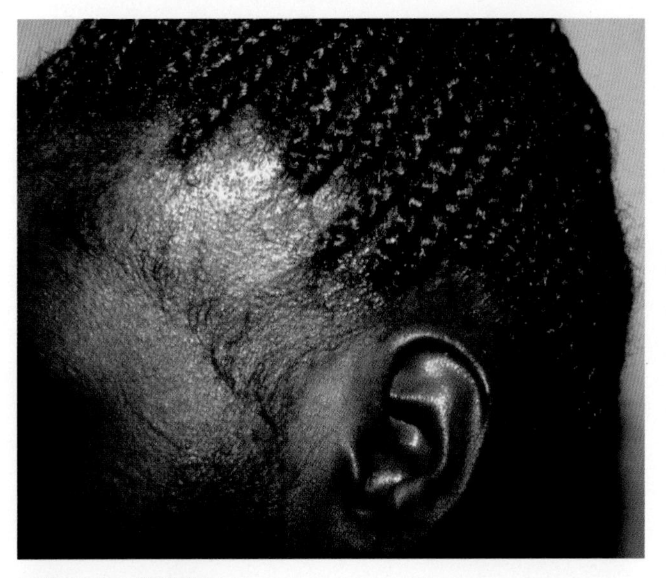

그림 33.32 견인탈모

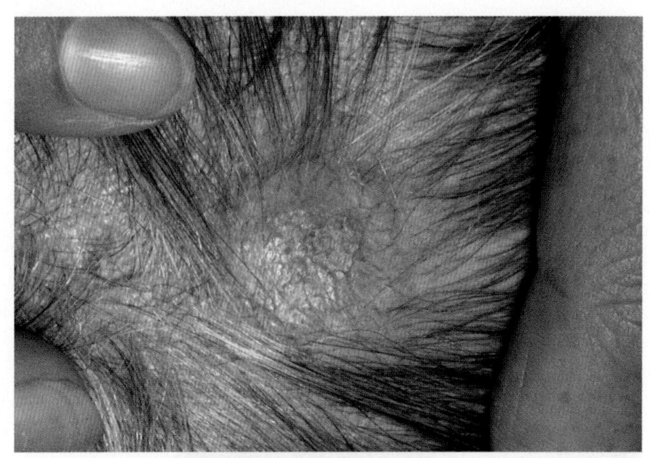

그림 33.33 전이유방암에 나타난 종양연관탈모

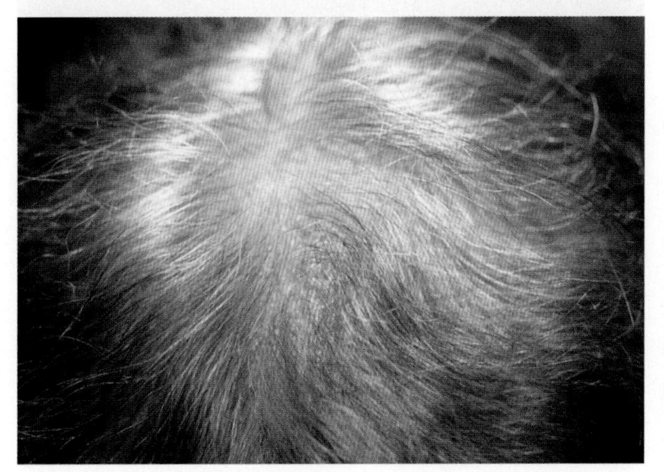

그림 33.34 가시모양탈모모낭각화증

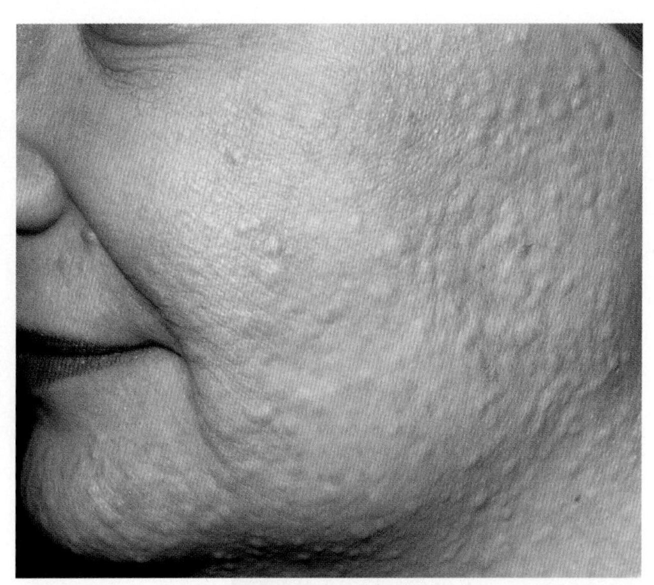

그림 33.35 구진병변의 무모증

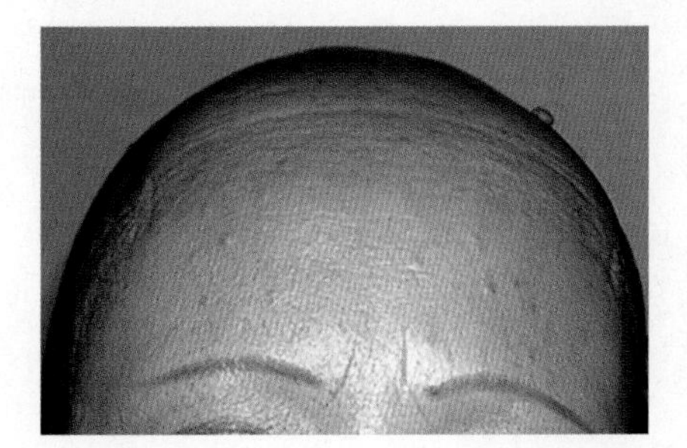

그림 33.36 구진병변의 무모증

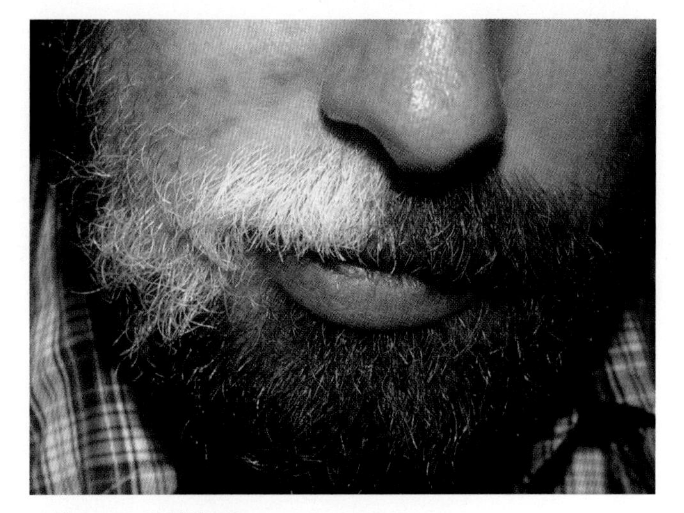

그림 33.37 부분백모증

그림 33.38 깃발징후(Flag sign)

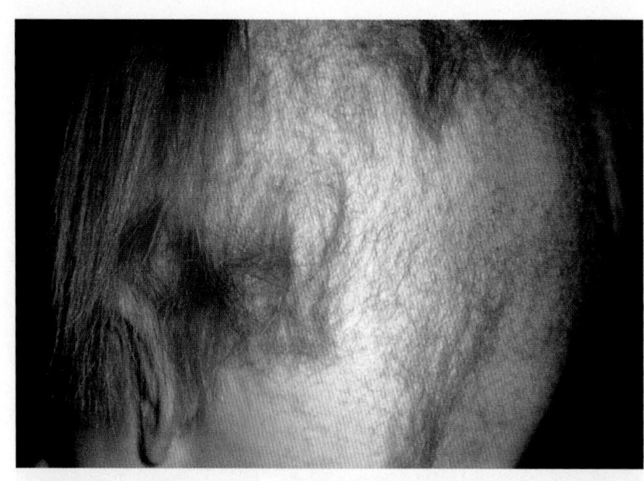

그림 33.39 꼬임모

그림 33.40 꼬임모

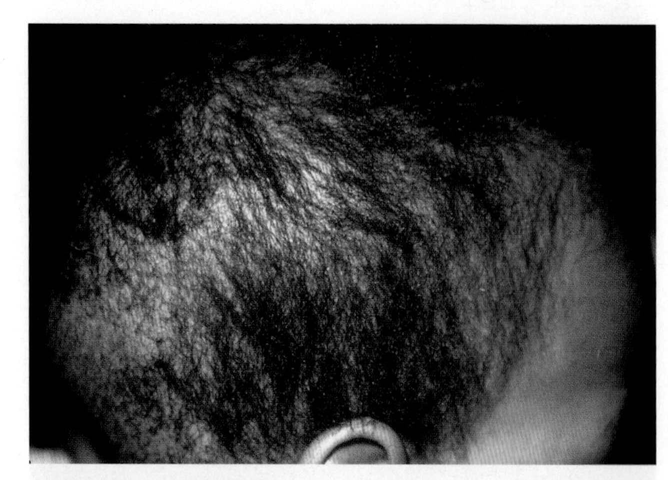

그림 33.41 멘케엉킴모발증후군

그림 33.42 멘케엉킴모발증후군

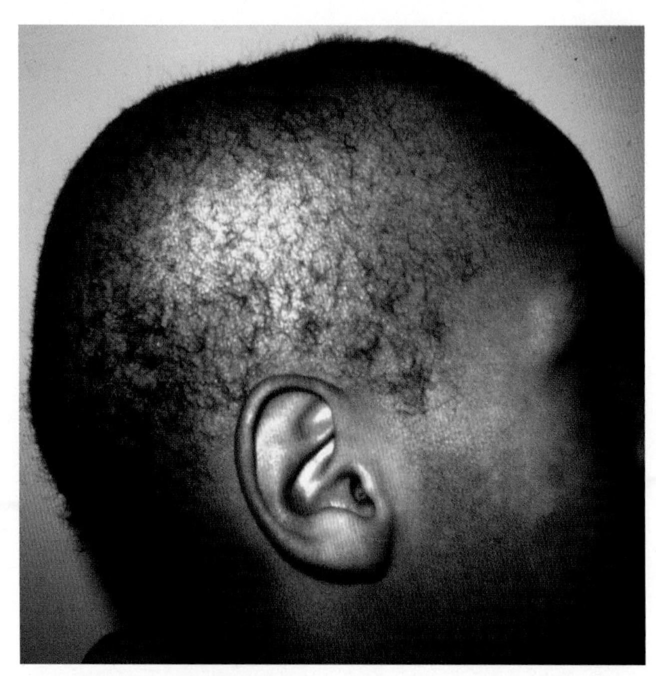

그림 33.43 근위결절모찢김증

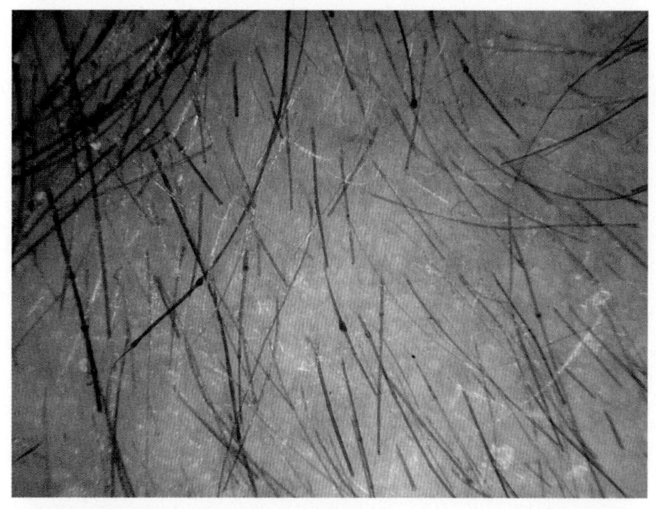

그림 33.44 네덜톤 증후군의 함입모찢김증

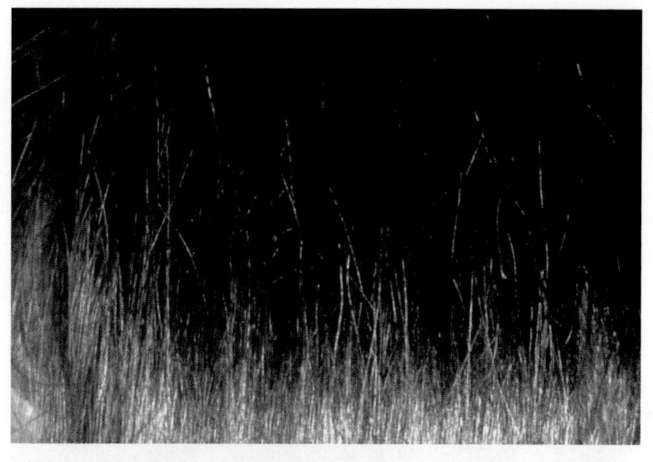

그림 33.45 고리모

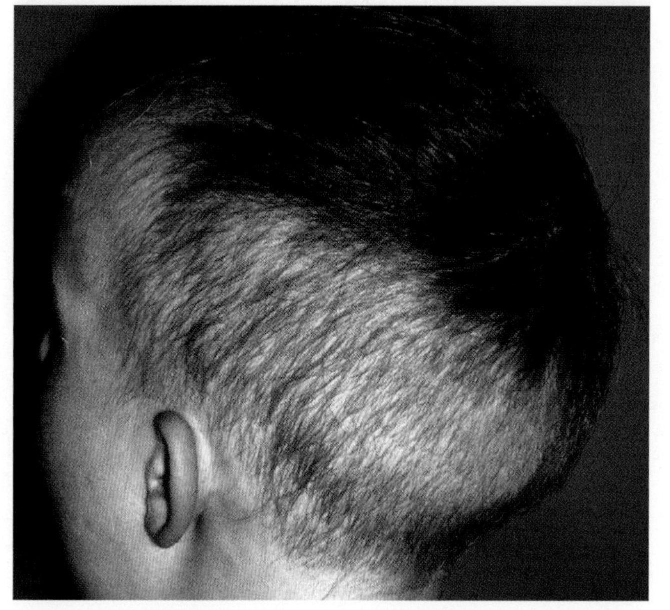

그림 33.46 염주모

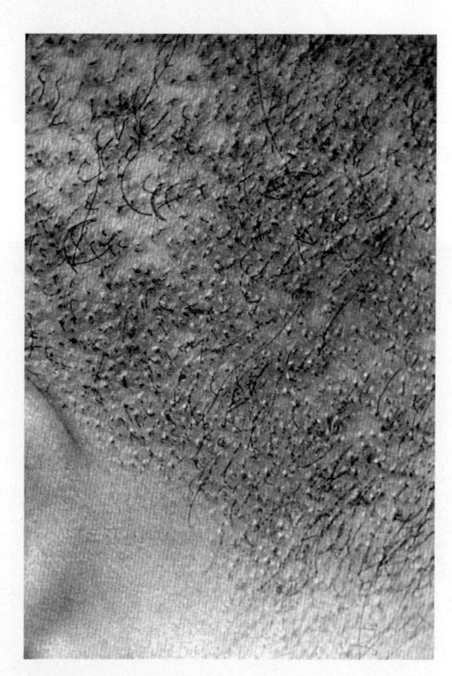

그림 33.47 염주모

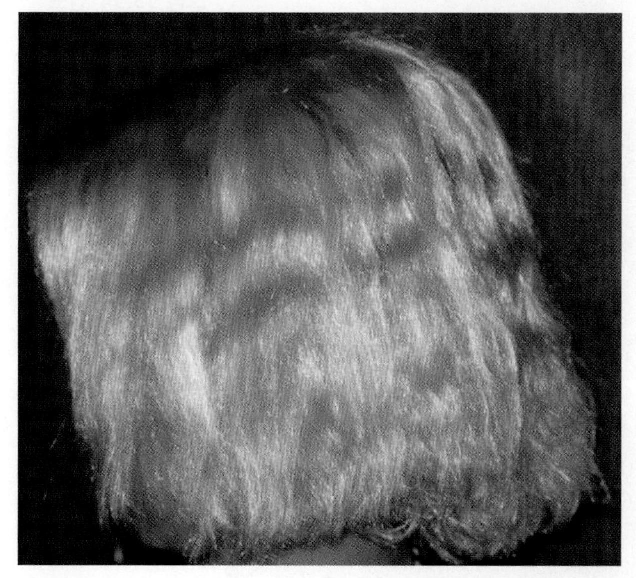

그림 33.48 빗기힘든모증후군

그림 33.49 빗기힘든모증후군

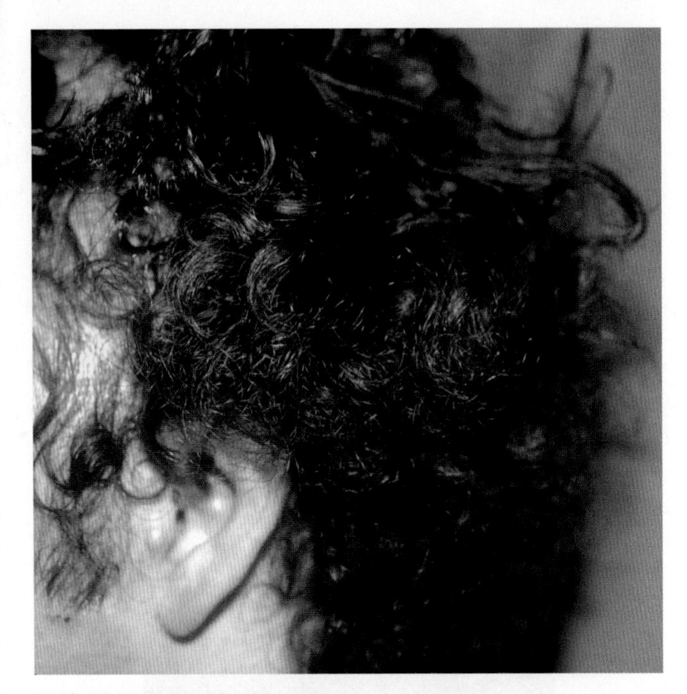

그림 33.50 진행모발엉킴

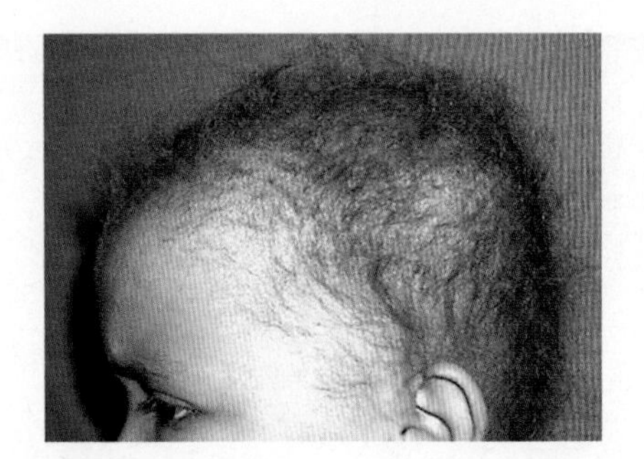

그림 33.51 양털모

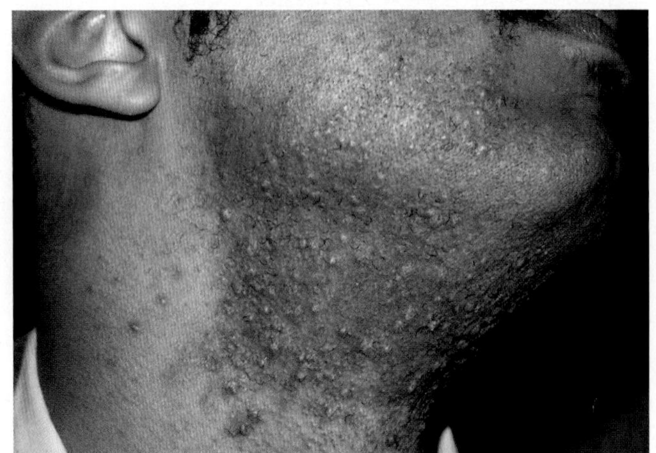

그림 33.53 수염가성모낭염

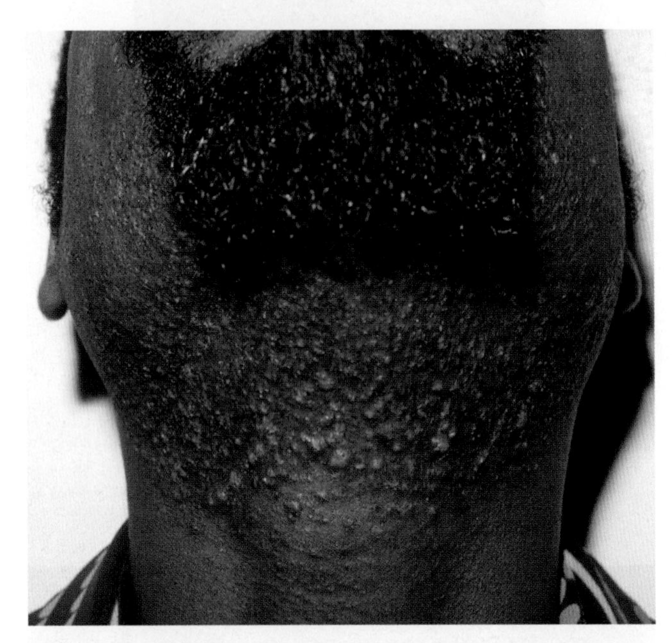

그림 33.52 수염가성모낭염

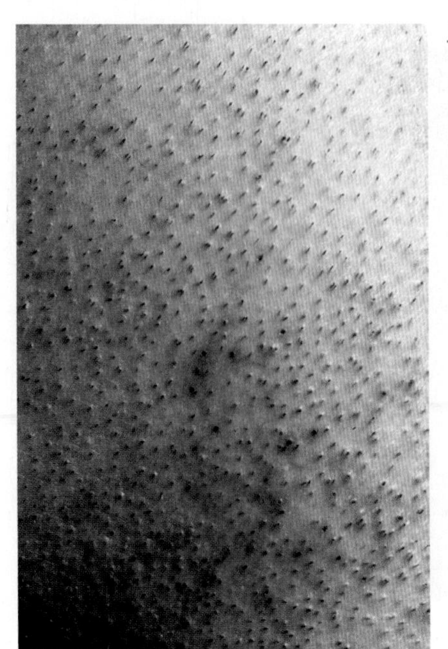

그림 33.54 겹모

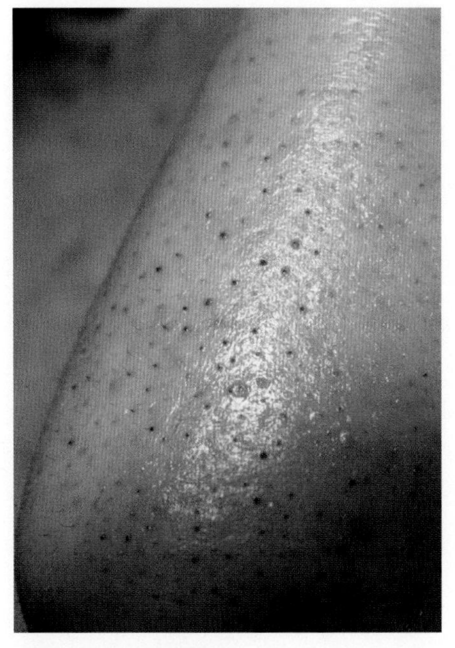

그림 33.55 극모정체증

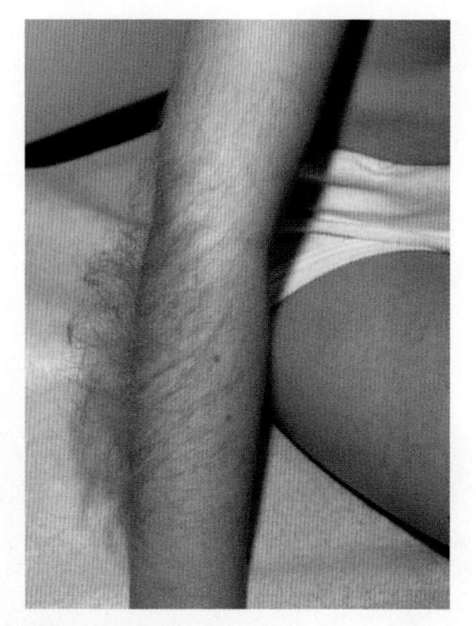

그림 33.56 팔꿈치다모증

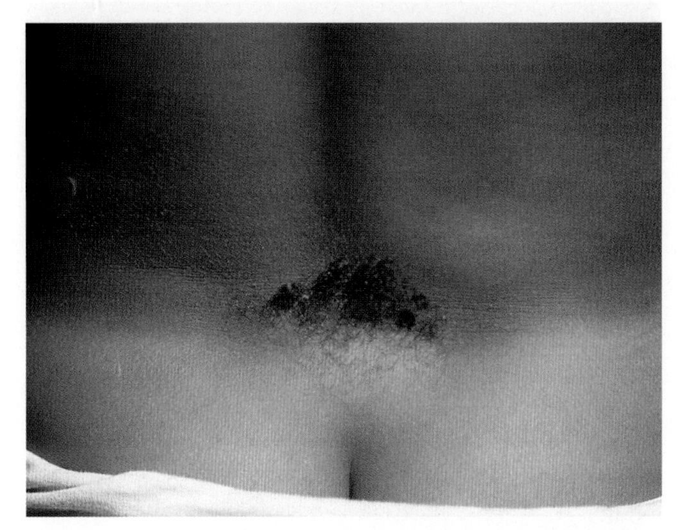

그림 33.57 지방종과 그 아래의 척수견인을 가진 천골피부의 국소다모증

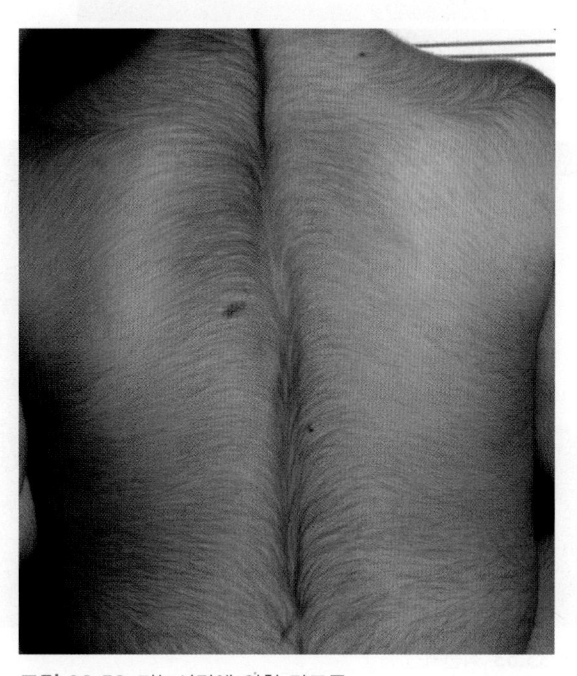

그림 33.58 미녹시딜에 의한 다모증

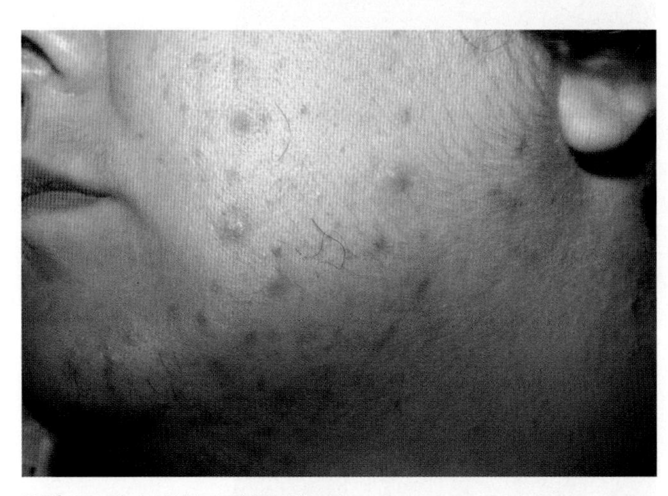

그림 33.59 남성형다모증과 여드름

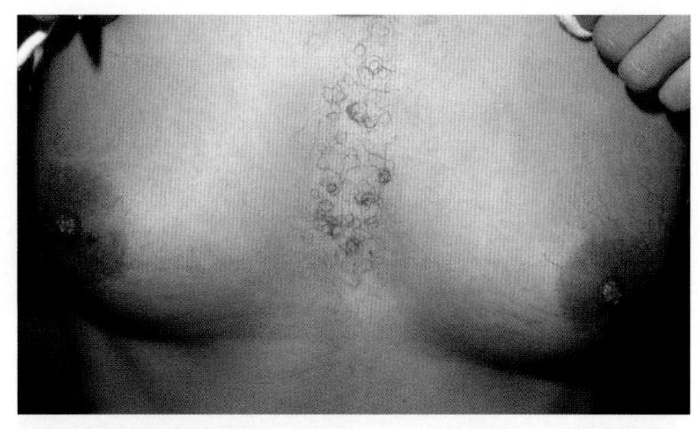

그림 33.60 남성형다모증과 여드름

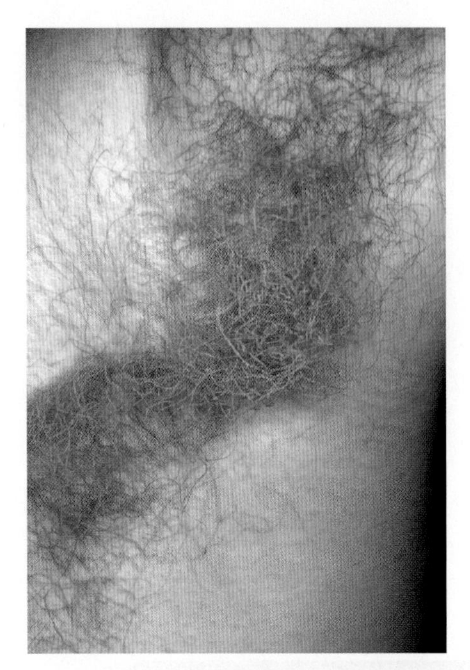
그림 33.61 겨드랑모진균증

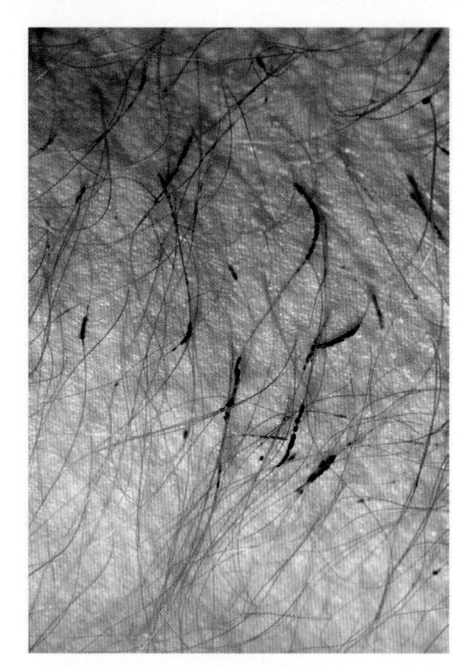
그림 33.62 겨드랑모진균증

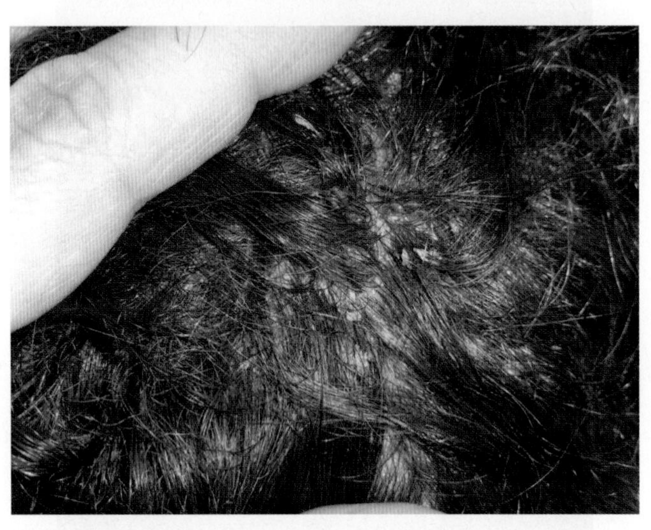
그림 33.63 석면백선

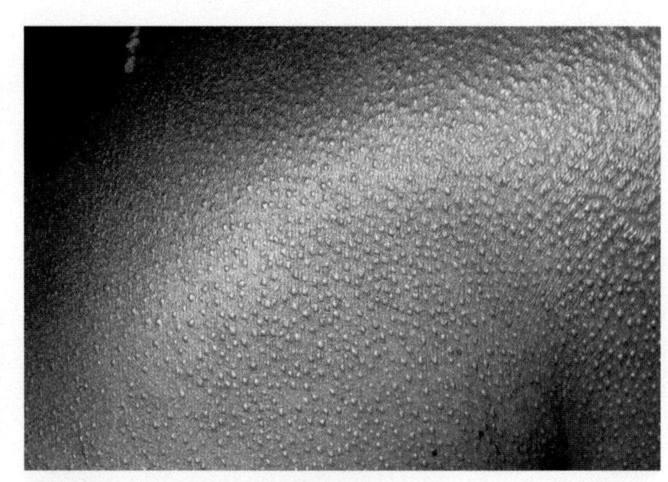
그림 33.64 파종재발모누두모낭염

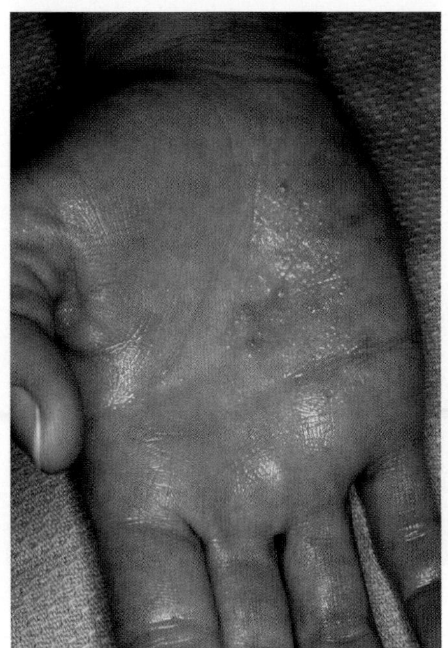
그림 33.66 손바닥 다한증

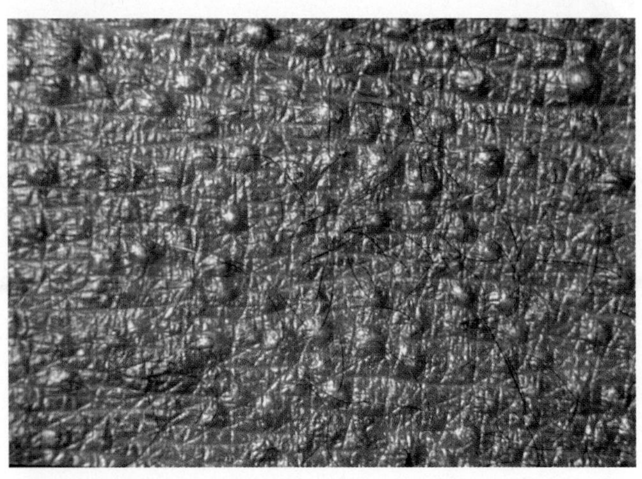
그림 33.65 파종재발모누두모낭염

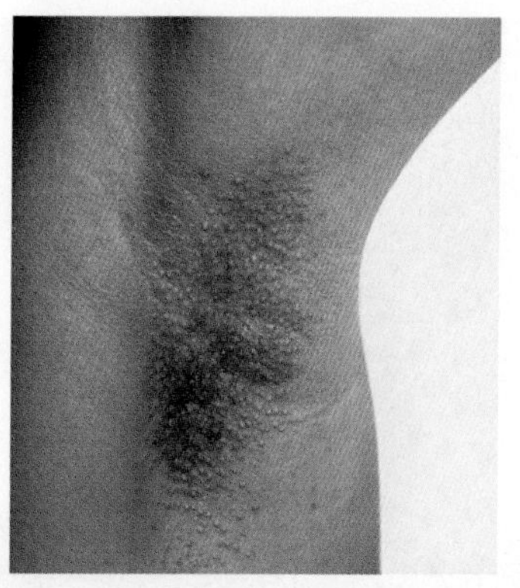

그림 33.67 폭스-포다이스병

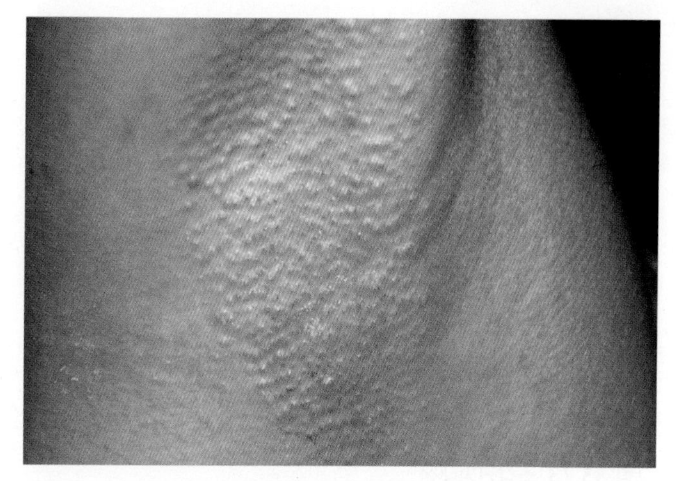

그림 33.68 폭스-포다이스병

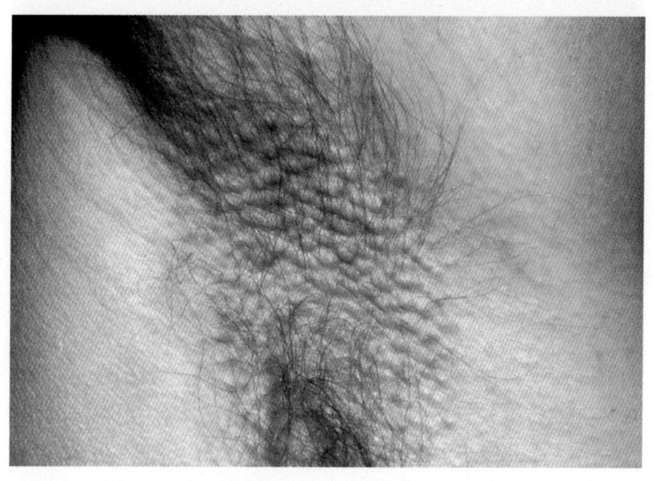

그림 33.69 황색종변화를 보이는 폭스-포다이스병

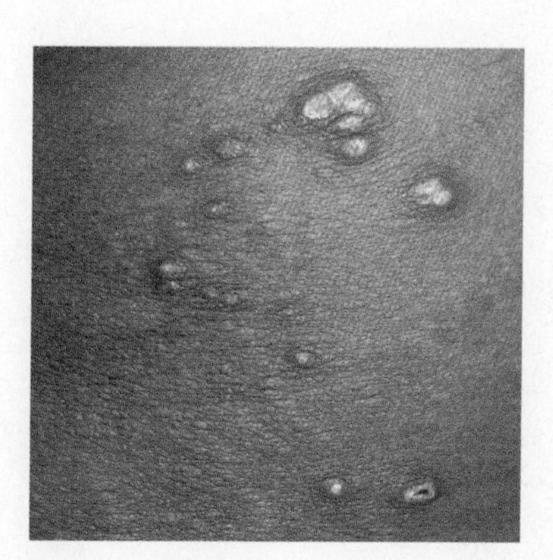

그림 33.70 신부전의 천공질환

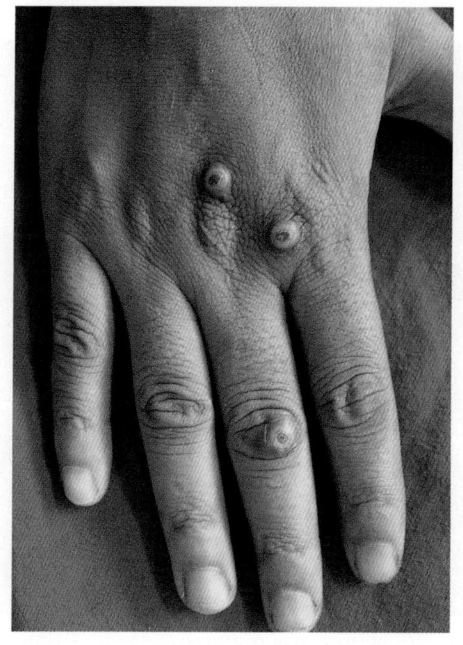

그림 33.71 반응천공교원섬유증

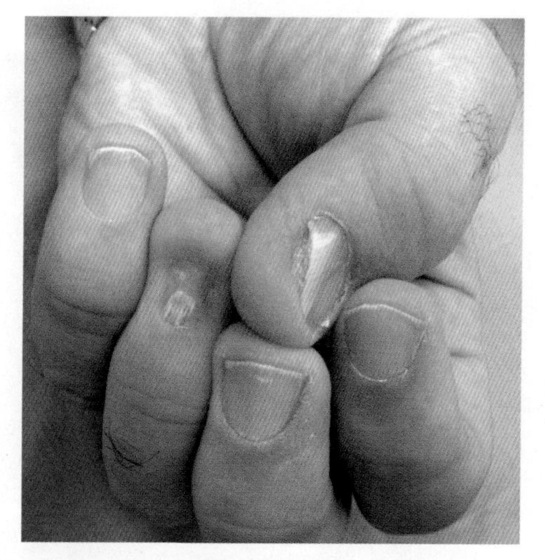

그림 33.72 조갑편평태선

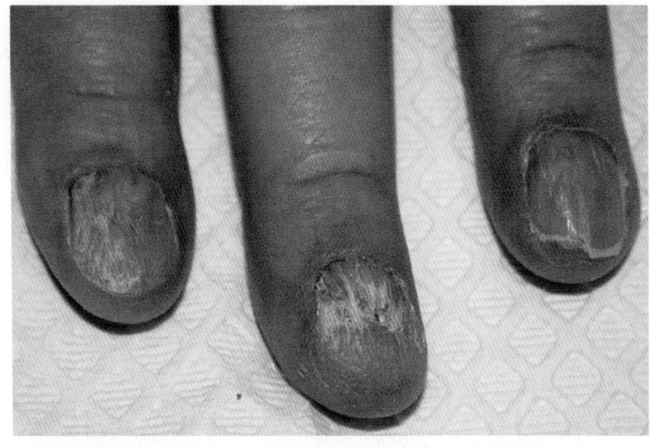

그림 33.73 조갑편평태선

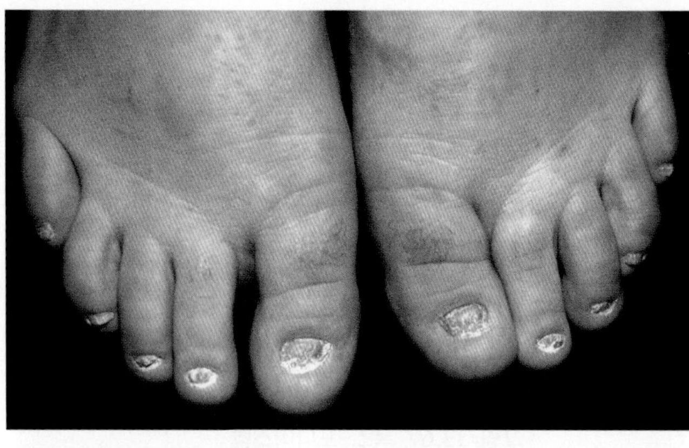

그림 33.74 조갑편평태선

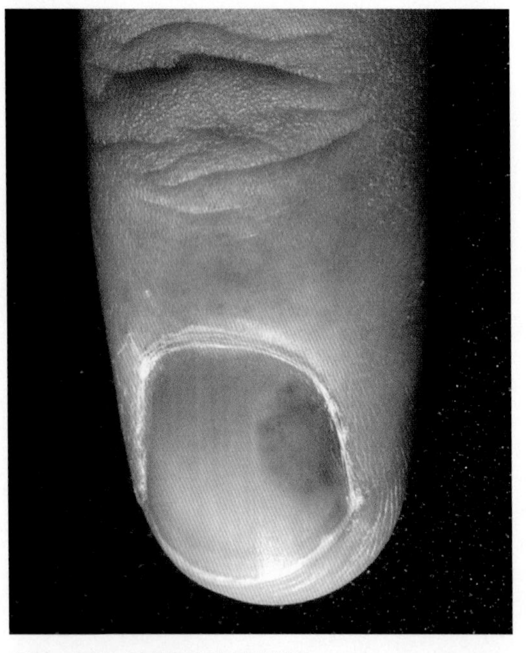

그림 33.75 건선조갑의 기름반점

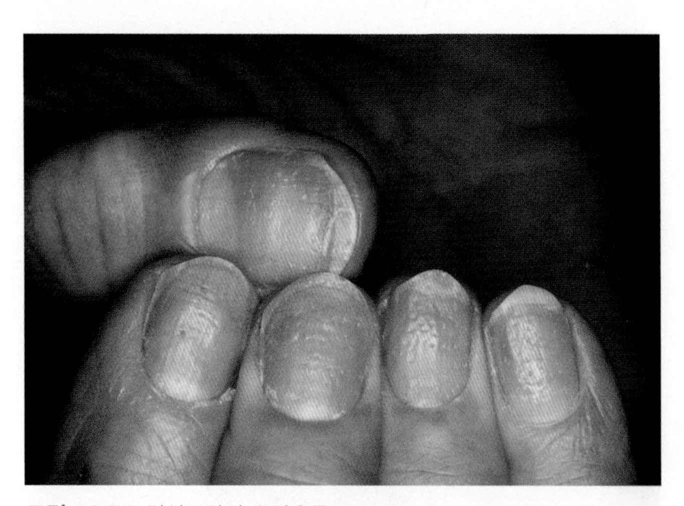

그림 33.76 건선조갑의 조갑오목

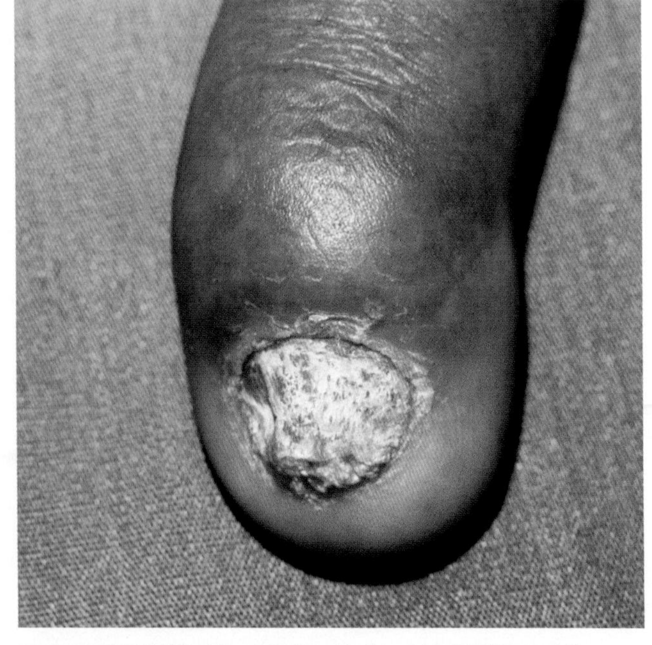

그림 33.77 건선조갑의 과각화증. 환자는 건선관절염을 동반함

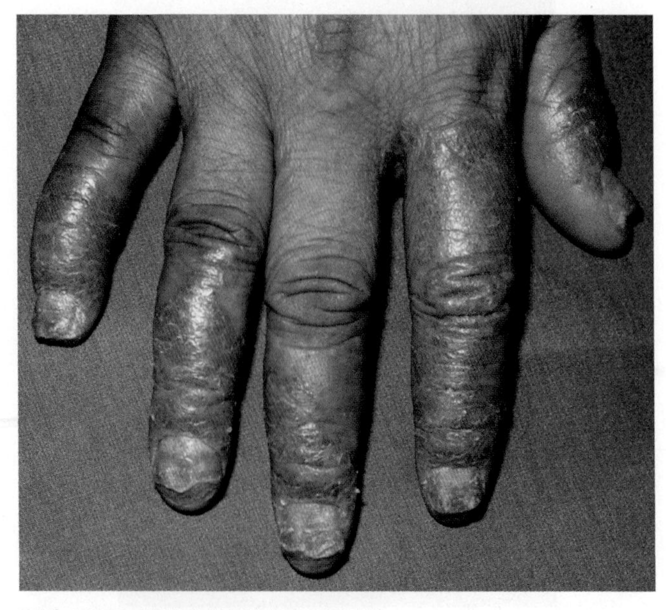

그림 33.78 건선관절염환자의 조갑건선

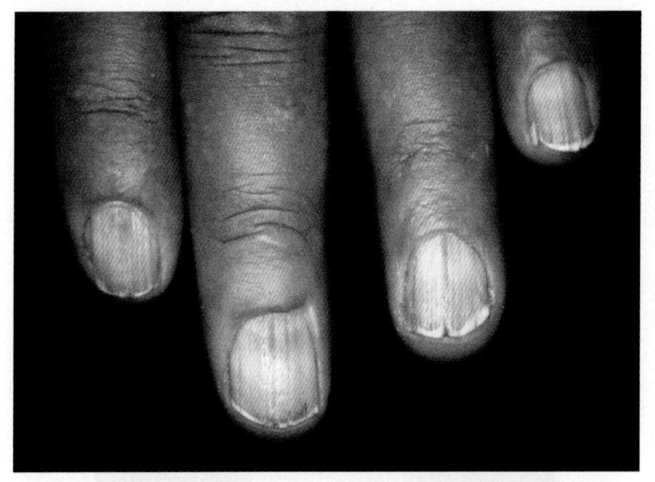

그림 33.79 조갑의 다리에병

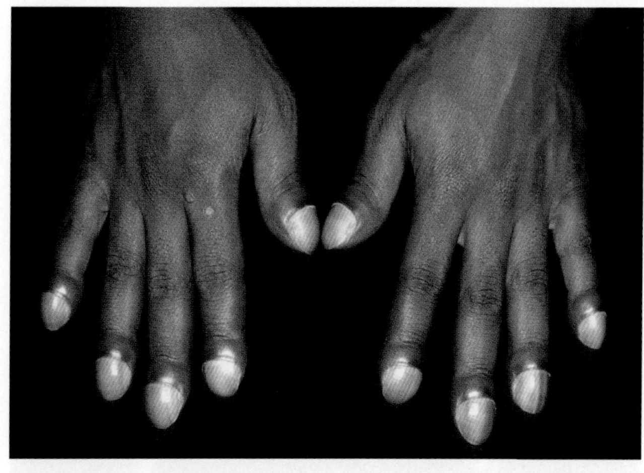

그림 33.80 곤봉형성 조갑

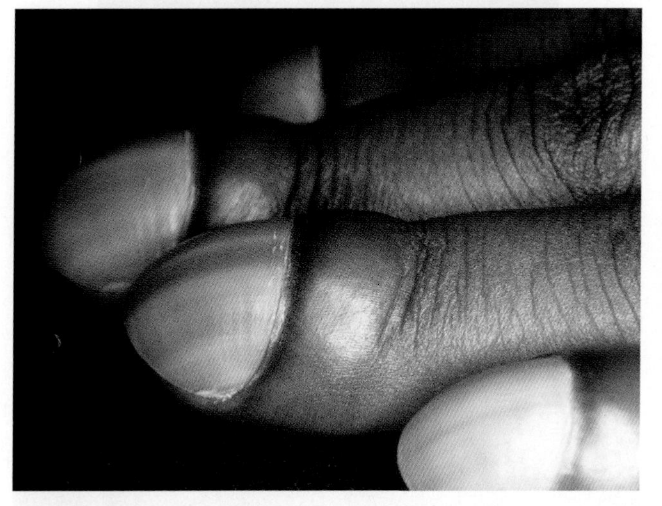

그림 33.81 곤봉형성 조갑

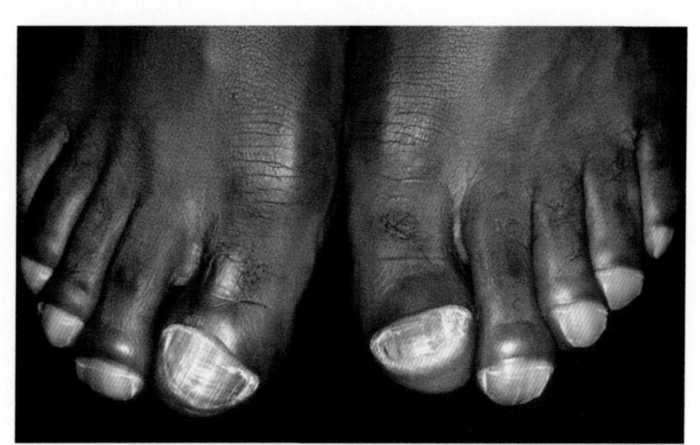

그림 33.82 곤봉형성 조갑

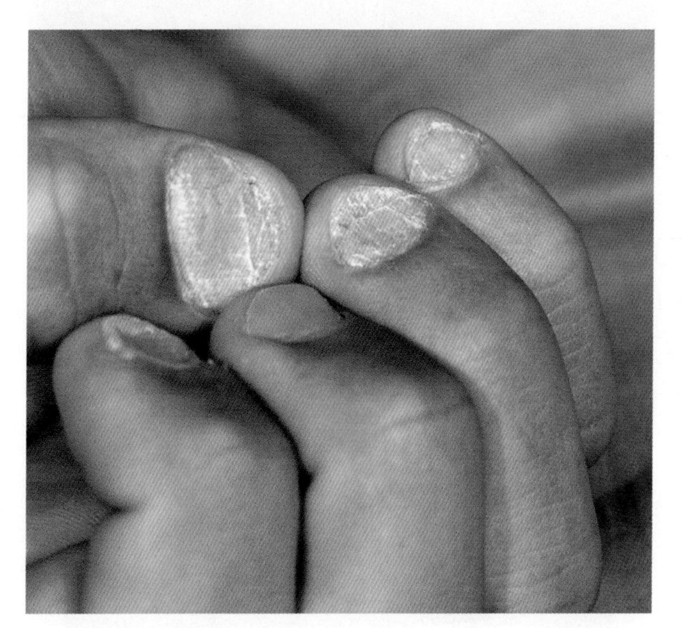

그림 33.83 조갑거침증을 가진 숟가락조갑

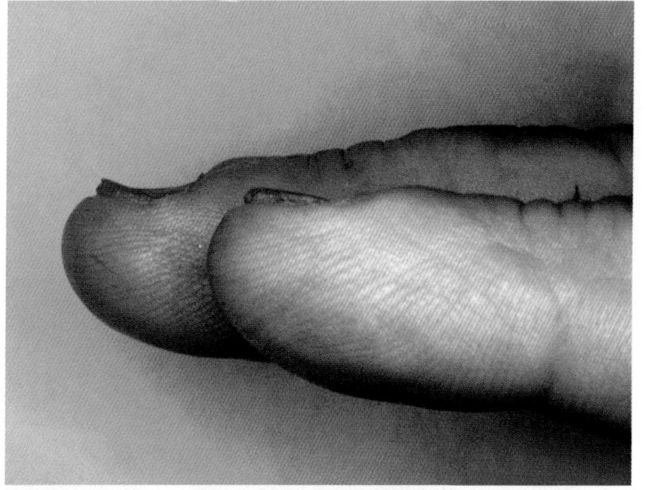

그림 33.84 숟가락조갑

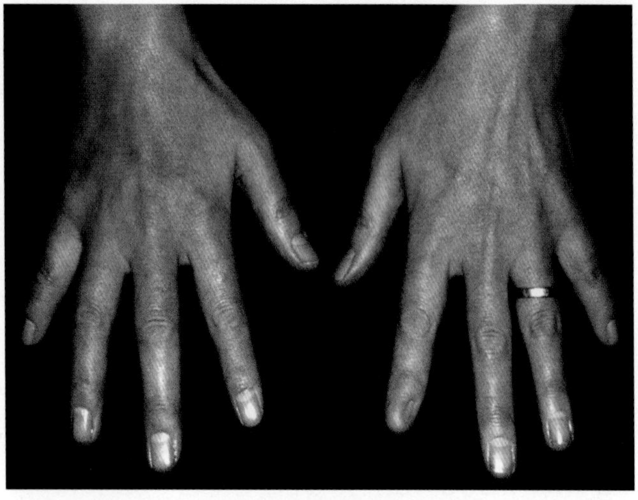
그림 33.85 집게손가락의 선천조갑형성이상

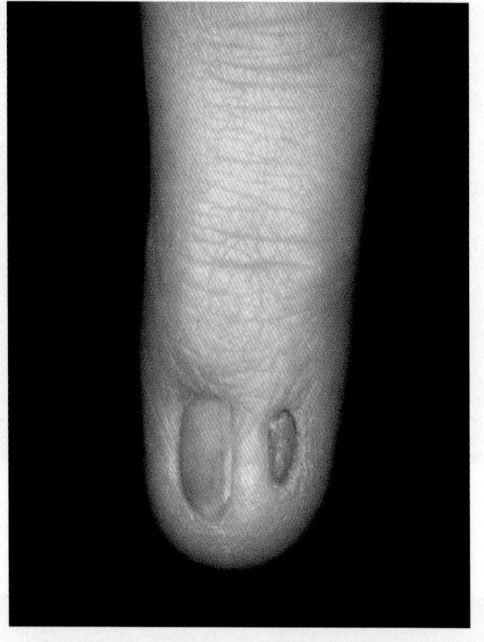
그림 33.86 집게손가락의 선천조갑형성이상

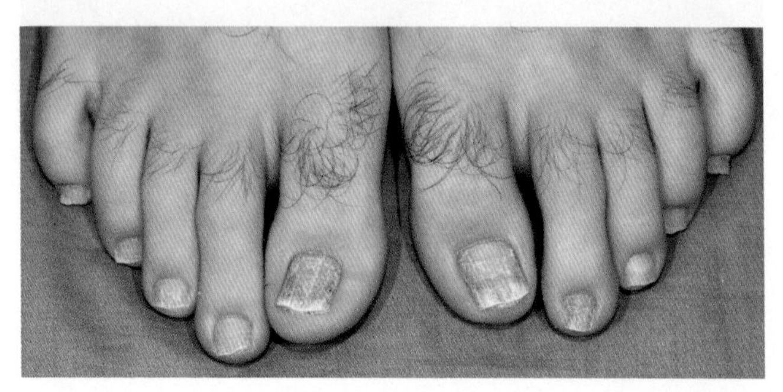
그림 33.87 조갑거침증

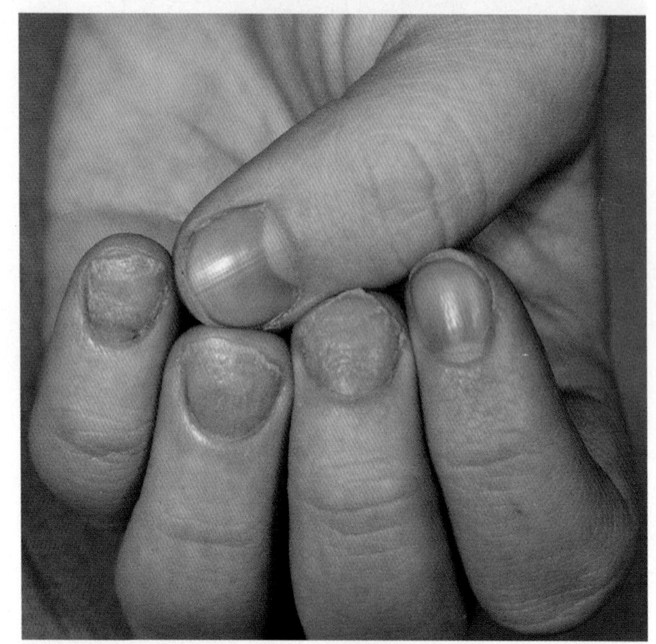
그림 33.88 조갑거침증

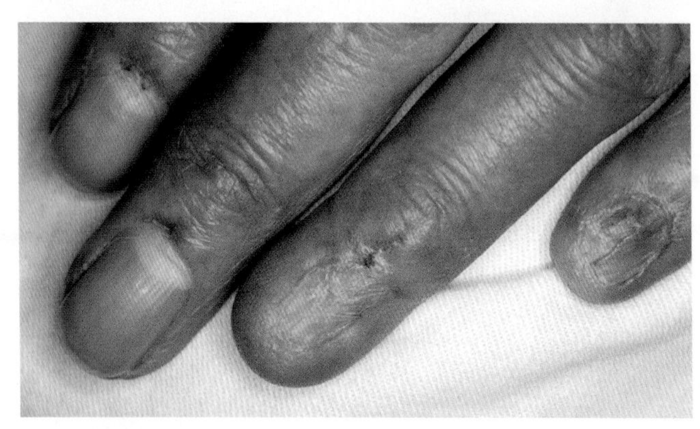
그림 33.89 조갑무형성증

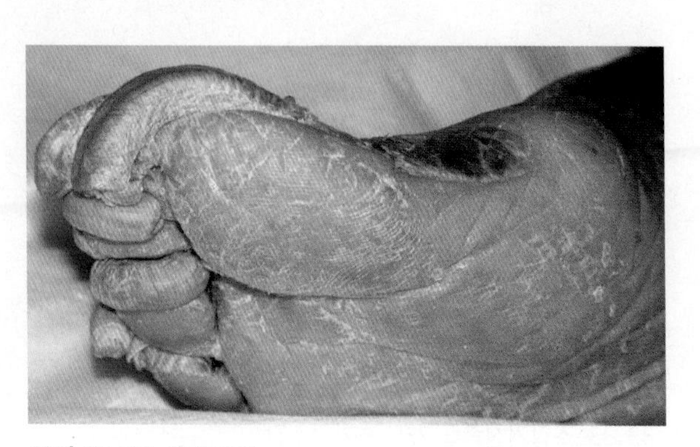
그림 33.90 조갑만곡

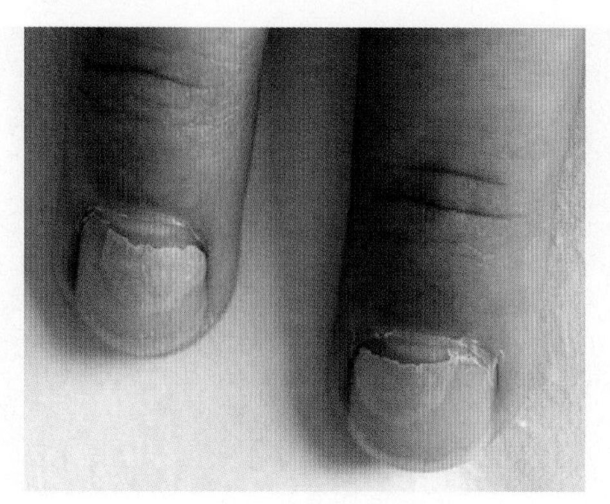
그림 33.91 수족구병 후 조갑탈락

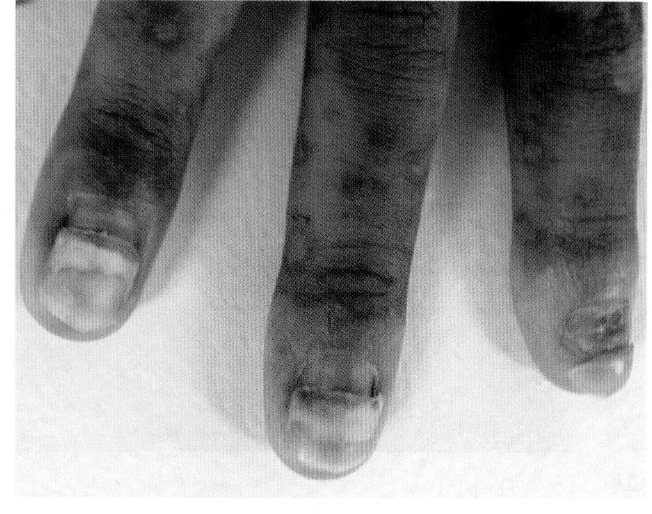
그림 33.92 독성표피괴사용해 후 조갑탈락

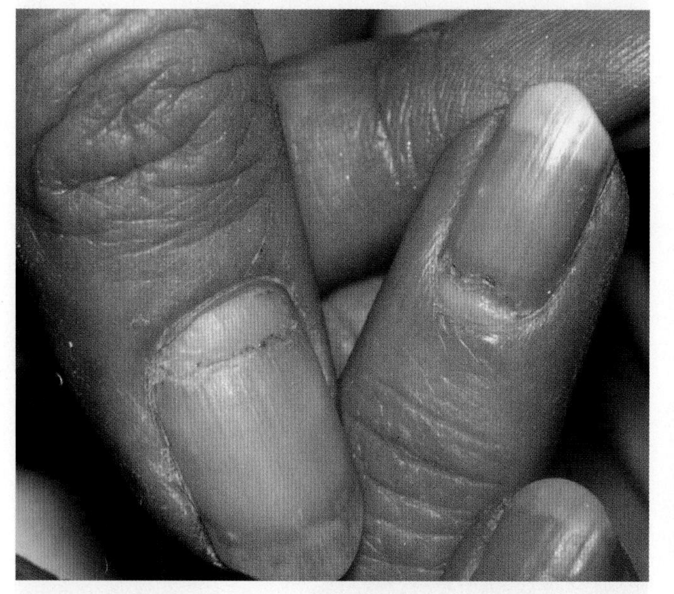
그림 33.93 보우선

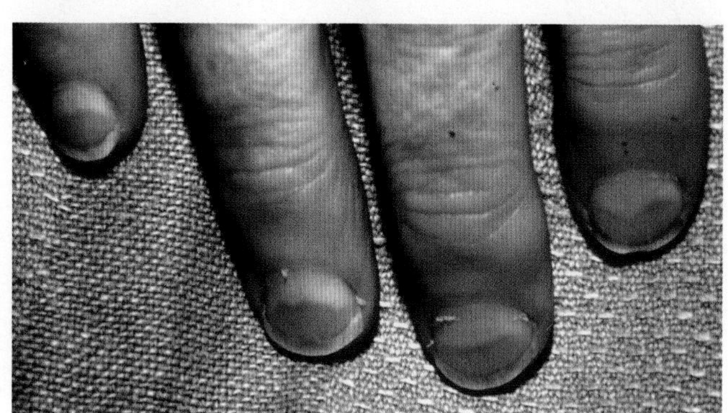
그림 33.94 반반조갑

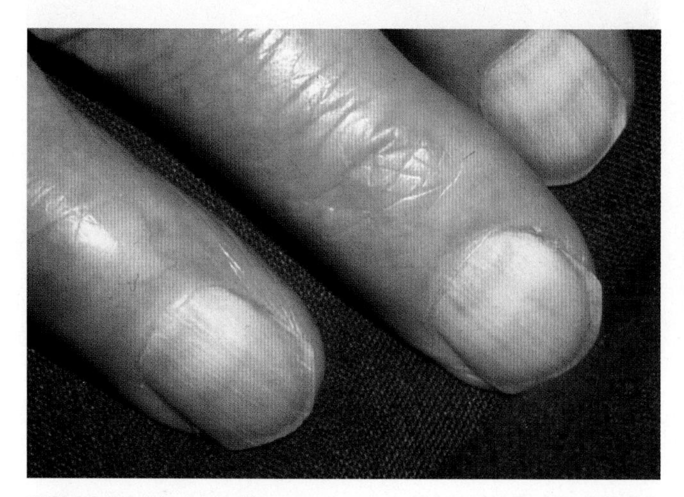
그림 33.95 Muehrcke선

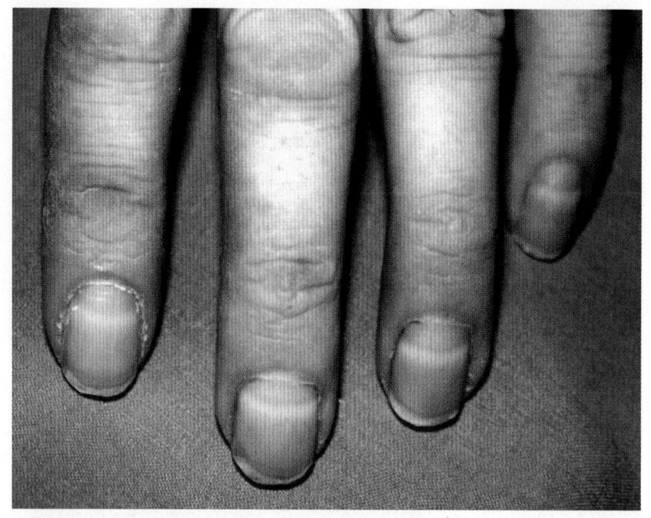
그림 33.96 미스선

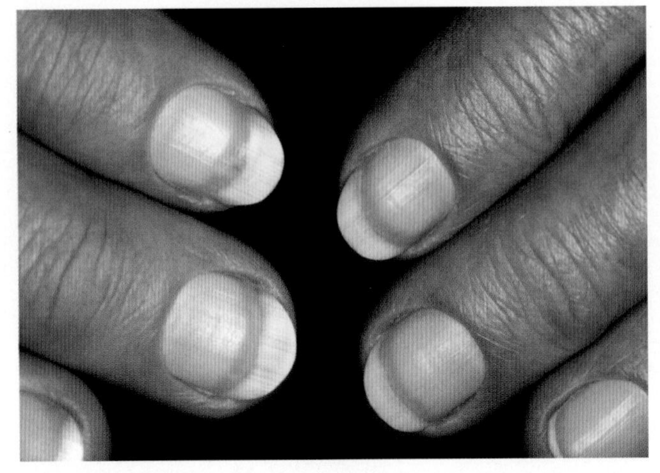

그림 33.97 테리조갑

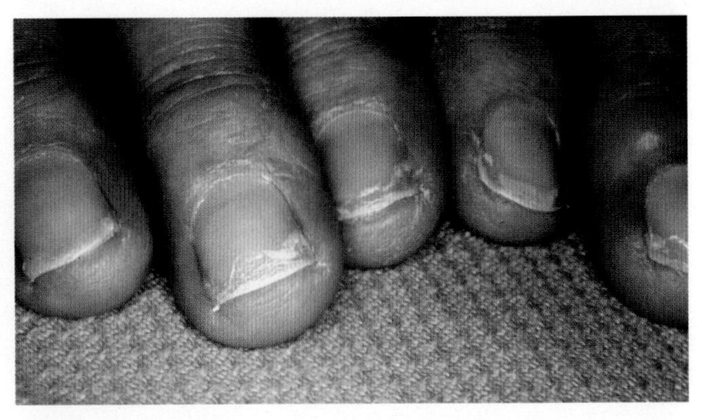

그림 33.98 조갑층갈림

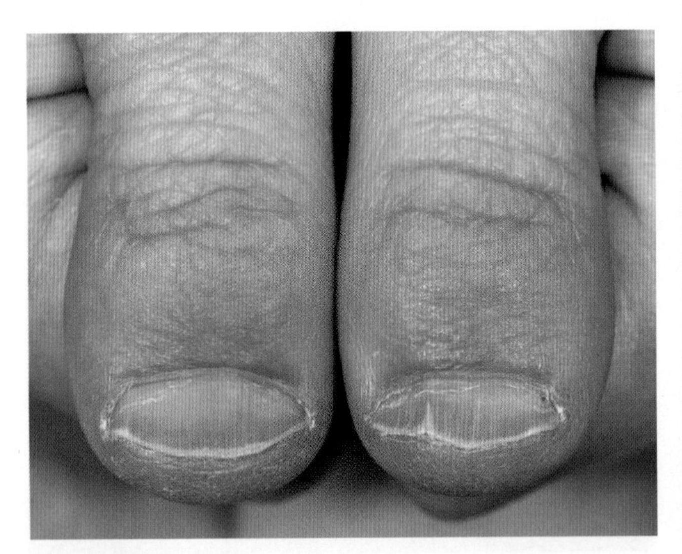

그림 33.99 라케트조갑

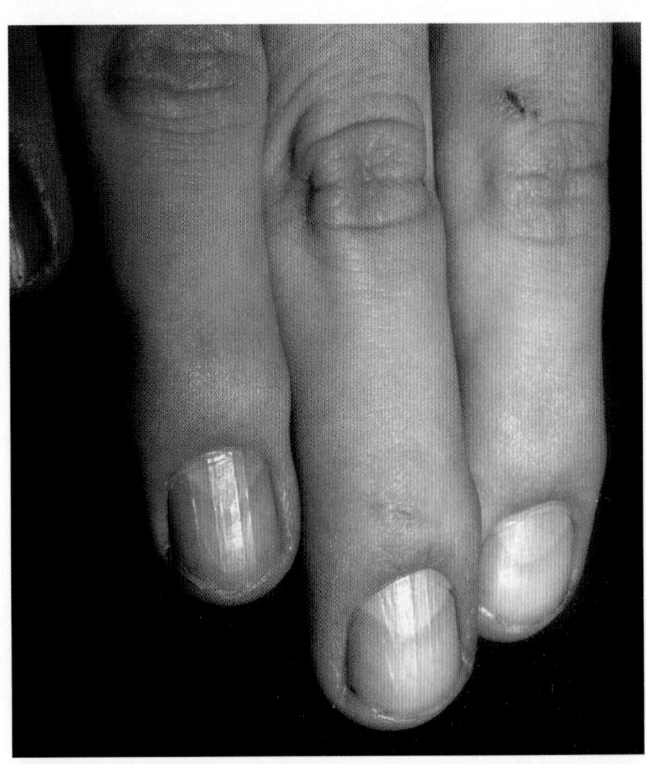

그림 33.100 삼각조갑초승달을 보이는 손발톱무릎뼈 증후군

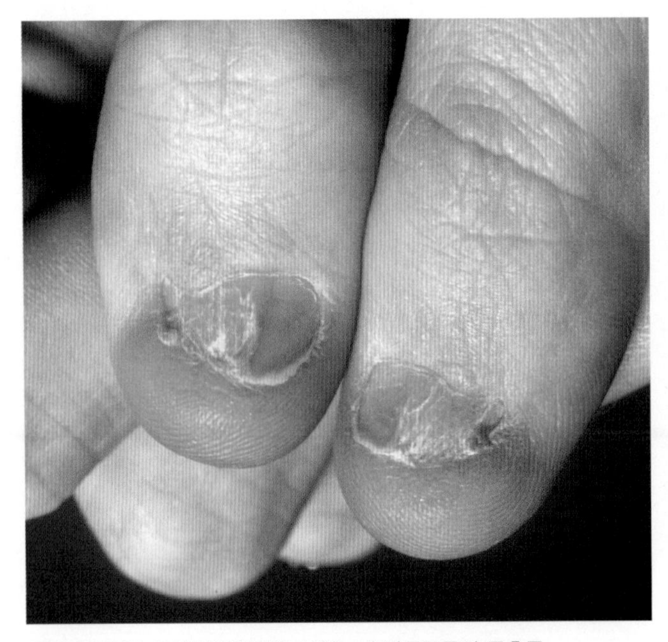

그림 33.101 조갑이영양증을 보이는 손발톱무릎뼈 증후군

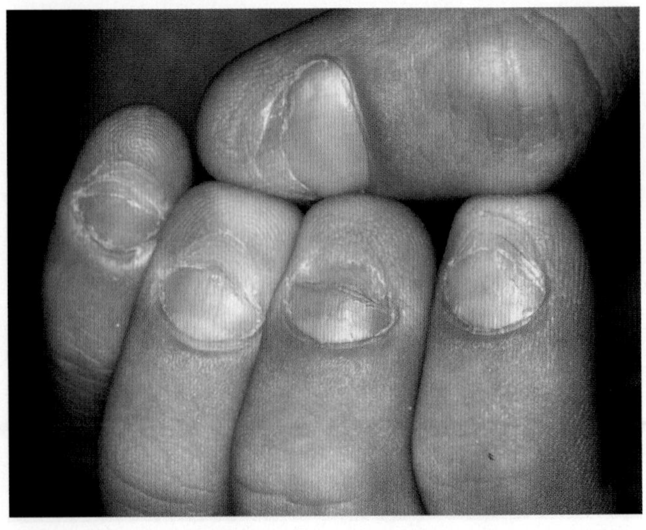

그림 33.102 조갑물어뜯기

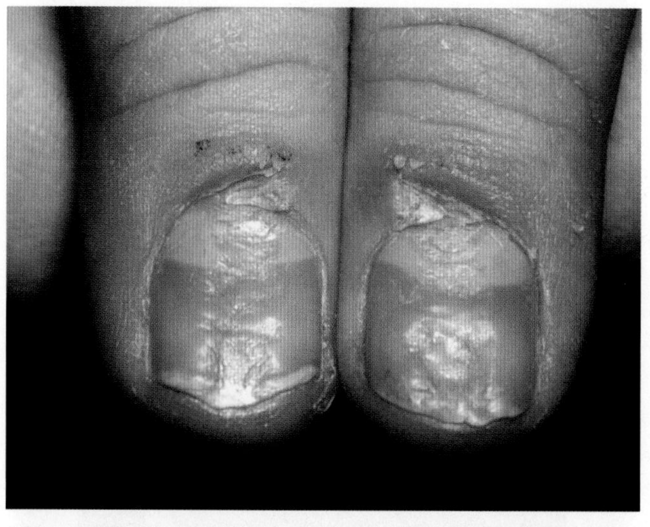

그림 33.103 각피를 뒤로 미는 습관으로 생긴 빨래판조갑의 조갑이영양증

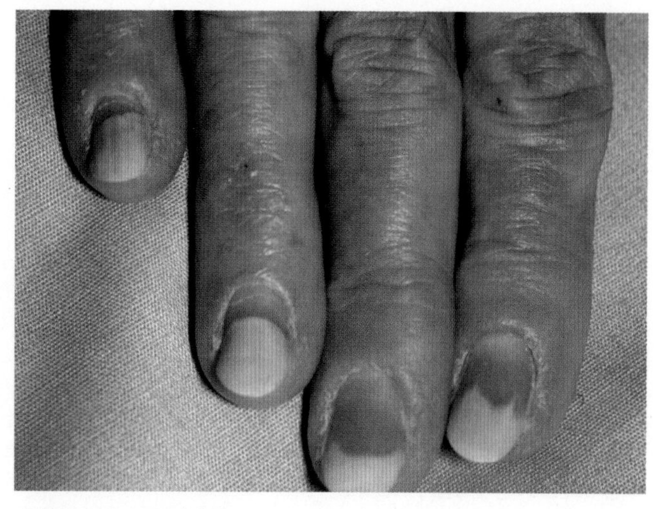

그림 33.104 조갑박리

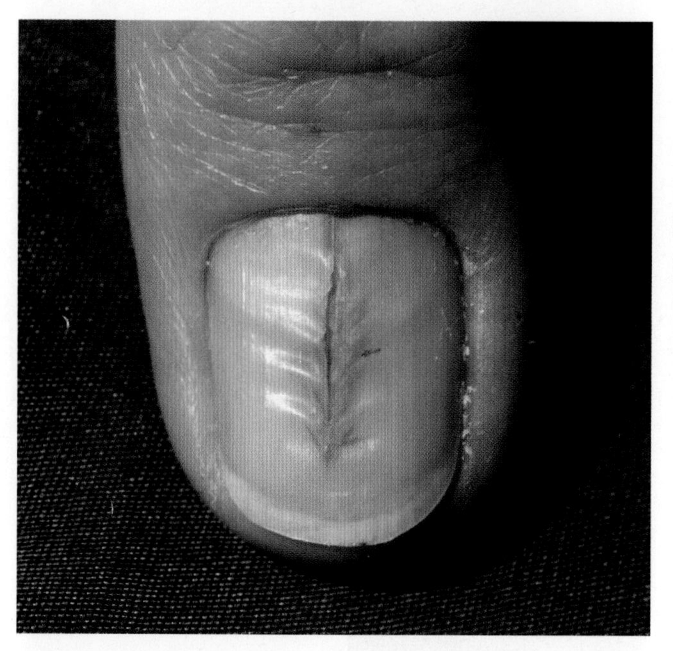

그림 33.105 정중조갑이상증

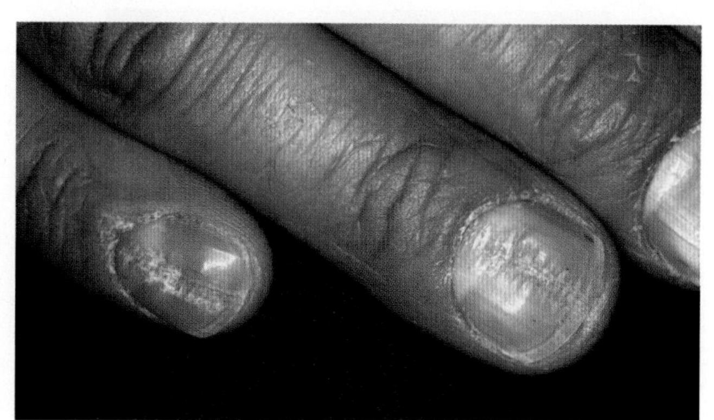

그림 33.106 정중조갑이상증

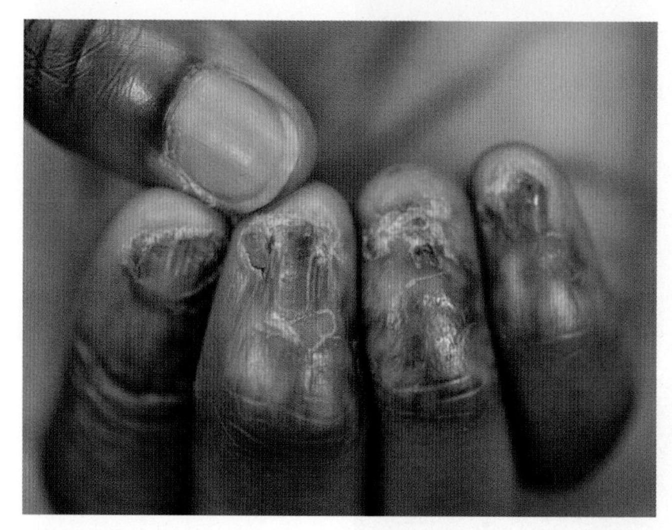

그림 33.107 조갑익상편

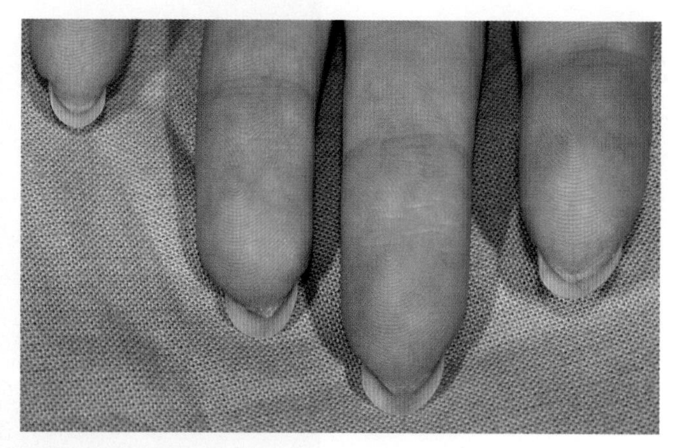

그림 33.108 역조갑

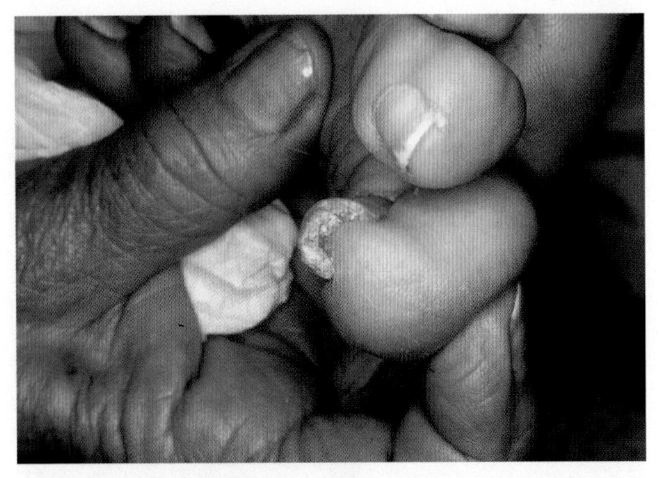

그림 33.109 집게조갑

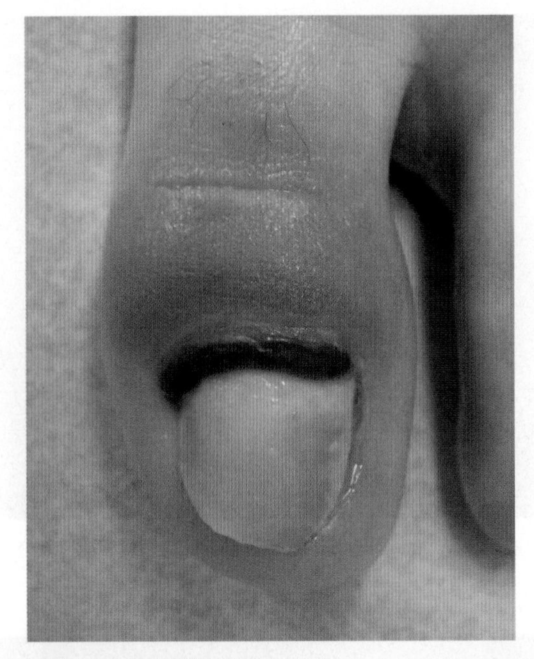

그림 33.110 근위부손발톱내성장

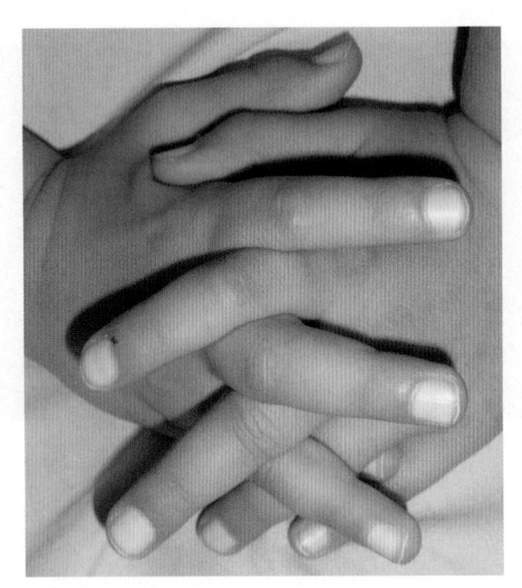

그림 33.111 백색조갑

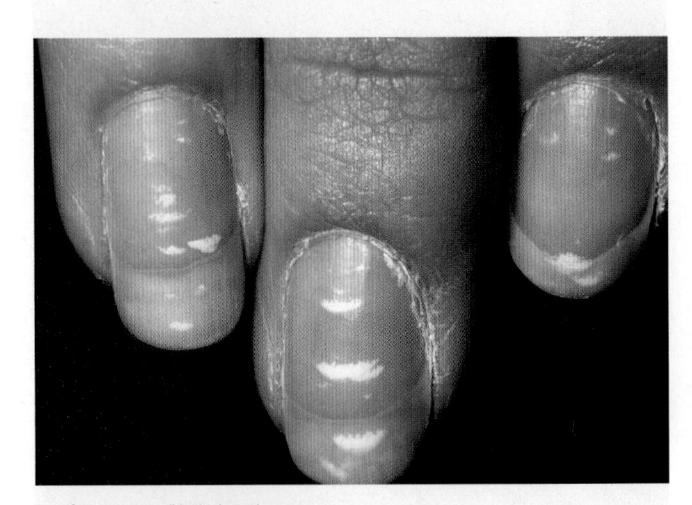

그림 33.112 횡백색조갑

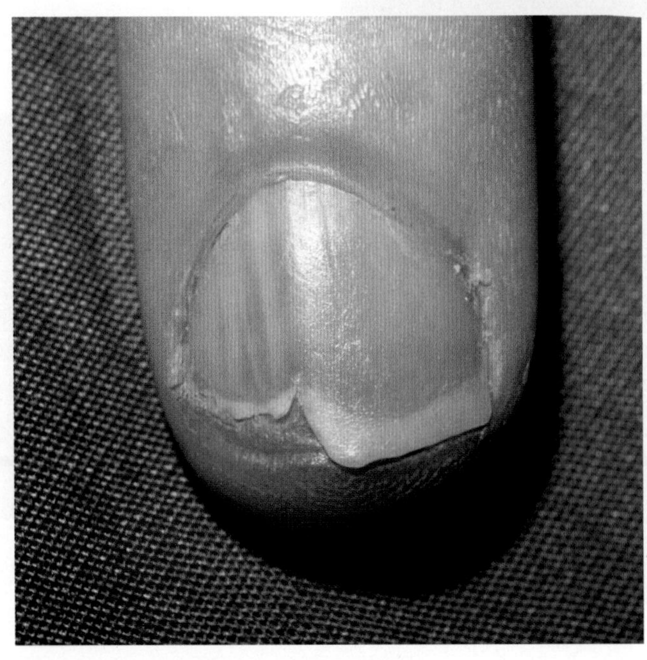

그림 33.113 다리에병의 홍색세로능선조갑

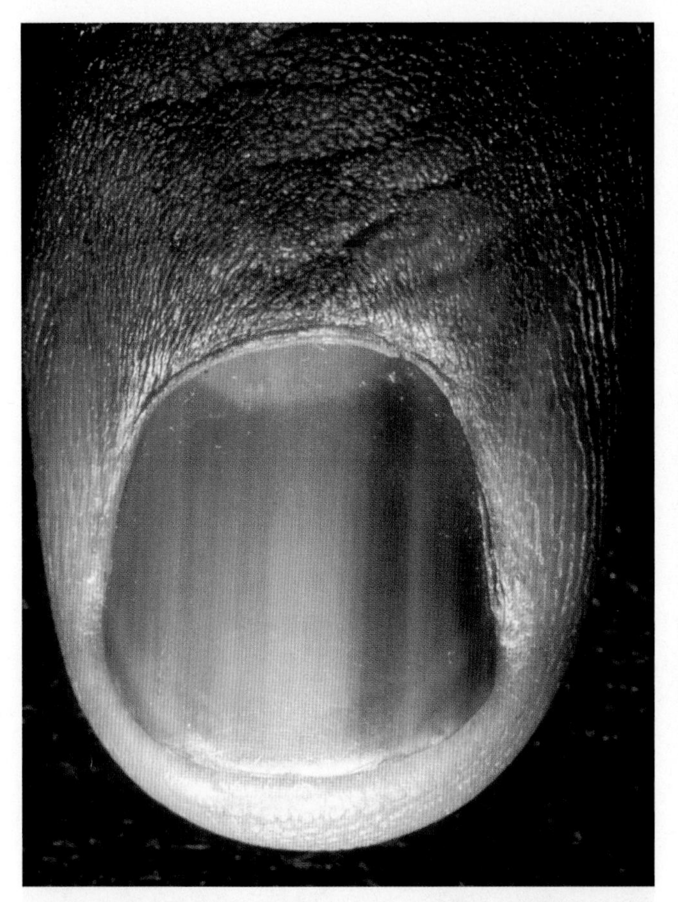

그림 33.114 아프리카계 미국환자의 다발성의 양성선상흑색조갑

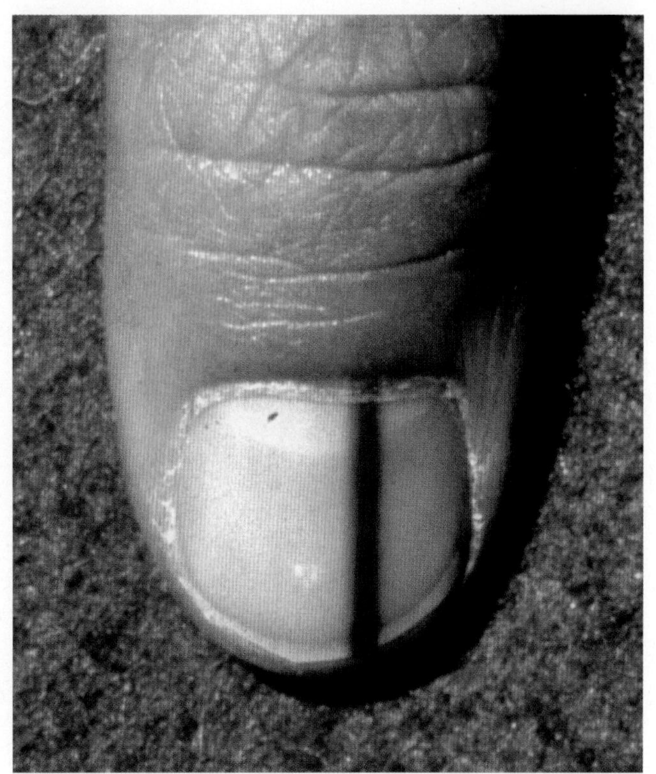

그림 33.115 양성선상흑색조갑

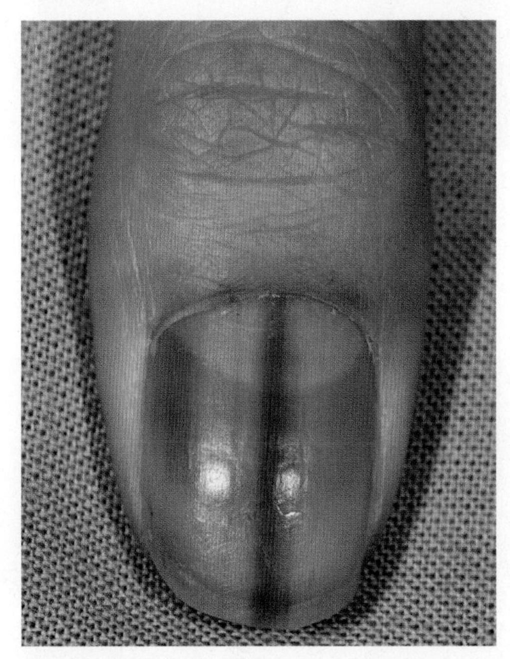

그림 33.116 상피내흑색종에 의한 선상흑색조갑

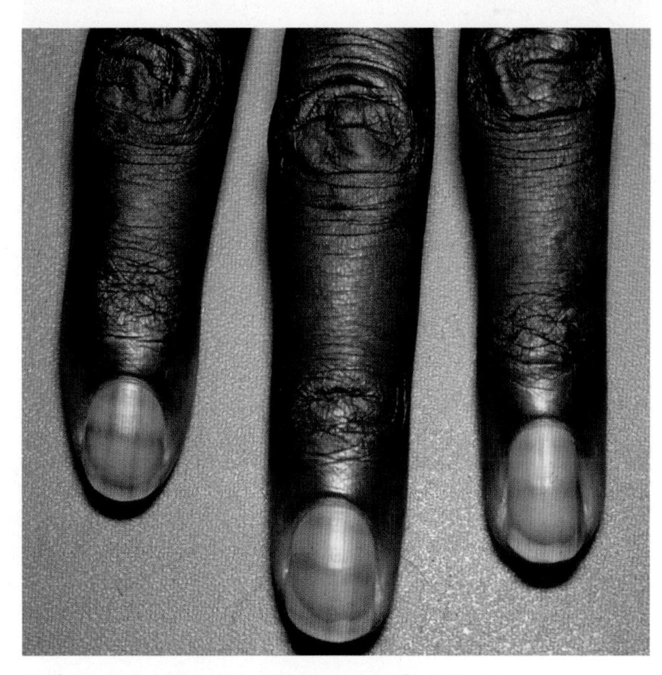

그림 33.117 화학요법에 이차적으로 발생한 횡조갑띠

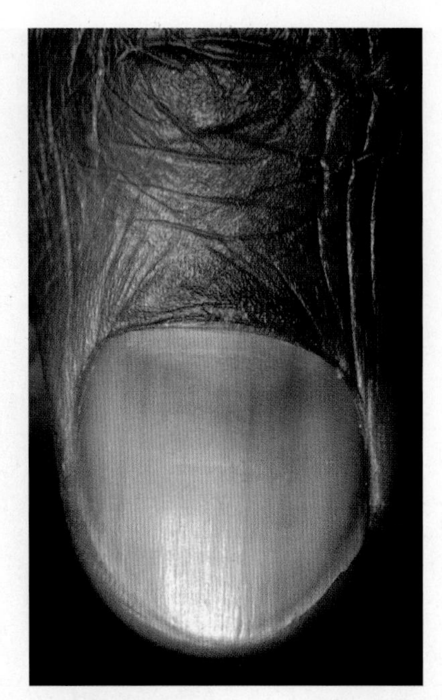

그림 33.118 지도부딘 색소

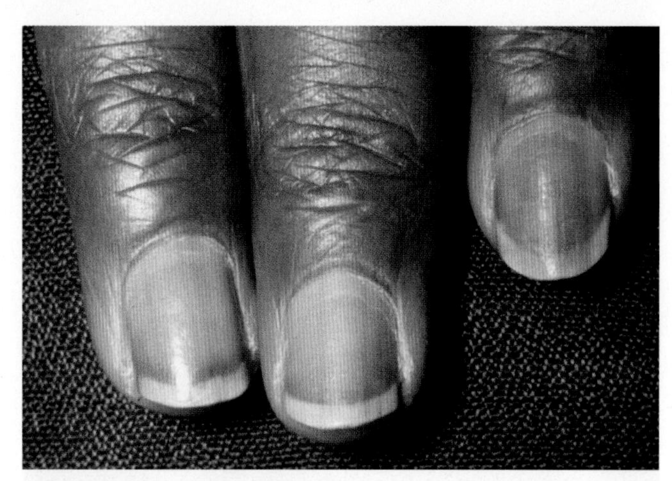

그림 33.119 지도부딘 색소

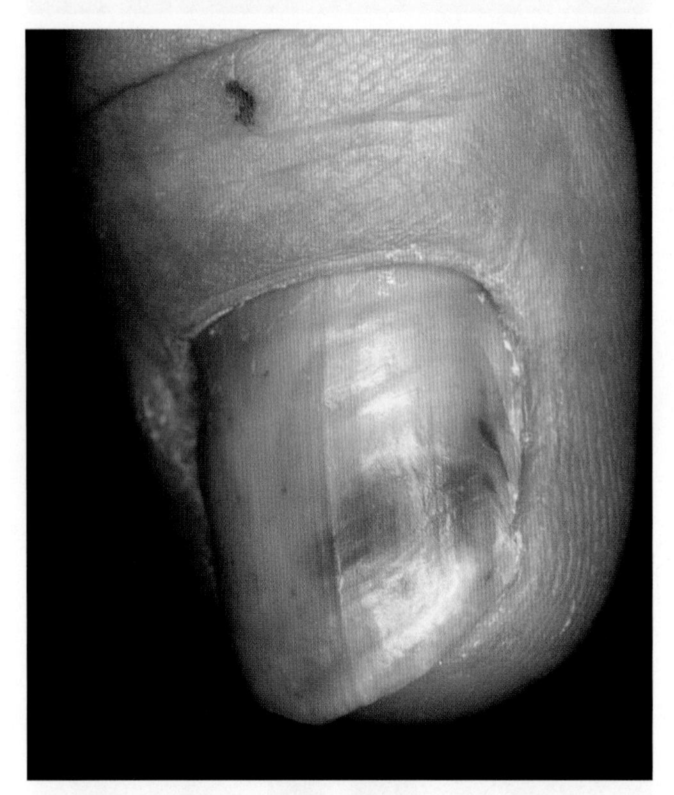

그림 33.120 녹색조갑

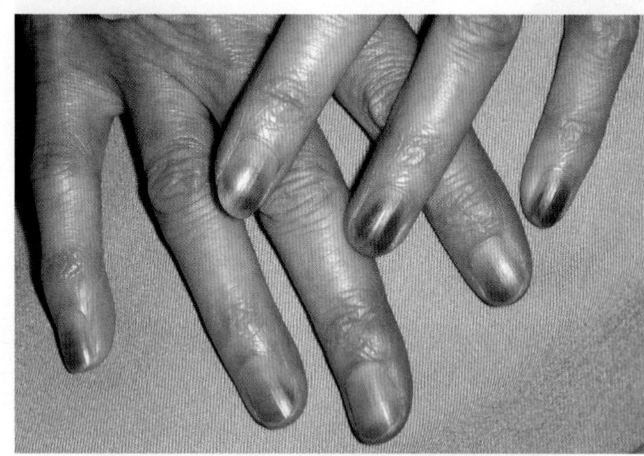

그림 33.121 외인적 조갑염색. 근위 및 외측 손톱주름의 굽이를 따라 나타난 색소

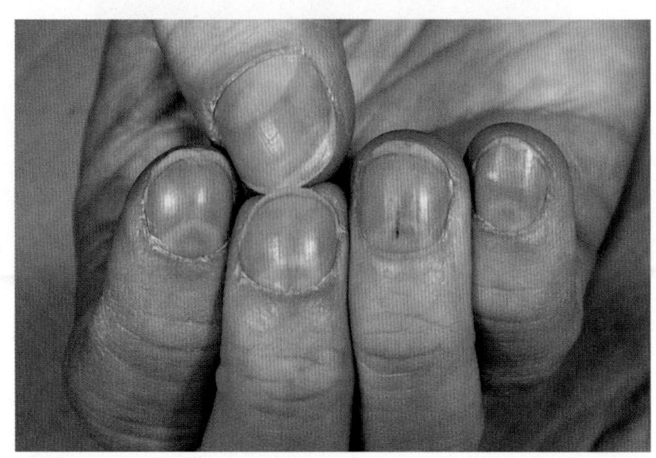

그림 33.122 홍색조갑초승달

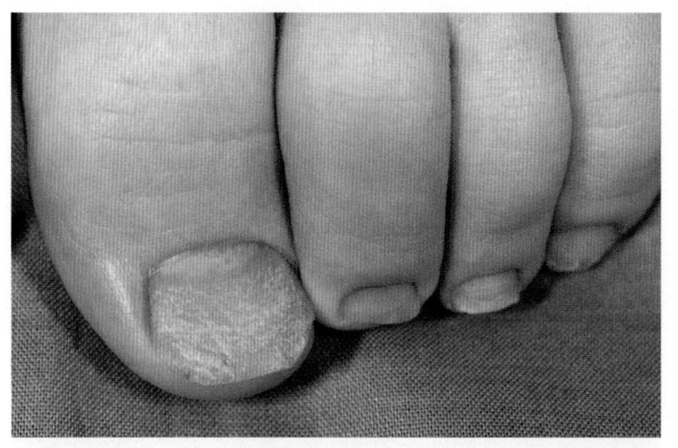

그림 33.123 얼룩조갑초승달

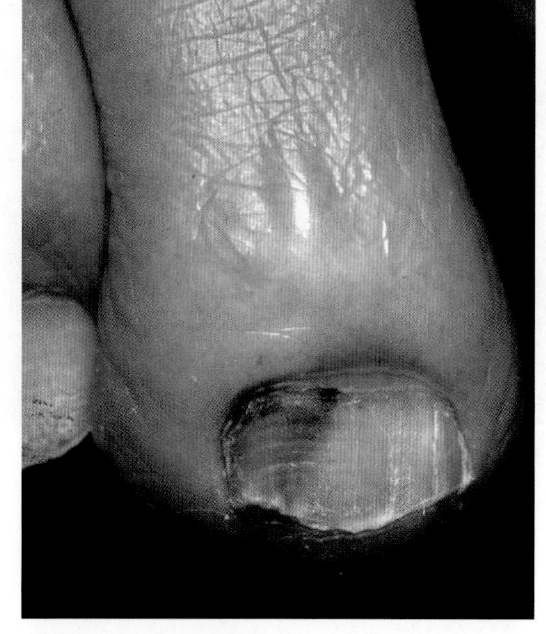

그림 33.124 조갑하혈종

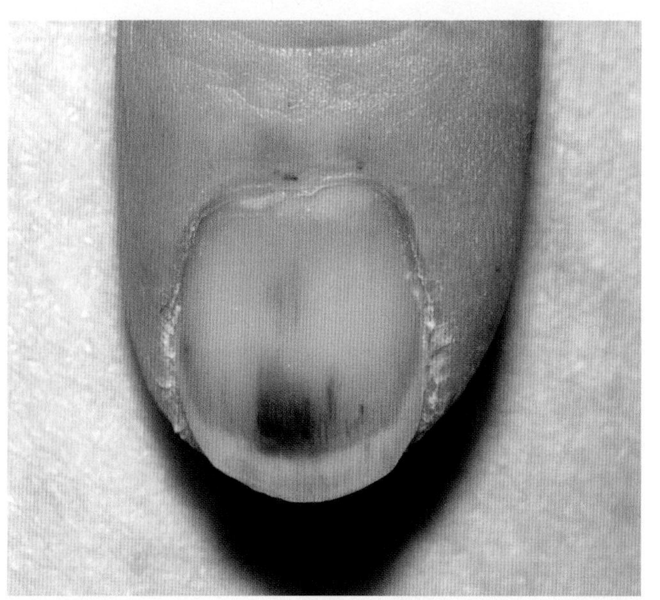

그림 33.125 선상출혈

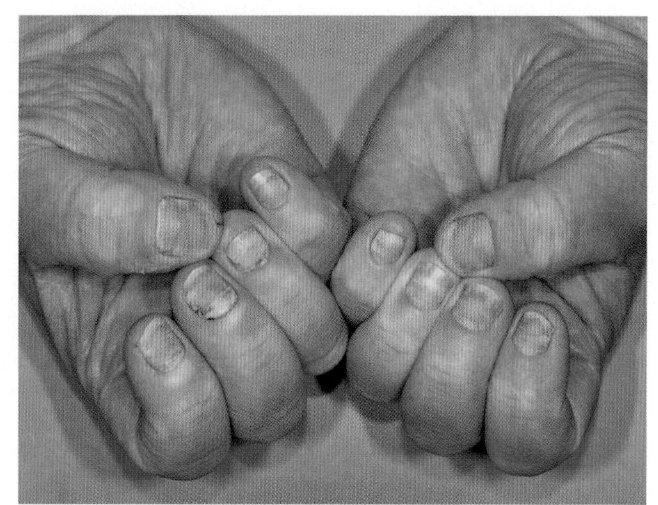

그림 33.126 황색조갑증후군

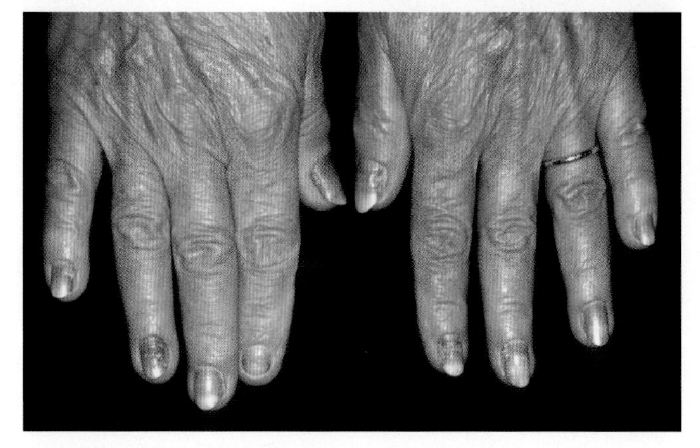

그림 33.127 황색조갑증후군

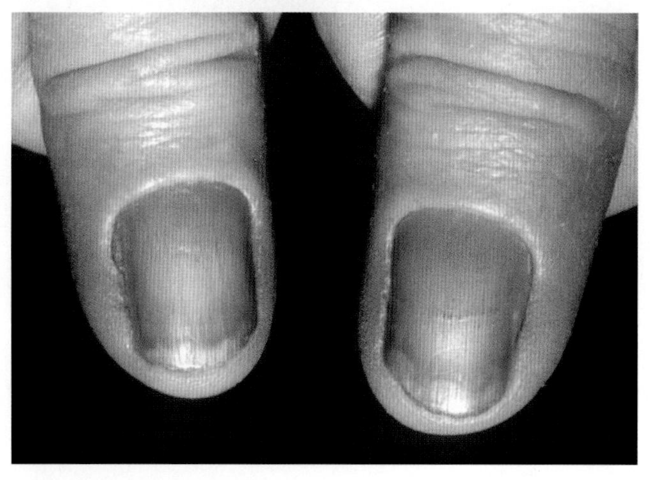

그림 33.128 황색조갑증후군

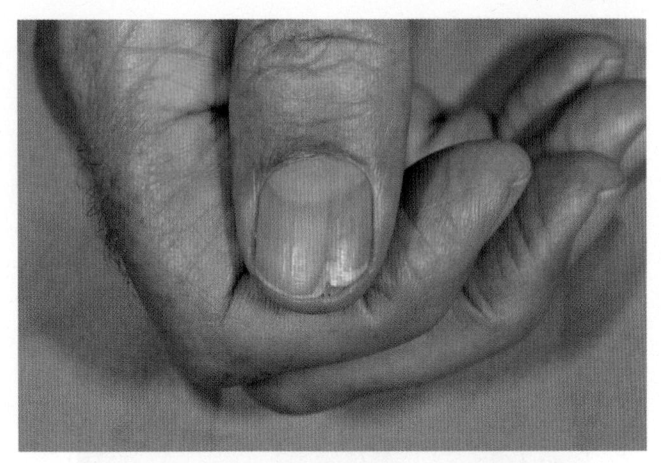

그림 33.129 조갑유두종

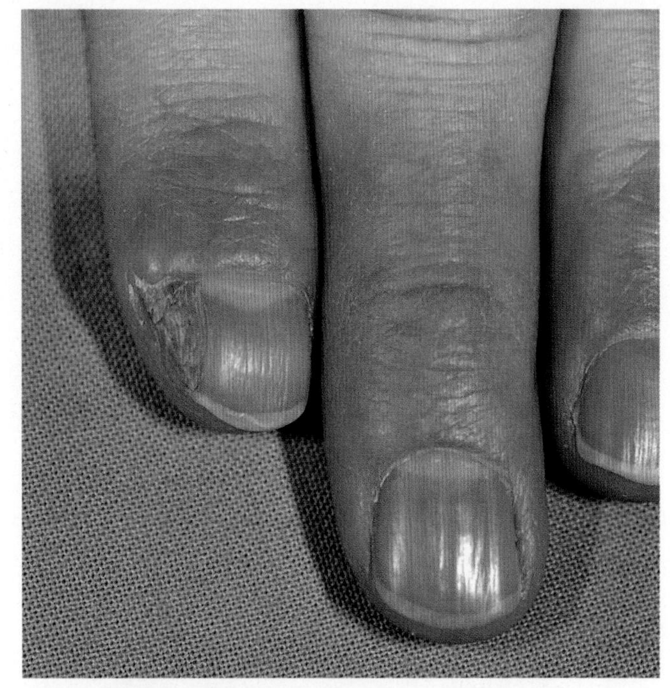

그림 33.130 조갑기질종

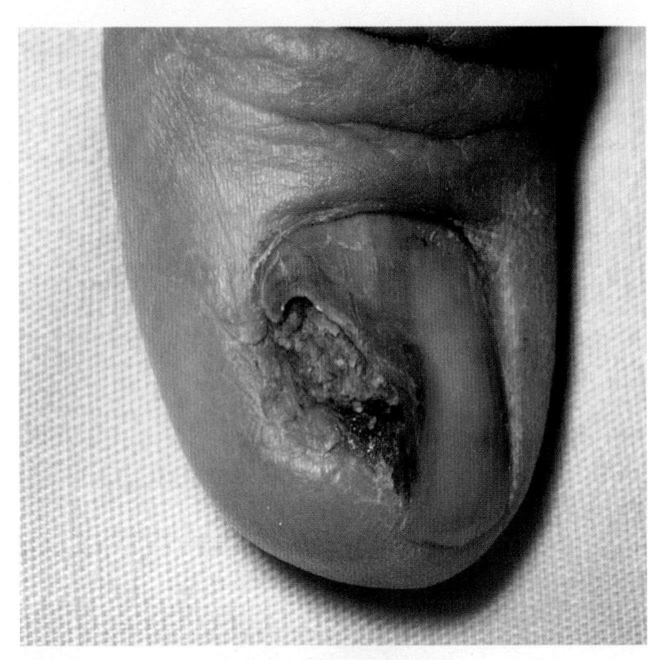

그림 33.131 조상의 보웬병

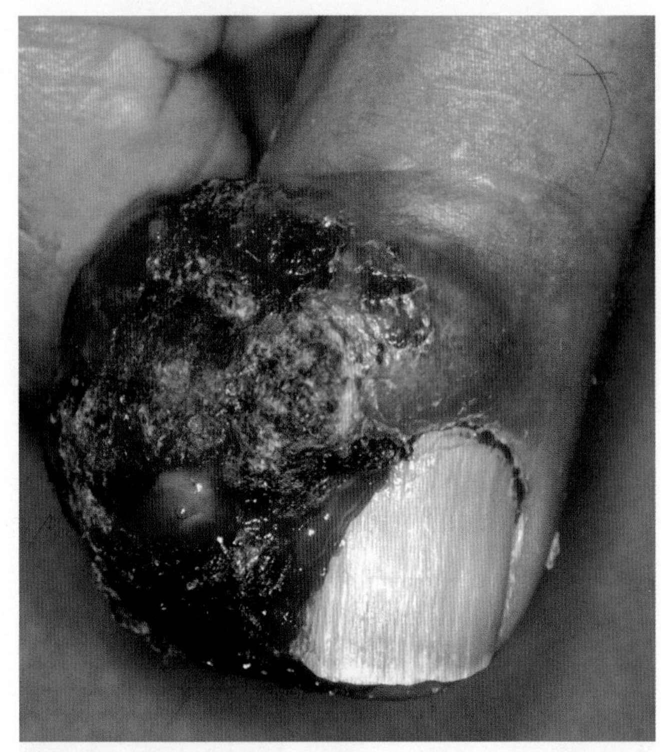

그림 33.132 편평세포암

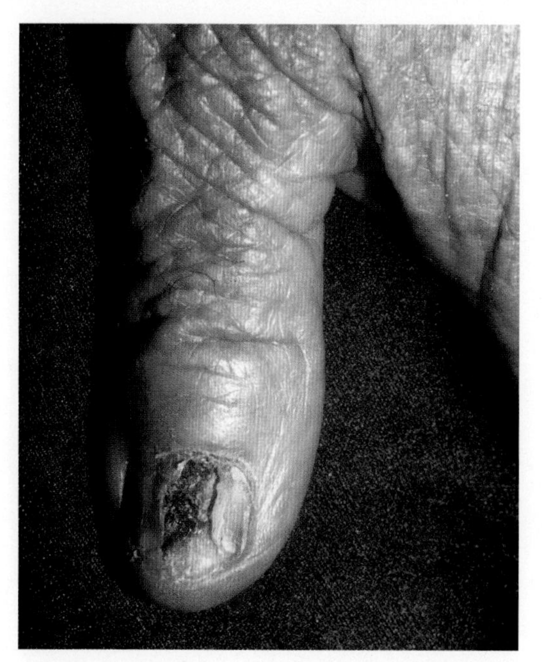

그림 33.133 흑색종

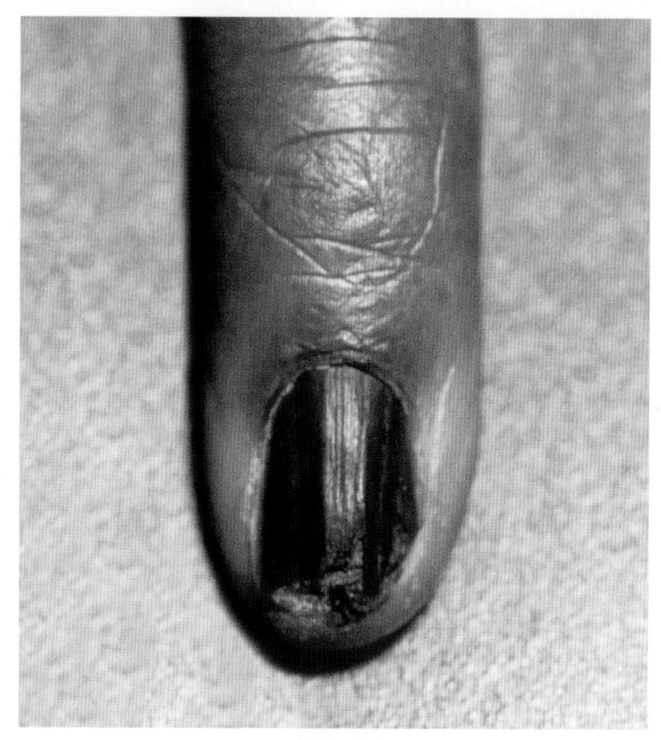

그림 33.134 흑색종

점막질환 34

점막질환은 구순, 혀, 구개, 치은, 치아, 구강바닥 등을 침범하는 질환이다. 전체 피부를 시진할 때는 편평태선, 원발성점막질환인 구순편평세포암 등의 증거를 찾기 위해서 전체점막을 관찰하여야 한다. 일상적으로 시행하는 점막표면검사를 통해서 구강흑색증 등의 양성병변에 더 익숙해질 수 있다.

원발성점막질환으로 혀의 정중능형설염, 미뢰염증인 유두염 등을 포함한다. 또다른 원발성점막질환인 아프타궤양은 전형적인 둥글고, 얕은, 주변에 밝은 홍색테두리를 가진 백색궤양의 모습을 보여준다.

많은 구강소견이 전신질환에서 발견되는데, 염증성장질환 등이다. 염증성장질환에서는 자갈이 덮힌 모양의 점막, 구강궤양, 육아종구순염, 증식화농구내염 등이 나타난다. 영양결핍, 고정약진, 베체트증후군 등은 중요한 점막소견을 가지는 전신질환이다.

이번 장은 점막을 관찰할 때 흔히 보이거나 그렇지 않은 의미 있는 소견들이다.

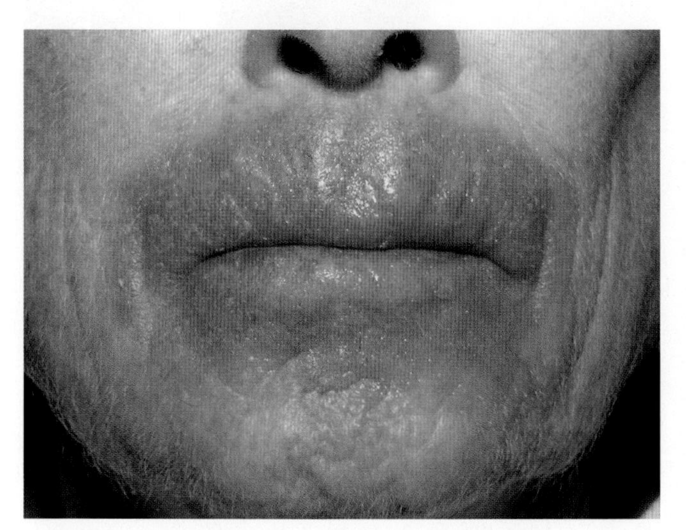

그림 34.1 국소스테로이드제에 의한 알레르기접촉구순염

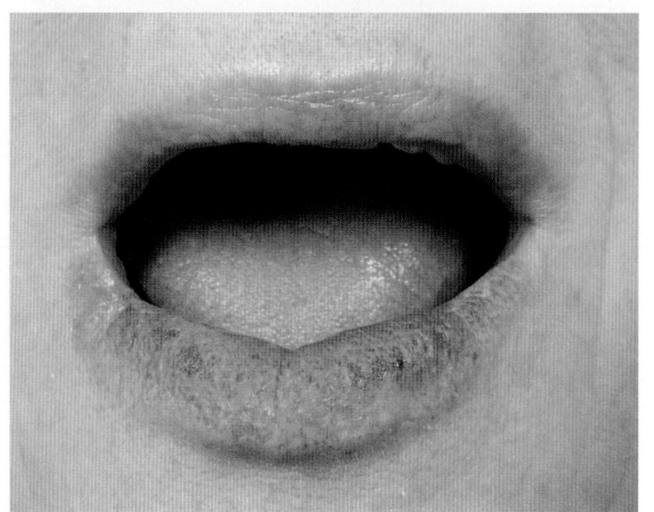

그림 34.2 광선구순염

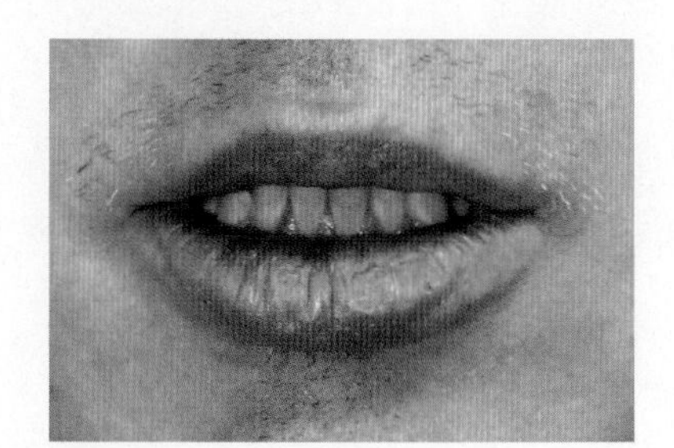

그림 34.3 광선구순염

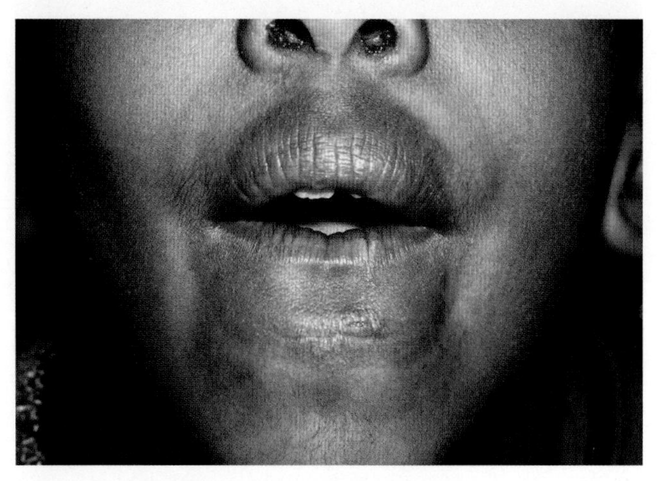

그림 34.4 입술을 핥아서 생긴 이차적인 구순염

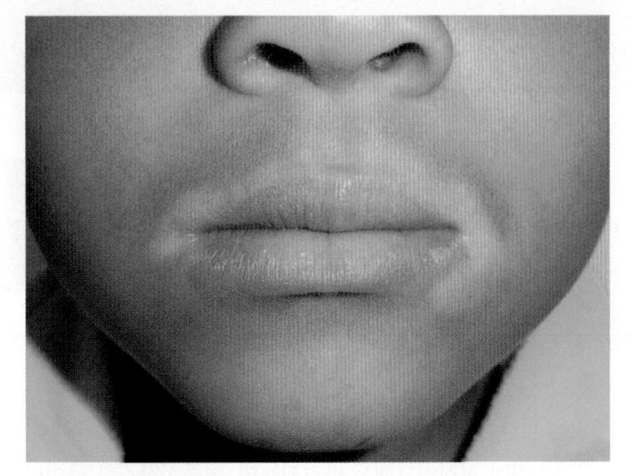

그림 34.5 입술을 핥아서 생긴 이차적인 염증후저색소

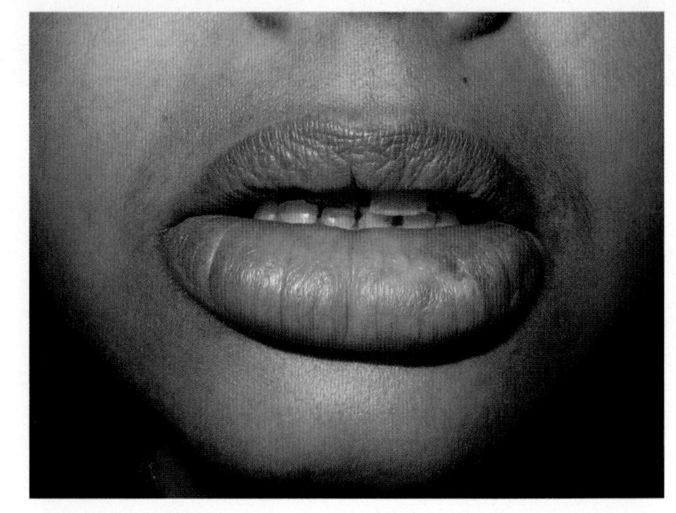

그림 34.6 선구순염

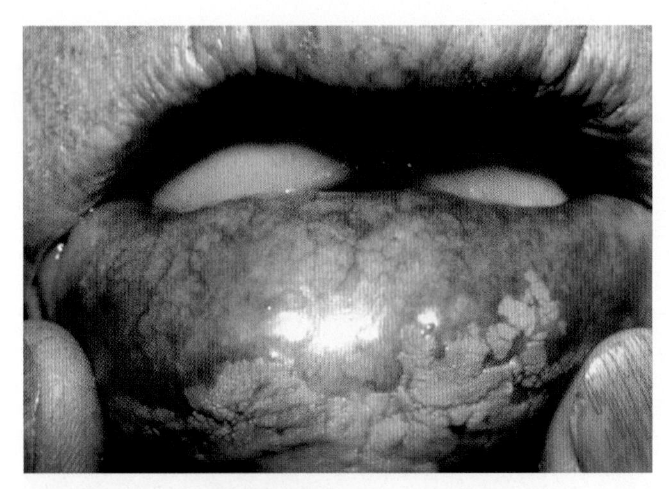

그림 34.7 백색판증을 가진 선구순염

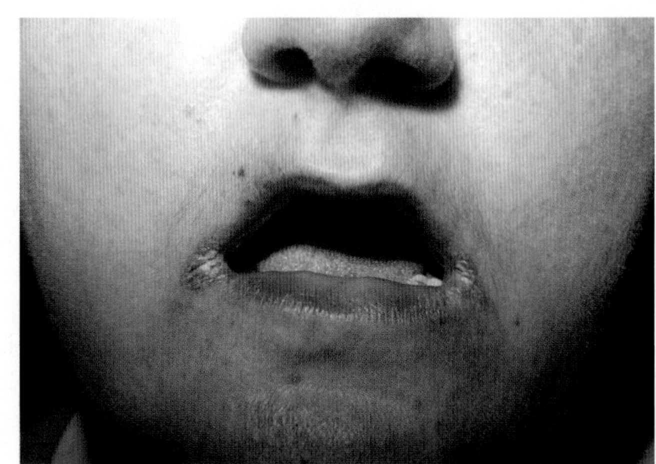

그림 34.8 구각구순염

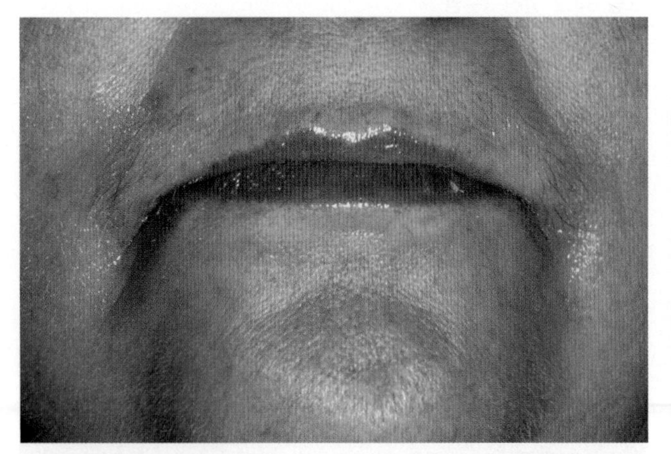

그림 34.9 구각구순염

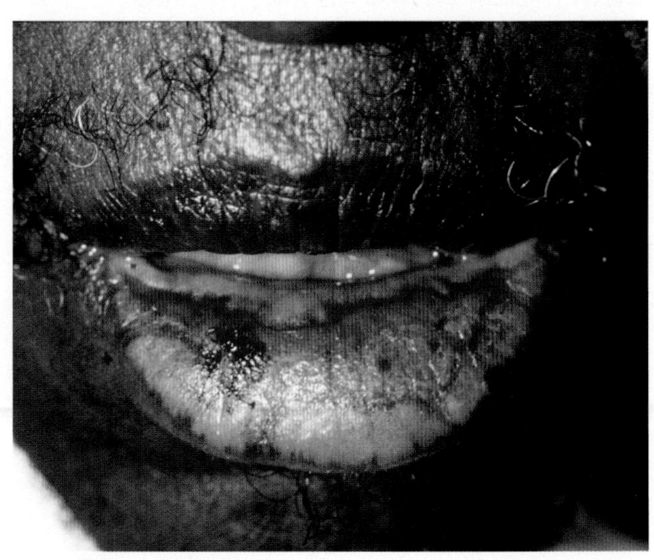

그림 34.10 형질세포구순염

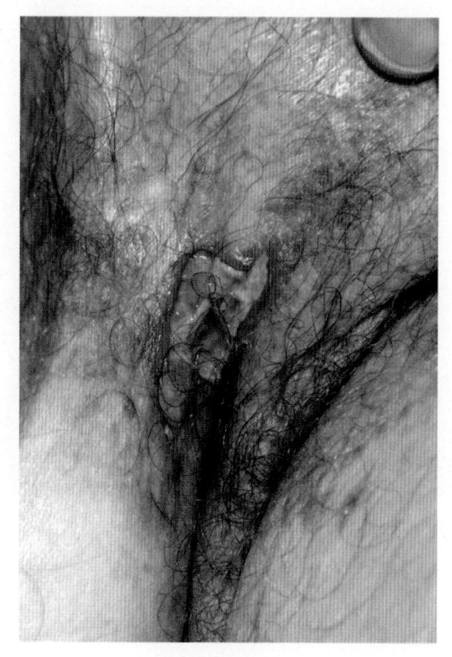

그림 34.11 피부크론병

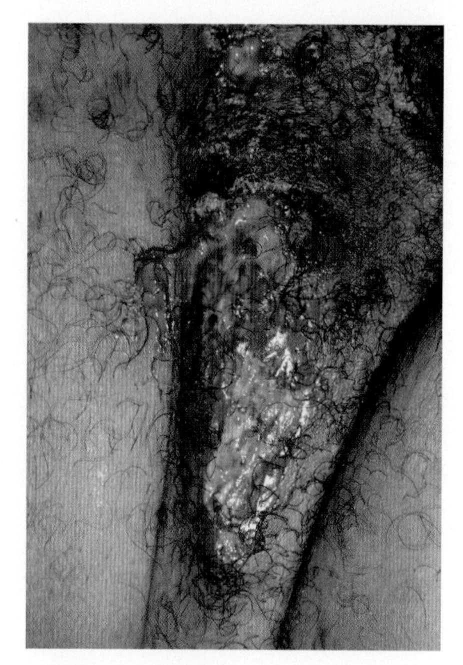

그림 34.12 피부크론병

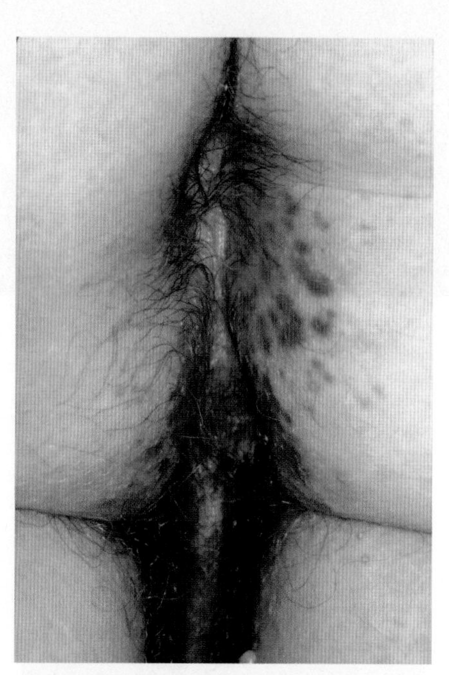

그림 34.13 피부크론병

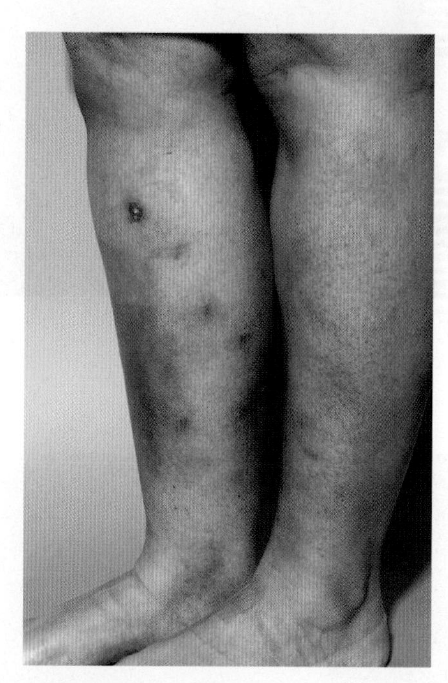

그림 34.14 피부크론병

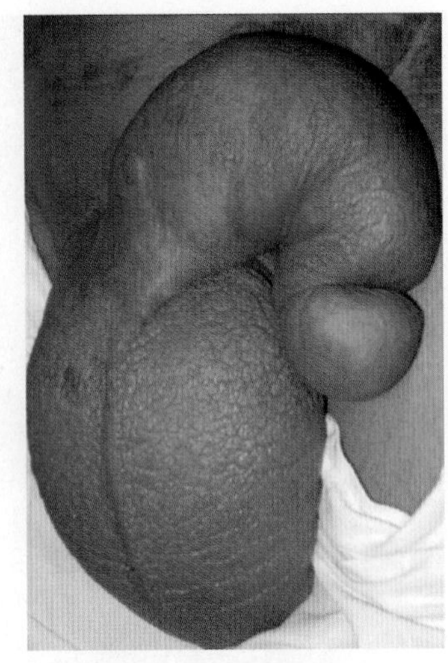

그림 34.15 피부크론병

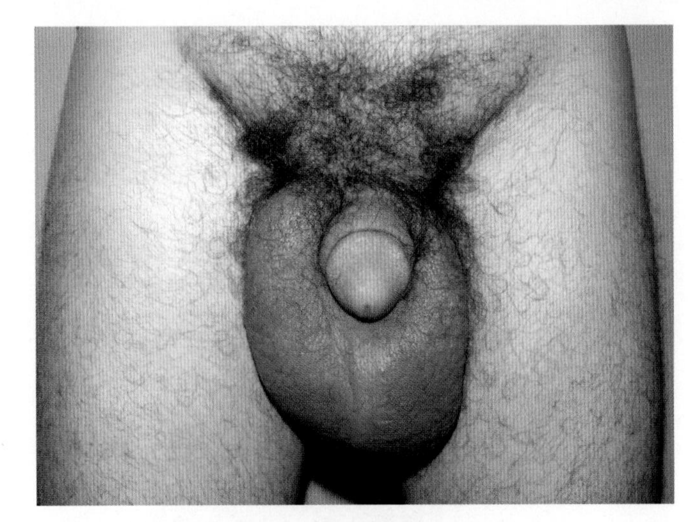

그림 34.16 피부크론병

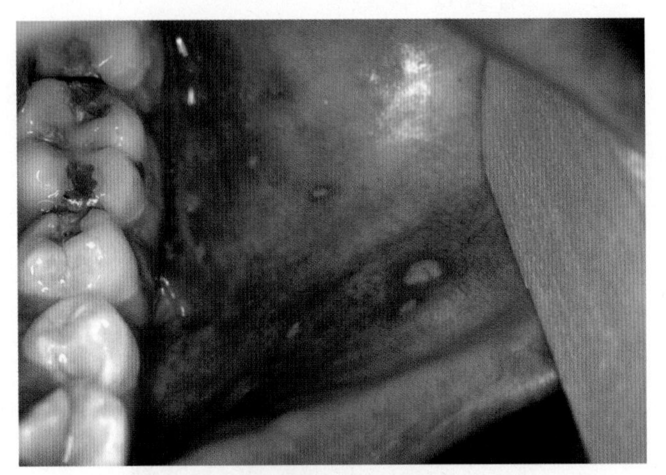

그림 34.17 구강크론병

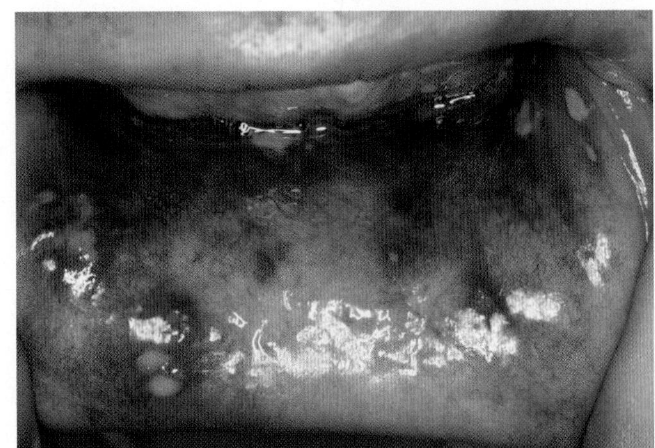

그림 34.18 구강크론병

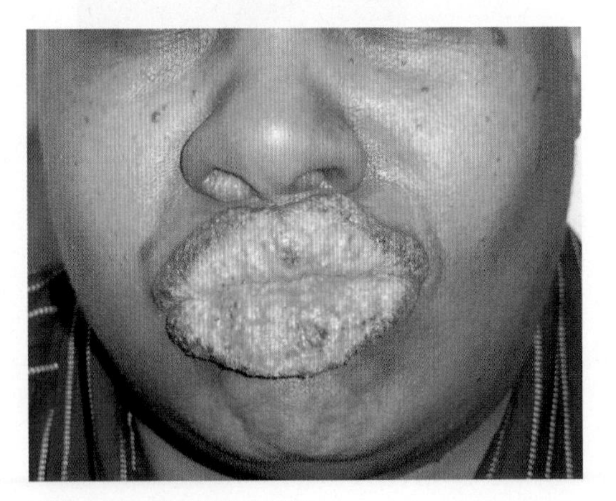

그림 34.19 증식화농구내염

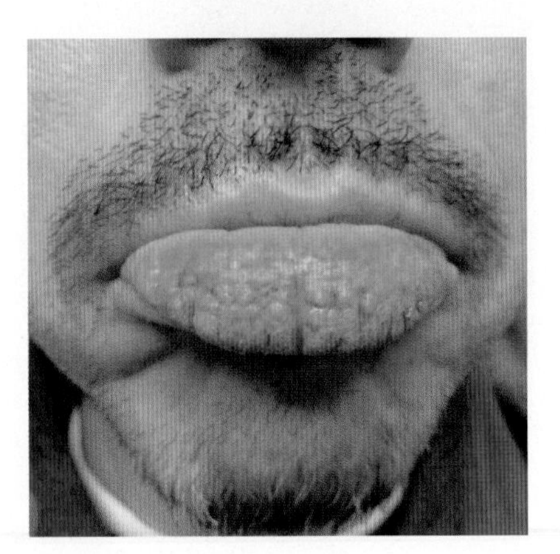

그림 34.20 증식화농구내염

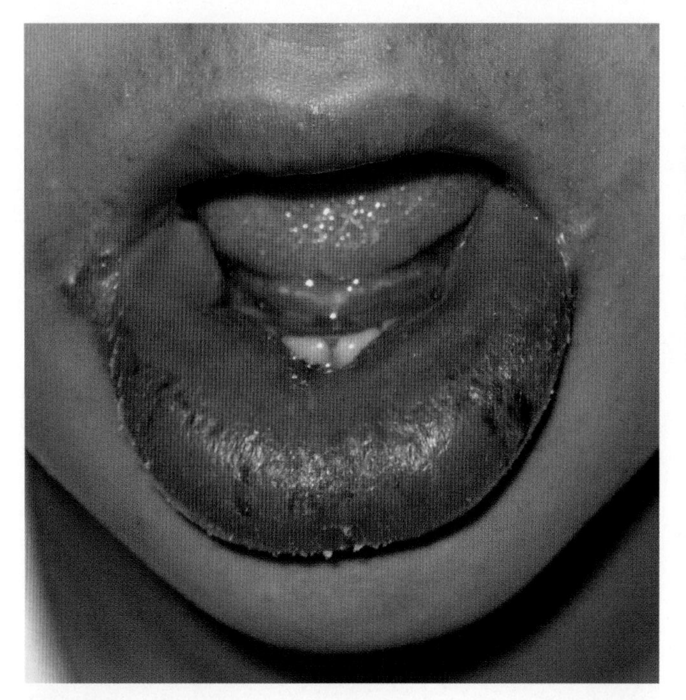

그림 34.21 육아종구순염

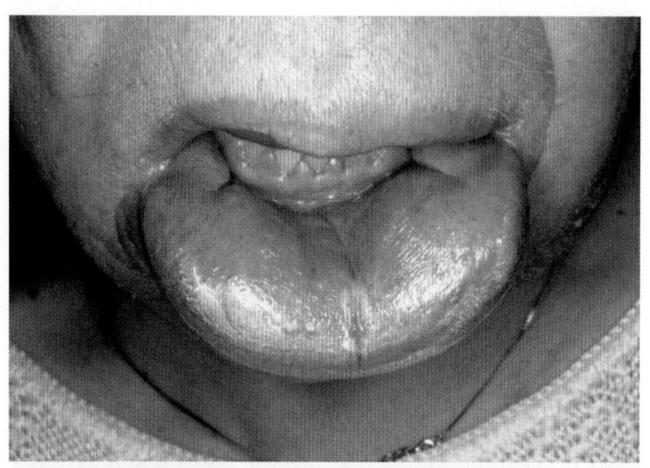

그림 34.22 멜커슨-로젠탈증후군

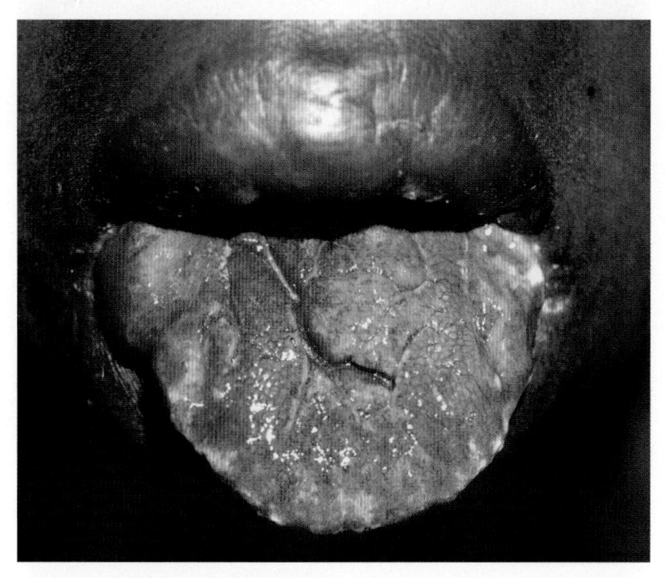

그림 34.23 멜커슨-로젠탈증후군

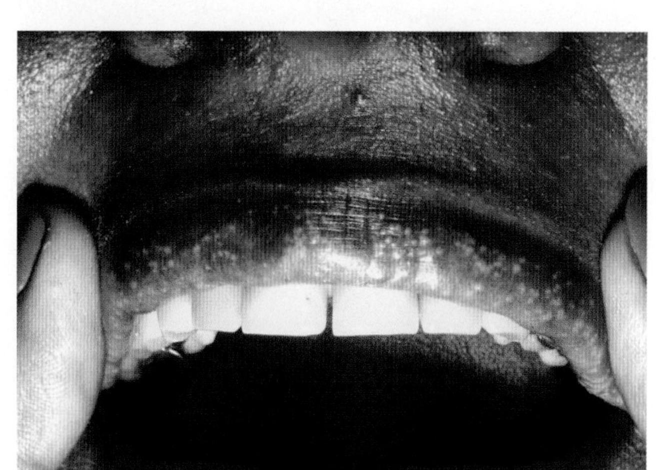

그림 34.24 포다이스반

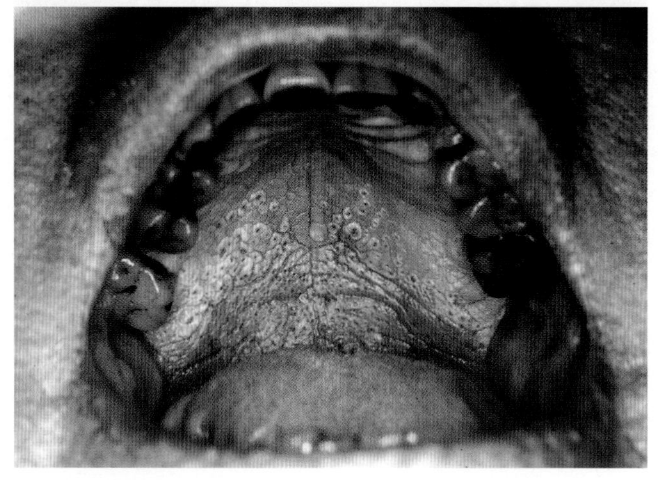

그림 34.25 니코틴구내염

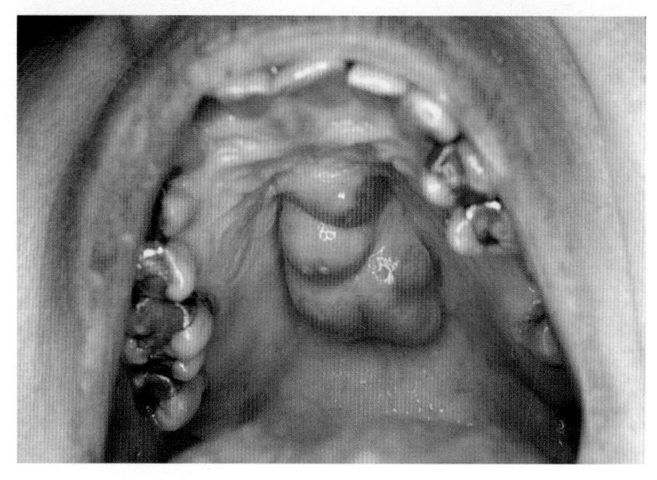

그림 34.26 구개융기

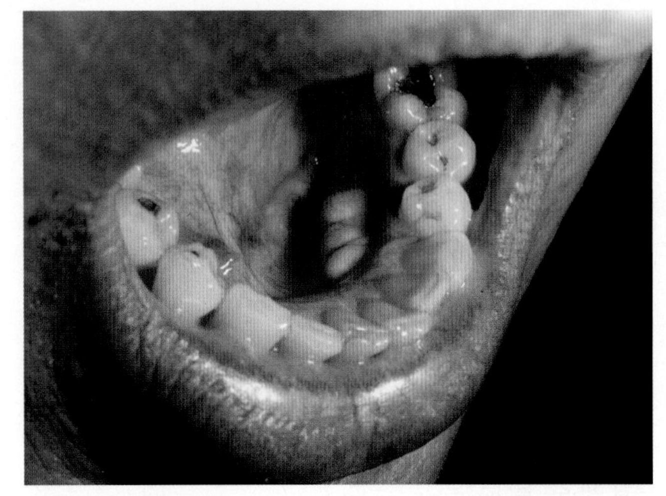

그림 34.27 하악융기

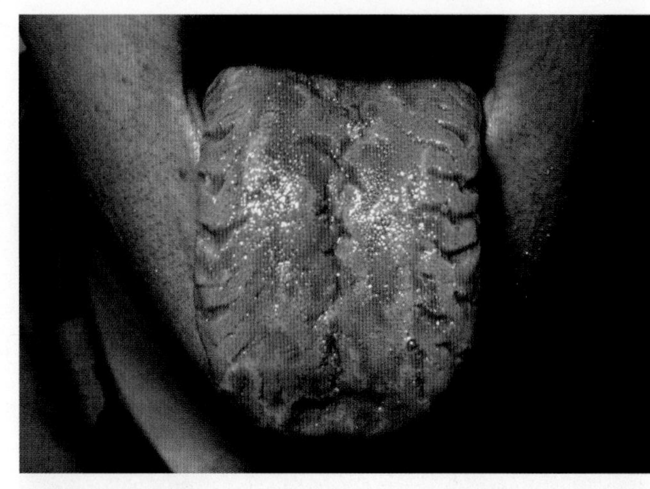

그림 34.28 균열혀

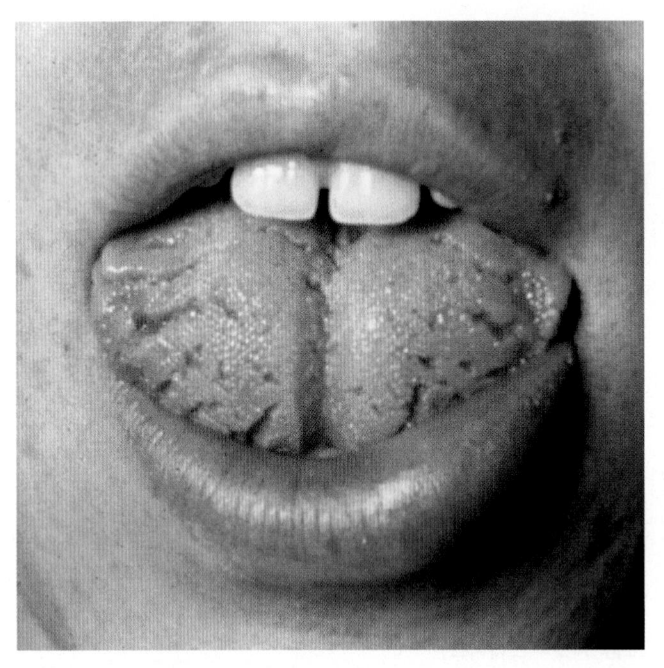

그림 34.29 균열혀

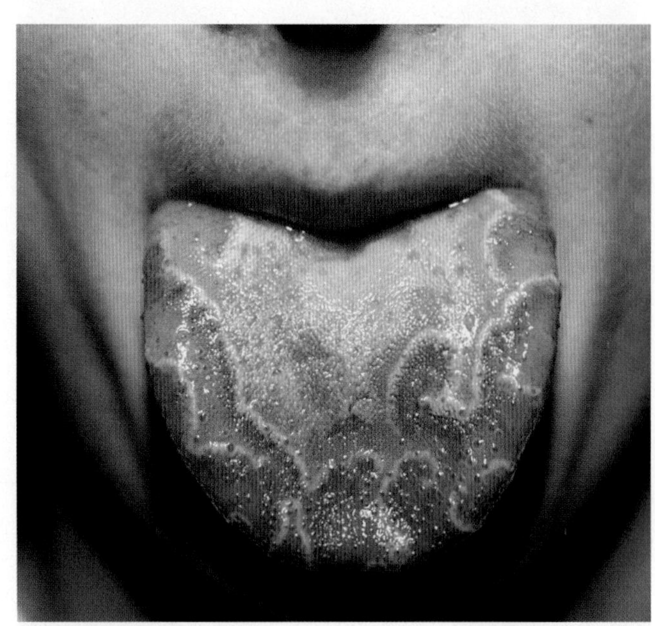

그림 34.30 지도모양혀

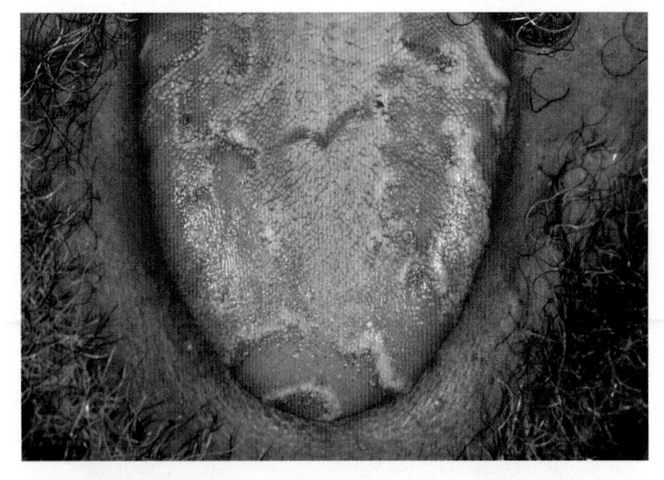

그림 34.31 지도모양혀

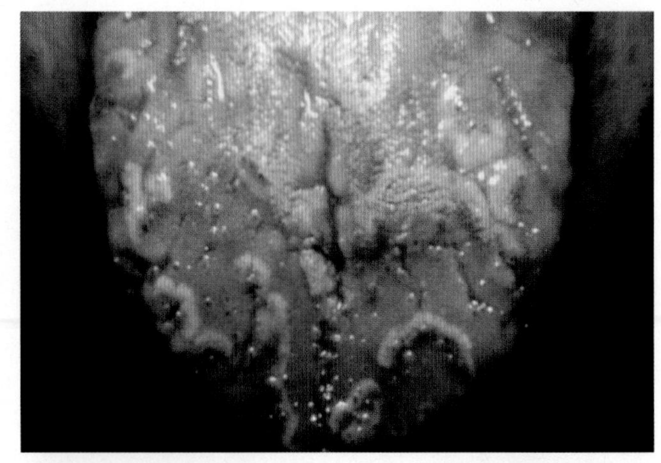

그림 34.32 유주성윤반

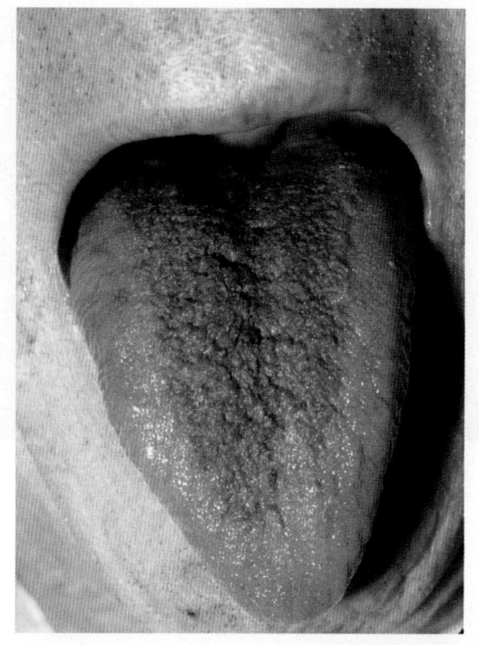

그림 34.33 흑모설

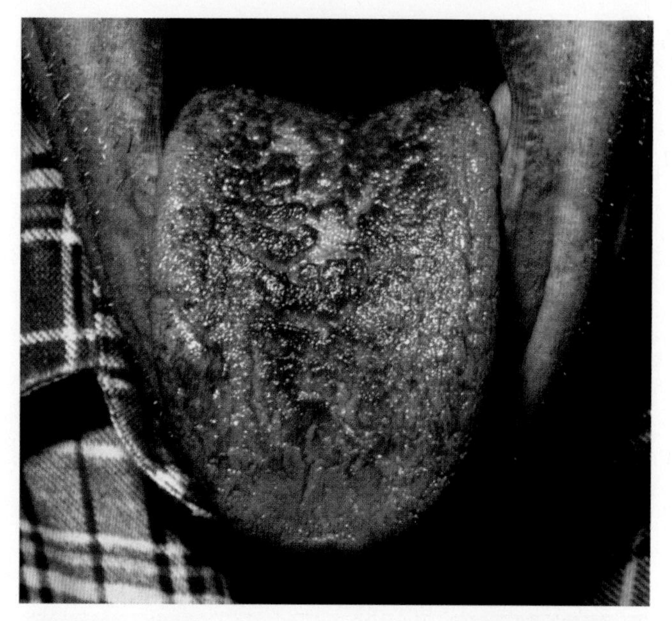

그림 34.34 흑모설

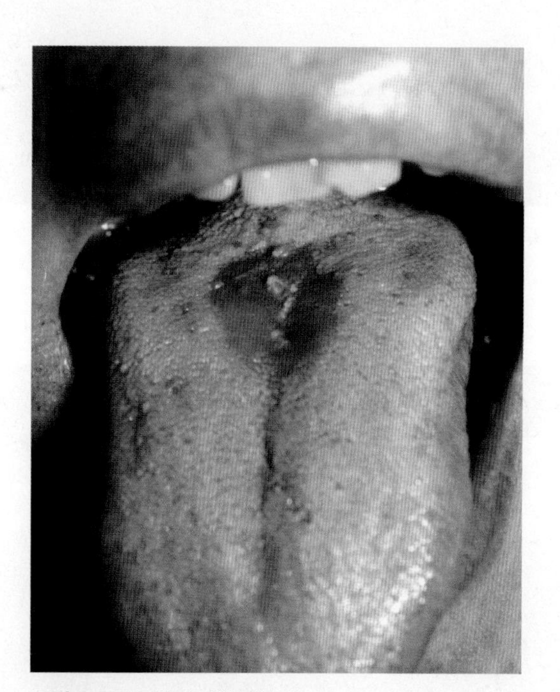

그림 34.35 정중능형설염

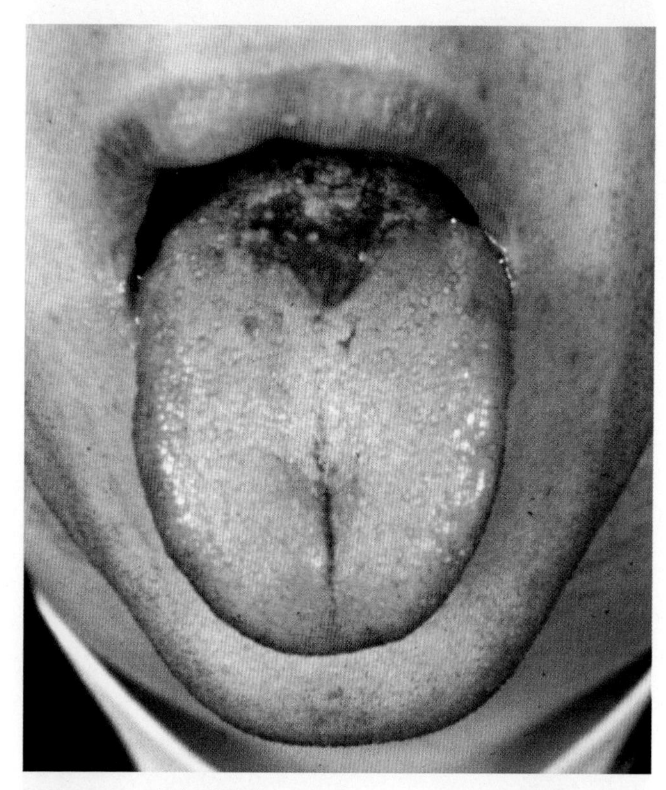

그림 34.36 정중능형설염

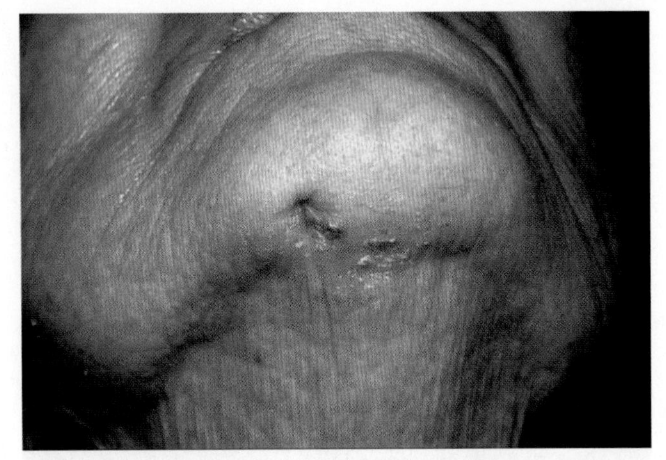

그림 34.37 피부치아굴

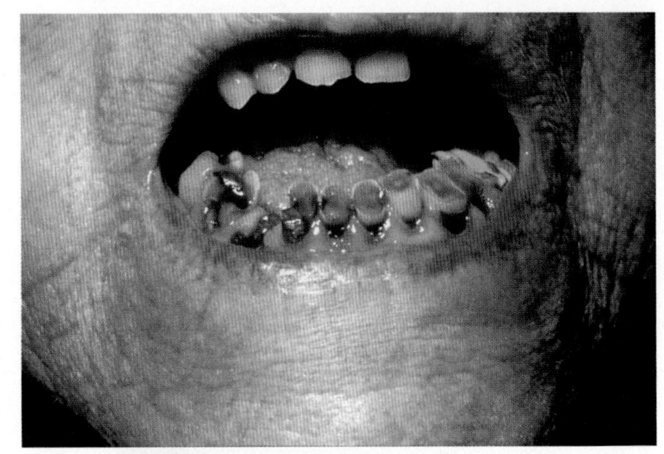

그림 34.38 피부치아굴 환자의 열악한 구강위생

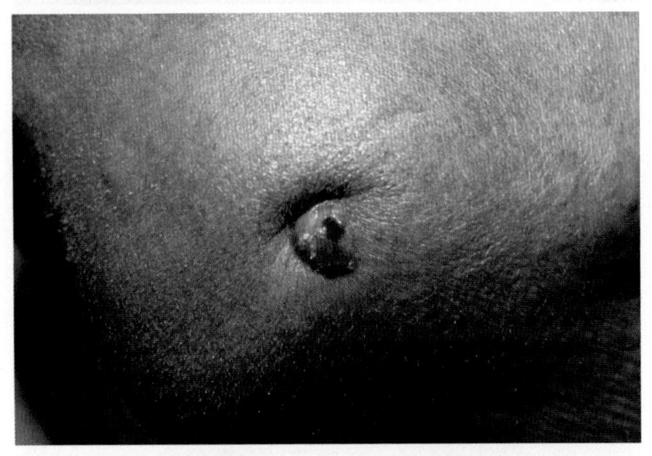

그림 34.39 피부치아굴

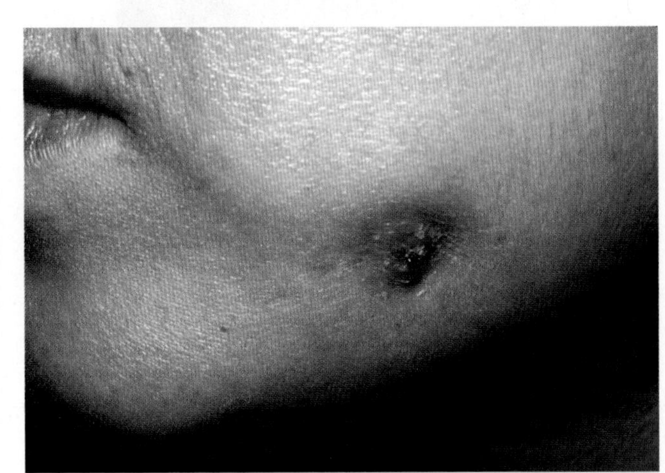

그림 34.40 피부치아굴

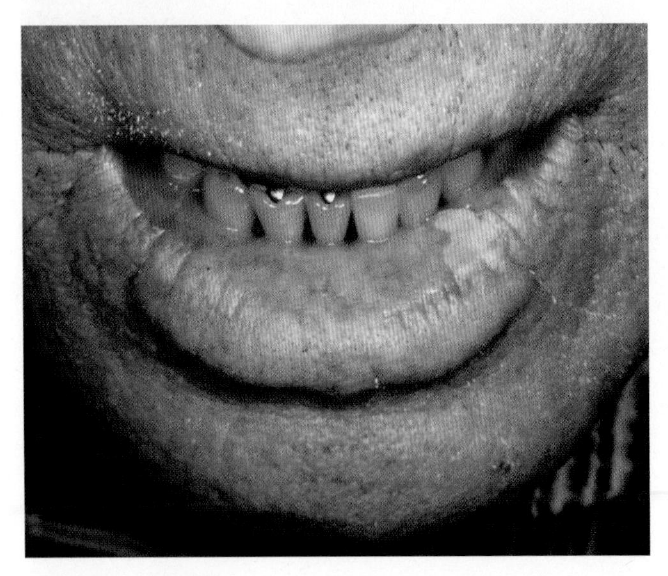

그림 34.41 백색판증

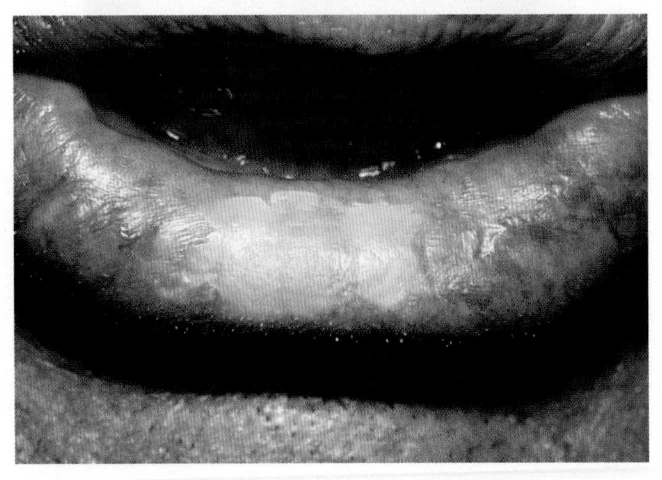

그림 34.42 백색판증

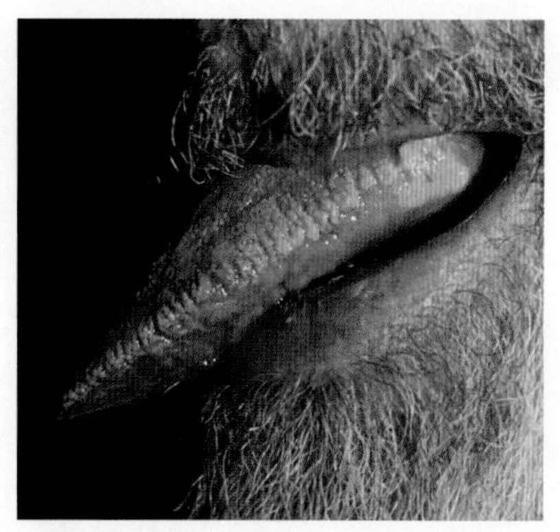
그림 34.43 구강모백색판증

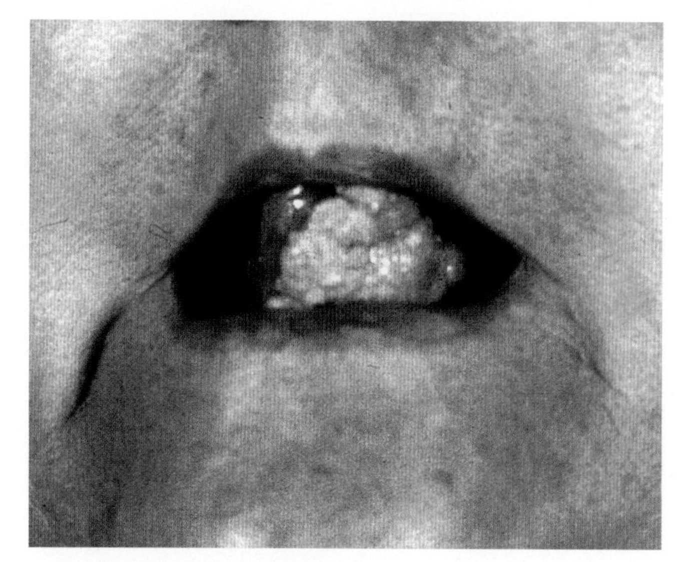
그림 34.44 구강꽃모양유두종증

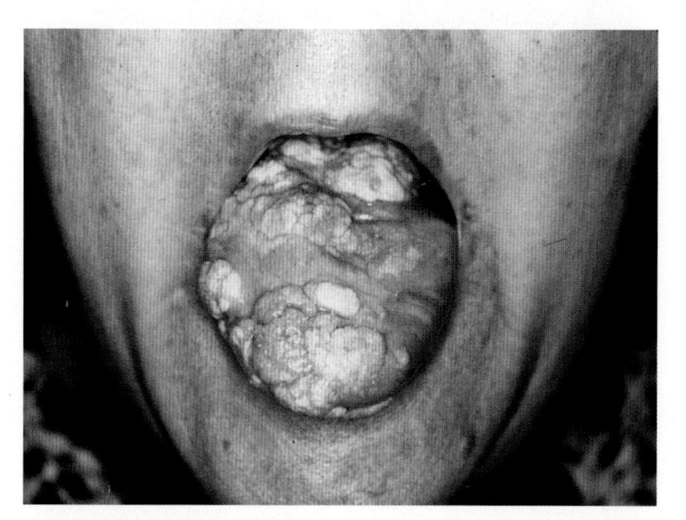
그림 34.45 구강꽃모양유두종증

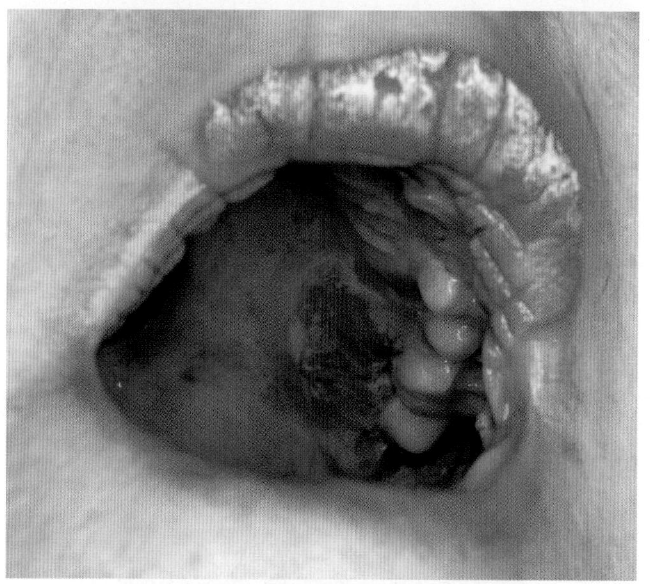
그림 34.46 증식사마귀모양백색판증

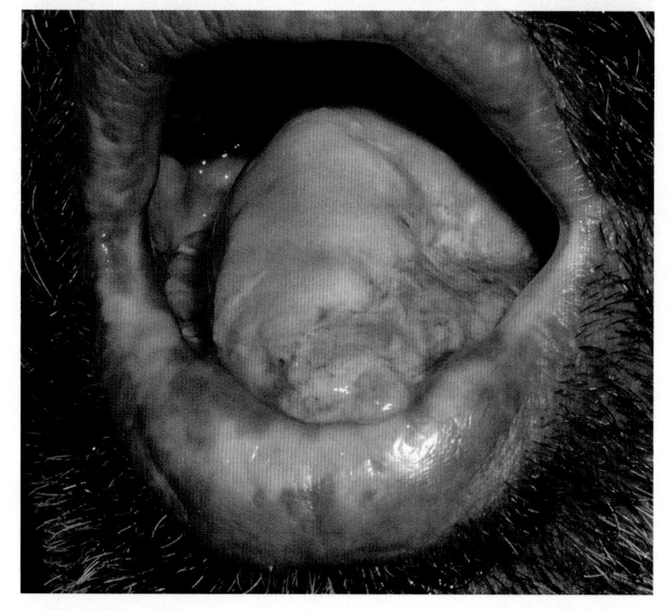
그림 34.47 빈랑자(Betel nut)를 씹어서 이차적으로 발생한 편평세포암

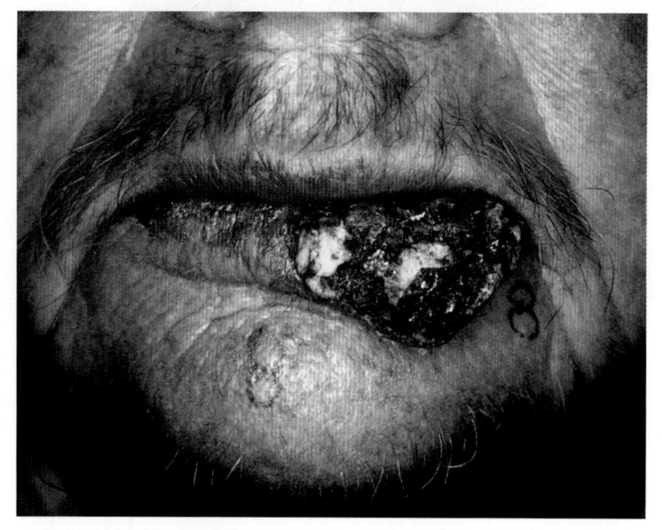
그림 34.48 편평세포암

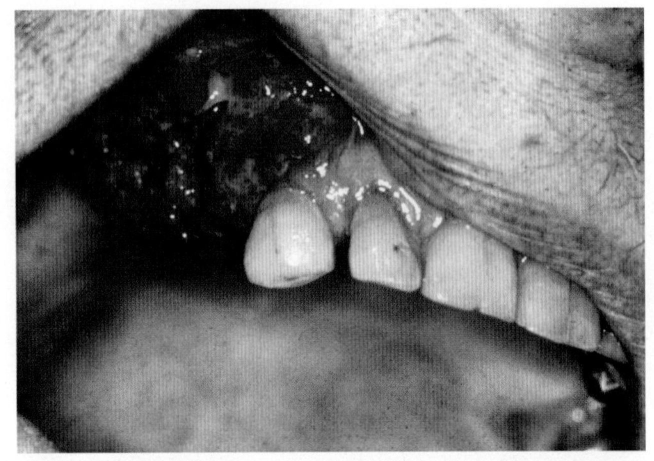

그림 34.49 편평세포암

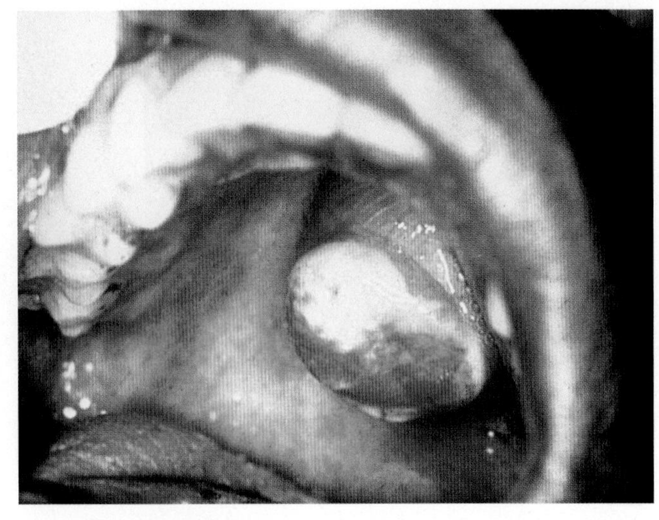

그림 34.50 편평세포암

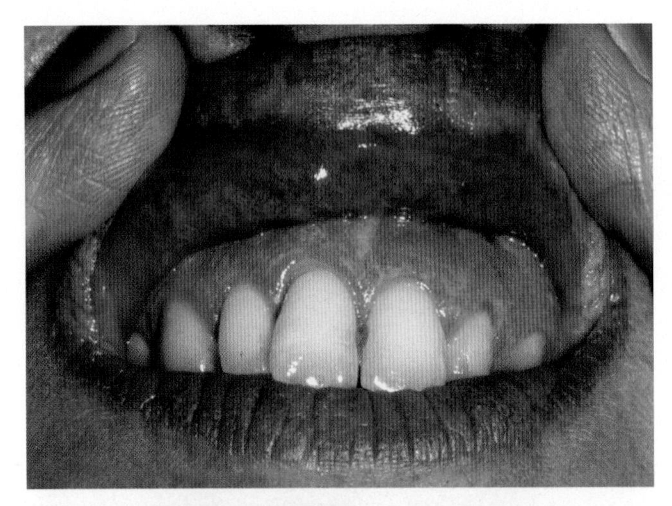

그림 34.51 후천이상각화백색판증

그림 34.52 후천이상각화백색판증, 치은

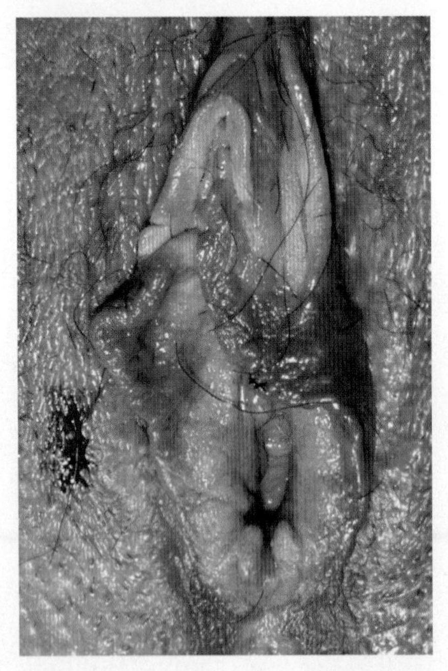

그림 34.53 후천이상각화백색판증, 성기침범

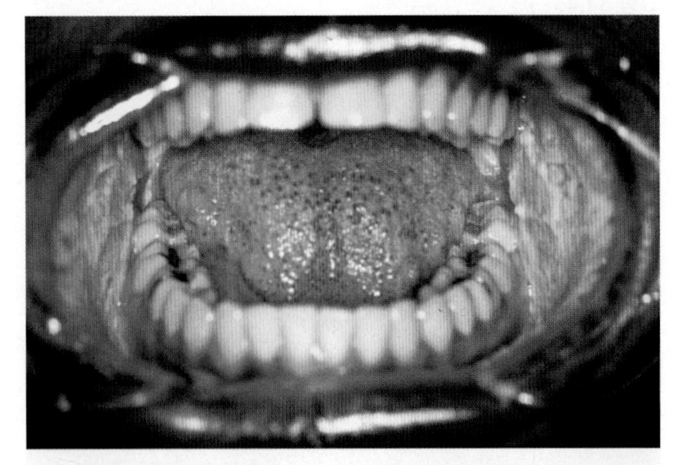

그림 34.54 백색해면모반

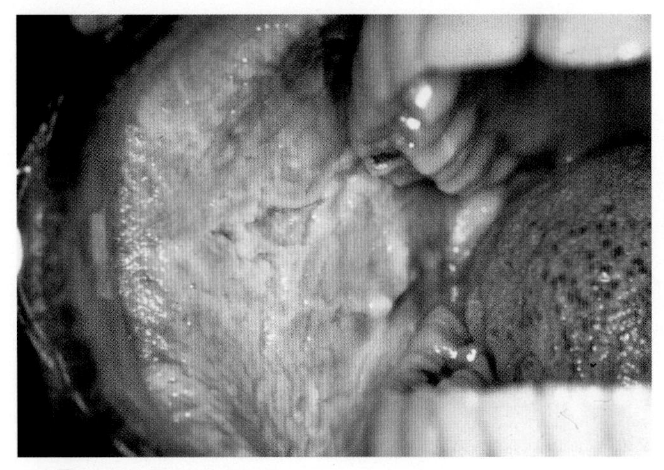

그림 34.55 백색해면모반

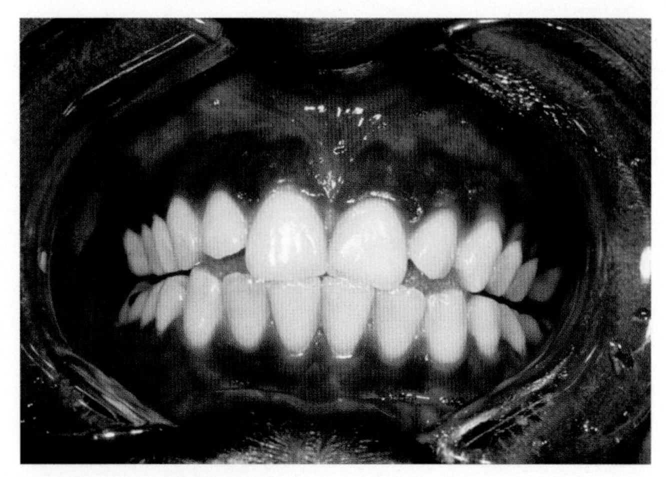

그림 34.56 생리적 색소침착

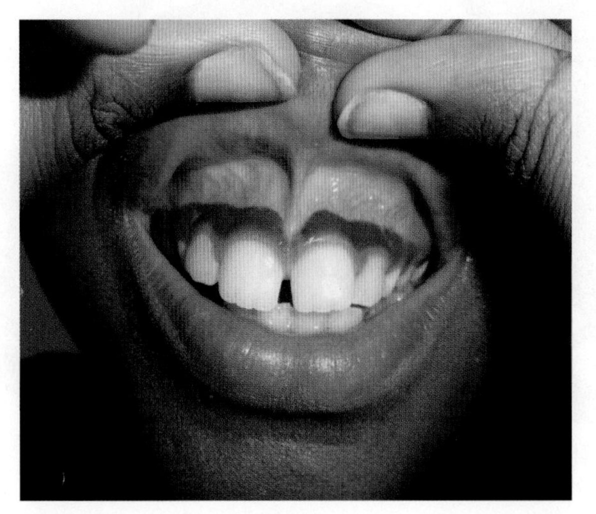

그림 34.57 생리적 구강색소침착

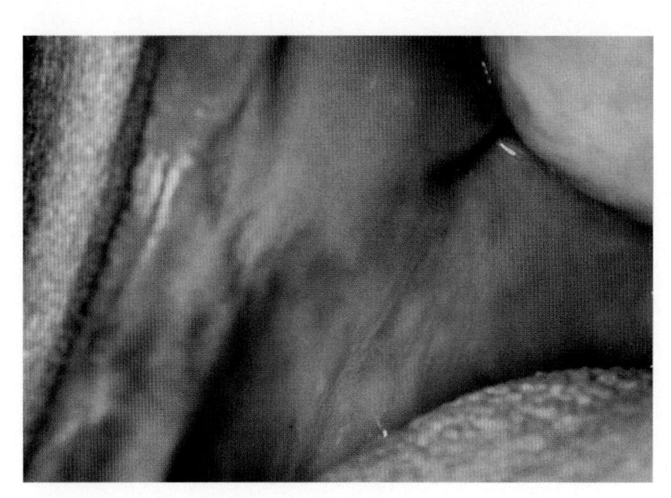

그림 34.58 생리적 구강색소침착

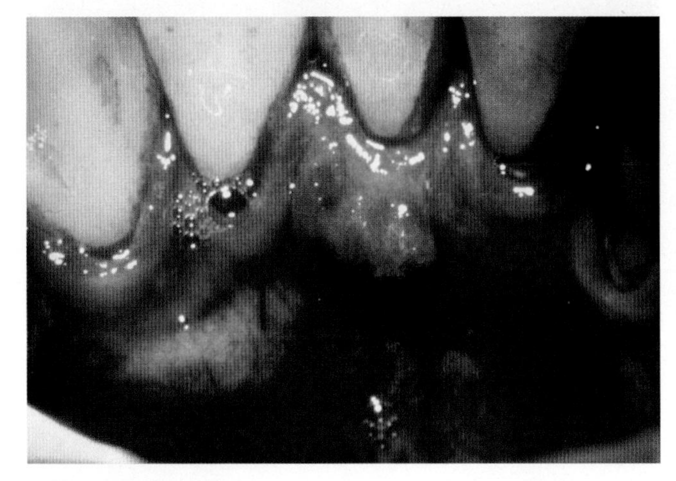

그림 34.59 구강모반

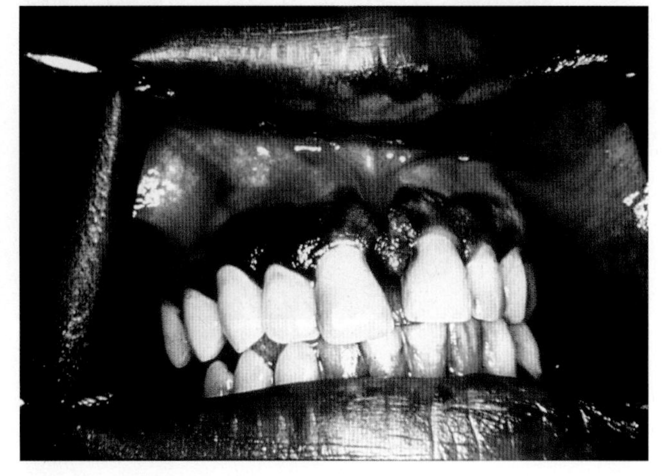

그림 34.60 흑색종

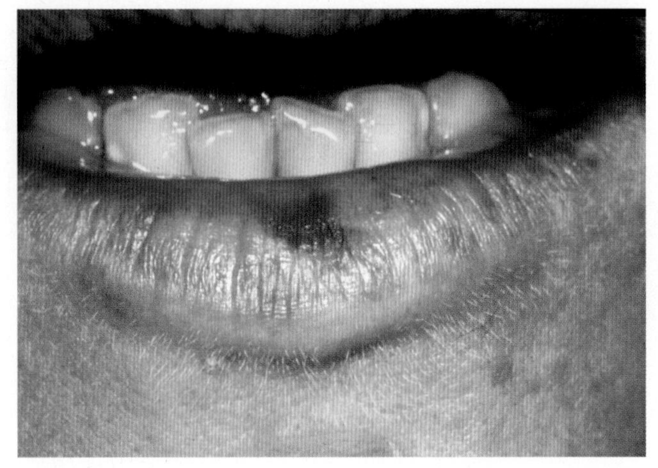

그림 34.61 구강멜라닌반

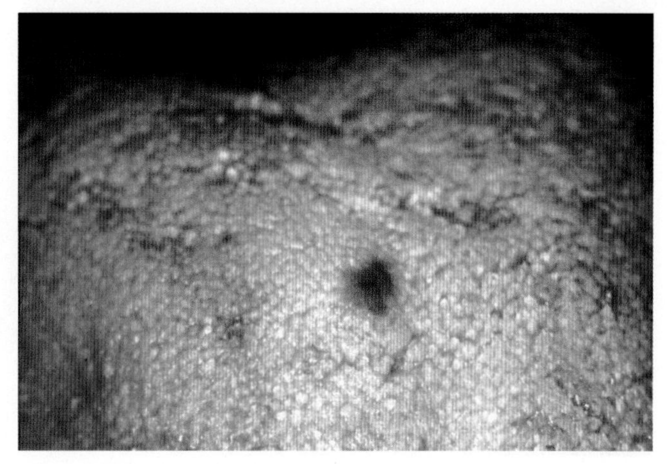

그림 34.62 구강멜라닌반

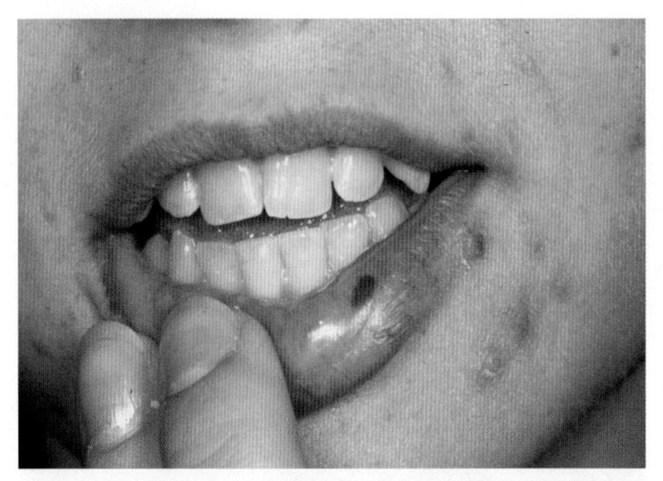

그림 34.63 구강멜라닌반

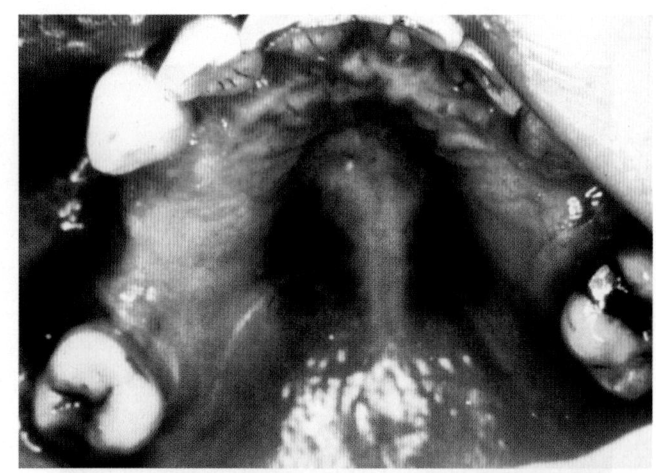

그림 34.64 클로로퀸 과색소침착

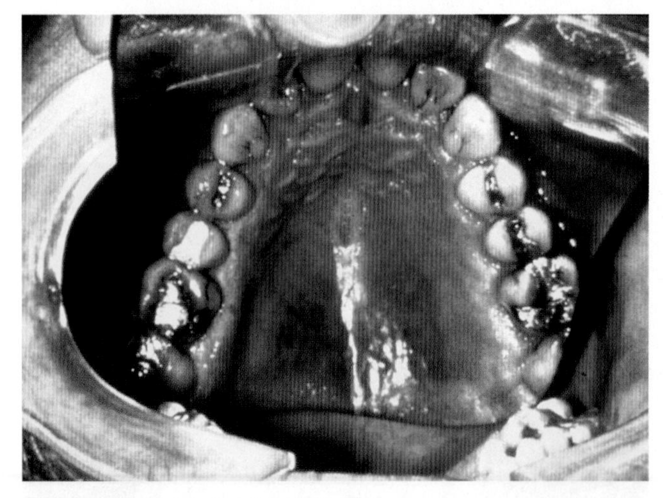

그림 34.65 클로르프로마진 과색소침착

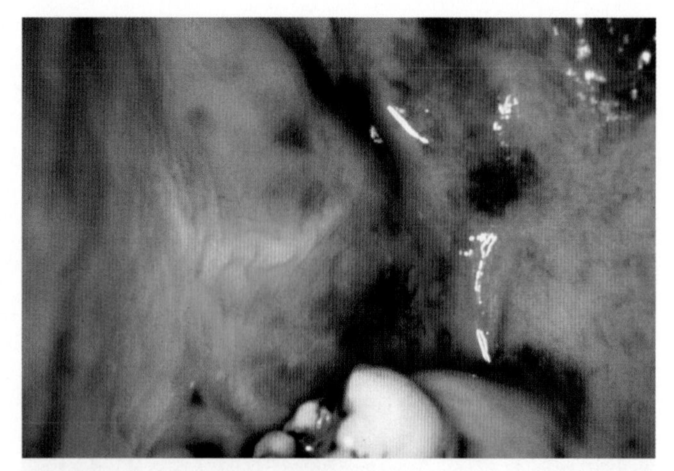

그림 34.66 미노사이클린 과색소침착

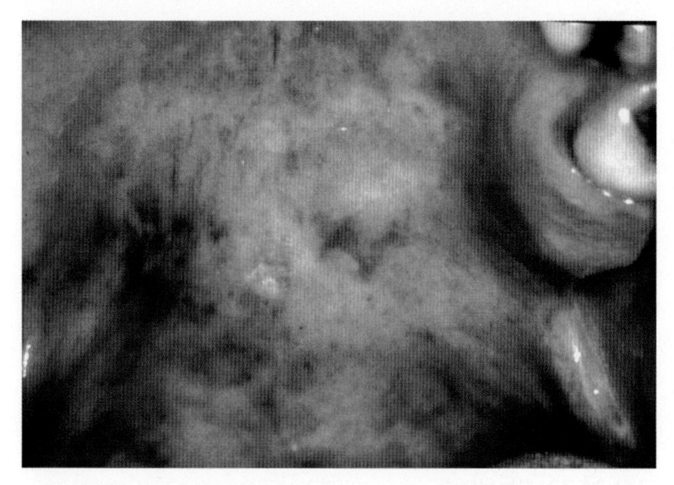

그림 34.67 귀리세포암관련 색소침착

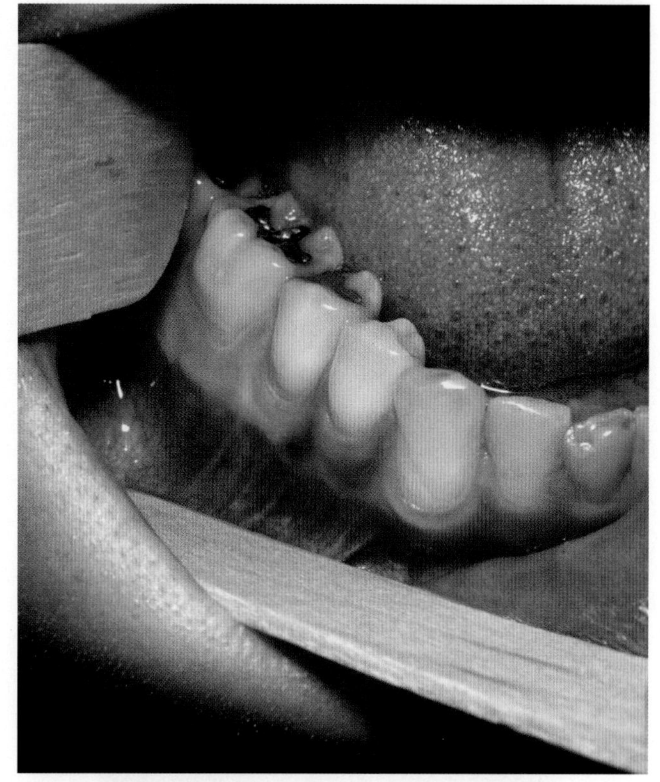

그림 34.68 아말감 문신

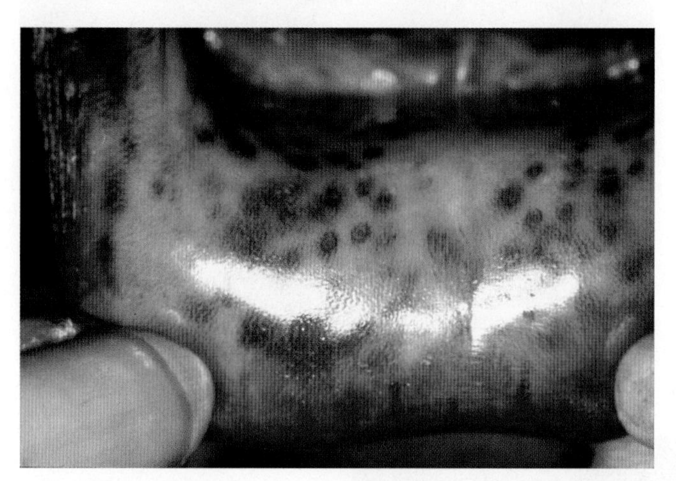

그림 34.69 구강흑색증

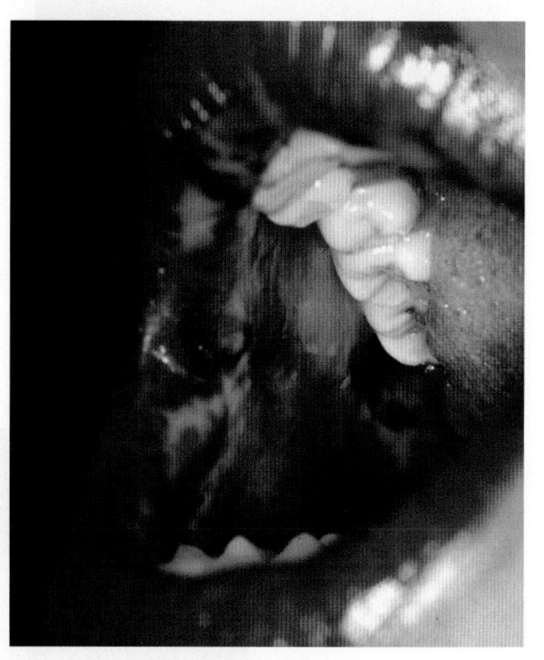

그림 34.70 진행성 침범을 보이는 구강흑색증

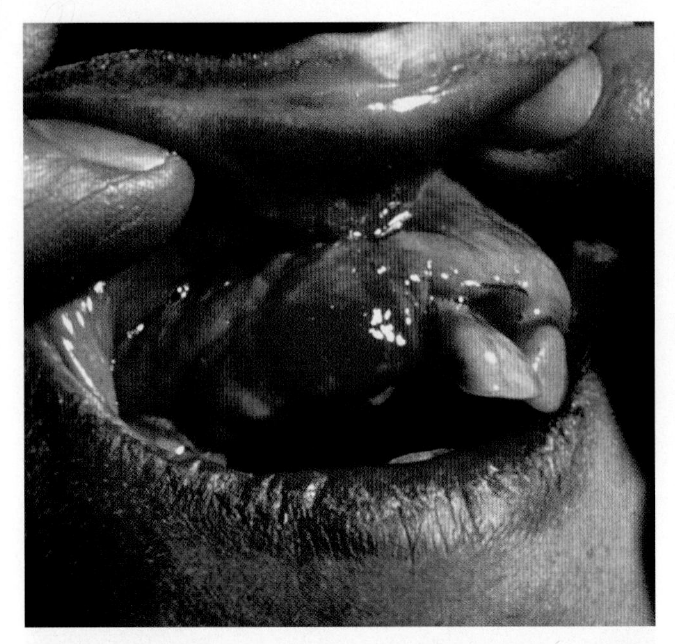
그림 34.71 치은종

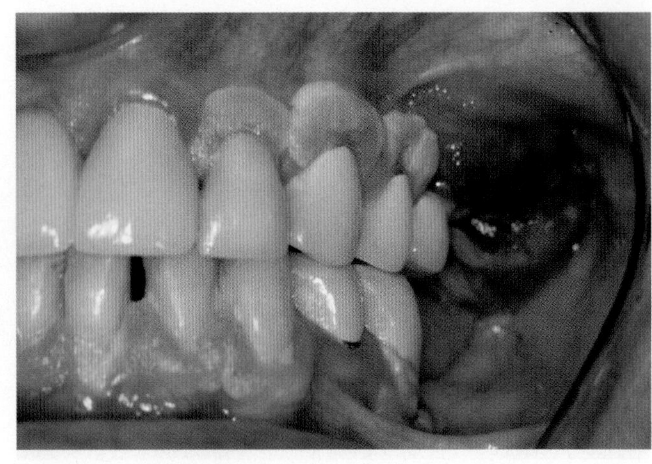
그림 34.72 화농육아종

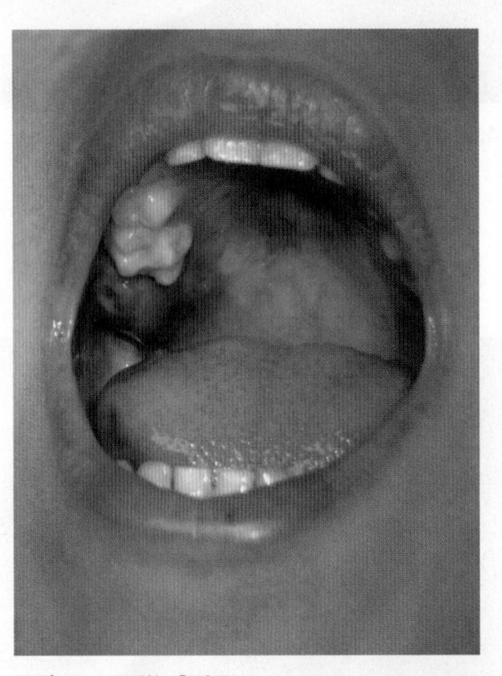
그림 34.73 화농육아종

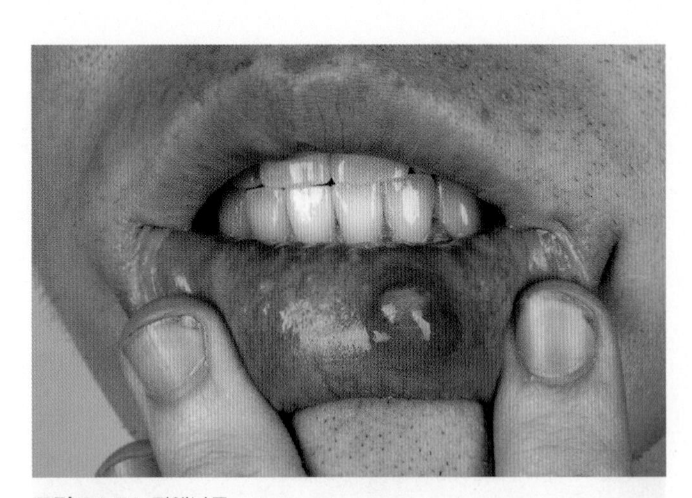
그림 34.74 점액낭종

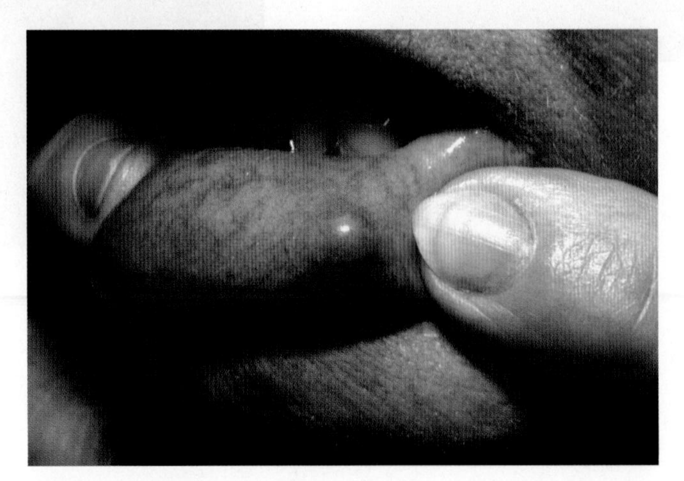
그림 34.75 점액낭종

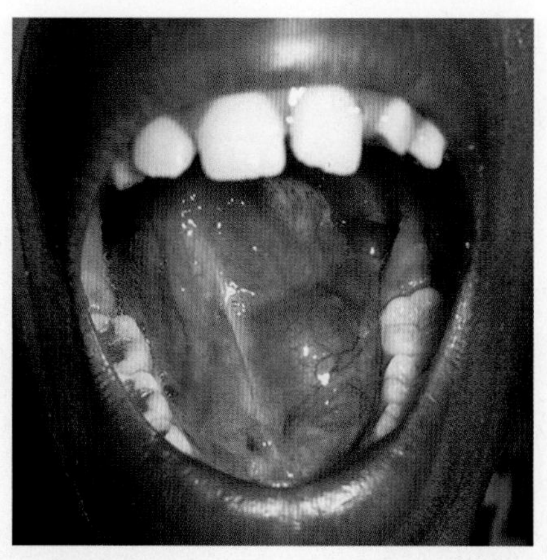

그림 34.76 하마종

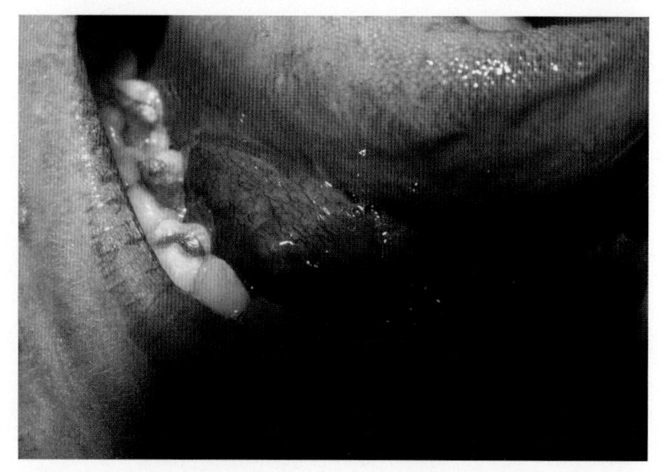

그림 34.77 하마종

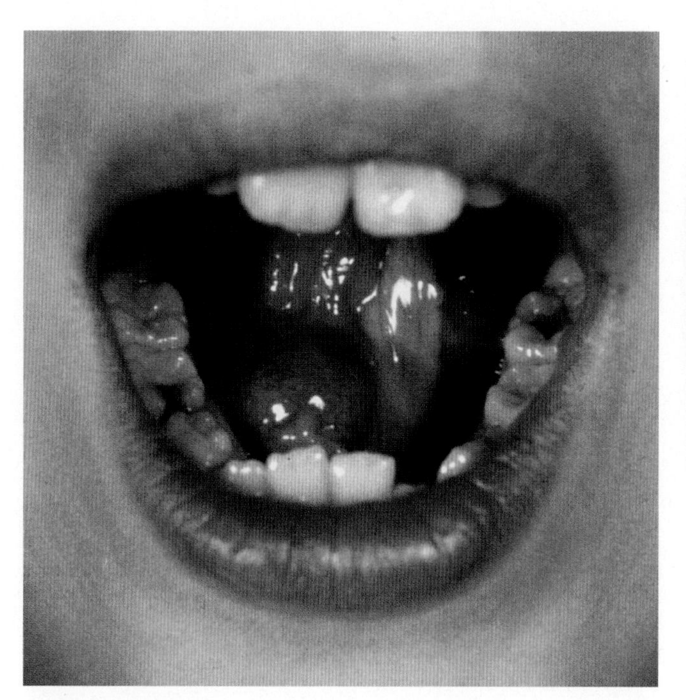

그림 34.78 하마종

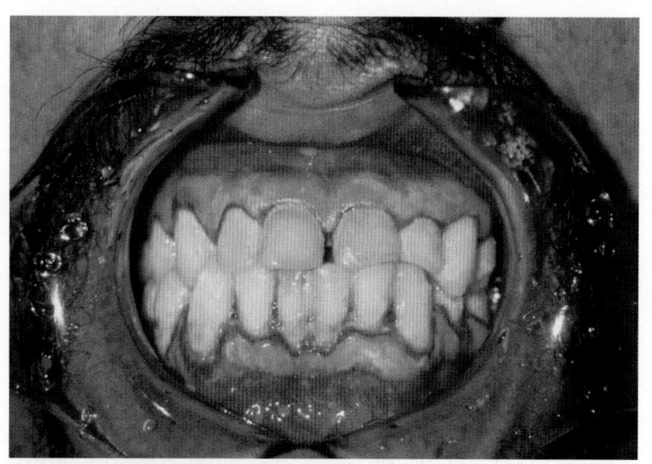

그림 34.79 급성괴사궤양치은구내염

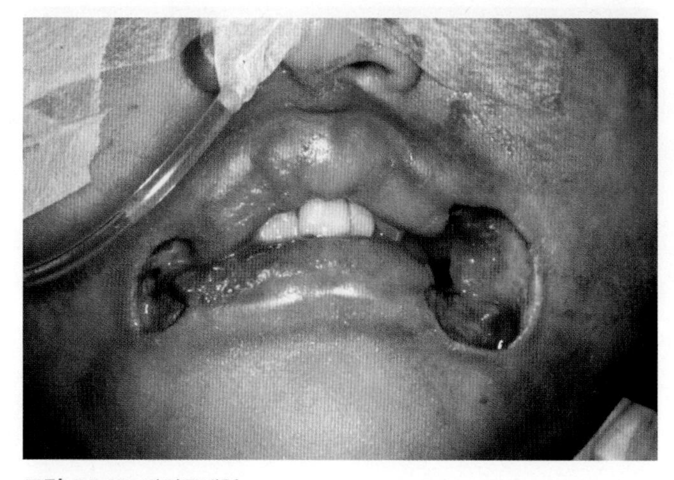

그림 34.80 괴저구내염

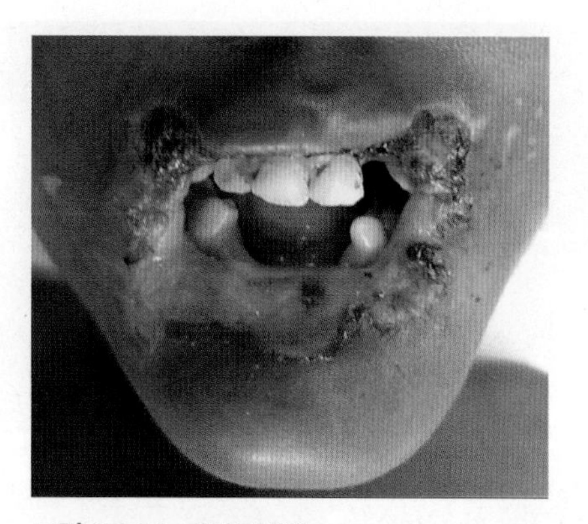

그림 34.81 괴저구내염

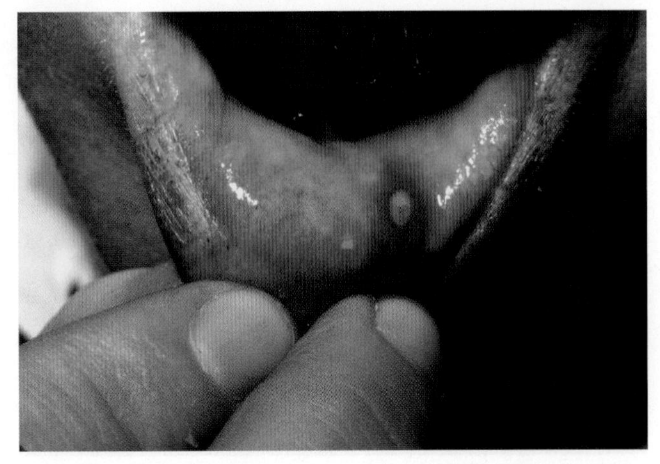

그림 34.82 아프타구내염

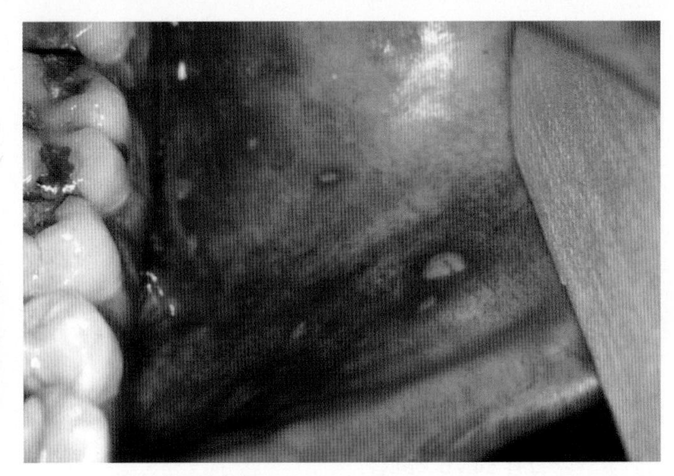

그림 34.83 아프타구내염

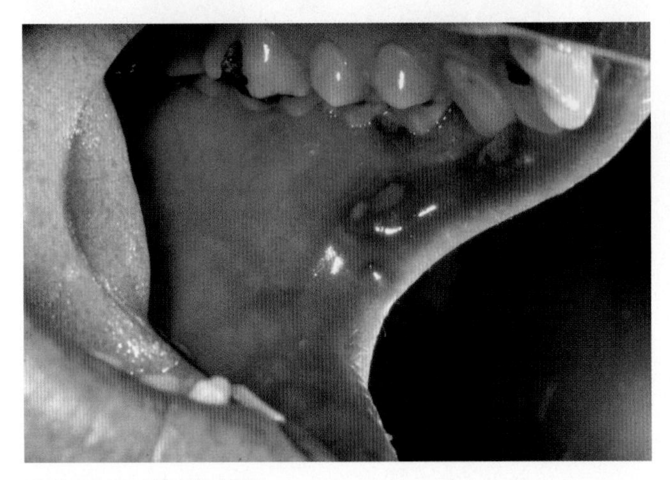

그림 34.84 아프타구내염

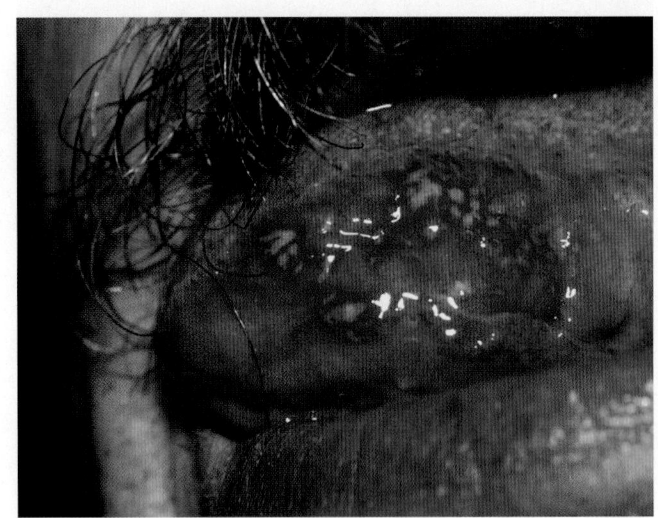

그림 34.85 아프타구내염

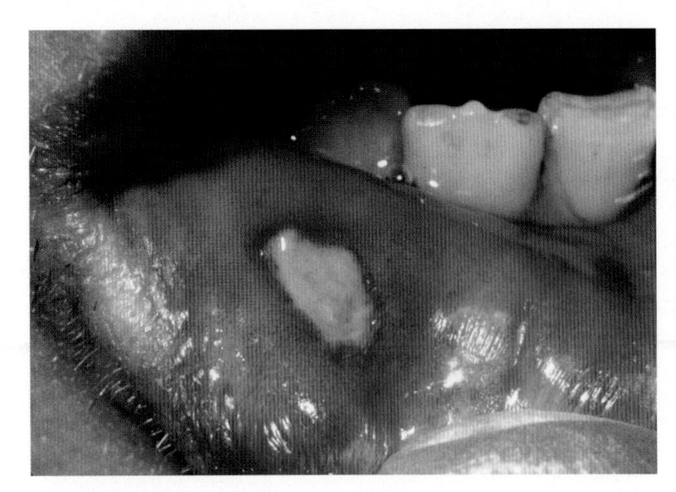

그림 34.86 대아프타구내염

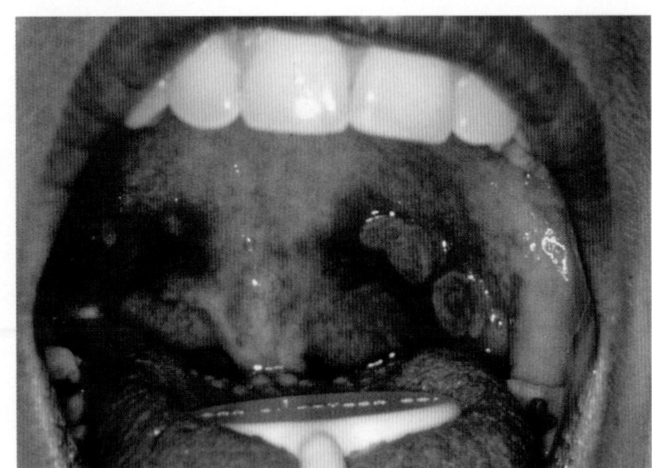

그림 34.87 대아프타구내염

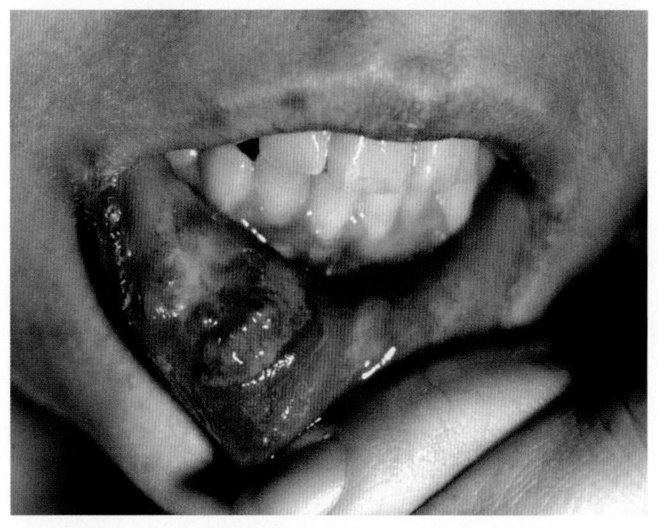

그림 34.88 베체트병

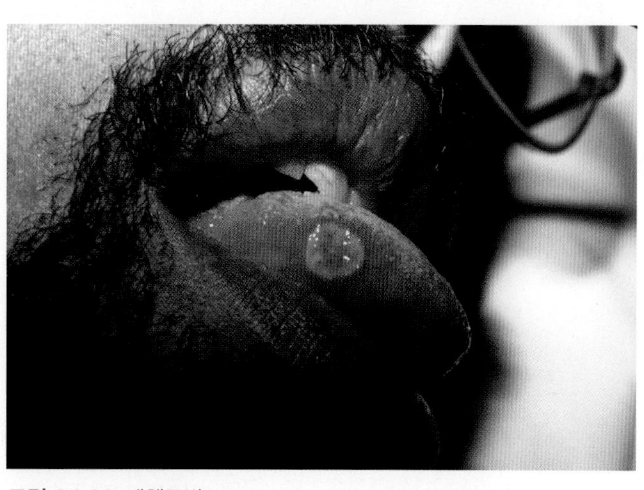

그림 34.89 베체트병

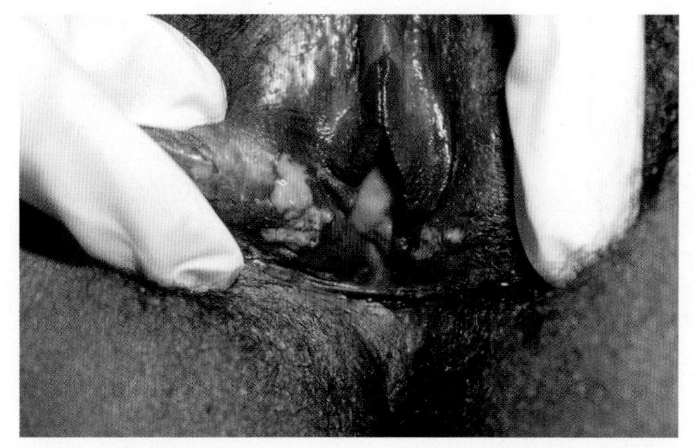

그림 34.90 베체트병

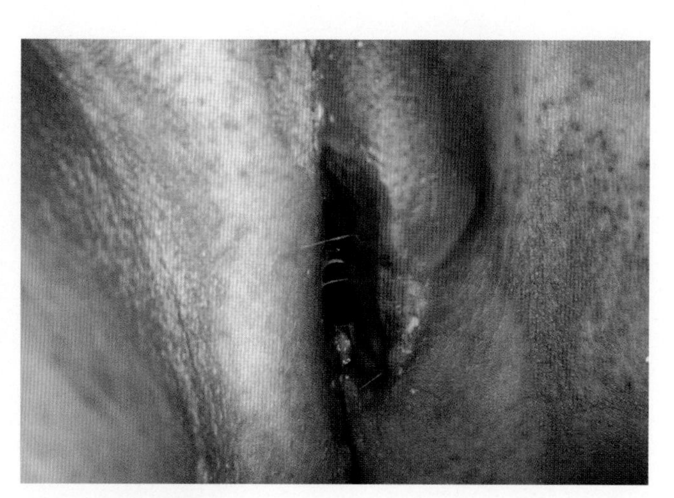

그림 34.91 베체트병

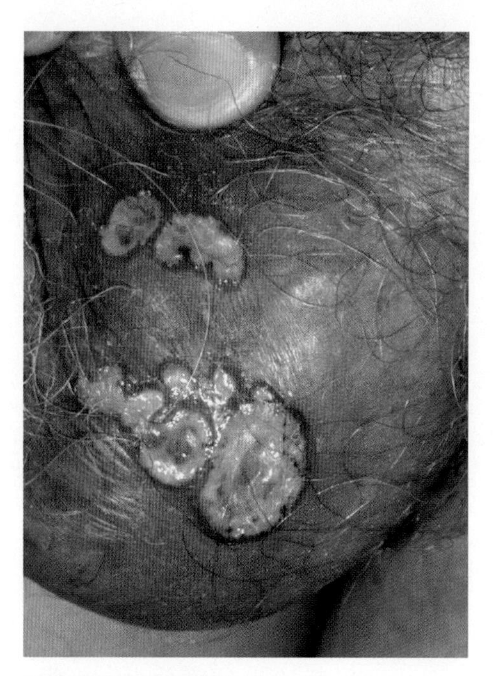

그림 34.92 베체트병

피부혈관질환 35

이번 장은 피부혈관질환을 다루는데, 레이노병, 홍통증, 무리청피반, 청피반모양혈관병증, 한랭글로불린혈증, 전격자반, 표재혈전정맥염, 자반, 그리고 혈관염이다. 다른 피부질환과 같이, 색깔, 형태, 병변의 분포는 정확한 진단을 위해서 필수적이다. 면역복합체매개질환은 자주 의존부위의 피부를 침범하고, 색전 혹은 혈관수축현상은 말단부위에 나타난다. 후모세혈관세정맥 또는 모세혈관을 침범하는 질환은 피부괴사를 거의 일으키지 않으며, 둥글거나 난원형의 모습을 나타내지만, 세동맥을 침범할 때는 흔히 각이 진 성상경색과 세망모양 자반을 나타낸다. 후모세혈관세정맥질환은 출혈점 혹은 촉진되거나 혹은 반상의 자반으로 나타나지만, 만성모세혈관염은 혈철소염색 및 엄지손가락지문, 환상, 습진성, 혹은 출혈점을 가진 태선양으로 나타난다. 성상 혹은 세망연관혈관염에는 항호중구세포질항체연관혈관염, 류마티스혈관염, 패혈혈관염 등이 있다. 허혈질환은 자주 통증과 연관되고, 심하고 지속적인 허혈은 괴사를 일으킨다. 혈관확장은 온도조절, 비정상적 혈류통과, 혹은 홍통증에서의 소섬유신경병증과 관련될 수 있다. 병변의 형태와 분포는 피부생검을 위한 정확한 위치와 적절한 깊이를 제시한다.

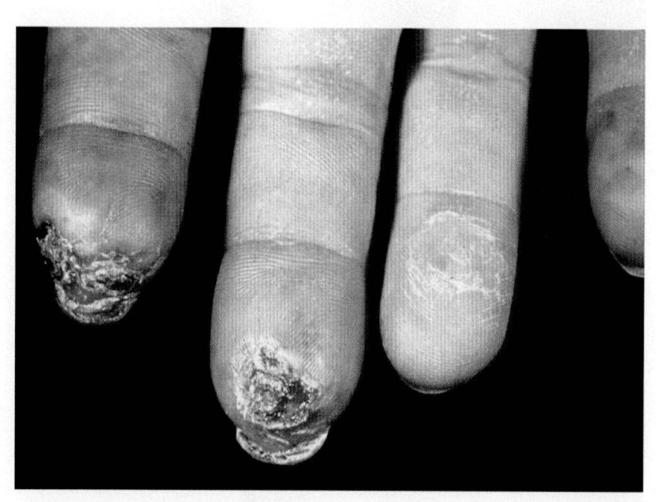

그림 35.2 레이노현상의 수지궤양

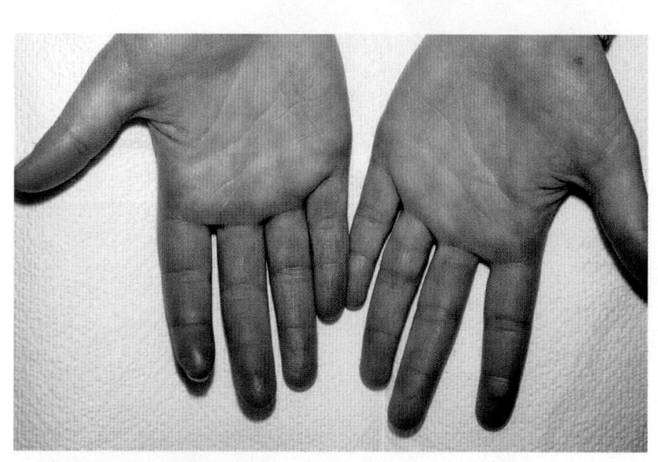

그림 35.1 혼합결체조직질환에 이차적으로 발생한 레이노현상

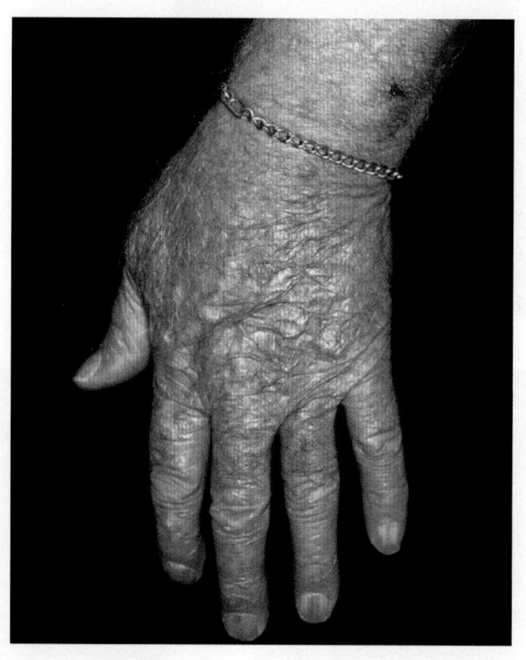

그림 35.3 홍통증

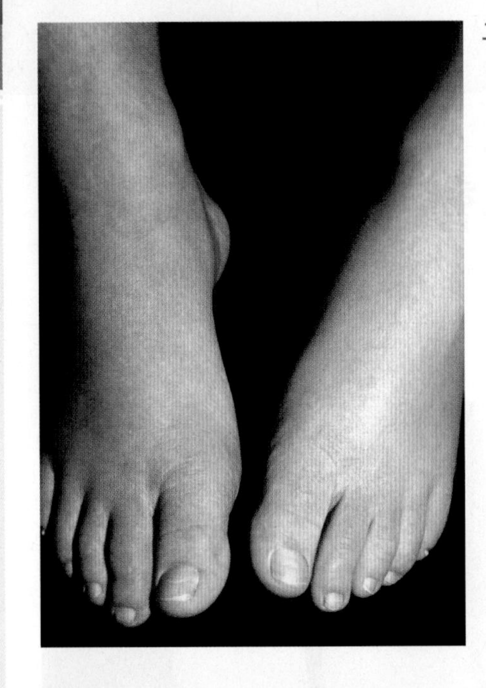

그림 35.4 홍통증

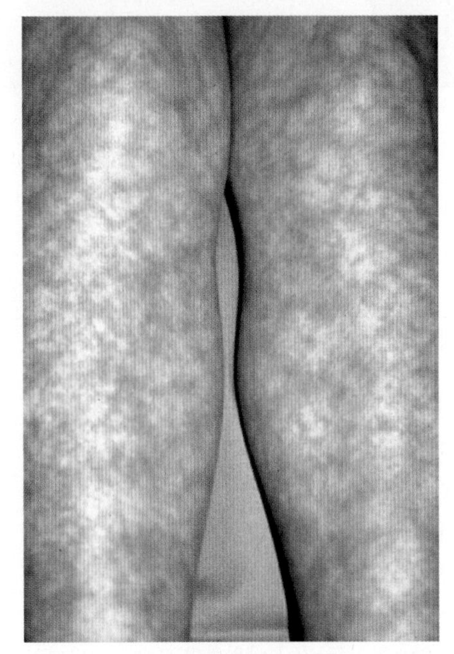

그림 35.5 망상청피반

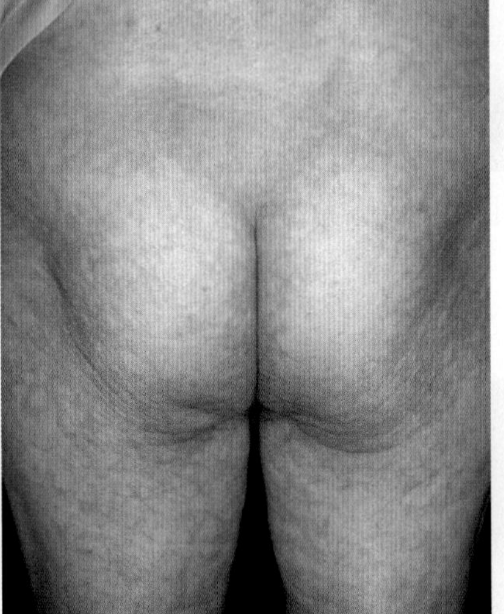

그림 35.6 애먼타딘에 의한 망상청피반

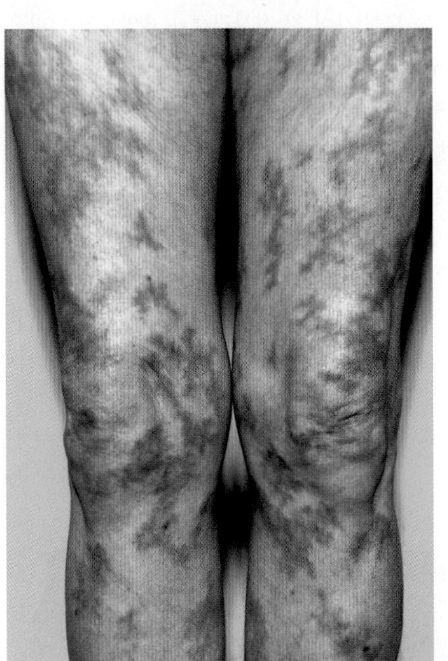

그림 35.7 무리청피반

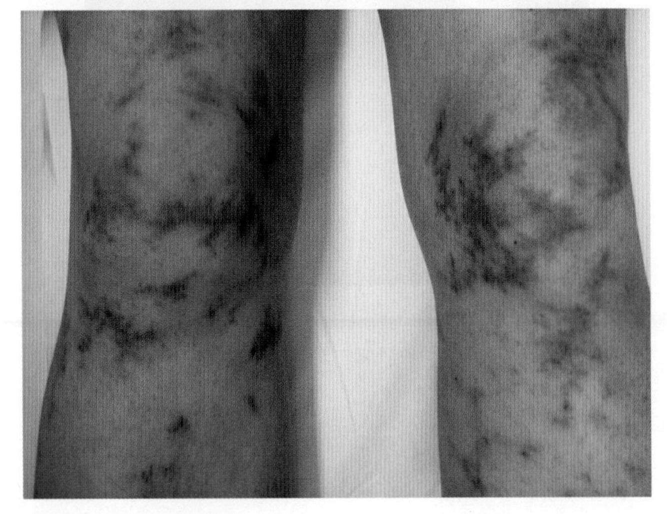

그림 35.8 무리청피반

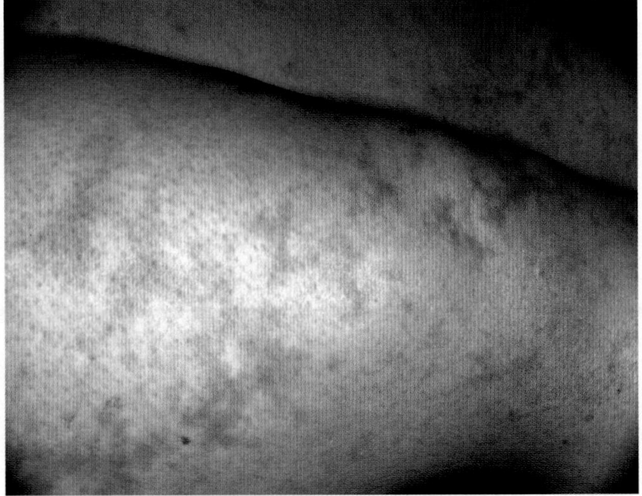

그림 35.9 스네든증후군

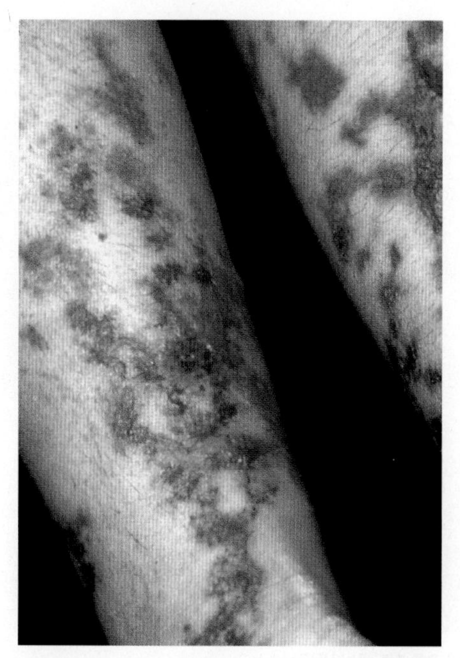

그림 35.10 괴사청피반

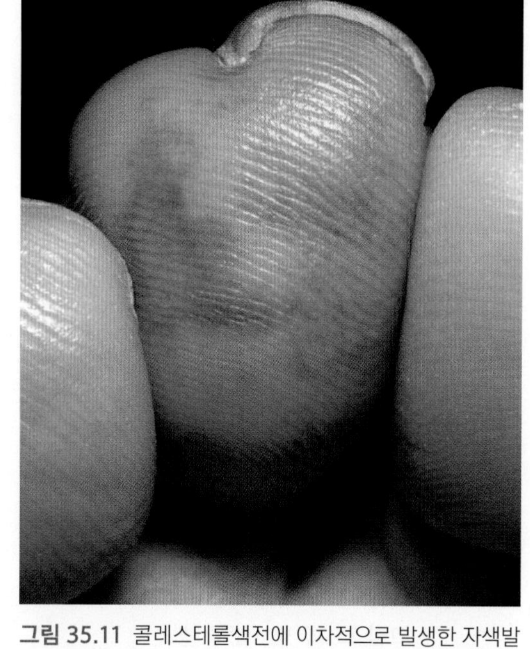

그림 35.11 콜레스테롤색전에 이차적으로 발생한 자색발가락

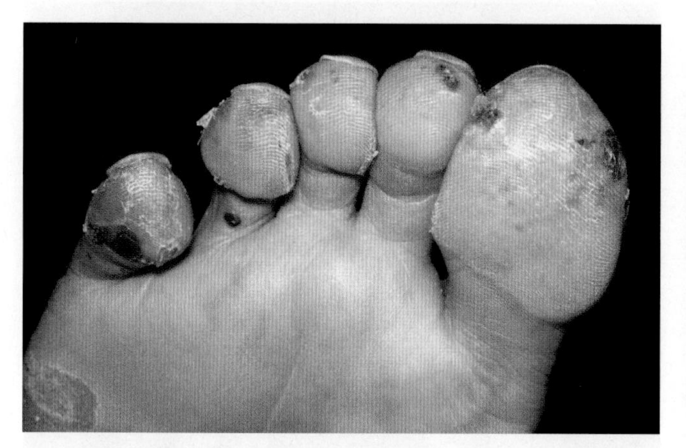

그림 35.12 콜레스테롤색전

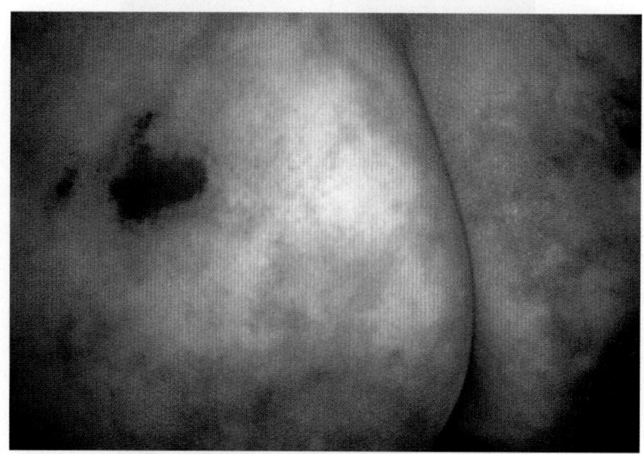

그림 35.13 콜레스테롤색전

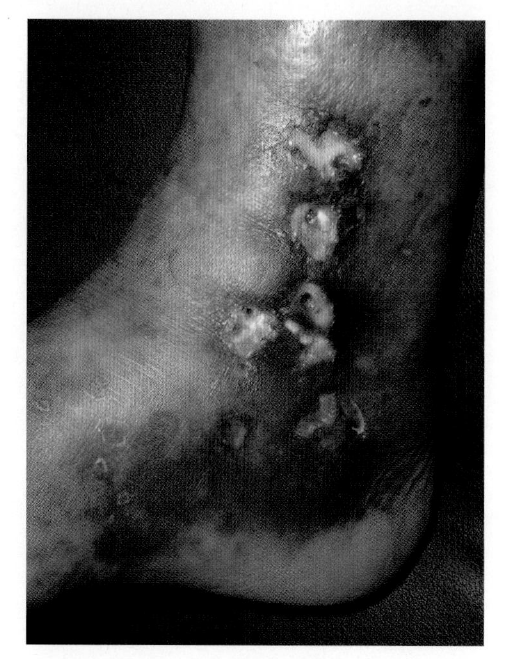

그림 35.14 청피반모양혈관병증

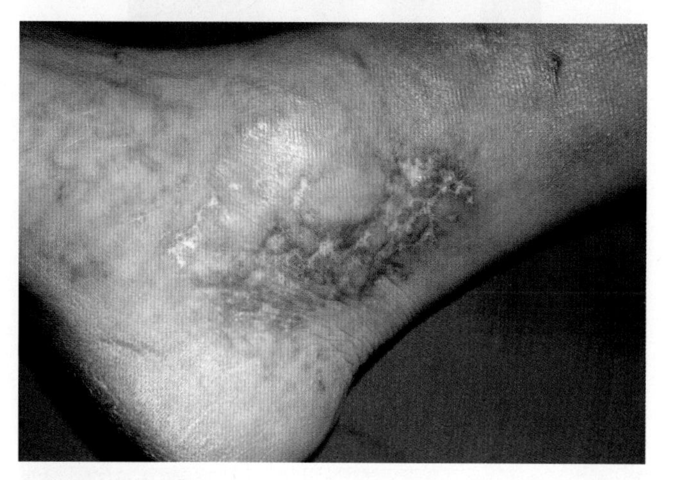

그림 35.15 백색위축

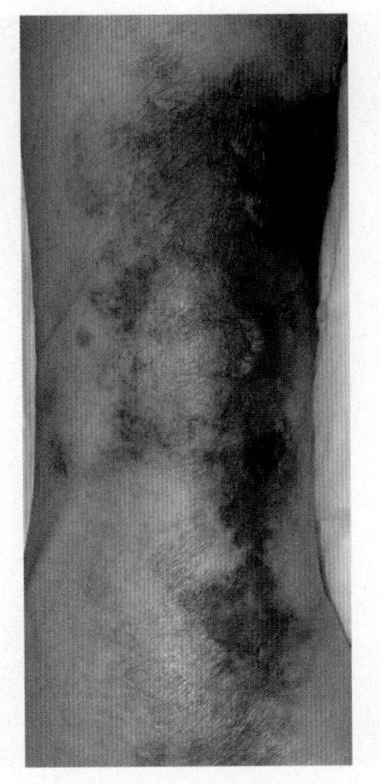

그림 35.16 칼시필락시스

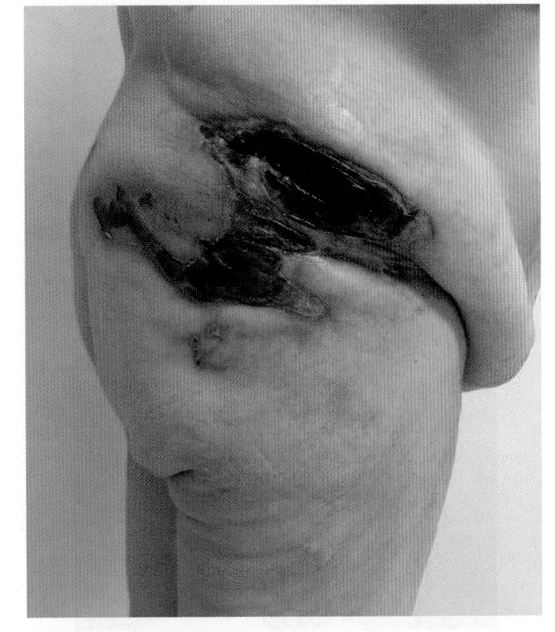

그림 35.17 칼시필락시스

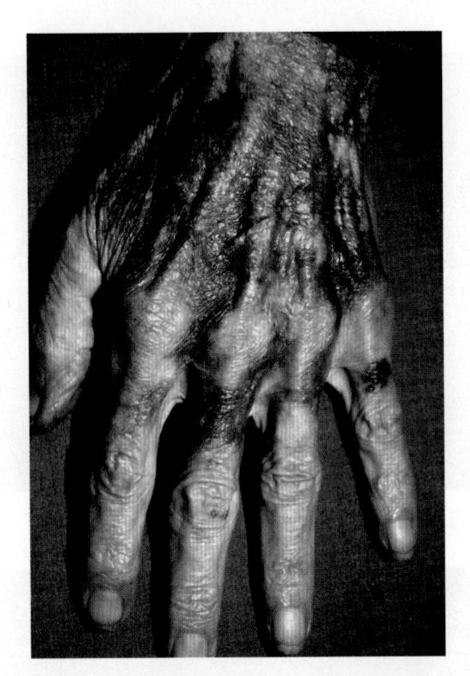

그림 35.18 노인의 자반

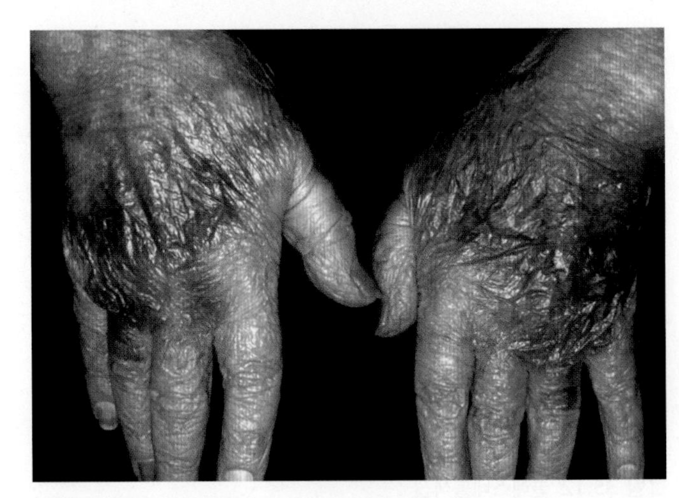

그림 35.19 노인의 자반

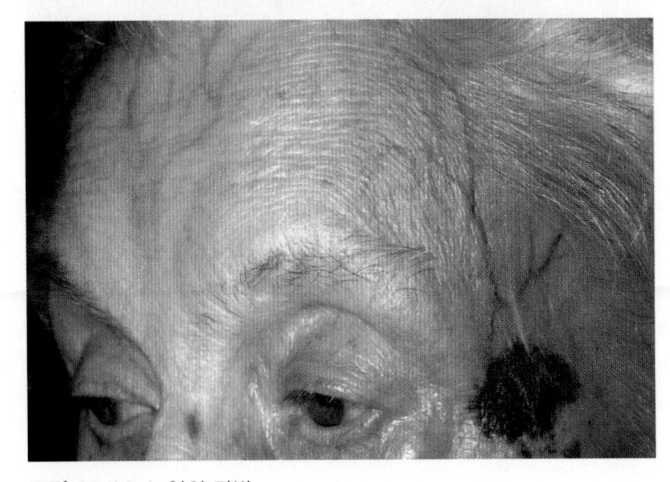

그림 35.20 노인의 자반

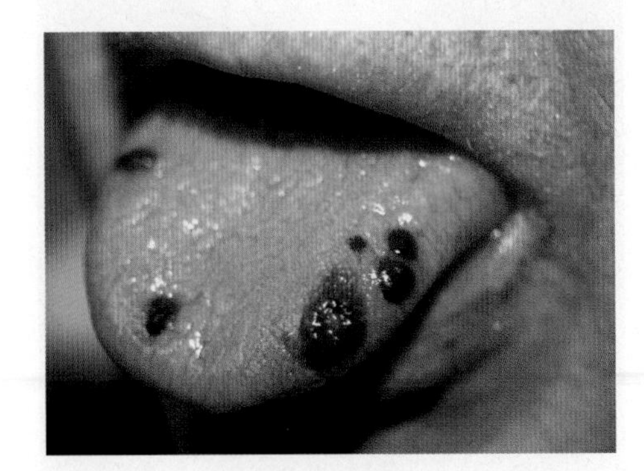

그림 35.21 면역저혈소판자반

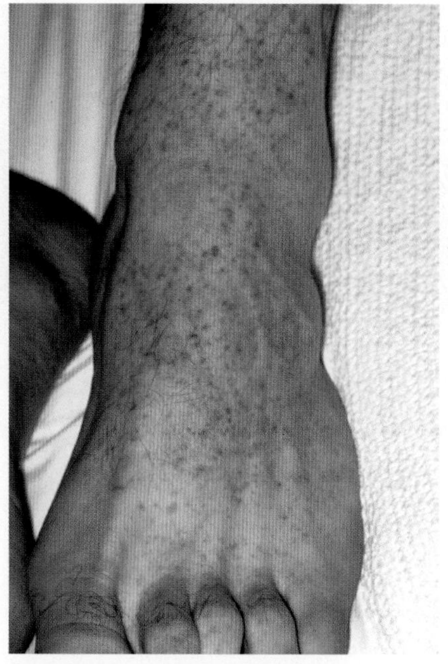

그림 35.22 면역저혈소판자반

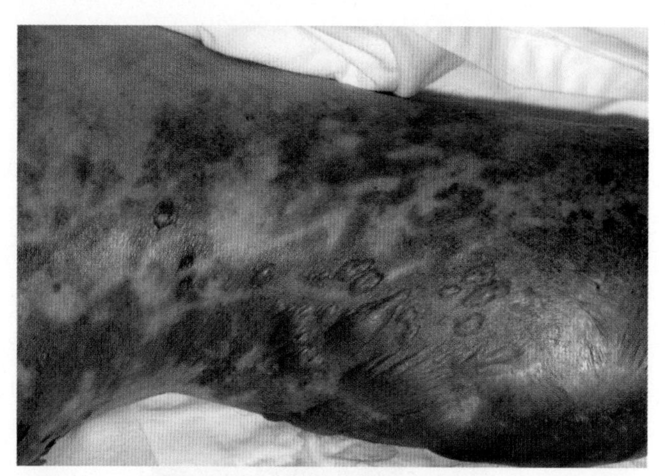

그림 35.23 혈전저혈소판자반

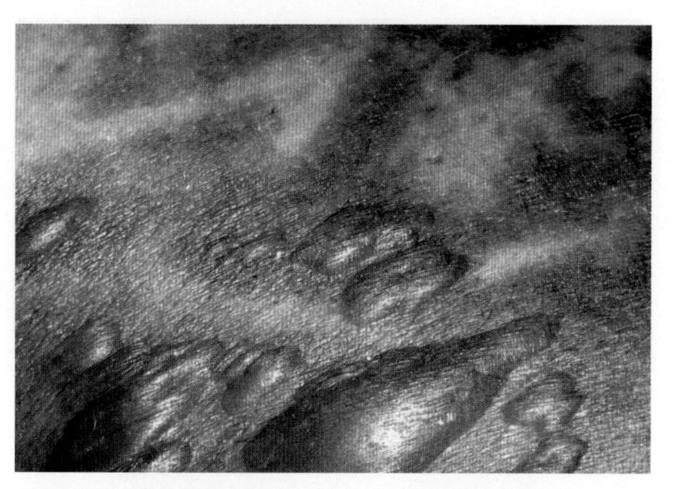

그림 35.24 혈전저혈소판자반

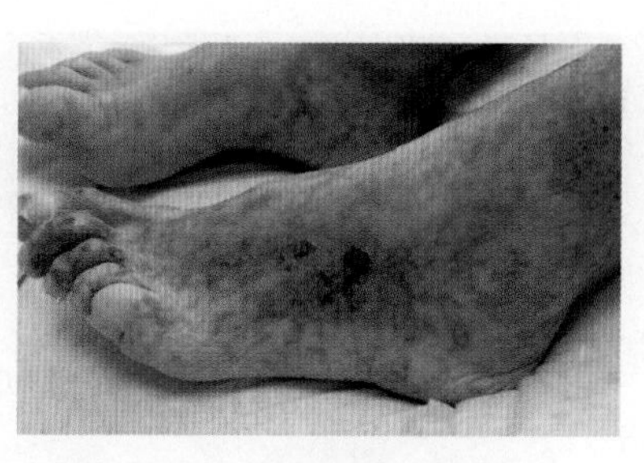

그림 35.25 한랭글로불린혈혈관염

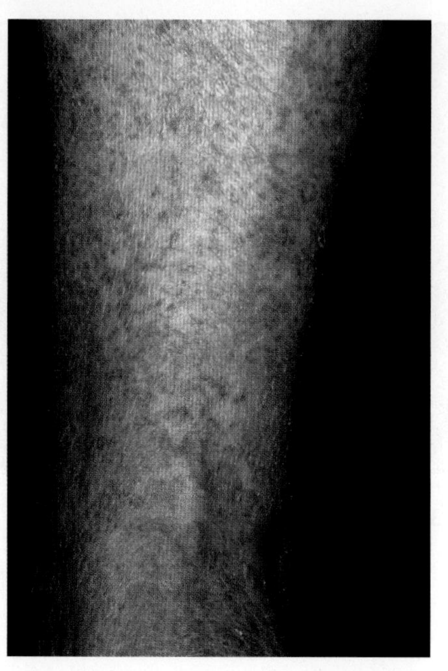

그림 35.26 발덴스트롬고감마글로불린혈자반

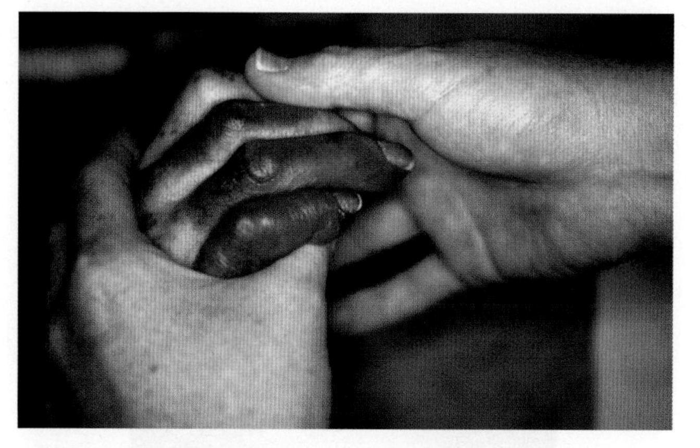

그림 35.27 전격자반

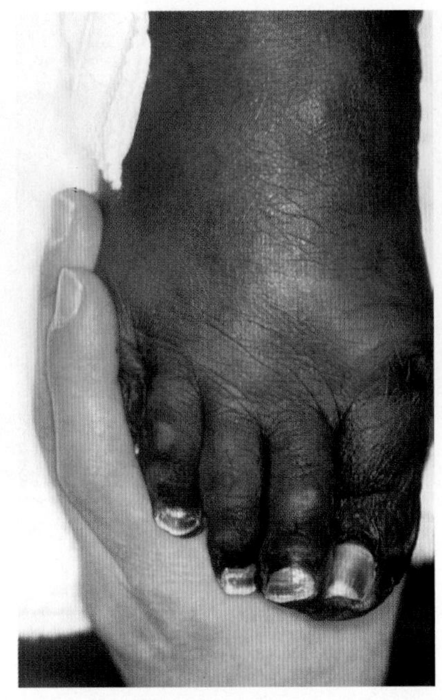

그림 35.28 전격자반

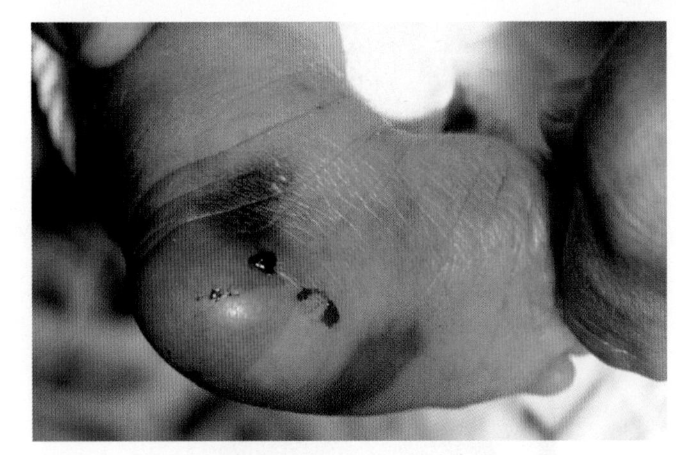

그림 35.29 동종접합단백C결핍

그림 35.30 단백S결핍

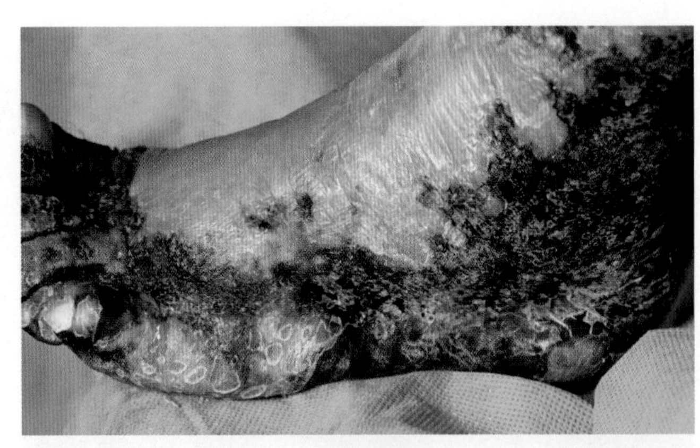

그림 35.31 파국의 항인지질항체증후군

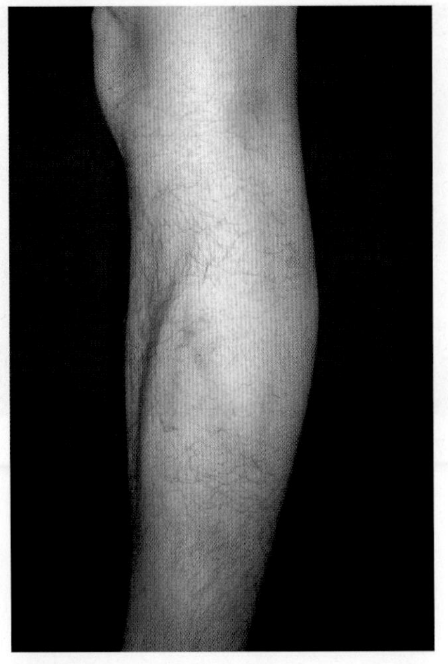

그림 35.32 표재혈전정맥염

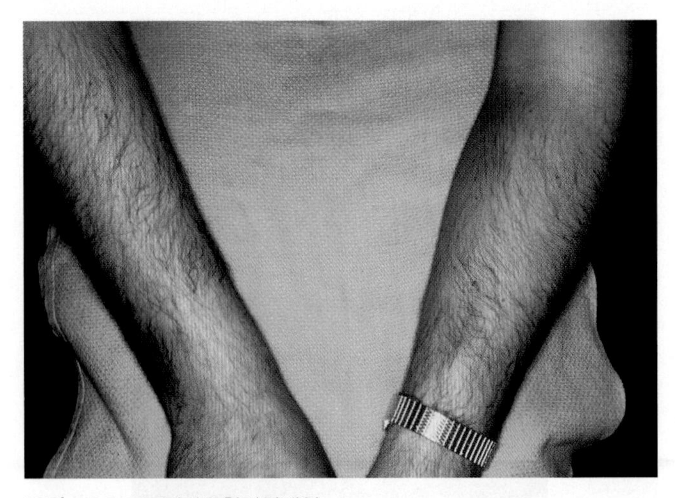

그림 35.33 표재이동혈전정맥염

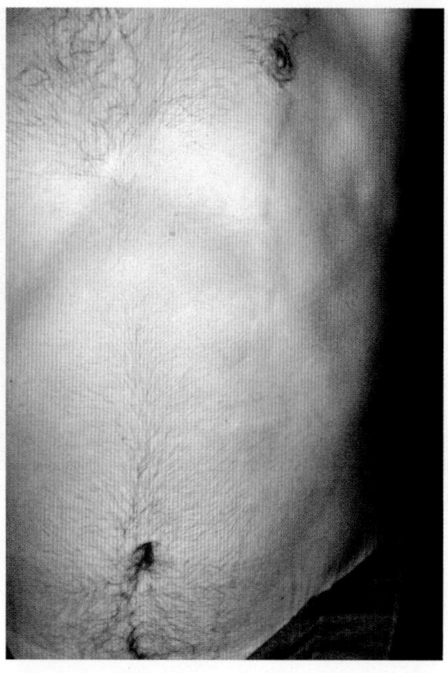

그림 35.34 몬도르병

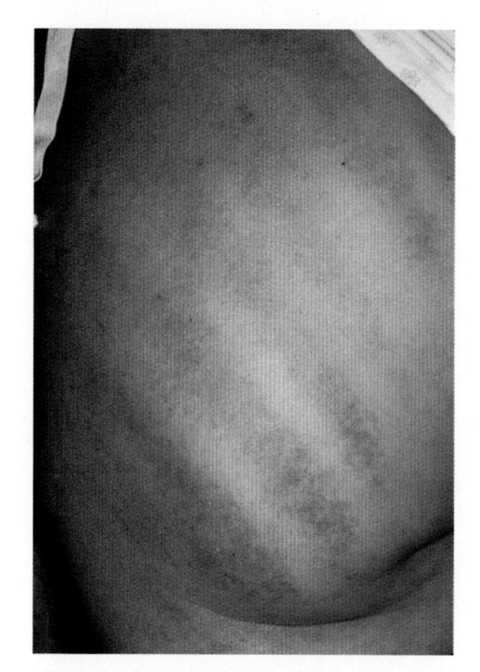

그림 35.35 동전문지름 후 발생한 자반

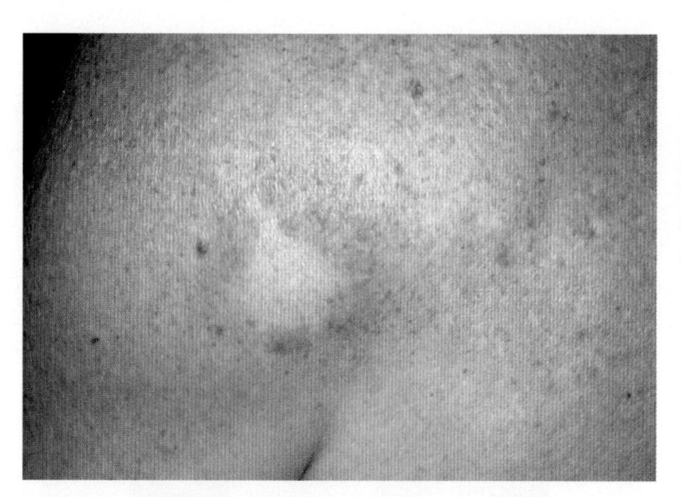

그림 35.36 라켓볼유발자반

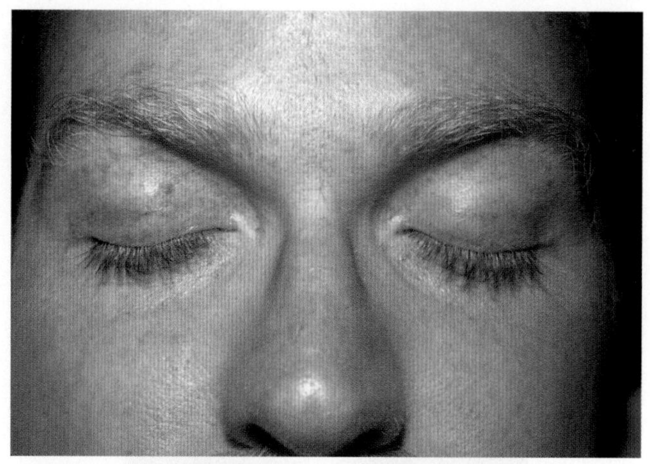

그림 35.37 구토후 자반

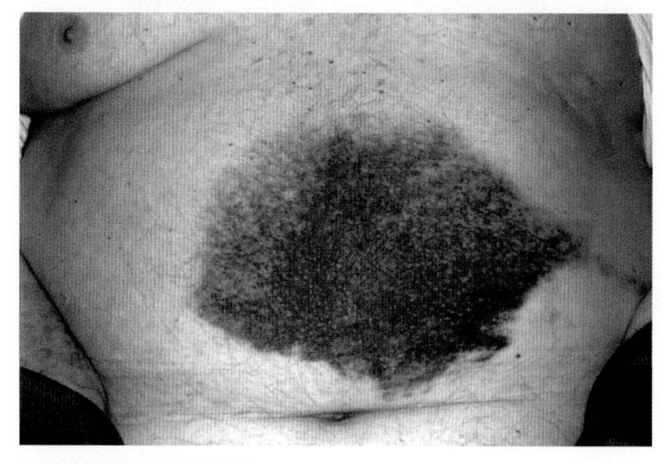

그림 35.38 기침유발자반

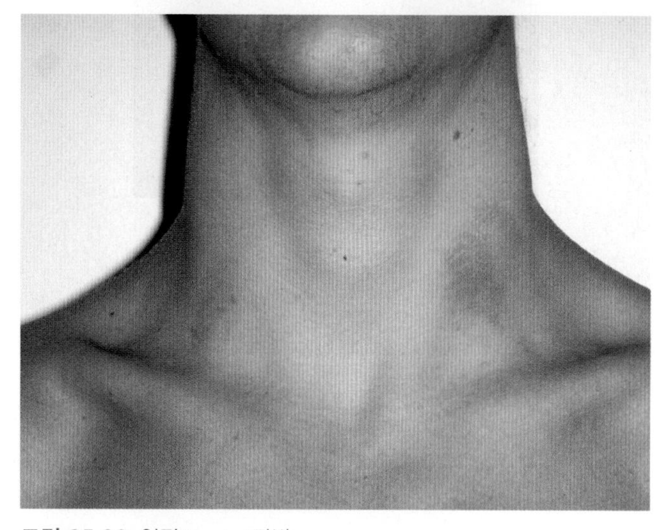

그림 35.39 열정(Passion)자반

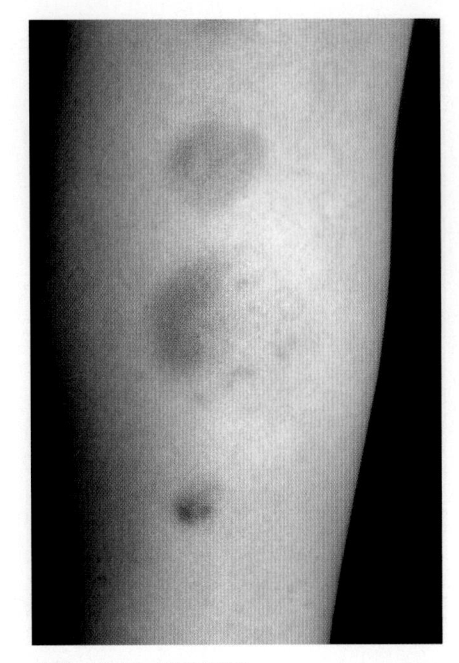

그림 35.40 심인성자반

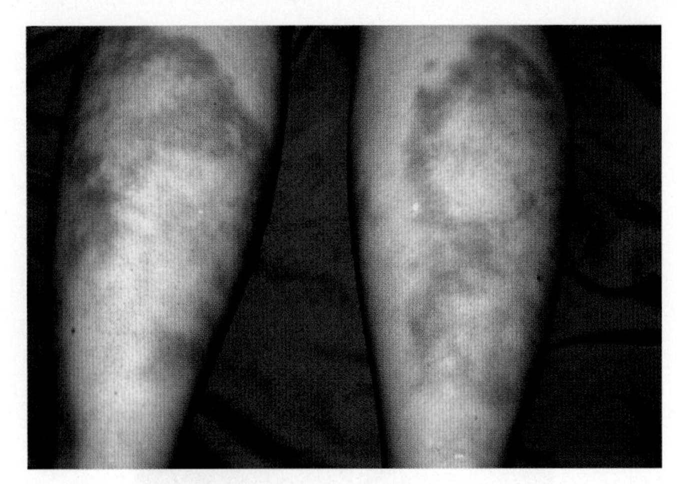

그림 35.41 심인성자반

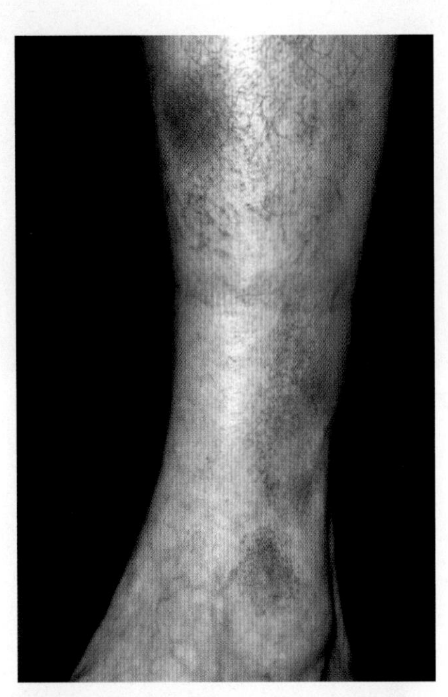

그림 35.42 샴버그병

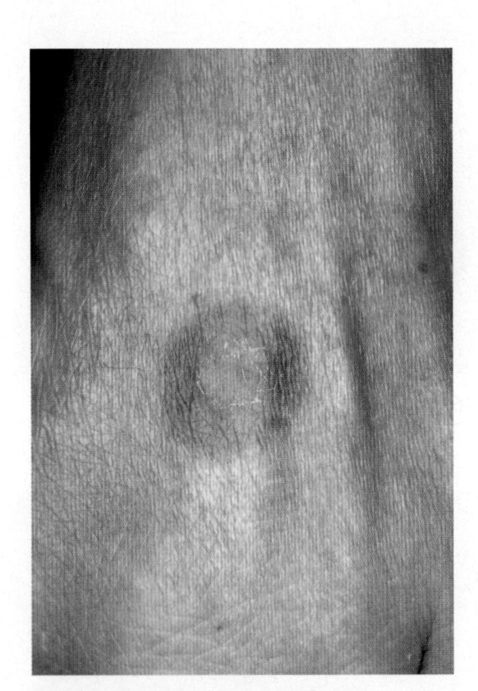

그림 35.43 고리모세혈관확장자반

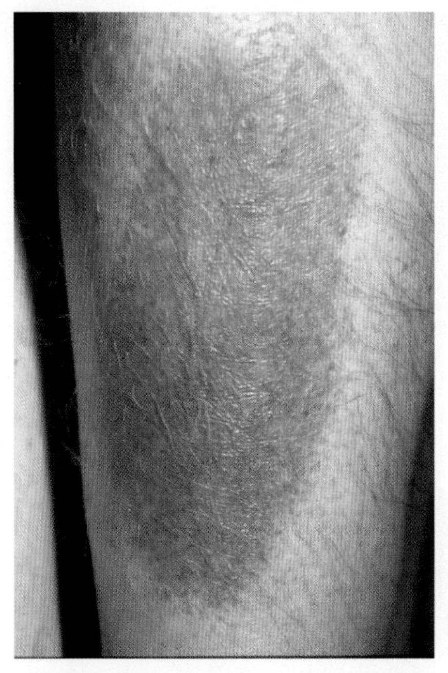

그림 35.44 황색태선

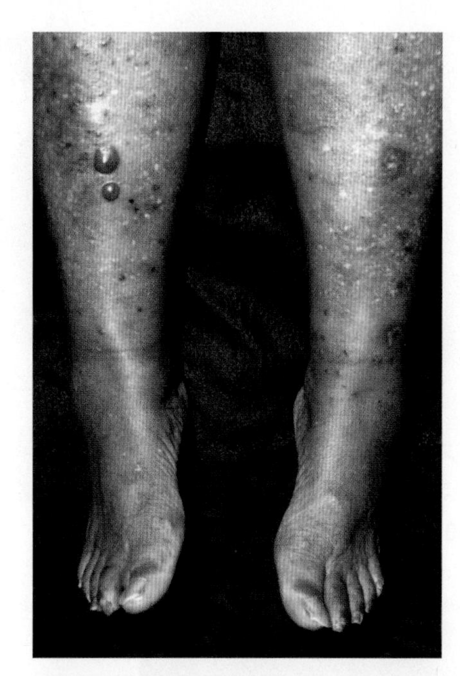

그림 35.45 백혈구파괴혈관염

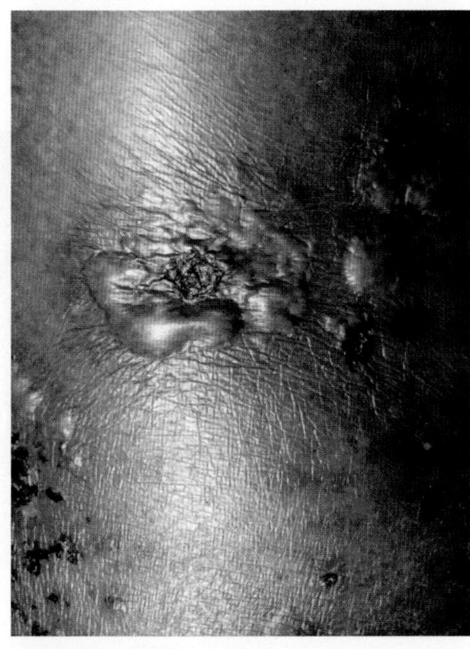

그림 35.46 백혈구파괴혈관염

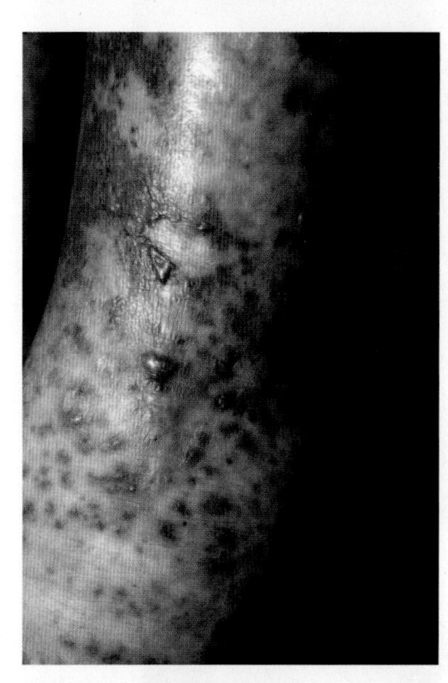

그림 35.47 백혈구파괴혈관염

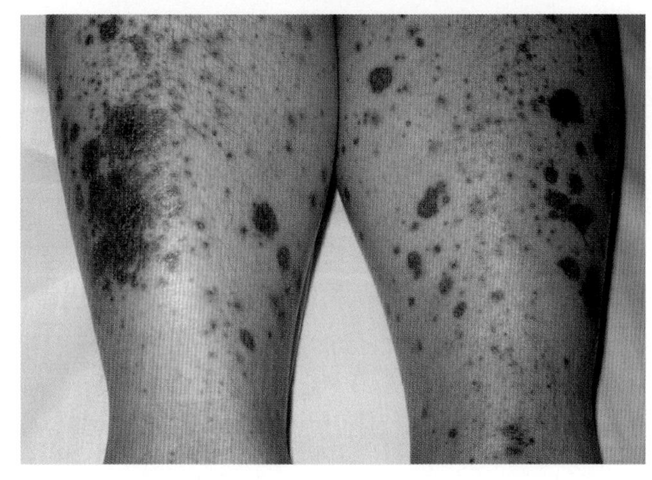

그림 35.48 백혈구파괴혈관염

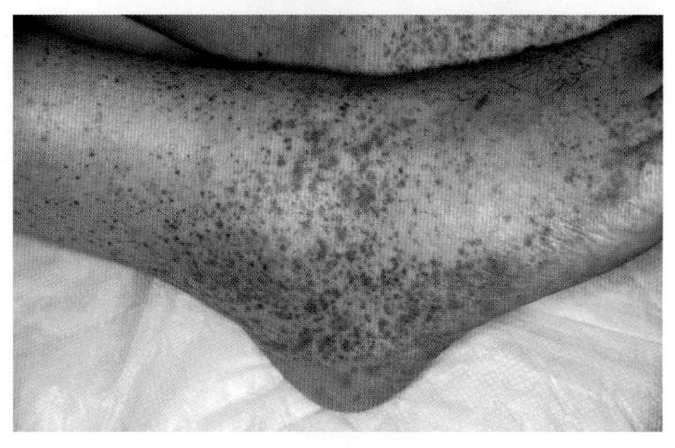

그림 35.49 백혈구파괴혈관염

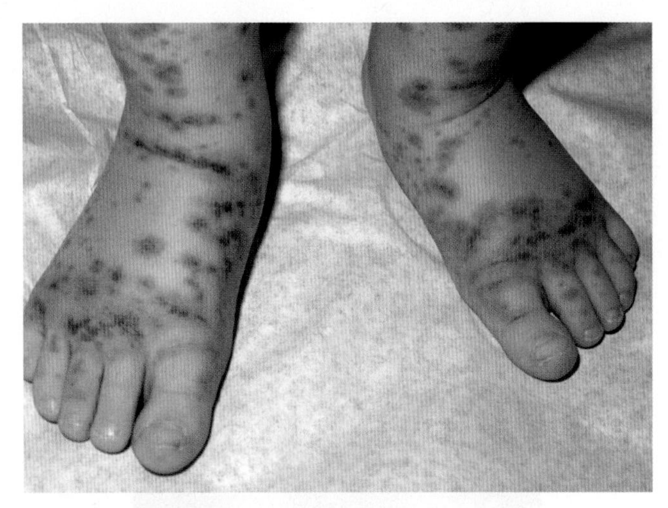

그림 35.50 헤노흐-쇤라인자반

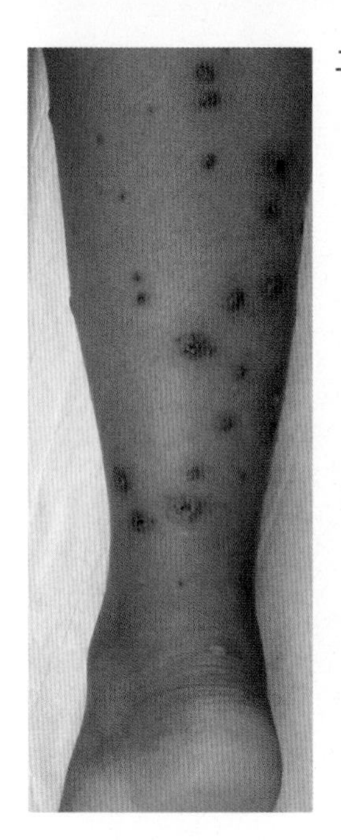

그림 35.51 헤노흐-쇤라인자반

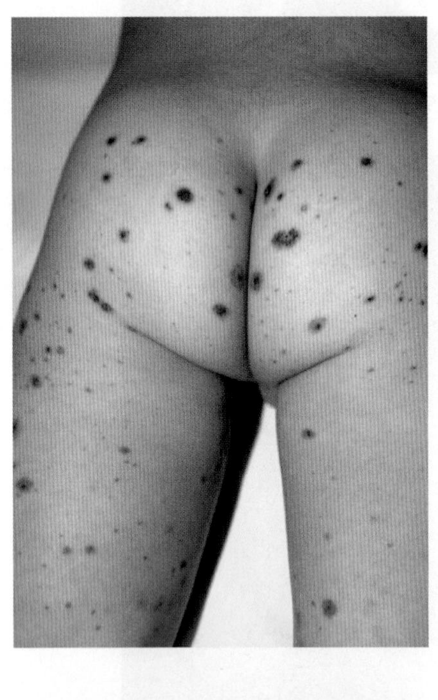
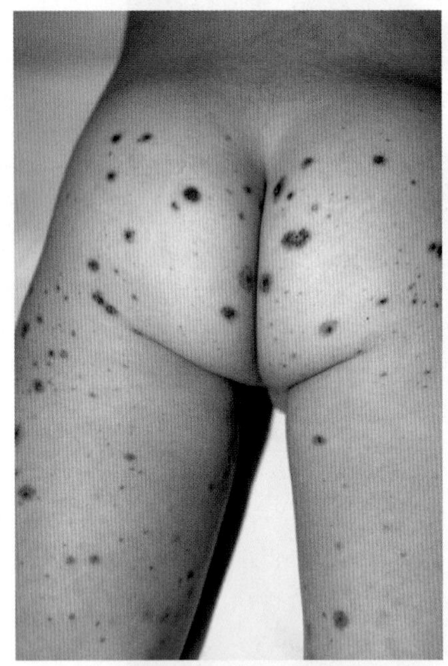

그림 35.52 헤노흐-쇤라인자반

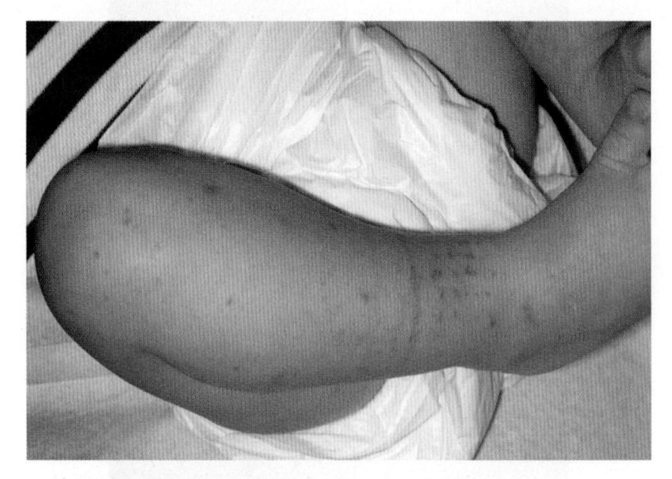

그림 35.53 헤노흐-쇤라인자반. 압박부의 병변을 보임

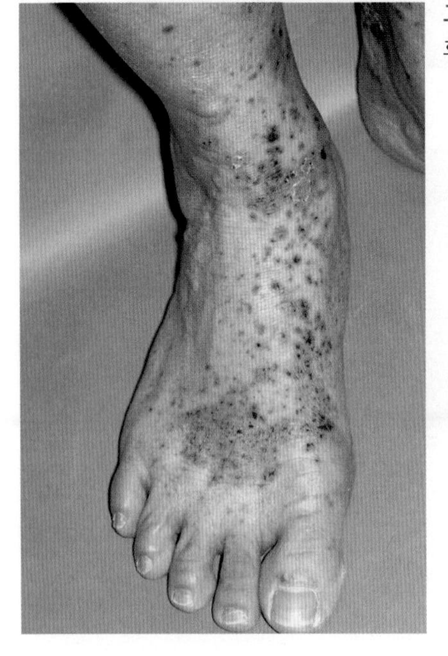

그림 35.54 성인헤노흐-쇤라인자반

그림 35.55 영아급성출혈부종

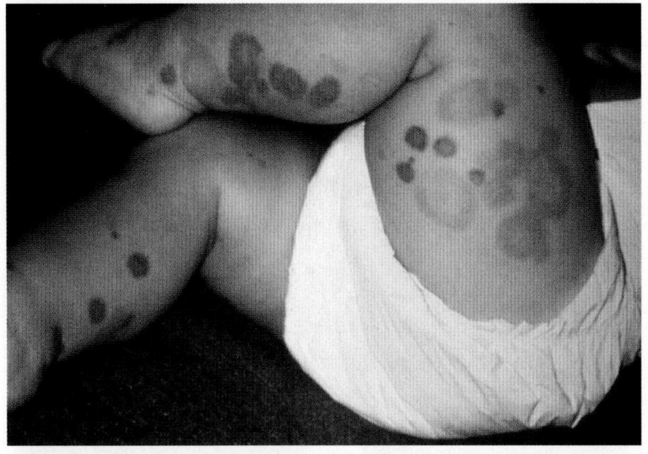

그림 35.56 영아급성출혈부종

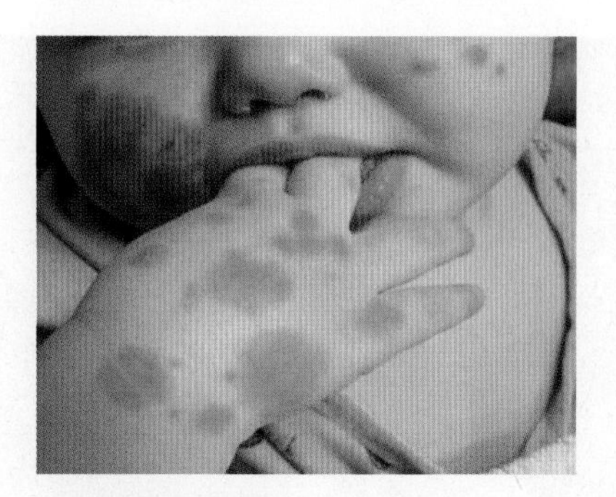

그림 35.57 영아급성출혈부종

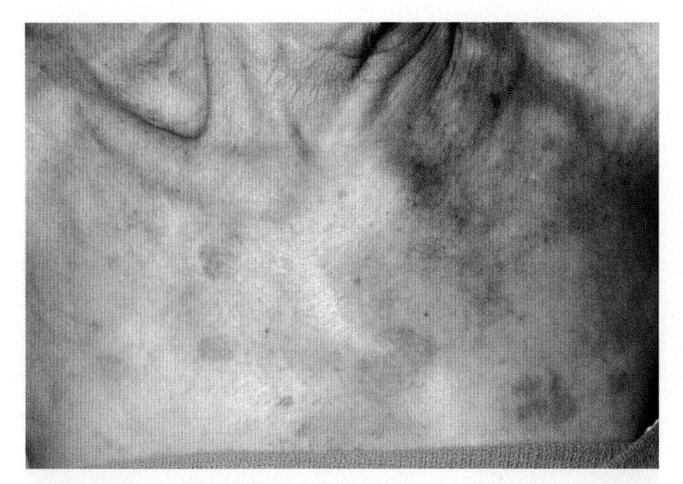

그림 35.58 두드러기혈관염

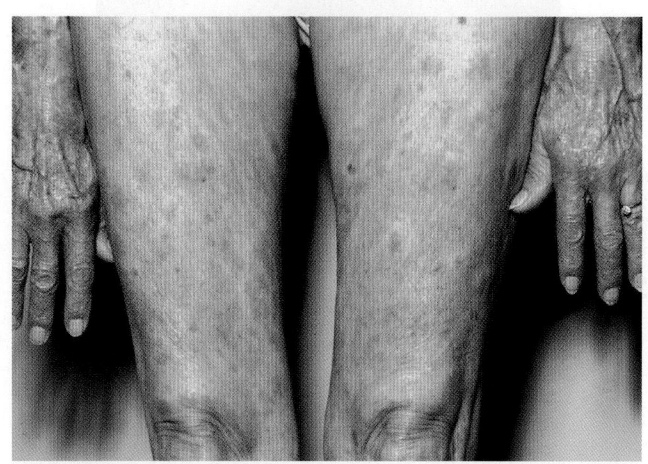

그림 35.59 두드러기혈관염

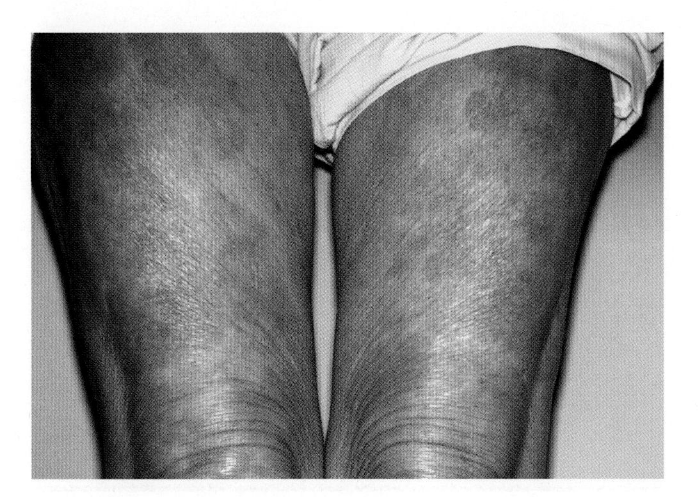

그림 35.60 두드러기혈관염

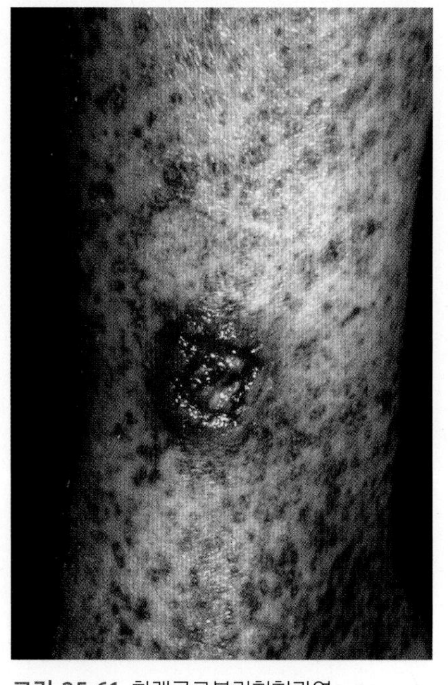

그림 35.61 한랭글로불린혈혈관염

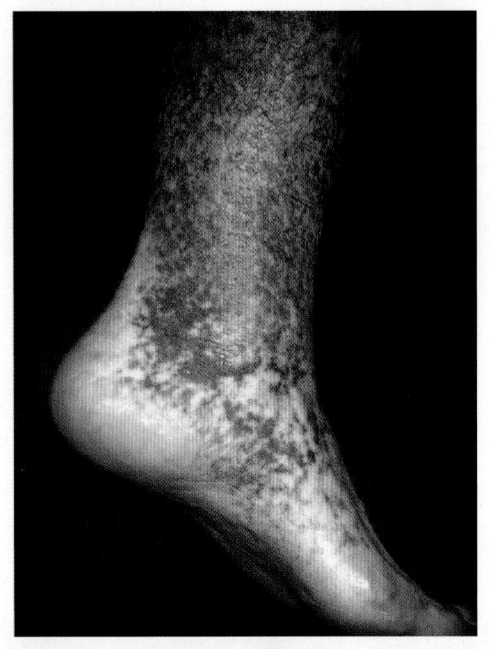

그림 35.62 한랭글로불린혈혈관염

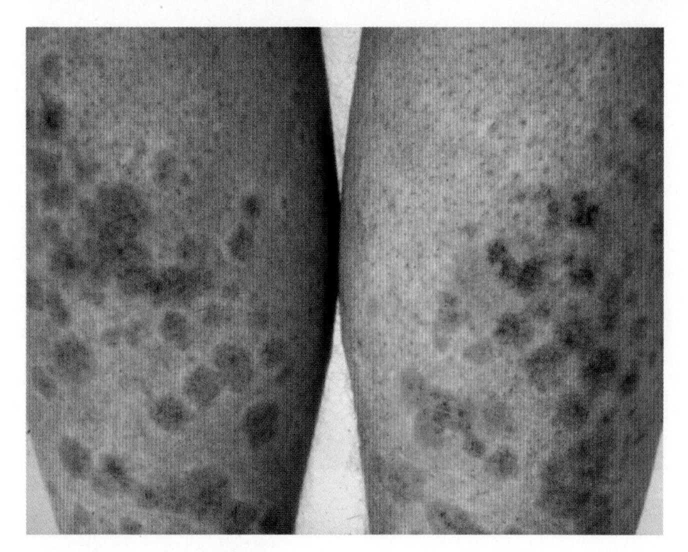

그림 35.63 지속융기홍반

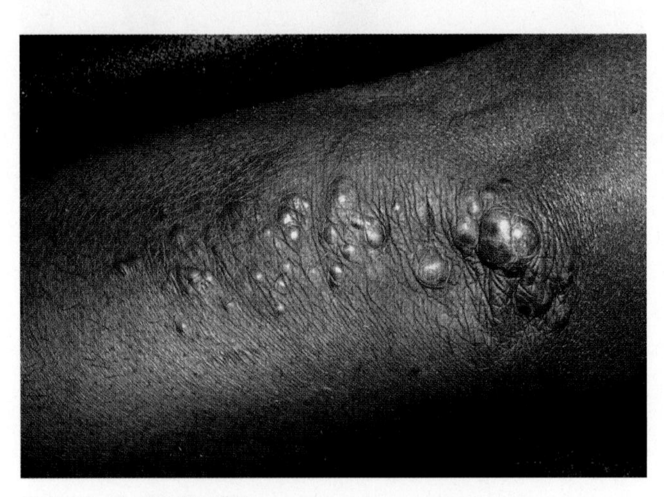

그림 35.64 지속융기홍반

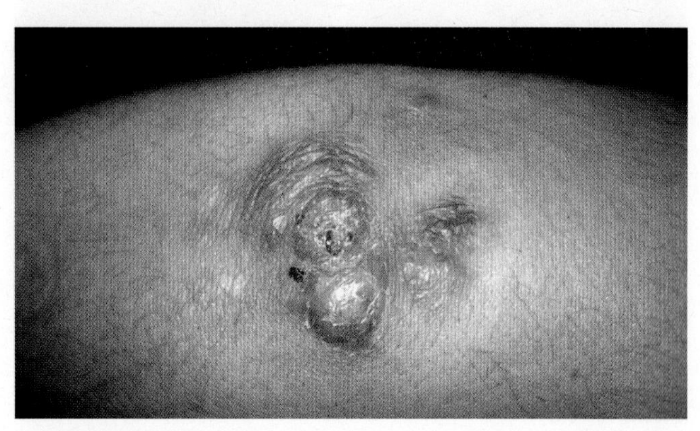

그림 35.65 지속융기홍반

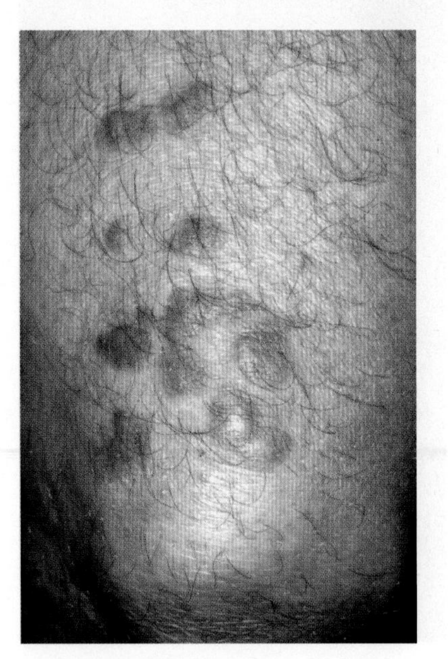

그림 35.66 지속융기홍반

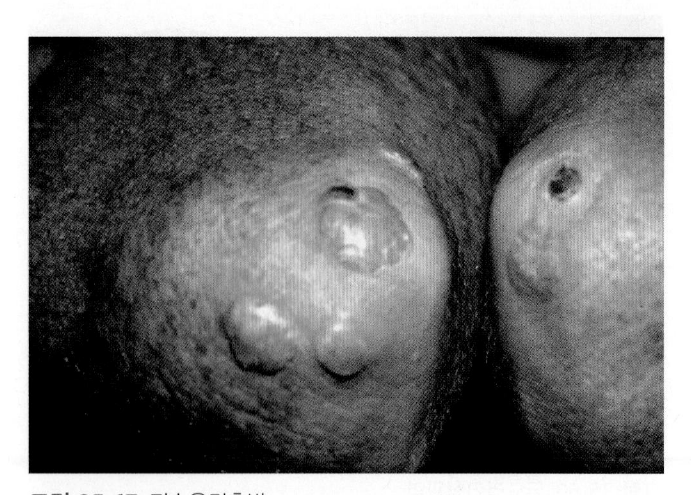

그림 35.67 지속융기홍반

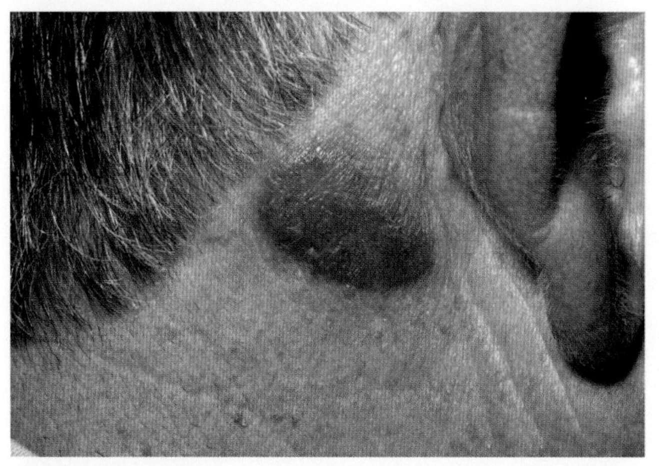

그림 35.68 안면육아종

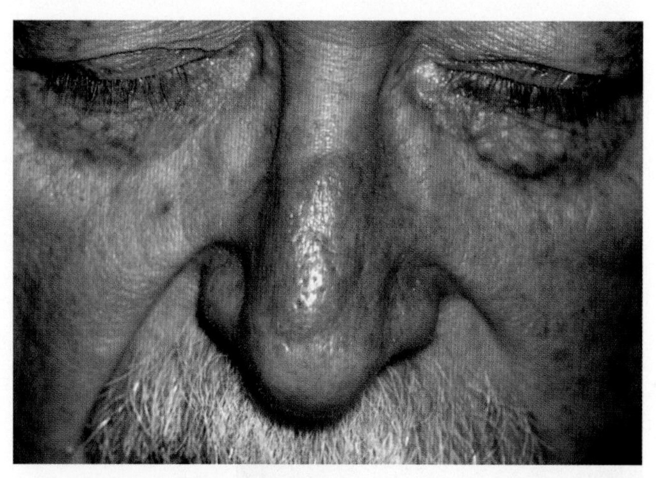

그림 35.69 안면육아종

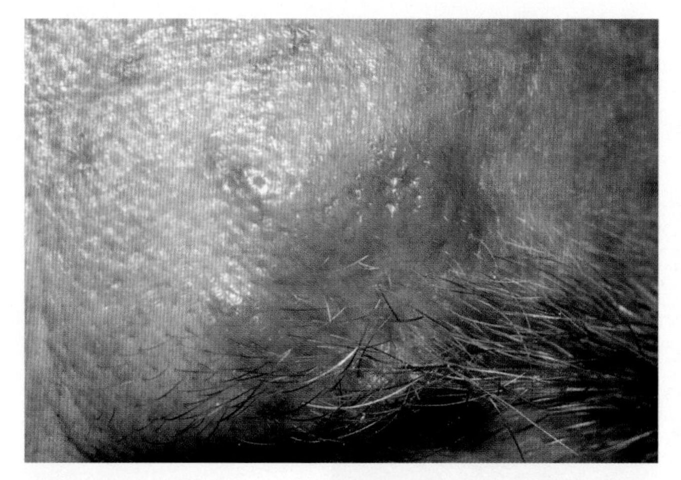

그림 35.70 안면육아종

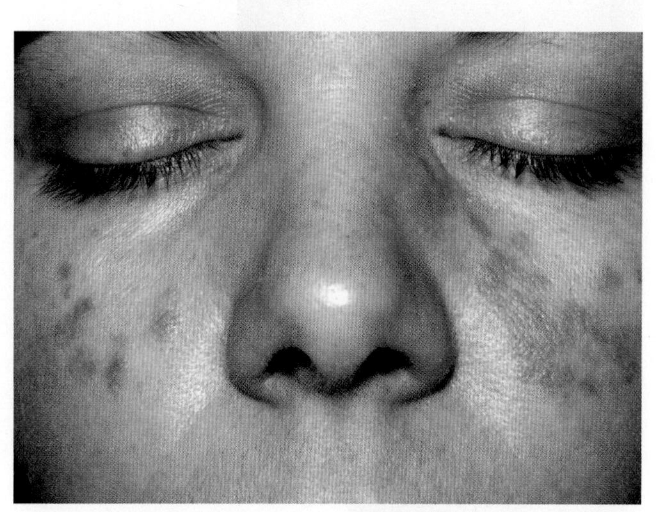

그림 35.71 안면육아종

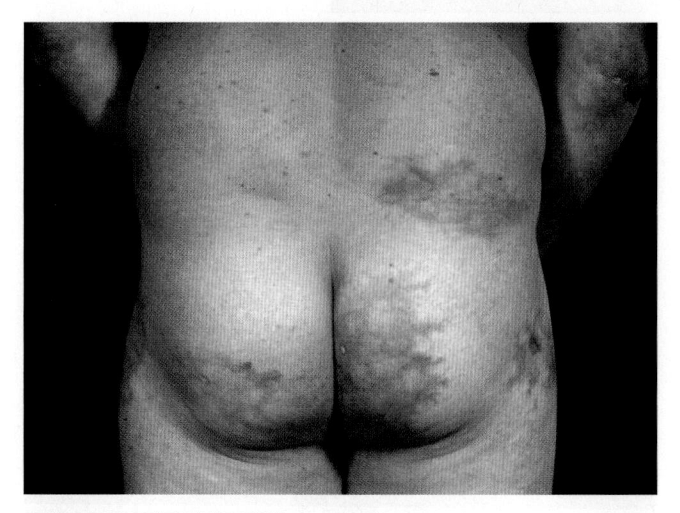

그림 35.72 결절다발동맥염

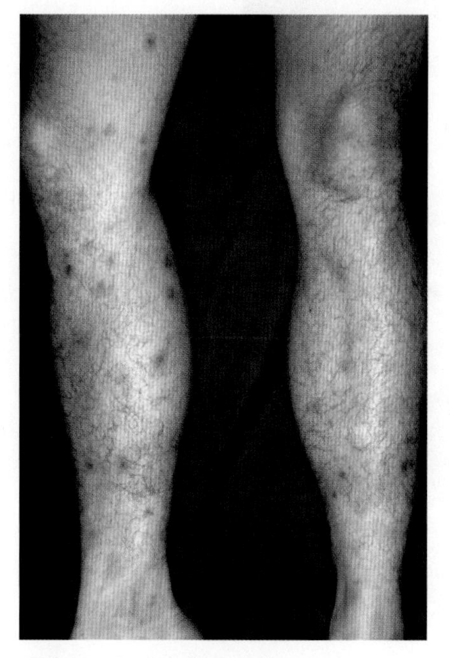

그림 35.73 결절다발동맥염

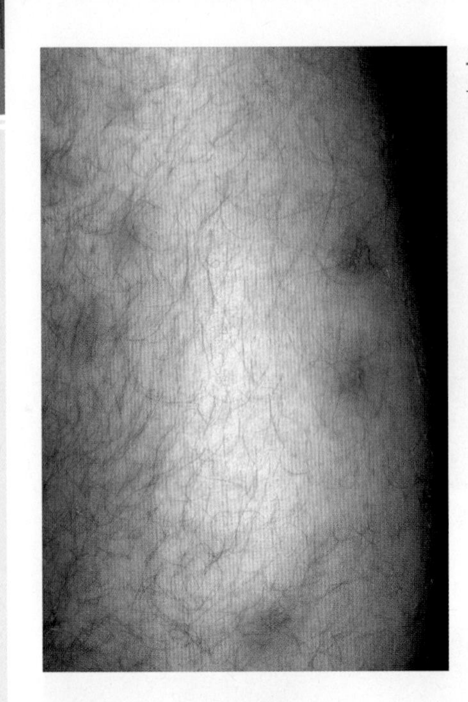
그림 35.74 결절다발동맥염

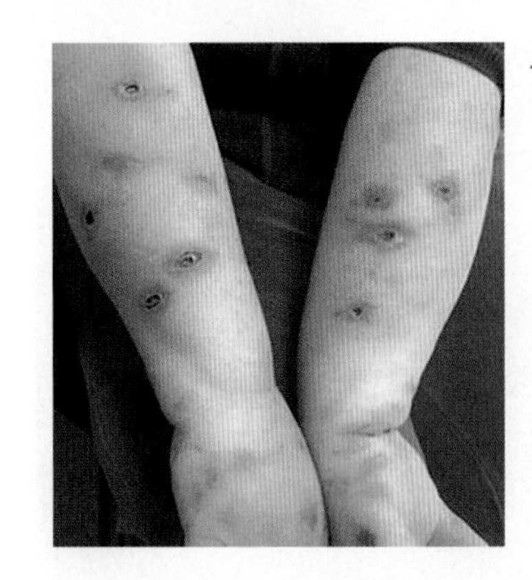
그림 35.75 결절다발동맥염

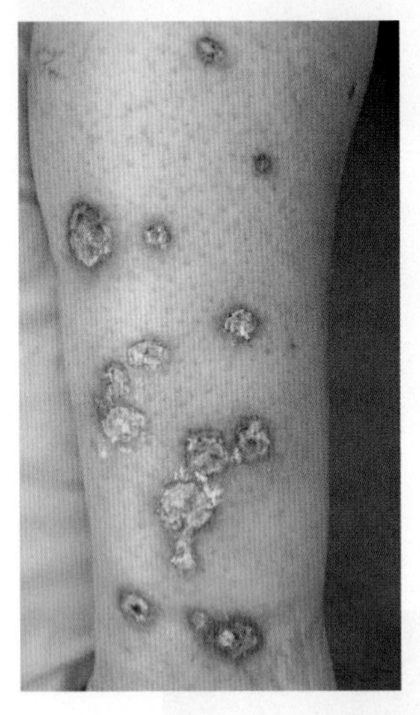
그림 35.76 약제유발항호중구세포질항체양성혈관염

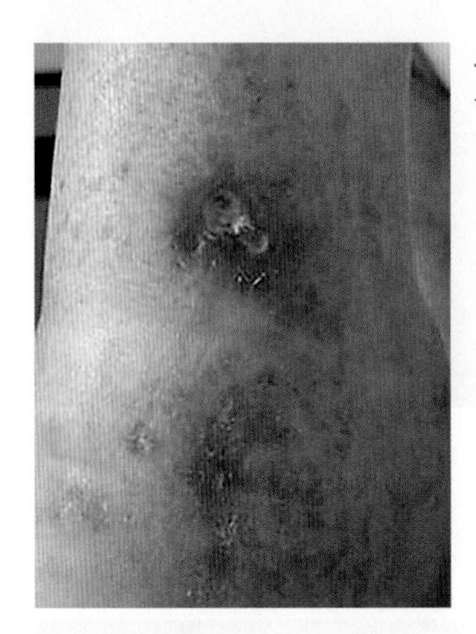
그림 35.77 다발혈관염을 가진 육아종증

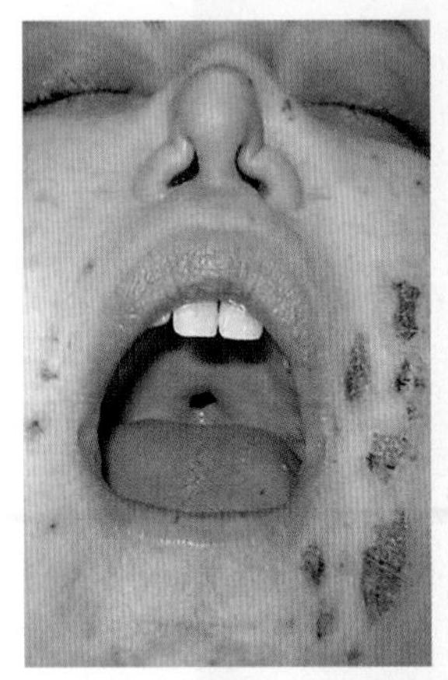
그림 35.78 다발혈관염을 가진 육아종증

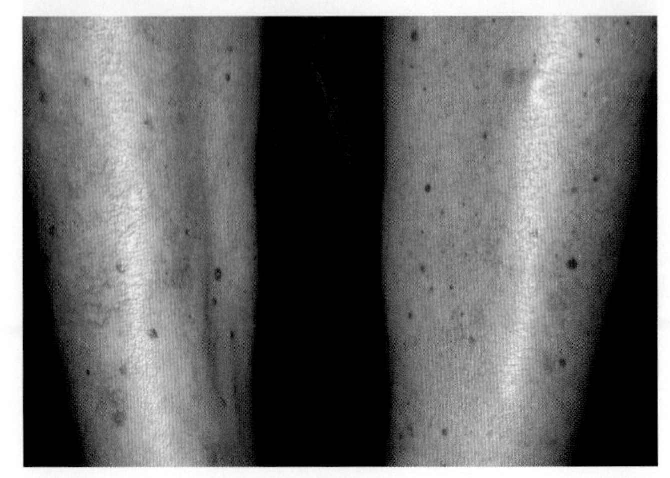
그림 35.79 다발혈관염을 가진 육아종증

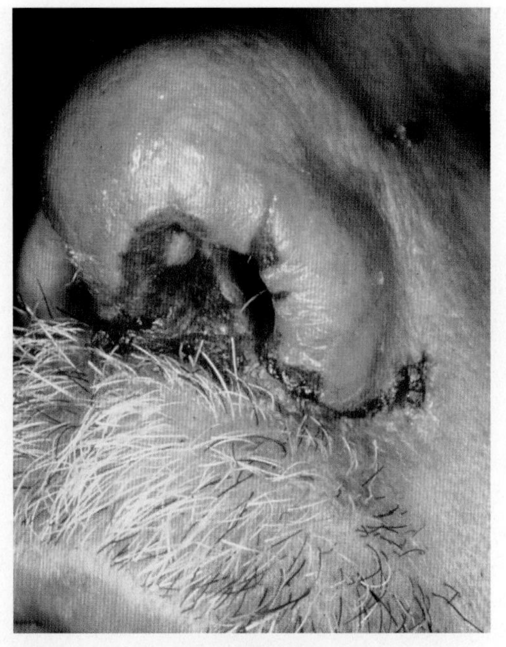

그림 35.80 다발혈관염을 가진 육아종증

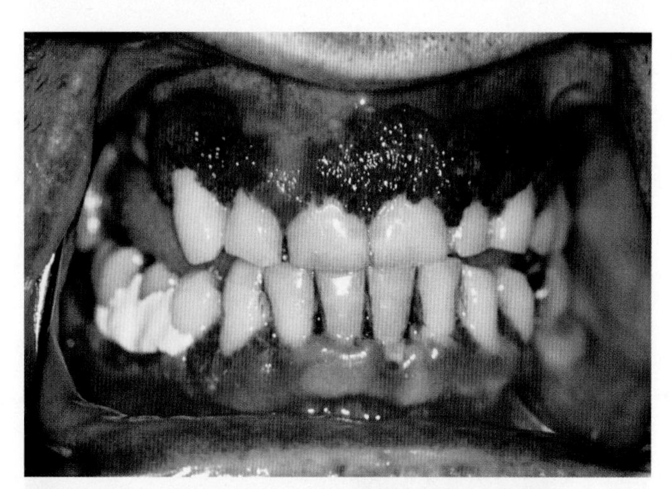

그림 35.81 다발혈관염을 가진 육아종증

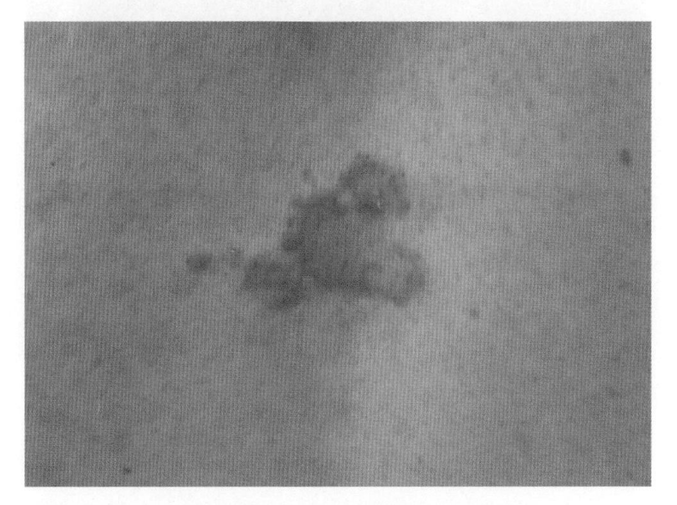

그림 35.82 호산구육아종증다발혈관염환자의 두드러기판

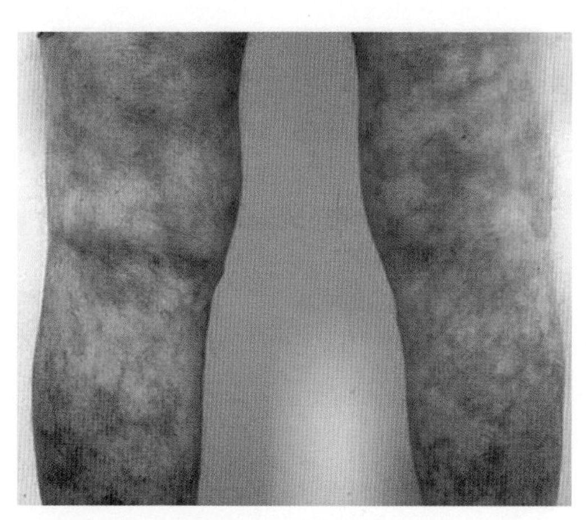

그림 35.83 호산구육아종증다발혈관염

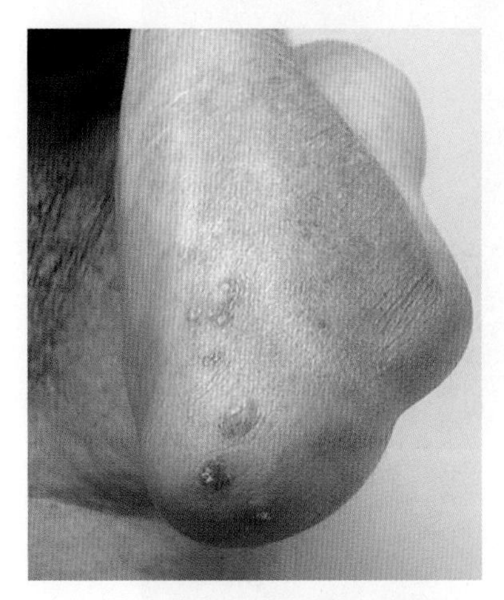

그림 35.84 호산구육아종증다발혈관염

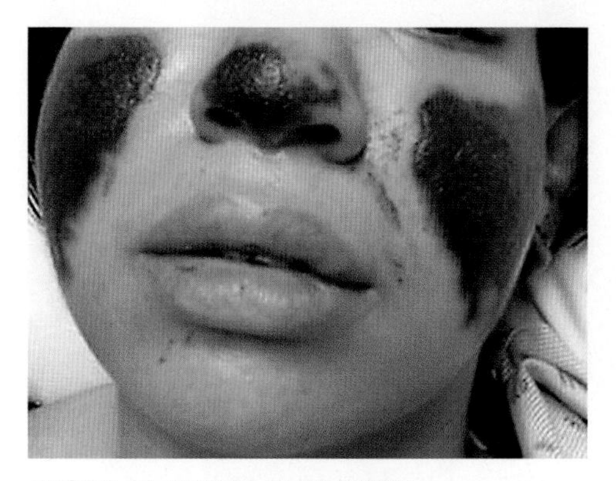

그림 35.85 레바미솔유발 혈관병증

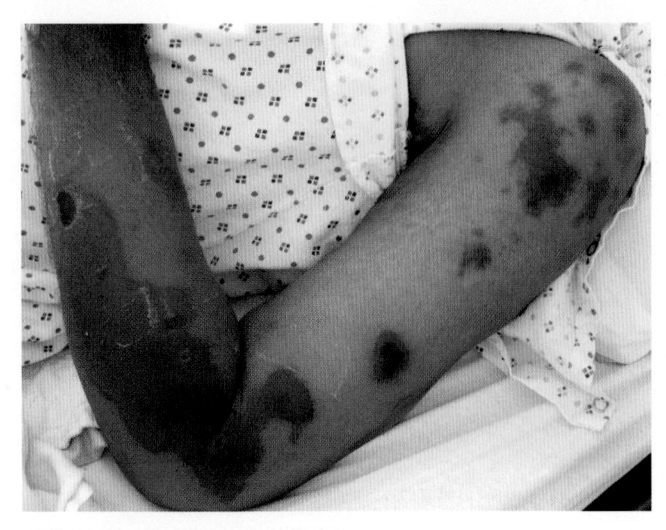

그림 35.86 레바미솔유발 혈관병증

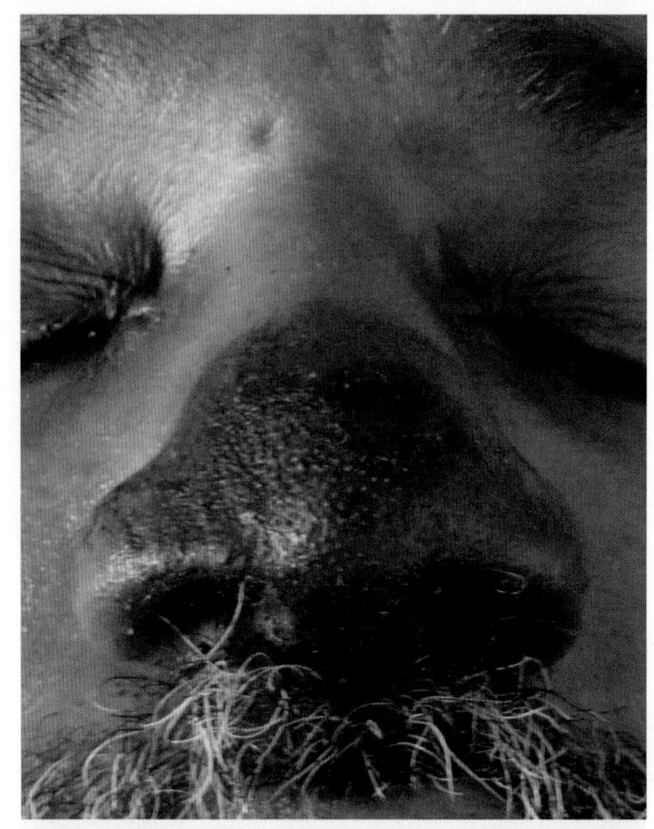

그림 35.87 레바미솔유발 혈관병증

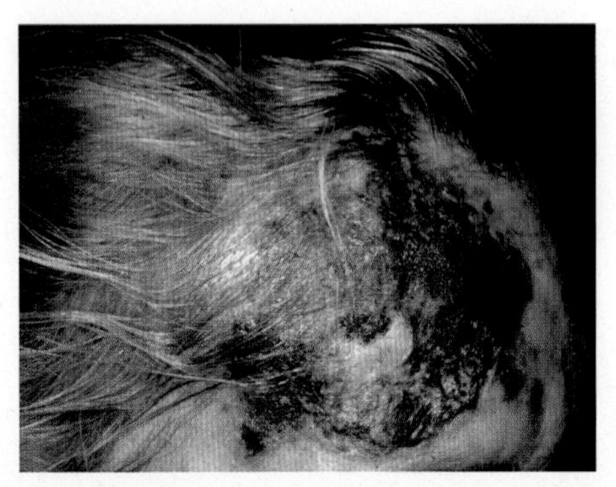

그림 35.88 측두동맥염

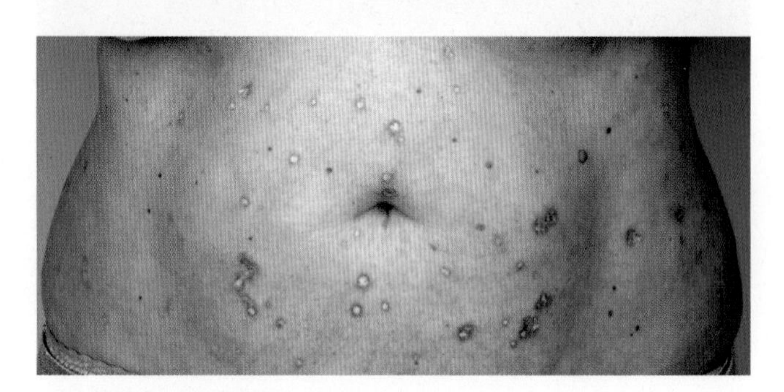

그림 35.89 데고스병

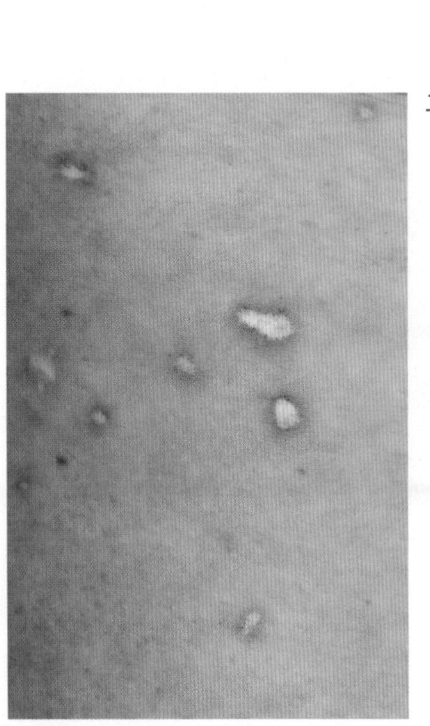

그림 35.90 데고스병

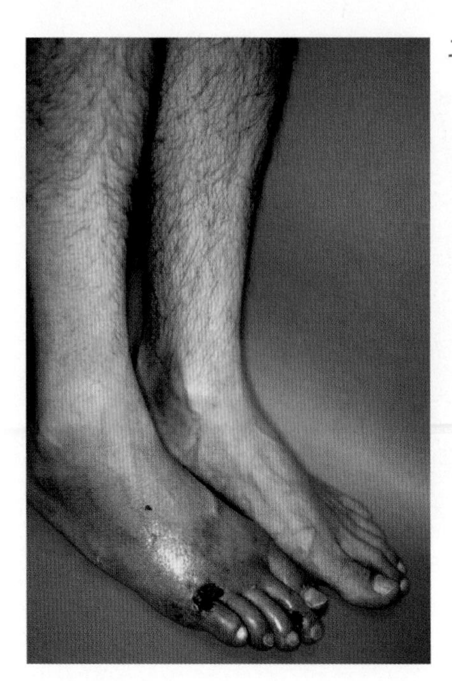

그림 35.91 버거병

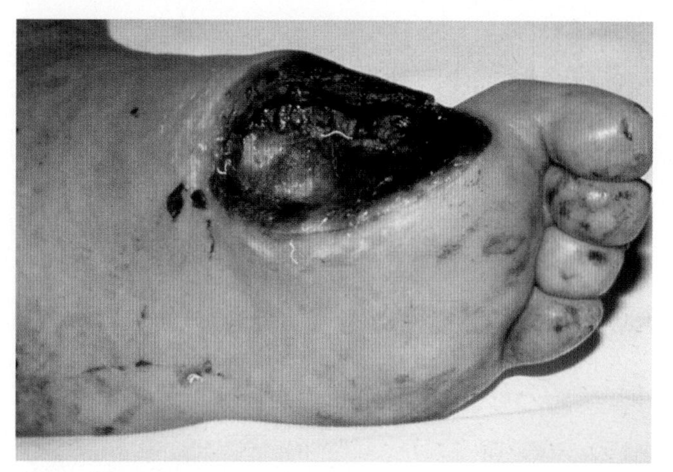

그림 35.92 버거병

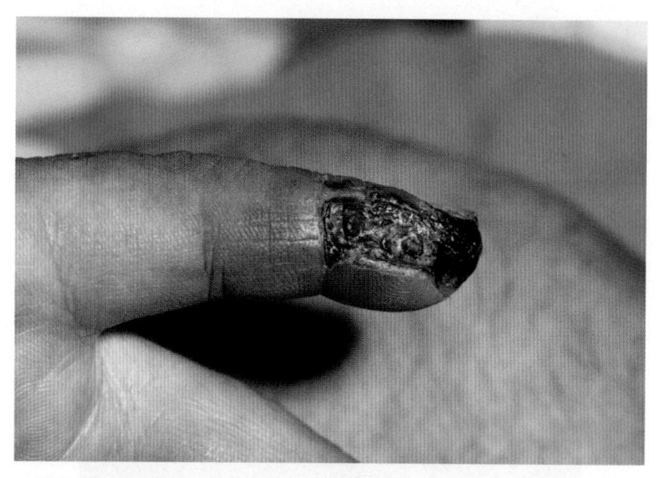

그림 35.93 버거병

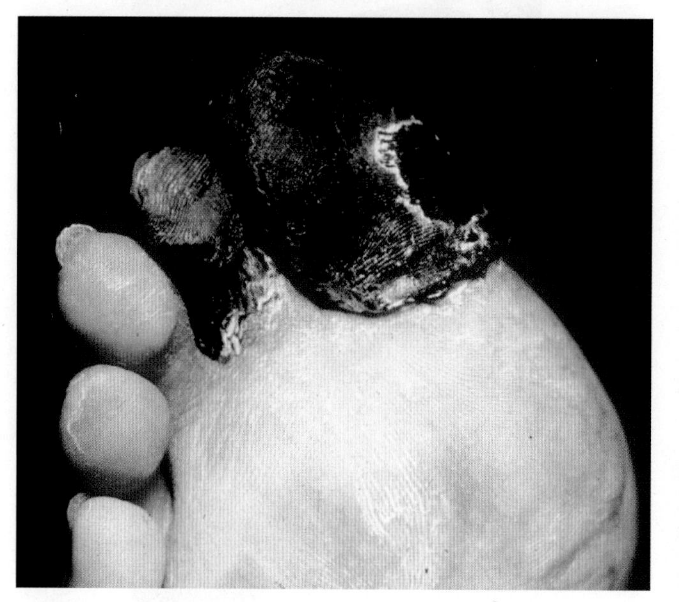

그림 35.94 폐쇄동맥경화증

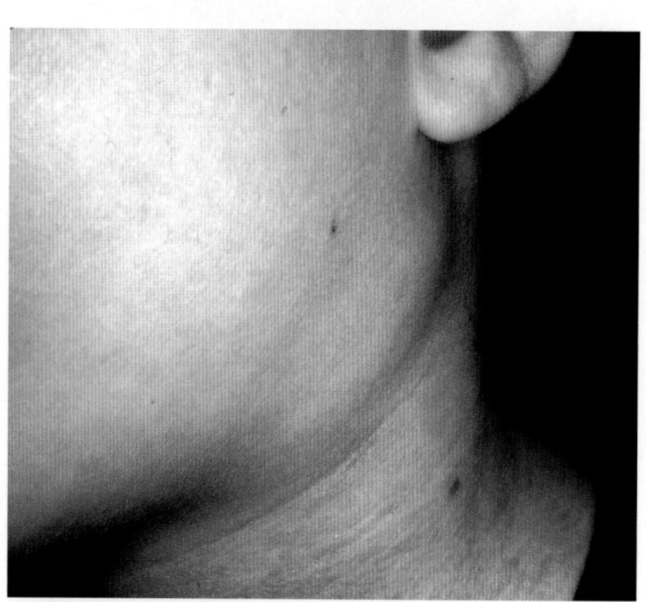

그림 35.95 카와사키병

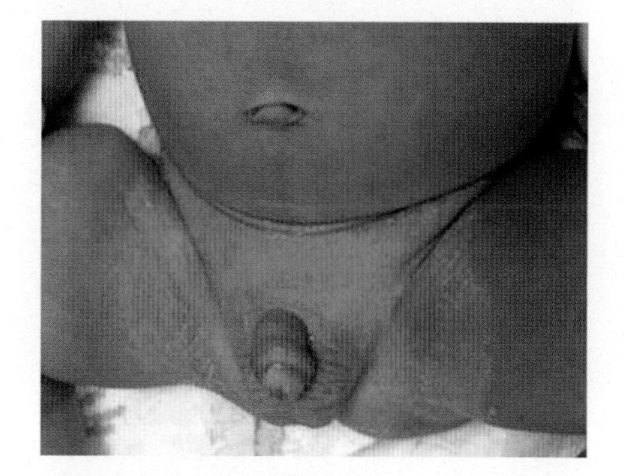

그림 35.96 카와사키병

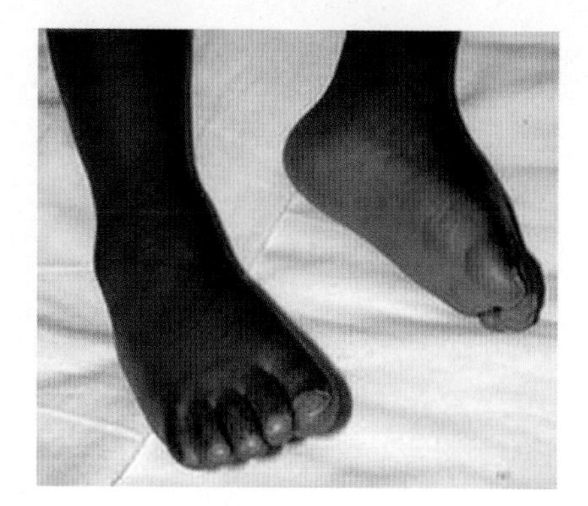

그림 35.97 카와사키병

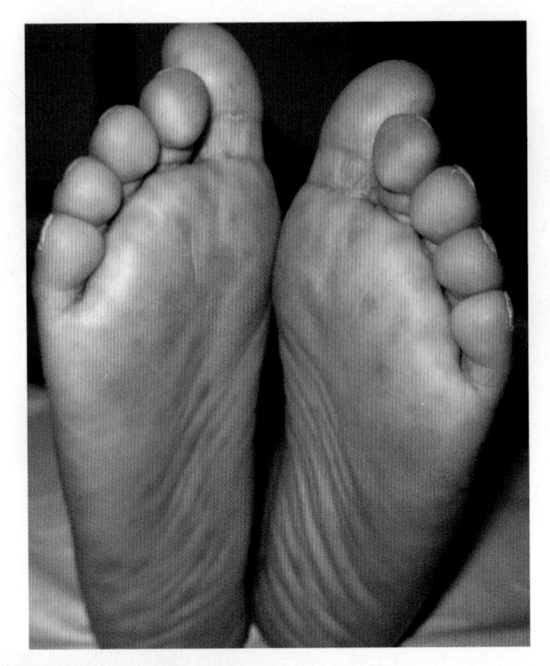

그림 35.98 카와사키병

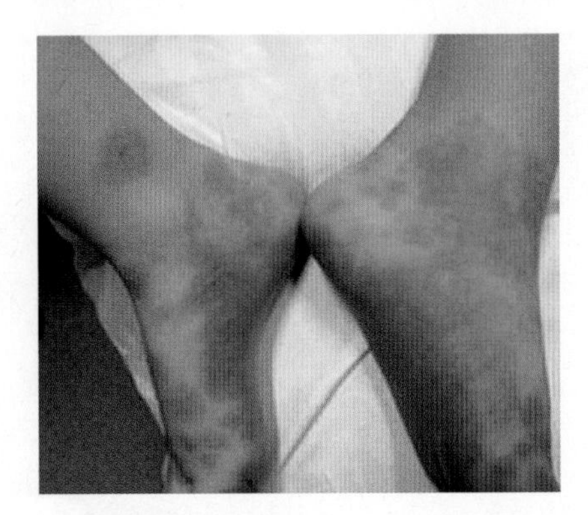

그림 35.99 카와사키병

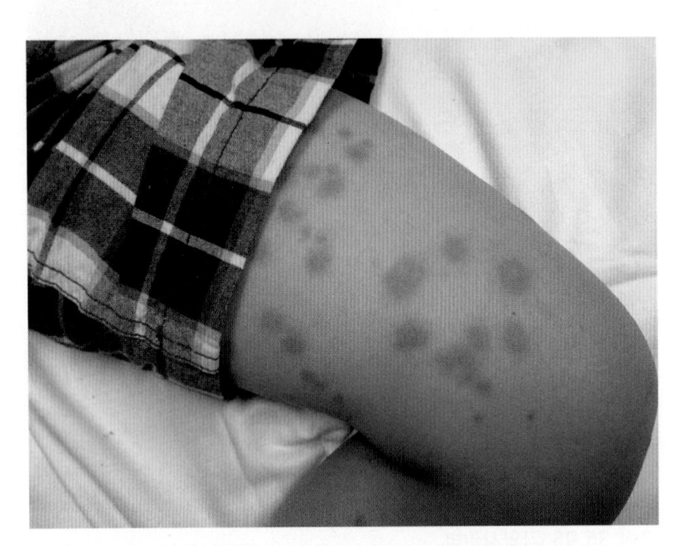

그림 35.100 카와사키병

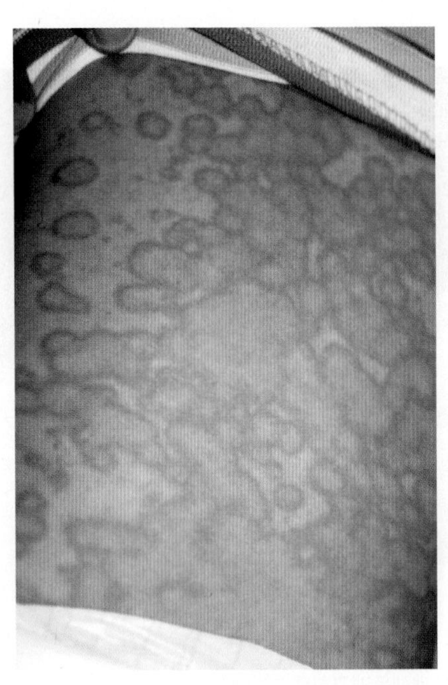

그림 35.101 카와사키병

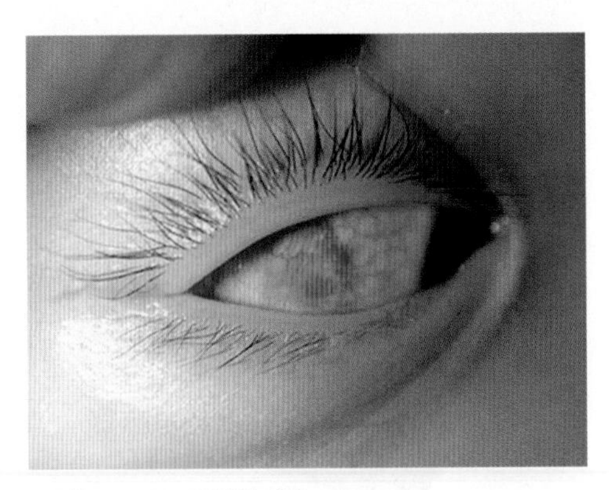

그림 35.102 카와사키병

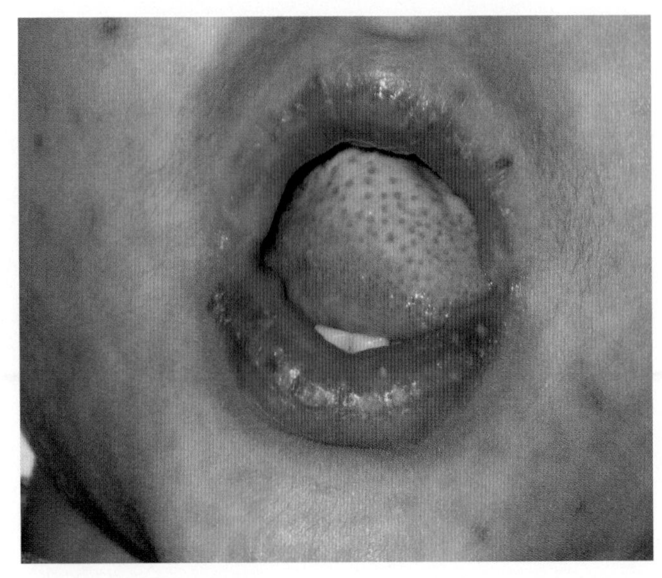

그림 35.103 카와사키병

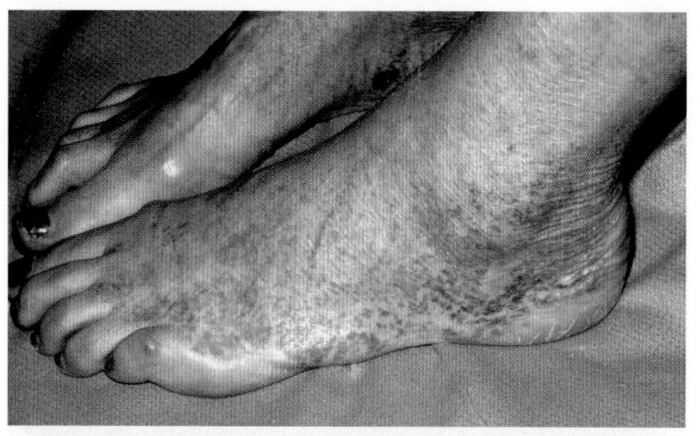

그림 35.104 전신본태모세혈관확장

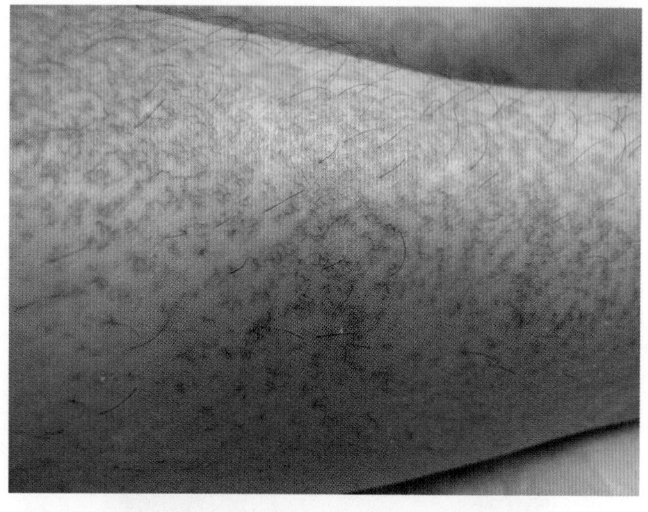

그림 35.105 피부콜라겐혈관병증

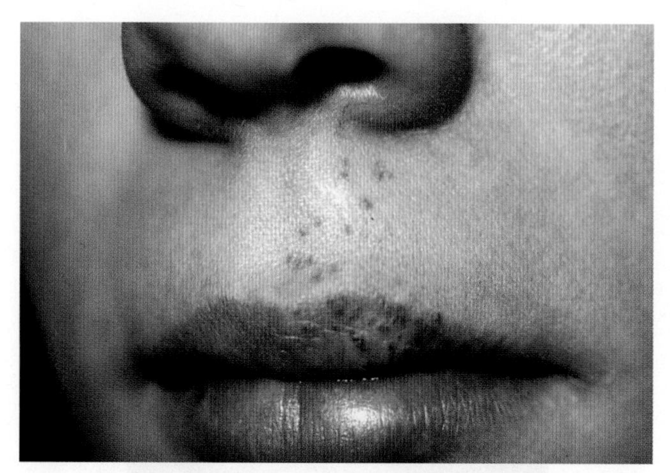

그림 35.106 일측모반모세혈관확장

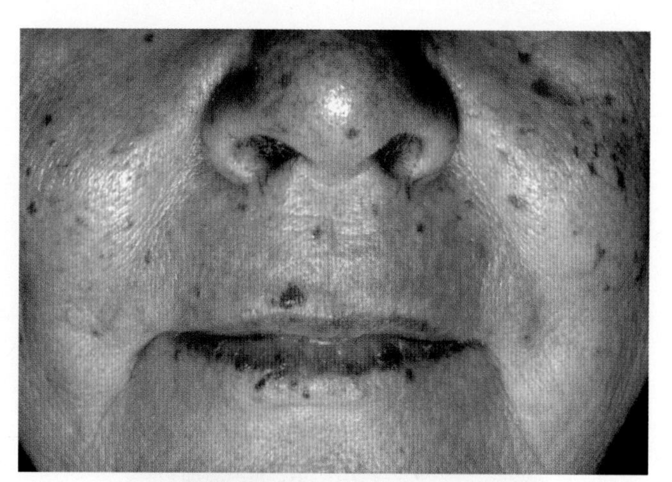

그림 35.107 오슬러-웨버-랑뒤병

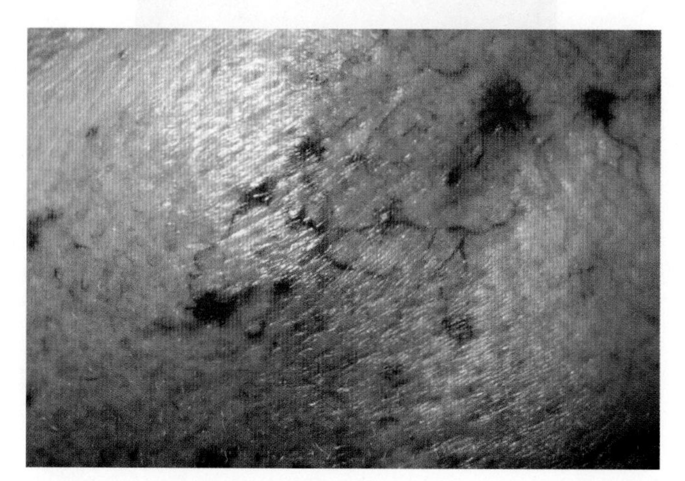

그림 35.108 오슬러-웨버-랑뒤병

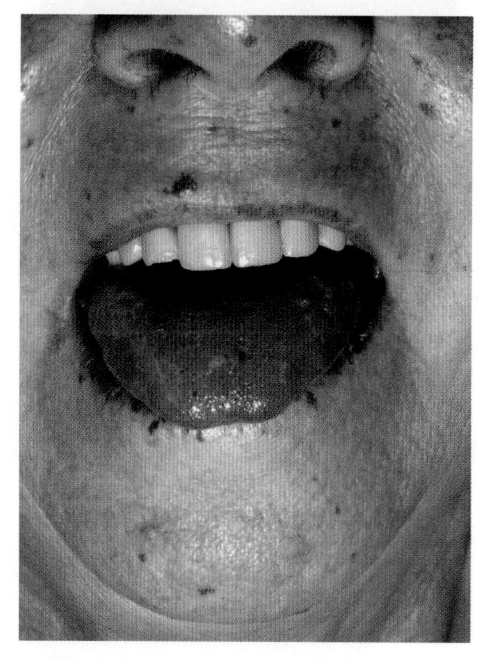

그림 35.109 오슬러-웨버-랑뒤병

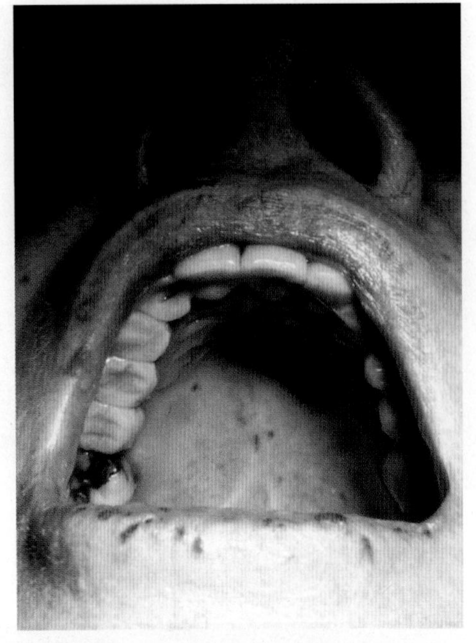
그림 35.110 오슬러-웨버-량뒤병

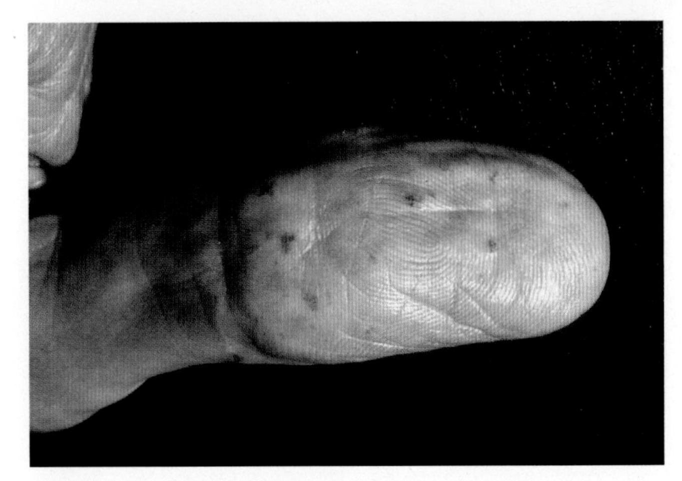
그림 35.111 오슬러-웨버-량뒤병

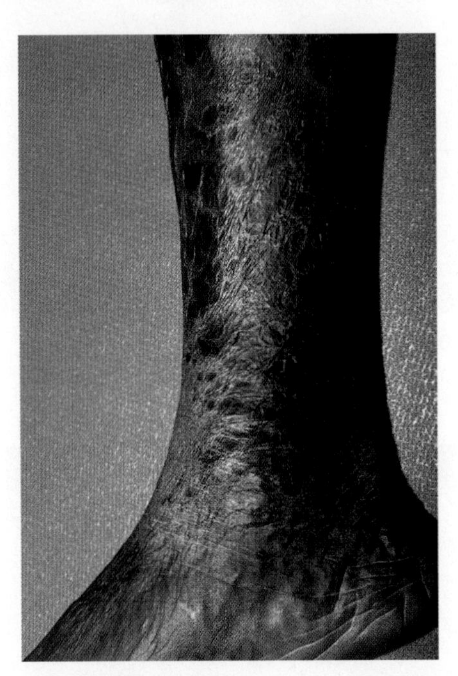
그림 35.112 울체피부염

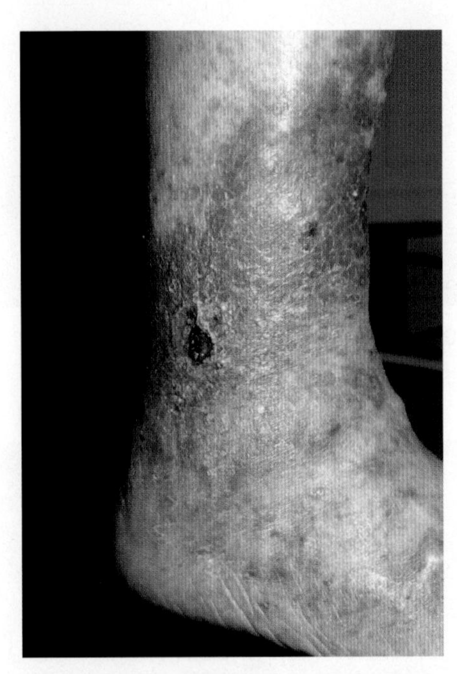
그림 35.113 조기궤양을 보이는 울체피부염

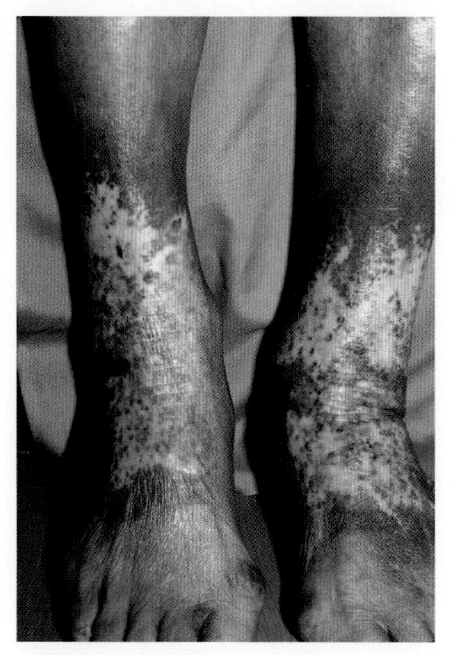

그림 35.114 울체피부염

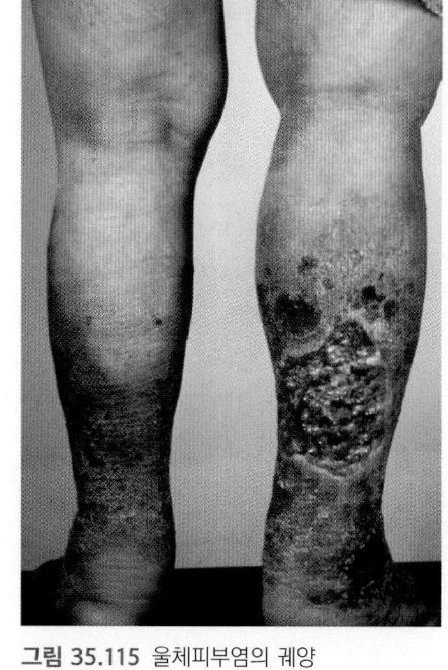

그림 35.115 울체피부염의 궤양

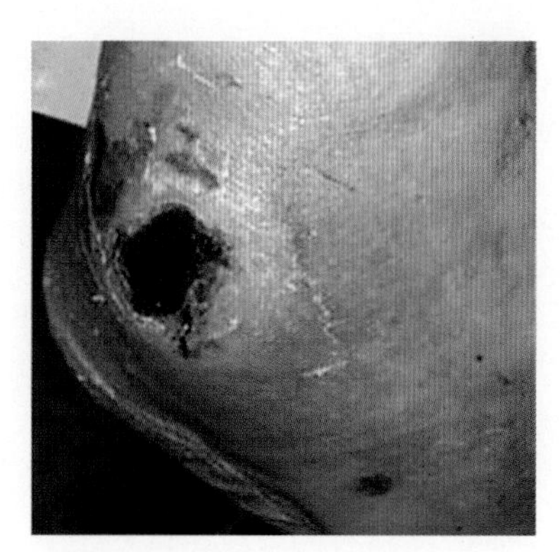

그림 35.116 동맥궤양

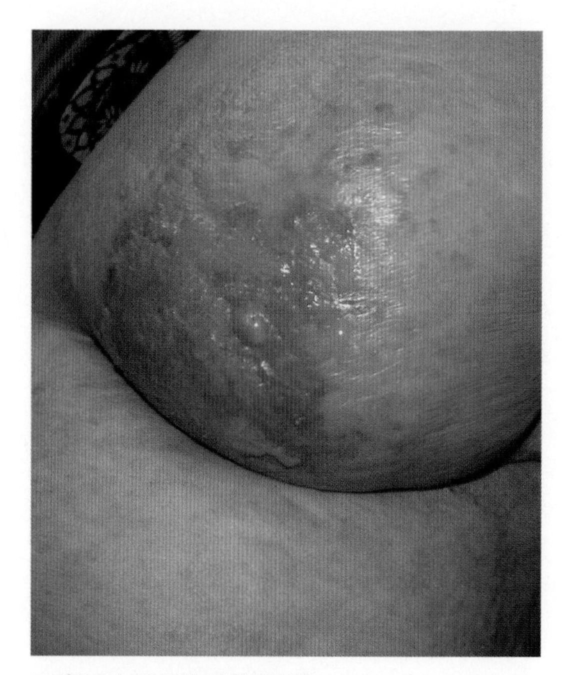

그림 35.117 비만관련림프부종

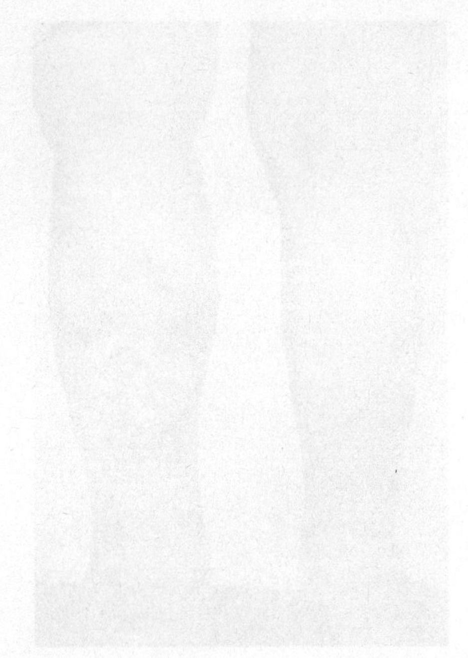

색소장애 36

피부색소질환은 탈색, 저색소, 혹은 과색소침착으로 나타난다. 색깔, 형태, 그리고 병변의 분포는 정확한 진단을 시사하는 데 도움을 준다. 백반증은 분절(블라쉬코양), 말단(구순과 끝), 혹은 체간의 분포를 나타낸다. 각각의 양상은 치료에 의미가 있다. 백반증 병변은 백색비강진, 균상식육증의 저색소침착, 나병, 그리고 결절경화증의 색종이조각모양 탈색, 물푸레나무잎반(Ash-leaf macules)과 감별해야 한다. 과색소병변으로는 태선모양피부병에서부터 기미와 신경섬유종증의 카페오레반이 있다. 이 장은 다른 장에서 취급하지 않는 색소침착장애, 즉 백반증, 부분백색증, 색소구분선, 기미와 Galli-Galli병들이다. 우드등은 이들 질환에서 유용한데, 표피색소이상에서는 강하게 나타나고, 진피색소침착에서는 약하게 나타난다. 국소치료는 다양한 표피색소이상에 언급되고 있으나, 진피색소의 치료에는 레이저치료가 더 적절하다. 임상적으로 시진이 특정한 진단을 제공하지 못하면, 체계적인 병력과 피부생검이 필요할 수 있다. 폰타나염색은 멜라닌의 존재를 나타내고, 면역염색인 Mart-1과 Sox-10은 병변 내 멜라닌세포의 양상과 분포를 확진한다.

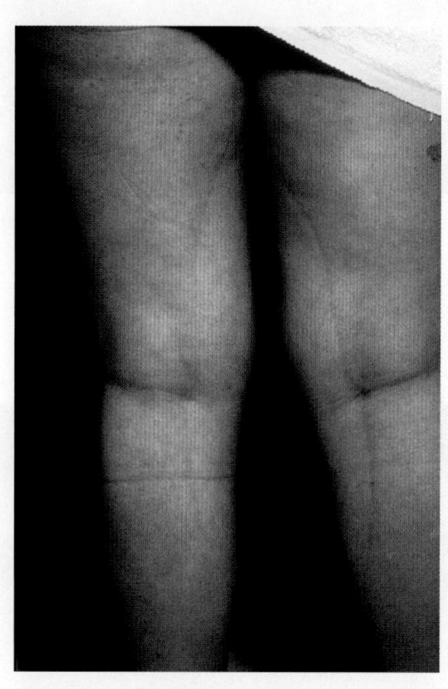

그림 36.2 B형색소구분

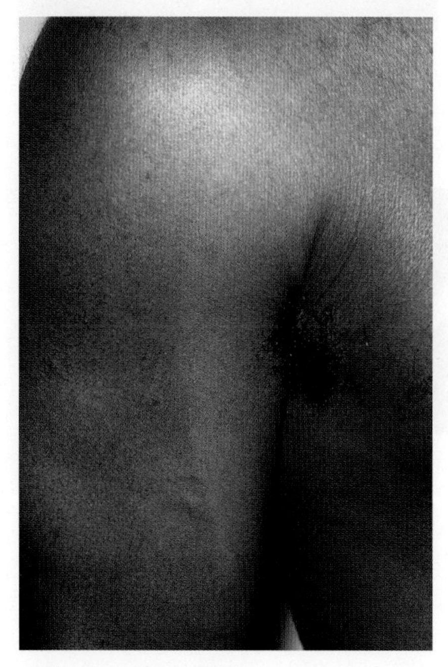

그림 36.1 A형색소구분

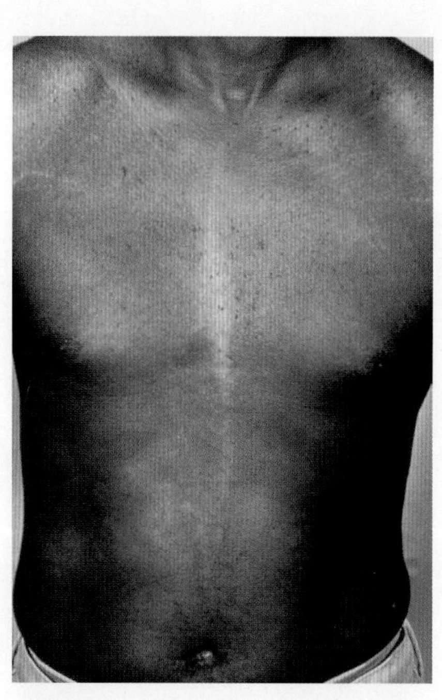

그림 36.3 C형색소구분

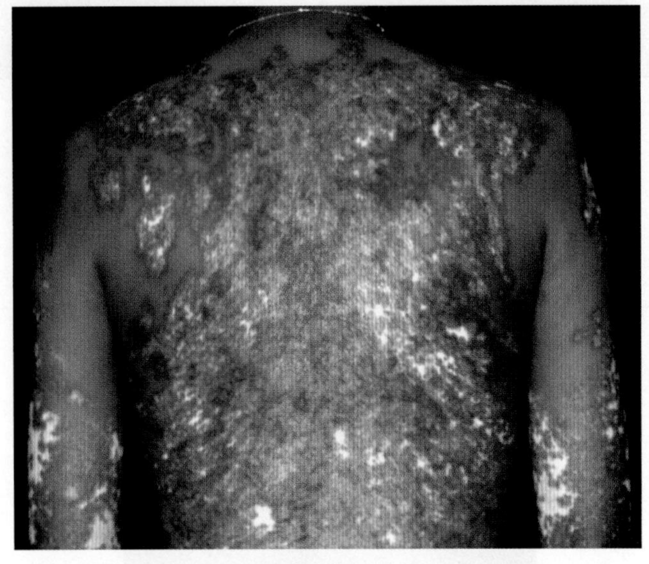

그림 36.4 홍반루푸스에 이차적으로 발생한 염증후색소이상

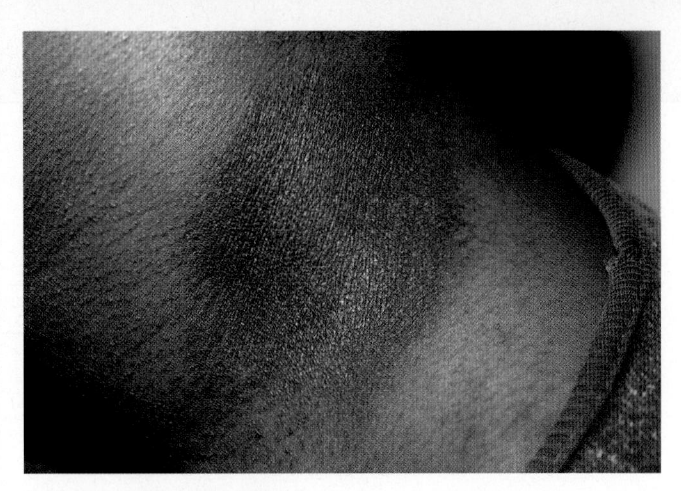

그림 36.5 염증후과색소침착

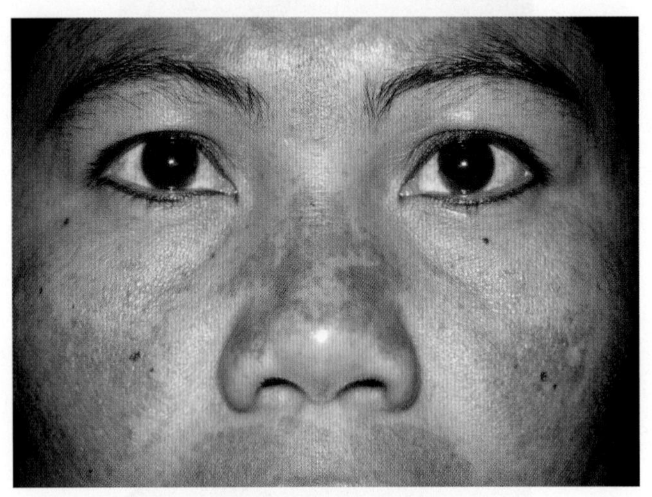

그림 36.6 기미

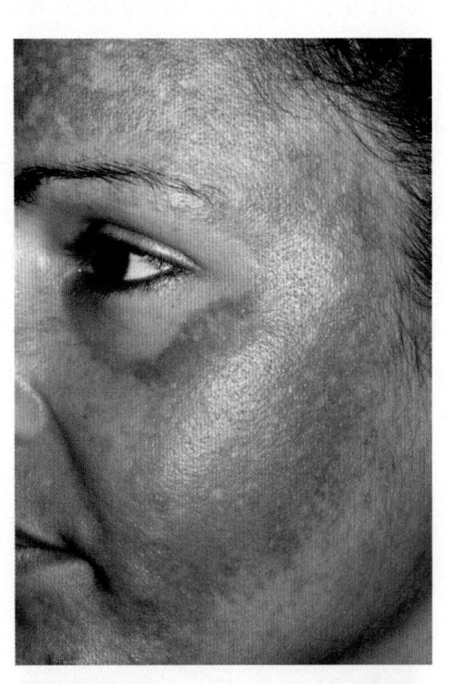

그림 36.7 기미

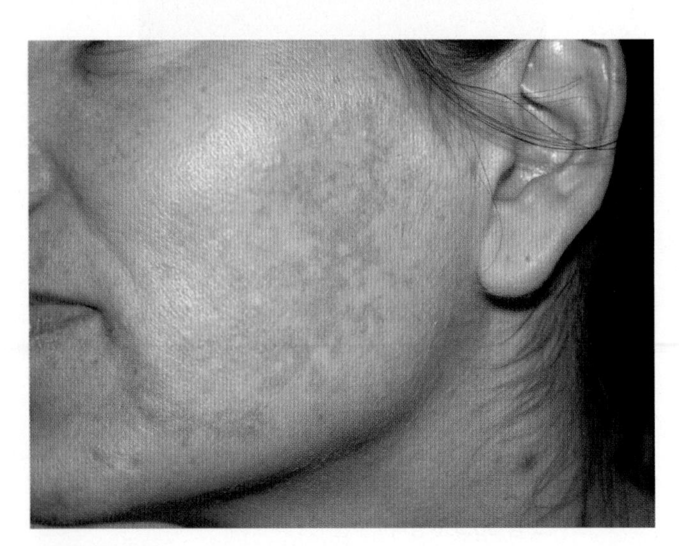

그림 36.8 기미

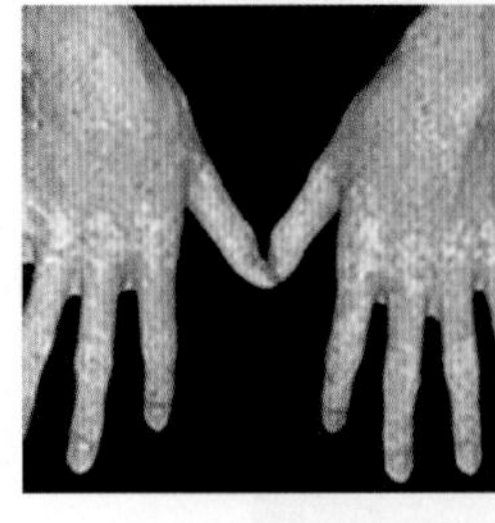

그림 36.9 유전대칭색소이상증

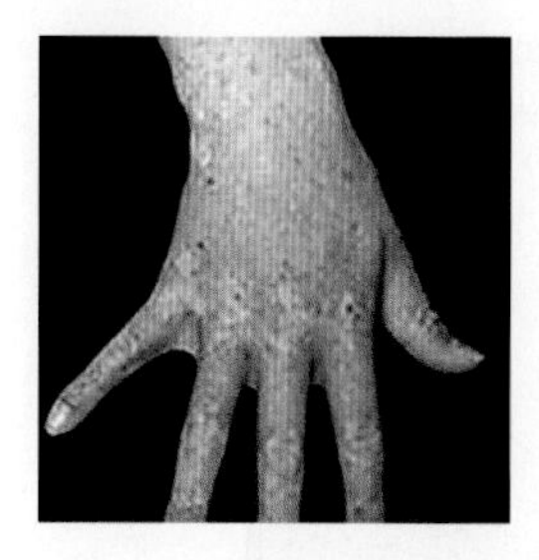

그림 36.10 유전대칭색소이상증

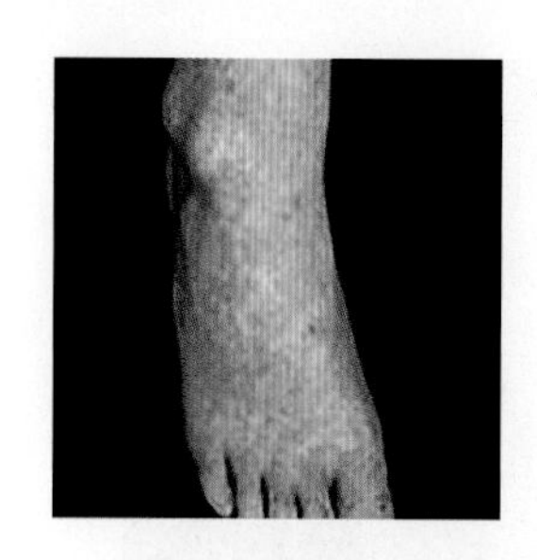

그림 36.11 유전대칭색소이상증

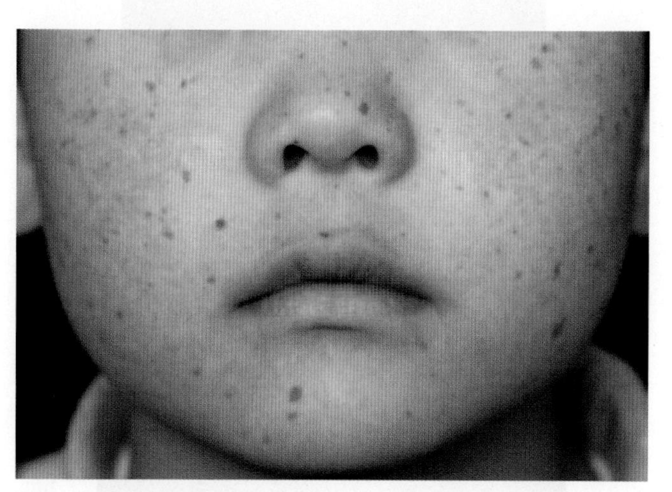

그림 36.12 유전대칭색소이상증

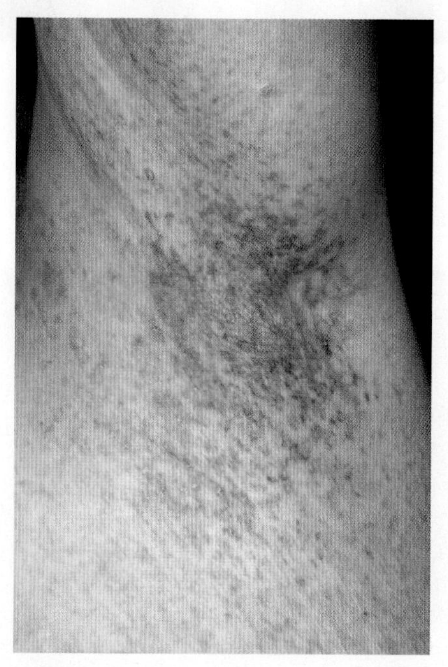

그림 36.13 Galli-Galli병

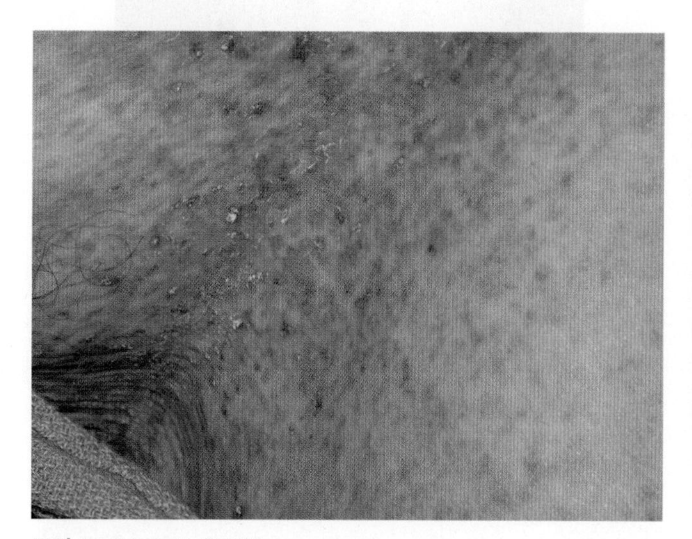

그림 36.14 Galli-Galli병

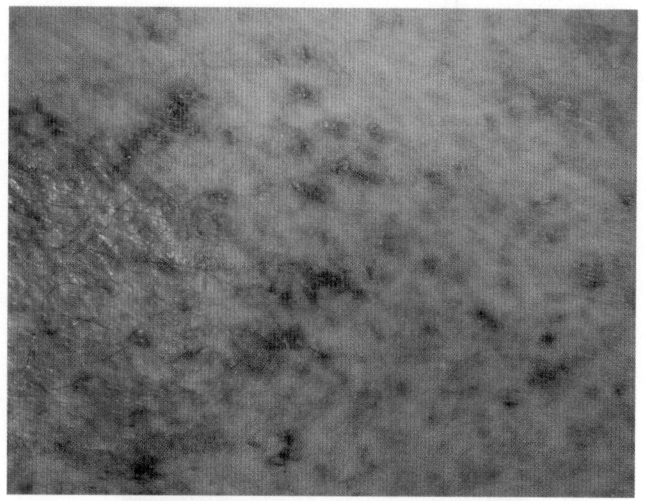

그림 36.15 Galli-Galli병

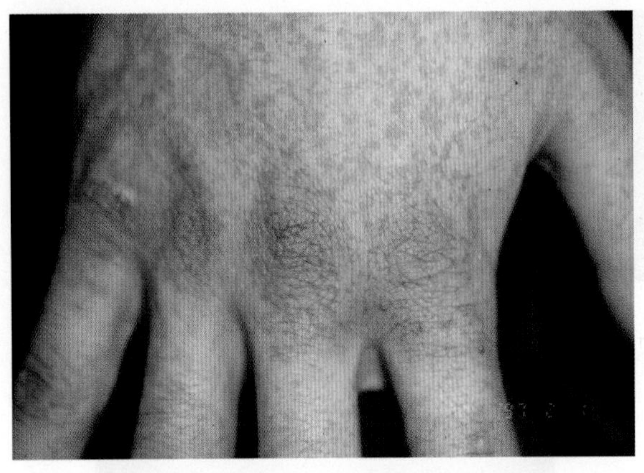

그림 36.16 기타무라그물말단색소침착

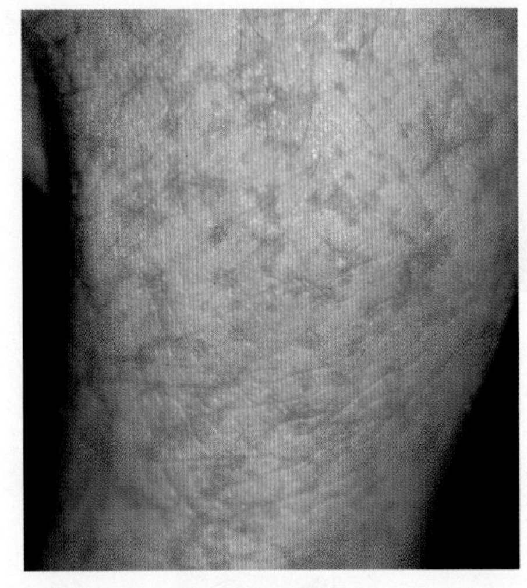

그림 36.17 기타무라그물말단색소침착

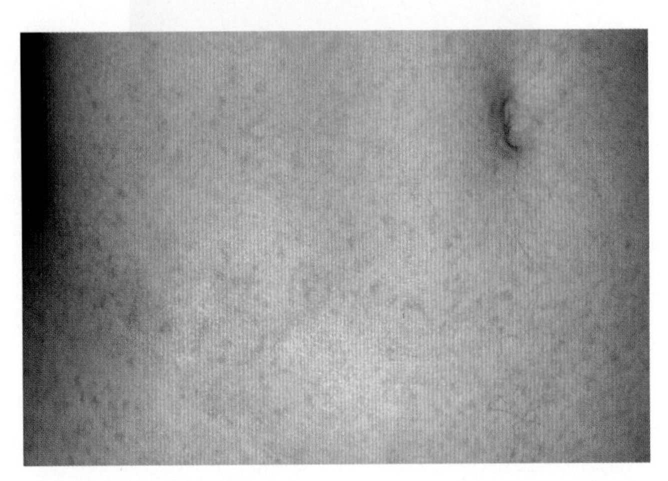

그림 36.18 망상색소피부병

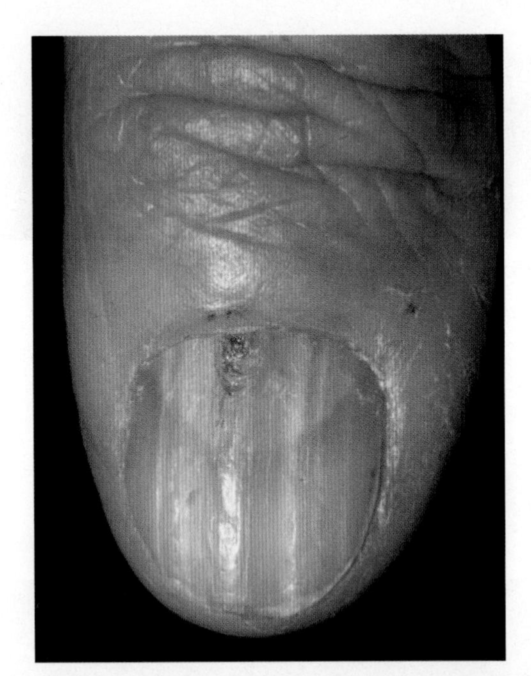

그림 36.19 망상색소피부병

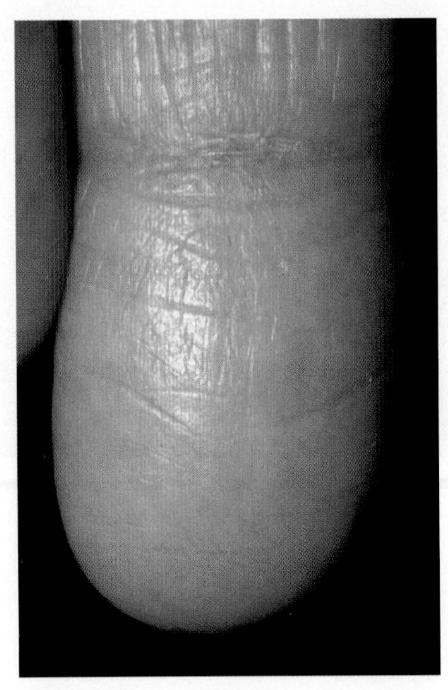

그림 36.20 망상색소피부병

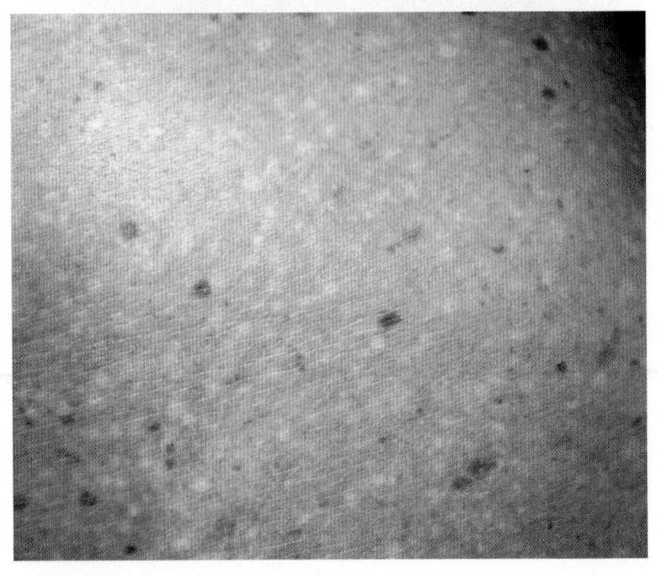

그림 36.21 유전전신색소이상증

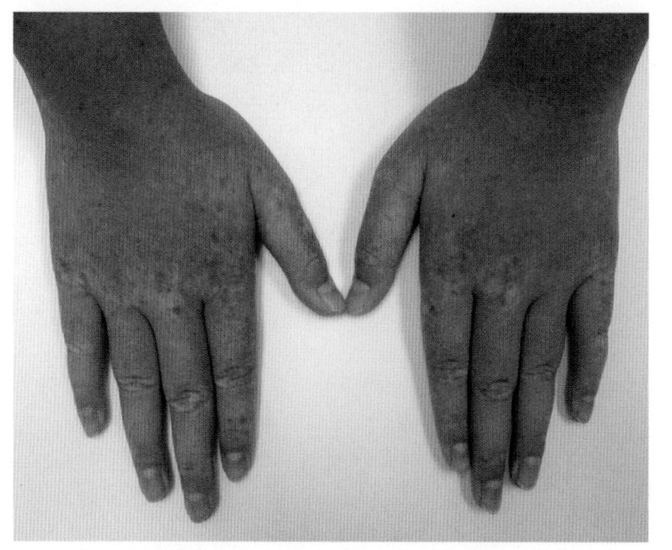

그림 36.22 유전전신색소이상증

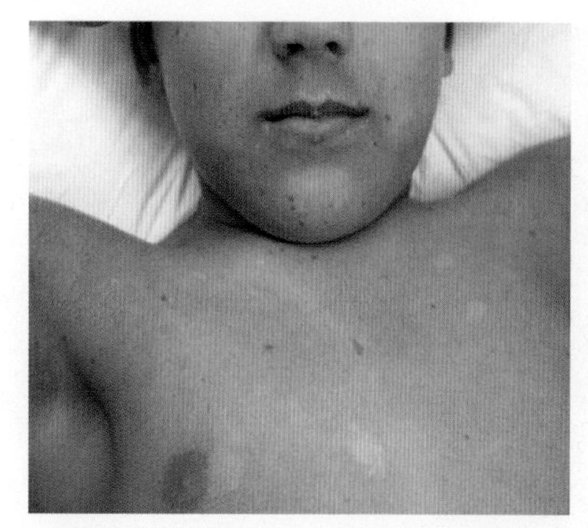

그림 36.23 가족진행저색소침착과색소침착(KITLG 돌연변이)

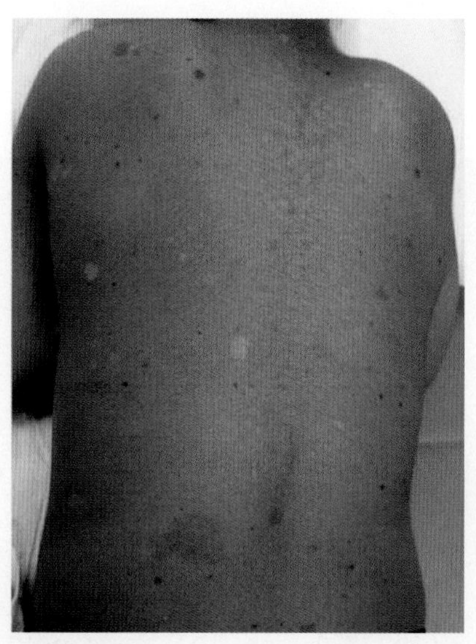

그림 36.24 가족진행저색소침착과색소침착(KITLG 돌연변이)

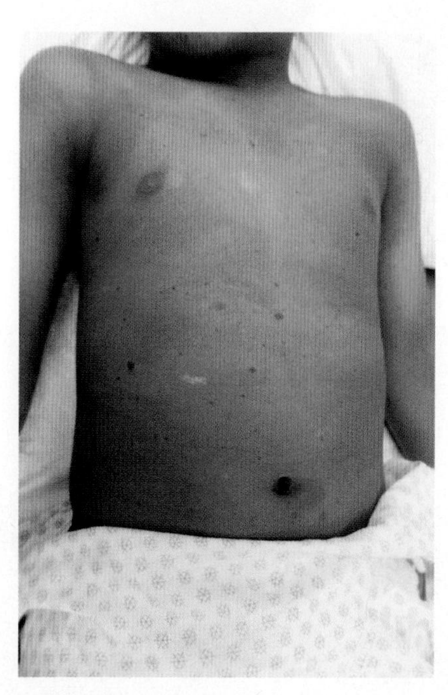

그림 36.25 가족진행저색소침착과색소침착(KITLG 돌연변이)

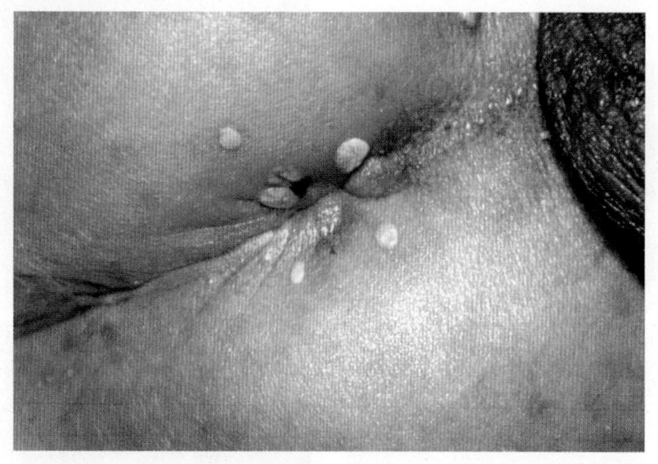

그림 36.26 일과신생아농포흑색증

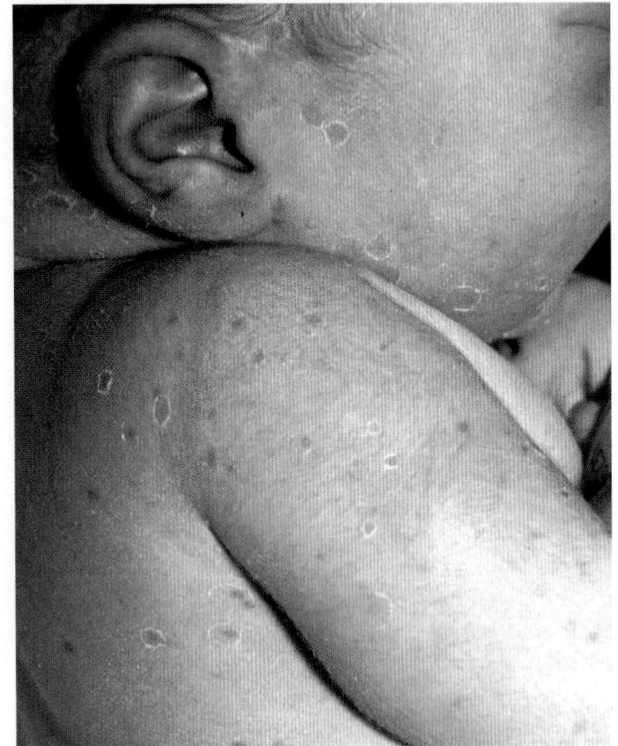
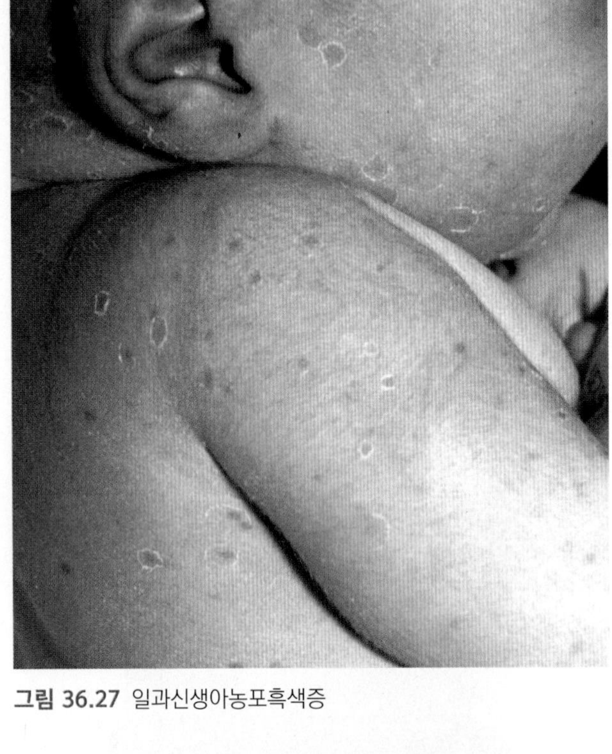

그림 36.27 일과신생아농포흑색증

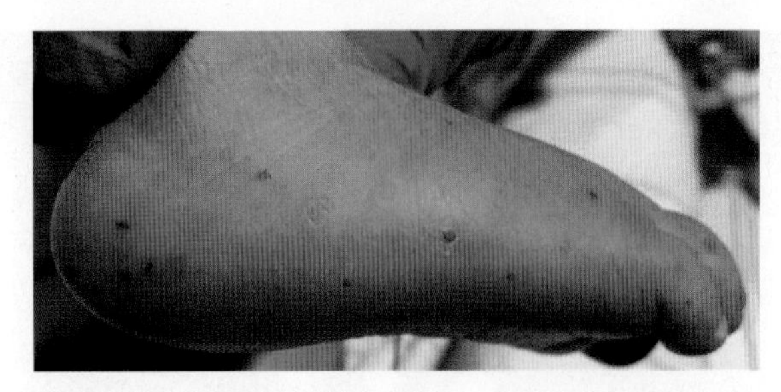

그림 36.28 일과신생아농포흑색증

그림 36.29 포이츠-예거스증후군

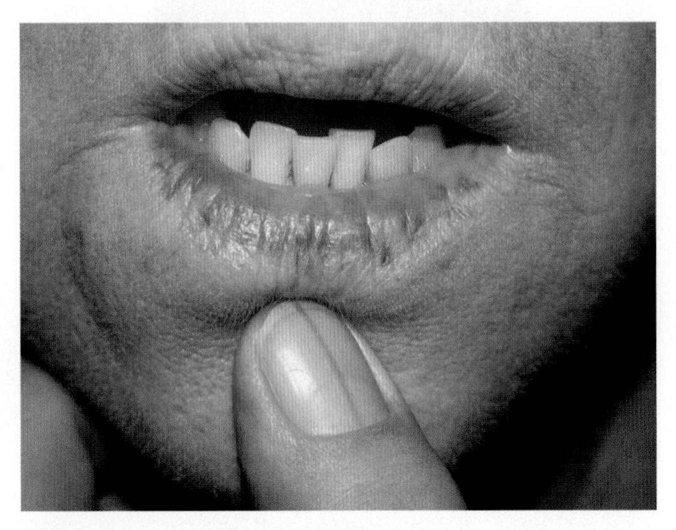

그림 36.30 Laugier-Hunziker증후군

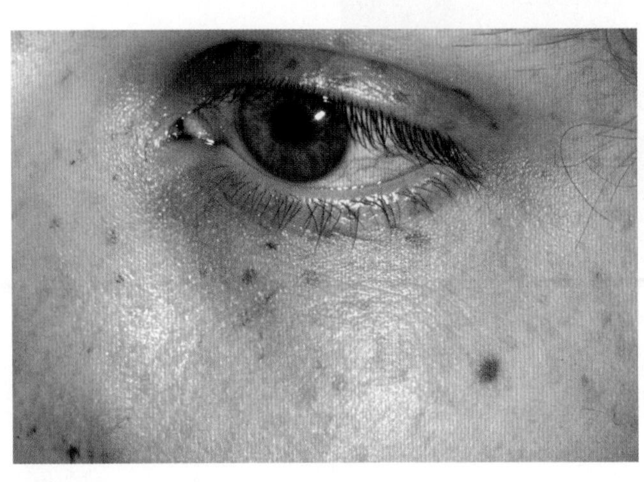

그림 36.31 카니증후군

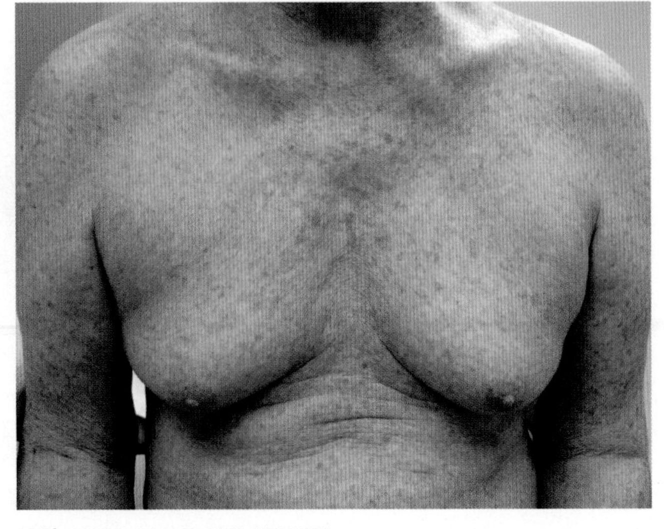

그림 36.32 비소로 인한 색소변화

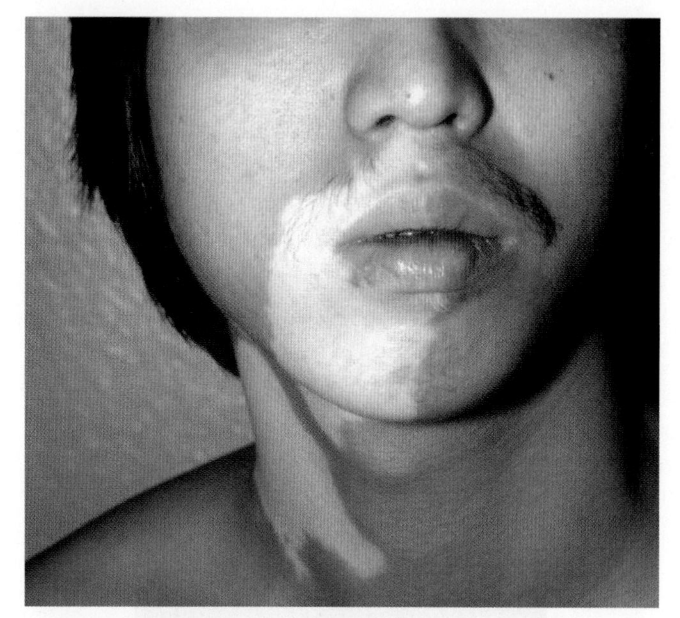

그림 36.33 분절백반증

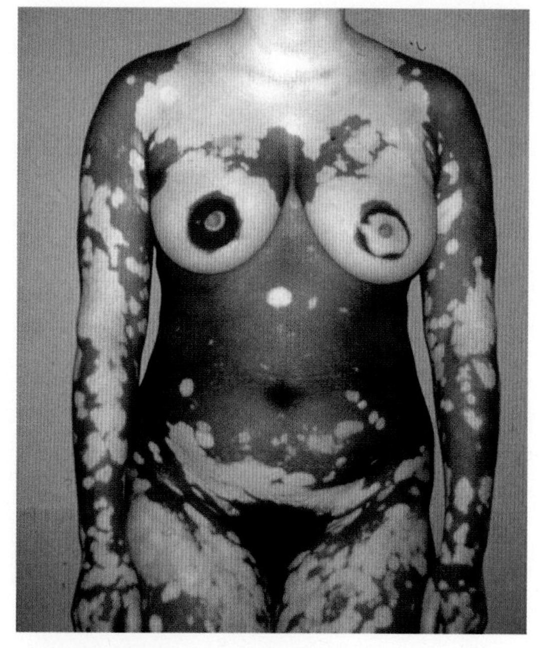

그림 36.34 백반증

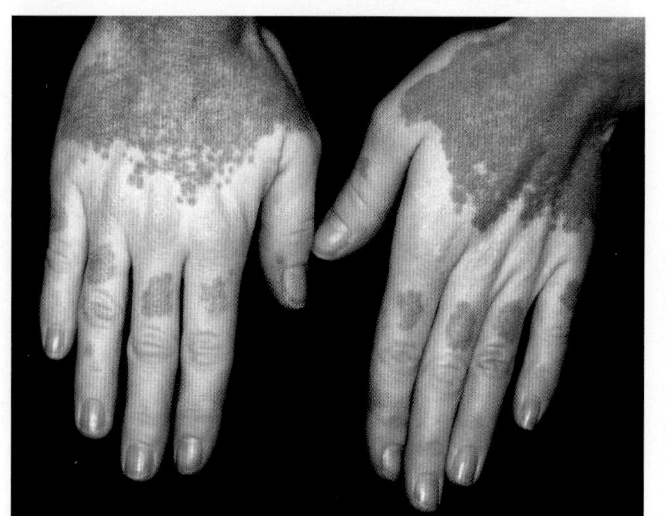

그림 36.35 백반증

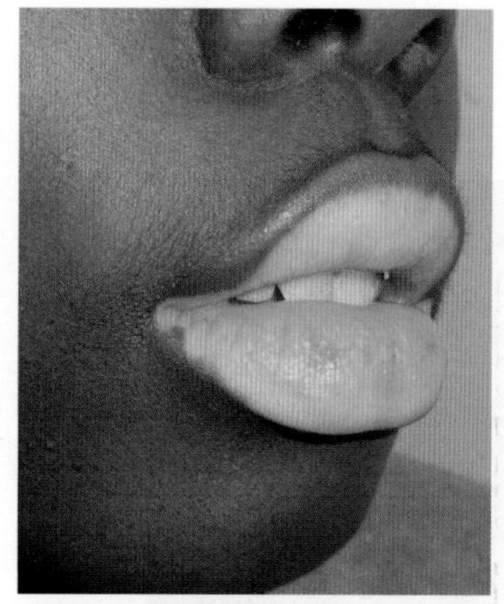

그림 36.36 백반증

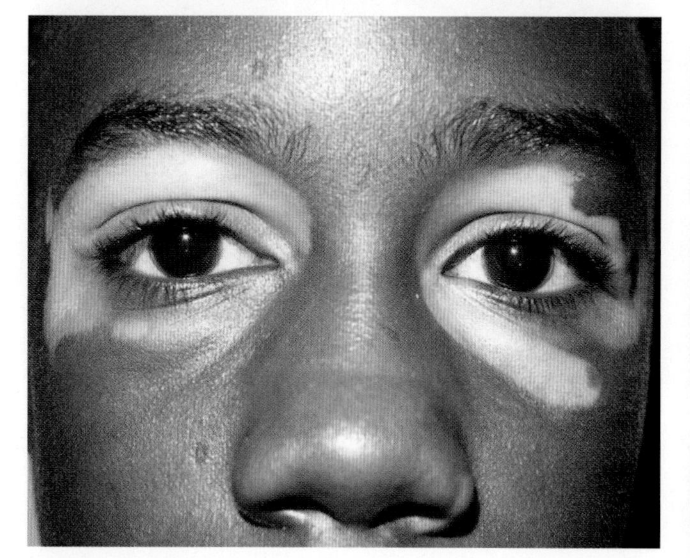

그림 36.37 백반증

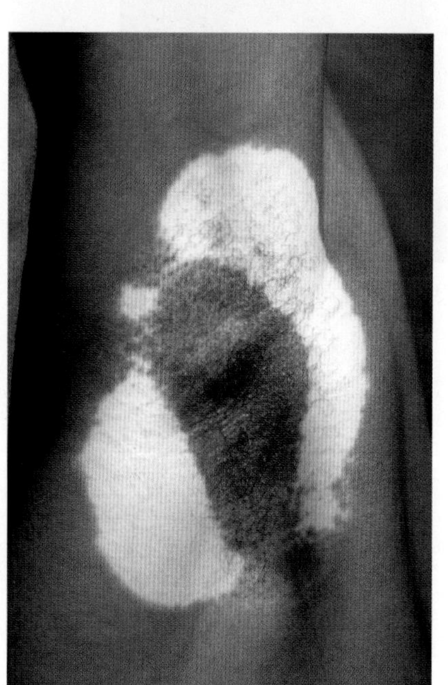

그림 36.38 백반증

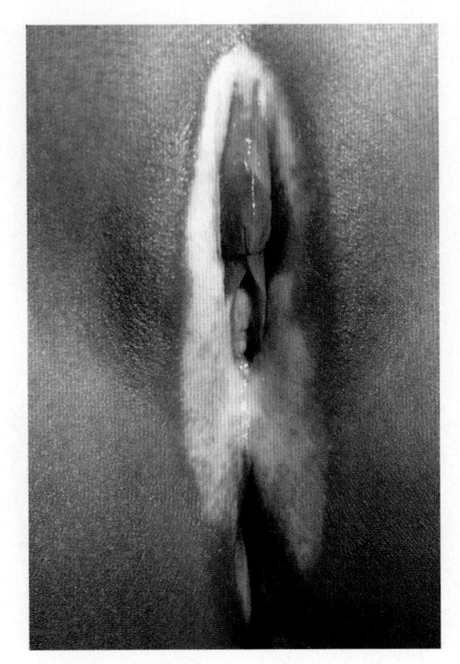

그림 36.39 백반증

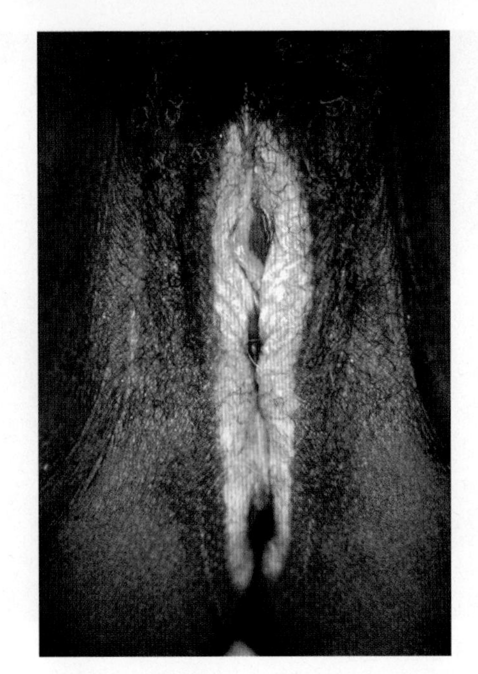

그림 36.40 백반증

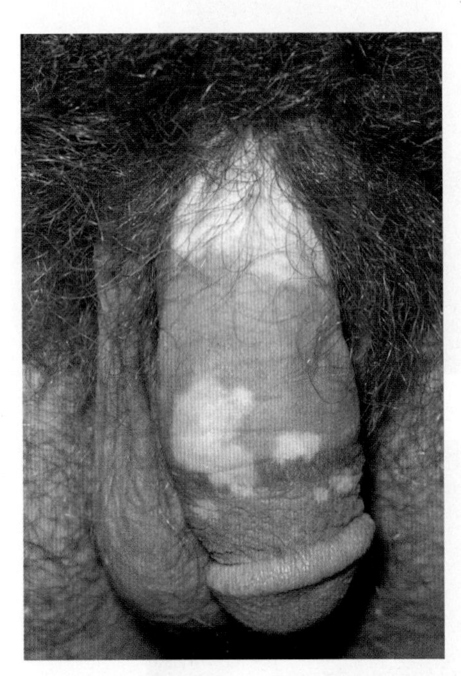

그림 36.41 백반증

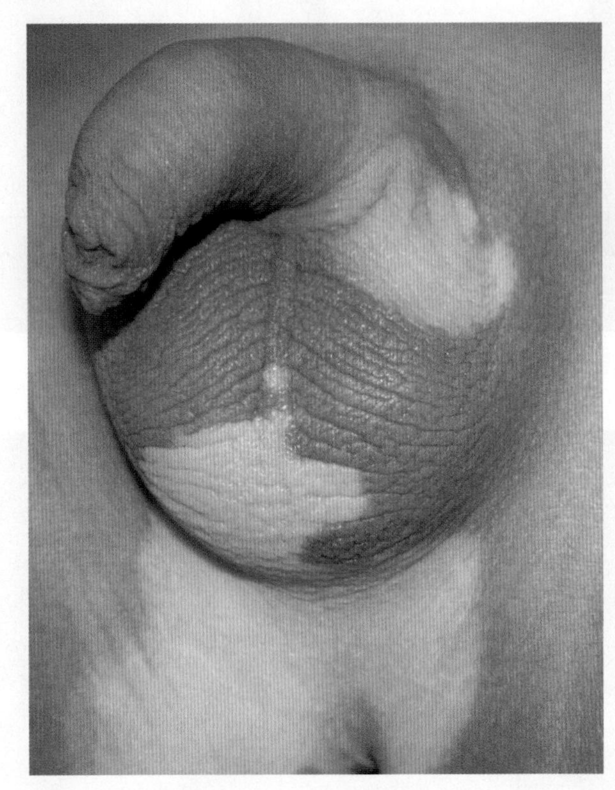

그림 36.42 백반증

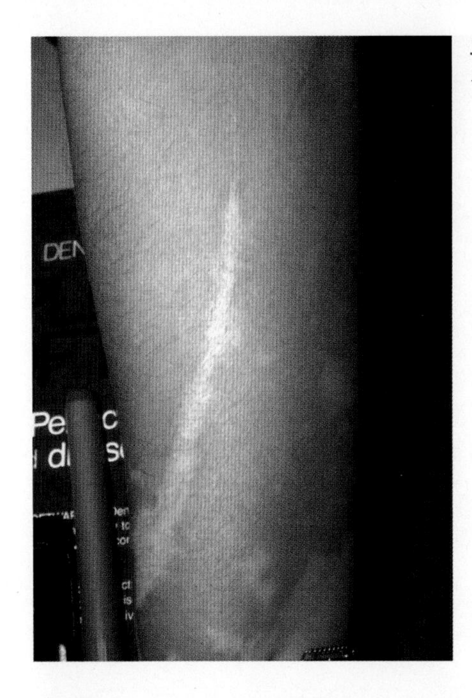

그림 36.43 백반증의 쾨브너 현상

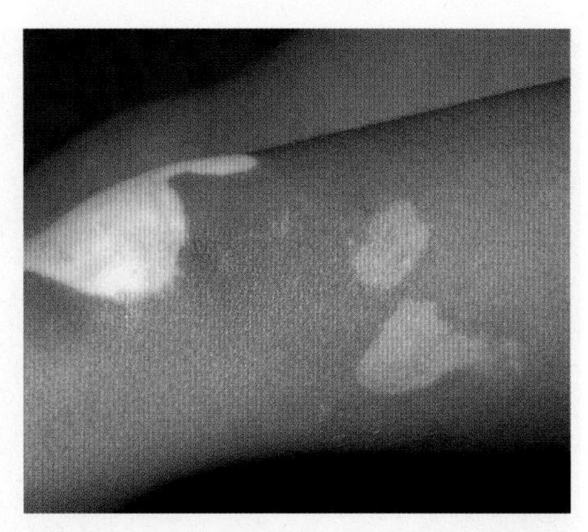

그림 36.44 삼색백반증

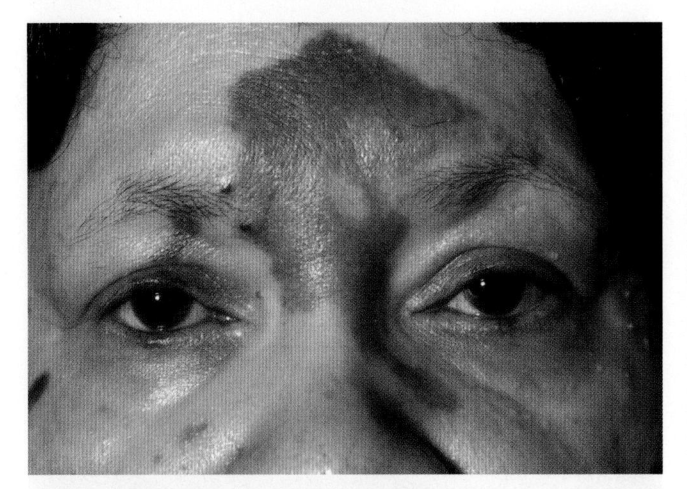

그림 36.45 백반증

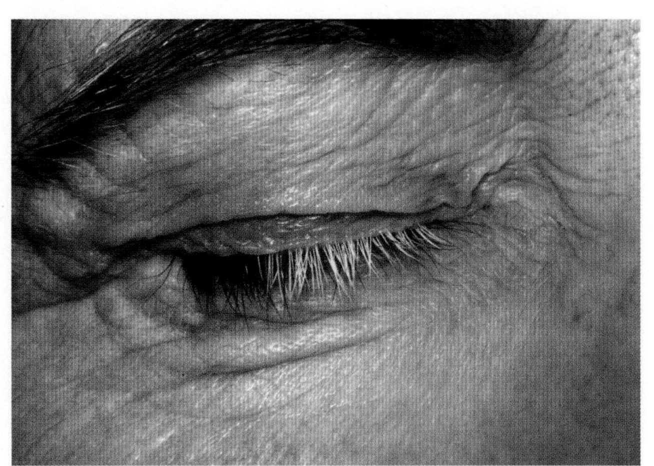

그림 36.46 백반증의 부분백모증

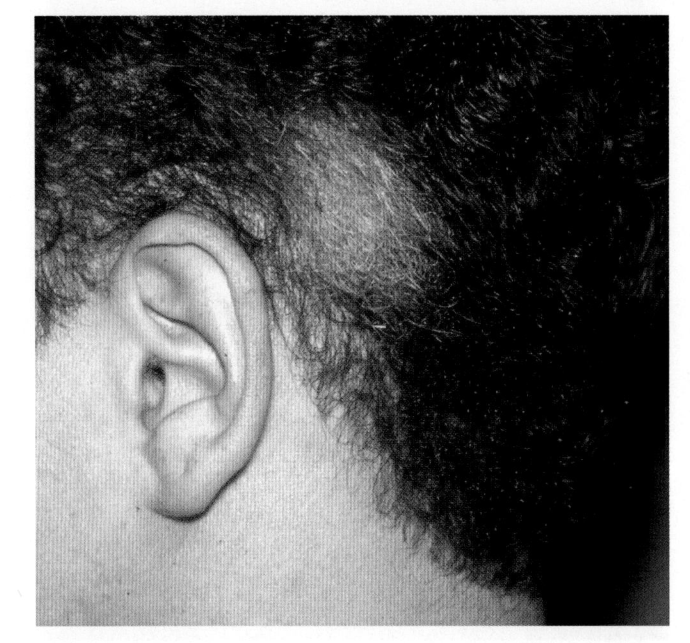

그림 36.47 부분백모증

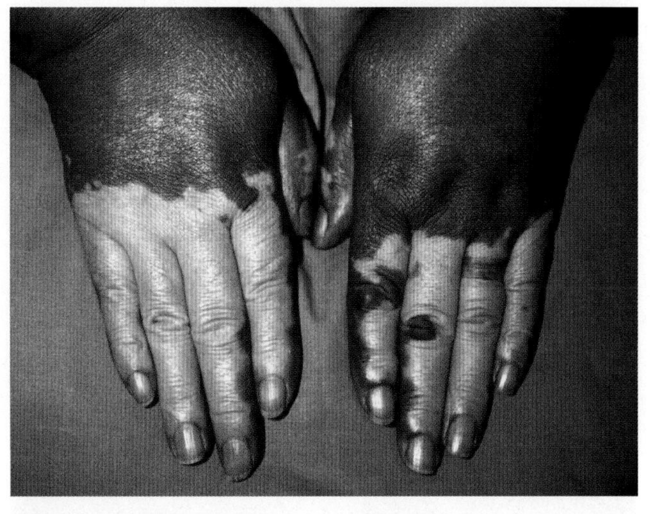

그림 36.48 페놀탈색

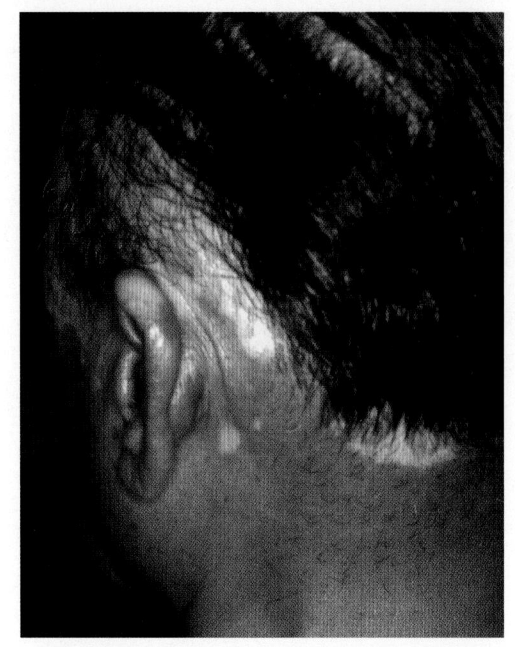

그림 36.49 파라페닐렌디아민 노출후 이차적으로 발생한 탈색

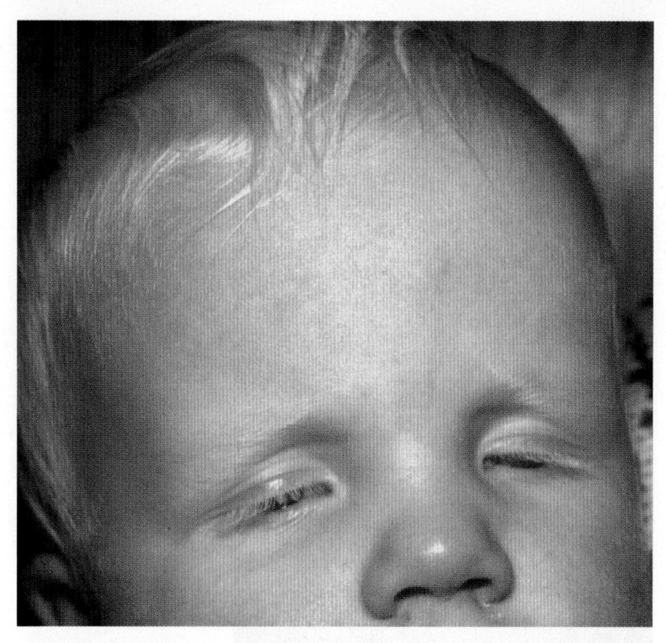

그림 36.50 백색증

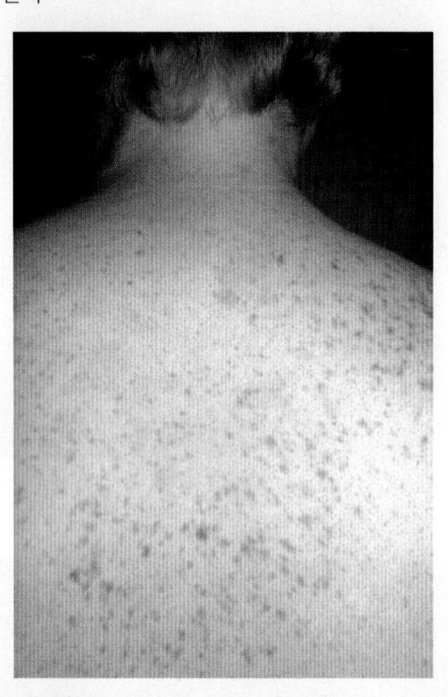

그림 36.51 헤르만스키-푸드락증후군

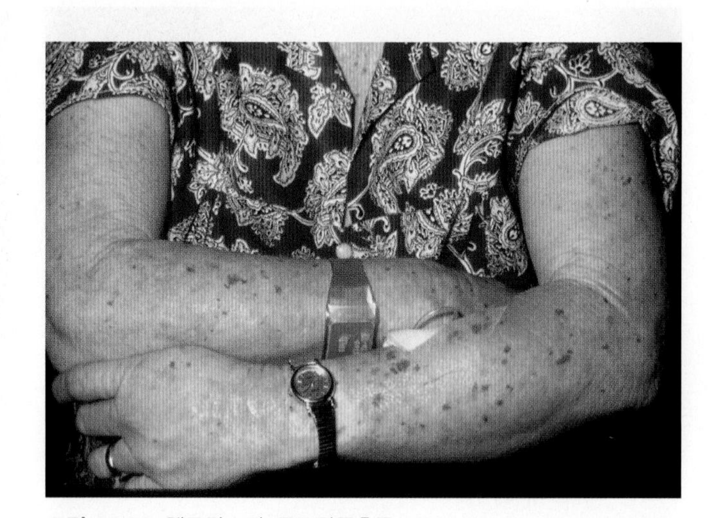

그림 36.52 헤르만스키-푸드락증후군

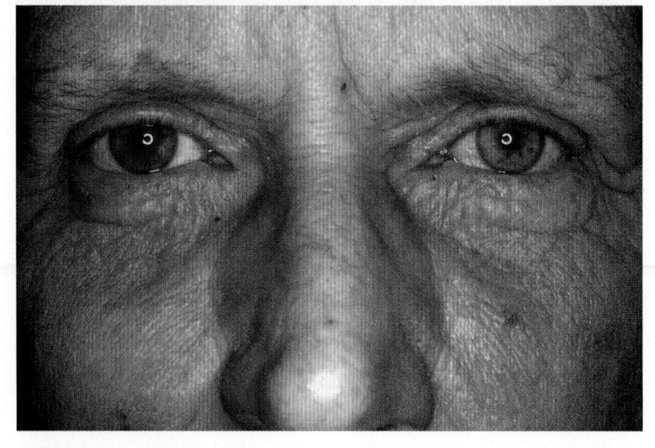

그림 36.53 얼룩증

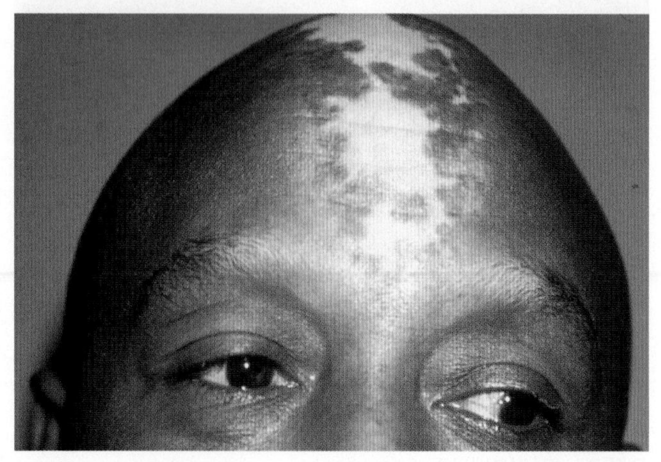

그림 36.54 부분백색증

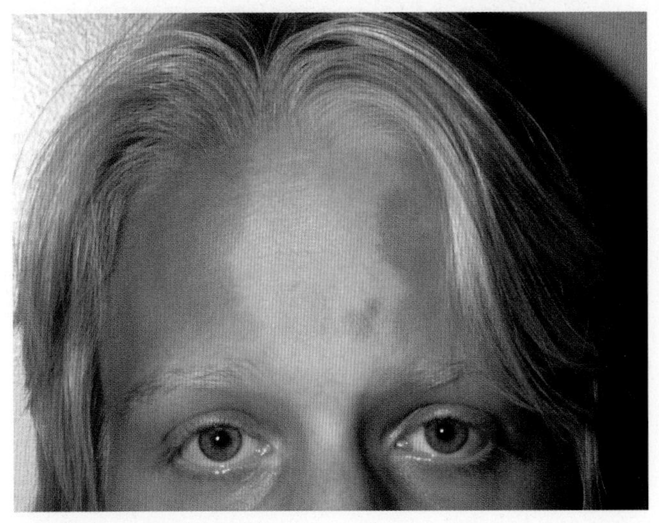

그림 36.55 부분백색증

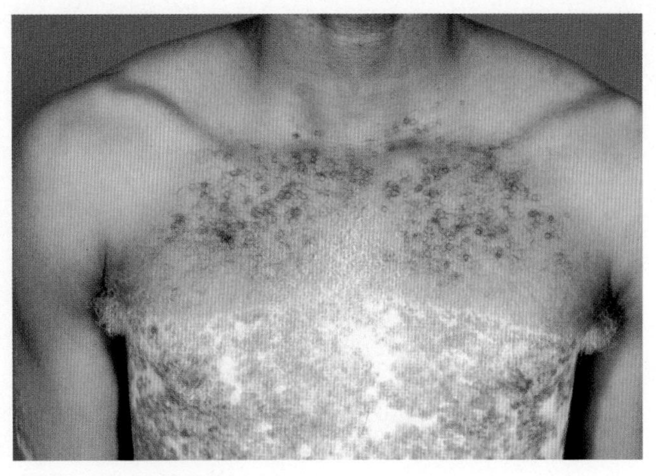

그림 36.56 부분백색증

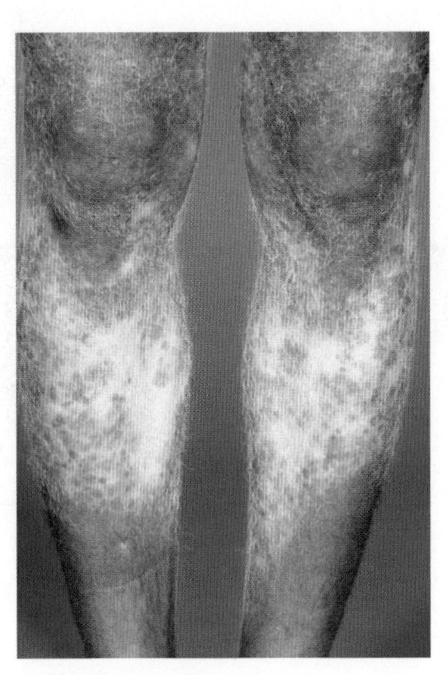

그림 36.57 부분백색증

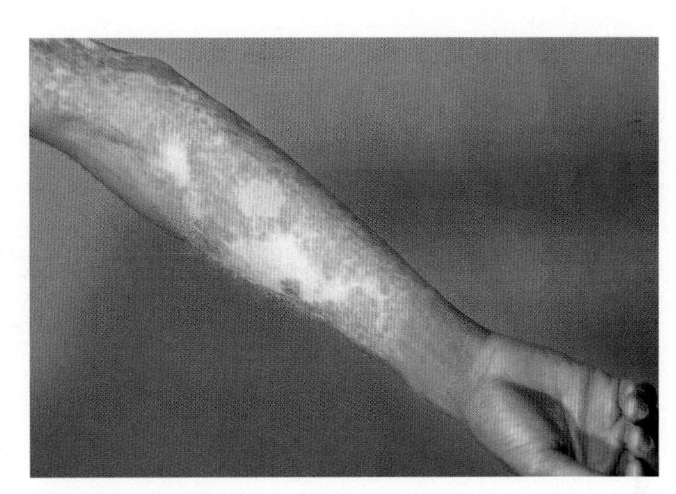

그림 36.58 부분백색증

INDEX

ㄴ

ㄷ

ㄹ

ㅁ

ㅂ

ㅅ

ㅇ

ㅈ

ㅊ

ㅋ

ㅌ

ㅍ

ㅎ

1

A

B

C

D

F

G

H

J

K

L

M